DROIT CIVIL

Obligations

2. Contrat

Boris STARCK

DROIT CIVIL

Obligations

2. Contrat

3e édition

Henri ROLAND
Professeur à la Faculté
de droit de l'Université Lyon III
Président honoraire

Laurent BOYER
Professeur à la Faculté
de droit de l'Université Lyon III

Libraire de la Cour de cassation
27, place Dauphine, 75001 Paris

Dans la même collection :

Introduction au droit, par B. Starck, 2e éd. par H. Roland et L. Boyer.

Droit civil :

Obligations - B. Starck, 3e éd. par H. Roland et L. Boyer :
T. I - Responsabilité délictuelle.
T. II - Contrat.
T. III - Régime général (à paraître)

Les biens, par C. Atias :
T. I - Théorie générale.
T. II - Droit immobilier.

Les personnes, par B. Teyssié.

Les régimes matrimoniaux, par A. Colomer.

La famille, par A. Bénabent.

Voies d'exécution et procédures de distribution, par M. Donnier.

Droit constitutionnel et institutions politiques, 6e éd. par C. Leclercq.

Droit commercial

Acte de commerce, commerçants, fonds de commerce, par Y. Reinhard.

Droit des sociétés, 2e éd. par M. Cozian et A. Viandier.

Droit budgétaire, par J.-Cl. Martinez et P. di Malta.

Droit fiscal contemporain, par J.-Cl. Martinez et P. di Malta :
T. I - L'impôt, le fisc, le contribuable.
T. II - Les impôts, le droit français, le droit comparé.

Droit fiscal international, par B. Plagnet.

Droit pénal général, par M. Puech.

Histoire économique de l'Europe des dix, par M.-O. Piquet-Marchal.

I.S.B.N. 2-7111-0910-0

AVERTISSEMENT AU LECTEUR

La richesse du droit des obligations, autant que la commodité des lecteurs, qui avaient contraint, lors de la seconde édition, à un dédoublement de l'ouvrage entre la responsabilité délictuelle d'un côté, le contrat et le régime général de l'autre, imposent aujourd'hui pour la troisième édition la division du deuxième volume.

Désormais l'ensemble s'articule ainsi :

I. — Responsabilité délictuelle.
II. — Contrat.
III. — Régime général.

Lyon, le 22 avril 1989

Henri ROLAND Laurent BOYER

TITRE II

LES CONTRATS

CHAPITRE PREMIER

GÉNÉRALITÉS

1. — Les contrats se définissent comme des accords de volonté en vue de créer des obligations ou de transférer des droits patrimoniaux (réels, personnels ou intellectuels ou « propriétés incorporelles ») d'une personne à une autre.

2. — Les contrats font partie d'une catégorie plus vaste : les *conventions.* Celles-ci sont des accords de volontés qui, non seulement peuvent créer des obligations ou transférer des droits (ce sont alors des contrats proprement dits), mais peuvent *modifier des obligations préexistantes ou les éteindre.* Contrats et conventions — les termes sont le plus souvent employés comme synonymes — ont donc comme élément commun : la *volonté des parties.*

3. — Cela nous conduit à nous demander, tout d'abord, quel est le *rôle* exact de la volonté en cette matière. Nous nous demanderons, ensuite, si la *volonté unilatérale* — et non plus l'accord des volontés — peut également créer des obligations. Enfin, on procédera à une énumération rapide des diverses catégories de contrats, en les *classant* selon divers critères. Cette classification, ainsi que les idées générales exposées tout d'abord sur le rôle de la volonté en tant qu'élément créateur d'obligations, nous permettra d'entreprendre, par la suite, l'étude de leur formation, de leurs conditions de validité et de leurs effets, qui feront l'objet des chapitres suivants.

SECTION I

RÔLE DE LA VOLONTÉ CONTRACTUELLE

4. — D'après la théorie classique, remontant à l'ancien droit, et qui régnait encore indiscutablement pendant le XIXe siècle, la volonté est l'élément fondamental des contrats; elle est connue sous le nom de théorie de l'*autonomie de la volonté* (1). Après avoir exposé cette théorie, les arguments sur lesquels elle repose et ses conséquences, nous verrons qu'elle est actuellement en déclin, du moins à s'en tenir à son rôle dans le contrat sous sa forme traditionnelle. Cela nous conduira à une appréciation plus nuancée du rôle de la volonté dans les contrats.

Cependant, on a justement observé que le contrat, donc la volonté des contractants qui, nécessairement, est à sa base, connaît depuis une quarantaine d'années déjà — et plus nettement depuis les deux dernières décennies — un renouveau. Mais ce renouveau se manifeste sur un plan différent de celui du contrat classique : il s'agit de contrats intéressant l'économie de masse : « économie concertée » et « économie contractuelle ».

C'est ce déroulement dialectique qui, tout d'abord, exalte le rôle de la volonté contractuelle, le tient pour réduit ensuite, pour le remettre à nouveau en l'honneur, qu'il nous faut décrire dans les trois paragraphes qui suivent.

§ 1. — L'exposé de la théorie de l'autonomie de la volonté

5. — Dire que la volonté est autonome, c'est admettre que la volonté des contractants *crée, à elle seule,* le contrat et tous les effets qui en découlent. Sur quels arguments s'appuie-t-on et quelles en sont les conséquences ?

A. — Arguments

Ils sont de trois ordres : philosophiques, moraux, économiques.

1° Sur le plan philosophique

6. — On part d'un postulat qui est celui de la *liberté des individus* : en principe, personne ne doit rien à personne. Certaines obligations existent, certes, en vue de maintenir la cohésion de la société, de l'État, mais cela reste et doit rester exceptionnel. Afin d'assurer la liberté de chacun, un lien d'obligation ne peut naître que s'il a été voulu. Vouloir être obligé et *n'être obligé que parce qu'on le veut,* c'est encore une manifestation de la liberté. On reconnaît facilement les idées de J.-J. Rousseau à la base de cette

---

(1) SAVATIER, *Métamorphoses du droit civil aujourd'hui,* 3e série, 1959, n° 356 et s. — HAUSER, *Objectivisme et subjectivisme dans l'acte juridique,* L.G.D.J., 1971, préface P. RAYNAUD. — RIEG, *Le rôle de la volonté dans l'acte juridique,* thèse Strasbourg, 1961. —HÉBRAUD, *Rôle respectif de la volonté et des éléments objectifs dans les actes juridiques : Mélanges Maury,* t. II, p. 435. — ARMAND-PRÉVOST et RICHARD, *Le contrat déstabilisé* (*De l'autonomie de la volonté au dirigisme contractuel*) : *J.C.P.* 79, I, 2952. — GHESTIN, *L'utile et le juste dans les contrats : D.* 1982, chron. 1. — E. GOUNOT, *Le principe de l'autonomie de la volonté en droit privé,* étude critique de l'individualisme juridique, Dijon, 1912. — Y. RANOUIL, *L'autonomie de la volonté, naissance et évolution d'un concept,* 1980. — P. LOUIS-LUCAS, *L'autonomie de la volonté en droit privé interne et en droit international privé : Mélanges Capitant,* 1939, p. 491 à 516.

philosophie : l'homme est naturellement libre; la vie en société exige, cependant, un certain abandon de cette liberté; mais cet abandon lui-même n'est concevable que s'il est librement consenti, dans les limites et sous les conditions que ce « contrat social » a déterminées.

2° Sur le plan moral

7. — Le contrat, œuvre des volontés, est conforme, dit-on, aux intérêts des parties contractantes. Nul ne peut vouloir ce qui n'est pas conforme à ses intérêts. C'est en peu de mots la thèse soutenue par Kant (2). Cela conduit à l'*équilibre des intérêts* des contractants. Un philosophe du XIXe siècle, Fouillée, dans une formule ramassée, déclare : « Qui dit contractuel, dit juste ».

3° Sur le plan économique

8. — L'autonomie de la volonté est le meilleur moyen — soutenait-on — d'assurer la prospérité générale. L'intérêt personnel est le moteur essentiel de la vie économique. Pour s'exprimer, s'épanouir, la volonté d'entreprendre doit être libérée de toute entrave. Toute contrainte étatique, sur le plan économique, serait néfaste. Le libre jeu des volontés particulières assure le maximum de production, les prix les plus bas, par suite de la libre concurrence, donc, le bonheur du plus grand nombre !

B. — Conséquences

On peut en indiquer plusieurs, parmi les plus importantes :

1° Le contrat source principale des obligations

9. — Le contrat est l'origine la plus importante des rapports obligatoires, les autres actes générateurs d'obligations sont exceptionnels. Il suffit de considérer la table des matières du Code civil pour voir que telle était la conception de ses rédacteurs. Les contrats et les conventions occupent la majeure partie des articles du Code. Quant aux « engagements qui se forment sans convention », on leur en consacre tout juste 17 (art. 1370 à 1386) : il s'agit des délits et quasi-délits étudiés dans le tome I et des quasi-contrats que nous étudierons ultérieurement (titre III).

2° Le caractère supplétif des lois en matière contractuelle (3)

10. — Les lois s'appliquent parce que *les parties l'ont voulu;* elles interprètent leurs volontés; les parties peuvent donc, d'un commun accord, les

(2) *Eléments métaphysiques de la doctrine du droit,* trad. Barni, 1854, p. 53.

(3) Sur la notion de loi supplétive ou interprétative de volonté, v. Starck, Roland, Boyer, *Introduction au droit,* n° 448 et s.

écarter et donner à leurs contrats un contenu différent, des effets différents de ceux qui sont indiqués dans ces lois. Elles peuvent même créer des contrats non prévus par la loi, des contrats *innomés.*

11. — Il y a plus, même des lois qui n'ont pas trait aux contrats sont présentées comme le reflet de la volonté souveraine de ceux qui en sont les sujets. Ainsi, le régime matrimonial légal (régime de communauté) qui s'applique aux époux qui n'ont pas fait de contrat de mariage, est considéré comme un régime contractuel, tacitement adopté. Les textes concernant la dévolution des successions ne font, dans cette conception, que traduire la volonté probable du défunt, etc.

12. — La jurisprudence utilise, souvent, ce procédé lorsqu'elle veut aménager le contenu d'un contrat ou ses effets. Les juges déclarent alors que telle ou telle clause, que le contrat ne comporte pas, n'y est pas moins incluse : les parties l'y ont introduite *tacitement.* Celles-ci apprennent un beau jour qu'elles avaient *stipulé,* sans s'en douter, diverses obligations ou introduit dans leur contrat telle modalité ou telle autre (4).

Bref, le contrat, la volonté, étaient partout, invisibles parfois, mais presque toujours présents.

3° Le rôle des lois impératives en matière contractuelle

13. — Assurément, on ne nie pas que certaines lois impératives existent en matière contractuelle. Mais, dans cette théorie, ces lois ont pour principal but d'*assurer la liberté et la sincérité des volontés contractantes.* Ainsi, il est évident que les lois concernant l'incapacité de contracter des mineurs ou des aliénés (incapacité d'exercice) sont impératives. Mais cela vient de ce que la loi a entendu que la volonté créatrice soit celle d'un être ayant une certaine maturité d'esprit et d'un être lucide. Il en est de même des lois qui déclarent annulables les contrats conclus par erreur, dol (tromperie) ou violence. Ces lois sont conformes à la thèse de l'autonomie de la volonté, car elles sont destinées à protéger la volonté.

14. — Il existe, reconnaît-on encore, des textes impératifs pour des raisons d'*ordre public.* Mais ces termes vagues étaient compris au XIXe siècle en fonction de la philosophie de l'époque : l'ordre public contractuel avait pour principale mission d'assurer la liberté individuelle et la défense de la propriété qui en était le support estimé nécessaire.

4° Le principe du consensualisme

15. — Le contrat est l'œuvre des volontés des contractants, et de ces volontés seulement. *Ces volontés peuvent s'exprimer d'une façon quelconque.*

---

(4) Un des exemples les plus connus est celui de l'obligation de sécurité que les contractants sont censés avoir introduit dans certains contrats.

Aucune forme n'est nécessaire en principe. Le *consensualisme* signifie donc que le seul échange des consentements suffit pour créer l'obligation ou les obligations ou pour transférer des droits. La règle était déjà exprimée par le célèbre juriste Loysel, dans l'ancien droit :

« on lie les bœufs par les cornes et les hommes par les paroles, et tant valent les simples promesses que les stipulations du droit romain » (4-1).

16. — Par là notre droit des contrats s'oppose aux droits qui se rallient au *formalisme.* Dans un système formaliste, l'échange des consentements ne suffit pas : *Ex nudo pacto actio non nascitur* (du pacte nu ne naît aucune action), disait-on à Rome (4-2). Pour que le contrat naisse, des paroles solennelles devaient être prononcées, ou certains gestes devaient être accomplis. Ce n'est qu'exceptionnellement qu'à Rome on avait admis quelques contrats consensuels, c'est-à-dire dont la formation n'exigeait rien d'autre que l'accord des consentements. C'étaient, il faut le reconnaître, les contrats les plus usuels : la *vente,* le *louage,* le *mandat,* la *société.*

De nos jours, l'ordre est inversé. *Le consensualisme est la règle et ce n'est qu'exceptionnellement que la formation des contrats exige l'accomplissement de formalités,* telle, par exemple, la rédaction d'un acte notarié.

17. — Le consensualisme a pour mérite essentiel de libérer l'expression de la volonté de toute entrave; il favorise donc le commerce juridique, en facilitant la conclusion des contrats. C'est précisément ce que souhaitaient les partisans de la théorie de l'autonomie de la volonté. Les rapports entre particuliers doivent être régis par des contrats librement consentis; il faut donc favoriser, au maximum, leur conclusion.

§ 2. — Le déclin de la théorie de l'autonomie de la volonté

Sous la forme qui vient d'être exposée, cette théorie est en déclin (5). Il est facile de voir que les arguments sur lesquels elle est bâtie sont contestables. Ce déclin retentit sur les conséquences que l'on prétendait en tirer.

A. — Réfutation des arguments

1° Sur le plan philosophique

18. — Le postulat de la liberté initiale des hommes est une affirmation dépourvue de toute base sérieuse. Il est démenti par cette observation

(4-1) Roland et Boyer, *Adages,* p. 705.

(4-2) Roland et Boyer, *Adages,* p. 326.

(5) Sur la question, v. M. Armand-Prévost et D. Richard, *Le contrat déstabilisé* (*De l'autonomie de la volonté au dirigisme contractuel*) : *J.C.P.* 79, I, 2952. — J. Ghestin, *L'abus dans les contrats : Gaz. Pal.* 1981, doct. 379. — J. Ghestin, *L'utile et le juste dans les contrats : D.* 1982, chron. 1. — Batiffol, *La crise du contrat et sa portée,* Arch. Philo Droit, 1968.

élémentaire que *l'homme vit en société nécessairement.* Il en résulte que des liens d'interdépendance, donc d'obligation entre les hommes, sont inhérents à toute vie sociale. Nul ne peut se passer de ses semblables, ni des divers groupes auxquels il appartient : famille, groupements professionnels, Etat.

Quant au point de savoir si l'individu isolé et libre (!) préexistait à la Société ou inversement, il est — pour l'instant — aussi sérieux et insoluble que celui de la préexistence de l'œuf ou de la poule. On le saura, peut-être, un jour. Pour l'instant, la seule chose certaine — mais cette certitude suffit à notre étude — c'est qu'entre individus vivant en société, des rapports d'interdépendance sont nécessaires.

19. — Dans la formation de ces rapports nécessaires d'interdépendance, *la volonté joue un rôle* qu'on ne doit pas sous-estimer. Mais ce rôle n'est pas celui de créer à partir du néant, de façon autonome, les mille obligations qui nous rattachent aux autres membres de la société. Le rôle de la volonté est plus modeste. Elle *aménage* ces rapports d'interdépendance nécessaire, et *elle ne peut les aménager que dans le cadre de la loi et dans la mesure où la loi le permet.*

La loi — c'est-à-dire le droit objectif — domine. De même qu'il n'y a des droits subjectifs (propriété, créance, etc.) que si le droit objectif en admet l'existence et dans la mesure où il l'admet (v. *Introduction,* n° 889), de même les contrats ne peuvent exister, se développer, que dans le cadre légal, celui du droit objectif.

20. — Il est, certes, *souhaitable* que le rôle de la volonté soit le plus grand possible, parce qu'il est souhaitable que le maximum de liberté soit donné à chacun (pas n'importe quelle liberté d'ailleurs). Mais, dire que la volonté est autonome, c'est ignorer la hiérarchie des normes juridiques.

2° Sur le plan moral

21. — L'expérience a prouvé que les laborieuses constructions de Kant et la sentence un peu simpliste de Fouillée (« Qui dit contractuel dit juste ») étaient démenties par les faits. Les contractants n'ont pas une position d'égalité économique et sociale. Il en résulte que les plus forts imposent leur loi aux plus faibles. Ceux-ci, pressés par le besoin, sont *obligés de vouloir* ce que les plus forts sont *libres de leur imposer.* Le XIXe siècle — pour ne pas remonter plus haut dans l'histoire — a montré à quel degré de misère et d'exploitation la liberté peut conduire.

3° Sur le plan économique

22. — La liberté sans frein conduit à l'*anarchie dans la production et la distribution des richesses.* Personne ne défend plus l'économie libérale, sous sa forme pure. Sans nier que l'intérêt personnel soit un facteur déterminant de l'activité économique, la direction de l'économie est apparue comme une nécessité.

Cette direction est assurée, en premier lieu, par l'État. Elle se traduit par des lois qui orientent l'activité économique au lieu de la laisser aller au gré et à la fantaisie de chacun.

L'orientation de l'économie — autrement dit l'économie dirigée — s'est faite aux dépens de l'autonomie de la volonté. Elle n'a pas eu pour objectif de supprimer la volonté en tant que facteur des contrats et des entreprises, mais de l'endiguer, de la canaliser, de manière qu'elle ne puisse dégénérer en anarchie ou en abus de toutes sortes.

L'autonomie de la volonté est un mythe périmé.

B. — Conséquences du déclin

1° Le développement des autres sources d'obligation

23. — Les parts respectives des diverses sources d'obligations ne correspondent plus à celles qui ont été envisagées par le Code civil.

Les « engagements qui se forment sans convention » occupent une place considérable. Sur les quelques articles du Code civil, en matière délictuelle et quasi délictuelle spécialement, une énorme construction s'est élaborée, on l'a vu. Par ailleurs, en dehors de la responsabilité, d'autres faits générateurs de rapports obligatoires se sont développés telle la gestion d'affaires ou sont même apparus, comme l'enrichissement sans cause. Et la jurisprudence, de plus en plus, tend à reconnaître une valeur autonome à l'engagement unilatéral dont elle affirme très souvent le caractère obligatoire, indépendamment de toute rencontre des volontés. Bref, le contrat a cessé de jouer le rôle prédominant que lui assignait la théorie classique.

2° L'accroissement considérable des lois impératives

24. — Même en matière contractuelle, les lois sont, de plus en plus souvent, impératives et non simplement supplétives ou interprétatives de volonté. Certains contrats sont presque entièrement prérédigés par le législateur (contrat de travail, contrat d'assurances, certaines formes de louage, etc.), et les parties ne peuvent pas déroger à leurs clauses. D'autres sont même *imposés* (telles les diverses assurances obligatoires ou le renouvellement des baux ruraux). Le refus de contracter est sanctionné dans certains cas (contravention de « refus de vente »). Le choix du cocontractant n'est pas toujours libre : il existe, en effet, d'assez nombreux droits de préemption (6) ou de retraits permettant à certaines personnes de se substituer au cocontractant choisi, en principe, par un contractant : droit de préemption du fermier (C. rural, art. L. 412-1 et s.), du fisc en cas de vente d'immeubles ou de fonds de commerce, des collectivités publiques habilitées par le Code

(6) C. SAINT-ALARY-HOUIN, *Le droit de préemption,* L.G.D.J., 1979, préface RAYNAUD. — J. HUGOT et D. LEPELLIER, *Le nouveau droit de préemption urbain (loi du 18 juillet 1985),* Litec, 1985.

de l'urbanisme à exercer un droit de préemption dans le cadre des Z.A.D. (zones d'aménagement différé), de tout indivisaire autorisé à prendre la place du coindivisaire cédant à un tiers tout ou partie de ses droits dans l'indivision (C. civ., art. 815-14 et s.), du locataire en place au moment où le bailleur décide de vendre (L. 22 juin 1982, art. 11 et L. 23 déc. 1986, art. 22).

25. — Les lois d'ordre public se multiplient et, surtout, la notion d'ordre public se modifie substantiellement. Jadis, on l'a dit, cette notion avait pour objectif la défense de l'individu, c'est-à-dire de la liberté et de la propriété individuelle. Désormais, il existe des ordres publics nouveaux.

26. — A côté de l'ordre public traditionnel, est apparu, surtout au lendemain de la seconde guerre mondiale, un *ordre public monétaire*. Avec l'instabilité du franc, la fréquence des dévaluations, la baisse du pouvoir d'achat, les contractants ont senti le besoin de se prémunir contre la dévalorisation des prestations échelonnées dans le temps; il en est résulté une floraison de clauses d'indexation, à leur tour source d'inflation et de défiance vis-à-vis de la monnaie. Le législateur a dû réagir pour réglementer les clauses d'échelle mobile, interdire celles se référant au niveau général des prix ou des salaires comme étant les plus dangereuses. D'où son immixtion dans tous les contrats de quelque durée, et parfois même, le plafonnement de la hausse dû au jeu de l'indice pourtant toléré.

27. — L'interventionnisme s'est manifesté aussi, et dans un domaine encore plus large, *au plan proprement économique*. Au début, le législateur s'est proposé seulement la protection du contractant déshérité par rapport à son partenaire plus puissant. Le salarié a bénéficié, le premier, des garanties nouvelles avec le caractère d'ordre public conféré au droit du travail; puis les particuliers ont été protégés sous le rapport de contrats spécifiques; ainsi du fermier (statut du fermage), ainsi du locataire (L. 1er sept. 1948, loi *Quilliot* du 22 juin 1982, loi *Méhaignerie* du 23 déc. 1986), de l'emprunteur (L. 10 janv. 1978 concernant certaines opérations de crédit), de l'assuré (par exemple élargissement aux catastrophes naturelles de la garantie contre l'incendie)... La loi du 10 janvier 1978 (n° 78-23) sur la protection et l'information du consommateur a pris des mesures qui intéressent l'ensemble des contractants, toutes catégories confondues, pour tout échange de biens ou pour toute prestation de services.

28. — Dans un second temps, le législateur s'est préoccupé de soumettre les engagements privés aux objectifs économiques qu'il avait définis pour le pays tout entier. Le dirigisme économique avait atteint son point culminant avec les deux ordonnances du 30 juin 1945 portant réglementation impérative des prix. L'ordonnance n° 86-1243 du 1er décembre 1986, complétée par le décret d'application n° 86-1309 du 29 décembre 1986, si elle a posé le principe que les prix des biens, produits et services sont librement déterminés par le jeu de la concurrence, n'en consacre pas moins un ordre public directif à travers les dérogations importantes qu'elle admet et les multiples contraintes qu'elle consacre : obligation de marquage, d'étiquetage, d'affichage et de facturation; interdiction des ventes avec primes, des ventes liées, des ventes à perte, restriction du délai de paiement pour les produits alimentaires périssables...

Les différents ordres publics seront étudiés plus en détail au chapitre consacré aux conditions de validité des contrats.

3° Le retour du formalisme

29. — Il reste vrai que, théoriquement, l'accord des volontés, dépourvu de toute forme, suffit à créer l'obligation : le pacte nu est valable. Mais il ne s'agit là que d'un principe, qu'entament de si nombreuses exceptions que sa portée se réduit chaque jour. On verra, lorsqu'on traitera des exceptions au consensualisme, que la quasi-totalité des rapports contractuels suppose l'établissement d'un écrit et que, chaque fois qu'une réforme est intervenue à propos d'un contrat donné, elle a fait plus que l'assujettir à la seule exigence scripturale; elle a exigé, en outre, l'insertion de mentions informatives précises et, quelques fois, imposé la remise de documents annexes.

De plus, le consensualisme a de moins en moins la faveur de la pratique quotidienne. Peu de contractants se satisfont de la parole donnée. Ils savent qu'en cas de difficulté, de contestation, il va falloir prouver l'existence de ces accords de volontés. Or, on le sait, dès que l'intérêt du contrat dépasse 5 000 F, l'écrit est, le plus souvent, nécessaire (C. civ., art. 1341).

30. — Quoi qu'il en soit, il demeure que dans des cas très nombreux, l'écrit est exigé, non pour la preuve seulement, mais pour l'existence de l'acte *ad solemnitatem* et le contenu de l'écrit est, en grande partie, imposé par la loi. Cela peut présenter des avantages sur le plan de la sécurité, de la rapidité des négociations, de la publicité. Cet ensemble de considérations fait qu'on a pu parler de la *renaissance du formalisme* (7).

On conserve cependant le principe : l'échange des consentements suffit, mais ce principe est largement entamé par la nécessité de respecter diverses formalités (v. *infra* chap. II, La formation du contrat).

C. — Conclusion

31. — L'évolution de la théorie de l'autonomie de la volonté a conduit certains à déplorer son déclin : ils en déduisent que c'est la liberté de l'homme elle-même qui est, de ce fait, compromise ou, du moins considérablement réduite. Nous ne pensons pas que ce grief soit justifié.

---

(7) V. FLOUR, *Quelques remarques sur l'évolution du formalisme : Études Ripert,* II, p. 136 et s. — M.A. GUERRIÉRO, *L'acte juridique solennel,* L.G.D.J., 1975, préface J. VIDAL. — A. PIEDELIÈVRE, *Les transformations du formalisme dans les obligations civiles*, 1954. — Ph. LE TOURNEAU, *Quelques aspects de l'évolution des contrats : Mélanges Raynaud*, 1985, p. 349 à 680. — B. BERLIOZ-HOUIN et G. BERLIOZ, *Le droit des contrats face à l'évolution économique, in* Études offertes à Roger Houin, 1985, p. 3 à 34. — Ph. JESTAZ, *L'évolution du droit des contrats spéciaux depuis 1945 : L'évolution contemporaine du droit des contrats,* Journées R. SAVATIER, 1985, p. 117 et s.

32. — La liberté abstraite, la Liberté (avec une majuscule), est un concept vide de sens, cela ne signifie pas grand-chose. Ce qui existe, ce qui est réel, ce sont *des libertés,* les diverses libertés de faire tel ou tel acte, d'agir ou de ne pas agir, de choisir telle profession ou telle autre, d'exprimer sa pensée ou de ne pas l'exprimer, etc. *La « liberté contractuelle » n'est que l'une de ces libertés.*

33. — Si les libertés sont diverses et variées, *une hiérarchie doit s'établir entre elles;* certaines sont plus importantes pour l'homme et pour la société que d'autres. La liberté d'exprimer sa pensée, la liberté de travailler, de se nourrir convenablement, de se loger décemment, de s'instruire, ce sont là des libertés plus nécessaires que celle de contracter.

La liberté de contracter à n'importe quelles conditions, à n'importe quel prix, avec n'importe qui, a montré qu'elle peut conduire à l'étouffement des autres droits et libertés, lesquels importent davantage pour le bonheur de tous et de chacun. Si, au prix d'un certain abandon de la liberté contractuelle, on augmente l'efficacité des autres droits et libertés, le bilan sera encore positif et bénéfique.

34. — Il est, certes, hautement désirable que, même en matière contractuelle, la volonté reste *aussi libre que possible.* Encore faut-il que ceux qui utilisent cette liberté ne s'en servent pas pour dominer et exploiter les autres qui, faute d'être sur un même plan économique ou social, *subiront* la liberté bien plus qu'ils n'en *profiteront.*

35. — Somme toute, ce qui a causé le déclin de la théorie de l'autonomie de la volonté, c'est, d'une part, la méconnaissance de la règle élémentaire selon laquelle la loi, donc l'État, se trouve à l'origine de tous nos droits subjectifs, y compris celui de contracter, d'autre part, l'abus que l'on fit de la liberté de contracter dans un contexte socio-économique permettant aux forts d'exploiter les faibles, enfin, et surtout, la nécessité d'une économie planifiée.

36. — Est-ce à dire que l'évolution doit conduire à une élimination de plus en plus complète de la liberté contractuelle dans l'aménagement des rapports sociaux et à son remplacement de plus en plus accusé par la norme imposée ? Ce serait tomber d'un excès dans l'autre. Aussi est-ce sans surprise que l'on assiste, depuis quelques décennies, à une sorte de deuxième souffle du concept contractuel.

§ 3. — Un nouvel essor du concept contractuel

37. — Tel est le titre d'un article de M. Vasseur (8).

Il ne s'agit pas d'une restauration, d'un retour à la conception définitivement périmée du contrat fondé sur la volonté soi-disant librement créatrice. Le nouvel essor du contrat que de nombreux économistes ont analysé se rattache à une autre philosophie, emploie une autre technique et tend à un autre but.

A. — Nouvelle philosophie

38. — L'idée qui est à la base de ce renouveau du contrat, c'est que le meilleur moyen pour élaborer des lois, c'est d'obtenir l'adhésion de ceux qu'elles doivent gouverner. Lorsque la direction de l'économie est apparue comme une nécessité, sous peine de laisser les Etats sombrer dans l'anarchie des initiatives individuelles, privées de toute vue d'ensemble, lorsque l'intervention étatique s'est imposée d'elle-même pour ainsi dire, sous la pression des faits, restait encore à savoir si les lois à caractère économique et social, si les programmes ou les plans successifs qui orientent notre économie, c'est-à-dire la vie même de la collectivité, devaient être l'œuvre d'une bureaucratie de technologues.

39. — La réponse négative à cette question n'a pas tardé. Elle n'a rien d'étonnant pour un pays de tradition libérale comme la France, et plus généralement pour tous les pays occidentaux du monde dit libre; mais, si profondes sont les raisons de ce phénomène, que la recherche d'une certaine collaboration, d'une certaine coopération, a commencé à se manifester — à des degrés variables — même dans les pays à économie collectiviste. « Un Droit *négocié* tend ainsi à prendre place à côté du Droit *imposé* » (9).

Le mouvement se développe, les gouvernements invitant de plus en plus les partenaires sociaux à définir eux-mêmes les modifications à apporter aux rapports contractuels, compte tenu de l'évolution des circonstances économiques et des progrès de la technologie. On notera, par exemple, dans le cadre de l'actualité, les négociations menées à l'instigation des pouvoirs publics entre syndicats patronaux et ouvriers relativement à la flexibilité du temps de travail, jugée par beaucoup comme un élément de solution à la crise de l'emploi ou la réunion d'états généraux pour tenter de remédier à l'endettement inquiétant des organismes de Sécurité sociale face, notamment, à la menace que fait peser sur les retraites l'allongement de la vie humaine. Le législateur ne prescrit plus et ne souhaite plus le faire; il s'en remet aux groupements pour imaginer des solutions nouvelles qu'il se hâtera d'entériner dès l'instant qu'un consensus se sera dégagé. C'est ce que l'on appelle la politique contractuelle.

---

(8) *Rev. trim. dr. civ.* 1964, p. 5 et s.

(9) La proposition est extraite de l'article préc. de M. VASSEUR (p. 8).

B. — Nouvelle technique

40. — La technique de cette nouvelle forme de l'essor contractuel se manifeste tout d'abord au stade de l'élaboration : « Plans » et « programmes » sont précédés par des études et des informations, auxquelles sont conviés les représentants des catégories économiques et sociales concernées. Que l'on songe aux innombrables commissions, conseils et autres organismes qui doivent être nécessairement consultés : commission supérieure des conventions collectives, Commission informatique et libertés, commission des clauses abusives, commission des rapports locatifs, commission des opérations de bourse, conseil supérieur de la chasse, conseil supérieur des assurances... etc. Mais cette « économie concertée » n'aurait pas encore justifié la proclamation du nouvel essor du contrat. Après tout, dans un régime démocratique, toute loi présuppose un large *consensus* des intéressés, seul étant en discussion le mode d'expression de ce *consensus* : le Parlement ? Le Conseil économique et social ? Le Conseil supérieur du Plan ? Les diverses représentations syndicales ? etc.

41. — C'est lorsque, de l'élaboration on est passé à l'*exécution* du Plan et, plus généralement, des diverses lois intéressant l'organisation économique et sociale, que le *contrat* a vu s'ouvrir devant lui un nouveau et vaste domaine. Au demeurant, il ne s'agit pas du contrat traditionnel, de celui des civilistes, mais d'un concept qui, pour lui être apparenté, s'en distingue fondamentalement.

Le contrat traditionnel est individualiste, alors même que les contractants sont, souvent, des sociétés, personnes morales, ce qui, d'ailleurs, n'est pas sans modifier sa physionomie initiale et sa structure même. Les contrats de type nouveau se développent sur le plan collectif, parce qu'ils doivent satisfaire à une économie de masse et de groupes. C'est ce qui explique que ceux qui en sont les participants ne sont pas des individus, mais des collectivités : tantôt il s'agit d'accords entre entreprises ou, plus souvent, entre groupes d'entreprises; ou bien entre entreprises, individuelles ou groupées, d'une part, et l'Etat d'autre part; tantôt encore entre entreprises et syndicats.

42. — L'effacement de l'individu et la standardisation du contrat par l'intervention des organismes représentatifs est remarquable en matière de consommation. Ainsi le contrat N.F. X 30 002 a été élaboré à la demande du groupe consommation du VIe plan, sous l'égide de l'Afnor, par toutes les parties intéressées : d'une part les groupements de constructeurs et de distributeurs, d'autre part les organisations de consommateurs et l'Institut national de la consommation. De tous ces travaux, il est résulté un cahier de clauses types applicables au contrat de service se rapportant au bon fonctionnement des appareils d'équipement ménager, à la vente et après la vente : livraison, mise en service, fonctionnement de la garantie quant au coût de la main-d'œuvre, des frais de transport de l'appareil renvoyé à l'usine...

Il s'agit seulement d'un cadre préétabli; si les clauses pré-rédigées doivent figurer sur l'écrit, il n'est pas question de les imposer; le vendeur peut les accepter ou les refuser, supprimant ainsi partiellement ou totalement la garantie. Le but d'un tel contrat est donc, non pas de régir impérativement les rapports contractuels, mais de préciser uniquement les services auxquels le vendeur s'oblige, autrement dit d'assurer une information claire et complète du consommateur.

Il existe, outre les accords sur la présentation des contrats, des conventions types concertées touchant le contenu même des obligations. A cet égard, on citera l'accord *Delmon* en matière de baux, qui a tant inspiré la loi *Quilliot,* fixant les clauses obligatoires d'une part et les clauses interdites d'autre part. Cet accord est, lui aussi, né d'une vaste concertation (six organisations représentatives de locataires, dix de propriétaires et gestionnaires), mais ne constitue qu'un ensemble de recommandations dépourvues de force obligatoire. Le contrat, comme dans l'exemple précédent, est donc bien collectivement négocié, non individuellement imposé.

C. — Nouvelle finalité

43. — Distincts par leur philosophie et par leur technique, ces contrats d'un type nouveau sont différents, par leur *but,* de ceux de type classique. Celui-ci à un objectif limité à un échange de biens et de services, celui-là est l'instrument d'une organisation économique et sociale s'insérant dans un plan d'avenir : il a une vue prospective (10).

44. — Ses applications sont innombrables, et on ne saurait en donner que quelques exemples :

— **En matière sociale,** ce sont les conventions collectives, les accords d'établissements ou même de simples protocoles d'accords (comme ceux dits de Grenelle); les conventions relatives aux soins médicaux; les contrats conclus par l'Etat avec des établissements d'enseignement privé, les contrats-formation, les conventions relatives aux travaux d'utilité collective (T.U.C.).

— **En matière économique,** la collaboration des entreprises entre elles se manifeste par le caractère contractuel de l'organisation professionnelle, par les divers accords destinés à s'adapter aux exigences d'une économie de plus en plus compétitive (groupements d'achats, organisations contractuelles des marchés agricoles). Des contrats divers sont passés par l'État avec les entreprises, sociétés d'économie mixte; subventions diverses en contrepartie d'engagements de production ou d'exportation; « contrats fiscaux », ce qui peut paraître singulier, car ils portent atteinte à la règle de l'égalité de tous devant l'impôt (il s'agit de faveurs fiscales accordées à certaines entreprises en contrepartie d'engagements pris par elles dans le cadre d'un certain objectif poursuivi par l'État), etc.

---

(10) M. PIETTRE, cité par M. VASSEUR, *op. cit.,* p. 11 et 12.

45. — Tels sont, sommairement, les aspects de ce nouvel essor du contrat. Il fallait en avoir un aperçu, savoir que ce courant existe. Mais on comprend bien que l'on est loin de la matière classique des contrats qui fera l'objet de notre étude. Ces contrats, d'un type nouveau, n'obéissent pas au régime juridique du Code civil. Ils s'apparentent plus à ceux du droit public qu'à ceux du droit privé. On ne conçoit ni exécution forcée, ni intangibilité qui serait incompatible avec les mutations rapides en matière économique et sociale; on ne saurait les soumettre aux tribunaux judiciaires, ni même aux juridictions administratives. Il s'agit d'un droit nouveau, d'un droit autonome, en voie de formation. Il n'appartient pas aux civilistes de s'en occuper.

Revenons donc à l'objet propre de notre étude. Ayant vu quel est le rôle de la volonté dans le contrat de type classique, il nous faut, maintenant, aborder un deuxième aspect du rôle de la volonté : celui qui consiste à se demander si la *volonté unilatérale* peut engendrer des obligations.

SECTION II

RÔLE DE LA VOLONTÉ UNILATÉRALE

C'est une des questions les plus controversées, ainsi que le montre l'abondance des travaux qui lui ont été consacrés. Pour clarifier l'exposé, il est capital de distinguer les deux types de situations qui procèdent d'une volonté unique : l'acte unilatéral d'une part, et l'engagement unilatéral proprement dit d'autre part (11).

Acte unilatéral

46. — Dans certains cas, peu nombreux d'ailleurs, le Code civil attache des effets à l'expression d'une volonté unilatérale. Il en est ainsi de la reconnaissance d'un enfant naturel. C'est là un acte juridique unilatéral qui engendre des obligations et, corrélativement, des droits. On n'exige pas l'accord des volontés, celle de l'enfant reconnu n'est pas nécessaire. Le

(11) Sur l'ensemble de la question : SALEILLES, *Théorie générale de l'obligation.* — GÉNY, *Méthodes d'interprétation et sources en droit privé positif.* — DEMOGUE, *Traité des obligations.* — JOSSERAND, *Traité de droit positif français.* — WORMS, *De la volonté unilatérale comme source d'obligation*, thèse Paris, 1927. — J. CHABAS, *De la déclaration de volonté*, thèse Paris, 1931. — Martin DE LA MOUTTE, *L'acte juridique unilatéral*, thèse Toulouse, 1951. — A. RIEG, *Le rôle de la volonté dans l'acte juridique en droit civil français et allemand*, thèse Strasbourg, 1961. — NAJJAR, *Le droit d'option : contribution à l'étude du droit potestatif et de l'acte unilatéral*, 1967. — J.-L. AUBERT, *Notion et rôle de l'offre et de l'acceptation dans la formation du contrat*, thèse Paris, 1970, préface FLOUR. — FLOUR et AUBERT, n° 743 et s. et 482 et s. — LARROUMET, n° 86 et s. — MAZEAUD et CHABAS, n° 358 et s. — RAYNAUD, n° 108 et s., 355 et s. — CARBONNIER, p. 405, 503. — GHESTIN, n° 200 et s. — WEILL et TERRÉ, n° 25 et s.

testament est un acte juridique unilatéral : les légataires acquièrent des droits en vertu de cet acte. On peut, aussi, renoncer unilatéralement à un droit, par exemple renoncer à une succession, ce qui entraîne des effets juridiques au profit des héritiers subséquents qui, désormais, pourront réclamer la part du renonçant; ou renoncer à une servitude. La confirmation d'un acte nul, la ratification de la gestion d'affaires, sont des actes unilatéraux, engendrant des obligations, prévus par la loi. Il en existe d'autres (congé dans le bail, résiliation unilatérale du contrat de travail, levée d'une option dans une vente...). Il est donc certain que, lorsque la loi l'a prévu, la volonté unilatérale produit des effets juridiques conformes à cette volonté. Mais il faut bien relever les conséquences que la loi attache à l'acte unilatéral dans ces différentes circonstances : l'effet produit est tantôt *abdicatif*, ce qui est le cas de toutes les renonciations, tantôt *extinctif* comme en matière de résiliation (contrat de travail) ou de révocation (compte joint) (11-1), tantôt *déclaratif* (reconnaissance de dette, d'enfant naturel), tantôt *translatif* (testament); mais, en aucun cas, il n'est générateur d'obligations au sens technique du terme.

Engagement unilatéral

47. — L'engagement unilatéral, à l'opposé, se situe dans la sphère de la création de l'obligation. Peut-on admettre qu'en dehors même des cas prévus par la loi, un simple engagement unilatéral sans accord avec une autre volonté suffise à faire naître une obligation ?

Lorsqu'on s'interroge sur la valeur obligatoire de la volonté unilatérale, il s'agit uniquement de l'obligation considérée passivement : la question est de savoir si la déclaration solitaire peut faire naître une *dette* à la charge du déclarant, étant donné qu'on ne saurait, de sa seule initiative, se constituer un actif. Par ailleurs, dans l'affirmative, il va de soi que le tiers à qui l'offre est adressée ne devient pas automatiquement créancier, devant, selon le droit commun, accepter de le devenir.

48. — Il importe, afin de prévenir des malentendus, de souligner que ce problème ne se pose qu'en présence d'*engagements fermes et suffisamment précis.* Nul ne peut soutenir qu'une simple « petite annonce », indiquant que l'on est désireux de vendre telle chose ou d'acheter, de louer, etc., sans indiquer avec précision la chose, objet du contrat, le prix et éventuellement d'autres clauses essentielles, soit, par elle-même, un engagement unilatéral. Il en est de même de divers prospectus publicitaires, ou encore des « appels d'offres » qui sont des invitations à entrer en pourparlers. Laissons donc de côté ces situations qui ne concernent pas notre problème. Celui-ci ne se pose que si la volonté de s'obliger n'est pas douteuse. Les deux espèces qui illustrent le mieux la catégorie sont l'offre de contracter et la promesse de récompense.

(11-1) Civ. 1re, 19 juill. 1988 : *J.C.P.* 88, IV, 346 : un compte joint perd ce caractère par la seule manifestation de l'un de ses titulaires.

Offre de contracter

49. — Une personne écrit à une autre une lettre par laquelle elle lui propose de lui vendre une chose déterminée à un prix déterminé, par exemple un immeuble, un tableau de maître, une collection de livres, ou n'importe quoi. Cette offre unilatérale l'engage-t-elle ? Est-elle tenue de la maintenir, au moins pendant un certain temps, ou bien peut-elle se rétracter à tout moment, dès lors que cette offre n'a pas encore été acceptée (en effet, si l'offre est acceptée, elle devient un contrat et l'engagement ne fait plus de doute) ?

50. — Certaines *offres sont faites au public,* elles ne s'adressent pas à une personne déterminée. Elles résultent d'un fait, d'une attitude, qui exprime la volonté de s'engager. C'est le cas des marchandises se trouvant dans les vitrines des magasins ou dans les magasins eux-mêmes ou encore dans les distributeurs automatiques; c'est le cas de tous les établissements qui offrent leurs services au public : restaurants, hôtels, spectacles, bains-douches, ou ce que l'on voudra; c'est aussi le cas des taxis et de toute entreprise de transports. Des offres au public peuvent aussi être faites par voie de presse (12) ou même d'affiches (13).

Promesse de récompense

51. — Par voie de presse ou par affiches, on promet telle somme à qui rapportera un objet perdu, son petit chien favori ou sa montre ou son portefeuille, etc. L'offrant est-il tenu par sa promesse unilatérale ? Doit-il la somme offerte, alors même que le service espéré lui aurait été rendu dans l'ignorance de la récompense promise, c'est-à-dire dans des conditions ne permettant pas d'imaginer une convention dérivant d'une acceptation tacite ? On pourrait donner d'autres exemples, mais ceux-là suffisent pour aborder le problème.

52. — Précisons que l'on désigne couramment la promesse unilatérale par le terme *pollicitation,* et le promettant par celui de *pollicitant.*

Il existe, en cette matière, une théorie traditionnelle, classique, qui déclare que l'engagement par volonté unilatérale est dépourvu d'efficacité. Nous l'exposerons, tout d'abord. Sous cette forme rigoureuse, cette thèse n'a pas pu s'imposer. Aussi bien, un système intermédiaire en atténue les conséquences.Il fera l'objet d'un deuxième paragraphe. Une thèse plus moderne — à laquelle nous nous rallions — adopte une attitude favorable à l'engagement par volonté unilatérale. Elle sera indiquée dans un troisième paragraphe.

---

(12) Civ. 3e, 28 nov. 1968 : *Bull. civ.* III, n° 507, p. 389.

(13) Paris, 3 déc. 1959 : *D.* 1960, 231; *Rec. gén. lois et jurispr.* 1960, 337, obs. B. STARCK.

§ 1. — L'inefficacité de la volonté unilatérale dans la doctrine classique

53. — La plupart des auteurs y restent fidèles. En dehors des cas prévus par la loi, dit-on, la volonté unilatérale ne peut pas créer une obligation à la charge du promettant et au profit d'un tiers. Il en résulte que celui qui s'est ainsi engagé *peut se rétracter à tout moment*, l'offre n'a pas à être maintenue, elle est librement révocable; il en résulte également que l'offre est *caduque, de plein droit, par la mort de l'offrant* (14) ou son *incapacité* (tutelle des majeurs aliénés, par exemple). La mort supprime la volonté qui est le seul support de l'engagement, et il en est de même des diverses incapacités d'exercice qui peuvent frapper le pollicitant.

Plusieurs raisons sont données à l'appui de cette théorie, mais elles ne sont pas convaincantes.

A. — Défaut de base textuelle

54. — Ce mode d'engagement n'est pas prévu par la loi. Argument étonnant alors que l'on sait que la loi n'est pas la seule source de droit. Si on avait raisonné de la même façon en matière de responsabilité, l'immense construction de la responsabilité du fait des choses n'aurait pas pu être édifiée. De même en ce qui concerne l'enrichissement sans cause, d'origine purement prétorienne, contre lequel aucune voix contraire ne s'est élevée, motif pris du silence de la loi. Il y a plus de choses dans le droit que dans la loi, personne n'ira soutenir le contraire. Par ailleurs, on ne saurait méconnaître les multiples mécanismes unilatéraux que la loi a doté d'existence juridique (révocation, renonciation, confirmation...), ce qui montre bien que le législateur n'a pas d'hostilité de principe à l'efficacité d'une volonté unique. On reconnaîtra, il est vrai, que ces mécanismes ne sont pas créateurs d'obligations, mais producteurs toutefois d'autres effets de droit.

B. — Dangers de ce mode d'engagement

55. — Ce mode d'engagement serait dangereux à deux points de vue, quant au fond et quant à la preuve.

D'abord, on risquerait de s'engager à la légère, faute d'avoir un contradicteur. Argument sans portée; le consentement n'est source d'obligations que s'il émane d'une personne lucide et libre. Ces conditions sont nécessaires, mais elles sont suffisantes. Il va de soi qu'un engagement unilatéral donné par erreur ou émanant d'un incapable serait nul. Il en va de même dans les contrats. Mieux encore, le risque y est souvent supérieur du fait que l'une des parties peut, par habileté ou supériorité économique, dicter sa loi à son partenaire.

---

(14) Soc., 14 avril 1961 : *J.C.P.* 61, II, 12260; *Rev. trim. dr. civ.* 1962, 349, obs. G. CORNU.

Ensuite, second danger, comment prouver cet engagement unilatéral ? N'est-ce pas impossible, la volonté étant un phénomène psychologique interne ? Il n'est pas question d'aller rechercher les pensées non exprimées. Nul ne l'a jamais prétendu. La preuve de l'engagement par volonté unilatérale doit obéir aux règles générales des preuves : un écrit, généralement, au-dessus de 5 000 F, sous les exceptions admises pour tout acte juridique; mais à vrai dire, l'exigence d'une preuve littérale est de peu d'intérêt en l'espèce, du fait que d'ordinaire, c'est le tiers qui invoque l'engagement à son profit et, qu'en cette qualité, il n'est pas tenu de préconstituer la preuve (v. *Introduction*, n° 1357 et s.).

C. — Incompatibilité avec la notion d'obligation

56. — L'objection se dédouble. D'une part, *il ne peut y avoir de débiteur sans créancier corrélatif*, du moment que l'obligation se définit comme un lien de droit entre deux personnes. Or, c'est bien ce qui arriverait si on admettait l'engagement par volonté unilatérale. L'argument n'a aucune valeur. Il existe toujours un créancier potentiel, celui qui sera intéressé par l'offre de contracter ou qui découvrira l'objet perdu. De plus, il faut observer que, si personne ne réclame l'exécution de l'obligation prise unilatéralement, le problème ne se pose pas et que, si quelqu'un réclame l'exécution, c'est que, précisément, il existe un créancier.

57. — D'autre part, si on admet l'engagement par volonté unilatérale, on doit, par esprit de symétrie, *permettre le dégagement par voie unilatérale.* Si la volonté unilatérale a la vertu de créer, on doit lui reconnaître la vertu de détruire. Cela conduirait donc à la négation même de l'obligation puisque le débiteur de cette obligation pourrait se libérer à sa guise, en détruisant son obligation par une déclaration de volonté contraire (15). On aboutirait à la reconnaissance d'une obligation purement potestative en contravention avec l'article 1174 du Code civil. C'est là le principal argument de la thèse classique. On voit qu'il repose, en réalité, sur le dogme de l'autonomie de la volonté. Si la volonté peut créer parce qu'elle est autonome, c'est qu'elle peut aussi détruire, pour la même raison.

58. — Mais, on a vu que l'autonomie de la volonté procède d'une vue erronée. La volonté n'est créatrice que si elle est soutenue par la norme objective de droit. Elle n'a d'effet que si cette norme — disons la loi — considère que cela est utile et équitable. Rien n'impose, dès lors, la règle symétrique dont il s'agit. On peut admettre que *la volonté unilatérale engage, parce que cela est utile socialement et économiquement,* tout en posant comme règle, *qu'une fois l'engagement pris, on ne peut plus s'en libérer unilatéralement, parce que cela créerait un trouble économique ou social.* En outre, au plan du raisonnement, s'engager et se libérer ne sont

---

(15) A condition, bien entendu, que l'engagement unilatéral n'ait pas été déjà accepté, ce qui entraîne la création du lien contractuel.

pas indissociablement unis : « La liberté susceptible d'être reconnue à chacun est de se lier *ou* non; elle n'est pas de se lier *et* de se délier. En bref, après qu'une personne a librement choisi de s'engager, elle a, du même coup, perdu sa liberté » (15-1). Cette théorie est inutile, ajoute-t-on, enfin. En effet, il est possible de sanctionner le retrait de l'offre unilatérale, sans pour autant adhérer à la théorie de l'engagement unilatéral. C'est la raison pour laquelle un système intermédiaire a été, en définitive, proposé.

§ 2. — L'efficacité de la volonté unilatérale en jurisprudence

59. — Auteurs et tribunaux adhèrent, en général, à la théorie classique : l'engagement unilatéral ne crée pas d'obligation. Mais ils ne peuvent pas ignorer que le retrait d'une offre ferme jetterait le trouble dans le monde des affaires, dans les relations des particuliers entre eux. Il n'est que de penser aux démarches (visites successives) et aux frais (expertises des lieux) auxquels s'astreint le destinataire de l'offre d'une vente d'immeuble avant de se décider : le retrait intempestif de la proposition en de telles circonstances est source de préjudice et d'insécurité.

Aussi, tout en adhérant à la thèse classique, ils arrivent à la tourner. Ils trouvent un moyen ou un autre pour sanctionner le retrait de l'offre unilatérale, ce qui est une façon déguisée de lui reconnaître un caractère obligatoire. Deux techniques sont principalement employées pour y parvenir : celle de la responsabilité délictuelle et celle de l'avant contrat. Bien mieux, une jurisprudence toute récente conduit à s'interroger sur le maintien de la position traditionnelle de la jurisprudence, quant à la transmissibilité et quant à la révocabilité.

A. — Technique de la responsabilité délictuelle

60. — L'offrant n'est pas engagé par son offre unilatérale, mais *le retrait* de l'offre ou le refus de contracter, sans motif légitime, *est une faute*. Si cette faute cause un préjudice, il est dû réparation à celui qui en souffre (16). La meilleure réparation est une réparation en nature, l'obliger à conclure le contrat !

61. — Mais n'est-il pas contradictoire de déclarer, d'une part que l'offre unilatérale n'oblige pas, pour ajouter aussitôt que son retrait peut constituer une faute ? Quelle différence y a-t-il alors avec l'affirmation que l'offre engage purement et simplement ?

(15-1) AUBERT, n° 493.

(16) Soc., 22 mars 1972 : *D.* 1972, 468. — Sur le rejet de la distinction entre l'offre à personne déterminée et l'offre au public : Civ. 3e, 28 nov. 1968 : *Bull. civ.* III, n° 507; *Rev. trim. dr. civ.* 1969, 348, obs. CORNU, 555, obs. LOUSSOUARN. — Civ. 3e, 12 fév. 1975 : *Bull. civ.* III, n° 60. — Civ. 1re, 19 janv. 1977 : *D.* 1977, 593, note J. SCHMIDT-SZALEWSKI.

62. — D'ailleurs, cette théorie est insuffisante. Elle n'empêcherait pas la caducité automatique de l'offre au cas d'incapacité ou de mort de l'offrant (17). Mourir n'est pas une faute. Aucun remède n'existerait alors contre la précarité de l'offre, suspendue ainsi au fil des Parques... qui maintient en vie l'offrant lui-même. Or, si l'offre avait été assortie d'un délai, il importe, pour la *sécurité* des affaires, que le destinataire de l'offre puisse compter sur le respect de ce délai, le cas échéant, en le faisant valoir contre la succession de l'offrant.

Une autre technique semble avoir été plus souvent adoptée pour atténuer les conséquences de la thèse traditionnelle de l'inefficacité de l'engagement par volonté unilatérale, celle de l'avant-contrat.

B. — Technique de l'avant-contrat

63. — C'est la justification classique proposée par Demolombe (18). On raisonne de la façon suivante. Lorsque l'offre parvient à la connaissance du tiers auquel elle est destinée, celui-ci n'a aucune raison de ne pas la prendre en considération. Je suppose que je trouve dans mon courrier l'offre de vente d'une villa sur la Côte d'Azur à un prix déterminé, offre qui m'est faite pour une durée de quinze jours ou un mois, par exemple. Y réfléchir pendant ce délai ne me coûte aucunement, car, de mon côté, je ne prends pour cela aucun engagement.

On peut donc *présumer* que le destinataire de l'offre a tacitement accepté, non pas encore l'achat de cette villa, mais d'envisager cet achat (n'est-ce pas agréable de rêver ainsi pendant quinze jours ou un mois ?...); il a accepté, non pas encore le contrat proposé, mais cet *avant-contrat.* Or, un avant-contrat est déjà un contrat où *deux volontés* s'expriment et, par conséquent, créent un lien obligatoire.

64. — Notre droit contractuel étant consensualiste, le *simple silence* peut, quelquefois, être interprété comme un consentement. C'est justement le cas de notre hypothèse. Un avant-contrat s'est formé par *acceptation tacite,* avant-contrat dont l'objet est de créer l'obligation, pour l'offrant, de ne pas retirer l'offre pendant le délai indiqué (19).

65. — Il y a mieux ! Si aucun délai n'est indiqué, le juge en fixera un, compte tenu des usages auxquels, *tacitement,* l'offrant est censé se référer. Il y a, en ce cas, un double échange de consentements tacites..., ou présumés tels ! Il n'en faut pas davantage pour que l'offre soit désormais obligatoire et cela, même en cas de décès de l'offrant. Elle obligera alors ses héritiers.

---

(17) Soc., 14 avril 1961 : *D.* 1961, 535.

(18) *Cours de droit civil français*, t. XXIV, n° 63 et s.

(19) Colmar, 4 fév. 1936 : *D.H.* 1936, 187.

66. — Telle est cette théorie. Elle donne satisfaction aux besoins de la pratique, laquelle ne saurait admettre le retrait d'une offre ferme, même si elle n'a été qu'unilatérale.

On peut seulement se demander pourquoi il a fallu tant de complications et de subtilités, tant de présomptions et de suppositions gratuites, pour en arriver à déclarer obligatoire une offre qui, en principe, ne l'est soi-disant pas ?

C. — Transmissibilité de l'offre

67. — La jurisprudence décidait traditionnellement que l'offre devient caduque par le décès du pollicitant et que ses héritiers ne sauraient être liés par la simple pollicitation de leur auteur (20). Cette position n'était logique qu'en présence d'un engagement non assorti d'un délai, seule hypothèse dans laquelle la jurisprudence avait été amenée à statuer.

Un arrêt de la troisième Chambre civile du 9 novembre 1983 (21) a décidé le contraire à propos du droit de préemption des Safer. En l'espèce, le mari et la femme avaient notifié à la Safer leur intention de vendre deux parcelles de terre; quinze jours plus tard, ils informaient la Safer de la renonciation du fermier à exercer son droit de préemption; peu après, l'un des époux décédait, après quoi seulement la Safer faisait connaître sa décision de préempter. Deux ans plus tard, les héritiers du prédécédé, ayant obtenu un meilleur prix, adressaient une nouvelle notification de vente à la Safer. La Safer soulevait que cette notification était sans objet, puisque son acceptation deux ans plus tôt avait définitivement formé la première vente. La Cour suprême, dans une formule conçue en termes généraux, affirme que l'offre de vente ne pouvait être considérée comme caduque ou inopposable à ses héritiers du seul fait du décès. Face à une telle position, la conclusion s'impose : les héritiers ne peuvent être tenus que dans la mesure où leur auteur était lui-même engagé; la dette préexistait donc au décès et, comme la rencontre des volontés ne s'était pas encore opérée à cette date, force est d'admettre que la volonté unilatérale, à elle seule, a le pouvoir créateur de l'obligation.

D. — Révocabilité de l'offre

68. — Depuis un arrêt de principe de la Cour de cassation (22), il n'était plus discuté que « l'offre étant insuffisante pour lier par elle-même celui qui l'a faite, (pouvait) en général être rétractée, tant qu'elle n'(avait) pas été acceptée valablement », et qu'il n'en allait autrement que dans le cas où

---

(20) Soc., 14 avril 1961 : *J.C.P.* 61, II, 12260; *Rev. trim. dr. civ.* 1962, 349, obs. CORNU.

(21) *Bull. civ.* III, n° 222; *Rev. trim. dr. civ.* 1985, 154, obs. MESTRE; *Rép. Defrénois* 1984, p. 1011, obs. AUBERT; *J.C.P.* 84, IV, 24; *D.* 1984, I.R. 174.

(22) 3 fév. 1919 : *D.* 1923, 126. — Dans le même sens, Civ. 1re, 13 janv. 1984 : *Bull. civ.* I, n° 193, p. 164.

l'offrant s'était expressément (23) ou implicitement (24) engagé à ne pas retirer sa proposition avant une certaine époque.

Cette libre faculté de rétraction semble remise en cause par certains arrêts, dont deux qui émanent de la Cour de cassation.

69. — Un arrêt de la troisième Chambre civile du 27 juin 1984 (25) invite à reconsidérer le principe de la libre révocabilité. Un preneur à bail commercial, avant l'achèvement de la première période triennale, avait fait connaître au bailleur sa volonté de résilier. Peu après, le bailleur n'ayant pas pris acte de sa notification, le preneur, revenant sur sa décision, informait son partenaire qu'il annulait le congé précédemment adressé. La cour d'appel (26) se prononça pour le maintien du bail, autrement dit décida en faveur de la liberté de rétractation, au motif que « si le congé est une manifestation unilatérale de volonté devant produire ses effets de droit à la date prévue par l'acte pour le délaissement des lieux loués, cette manifestation constitue, de la part du preneur, une renonciation à son droit au renouvellement du bail, sans pouvoir prétendre à une indemnité d'éviction; or, conformément aux principes généraux du droit, le renonçant peut rétracter sa renonciation tant qu'elle n'a pas été acceptée ».

La Cour suprême casse cette décision, faisant sienne l'argumentation du bailleur, selon laquelle « *le congé, qui est un acte juridique unilatéral, produit ses effets juridiques indépendamment de l'acceptation du destinataire et ne peut être rétracté que de la commune volonté des parties* »; l'arrêt prend soin de relever que le congé délivré par le preneur avait mis fin au bail, qu'il ne lui appartenait plus de revenir sur sa renonciation, sauf consentement du bailleur.

Les opposants à la théorie de l'engagement unilatéral comme source autonome d'obligation, ne manqueront pas d'objecter que la solution n'est pas décisive : l'efficacité du congé n'étant pas subordonnée à l'acceptation du propriétaire, la solution s'imposait compte tenu de la législation sur les baux (D. 30 sept. 1953, art. 3-1). Néanmoins, les attendus paraissent de portée générale : une déclaration unilatérale de volonté est à ce point obligatoire qu'elle interdit à son auteur de la rétracter, quand bien même son destinataire ne se serait pas encore manifesté (26-1).

69-1. — La même force obligatoire a été reconnue par la 1re Chambre civile (26-2) dans une espèce où un enfant avait été reconnu par un homme

---

(23) Civ. 3e, 10 mai 1968 : *Bull. civ.* III, n° 209.

(24) Civ. 1re, 17 déc. 1958 : *D.* 1959, 33.

(25) *Bull. civ.* III, n° 125; *Rev. trim. dr. civ.* 1985, 377, obs. MESTRE.

(26) Aix, 13 janv. 1983 : *J.C.P.* 84, éd. E, II, 13750, note F. GIVORD.

(26-1) Solution identique dans Civ. 3e, 12 juill. 1988 : *D.* 1988, 234; *J.C.P.* 88, IV, 336 : le preneur signifie congé puis continue à occuper : il ne se produit pas un nouveau bail, par tacite reconduction, car le congé efficace à lui seul est irrévocable.

(26-2) Civ. 1re, 21 juill. 1987, inédit rapporté par J. MESTRE : *Rev. trim. dr. civ.* 1988, 134.

qui n'en était pas le père, puis légitimé par mariage subséquent. Le dissentiment survenu dans le couple, la reconnaissance fut annulée, la légitimation mise à néant et le faux père condamné à des dommages-intérêts et au paiement d'une pension alimentaire pour l'entretien de l'enfant. La contestation qu'il présenta fut écartée : on ne saurait, déclara la Cour, revenir sur les avantages matériels dont l'enfant avait bénéficié entre la reconnaissance et son annulation aux motifs que lesdits avantages représentent l'exécution d'« un engagement personnel librement consenti »; quant aux pensions versées, elles sont également irrépétibles comme ayant leur source dans cet engagement personnel et non dans la décision de justice l'ayant constaté. La Cour de cassation approuve les juges du fond, observant que l'intéressé « avait contracté l'engagement de subvenir comme un père aux besoins de celle qu'il avait librement décidé de considérer comme sa fille, engagement dont l'octroi de dommages-intèrêts a notamment pour objet de sanctionner l'inobservation ».

La Cour suprême prend nettement parti pour la force obligatoire de l'engagement unilatéral et son irrévocabilité; régulièrement, l'annulation de la reconnaissance aurait dû entraîner dans sa chute l'engagement d'entretien corrélatif et, ce, rétroactivement; or la Cour dissocie les deux, laissant survivre la promesse d'entretien comme ayant une *source autonome*, l'engagement personnel et unilatéral du père complaisant.

69-2. — Signalons que la Convention de Vienne des Nations-unies sur la vente internationale de marchandises, publiée par le décret n° 87-1034 du 22 décembre 1987, réglemente, sans toute la netteté désirable, le problème de la révocation. Son article 16 dispose :

« 1. Jusqu'à ce qu'un contrat ait été conclu, une offre peut être révoquée si la révocation parvient au destinataire avant que celui-ci ait expédié une acceptation.

2. Cependant, une offre ne peut être révoquée :

a) Si elle indique, en fixant un délai déterminé pour l'acceptation, ou autrement, qu'elle est irrévocable; ou

b) S'il était raisonnable pour le destinataire de considérer l'offre comme irrévocable et s'il a agi en conséquence. »

En définitive, ce texte ramène à la jurisprudence qui lie l'irrévocabilité à l'existence d'un délai prévu ou d'un délai d'usage. Quant à l'article 15, il déclare qu'une offre, même si elle est irrévocable, peut ête rétractée lorsque la rétractation parvient au destinataire avant ou en même temps que l'offre.

§ 3. — La volonté unilatérale source autonome d'obligation

Proposée en Autriche, dès la fin du siècle dernier (27), cette théorie paraît la plus simple et la plus efficace pratiquement (28).

A. — Justification de la force obligatoire de l'engagement unilatéral

70. — On a vu qu'aucun des arguments avancés par la théorie classique ne peut être retenu; on a montré, d'autre part, que le *but de la jurisprudence est le maintien de l'offre* pendant le délai indiqué par l'offrant ou, si aucun délai n'est prévu, pendant le délai raisonnable, selon la nature de l'offre (délai qui, en cas de litige, aura été déterminé par le tribunal).

71. — Si rien ne s'oppose sur le plan théorique à l'admission de l'engagement par volonté unilatérale, si tout, au contraire, milite en sa faveur sur le plan pratique, si la jurisprudence et la doctrine y parviennent — par des voies compliquées, mais y parviennent tout de même — c'est que cette source d'obligation existe, à côté des contrats proprement dits. Elle est d'origine prétorienne comme bien d'autres règles de droit que la jurisprudence adopte, sans les formuler, sous la pression des nécessités sociales et économiques. Outre sa conformité à la logique juridique et la justification qu'elle donne à la sanction du retrait intempestif de l'offre de contracter ou de récompenser, la théorie de l'engagement par volonté unilatérale fournit une base à de nombreuses institutions dont le fonctionnement reste difficilement explicable ou même inexplicable si on écarte cette théorie. On le verra, notamment, en étudiant ultérieurement la stipulation pour autrui qui crée un engagement au profit d'une personne étrangère au contrat, ainsi que l'obligation naturelle dont la reconnaissance unilatérale rend son paiement obligatoire.

Mais, ce sont surtout des institutions du droit commercial qui peuvent trouver avantage à adopter l'idée d'engagement par volonté unilatérale. Donnons quelques exemples.

1° Effets négociables

72. — On sait que les lettres de change et les chèques sont des effets de commerce transmissibles par endossement (signature du titulaire de l'effet de commerce, au dos de celui-ci). De cette façon, ces titres peuvent circuler.

---

(27) SIEGEL, *Das Versprechen als Verpfichtungsgrund*, 1874.

(28) Elle est adoptée par des codes modernes : Code polonais, tunisien, marocain et, sous certaines réserves, par les Codes allemand et suisse.

Lors de l'échéance, le porteur de l'effet peut en exiger le paiement de celui qui l'a mis en circulation et de tous ceux qui ont accepté de le payer en apposant leur signature sur l'effet.

Les commercialistes ont essayé d'expliquer cet engagement du ou des signataires de l'effet de commerce envers le porteur, qui peut être un tiers avec lequel ils n'ont eu aucun rapport direct d'affaires. Cette explication est difficile à trouver en recourant aux concepts contractuels. L'explication la plus simple est celle qui consiste à dire que le fait d'apposer sa signature sur l'effet de commerce équivaut à un engagement unilatéral de payer au profit de celui qui, à l'échéance, en sera le porteur. C'est ce raisonnement auquel s'est ralliée la Chambre commerciale le 17 juillet 1984 (29) à propos d'un billet au porteur, c'est-à-dire d'un effet que le souscripteur s'engage à payer, à l'échéance, à tout présentateur du titre. En l'espèce, le porteur se voyait opposer par le souscripteur la nullité de son engagement envers le premier bénéficiaire du titre. Les considérants de la Cour de cassation sont très nets :

« attendu que l'arrêt... a pu retenir que par ce billet qui revêtait la forme au porteur, le débiteur avait accepté par avance, comme créanciers, tous ceux qui successivement en deviendraient porteurs; qu'en déduisant de ces énonciations et constatations que le *porteur investi d'un droit propre* ne peut se voir opposer, s'il est de bonne foi, que des exceptions qui lui sont personnelles ou qui résultent de la teneur de l'acte, la cour d'appel qui ne s'est pas contredite et a répondu aux conclusions, a légalement justifié sa décision ».

La solution de la Chambre commerciale va nettement dans le sens de la reconnaissance de l'engagement unilatéral : en effet, comment expliquer autrement que le souscripteur puisse se trouver obligé de s'acquitter entre les mains de la personne qui est le porteur du titre à l'échéance, à qui, par hypothèse, ne le lie aucune convention ?

2° Souscription d'actions

73. — Un exemple encore plus net est donné par la souscription d'actions lors de la constitution d'une société par actions. Ces sociétés, pour réunir le capital social, peuvent faire appel à l'épargne publique. Les futurs actionnaires signent un bulletin de souscription pour un nombre déterminé d'actions. De ce seul fait, ils sont engagés. Avant la loi du 24 juillet 1966, on parlait, en ce cas, de « contrat de souscription ». Mais on cherchait, en vain, le cocontractant, car la société n'était pas encore formée lors de la souscription; elle n'aura d'existence légale que plusieurs mois, peut-être, après la souscription. La loi de 1966 a, intentionnellement, abandonné l'expression de contrat de souscription. Il semble bien résulter des travaux préparatoires de cette loi que le législateur lui-même a analysé la souscription d'actions comme un engagement unilatéral obligatoire.

---

(29) *Gaz. Pal.* 18-20 nov. 1984, pan. 277, obs. J. DUPICHOT; *D.* 1985, I.R. 29, obs. M. CABRILLAC. — Cf. Civ., 31 oct. 1906 : *D.P.* 1908, I, 497; *S.* 1908, I, 305, note LYON-CAEN.

3° Société unipersonnelle

73-1. — La loi n° 85-697 du 11 juillet 1985 a institué, dans le cadre de la société à responsabilité limitée, deux types de société à associé unique, l'une commerciale (E.U.R.L. : entreprise unipersonnelle à responsabilité limitée), l'autre civile (E.A.R.L. : entreprise agricole à responsabilité limitée). Par hypothèse, le mécanisme de formation de la société se situe en dehors de tout champ contractuel, puisqu'il est mis en mouvement par une volonté unique. Et pourtant, la constitution d'une telle société oblige bien le commerçant, l'industriel ou l'agriculteur, à réaliser les apports de biens qu'il affecte à son entreprise et qui constitueront le seul gage des créanciers sociaux. Même les auteurs qui lui sont hostiles reconnaissent, qu'en l'espèce, la loi a consacré l'engagement unilatéral de volonté (29-1).

4° Vente internationale de marchandises

73-2. — A côté des consécrations par le droit interne, il faut faire une place à la reconnaissance de l'engagement unilatéral en droit international. La Convention de Vienne sur les ventes internationales de marchandises, entrée en vigueur le 1er janvier 1988, dispose, en effet, à l'article 14 qu'« une *proposition de conclure* un contrat adressé à une ou plusieurs personnes déterminées *constitue une offre* si elle est suffisamment précise et si elle indique la volonté de son auteur d'être lié en cas d'acceptation ».

74. — Bien entendu, pour que l'engagement unilatéral produise des effets obligatoires, il faut que certaines conditions soient réunies, et cela, quelle que soit la voie adoptée : la voie directe de la théorie moderne, ou l'une des voies tortueuses empruntées par la thèse traditionnelle. Quelles sont ces conditions ?

B. — Conditions de la force obligatoire de l'engagement unilatéral

75. — Pour être unilatéral, l'engagement n'en a pas moins pour base la volonté du pollicitant. C'est la raison pour laquelle celui-ci ne sera obligé que s'il est juridiquement capable, si sa volonté est exempte de vices (erreur, dol, violence), et si l'objet et la cause de la promesse obéissent aux règles posées par le Code civil et la jurisprudence au sujet de l'objet et de la cause (29-2) des obligations (problèmes que nous étudierons ultérieurement). Quant à la preuve de la volonté unilatérale, elle obéit, on l'a déjà dit, aux règles ordinaires en matière de preuve. Ce sont là des conditions communes à tout acte juridique (29-3). Mais il en est certaines qui sont spécifiques aux engagements par volonté unilatérale.

(29-1) V. par exemple FLOUR et AUBERT, n° 494, LARROUMET, n° 103 *bis*.

(29-2) V. toutefois les observations de J. MESTRE : *Rev. trim. dr. civ.* 1985, 380.

(29-3) Sur la transposition à l'engagement unilatéral du régime contractuel, V. Com., 22 juill. 1986 : *Rev. trim. dr. civ.* 1987, 546, obs. J. MESTRE.

1° Existence d'une volonté ferme

76. — Pour qu'on puisse le déclarer obligatoire, l'engagement doit être ferme et précis (29-4). C'est, généralement, parce que dans de nombreux cas cette condition n'est pas remplie, que le prétendu pollicitant n'est pas considéré comme engagé. Lorsqu'on analyse les espèces où les tribunaux posent, en principe, que l'offre unilatérale n'engage pas, on s'aperçoit, presque toujours, qu'*en fait,* il n'y avait pas d'offre ferme de s'engager : l'*absence d'obligation* ne vient pas alors du caractère unilatéral de l'offre, mais de l'*absence de volonté* de s'engager.

Cette exigence ressort très clairement de l'espèce suivante : à la suite d'une séparation entre deux époux, l'employée de maison était restée au service de l'épouse tout en étant rémunérée par le mari; celui-ci s'étant lassé, cessa de verser les gages; l'employée continua néanmoins son service pendant près d'un an sans être payée et, finalement, fut licenciée par l'épouse; devant les prud'hommes, elle obtint la condamnation solidaire des deux époux; mais devant la Cour, l'épouse, pour se dégager, fit valoir une lettre du mari aux termes de laquelle il avait accepté de lui verser, outre une pension pour les enfants, le salaire de l'employée. La Cour, tout en considérant que l'épouse, seule employeur, devait répondre de la dette vis-à-vis de la salariée, jugea que la charge définitive en incombait au mari, attendu que « *l'engagement unilatéral pris* (par l'époux) *était parfaitement valable* et devait *être exécuté...* » Est-il meilleure proclamation de l'efficacité de l'engagement unilatéral de volonté ? (29-5). La jurisprudence va même jusqu'à accueillir l'engagement d'honneur comme source d'obligation (29-6) ou la lettre d'intention qui ne laisse aucune place au doute (29-7).

Il a été jugé, par alleurs, qu'un appel, par voie de concours, fait par une ville, à différents artistes, en vue de l'érection d'un monument, n'équivaut pas à une commande ferme engageant la ville (30). Dans le même sens, selon la Convention de Vienne (art. 14-2), une proposition, *lorsqu'elle est adressée à des personnes indéterminées*, est considérée seulement comme une invitation à l'offre, sauf clause contraire expresse.

Certains contrats sont conclus *intuitu personae*, en ce sens que la personnalité du cocontractant y joue un rôle déterminant.Si une offre unilatérale

---

(29-4) L'art. 14 de la Convention de Vienne dispose : « Une proposition est suffisamment précise lorsqu'elle désigne les marchandises et, expressément ou implicitement, fixe la quantité et le prix ou donne des indications permettant de les déterminer ».

(29-5) Aix, 27 avril 1988 : *Rev. trim. dr. civ.* 1988, 541, obs. J. MESTRE.

(29-6) V. Civ. 2e, 27 nov. 1988 : *Bull. civ.* II, n° 178, p. 118; *Rev. trim. dr. civ.* 1986, 749, obs. MESTRE : un mari condamné à verser une pension alimentaire à son ex-épouse, avait pris l'engagement d'honneur de renoncer à en réclamer ultérieurement la diminution. La Cour de cassation censure les juges du fond qui avaient affirmé que cet engagement n'était pas juridiquement opposable à son auteur. — Sur la question, B. OPPETIT, *L'engagement d'honneur : D.* 1979, chron. 112 et s.

(29-7) Com., 21 déc. 1987 : *J.C.P.* 88, II, 21113, concl. MONTANIER.

(30) Nancy, 27 nov. 1956 : *D.* 1957, somm. 41.

est relative à un contrat appartenant à cette catégorie (par exemple la location d'un appartement, ou certaines formes de sociétés), l'offrant n'est pas engagé envers le premier venu; ce genre d'offres comprend une réserve implicite; c'est que celui qui en réclame le bénéfice corresponde aux convenances du pollicitant.

D'une manière plus générale, dès lors que l'offre comprend des réserves, des conditions, celles-ci s'opposent à son caractère obligatoire dans toute la mesure indiquée par ces réserves ou ces conditions (30-1). Ainsi en va-t-il lorsque une firme automobile propose un nouveau contrat à une société concessionnaire sous réserve qu'elle s'engage à cesser la représentation d'une marque concurrente; une telle offre est conditionnelle et ne peut engager son auteur que si la condition a été acceptée (30-2).

2° Existence d'un délai

77. — Le délai joue un rôle capital dans le problème de la validité de l'engagement unilatéral. On notera qu'un délai est souvent indiqué par l'offrant. Il va de soi que si ce dernier précise que son engagement n'est pris que pour une période expirant tel jour, on ne saurait le déclarer tenu après la date indiquée (31).

78. — La question du délai n'est, cependant, pas toujours aussi facile à résoudre. Certaines offres de contracter, notamment des offres faites par lettre à personne déterminée, ne sont assorties d'aucun délai. Est-ce à dire que le pollicitant puisse les retirer à tout moment? La jurisprudence ne l'admet pas. Elle considère que si l'offre est ferme et précise, elle est *nécessairement* assortie d'un délai. Ce délai est *implicite, tacite* (32). En cas de litige, c'est au juge (33) à en fixer la durée, compte tenu, éventuellement, des usages, ou des diverses circonstances de fait de l'espèce (le délai sera plus long s'il s'agit, par exemple, de l'offre de vente d'un immeuble, que celle relative à un objet de peu de valeur, ou d'une marchandise périssable).

Du reste, la doctrine la plus récente (34) condamne la distinction de deux sortes d'offres, selon qu'elle est assortie ou non d'un délai. On observe que

---

(30-1) V. J. SCHMIDT, *Négociation et conclusion de contrats*, n° 44 et s.

(30-2) Com., 4 juin 1980 : *Bull. civ.* IV, n° 240, p. 195.

(31) Civ. 3e, 10 mai 1968 (2 arrêts) : *Bull. civ.* III, n° 209. — Aix, 15 mars 1984 : *Rev. trim. dr. civ.* 1985, 730, obs. MESTRE. — Rappr. Civ. 1re, 19 janv. 1977 : *Bull. civ.* I, n° 36, p. 27; *D.* 1977, 593, note J. SCHMIDT-SZALEWSKI.

(32) Civ. 3e, 10 mai 1972 : *Bull. civ.* III, n° 297; *Rev. trim. dr. civ.* 1972, 773, obs. LOUSSOUARN. — Sur le délai de réflexion, V. A. OUTIN-ADAM, *Essai d'une théorie générale des délais en droit privé*, thèse Paris II, 1986.

(33) Il arrive que le délai soit fixé par le législateur : ainsi de la loi du 10 janv. 1978 dont l'art. 5, al. 1, dispose que la remise de l'offre oblige le prêteur à maintenir les conditions qu'elle indique pendant une durée minimale de 15 jours à compter de son émission. Il en va de même de l'offre de location-accession (art. 23, L. 12 juill. 1984).

(34) G. VINEY, *La responsabilité, op. cit.*, n° 197. — J.-L. AUBERT, n° 147.

l'offrant est tenu pour responsable de la révocation du seul fait qu'elle est intervenue, indépendamment des circonstances qui ont entouré le retrait. Mais, à supposer reconnu le droit du destinataire au maintien de la proposition, faut-il aller jusqu'à imposer la conclusion de l'opération et décider qu'à défaut pour le pollicitant de donner suite, le juge pourra lui enjoindre de signer et déclarer que, faute de quoi, sa décision tiendra lieu de contrat (35) ?

79. — Si le caractère ferme et précis de la volonté unilatérale de s'engager n'est pas contesté, son caractère obligatoire est très généralement admis en jurisprudence, qu'il s'agisse d'offre faite à une personne déterminée ou adressée collectivement au public (36). Rappelons que la Convention de Vienne (art. 14-1 et 14-2) distingue, au contraire, la proposition à personne déterminée qui représente une offre véritable et la proposition adressée à personne indéterminée qui ne constitue qu'une invitation à l'offre.

Il n'est pas contesté, en outre, que l'*offre de récompense* — offre faite à personne indéterminée — est obligatoire. Pour cette dernière, on notera seulement que le promettant peut révoquer son offre de récompense, mais que cette révocation n'est pas efficace si elle n'a pas été connue par le tiers qui a effectué les prestations pour lesquelles la récompense a été promise.

C. — Conclusion

80. — Ainsi, le concept de l'engagement unilatéral vient prendre place, à côté du contrat, parmi les sources d'obligations ayant pour fondement la volonté.

Nous voudrions seulement, en terminant, faire observer que la thèse à laquelle nous nous rallions diffère, sur un point capital, de celle des auteurs qui, en Autriche, à la fin du siècle dernier, en avaient lancé l'idée. Pour ces derniers, l'engagement par volonté unilatérale était une conséquence de la théorie de l'autonomie de la volonté. Dès lors que l'on reconnaît à la volonté un rôle créateur, il était naturel, en effet, de ne pas subordonner cette création à la rencontre de deux volontés. Mais, il était alors tout aussi naturel d'aller plus loin; il fallait permettre à cette volonté autonome créatrice, de détruire librement ce qu'elle avait librement édifié. C'était enlever au concept de l'engagement par volonté unilatérale presque toute efficacité.

81. — Or, nous l'avons dit à plusieurs reprises, la volonté n'est créatrice que dans le cadre du droit objectif, autrement dit lorsque la loi, ou toute

(35) Obs. MESTRE : *Rev. trim. dr. civ.* 1985, p. 154.

(36) V. Civ. 3e, 28 nov. 1968 préc., qui casse un arrêt de la cour de Nancy qui avait refusé de considérer comme obligatoire une offre faite au public : « L'offre faite au public lie le pollicitant — déclare cet arrêt — à l'égard du premier acceptant ». — V. aussi Paris, 3 déc. 1959, préc. et Civ. 3e, 12 fév. 1975 : *Bull. civ.* III, n° 60, p. 470. — V. J. GHESTIN, n° 205.

autre source de droit, en consacre l'efficacité. Dans cette perspective, il est possible d'admettre qu'un engagement unilatéral crée une obligation tout en posant comme règle que cette obligation, régulièrement assumée, ne saurait être désormais anéantie par la volonté unilatérale de celui qui l'avait exprimée.

Laissons désormais de côté ce problème de l'engagement par volonté unilatérale pour nous consacrer exclusivement à l'étude des contrats. Un dernier point reste à exposer dans ce chapitre : celui de la classification des contrats.

SECTION III

CLASSIFICATION DES CONTRATS

82. — Les contrats sont de différentes sortes et ces différences tenant à leur mode de formation, à leur objet ou à leur but, les soumettent à des règles juridiques qui leur sont propres. On va réunir dans cette rubrique ces notions afin d'en avoir une vue d'ensemble. Le Code civil énonce dans les articles 1101 à 1107 les principales classifications. Mais la variété des contrats est telle que de nouvelles catégories ont été dégagées, par la doctrine et la jurisprudence, pour englober l'ensemble de la matière (37).

§ 1. — Les contrats synallagmatiques et les contrats unilatéraux

A. — Principe de la distinction

83. — Dans les premiers (C. civ., art. 1102), chaque partie est à la fois créancière et débitrice : à raisonner sur la vente, le vendeur est créancier du prix et débiteur de la chose, l'acheteur débiteur du prix et créancier de la chose.

Dans les contrats unilatéraux (C. civ., art. 1103), une seule partie s'oblige à l'égard de l'autre. Exemples : la donation, où le donateur seul s'oblige à donner; le prêt, où l'emprunteur seul s'oblige à la restitution de la somme prêtée et, éventuellement, au paiement d'intérêts; la promesse de contrat, promesse de vente par exemple, où seul le promettant s'engage à l'égard du

(37) OVERSTAKE, *Essai de classification des contrats spéciaux,* L.G.D.J., 1968. — V. AUBERT, n° 82 et s., GHESTIN, n° 8 et s., LARROUMET, n° 176 et s., MAZEAUD et CHABAS, n° 64 et s., RAYNAUD n° 56, MALAURIE et AYNES, p. 139 et s.

bénéficiaire. En bref, chaque partie ne joue qu'un rôle, l'une est créancière, l'autre est débitrice (38).

84. — On ne doit pas confondre *contrats unilatéraux* et *actes unilatéraux*. Le contrat unilatéral est quand même un contrat, c'est-à-dire un accord de deux (ou plusieurs) volontés, bien qu'une seule partie soit obligée. La donation est un contrat car le consentement du donateur *et* du donataire sont nécessaires; il en est de même de la promesse de vente qui, par hypothèse, a été faite et acceptée, comme telle, par le bénéficiaire. Dans la pratique, on appelle encore ces promesses des « options ». La promesse de récompense ou l'offre unilatérale de contracter ce sont, au contraire, des actes unilatéraux, émanant d'une seule volonté.

85. — Certains contrats unilatéraux, peuvent, occasionnellement, engendrer, *postérieurement à leur conclusion,* des obligations à la charge de la partie qui n'en avait pas assumées initialement. Ainsi, dans le contrat de dépôt gratuit, seul le dépositaire est, en principe, obligé : il doit restituer la chose déposée dans les conditions prévues. Mais, s'il a fait des frais pour conserver cette chose, ou si celle-ci lui a causé quelque dégât, il peut se faire rembourser ses frais ou réclamer la réparation des dommages subis. Il en est de même s'il s'agit de commodat, prêt à usage d'une chose à titre gratuit.

Dans ces cas, et dans d'autres analogues, on constate que des obligations existent à la charge des deux contractants. C'est la raison pour laquelle on les désigne par le nom de *contrats synallagmatiques imparfaits* (désignation doctrinale et non consacrée par le code). En effet, bien que chaque partie soit obligée envers l'autre, il n'y a pas entre ces obligations un lien de réciprocité, d'interdépendance. La question qui se pose à leur égard, c'est de savoir si on doit les soumettre au régime des contrats synallagmatiques ou à celui des actes unilatéraux. Il n'y a pas de doute quant au régime probatoire, le contrat, étant unilatéral à l'origine, est logiquement soumis aux règles de preuve de ce type de contrat; au contraire, le régime de l'exécution est controversé (38-1).

B. — Intérêts de la distinction

86. — Deux intérêts, d'importance pratique considérable, s'attachent à cette distinction. Quant à la preuve, on relève un régime propre à chacun de ces types de contrat. D'après l'article 1325 du Code civil :

« Les actes sous seing privé qui contiennent des conventions synallagmatiques ne sont valables qu'autant qu'ils ont été faits en autant d'originaux qu'il y a de parties ayant un intérêt distinct. Il suffit d'un original pour toutes les personnes ayant le même intérêt. Chaque original doit contenir la mention du nombre des originaux qui ont été faits ».

---

(38) R. Houin, *La distinction des contrats synallagmatiques et des contrats unilatéraux,* thèse Paris, 1937. — V. aussi Larroumet, note au *D.* 1975, 305, sous Civ. 3e, 8 mai 1974 (concession d'un bail gratuit en contrepartie d'un droit de passage).

(38-1) V. Larroumet, n° 200 et s.

C'est ce que l'on appelle la formalité du *double original* (39). Cette exigence formelle ne saurait être étendue au contrat synallagmatique imparfait, puisqu'aussi bien, lors de sa formation, seul moment à considérer au plan de la preuve, le contrat avait un caractère unilatéral.

87. — Quant aux contrats unilatéraux, le titre qui les constate doit comporter, outre la signature de celui qui souscrit l'engagement, « la mention écrite de sa main de la somme ou de la quantité en toutes lettres et en chiffres » (C. civ., art. 1326) (39-1). C'est la formalité dite du *bon pour,* dénomination conservée par la pratique bien que disparue du texte (40).

88. — Quant au fond, l'enchevêtrement des rapports obligatoires déclenche, dans le contrat synallagmatique, des mécanismes spécifiques qu'on ne retrouve pas dans le contrat unilatéral. Il s'agit :

— de *l'exception d'inexécution* par laquelle l'une des parties est justifiée à suspendre l'exécution de sa prestation tant que l'autre n'exécute pas la sienne;

— de la *résolution du contrat pour inexécution* grâce à laquelle le contractant qui n'a pas reçu son dû, alors qu'il a fourni ce qu'il devait, peut obtenir la restitution de sa prestation;

— de la *théorie des risques* qui règle le problème né de l'inexécution de l'une des prestations par suite d'un cas de force majeure. Pour rétablir l'équilibre rompu, le débiteur de l'obligation dont l'accomplissement demeure possible est, à son tour, libéré.

§ 2. — Les contrats à titre onéreux et les contrats à titre gratuit

A. — Principe de la distinction

89. — L'article 1106 définit le contrat à titre onéreux comme étant celui qui assujettit chacune des parties à donner ou à faire quelque chose. Cette

(39) Civ. 1re, 28 mars 1984 : *Bull. civ.* I, n° 120; *Rev. trim. dr. civ.* 1985, 386, obs. J. Mestre (la formalité n'est pas applicable au prêt, car ce contrat n'impose d'obligation qu'à l'emprunteur). — Civ. 1re, 14 déc. 1983 : *Bull. civ.* I, n° 298 (inutilité, même en présence d'une convention synallagmatique, d'établir un original en double si, au moment de la rédaction de l'acte, l'une des parties a déjà exécuté). — V. *Introduction*, n° 1518.

(39-1) La qualification est souvent sujette à discussion : pour un exemple, Civ. 1re, 19 avril 1988 : *Bull. civ.* I, n° 110, p. 75 : la promesse de prêt de la contre-valeur en francs français d'une somme en francs suisses n'est pas unilatérale dès lors que l'emprunteur avait accepté le risque de change. — Pour le rappel de la formalité de l'art. 1326 à l'occasion d'un contrat de cautionnement, v. Com., 21 juin 1988 : *Bull. civ.* IV, n° 212, p. 146. — Civ. 1re, 16 déc. 1986 : *D.* 1987, I.R. 13.

(40) Civ. 1re, 8 fév. 1984 : *Bull. civ.* I, n° 57; *Rev. trim. dr. civ.* 1985, 386, obs. J. Mestre (la formalité de la mention manuscrite est inapplicable à la commande de livres par correspondance, car il s'agit là d'un acte constatant des obligations réciproques). — *Adde*, Com., 3 mars 1987 : *J.C.P.* 87, IV, 160.

définition pourrait conduire à les confondre avec les contrats synallagmatiques. Or, cela n'est pas tout à fait exact. Il est vrai que tout contrat synallagmatique est nécessairement un contrat à titre onéreux. Mais il peut y avoir des contrats unilatéraux qui sont conclus à titre onéreux : ainsi le prêt à intérêts. C'est là un contrat unilatéral, car seul l'emprunteur s'oblige, mais il est à titre onéreux, puisque le prêteur a dû, d'abord, remettre la somme qui lui sera restituée, avec des intérêts... Observons au passage que seul un contrat à titre onéreux peut revêtir un caractère commercial (40-1).

90. — Le contrat de bienfaisance est défini à l'article 1105 du Code civil comme était celui dans lequel l'une des parties procure à l'autre un avantage purement gratuit (41). L'exemple-type en est *la donation* par laquelle le donateur transmet ou promet de transmettre une chose ou une somme au donataire.

Mais il existe d'autres contrats à titre gratuit : ainsi le *dépôt* fait entre les mains d'un ami, lequel s'engage à restituer l'objet déposé, sans réclamer une rémunération quelconque (le dépôt est un contrat *unilatéral* et *gratuit* en ce cas), tandis que si le dépositaire exige une rémunération, le contrat n'est plus à titre gratuit (il sera alors à la fois *synallagmatique* et *à titre onéreux).* Autre exemple encore : le *mandat.* Lorsque le mandataire n'exige pas de rémunération, ce contrat est à titre gratuit. Il n'est pas toujours aisé de marquer la frontière entre le titre gratuit et le titre onéreux, ainsi qu'en témoigne par exemple, la jurisprudence à propos des conventions d'entr'aide agricole (41-1).

B. — Intérêts de la distinction

91. — La gratuité de l'acte recouvre des situations dissemblables. Dans certains cas, on relève un transfert de valeur d'un patrimoine à un autre (donation); dans d'autres, l'une des parties concède un avantage à autrui sans pour autant se dessaisir d'un élément d'actif (contrat de service gratuit). Ce défaut d'homogénéïté rend plus malaisée la systématisation des différences qui opposent le titre gratuit et le titre onéreux. Néanmoins, on constate plusieurs points de discordance entre les deux catégories :

— les conditions de formation des contrats à titre gratuit entendus *stricto sensu* sont plus rigoureuses : un acte notarié est exigé pour la donation et une forme précise pour le testament (olographe, authentique, mystique); il existe, en outre, des incapacités spéciales de recevoir ou de disposer à titre gratuit entre malade et médecin, tuteur et mineur...

(40-1) V. F. Grua, *L'acte gratuit en droit commercial*, thèse Paris I, 1978.

(41) Champeaux, *Études sur la notion juridique de l'acte à titre gratuit en droit civil français*, thèse Strasbourg, 1931. — Boitard, *Les contrats de services gratuits*, thèse Paris, 1941. — J.-J. Dupeyroux, *Contribution à la théorie générale de l'acte à titre gratuit*, thèse Toulouse, 1955. — Flour et Souleau, *Les libéralités*, n° 29 et s.

(41-1) Soc., 3 juill. 1985 : *Bull. civ.* n° 389, p. 280.

— la considération de la personne est, en règle générale, indifférente dans le contrat à titre onéreux (on vend à n'importe qui), d'où il résulte que le consentement ne saurait être vicié sur le fondement de l'erreur *in persona*. Au contraire, l'*intuitus personae* est inhérent au contrat à titre gratuit, car le bénéficiaire de l'avantage reçu sans contrepartie a été nécessairement choisi. D'où l'admission de principe de l'erreur sur la personne.

— la charge qui pèse sur celui qui preste gratuitement est beaucoup moins lourde que celle qui incombe au débiteur à titre onéreux. D'abord, l'obligation de garantie des vices cachés en cas de transfert de la propriété ne joue que dans les contrats intéressés; celui qui donne en est affranchi : « à cheval donné, on ne regarde pas les dents » (41-2). Ensuite, s'agissant d'une obligation de faire, la responsabilité du débiteur est appréciée avec plus d'indulgence lorsque la prestation est gratuite; il ne doit pas la diligence abstraite du bon père de famille, mais seulement le soin qu'il apporte à ses propres affaires.

— l'imposition fiscale est très différente selon les cas. Le barême applicable au droit de mutation à titre onéreux, fonction de l'objet du contrat (vente, apport en société...) n'excède jamais un prélèvement de l'ordre de 18 % environ. Au contraire, les droits de succession, variables avec le lien de parenté et la tranche de capital transféré, peuvent atteindre 60 %.

§ 3. — Les contrats commutatifs et les contrats aléatoires

A. — Principe de la distinction

92. — Le contrat est commutatif, déclare l'article 1104 alinéa 1er du Code civil, « lorsque chacune des parties s'engage à donner ou à faire une chose qui est regardée comme l'*équivalent* de ce qu'on lui donne ou de ce qu'on fait pour elle ».

C'est donc l'équivalence des prestations réciproques qui caractérise le contrat commutatif. Mais on remarquera la formule du Code civil qui déclare que chaque prestation est *regardée* comme l'équivalente de l'autre. Autrement dit, le contrat est commutatif *lorsque les parties ont voulu recevoir l'équivalent* de ce qu'elles donnent ou de ce qu'elles font. Si, *en fait*, cette équivalence n'existe pas, le contrat ne correspond pas à ce qui avait été voulu : *il n'en est pas moins commutatif*. Mais, on se demandera si la partie lésée ne peut pas, dans ce cas, en demander la nullité, la réalité des choses ne correspondant pas à son intention (on verra que la nullité pour lésion n'est, cependant, admise que très exceptionnellement).

(41-2) ROLAND et BOYER, *Adages*, p. 1103.

93. — Le contrat est *aléatoire,* précise l'article 1104, alinéa 2 du Code civil, « lorsque l'équivalence consiste dans la chance de gain ou de perte pour chacune des parties, d'après un événement incertain » (42). De son côté, l'article 1964 donne une définition en visant la convention réciproque dont les effets, quant aux avantages et aux pertes dépendent, d'un événement incertain, soit pour toutes les parties, soit pour l'une ou plusieurs d'entre elles (42-1).

Autrement dit, dans ces contrats, *chaque partie* assume un risque de gain ou de perte équivalent. L'exemple-type est la vente d'un bien moyennant une rente viagère. Si le vendeur — créancier de la rente ou *crédirentier* — meurt très rapidement, l'acheteur aura fait une excellente affaire, puisqu'il aura acquis un bien d'une grande valeur, par exemple de 1 000 000 F, moyennant le versement de quelques arrérages mensuels s'élevant peut-être en tout à 100 000 F. Mais il est arrivé que le vendeur vive 106 ans, auquel cas le montant des arrérages peut s'élever à 2 000 000 F ou plus, par exemple.

94. — On remarquera que le contrat n'est aléatoire que si chaque partie court le même risque (en sens inverse, bien entendu). C'est pourquoi il faut classer l'assurance parmi les contrats aléatoires. L'assuré court un risque : celui de payer des primes sans jamais pouvoir rien exiger de son assureur. Vous payez des primes d'assurance incendie, mais, fort heureusement, il n'y a jamais pour vous d'incendie vous permettant de réclamer l'indemnité prévue au contrat. En revanche, vous pouvez être « gagnant » si, en ayant payé une seule prime, par exemple de 100 F, l'assureur vous verse une indemnité pour un sinistre d'un montant de 100 000 F.

95. — Pour l'assureur le risque est inverse. Bien sûr, l'assureur n'est pas perdant en principe, parce qu'il calcule les primes que lui doivent ses clients sur l'ensemble des assurés, en tenant compte d'une loi statistique selon laquelle le nombre des sinistres annuels (par exemple, des incendies) peut être connu d'avance, avec une exactitude quasi mathématique. Ce qu'il perd par rapport à certains de ses clients est compensé par ce qu'il gagne sur les autres. L'*entreprise d'assurance* n'est donc pas aléatoire. On ne voit pas souvent des compagnies d'assurance faire faillite, et si cela arrive, c'est en général, qu'elles ont été mal gérées. Ce n'est pas par rapport à l'entreprise, globalement, que l'on doit rechercher le caractère aléatoire, mais par rapport à chaque contrat, isolément envisagé.

---

(42) BÉNABENT, *La chance et le droit,* thèse Paris, 1973. — GRUA, *Les effets de l'aléa et la distinction des contrats aléatoires et des contrats commutatifs : Rev. trim. dr. civ.* 1983, 263.

(42-1) Paris, 22 fév. 1988 : *D.* 1988, I.R. 82 : le cautionnement n'est pas un contrat aléatoire, car il n'entraîne pas, pour *chacune des parties contractantes,* une chance de gain ou de perte dépendant d'un événement incertain.

B. — Intérêts de la distinction

96. — La conséquence principale de cette distinction réside dans l'admission ou le rejet de la lésion. Les contrats aléatoires ne sont jamais annulables pour lésion, c'est-à-dire pour déséquilibre entre les prestations réciproques. La solution est logique : chacun a accepté le risque de devoir s'exécuter ou de voir alourdir ses obligations. Comment concevoir, qu'après coup, on veuille rétablir la balance égale alors que chacun ne peut s'en prendre qu'à soi si l'aléa lui a été contraire.

97. — Bien que, selon l'adage, « l'aléa chasse la lésion », on note une certaine réaction contre l'exclusion de la rescision pour lésion. La précision du calcul des probabilités est devenue telle qu'il est possible de connaître au départ la valeur d'une prestation aléatoire : par exemple, dans les rentes viagères entre particuliers, les tables de mortalité permettent de déterminer à quel montant de capital correspond telle rente viagère pour un crédirentier d'un âge donné. Ainsi s'explique une tendance en jurisprudence à accueillir l'idée de justice commutative.

98. — Il n'en reste pas moins vrai que le principe demeure, ce qui conserve toute son utilité à la qualification dans un sens ou dans un autre d'un contrat donné.

En effet, le caractère aléatoire d'un contrat peut prêter quelquefois à controverse. Ainsi, du contrat par lequel un *généalogiste* révèle à des héritiers une succession qui leur est dévolue moyennant rémunération. Celle-ci est souvent fort élevée et les héritiers ont prétendu en faire réduire le montant. Cette prétention a été repoussée par la Cour de cassation, au motif qu'il s'agit d'un *contrat aléatoire* (43).

C'est, à notre avis, une analyse erronée. Ce qui est aléatoire, c'est l'*entreprise du généalogiste* dont les recherches n'aboutissent pas toujours (il ne suffit pas de chercher une succession pour la trouver !). Mais, lorsqu'ayant trouvé une succession, le généalogiste propose d'en révéler le secret aux héritiers, le contrat ainsi conclu n'a aucun caractère aléatoire.

99. — On a discuté aussi du caractère du *bail de chasse*. Lors de la disparition quasi totale des lapins par suite de la myxomatose, les locataires de chasses ont demandé la réduction des loyers. Les bailleurs ont objecté que le bail de chasse est, par essence, aléatoire, l'abondance ou la pénurie du gibier étant un risque normalement envisagé lors de ce contrat. Cette thèse est exacte, mais jusqu'à un certain point seulement. Il n'entrait pas dans les prévisions des parties qu'une épizootie entraînerait la disparition

---

(43) Civ., 17 avril 1956 : *D.* 1956, 427. — Dans le même sens A. ROUAST : *J.C.P.* 54, I, 1179, *La réduction judiciaire de la rémunération des généaologistes.*

totale, pour de longues années, du principal fonds de chasse. Aussi la réduction des loyers a-t-elle été accordée (44).

100. — Un autre intérêt de la distinction est apparue avec la législation sur la protection des consommateurs. C'est ainsi qu'il a été jugé que la loi du 10 janvier 1978 relative à l'information et à la protection des consommateurs dans le domaine de certaines opérations de crédit n'est pas applicable à un contrat constitutif de rente viagère à titre onéreux, moyennant une somme d'argent, car un tel contrat entre dans la catégorie des contrats aléatoires (45).

100-1. — Le problème s'est encore posé à propos du bail à nourriture. Un particulier vend à deux époux un domaine contre l'obligation pour les acquéreurs de le loger, nourrir, entretenir, soigner; quelques années après, l'intéressé agit en nullité de la vente pour vileté du prix; la Cour le déboute de sa demande et accueille la conversion de la nourriture en rente viagère : le pourvoi fait grief à l'arrêt de n'avoir pas répondu aux conclusions soutenant que les seuls revenus de la propriété agricole cédée étaient largement supérieurs aux charges découlant du bail à nourriture, en sorte que la vente était nulle pour faute de prix sérieux; la Cour de cassation suit les juges du fond en posant que le bail à nourriture est, en principe, aléatoire et que les premiers juges n'ayant pas exclu l'existence d'un tel aléa en ont justement déduit que le contrat litigieux, échappait à la nullité pour vileté du prix (45-1).

§ 4. — Les contrats nommés et les contrats innomés

A. — Principe de la distinction

101. — Cette classification repose, à la différence des autres, sur un critère purement formel; l'attribution ou la non-attribution d'un nom à l'enveloppe contractuelle. Ce qu'exprime le Code civil à l'alinéa 1er de l'article 1107 : « les contrats, soit qu'ils aient une dénomination propre, soit qu'ils n'en aient pas... ».

De nombreux contrats, réglementés par le Code civil ou d'autres lois portent, d'ancienneté, un nom propre : vente, louage, mandat, société, métayage, prêt, etc... Par ailleurs le législateur moderne est intervenu pour fixer l'économie de certains contrats, ce qui a eu pour effet de transformer en contrat nommé des conventions auparavant innomées : bail à construction de la loi du 16 décembre 1964, vente d'immeuble à construire de la loi du 3 janvier 1967, contrat de promotion immobilière de la loi du 16 juillet

(44) V. B. STARCK, *Baux de chasse et myxomatose : J.C.P.* 56, I, 1312.

(45) Paris, 24 fév. 1983 : *J.C.P.* 84, II, 20282, note F. WAREMBOURG-AUQUE. — V. dans le même sens pour un démarcharge à domicile, Civ. 1re, 19 mai 1981 : *D.* 1982, 161, note BARBIÉRI.

(45-1) Civ. 1re, 26 avril 1988 : *Bull. civ.* I, n° 121, p. 83.

1971, contrat de démarchage à domicile de la loi du 22 décembre 1972, location-accession (L. 12 juill. 1984)...

102. — Mais étant donné la liberté contractuelle, les parties peuvent combiner ou créer entre elles des contrats qui ne se rangent sous aucune de ces dénominations : ce sont des contrats *sans nom*, autrement dit *innomés*. Par exemple, vous permettez à un ami d'occuper votre appartement, pendant que vous êtes en voyage, sans lui demander le loyer mais une simple... indemnité d'occupation, sans assumer, de votre côté, aucune obligation comparable à celle d'un bailleur. Cette convention n'est donc pas un contrat de louage. C'est quelque chose qui n'a reçu aucune dénomination *légale*. Cela n'en est pas moins un contrat, officieusement appelé contrat d'« occupation précaire ». On peut trouver d'autres exemples. En fait, ces contrats innomés ont le plus souvent une dénomination que leur donne la pratique et qui est consacrée par la jurisprudence. Ainsi on parle de contrat de parking, de « convention d'assistance », de contrat d'hôtellerie, de contrat de franchising, de leasing, de maintenance (46).

102-1. — Le développement considérable des contrats innomés a entraîné une réflexion doctrinale; on a justement fait valoir la relativité de la catégorie, le caractère innomé du contrat étant susceptile de graduation (47). Selon un auteur, il conviendrait de distinguer les innomés typiques des innomés atypiques. Le contrat innomé *typique* dérogerait, à la fois, aux propriétés et aux caractéristiques du modèle de référence, tel le crédit-bail par rapport au contrat de louage de chose; il porterait la marque d'une autonomie conceptuelle véritable et aurait vocation à être nominé pour prendre rang dans la nomenclature des contrats nommés. Le contrat innomé *atypique* ne dérogerait qu'aux propriétés, non aux caractéristiques, du modèle de référence; il ne s'inscrirait pas dans la définition stricte d'un contrat nommé, mais dans l'expression conceptuelle de celui-ci (par exemple, le contrat de garde par rapport au contrat de dépôt) (48).

Une chose est certaine, le contrat innomé est un *contrat complexe*, qui puise ses composantes dans des catégories connues et en fait un ensemble à part.

Ainsi le contrat d'hôtellerie regroupe, à l'intérieur de la même relation contractuelle, la location d'une chambre, des prestations de service, la garde des bagages, la fourniture d'aliments; pour autant, il n'est pas la succession des contrats de bail, d'entreprise, de dépôt, de restauration. Ainsi le contrat de coffre-fort ne se réduit pas à un simple louage parce qu'il implique une obligation de garde, pas plus qu'il ne s'identifie au seul dépôt puisque le banquier ne vérifie pas les objets mis au coffre (48-1). Ainsi le

(46) Le Tourneau, *Le contrat de maintenance : Gaz. Pal.* 24-26 juill. 1988.

(47) Malaurie et Aynès, *Les contrats spéciaux*, 2e éd., p. 13 et s.

(48) D. Grillet-Ponton, *Essai sur le contrat innomé*, thèse Lyon, 1982.

(48-1) V. *Rev. trim. dr. civ.* 1986, 568, obs. Rémy.

crédit-bail qui consiste dans l'achat par une entreprise de crédit d'un bien d'équipement en vue d'en conférer la jouissance à un professionnel moyennant finances et promesse de vente, ne s'analyse pas dans la suite d'un achat, d'un louage, et d'une vente, mais constitue un tout différent de ses parties, qui perdent leur individualité.

On ne confondra pas ce contrat complexe avec le *groupe* ou la *chaîne de contrats*. Le groupe ne prive pas ses composantes de leur identité et ne débouche pas sur une unité contractuelle bien qu'il s'agise concrètement d'une même opération : ainsi en est-il de l'achat d'un véhicule neuf avec reprise de l'ancien. La chaîne, au contraire, relie, dans le circuit économique, des transactions multiples et successives aux finalités différentes : la construction d'un immeuble va réunir l'architecte, l'entreprise de terrassement, le fournisseur de matériaux, l'E.D.F., etc. Autrement dit, se succèderont des contrats d'entreprise, de prestations de services, de vente, de louage.

S'il convient de séparer le contrat complexe des groupes et chaînes de contrats, c'est que l'enjeu n'est pas identique. Ici, un problème de qualification, le contrat complexe prenant généralement la nature juridique de son élément dominant (48-2); là, un problème de divisibilité ou d'indivisibilité entre les contrats associés dans le groupe ou dans la chaîne, qui commande la mise en jeu de la responsabilité contractuelle par quiconque et contre quiconque à l'intérieur du groupe ou dans la chaîne.

B. — Intérêts de la distinction

103. — Les contrats nommés sont régis, d'une part, par les règles générales s'appliquant à tous les contrats (capacité, vices du consentement, etc.), d'autre part, par les règles énoncées par la loi au sujet de chaque contrat : vente, mandat, etc., les unes, comme on le sait, *supplétives*, les autres *impératives*.

104. — Les contrats innomés sont soumis, certes, aux règles générales régissant tous les contrats (capacité, consentement, etc.), mais comme, par hypothèse, il n'existe pas pour eux, des règles légales spécifiques, ni impératives, ni supplétives, que décider en cas de difficulté ? Le contrat dit d'occupation précaire ne sera pas soumis aux lois concernant le louage, cela est sûr, mais quel sera son régime ? Celui qui a été *voulu* par les parties, répond-on. Certes, lorsque les parties ont tout prévu et tout réglé, la

---

(48-2) Civ. 1re, 3 nov. 1988 : *D.* 1988, I.R. 272 : une convention permet à un époux d'occuper gratuitement un appartement appartenant à sa femme et l'autorise à percevoir des loyers d'une sous-location; les juges du fond décident que cet acte constitue un prêt à usage ou commodat, non une donation. La Cour de cassation censure cette décision, au motif que les juges devaient rechercher dans quelle mesure la faculté de sous-louer et de percevoir des loyers avait été conféré à *l'acte complexe* passé entre les époux le caractère de donation et si cette faculté présentait, dans l'intention des parties, *un caractère essentiel de nature à entraîner la nullité de l'acte dans son ensemble.*

réponse est aisée. Mais, dans le cas contraire, le tribunal sera quelquefois embarassé. Il esssaiera de découvrir l'intention probable des parties. Souvent aussi, il appliquera, par analogie, les règles concernant des contrats voisins.

105. — Une application caractéristique a été faite par un arrêt de la Chambre criminelle du 10 décembre 1969 (48-3). Dans cette affaire, il s'agissait du contrat par lequel un industriel remet à un marchand ambulant un lot de tapis dont le prix est fixé à une certaine somme versée par ce marchand à titre de garantie; mais l'industriel s'engage à reprendre les invendus en restituant la somme correspondante. Ce contrat connu à Rome sous le nom d'*aestimatum* n'a pas été consacré en droit moderne. Ce n'en est pas moins un contrat. En l'espèce, il a été fait sans facture. Or, la vente sans facture est pénalement sanctionnée. Mais y avait-il une vente ? (on sait que les textes de droit pénal sont interprétés restrictivement). La Chambre criminelle considère que le contrat dont il s'agit est une vente sous condition suspensive (on verra plus tard le sens de cette condition) et applique la sanction pénale.

106. — Il a, également, été jugé qu'une association entre médecins n'est pas une société, mais un contrat innomé et on en a déduit qu'est licite la clause du contrat donnant à l'un des associés un droit à une part des bénéfices, sans lui imposer une part dans les pertes éventuelles (49). Dans un contrat de société, semblable clause serait léonine, donc nulle (C. civ., art. 1844-1, al. 2).

Ce ne sont là que des exemples, parmi beaucoup d'autres, des difficultés qui naissent de l'imprécision du régime juridique des contrats innomés.

§ 5. — Les contrats instantanés et les contrats successifs

A. — Principe de la distinction

107. — Cette opposition entre ces deux types de contrats n'est pas énoncée par le Code civil avec les autres classifications précédemment indiquées. Mais elle n'en existe pas moins et résulte, implicitement, de divers autres textes (50).

Le contrat est dit instantané lorsque l'exécution des obligations qu'il crée se réalise en un seul trait de temps. Ainsi, la vente est un contrat instan-

(48-3) *Gaz. Pal.* 1970, I, 90.

(49) Civ. 1re, 22 oct. 1970 : *J.C.P.* 71, II, 16713, note R. SAVATIER.

(50) BRIÈRE DE L'ISLE, *De la notion de contrat successif : D.* 1957, chron. 153. — J. AZÉMA, *La durée des contrats successifs,* thèse Lyon, 1968, L.G.D.J., 1969, préface de ROGER NERSON. — ARTZ, *La suspension du contrat à exécution successive : D.* 1979, chron. 95.

tané : le vendeur s'oblige à livrer la chose vendue et l'acheteur à la payer. Peu importe qu'avant la conclusion du contrat, les parties aient entamé des pourparlers qui ont pu durer des semaines ou des années. Cette période *précontractuelle* n'est pas comprise dans le domaine du contrat. Les pourparlers terminés, si la vente est conclue, le contrat est instantané. Peu importe, encore, qu'un certain laps de temps s'écoule malgré tout avant que le vendeur ne livre en fait et avant qu'il n'envoie la facture, que l'acheteur tardera peut-être à acquiter. Ces retards n'influent pas sur la qualification du contrat qui reste instantané.

108. — Est *successif*, au contraire, le contrat qui, par sa nature ou par la volonté des parties, ne peut s'exécuter que grâce à l'écoulement d'une certaine durée. La durée est l'un des éléments constitutifs du contrat. Exemple : le louage. On ne conçoit pas un louage instantané. On peut louer une chose pour 99 ans, pour un mois ou même un quart d'heure, mais un certain temps, une certaine durée, est nécessaire pour qu'on puisse parler de louage.

Il en est de même du contrat de travail, du contrat de société et de bien d'autres encore.

109. — Lorsque le contrat successif est aussi un contrat synallagmatique, les obligations des deux parties ont le caractère successif. Ainsi, dans le louage, le bailleur doit fournir continûment la jouissance de l'immeuble pendant la durée du bail, tandis que le locataire doit payer à des périodes régulières le loyer. De même, pour le contrat de travail, etc. L'ordonnance du 4 février 1959 fait allusion à ces contrats en déclarant qu'ils comportent des « obligations réciproques et successives », ce qui les soumet à un régime particulier lorsqu'ils contiennent une clause d'indexation.

110. — On ne doit pas confondre les contrats successifs avec les contrats comportant un *terme* pour l'exécution. Dans le cas d'une vente, on peut convenir que le prix sera payé dans un mois, dans un an ou dans vingt ans; ou bien qu'il sera acquitté par fractions échelonnées : tant par mois, etc. Ici, la notion de *durée* intervient, comme dans le contrat successif. Certains problèmes — analogues à ceux qui se posent lorsque le contrat est successif — vont naître du fait que l'exécution de l'obligation est différée dans le temps (par exemple, les problèmes que suscite la dévaluation monétaire). Mais ces contrats ne sont pas, pour autant, des contrats successifs. Si le prix ou fraction du prix n'est pas payé au jour convenu, il sera possible de demander la résolution de la vente, donc la remise des choses dans leur état initial, chacun rendant à l'autre ce qu'il en avait reçu, ce qui n'est guère possible en présence d'un contrat successif.

110-1. — A l'opposé du contrat instantané qui est univoque, le contrat successif présente deux types : le premier repose sur une exécution *continue*, instaurant un rapport d'obligation sans interruption (contrat de travail, contrat de société); le second implique une exécution *échelonnée*, les prestations se succédant, soit à intervalles réguliers tel un abonnement à un journal, soit irrégulièrement à la demande, tel l'abonnement au gaz ou à l'électricité (50-1).

B. — Intérêts de la distinction

111. — Le régime juridique des contrats successifs se distingue sur certains points de celui des contrats instantanés (50-2). On retrouvera cette question en traitant de la résolution des contrats pour inexécution. Dès maintenant, on peut noter que seuls les contrats instantanés peuvent être *résolus*, ce qui permet, en principe, de remettre les choses dans l'état antérieur à la conclusion du contrat, chacun rendant, éventuellement, à l'autre ce qu'il avait reçu avant la résolution.

112. — Les contrats successifs ne peuvent pas être résolus, car on ne peut par remettre les choses en l'état antérieur, le locataire qui a eu pendant un certain temps la jouissance d'un appartmeent, par exemple, ne peut pas rendre au bailleur cette jouissance. Il en résulte qu'en cas d'inexécution des obligations de l'une ou l'autre partie, un contrat ne pourra être *résolu*, dans le sens exact de ce terme; il sera éventuellement *résilié*. La résiliation, à la différence de la résolution, met fin au contrat pour l'avenir mais ne peut pas aboutir à une restitution de ce qui a été irrémédiablement fait ou acquis.

113. — On notera, par ailleurs, que les contrats successifs sont, par hypothèse, exposés à l'érosion de la monnaie. Le problème est alors de savoir s'il est permis de procéder à la révision de la prestation amoindrie par la fuite du franc; c'est le problème de l'*imprévision*. Il est de plus en plus admis que les parties peuvent se prémunir contre une telle dépréciation au moyen d'une clause d'indexation. La stipulation en est usuelle dans le cotrat de location où, par ce moyen, le loyer initialement fixé, suit l'évolution du coût de la vie.

114. — Il existe une dernière particularité relative à l'expiration du contrat. Lorsque le contrat est instantané, la cessation du rapport contractuel ne pose pas de problème, étant donné que le dénouement suit aussitôt la conclusion. Il en va autrement pour les contrats dont l'accomplissement s'inscrit dans le temps. A cet égard, le contrat successif est soit, à durée déterminée, soit à durée indéterminée.

Dans le contrat à *durée déterminée*, les parties ont pris soin de fixer un terme à leurs engagements (location d'une maison pour les vacances), ce qu'elles peuvent faire librement, sauf textes prévoyant ou bien un minimum (le bail rural est nécessairement conclu pour 9 ans) ou bien un maximum

---

(50-1) B. GROSS, *Observations sur les contrats par abonnement : J.C.P.* 87, I, 3282.

(50-2) Signalons que seul le contrat successif est susceptible de cession. — V. L. AYNÈS, *La cession de contrat*, thèse 1984, n° 297 et s.

(99 ans pour la société et pour l'emphytéose), et sauf la règle prohibant les engagements à vie (C. civ., art. 1780, al. 1; C. trav., art. L. 122-1) que la jurisprudence entend libéralement (50-3). La fin du contrat relève en principe d'un accord de volonté, soit qu'elle s'accomplisse par l'arrivée du terme convenu, soit qu'elle procède d'une rupture prématurée décidée par *mutuus dissensus* (50-4), soit qu'elle soit reportée de concert, par tacite reconduction. Il n'est dérogé au caractère conventionnel de la dissolution d'un contrat que dans des hypothèses exceptionnelles : le déposant peut exiger la restitution de la chose déposée quand il veut (C. civ., art. 1944), le mandat prend fin par la révocation du mandataire ou sa renonciation (C. civ., art. 2003), l'assuré sur la vie a le droit de se retirer à son gré du contrat (C. ass., art. L. 132-5-1).

A l'opposé, dans le contrat *à durée indéterminée*, les parties n'ayant pas stipulé d'échéance, il est loisible à chacune d'elles de s'évader de la convention *unilatéralement*. Cette faculté de désengagement suppose un préavis, dont la durée doit être conforme, s'agissant du bail, à l'usage des lieux (C. civ., art. 1736), sauf les textes spéciaux, s'agissant du contrat de travail, à la loi, à défaut de convention collective ou d'usages plus favorables pour le travailleur intéressé (C. trav., art. L. 122-6). En toutes circonstances, le droit de résiliation unilatérale doit être exempt d'abus, le licenciement abusif étant minutieusement réglementé par les textes (C. trav., art. L. 122-14 et s.); la protection du salarié qui en découle conduit à présumer que le contrat de travail est à durée indéterminée lorsque les parties ont négligé de rédiger un écrit fixant une limitation de durée.

§ 6. — Les contrats individuels et les contrats collectifs

A. — Principes de la distinction

115. — Le contrat est dit individuel lorsqu'il n'engage que les personnes (physiques ou morales) qui y ont souscrit, soit personnellement, soit par l'intermédiaire d'un représentant (50-5). Les contrats collectifs (51) ont comme trait caractéristique qu'ils s'imposent à des personnes autres que

(50-3) Civ. 1re, 31 janv. 1989 : *D.* 1989, I.R. 41 (condamnation d'un engagement d'une durée de 50 ans, car une telle durée est égale ou supérieure à la moyenne de la vie professionnelle). — Com., 3 janv. 1989; *J.C.P.* 89, IV, 79 (annulation du contrat de location d'une installation téléphonique parce que la clause de reconduction exposait le locataire à des obligations susceptibles de se poursuivre indéfiniment).

(50-4) R. VATINET, *Le mutuus dissensus : Rev. trim. dr. civ.* 1987, 252 et s.

(50-5) B. ALPA, *Le contrat individuel et sa définition : Rev. int. dr. comp.* 1988, 327.

(51) ROUAST, *Essai sur la notion juridique de contrat collectif*, thèse Lyon, 1909. — G. ROUJON DE BOUBÉE, *Essai sur l'acte juridique collectif*, 1961. — Sur la distinction de l'acte juridique collectif et de la convention collective, V. FLOUR et AUBERT, n° 498 et s. — Sur les conventions collectives, MARTY et RAYNAUD, n° 37 et s.

celles qui y ont consenti soit au titre de la majorité, soit au titre de la représentativité. On raisonnera sur les cas les plus significatifs : convention cellective de travail, contrat d'intégration agricole, accords collectifs de location.

1° Les conventions collectives de travail

115-1. — L'exemple type est la convention collective de travail. Conclue entre syndicats de travailleurs, d'une part, employeurs ou syndicats d'employeurs, d'autre part, ces conventions réglementent les conditions du travail (salaires, congés, indemnités diverses...). Les contrats individuels de travail devront s'y conformer, même s'ils concernent des ouvriers n'appartenant pas au syndicat signataire.

116. — Il en existe deux types. Le premier fait intervenir d'un côté des organisations syndicales « représentatives » des salariés de la branche d'activité considérée (C. travail, art. L. 132-1, al. 2) et de l'autre des groupements d'employeurs pour qui la représentativité n'est pas exigée. Le second type est la convention collective susceptible d'extension, qui suppose toute une procédure d'élaboration : négociation au sein d'une commission mixte composée de représentants des organisations syndicales les plus représentatives tant en ce qui concerne les employeurs que les salariés pour l'ensemble du territoire (C. travail, art. L. 133-1), avis de la Commission supérieure des conventions collectives, arrêté du ministre du Travail prononçant l'extension.

117. — On peut imaginer, avec une certaine doctrine, l'extension à la consommation du mécanisme de la convention collective. Des négociations auraient lieu entre producteurs et distributeurs, d'une part, et consommateurs, d'autre part, pour chaque branche intéressée, de façon à éviter la solitude des particuliers-consommateurs face aux professionnels tout puissants. On pourrait aboutir, soit à des contrats types devant être respectés dans toutes leurs dispositions, soit à de simples accords-cadre déterminant les engagements minimum des professionnels, fixant les clauses obligatoires et énumérant les clauses à proscrire, tout en permettant, au-delà, l'adaptation du contrat. Quant à leur force obligatoire, il suffirait de transposer le régime applicable en droit du travail. Pour que ces conventions collectives de consommation voient le jour, il faudra au préalable lever l'obstacle de la détermination des négociateurs, non pas tant pour les professionnels, car il existe des organismes syndicaux pour les différents secteurs d'activité, que pour les consommateurs dont la représentation est beaucoup plus parcellisée.

2° Les contrats d'intégration agricole

118. — Aux termes de la loi n° 64-678 du 6 juillet 1964 (art. 17-1) « sont réputés contrats d'intégration, tous accords conclus entre un producteur agricole ou un groupe de producteurs et une ou plusieurs entreprises industrielles ou commerciales comportant obligations réciproques de fournitures de produits ou de service ». Ces conventions, qui sont fréquentes en matière d'engraissement, d'élevage... procurent à l'agriculteur le soutien financier nécessaire en contre-partie de certaines obligations.

Une des originalités en la matière consiste dans la substitution d'un contrat collectif, conforme à un contrat type, aux contrats individuels dans une double hypothèse : le nombre de conventions individuelles entre une entreprise et les producteurs agricoles est supérieur au chiffre fixé par le ministre; les deux-tiers au moins des producteurs liés par contrat individuel à la même entreprise en font la demande (art. 18). Le contrat type (il en existe un par secteur de production), une fois homologué, est applicale un an après sa promulgation à toutes les entreprises agricoles, commerciales et industrielles de la branche concernée.

3° Les accords collectifs de location

118-1. — La loi du 23 décembre 1986 (art. 42) après celle du 22 juin 1982 (art. 28 et 44) prévoit la conclusion d'accords collectifs entre bailleurs et locataires. Ils peuvent porter notamment sur « les loyers, la maîtrise des charges récupérables, la grille de vétusté, l'amélioration et l'entretien des logements et des parties communes, les locaux résidentiels à usage commun ». Les accords sont conclus entre certains bailleurs (collectivités publiques, par exemple) et des associations de locataires; ils sont obligatoires dès « qu'ils ont été conclus par une ou plusieurs associations regroupant au total le tiers au moins des locataires concernés », sauf leur rejet par écrit de la part de la majorité des locataires. Ils peuvent l'être aussi directement entre bailleurs et locataires qui doivent les approuver à la majorité.

118-2. — Citons encore deux secteurs d'efficacité du contrat collectif : les propriétaires fonciers intéressés à réaliser des travaux d'intérêt commun sont groupés par la loi en « associations syndicales » pouvant passer des conventions décidées par la majorité et s'imposant à la minorité. Les immeubles en copropriété comportent nécessairement une assemblée de copropriétaires — le syndicat — pouvant prendre des décisions à la majorité et passer éventuellement des contrats. Le syndicat est, d'ailleurs, pourvu de la personnalité juridique.

Rappelons que, dans le cadre de l'économie contractuelle, divers accords, contrats ou ententes sont conclus entre groupements professionnels.

B. — Intérêts de la distinction

119. — On n'insistera pas sur le formalisme de l'élaboration des contrats collectifs qui fait contraste avec le schéma classique de conclusion du contrat individuel. Dans le premier cas, la loi détaille avec minutie la procédure à suivre, qui, dans le second, est abandonnée à la totale liberté des parties.

120. — Le trait distinctif le plus marquant réside dans le rayonnement du contrat collectif qui tient en échec le principe de l'effet relatif du contrat. La convention collective de travail, par exemple, produit ses effets à l'égard de personnes qui n'y ont pas participé ou qui parfois même n'étaient pas encore dans la vie active au moment de sa signature. Cet effet collectif est, d'ailleurs, susceptible de degrés. Dans la convention ordinaire, sont tenus d'en respecter les dispositions dans leurs rapports avec leur personnel les seuls employeurs qui l'ont personnellement signée ou qui sont membres du groupement signataire. Au contraire, la convention étendue par arrêté ministériel est applicable à tous les contrats individuels de travail qui seront ultérieurement passés dans la branche d'activité et dans la région concernées; elle s'impose donc également aux employeurs qui ne font pas partie de l'organisation patronale signataire.

Certains auteurs considèrent que cette portée collective imprime un caractère normatif à la convention collective et que cet effet normatif ne contredit pas directement la relativité du lien contractuel, dans la mesure où l'on juge que les intéressés ont adhéré implicitement au cadre juridique issu de l'acte collectif. En revanche, l'entorse à la relativité des contrats est beaucoup plus accentuée dans le cas où la convention est dotée d'efficacité à l'égard des personnes qui s'y étaient opposées, tels les locataires qui n'ont pas pris part à l'accord collectif de location ou les copropriétaires qui ont voté contre une délibération du syndicat.

§ 7. — Les contrats négociés, les contrats d'adhésion et les contrats forcés

A. — Contrats négociés

121. — Le type traditionnel du contrat est le contrat négocié, appelé encore de gré à gré. C'est celui où les parties contractantes (ou leurs représentants) discutent à loisir les clauses de la convention, du moins ses principales clauses. La négociation ou les pourparlers peuvent se prolonger pendant des jours, des mois, voire des années. Cela n'est pas sans poser des problèmes que l'on se borne à signaler : quelle est la situation juridique des parties pendant cette période *précontractuelle* : assument-elles déjà certaines obligations ayant un caractère contractuel ou restent-elles des tiers jusqu'à la conclusion du contrat ? (51-1). La rupture des pourparlers peut-elle être, dans certains cas, une source de responsabilité (51-2) ?

Le contrat de gré à gré se définit, aussi, par sa mise à la mesure de la situation respective des parties. Les obligations de chacune sont arrêtées

(51-1) Sur la période précontractuelle, J. GHESTIN, n° 227 à 256-1.

(51-2) V. une espèce intéressante où cette rupture n'a pas été considérée comme fautive : Pau, 14 janv. 1969 : *D.* 1969, 716.

expressément ou tacitement dans le détail et le pouvoir d'individualiser l'accord ne rencontre d'autres limites que celles de conserver les éléments qui sont de la substance même du contrat en cause. Par exemple, dans la vente, il va de soi que tout vendeur est tenu de livrer la chose et tout acheteur de payer le prix; mais la livraison pourra être différée, fractionnée, opérée en des lieux différents; et le prix pourra être payé partie comptant, partie à terme, avec ou sans intérêts, par chèque ou en espèces...

B. — Contrats d'adhésion

122. — Le contrat d'adhésion correspond au type le plus courant de contrat à l'époque moderne. Qu'il soit devenu le mode habituel de contracter s'explique par des raisons tirées à la fois de la technologie et de l'économie; la standardisation des produits et leur complexité de fabrication, la distribution de masse à travers les grandes surfaces dont les préposés ne sont qu'agents d'exécution, la répétition accélérée des mêmes opérations, font obstacle à toute étude individuelle des transactions (52). Le contrat d'adhésion est entièrement ou presque entièrement rédigé par l'un des contractants. Le cocontractant n'a guère la possibilité d'obtenir des modifications; il est libre d'accepter ou de ne pas accepter, mais s'il accepte, il adhère simplement à ce contrat prérédigé (53).

Le voyageur ne saurait discuter les conditions de son transport par la S.N.C.F., pas plus que l'ouvrier embauché dans une usine ne pourrait obtenir de modifications au règlement intérieur de l'entreprise. Il en va de même dans de très nombreuses autres situations : abonnement à l'E.D.F., au téléphone, contrat d'assurance.

123. — Ce qui constitue un des deux signes distinctifs de cette forme de contrat, c'est le caractère réglementaire et unilatéral de l'offre : elle est impersonnelle parce qu'adressée à quiconque; elle constitue un standard détaillé en ce qu'elle fixe par le menu toutes les clauses du contrat. L'autre caractéristique est la puissance économique dont jouit l'offrant qui le met en mesure de dicter sa loi, puissance provenant souvent d'un monopole de droit (S.N.C.F., Eau, Gaz et Électricité de France) ou d'un monopole de fait (assurances, transports maritimes, ventes d'automobiles neuves).

124. — Cette question avait donné lieu à des discussions passionnées au XIXe siècle, car le contrat d'adhésion paraissait contraire à l'autonomie de la volonté du fait de l'impossibilité dans laquelle se trouvait l'un des contractants d'exercer pleinement sa volonté contractuelle. Aussi, certains

(52) R. DUCOS-ADER, *A société de consommation, droit de la consommation : Mélanges* en hommage à Jacques ELLUL, 1983, p. 459 à 468.

(53) CHOLEY, *L'offre de contracter et la protection de l'adhérent dans le contrat d'adhésion*, thèse Aix, 1975. — BERLIOZ, *Le contrat d'adhésion*, thèse Paris, 1976, préface B. GOLDMAN. — A. POPOVICI, *Les contrats d'adhésion : un problème dépassé ? : Mélanges Louis Baudoin*, 1974, p. 161 à 202. — P.-A. CRÉPEAU, *Contrat d'adhésion et contrat type, ibid.*, p. 67 à 78.

auteurs avaient-ils soutenu que les règles contractuelles ayant pour seule justification l'interprétation de la volonté probable des parties, ne devraient pas être appliquées aux contrats d'adhésion où il ne peut s'agir de véritable volonté de celui qui ne peut qu'adhérer à des clauses, en fait, *imposées.*

125. — La Cour de cassation n'a pas adopté ce point de vue, du moins de façon formelle. Etant libre de ne pas contracter, celui qui se borne à adhérer à un contrat qu'il n'a pas la possibilité de modifier, n'en exerce pas moins sa volonté contractuelle. Les règles générales des contrats sont donc applicables aux contrats d'adhésion et le juge ne dispose pas en ce qui les concerne d'un pouvoir particulier de contrôle. Encore faut-il, pour que les clauses contenues dans le contrat type soient opposables à l'adhérent, que celui-ci ait été en mesure de les connaître. Or, la plupart du temps, cette information n'intervient qu'une fois le contrat conclu : l'ouvrier ne connaît le règlement d'atelier — affiché à l'intérieur de l'usine — qu'après avoir été embauché, le voyageur ignore, lorsqu'il prend son billet, que le transporteur a stipulé une clause limitative de responsabilité. En outre, la connaissance des contrats types suppose la lecture de documents auxquels le client est renvoyé, documents d'accès ou de compréhension difficile. Dans ces conditions, on devrait systématiquement déclarer sans effet toute clause dont on n'a pas été informé à temps. Mais la jurisprudence est sur ce point beaucoup plus nuancée : elle n'exige pas la connaissance effective de la clause mais seulement la possibilité de la connaître.

126. — C'est sur le plan législatif que se manifeste l'originalité de ces contrats. Conscient de ce que les contrats d'adhésion sont imposés par la partie économiquement puissante à ceux qui ne sont pas en mesure de négocier, le législateur intervient en déclarant illicites de nombreuses clauses ou en imposant certaines autres ou encore en soumettant les parties à « un processus contractuel successif » (54).

A titre d'exemples, on citera les multiples interventions du législateur prises en vue de garantir une meilleure information et une meilleure protection des consommateurs :

— loi du 3 janvier 1972 sur le démarchage financier;

— loi du 22 décembre 1972 sur le démarchage et la vente à domicile;

— loi du 9 juillet 1975 autorisant la révision de la clause pénale;

— loi du 10 janvier 1978 sur certaines opérations de crédit;

— loi du 10 janvier 1978 sur les produits et services;

— loi du 13 juillet 1979 sur l'emprunt dans le domaine immobilier;

— loi du 11 juin 1985 sur la transparence des contrats d'assurance vie et de capitalisation.

— loi du 5 janvier 1988 sur l'action en justice des associations de consommateurs;

---

(54) V. FLOUR et AUBERT, *Les obligations,* n° 187-4.

— loi du 6 janvier 1988 relative aux opérations de télé-promotion avec offre de vente, dites de télé-achat.

127. — A côté de ces réglementations spécifiques limitées à tel type d'opérations, on aura soin de relever des dispositions plus générales. Citons, parce qu'il intéresse de très nombreux accords, l'article 48 du Nouveau Code de procédure civile qui prohibe toute clause qui, directement ou indirectement, déroge aux règles de compétence territoriale « à moins qu'elle n'ait été convenue entre des personnes ayant toutes contracté en qualité de commerçant et qu'elle ait été spécifiée de façon très apparente dans l'engagement de la partie à qui elle est opposée ».

La nouveauté la plus retentissante est celle qui résulte de l'article 35 de la loi du 10 janvier 1978 dont il convient de reproduire le texte :

« Dans les contrats conclus entre professionnels et non professionnels ou consommateurs, peuvent être interdites, limitées ou réglementées, par des décrets en Conseil d'État pris après avis de la commission instituée par l'article 36, en distinguant éventuellement selon la nature des biens et des services concernés, les clauses relatives au caractère déterminé ou déterminable du prix ainsi qu'à son versement, à la consistance de la chose ou à sa livraison, à la charge des risques, à l'étendue des responsabilités et garanties, aux conditions d'exécution, de résiliation, résolution ou reconduction des conventions, lorsque de telles clauses apparaissent imposées aux non professionnels ou consommateurs par un abus de la puissance économique de l'autre partie et confèrent à cette dernière un avantage excessif.

De telles clauses abusives, stipulées en contradiction avec les dispositions qui précèdent, sont réputées non écrites » (V. *infra*, n° 622 et s.).

127-1. — Quelque intéressantes que soient ces dispositions législatives, force est de constater qu'elles ne constituent jamais que des interventions ponctuelles et laissent entier le prolème général de la protection du particulier face au contrat d'adhésion en soi. Le premier réflexe est de réclamer une réglementation complète des différents contrats d'adhésion, afin d'en éviter la rédaction unilatérale par le professionnel; mais une telle réglementation conduirait inévitablement à une disparition du droit commun et à une série de dispositifs inconnaissables pour le non-initié. On peut songer à doter le juge d'un pouvoir de révision lui permettant d'écarter les clauses qu'il jugerait abusives; le risque est alors de s'exposer à l'arbitraire de la justice et de n'obtenir protection qu'espèce par espèce.

Dans l'attente d'une réforme en profondeur, il serait souhaitable, à tout le moins, de rendre systématique une information effective du destinataire de l'offre conjuguée avec l'octroi d'un détail de réflexion préalable à l'engagement (54-1).

(54-1) Sur la question V. J. GHESTIN, n° 78 et s., qui semble préférer la négociation collective des conditions générales de ces contrats avec les groupements adéquats, notamment les associations de consommateurs.

C. — Contrats forcés

128. — L'amenuisement de la liberté contractuelle franchit un pas de plus lorsqu'il s'agit de contrats forcés (55). A raisonner sur le seul contrat d'assurance, on rappellera que la couverture de certains risques est obligatoire : risque automobile, risque cynégétique..., que l'extension de la garantie est parfois imposée : ainsi l'assurance automobile doit également couvrir la responsabilité civile de toute personne ayant la garde ou la conduite même non autorisée du véhicule (L. 5 juill. 1985, art, 8). Ainsi une garantie nouvelle des catastrophes naturelles s'ajoute nécessairement à tous les contrats de « garantie-dommages » (L. 13 juill. 1982).

129. — En dehors de l'assurance, d'innombrables dispositions attentent ouvertement à la liberté de contracter : renouvellement des baux ruraux, maintien dans les lieux, droits de préemption, dont le dernier prévu pour les zones d'aménagement différé (L. 18 juill. 1985), institution d'un droit au compte bancaire en vertu duquel la Banque de France désigne l'établissement de crédit qui sera tenu d'ouvrir un compte au profit d'un client précédemment refusé par une banque (L. 24 janv. 1984, art. 58)...

129-1. — Dans ces différentes hypothèses, la source de la contrainte *se trouve toujours dans la loi*, alors que, dans le contrat d'adhésion, elle résulte de la volonté de la partie la plus forte, qui dicte ses conditions à l'autre. Tantôt, *il y a atteinte à la liberté de ne pas contracter*, mais la liberté demeure quant au choix des partenaires : le Code civil exige de l'usufruitier qu'il fournisse caution, sans lui imposer de conditions quant à la personne du garant. Tantôt, *il y a atteinte à la liberté de choisir son co-contractant* sans que soit supprimée la liberté de ne pas contracter : le propriétaire n'est pas obligé de vendre son domaine mais s'il le fait, il doit l'offrir d'abord au fermier en place ou à la Safer, qui disposent d'un droit de préemption. Tantôt, enfin, *ce sont les deux libertés*, celle de ne pas contracter et celle de choisir son partenaire, *qui sont éliminées* : l'officier ministériel peut être requis par quiconque d'exercer les actes de son ministère, le boulanger est obligé de vendre son pain à qui le lui demande, le propriétaire ou le preneur peut exiger la conversion du métayage en fermage (56).

130. — Peut-on, encore, parler de contrat dans des cas de ce genre ? Beaucoup en doutent. On a proposé de dénommer ces situations paracon-

---

(55) Cf. MOREL, *Le contrat imposé dans le droit privé au milieu du XXe siècle : Mélanges Ripert*, t. II, p. 116. — Paul DURAND, *La contrainte légale dans la formation du rapport contractuel : Rev. trim. dr. civ.* 1941, p. 73 et s. — J.-M. VERDIER et P. LANGLOIS, *Aux confins de la théorie des sources du droit : une relation nouvelle entre la loi et l'accord collectif : D.* 1972, chron. 253. — J.-C. SERNA, *Le refus de contracter*, 1967. — JOSSERAND, *Le contrat forcé et le contrat légal : D.H.* 1940, chron. 5.

(56) Sur la question, FLOUR et AUBERT, n° 131 et s.

tractuelles ou même, *quasi-contrats,* en donnant à ce vieux terme un sens nouveau (57).

A vrai dire, un terme, quel qu'il soit, ne résout pas les nombreux problèmes que pose la disparition de la volonté dans la conclusion des contrats forcés.

§ 8. — Les contrats consensuels, les contrats formalistes et les contrats réels

131. — Cette classification intéresse le mode de formation des contrats. Le consensualisme est, on le sait, la règle, mais cette règle comporte des exceptions. C'est ce que nous verrons, précisément, dans le chapitre suivant consacré à la formation des contrats. Nous indiquons simplement cette classification, qui nous sert ainsi de transition à l'étude, plus complète, du mode de formation des contrats.

(57) J. HONORAT, *Rôle effectif et rôle concevable des quasi-contrats en droit actuel: Rev. trim. dr. civ.* 1969, p. 653 et s.

CHAPITRE II

LA FORMATION DU CONTRAT

132. — Nous savons que le contrat naît de la rencontre de deux volontés concordantes, chaque partie ayant donné son consentement à cet effet. Mais la volonté est un phénomène psychologique interne. Pour qu'elle puisse produire des effets juridiques, elle doit être extériorisée, il faut qu'on puisse la connaître (1).

— Y a-t-il quelque règle concernant *l'expression* du consentement ? C'est là une première question.

— Le consentement doit-il être donné par l'intéressé lui-même ou peut-il être exprimé par l'intermédiaire d'autrui ? C'est le problème de la *représentation.*

— Le contrat suppose l'expression de deux volontés concordantes : à quel moment précis et en quel lieu se produit cette *rencontre,* cet accord des volontés ? C'est poser le problème de la période pré-contractuelle, de l'éventualité du changement de volonté des parties, enfin du contrat conclu par correspondance.

SECTION I

EXPRESSION DU CONSENTEMENT

133. — Notre droit, avons-nous dit, a pour règle le *consensualisme* (1-1), ce qui signifie qu'il n'impose pas de règle particulière pour admettre l'existence des consentements : il suffit qu'on puisse en prouver l'existence.

---

(1) B. Célice, *Les réserves et le non-vouloir dans les actes juridiques,* L.G.D.J., 1968.

(1-1) Affirmation dans Civ. 3e, 12 juill. 1983 : *Bull. civ.* III, n° 165, p. 126. — V. sur la question, Rouhette, *Contribution à l'étude critique de la notion de contrat*, thèse Paris, 1965. — Delaporte, *Recherches sur la forme des actes juridiques en droit international privé*, thèse Nancy, 1974. — Flour et Aubert, n° 299 et s. — Carbonnier, p. 45. — Larroumet, n° 503 et s. — Ghestin, n° 259 et s. — Malaurie et Aynès, nos 239, 282, 309. — Mazeaud et Chabas, n° 66.

Mais cette règle comporte des exceptions; dans certains cas, le simple échange des consentements ne suffit pas pour donner naissance à un contrat et pour permettre à un contrat d'être pleinement efficace. On étudiera donc, dans les deux paragraphes suivants, la règle du consensualisme, puis les exceptions à cette règle.

SOUS-SECTION I

LE CONSENSUALISME

Il nous faut exposer, successivement, le principe puis les difficultés de mise en œuvre qu'il peut susciter.

§ 1. — Le principe

A. — Liberté d'expression

134. — Contrairement à certains droits formalistes, notamment le droit romain, le consentement peut s'exprimer par n'importe quel moyen : par écrit, bien sûr, mais aussi verbalement, ou même par un simple geste, dès lors que la signification du geste n'est pas équivoque. Ainsi, dans les ventes aux enchères publiques, lever la main signifie — ou peut signifier — que l'on entend enchérir ou surenchérir. Pour interpréter la signification de certains gestes ou de certaines attitudes, les juges tiendront compte des usages (2).

135. — La liberté des formes va jusqu'à permettre de retenir la volonté tacite (3) au même titre que la volonté déclarée. Ainsi en matière de succession, l'article 778 du Code civil dispose :

« L'acceptation peut être expresse ou tacite : elle est expresse quand on prend le titre ou la qualité d'héritier dans un acte authentique ou privé; elle est tacite quand l'héritier fait un acte qui suppose nécessairement son intention d'accepter, et qu'il n'aurait droit de faire qu'en sa qualité d'héritier ».

Les expressions tacites sont multiples; il est des attitudes qui révèlent *ipso facto* la volonté de contracter, telle celle du chauffeur de taxi qui se met en station (4), celle du commerçant qui expose ses articles en vitrine avec une

---

(2) Civ. 1re, 17 oct. 1955 : *J.C.P.* 56, II, 9226, note J.-Ch. LAURENT : « Les juges du fond interprètent souverainement l'existence du consentement, compte tenu de son mode d'expression ».

(3) P. GODÉ, *Volonté et manifestations tacites,* thèse Lille, 1977. — R. NERSON, *La volonté de contracter : Mélanges Secrétan*, 1964, p. 209 et s. — H. ROLAND et L. BOYER, *Adages* : « On lie les bœufs par les cornes et les hommes par les paroles », p. 214 et s.

(4) Civ. 1re, 2 déc. 1969 : *Bull. civ.* I, n° 831.

étiquette indiquant le prix, celle de la péripatéticienne qui fait les cent pas sur le trottoir...

L'absence de formes préétablies (5) ressort indirectement de l'article 1108 du Code civil qui, dans son énumération des conditions requises pour la validité des conventions, ne fait mention d'aucune exigence de forme. Le contrat consensuel a l'avantage de permettre les négociations à distance et la conclusion rapide des affaires.

B. — Valeur du silence

1° Inefficacité de principe du silence

136. — Cette totale liberté dans l'expression du consentement conduit à se poser la question de savoir si le simple silence vaut, ou peut valoir, consentement. Selon un proverbe, « qui ne dit mot consent » (5-1). Cela est-il vrai en matière contractuelle (6) là où, par hypothèse, le législateur n'a pas pris parti (6-1)?

Pratiquement, cette question pourrait se poser assez souvent. On reçoit diverses sollicitations de commerçants, qui envoient le catalogue des articles qu'ils vendent, ou de divers éditeurs qui envoient des spécimens de tel journal, de telle revue à laquelle on vous invite à vous abonner, etc. Vous ne répondez pas. Il est évident que vous n'êtes pas censé, par ce silence, avoir accepté ces diverses offres (7).

Par conséquent, contrairement au proverbe précité, sur le plan juridique : qui ne dit mot ne consent pas. Telle est, du moins, la règle générale. La jurisprudence l'a appliquée dans de nombreux cas. En voici un exemple :

137. — Un banquier écrit à son client qu'à l'occasion de l'émission d'actions d'une société, il le porte souscripteur d'un certain nombre d'actions, en virant au compte de la société des fonds qu'il détenait pour lui. Le client ne proteste pas, il garde le silence. Or, il a été jugé que ce silence ne

(5) J.-P. GRIDEL, *Le signe et le droit,* thèse Paris, 1979, n° 29.

(5-1) ROLAND et BOYER, *Adages*, p. 853.

(6) LITTMANN, *Le silence et la formation du contrat,* thèse Strasbourg, 1969. — MADJARIAN, *Le silence et la formation du contrat*, thèse Strasbourg, 1961, préface PERROT. — DIENER, *Le silence et le droit*, thèse Bordeaux, 1975.

(6-1) V. art. 1738 et 1759, C. civ. en matière de louage et L. 412-8, al. 3, C. rural.

(7) La loi du 9 fév. 1961 a même pénalisé l'envoi spontané des produits à la clientèle en créant une contravention de 5e classe. En vertu de l'article R. 40-12e « seront punis d'un emprisonnement de 10 jours à un mois et d'une amende de 2 500 à 5 000 F ou de l'une de ces deux peines seulement... ceux qui auront fait parvenir à un destinataire, sans demande préalable de celui-ci, un objet quelconque accompagné d'une correspondance indiquant qu'il peut être accepté par lui contre versement d'un prix fixé ou renvoyé à son expéditeur même si ce renvoi peut être fait sans frais pour le destinataire ». — V. ARTZ, *La prohibition des envois forcés : D.* 1975, chron. 129.

signifiait pas, en l'espèce, l'acquiescement à cette opération (8). Pareillement, on ne saurait déduire l'existence d'un contrat d'entreprise de la réception d'une facture de travaux reçue sans émettre la moindre réserve ou contestation (8-1).

138. — Mais il peut en être autrement. Il y a des silences qui ont une signification précise, des « silences éloquents » a-t-on dit. En ce cas, le silence constitue une manifestation de volonté. Quels sont donc les types de situations de nature à lever l'équivoque ?

2° Tacite reconduction

139. — Dans de nombreux contrats successifs, une clause du contrat déclare que, faute par l'une des parties de déclarer expressément qu'elle n'entend pas continuer le contrat après son expiration, celui-ci sera *reconduit,* c'est-à-dire prolongé pour une nouvelle période. Cela est très fréquent dans les contrats de louage ou dans les contrats de travail, ou dans les contrats d'assurance : c'est la *tacite reconduction.* En l'absence même de clause en ce sens, la tacite reconduction peut être invoquée en vertu des usages ou de la loi (9).

Le silence crée donc un nouveau contrat (10). Pour empêcher cette reconduction, les parties doivent prévenir un certain temps à l'avance (fixé dans le contrat, dans la loi ou par les usages).

3° Relations d'affaires

140. — Les parties (en général des commerçants) sont en relations d'affaires depuis un certain temps. A intervalles réguliers, l'une d'elles s'adresse à son fournisseur habituel pour lui commander telle quantité de marchandises. Supposons que, tout à coup, cette personne oublie de passer sa commande habituelle. Le fournisseur, lui, ne l'oublie pas et la lui envoie, accompagnée, bien sûr, de la facture inévitable. Le silence du client habituel pourra être interprété comme une acceptation; le contrat se sera formé

(8) Civ., 25 mai 1870 : *D.* 1870, I, 257, (arrêt de principe). — Dans le même sens, Civ. 1re, 23 mai 1979 : *D.* 1979, I.R. 488. — Com., 23 juill. 1957 : *Bull. civ.* III, n° 240. — 16 déc. 1981 : *J.C.P.* 82, IV, 88. — 3 déc. 1985 : *J.C.P.* 86, IV, 65.

(8-1) Civ. 3e, 9 mars 1988 : *Bull. civ.* III, n° 53, p. 30; *Rev. trim. dr. civ.* 1988, 519, obs. MESTRE.

(9) C. ass., art. L. 112-2 : « Est considérée comme acceptée la proposition faite par lettre recommandée de prolonger ou de modifier un contrat ou de remettre en vigueur un contrat suspendu, si l'assureur ne refuse pas cette proposition dans les dix jours après qu'elle lui est parvenue ». — Pour une illustation, Civ. 1re, 7 avril 1987 : *D.* 1987, somm. comm. 157. — *Adde*, Paris, 21 avril 1988 : *D.* 1988, 498, note P. VILLIEN (le silence gardé par l'assureur à l'expiration des délais réglementaires prescrits vaut acceptation de la prétention adverse). En matière de louage, v. art. 1738 et 1759, C. civ. et L. 412-8, al. 3, C. rural.

(10) Civ. 1re, 10 janv. 1984 : *Bull. civ.* I, n° 6; *Rev. trim. dr. civ.* 1985, 157, obs. J. MESTRE (la tacite reconduction n'entraîne pas prorogation du contrat primitif, mais donne naissance à un nouveau contrat).

par son simple silence (11). Bien entendu, une telle portée donnée au silence suppose l'existence d'une série de rapports contractuels de même nature, qui ne saurait résulter d'une transaction isolée (11-1).

141. — Ce sont là des questions de circonstances, des *questions de fait.* Un jugement qui poserait en principe que le silence ne vaut *jamais* consentement serait cassé, car il exprimerait une règle de droit contraire au consensualisme. Mais il peut dire *souverainement* qu'étant donné les circonstances de l'espèce, le silence doit être interprété comme un consentement, ou inversement (12).

142. — Il arrive souvent que le contrat une fois conclu et l'objet livré, l'acheteur reçoive une facture où figurent des clauses qui, jusqu'alors, n'avaient pas été envisagées, n'avaient pas été débattues. Par exemple, sur la facture, figure une clause attributive de compétence (on déclare qu'en cas de litige, le tribunal compétent sera, disons, celui de Paris, ou de Pontoise, etc.). Le fait de payer la facture, *sans protester contre cette clause,* signifie-t-il qu'on l'a acceptée par son silence ?

On l'avait, naguère, soutenu, en invoquant un arrêt de la Chambre des requêtes du 27 janvier 1909 (13). Mais cet arrêt n'est pas concluant, car il semble avoir ainsi décidé en constatant que cette pratique avait été déjà suivie par les parties dans une affaire précédente. On trouve des arrêts en sens contraire (14). Par conséquent, là encore les juges interprètent librement les circonstances de chaque espèce. La question est aujourd'hui vidée par l'article 48 du Nouveau Code de procédure civile, qui condamne, sauf exceptions, de semblables clauses.

4° Usages commerciaux

143. — Le juge tient fréquemment compte des usages commerciaux pour considérer que le mutisme gardé pendant le délai imparti pour protester équivaut à un assentiment. Ainsi en va-t-il dans les opérations de bourse où le fait pour un professionnel de recevoir un avis confirmatif d'une commande et de ne pas y répondre « télégraphiquement dans les vingt-quatre heures » implique ratification de la commande (15). On relève la même solution pour les relevés de compte (15-1) et les avis d'opéré : voici la cliente

(11) Besançon, 27 déc. 1930 : *D.H.* 1931, 124.

(11-1) Com., 13 mai 1986 : *Rev. trim. dr. civ.* 1987, 533, obs. MESTRE. — V. J. GHESTIN, n° 297.

(12) Req., 14 avril 1942 : *S.* 1942, 1, 123.

(13) *D.* 1909, 1, 173.

(14) Angers, 12 mai 1931 : *D.H.* 1931, 387.

(15) Com., 9 janv. 1956 : *Bull. civ.* III, n° 13.

(15-1) Aix, 17 déc. 1986 : *J.C.P.* 87, II, 20795, note J. STOUFFLET, qui voit une approbation tacite du système des jours de valeur dans la réception sous réserve des relevés périodiques.

d'une banque qui avait versé sur son compte une somme de 500 000 F; le banquier avait acheté pour elle des warrants industriels et débité son compte du prix d'achat, soit 548 888 F. L'intéressée n'avait protesté contre cette opération qu'un mois après réception de l'avis d'opéré; les juges du fond avaient accueilli la réclamation de la cliente pour de multiples motifs, s'appuyant notamment sur le fait que l'achat de warrants industriels ne pouvait être tenu pour un acte commercial et que la réception silencieuse de l'unique avis d'opéré ne pouvait constituer la preuve d'un ordre donné à la banque ou de la ratification tacite d'un mandat. La Cour suprême casse au motif « qu'aucune des circonstances relevées par la Cour d'appel n'était de nature à priver de son effet la réception de l'avis d'opéré » (15-2).

5° Offre *in favorem*

144. — Une dernière catégorie de « silences éloquents » doit, enfin, être signalée. Elle concerne des offres qui sont tout à l'avantage de celui à qui elles sont faites. Le silence de ce dernier est considéré comme un consentement, parce qu'il n'avait aucune raison valable, en principe, de les refuser (15-3). En voici des exemples.

— Un bailleur écrit à son locataire qu'il lui fait remise des loyers que ce dernier lui devait, pour une certaine période (il déclare qu'il renonce donc à ces loyers). Le locataire ne répond pas, ni pour accepter, ni pour refuser. Il ne remercie même pas ! Par la suite, le bailleur vint réclamer le paiement des loyers dont il avait déclaré auparavant faire la remise. On a jugé que le silence du locataire était un acquiescement, une acceptation de cette offre généreuse... qu'il n'avait aucune raison de rejeter ! Le bailleur a donc été débouté de sa demande en paiement de ces loyers (16).

— On a jugé, également, qu'une offre faite par l'employeur proposant à son employé « l'intéressement dans les profits de l'entreprise » est acceptée par le silence de ce dernier qui n'avait aucune raison de la refuser (17).

— Dans un arrêt rédigé sous forme d'arrêt de principe, la Cour de cassation rappelle cette même règle dans une espèce où sa proclamation semble discutable. Un cyclomotoriste est victime d'un accident de la route et son engin explose et prend feu. Un garagiste se portant spontanément à son secours est brûlé grièvement. La cour d'appel, approuvée par la Cour de cassation, déclare qu'une « convention d'assistance » s'était formée, que le consentement exprès de l'assisté n'était pas nécessaire « dès lors que l'offre est faite dans son intérêt exclusif ». Or, il est singulier de relever

---

(15-2) Com., 9 déc. 1986 : *J.C.P.* 88, II, 20918, note H. CROZE.

(15-3) Naturellement, la présomption d'acceptation tombe s'il est établi que le destinataire de l'offre favorable a entendu la rejeter : Soc., 12 fév. 1985 : *Bull. civ.* V, n° 96, p. 70.

(16) Req., 29 mars 1938 : *D.* 1939, 1, 5, note VOIRIN.

(17) Soc., 15 déc. 1970 : *J.C.P.* 71, IV, 24.

l'existence d'un consentement tacite de l'assisté qui, inanimé par suite de l'accident, n'avait pas conscience de ce qui se passait et n'était donc pas en état de vouloir quoi que ce soit, ni expressément, ni tacitement (18).

Rappelons, enfin, que l'idée selon laquelle les offres faites dans l'intérêt du bénéficiaire sont acceptées tacitement par ce dernier est à la base de la thèse qui déclare que les offres unilatérales de contracter sont obligatoires pour l'offrant du fait de la formation d'un « avant-contrat » résultant du silence du destinataire.

6° Prévision sur le silence

144-1. — Déjà la Chambre commerciale de la Cour de cassation avait admis, à propos de la modification d'un contrat, que le silence des parties était une forme de consentement s'il avait été formellement prévu par le contrat (18-1). A son tour, la première Chambre civile (18-2) reconnaît l'efficacité d'une déclaration de volonté sur la valeur du silence. Les époux Czernik avaient consenti une promesse de vente d'un manège forain aux époux Maillard, l'option devant être levée dans les 18 mois et, ce, pour un prix à fixer d'un commun accord, à défaut par un arbitre.M. Czernik avait confirmé son offre par acte d'huissier, rappelant le délai dans lequel devait intervenir la levée d'option chiffrée, *qu'il se réservait d'accepter ou de refuser dans la quinzaine.* Les époux Maillard avait informé, en temps voulu, les vendeurs qu'ils optaient pour l'acquisition au prix de 100 000 F. Les époux Czernik avaient notifié leur refus d'accepter le prix proposé avec presque trois semaines de retard sur le délai prévu. La cour de Limoges avait jugé que la vente au prix de 100 000 F était parfaite; la Cour de cassation approuve les juges du fond en des termes dépourvus de toute ambiguïté : « Attendu qu'après avoir justement énoncé que le silence de celui qu'on prétend obligé ne peut suffire en l'absence de toute autre circonstance à faire la preuve contre lui de l'obligation alléguée, la cour d'appel, par une appréciation souveraine des circonstances de la cause et de l'intention des parties, retient qu'en s'imposant un délai pour accepter ou refuser le prix offert par les époux Maillard, les époux Czernik s'étaient obligés à manifester expressément leur désaccord si le prix proposé ne leur convenait pas, et que le silence par eux gardé pendant ce délai valait acceptation du prix ».

---

(18) Civ. 1re, 1er déc. 1969 : *J.C.P.* 70, II, 16445, note J.-L. AUBERT; *D.* 1979, 422, note PUECH; *Rev. trim. dr. civ.* 1971, 164, obs. DURRY.

(18-1) Com., 11 juill. 1982 : *Gaz. Pal.* 1982, 2, 188.

(18-2) 12 janv. 1988 : *Bull. civ.* I, n° 8, p. 7; *Rev. trim. dr. civ.* 1988, 521, obs. MESTRE.

§ 2. — Les difficultés de mise en œuvre

145. — La totale liberté de la forme d'expression du consentement suscite de nombreuses difficultés, dont voici les principales :

— Comment prouver *l'existence* de l'expression de la volonté ? Nous ne reviendrons pas sur la question de la preuve qui a été déjà étudiée.

— Que décider s'il y a *discordance* entre la volonté réelle et celle qui résulte de son expression ?

— Quelles règles les juges doivent-ils suivre pour *interpréter* la volonté des contractants lorsque celle-ci ne s'est pas clairement exprimée ?

Voyons ce qu'il en est de ces deux dernières questions.

A. — Discordance entre la volonté réelle et la volonté déclarée

146. — A cet égard, la thèse traditionnelle soutient qu'il faut donner préférence à la *volonté réelle,* dès lors qu'on peut la prouver. C'est là une conséquence directe de l'ancienne conception de l'autonomie de la volonté.

Contre cette thèse a été élaborée une autre théorie : celle dite de la *déclaration de volonté,* soutenue surtout en Allemagne et, aussi, par certains auteurs français. Selon cette dernière, il faut donner la préférence à la *volonté déclarée,* exprimée, car c'est la seule que l'on peut connaître avec certitude. On porterait atteinte au crédit, à la stabilité des contrats, si l'on pouvait attaquer une convention sous prétexte que la volonté déclarée ne correspond pas à la volonté véritable (19).

147. — Nous n'entrerons pas dans l'exposé de cette controverse, en grande partie purement académique. Le Code civil adopte la thèse traditionnelle sans, cependant, la suivre dans toutes ses conséquences.

Il se rattache à celle-ci lorsque, dans l'article 1156, il déclare :

« On doit, dans les conventions, rechercher quelle a été la commune intention des parties contractantes, plutôt que de s'arrêter au sens littéral des termes ».

(19) SALEILLES, *La déclaration de volonté*, 1901. — J. CHABAS, *De la déclaration de volonté en droit civil français*, thèse Paris, 1931. — RIEG, *Le rôle de la volonté dans l'acte juridique en droit civil français et allemand*, 1961. — J. BOULANGER, *Volonté réelle et volonté déclarée, in Liber amicorum*, Baron Frédéricq, 1965. — B. CÉLICE, *Les réserves et le non-vouloir dans les actes juridiques*, L.G.D.J., 1968, préface CARBONNIER. — GHESTIN, n° 278 et s. — MARTY et RAYNAUD, n° 104, qui souligne que dans la thèse de la déclaration de volonté, « si le contrat est obligatoire, ce n'est pas tant parce qu'il exprime une volonté de s'obliger que parce qu'il constitue un fait social... », d'où il résulte que son auteur peut être engagé au-delà de ce qu'il a véritablement voulu.

Nous verrons aussi que les obligations peuvent être annulées lorsque le consentement n'a été donné que par erreur, du moins lorsque l'erreur a été assez grave pour déterminer la volonté. Cela montre que la volonté déclarée ne suffit pas pour valider le contrat, lorsque la preuve qu'elle a été donnée par erreur a pu être apportée. Il en est de même des autres « vices de la volonté » et, plus encore, de la recherche dans le cadre de la cause, des mobiles illicites ou immoraux qui ont déterminé le consentement.

148. — Pour autant, le Code civil n'ignore pas l'autre aspect du problème : la nécessité du maintien des contrats, afin de ne pas introduire l'instabilité dans la vie des affaires.

D'une part,lorsqu'une partie contractante prétend que l'écrit dans lequel s'est exprimée sa volonté ne correspond pas à la réalité, elle doit prouver par écrit cette discordance : contre un écrit on ne peut prouver que par un écrit (C. civ., art. 1134). Encore convient-il d'observer que la jurisprudence ne fait pas de l'interdiction de prouver contre un acte autrement que par un autre acte, une règle absolue. Elle admet la preuve par tous les moyens lorsqu'il s'agit d'établir une erreur matérielle, telle celle plaçant à tort le mot *néant* dans la case de la police d'assurance réservée à l'identité du risque, qui s'était réalisé (19-1), ou celle qui résulte d'une mauvaise graphie, *deuxième* pour douzième (19-2).

D'autre part, toute erreur n'est pas cause de nullité, celle-ci doit être grave, déterminante et, surtout, connue ou devant être connue par le cocontractant. On reviendra sur ces points en étudiant les vices du consentement.

Enfin, si les *parties* rédigent une contre-lettre qui dissimule une convention qu'elles désirent garder secrète, leur véritable volonté ne saurait nuire aux tiers, la contre-lettre leur étant inopposable (C. civ., art. 1321).

149. — On voit donc, que sur bien des points, la volonté déclarée l'emporte sur la volonté réelle (20). Cette préférence suscite de vives réserves lorsque la non-coïncidence entre la volition interne et la manifestation de volonté est imputable à un tiers, spécialement à l'administration des postes et télécommunications. Il est injuste que l'expéditeur, qui n'a rien à se reprocher, subisse les conséquences d'un consentement mal transmis; certes, il dispose d'un recours contre l'agent de transmission, mais ce recours est illusoire lorsqu'il s'exerce contre l'administration postale qui jouit d'une immunité en matière de correspondance d'après l'article L. 37 du Code des postes et télécommunications.

(19-1) Civ. 1re, 26 avril 1978 : *Bull. civ.* I, n° 52, p. 120. Cette jurisprudence remonte à un arrêt du 23 avril 1860 : *D.P.* 1860, I, 228. — Pour une autre espèce (rectification du prix de vente), Civ. 3e, 23 janv. 1970 : *Gaz. Pal.* 1970, 1, 210.

(19-2) Civ. 1re, 13 mai 1986 : *Bull. civ.* I, n° 122, p. 123; *Rev. trim. dr. civ.* 1988, 144, obs. J. MESTRE.

(20) Civ., 20 fév. 1923 : *D.* 1926, 1, 43.

B. — Interprétation du contrat

Raison d'être du problème

150. — La volonté des parties n'est pas toujours clairement exprimée. Il faut alors interpréter le contrat, c'est-à-dire en déterminer le sens et la portée, pour connaître les obligations de chacun. C'est un problème d'une grande importance pratique et qui soulève des questions juridiques délicates (20-1). Faute d'accord entre les parties sur l'interprétation du contrat, il appartient au juge de se prononcer; sur quelle base le fera-t-il ?

Le Code civil a prévu cette question de l'interprétation des conventions dans les articles 1156 à 1164. Ces textes ne contenant que de simples conseils donnés au juge, les auteurs se sont partagés sur la méthode d'interprétation à suivre et la jurisprudence, pour sa part, tout en paraissant se régler sur la recherche de l'intention des parties, fait œuvre pragmatique en adaptant ses solutions aux différents cas proposés.

Thèses en présence

151. — La *thèse subjective* prend appui sur l'article 1156 du code civil selon lequel : « on doit, dans les conventions, rechercher quelle a été la commune intention des parties contractantes plutôt que de s'arrêter au sens littéral des termes » (20-2). Cette thèse se rattache à l'idée d'autonomie de la volonté ainsi qu'au libéralisme juridique, économique et social, et, par conséquent, porte condamnation de la théorie de la déclaration de volonté.

Certes, reconnaît-elle, il existe des lois impératives qui restreignent ce libéralisme. Mais il faut bien se garder d'ajouter à l'*imperium* du législateur un pouvoir d'immixtion du juge dans la sphère contractuelle, ce qui permettrait à ce dernier de modifier le contrat, sous couleur d'interprétation, en créant ou en supprimant des obligations, contrairement à ce qui a été réellement voulu par les parties. Le souci de découvrir l'intention profonde des contractants explique, par exemple, la solution donnée en cas de contradiction entre une clause *manuscrite* et une clause *imprimée*; si l'on fait prévaloir (21) la première, c'est qu'elle est jugée davantage révélatrice de la

---

(20-1) G. MARTY, *La distinction du fait et du droit*, thèse Toulouse, 1929. — *Le rôle du juge dans l'interprétation des contrats : Travaux Association Capitant*, t. V, 1949, p. 285 et s. — Rapport *D.* 1932, 1, 141, sous Req, 23 fév. 1932. — J. BORÉ : *D.rép. proc. civ.*, V° Cass., n° 1504 et s. — TERRÉ, *L'influence des volontés individuelles sur les qualifications*, thèse Paris, 1957, préface LE BALLE. — J. BORÉ, *Un centenaire : Le contrôle par la Cour de cassation de la dénaturation des actes : Rev. trim. dr. civ.* 1972, 249.

(20-2) Pour une application très explicite de la préférence donnée à l'intention sur la lettre de l'acte, qui conduit à limiter l'aval donné par un particulier au montant le plus faible, Com., 8 déc. 1987 : *Bull. Civ.* IV, p. 262 et 197; *J.C.P.* 88, IV, 65.

(21) Civ., 23 juin 1952 : *S.* 1953, 1, 86. — Com., 7 janv. 1969 : *J.C.P.* 69, II, 16121, note PRIEUR.

volonté contractuelle. C'est du même esprit que procède la jurisprudence qui donne la préférence, en matière de contrat d'assurance, aux *conditions particulières* sur les *conditions générales* (22).

152. — La thèse objective ne tient pas compte de ces arguments. Elle s'appuie sur l'article 1135 du Code civil, selon lequel « les conventions obligent non seulement à ce qui y est exprimé *mais encore à toutes les suites que l'équité, l'usage ou la loi donnent à l'obligation d'après sa nature* » (23). Pour elle, le contrat n'est pas un simple instrument d'échange de biens ou de services entre les deux parties, il doit, aussi, servir la collectivité, ne pas être contraire au « bien commun », à l'équité et à la bonne foi. A cet effet, on doit faire confiance au juge : pourquoi lui permettre d'interpréter la loi et non le contrat lorsque ce dernier n'est pas, par lui-même, suffisamment explicite ?

153. — D'ailleurs, le contrat, sous sa forme moderne, est fortement dirigé. De très nombreuses obligations contractuelles sont imposées soit par la partie la plus forte (« contrats d'adhésion »), soit par le législateur. Dans le premier cas, il est vain ou dérisoire de rechercher une *intention commune* des contractants; dans le second, il s'agit, en réalité, d'interpréter la loi et non le contrat.

Cette interprétation directive aboutit, parfois, à faire produire au contrat des effets qu'à l'évidence les parties n'avaient pas envisagés. Tel est le cas de l'obligation de sécurité que l'on sous-entend dans tout contrat de transport, en vertu de laquelle le transporteur est responsable, de plein droit, de tout préjudice subi par le voyageur, les proches parents de celui-ci bénéficiant d'une stipulation pour autrui.

154. — Il est bien difficile de dire quelle est, en fait, la doctrine suivie par les tribunaux. Certes, le juge essaie, en principe, de connaître la véritable intention des parties. Mais, comme cette découverte de l'intention véritable est le plus souvent impossible, la tentation du juge est grande de s'inspirer de la deuxième thèse. Assurément, il ne l'affirmera pas ouvertement. Même si son véritable but est de faire prévaloir une solution « objectivement » souhaitable, il déclarera, dans les motifs de sa décision, que telle était la volonté réelle des parties, compte tenu de son interprétation. Le procédé est d'autant plus facilement utilisé que, le plus souvent, on admet que l'interprétation des clauses contractuelles est une question de fait, échappant au contrôle de la Cour de cassation (23-1).

---

(22) Soc., 13 mai 1970 : *J.C.P.* 70, IV, 174.

(23) Civ. 1re, 13 oct. 1987 : *D.* 1987, I.R. 212. — Paris, 13 juill. 1988 : *J.C.P.* 88, *Actualités* du n° 38 : « L'usage et l'équité font au banquier dépositaire de titres, une obligation de bonne garde non seulement matérielle mais juridique de ces titres » : en l'espèce, le client avait souscrit en 1988 des obligations de la société Creusot-Loire, puis, en octobre et novembre 1984, donné l'ordre de les vendre. Il n'apprenait qu'en janvier 1985 le retrait de la cote des titres en cause.

(23-1) Jurisprudence remontant à un arrêt des sections réunies du 2 fév. 1808 sur les conclusions du procureur général MERLIN.

155. — Cependant, dans certains cas, la Cour de cassation intervient, malgré tout, en matière d'interprétation. Si bien, qu'en définitive, le problème de l'interprétation se dédouble : quelles sont, en la matière, les règles d'interprétation suivies par les juges du fond ? Dans quels cas la Cour de cassation contrôle-t-elle l'interprétation ? Tout dépend du point en litige : qualification du contrat, détermination du contenu, soit en cas d'ambiguïté, soit en cas de carence.

1° Office du juge et qualification du contrat

156. — Il est de jurisprudence constante que le juge n'est pas lié par la qualification donnée par les contractants. Un contrat qualifié de « dépôt » par exemple, mais dont toute l'économie, l'agencement de ses diverses clauses, conduit à y voir un « louage » ou un « prêt », sera interprété comme tel. Le juge doit *redresser la fausse qualification* en y substituant celle qui paraît lui convenir, en principe, compte tenu de la réelle volonté des parties, sous les réserves ci-dessus indiquées. Ce point ne fait pas de difficulté, il est donc inutile de citer des arrêts; ils sont fort nombreux (24). Inversement, l'office du juge le conduit à confirmer les exactes dénominations fournies par les parties qui, par exemple, ont justement écarté la qualification bail rural ou commercial et retenu celle d'occupation précaire pour désigner leur convention (24-1).

157. — Cette jurisprudence constante a été adoptée par le législateur dans l'article 12 du Nouveau Code de procédure civile qui dispose que le juge « doit donner ou restituer leur exacte qualification aux faits et actes litigieux sans s'arrêter à la dénomination que les parties en auraient proposée » (24-2); toutefois, ce pouvoir n'est pas illimité, l'alinéa 4 du même texte introduit un correctif d'envergure :

« (le juge) ne peut changer la dénomination ou le fondement juridique lorsque les parties, en vertu d'un accord exprès et *pour les droits dont elles ont la libre disposition,* l'ont lié par les qualifications et points de droit auxquels elles entendent limiter le débat ».

158. — Quoi qu'il en soit, le pouvoir du juge du fond n'est pas souverain. Il n'est pas discuté que ce soit là une *question de droit.* D'innombrables décisions sont cassées pour ne pas avoir donné à la convention la qualification qui, d'après la Haute juridiction, correspond à sa nature telle qu'elle

---

(24) On fera néanmoins une exception pour le jugement du T.G.I. de Créteil en date du 1er août 1984 (*J.C.P.* 84, II, 20321, note Stéphane CORONE) qui a refusé la qualification de dépôt à la remise de sperme au C.E.C.O.S. (Centre d'étude et de conservation du sperme).

(24-1) Nîmes, 7 mai 1987 : *D.* 1988, 248, note B. BEIGUIER. — Aix, 23 oct. 1986 : *D.* 1988, 242, note C. ROY-LOUSTAUNAU.

(24-2) Application à la lettre du principe dans Com., 21 déc. 1987 : *Bull. civ.* IV, n° 281, p. 210 qui voit dans une « lettre d'intention » un engagement contractuel de faire ou de ne pas faire pouvant aller jusqu'à l'obligation d'assurer un résultat, voire constituer un cautionnement. — Riom, 12 sept. 1988 : *J.C.P.* 89, IV, 54 : la mise à disposition d'un logement contre une obligation d'entretien et de gardiennage constitue un contrat de travail et non un bail à loyer.

résulte des clauses de l'acte relevées par les juges du fond (25). Corrélativement, la Cour de cassation rejette les pourvois lorsqu'elle estime exacte la qualification retenue par les premiers juges : dans la convention passée entre deux infirmières qui font chacune des apports et qui s'associent pour l'exercice de leur profession, la cour d'appel a justement vu un contrat d'association, non pas une cession déguisée de clientèle (25-1); de même elle a exactement qualifié crédit-bail telle convention nonobstant la possibilité d'exercer l'option d'achat annuellement, sans attendre l'expiration de la location quadriennale (25-2).

2° Office du juge et clauses du contrat

159. — S'agissant du contenu du contrat, une distinction capitale s'impose, celle des clauses claires et précises, celle des clauses obscures ou ambiguës. En effet, le rôle respectif du juge du fond et de la Cour de cassation n'est pas le même selon la situation considérée.

a) Clauses claires et précises

160. — La solution est très nette en ce qui concerne le contrôle de la Cour de cassation : si le juge du fond refuse d'appliquer une clause dont le sens clair et précis n'est pas contesté, au motif, par exemple, que cela irait à l'encontre de l'équité ou des usages, sa décision serait cassée pour *dénaturation* du contrat (26) et pour violation de l'article 1134 du Code civil, aux termes duquel : « les conventions légalement formées tiennent lieu de loi à ceux qui les ont faites » (27). A l'opposé, la Cour de cassation confirme souvent l'interprétation, donnée par le juge du fond, exclusive de toute dénaturation (28).

---

(25) Civ., 13 janv. 1903 : *D.* 1903, 1, 122. — Civ., 7 mai 1946 : *D.* 1946, 325; — Civ., 21 juill. 1930 : *S.* 1930, 1, 365, parmi beaucoup d'autres. — Com., 25 sept. 1984 : *J.C.P.* 84, IV, 325 (à propos d'un album de photos dont la remise ne vaut pas dépôt). — Pour une approbation d'une qualification de location-vente dans l'hypothèse où il a été prévu que les loyers étaient convertibles en acompte à valoir sur le prix de vente, v. Com., 8 oct. 1979 : *D.* 1980, I.R. 221, note B. AUDIT. — V. sur la question, TERRÉ, *L'influence des volontés individuelles sur les qualifications,* thèse Paris, 1957.

(25-1) Civ. 1re, 19 janv. 1988 : *J.C.P.* 88, IV, 113.

(25-2) Com., 8 déc. 1987 : *J.C.P.* 88, II, 21065 note E.-M. BEY.

(26) Com., 12 déc. 1984 : *J.C.P.* 85, IV, 72. — Sur la dénaturation, Mcelle MARRAUD, *La notion de dénaturation en droit privé français,* thèse Nancy, 1972. — BORÉ, *Un centenaire : le contrôle par la Cour de cassation de la dénaturation des actes : Rev. trim. dr. civ.* 1972, 249 et s.

(27) Civ. 3e, 18 janv. 1977 : *Bull. civ.* III, n° 20 (dénaturation d'une clause ayant cessé d'être ambiguë par suite d'une adjonction, en marge de l'acte, précisant la volonté des parties). — Com., 16 juill. 1980 : *Gaz. Pal.* 1981, 1, pan. 4 (dénaturation d'une clause de rachat claire et précise entre un vendeur et un fabricant). — Com. 5 juill. 1984 : *J.C.P.* 85, II, 20409, note BEY. — A propos d'une convention sur l'utilisation commerciale du patronyme familial, Com., 17 mai 1988 : *Bull. civ.* IV, n° 162, p. 113.

(28) Civ., 10 oct. 1978 : *Gaz. Pal.* 1979, 1, somm. 3. — Il arrive que la Cour de cassation soit particulièrement indulgente : Civ. 3e, 11 déc. 1984 : *Bull. civ.* III, n° 209 (les parties avaient mis à la charge du locataire les réparations de toute nature, grosses et menues, y compris la réfection des toitures; la Cour d'appel, dans son interprétation de la clause, distingue d'une part selon l'origine, la vétusté ou le défaut d'entretien, d'autre part, selon l'importance des travaux. Malgré cette déformation, la Cour suprême écarte le grief de dénaturation).

161. — Pareillement, en ce qui concerne les juges du fond, ceux-ci n'ont d'autre pouvoir que d'appliquer la clause puisque, par hypothèse, celle-ci étant claire et précise, elle n'offre pas matière à interprétation. Toutefois, il convient de réserver l'incidence d'un principe général du droit : une police d'assurance garantissait le paiement à la veuve d'un certain capital augmenté de 30 % *par enfant à charge vivant au foyer de l'assuré*; trois mois après le décès du souscripteur, la bénéficiaire mettait au monde des jumeaux et réclamait la majoration stipulée; la cour de Paris l'avait déboutée observant que les jumeaux simplement conçus ne vivaient pas au foyer de l'assuré; la Cour suprême a cassé au motif que l'arrêt contrevenait à l'adage *Infans conceptus*, selon lequel l'enfant conçu est réputé né dès qu'il y va de son intérêt : la clause du contrat était bien claire et précise, pour autant elle a du céder devant le principe qui tient la conception équivalente à la naissance (28-1).

162. *Clauses apparemment claires.* — L'énoncé de cette proposition est simple et paraît évident. Sa mise en œuvre pratique l'est beaucoup moins. Une clause peut être, à première vue, claire et précise et apparaître, à l'analyse, sujette à doute, donc à interprétation. On peut citer des exemples significatifs.

Dans un contrat de rente viagère, les parties conviennent de l'indexer en fonction du « taux d'intérêt des bons de Trésor »... C'était clair et précis. Mais l'examen du contrat faisait apparaître que le *but* poursuivi par le crédirentier était de parer, grâce à cette indexation, aux fluctuations du coût de la vie. Étrange manière pour y parvenir... Il n'y a, évidemment, aucun rapport entre le taux d'intérêt des bons du Trésor et le coût de la vie ! Les juges du fond écartent, donc, cette clause et appliquent, en l'espèce, l'indice du « coût de la vie » à déterminer par expertise (29).

Dans le même sens, rapportons l'espèce suivante : un envoi de papier parvient endommagé à son destinataire qui assigne le transporteur; ce dernier excipe d'une clause restrictive de responsabilité, limitant le dédommagement à 1 800 F par colis détérioré; la cour d'appel avait considéré comme constitutif d'un colis, non chacune des bobines de papier, mais chaque palette regroupant 16 bobines; le pourvoi soutenait qu'il y avait dénaturation de la clause, l'appellation de colis s'entendant de « marchandises emballées... que l'on peut manutentionner à la main » et que tel n'était pas le cas d'une palette pesant 1 130 kg; la Cour de cassation donne raison aux juges du fond, eu égard à leur droit souverain d'appréciation qui avait fait considérer que le récépissé antérieur au transport mentionnait le nombre de palettes nullement le nombre de bobines à transporter (30).

(28-1) Civ 1re, 10 déc. 1985 : *Bull. civ.* n° 339, p. 305; *Rev. trim. dr. civ.* 1987, 309, obs. J. MESTRE. — Sur l'adage, ROLAND et BOYER, *Adages*, p. 410.

(29) Lyon, 31 juill. 1943 : *Gaz. Pal.* 1943, 2, 119. — Req., 6 fév. 1945 : *ibid.* 1945, 1, 116.

(30) Com, 3 fév. 1987 : *Bull. civ.* 1987, n° 33, p. 25. — Dans le même ordre d'idées, il a été jugé que la clause d'une police d'assurance subordonnant la garantie de l'assuré à la possession d'un « permis de conduire » — ce qui est clair et précis — doit s'entendre d'un permis relatif au genre de véhicule assuré : un permis de conduire ordinaire ne suffit pas pour la conduite d'un « poids lourd » (Civ., 18 mars 1942 : *S.* 1943, 1, 13, note HOUIN).

De ces exemples on déduira une règle générale : une clause « claire et précise » cesse de l'être, et donne matière à interprétation, dès lors qu'il est manifeste qu'elle est *contraire au but poursuivi par les contractants.*

163. *Clauses réputées non écrites.* — Certaines clauses, « claires et précises » sont purement et simplement écartées, c'est-à-dire *réputées non écrites* et cela pour diverses raisons.

Dans les contrats dits d'adhésion, de nombreuses décisions font abstraction de certaines clauses au motif que le contractant adhérant à une convention prérédigée ne les a pas *lues,* donc n'y a pas consenti (par exemple, parce qu'elles sont écrites en caractères minuscules ou affichées dans des endroits non éclairés, etc.). L'exemple classique est celui de la police d'assurance pour laquelle il est exigé que toute clause édictant des nullités, des déchéances ou des exclusions soit portée en caractères très apparents (C. ass., L. 112-4); il en est de même de la clause dérogatoire à la compétence territoriale (N.C.P.C., art. 48 *in fine*), ou de la clause limitative de responsabilité lorsqu'elle est écrite en petits caractères (30-1).

On écarte aussi les « *clauses de style* » figurant, par routine, dans des formulaires surannés (31), telle cette clause au terme de laquelle le paiement de la dette se fera « en monnaie d'or ou d'argent et non autrement » (32).

Sont réputées non réellement voulues par les parties, des *clauses illicites* (telles certaines clauses d'échelle mobile) qui, en vertu de la loi, devraient provoquer la nullité du contrat tout entier (C. civ., art. 1172). Pour ce faire, le juge déclare que lesdites clauses n'avaient, dans l'esprit des parties, qu'un caractère *accessoire* et que, si ces dernières avaient connu leur caractère illicite, elles ne les auraient pas insérées dans la convention.

164. — Avec ce dernier exemple, il est difficile de soutenir que le juge fait encore de l'interprétation. En réalité, il *modifie* le contrat pour ne pas avoir à l'annuler. Il se détermine, à cet effet, par des raisons objectives tout en prétendant qu'il ne fait qu'interpréter la volonté des contractants.

165. — Il ne saurait, d'ailleurs, aller plus loin et écarter une clause claire et précise au motif, par exemple qu'elle est contraire à l'équité. En ce cas, sa décision, on l'a vu, encourrait la cassation.

(30-1) Civ. 1re, 31 mai 1983 : *Bull. civ.* I, n° 159.

(31) On ne confondra pas ces « clauses de style », réputées inexistantes parce qu'en réalité non voulues, avec les clauses introduites par le juge dans un contrat où elles ne figurent pas, au motif qu'elles sont habituelles dans ce genre de contrats en vertu des usages, et que les parties qui ne les ont pas expressément écartées sont censées y avoir tacitement adhéré. V. LECOMTE, *La clause de style : Rev. trim. dr. civ.* 1935, p. 305 et s.

(32) Civ., 21 nov. 1932 : *D.H.* 1933, 19. — D. DENIS, *La clause de style : Études Flour,* p. 1175.

b) Clauses obscures, ambiguës ou contradictoires

166. — L'obscurité vise la lacune, l'ambiguïté exprime la pluralité de significations possibles, la contradiction le caractère inconciliable de deux clauses insérées au même acte.

S'agissant de la contradiction, les dispositions législatives sont rares; on citera l'article 1326 du Code civil, qui en cas de différence entre le libellé d'une somme en lettres et son libellé en chiffres, pose que l'acte vaudra pour la somme portée en toutes lettres.

En revanche pour l'obscurité ou l'ambiguïté, le Code civil (33) a donné une série de directives dans les articles 1156 à 1164 (34).

— article 1157 :

« Lorsqu'une clause est susceptible de deux sens, on doit plutôt l'entendre dans celui avec lequel elle peut avoir quelque effet que dans le sens avec lequel elle n'en pourrait produire aucun » : interprétation *potius valeat quam ut pereat.*

— article 1158 : « Les termes susceptibles de deux sens doivent être pris dans le sens qui convient le plus à la matière du contrat » : interprétation *ad speciem.*

— article 1159 : « Ce qui est ambigu s'interprète par ce qui est d'usage dans le pays où le contrat est passé » : interprétation *secundum usus loci.*

— article 1161 : « Toutes les clauses des conventions s'interprètent les unes par les autres en donnant à chacune le sens qui résulte de l'acte entier » : interprétation *ex alio ad alium* (35).

— article 1162 : « Dans le doute, la convention s'interprète contre celui qui a stipulé (le créancier) et en faveur de celui qui a contracté l'obligation : interprétation *in favorem debitoris* (36).

---

(33) J. Dupichot, *Pour un retour aux textes : défense et illustration du « petit-guide-âne » des articles 1156 à 1164 du Code civil : Études Flour,* p. 179 et s. — V. aussi T. Ivainer, *L'ambiguïté dans les contrats : D.* 1976, chron. 153, et *La lettre et l'esprit de la loi des parties : J.C.P.* 81, I, 3023.

(34) Com., 19 janv. 1981 : *Gaz. Pal.* 1981, 2, pan. 171 (les règles formulées au Code civil ne présentent pas un caractère impératif et leur éventuelle méconnaissance ne peut, à elle seule, donner ouverture à cassation).

(35) Civ. 1re, 11 oct. 1983 : *J.C.P.* 84, II, 20157. — Soc., 14 mai 1987 : *Bull. civ.* V, n° 318, p. 202 : où la règle est appliquée au calcul de la prime de treizième mois stipulée proportionnelle au temps de travail effectif, ce qui conduit à la faire dépendre non de la durée hebdomadaire du travail mais de la présence du salarié dans l'entreprise.

(36) Dans un litige opposant le P.M.U. à un parieur et en présence des deux clauses contradictoires du bordereau où figurait le contrat entre les parties, la cour d'Aix invoquant l'art. 1162 donne raison au... parieur qui réclamait 142 000 F (anciens) au P.M.U. et qui les obtint. Or, le parieur était, en l'espèce, le créancier (Aix, 6 avril 1960 : *D.* 1960, 343; *Rec. gén. lois et jurispr.* 1960, p. 487, obs. B. Starck). Invoquer l'art. 1162 et donner raison au créancier n'est-ce pas la meilleure preuve — la preuve par l'absurde — que ce dernier texte ne lie pas le juge ? Mais il eût été plus judicieux de ne pas viser un texte qu'on n'applique pas !

— article 1163 : « Quelque généraux que soient les termes dans lesquels une convention est conçue, elle ne comprend que les choses sur lesquelles il paraît que les parties se sont proposé de contracter » : interprétation *ad solam speciem.*

— article 1164 : « Lorsque dans un contrat, on a exprimé un cas pour l'explication de l'obligation, on n'est pas censé avoir voulu restreindre l'étendue que l'engagement reçoit de droit au cas non exprimé » : *interpretatio sine exclusione.*

167. — Selon la jurisprudence, les pouvoirs du juge sont pratiquement souverains (36-1) et il est vain de lui imposer la recherche de la réelle intention des parties, dès lors que, par hypothèse, celle-ci ne se laisse pas discerner, et que, ainsi, que nous l'avons dit, les règles des articles 1156 à 1164 ne sont pour lui que des directives générales sans pour autant s'imposer strictement. Ainsi il a été jugé, qu'en l'état d'une clause stipulant que les résultats de l'exploitation seraient partagés par moitié entre les deux parties après remboursement des dépenses engagées par l'une d'elles, il n'y a pas dénaturation de l'accord intervenu à décider que chacun des contractants est tenu de participer pour moitié au résultat négatif du compte d'exploitation (37).

168. — Cette souveraineté doit être reçue sous deux réserves.

La première, c'est que la notion même de « clause claire » n'est pas toujours claire... ainsi qu'on l'a vu; en ce cas, la Cour de cassation exerce son contrôle.

La deuxième intéresse l'interprétation des clauses figurant dans des *contrats type* s'appliquant à de très nombreux cas (tels les polices d'assurance, les statuts de sociétés, les clauses figurant dans des formulaires type d'actes notariés, etc.). Il semble contraire à la règle de l'égalité, qui doit régir les justiciables, qu'une clause de ce genre se trouvant dans des centaines, des milliers, voire des dizaines de milliers de contrats, reçoive une interprétation divergente selon les juges qui seraient appelés à en préciser le sens et que le rôle unificateur du droit, qui est celui de la Cour de cassation, ne puisse pas s'exercer en cette matière.

Dans quelques arrêts célèbres (38), la Cour de cassation s'est écartée de sa position traditionnelle. Il s'agissait, dans ces espèces, d'émission d'obligations par des collectivités étrangères (entre autres par la ville de Tokyo); les contrats d'émission contenaient des clauses d'indexation (francs-or, devises) dont le sens était ambigu. Les juges du fond, appelés à les interpréter, en donnèrent des interprétations divergentes. D'après la thèse domi-

---

(36-1) Pour une affirmation du principe, à l'occasion d'une convention prévoyant le versement d'une prestation compensatoire révisable : Civ. 2e, 14 oct. 1987 : *Bull. civ.* II, n° 198, p. 110. — Civ. 1re, 13 déc. 1988 : *J.C.P.* 89, IV, 61 : pour déterminer la commune intention des parties, le juge peut même tenir compte du comportement ultérieur des contractants.

(37) Com., 14 juin 1976 : *Bull. civ.* IV, 170. — Civ. 1re, 28 oct. 1970 : *Bull. civ.* I, n° 285.

(38) Civ., 3 juin et 9 juill. 1930, 14 janv. 1931, deux arrêts : *D.* 1931, 1, 5, concl. proc. gén. MATTER, note R. SAVATIER.

nante, les pourvois formés contre ces décisions auraient dû être rejetés, s'agissant là de points de fait. Cela n'aurait pas manqué de créer un sentiment de malaise chez les justiciables, qui auraient eu du mal à comprendre qu'un sort différent fût fait aux uns et aux autres selon le tribunal auquel ils devaient s'adresser (39).

La Cour de cassation cassa donc certaines de ces décisions.

169. — Une exception d'une très grande portée est, ainsi, ouverte à l'absence de contrôle de la Cour de cassation au regard des clauses ambiguës, car dans le droit contemporain, les contrats type sont de plus en plus usuels. Il serait, cependant, inexact d'affirmer que les arrêts précités ont été suivis par beaucoup d'autres statuant dans le même sens. Ils apparaissent, encore, comme des arrêts dissidents par rapport à la jurisprudence dominante qui laisse au juge du fond la libre interprétation des clauses obscures. Mais le problème reste posé dans toute sa gravité. L'évolution des techniques contractuelles remet en cause bien des principes traditionnels, non seulement de droit privé, mais encore de procédure civile, y compris celui du rôle de la Cour de cassation.

3° Office du juge et silence du contrat

170. — Le point litigieux n'a pas été prévu dans le contrat. C'est là un cas très fréquent. Les contrats ne prévoient pas tout, loin s'en faut. Le juge interprétera cette carence en complétant ces lacunes de diverses manières : il tiendra compte des lois relatives à ces contrats, qu'elles soient interprétatives ou, à plus forte raison, impératives. Il se référera aux coutumes et aux usages comme l'y invite l'article 1160 du Code civil d'après lequel « on doit suppléer dans le contrat les clauses qui y sont d'usage, quoiqu'elles n'y soient pas exprimées »; ou encore, comme le lui permet l'article 1135, il s'inspirera de l'équité (39-1) et des règles commandées par la bonne foi. Donnons un exemple : une promesse de vente d'un fonds de commerce et de parts d'une société civile immobilière contenait une clause d'indexation du prix, payable à terme; lors de la réalisation des actes de vente, cette clause avait été omise; la cour d'appel décide à bon droit qu'il y avait lieu d'en faire application dès lors qu'elle retient, par une recherche souveraine de la commune intention des parties, que les différences de rédaction des documents successifs ne les rendaient pas incompatibles et que ni la volonté non équivoque de nover, ni la preuve de la renonciation des parties à la

---

(39) V. en ce sens les conclusions du procureur général MATTER : « personne ne comprendrait qu'un double arrêt de rejet intervienne (contre des décisions opposées) car cette solution laisserait ouverte une question importante et délicate sur laquelle on peut différer d'opinion mais qu'il est absolument indispensable de trancher ».

(39-1) Un façonnier travaillant sur la fourrure est victime d'un vol de peaux : l'équité ne lui faisant pas obligation de s'assurer, il n'a pas commis de faute en ne se garantissant pas contre les risques de vol (Paris, 18 fév. 1987 : *D.* 1987, I.R. 53).

revalorisation n'était établie (40). Autre exemple : un propriétaire aliène son terrain, à charge pour la société acquéreur de lui construire une maison sur l'un des lots cédés; aucune date limite n'était fixée pour l'exécution de cette obligation; les juges du fond constatent que le terme affectant la convention était à échéance incertaine, et s'autorisent du caractère indiscutable de l'engagement pour le fixer eux-mêmes; la Cour de cassation approuve cette décision (40-1).

171. — Grâce à cette méthode, le juge a pu introduire dans les contrats des clauses que les parties n'avaient pas imaginées, telle l'« obligation de sécurité » à laquelle nous avons fait de fréquentes allusions, telles des « stipulations pour autrui » tacites que nous rencontrerons ultérieurement, et que les intéressés auraient été les premiers étonnés d'apprendre qu'ils y avaient tacitement souscrit, telle encore l'obligation de renseignement qui envahit progressivement tout le domaine contractuel y compris les conventions, qui n'impliquent pas le conseil ni par leur nature, ni par leur objet (agence de voyages, vente dans les grande surfaces...).

Les pouvoirs des juges du fond sont, donc, considérables en matière d'interprétation des contrats. Sont-ils sans limites ? Certainement pas. Le contrôle de la Cour de cassation réapparaît clairement : elle vérifiera la bonne interprétation des lois, supplétives ou impératives, ainsi que des coutumes et usages qui s'intègrent dans l'économie du contrat; elle aura, aussi, à se prononcer sur l'introduction, par voie d'interprétation, de certaines clauses dans les contrats, telles l'obligation de sécurité, la stipulation pour autrui, etc.

C'est donc, sous de nombreuses réserves qu'il faut énoncer la règle selon laquelle l'interprétation des clauses d'un contrat est du ressort du pouvoir souverain des juges du fond.

172. — Nous venons de voir ce qu'est le principe consensualiste, ses avantages, mais aussi les difficultés qu'il engendre. Cela explique que le consensualisme soit écarté dans certains cas, au profit d'un certain formalisme qui connaît, depuis quelques décennies, une nouvelle faveur. Ce sont ces exceptions au principe consensualiste que nous aurons à exposer dans le développement qui suit.

---

(40) Civ. 3e, 2 juin 1981 : *Gaz. Pal.* 1982, 1, pan. 4. — Pour d'autres espèces : Com., 17 oct. 1978 : *Gaz. Pal.* 1979, 1, somm. 38. — Civ. 1re, 2 mars 1982 : *Gaz. Pal.* 1982, pan. 245.

(40-1) Civ 3e, 4 déc. 1985 : *Bull. civ.* III, n° 162, p. 123; *Rép. Defrénois*, 1986, 1103, note G. Vermelle. — Sur le pouvoir du juge de combler les lacunes du contrat, v. les observations de J. Mestre : *Rev. trim. dr. civ.* 1987, 98 et s.

SOUS-SECTION II

LES EXCEPTIONS AU CONSENSUALISME

173. — Elles sont très nombreuses et obéissent à des préoccupations diverses : attirer l'attention du contractant sur la liberté de son acte, assurer la sécurité des transactions, pré-constituer la preuve, prévenir la fraude contre les tiers, favoriser la perception de l'impôt... On les étudiera dans trois rubriques : les contrats réels tout d'abord; les contrats solennels ensuite; dans une troisième rubrique, on mentionnera l'existence de diverses autres formalités.

§ 1. — Les contrats réels

C'est une catégorie au sujet de laquelle il existe une thèse classique, que la plupart des auteurs modernes critiquent (41).

A. — Exposé de la thèse classique

174. — Traditionnellement, on appelle contrats réels, ceux dont la formation supposerait, outre l'échange des consentements, la remise de la *chose,* objet du contrat, par l'une des parties à l'autre. C'est, notamment, le cas du *dépôt,* du *gage* et du *prêt de consommation* et du *commodat* (prêt à usage). La terminologie et la notion de contrats réels remontent au droit romain (*res* = chose). Cette thèse s'appuie sur deux arguments principalement :

— rationnellement, il est impossible de concevoir une obligation de restituer la chose pesant sur celui qui ne l'a pas reçue...;

— des arguments de texte sont également avancés : aux termes de l'article 2076 du Code civil, le privilège du gagiste n'existe que si l'objet du gage est remis au créancier ou au tiers convenu entre les parties. De même, les articles 1875 et 1892 définissent respectivement le prêt à usage et le prêt de consommation comme des contrats par lesquels une partie *livre* une chose à son cocontractant...; l'article 1919 déclare que le dépôt n'est parfait que *par la tradition réelle* ou feinte de la chose déposée; enfin l'article 2071 pose que le nantissement est l'acte par lequel « un débiteur *remet* une chose à son créancier pour sûreté de la dette ».

---

(41) M.-N. JOBARD-BACHELIER, *Existe-t-il encore des contrats réels en droit français ? Ou la valeur des promesses de contrat réel en droit positif:* *Rev. trim. dr. civ.* 1985, p. 1.

175. — Cette thèse ne nie pas, cependant que, dès l'échange des consentements, et avant même la remise de la chose, des obligations naissent déjà entre les parties : le prêteur s'oblige à remettre l'argent; le débiteur s'engage à remettre le gage, etc. Mais, il s'agit là d'*avant-contrats,* de promesses de contrats, distincts du contrat qui sera ultérieurement formé.

Il ne paraît pas douteux que les rédacteurs du Code civil, imbus des théories romaines, s'étaient ralliés à la conception des contrats réels.

Quant à la jurisprudence, elle semble bien adopter la thèse classique; la Cour de cassation en a jugé ainsi à plusieurs reprises pour le gage (42) et pour le prêt (43).

B. — Critique de la thèse classique

176. — A Rome, on l'a dit, le principe du consentement n'existait pas : *ex nudo pacto actio non nascitur.*

Dans un système juridique formaliste, la *remise de la chose* était, précisément, l'une des *formes* donnant force obligatoire à la promesse. On ne voit pas quelle est la raison pour laquelle des contrats réels survivraient dans un système consensualiste (44).

Au demeurant, la thèse classique ne nie pas, on l'a dit, que, dès l'échange des consentements, des obligations naissent à la charge du prêteur, du débiteur qui a promis le gage, etc. Dire qu'il s'agit, là, d'un avant-contrat qu'il faut distinguer avec soin du contrat de prêt ou du gage lui-même, est pure subtilité. On scinde artificiellement une opération contractuelle qui forme un tout.

Quant aux arguments sur lesquels se fonde la thèse des contrats réels, ils ne résistent pas à la critique.

177. — On ne conçoit pas — a-t-on objecté — d'obligation de restitution si la chose n'a pas été remise. Assurément ! Si la chose n'a pas été remise, l'obligation de celui qui devait la remettre *n'a pas été exécutée.* De ce fait, le cocontractant invoquera, soit la nullité de sa propre obligation de restitution pour absence de cause, soit la résolution du contrat pour inexécution. Un argument d'analogie sera concluant. Le contrat de *louage* n'est pas considéré comme *réel,* il est consensuel (à Rome même, il en était déjà ainsi). Or, il est évident que si le bailleur ne remet pas au locataire la chose, objet du bail, ce dernier n'a pas à la restituer.

---

(42) Civ., 18 mai 1898 : *D.* 1900, 1, 481, note SARRUT; *S.* 98, 1, 433, note LYON-CAEN. — 21 mars 1938 : *D.H.* 1938, 257. — Com., 12 nov. 1958 : *Bull. civ.* III, n° 387.

(43) Civ. 1re, 12 juill. 1977 : *Bull. civ.* I, n° 330. — Civ. 1re, 20 juill. 1981 : *Bull. civ.* I, n° 267, p. 220.

(44) La théorie classique est rejetée par la majorité des auteurs modernes : v. MARTY et RAYNAUD, p. 58 et s. et les références, note (1). — MAZEAUD et CHABAS, II, 1er vol., n° 82. — Comp. A. WEILL et TERRÉ, n° 125 et s. qui est plus nuancé, CARBONNIER, n° 42, avec des réserves. — GHESTIN, n° 340. — AUBERT, n° 303.

178. — L'argument tiré de l'article 2076 du Code civil n'est pas plus fondé. Il est exact que le privilège du créancier gagiste n'existe que si le gage lui est remis (ou est remis à un tiers convenu). Mais le privilège intéresse les rapports du créancier gagiste avec les autres créanciers du même débiteur; il ne concerne pas l'existence du contrat de gage en tant qu'il règle les rapports entre le créancier gagiste avec le débiteur.

L'observation n'est pas purement académique. La Cour de cassation a été appelée à se prononcer sur le cas suivant. Un débiteur promet à son créancier de lui remettre un objet en gage. Avant la remise, le débiteur vend cet objet à un tiers et le lui livre. A-t-il commis le délit pénal de « détournement de gage » ? (C. pén., art. 400, al. 5). Si on considère que le contrat de gage n'était pas encore formé, il faut répondre par la négative, car les textes de droit pénal sont d'interprétation restrictive. Or, c'est le contraire qui a été jugé; le débiteur dont il s'agit encourt les peines du délit de détournement de gage, du seul fait qu'il s'était engagé à remettre l'objet et alors même qu'il ne l'avait pas encore remis (45).

179. — Avec la plupart des auteurs, nous concluons donc que la notion de contrat réel ne se justifie pas en droit moderne. On a proposé de considérer le contrat réel comme un contrat consensuel et synallagmatique : le prêteur s'engage à remettre la chose à l'emprunteur qui prend l'engagement de la restituer. La remise de la chose n'est pas la source génératrice du contrat, elle en est seulement l'exécution (45-1).

Il n'existe qu'une exception qui illustre vraiment la notion de contrat réel, celle du don manuel.

Pour *l'existence* même du don manuel, la chose donnée doit être remise matériellement — de la main à la main — au donataire. Une simple promesse de don manuel est dépourvue de toute force obligatoire (à la différence d'une promesse de prêt, de gage, etc.). L'explication de ce cas unique de contrat réel est simple. Les *donations* sont soustraites par le Code civil à la règle du consensualisme : ce sont des contrats solennels qui, normalement, doivent être faits par acte authentique (C. civ., art. 931). La raison de cette exigence réside dans la volonté de protéger le consentement contre la légèreté de l'engagement ou la captation de la libéralité et d'assurer efficacement l'irrévocabilité de l'acte. Or, cette double fonction est assumée dans le don manuel par la tradition : d'une part, celui qui se dessaisit de la chose perçoit qu'il se dépouille, d'autre part, le gratifié mis en posssession est à l'abri d'un changement de volonté. La jurisprudence (il s'agit, en effet, d'une règle purement prétorienne) considère que la remise de la chose remplace la formalité de l'acte authentique. On remplace une solennité par une autre.

(45) Crim., 25 nov. 1927 : *S.* 1929, 1, 153.

(45-1) V. Flour et Aubert, n° 303.

§ 2. — Les contrats solennels

180. — On peut les définir comme étant des contrats dont la formation, par conséquent, l'existence même, suppose nécessairement — en plus, bien entendu, de l'échange des consentements — un certain formalisme (46).

Ce formalisme réside dans l'exigence d'un acte écrit, soit d'un acte authentique pour certains contrats, soit seulement d'un acte sous seing privé; cette nécessité de l'acte écrit s'accompagnant parfois de l'obligation d'inscrire au contrat des mentions particulières et de l'accompagner de certaines pièces annexes.

A. — Forme authentique

181. — Il importe, ici, de ne pas commettre une confusion. Tout contrat peut être passé par devant notaire. Ainsi, un prêt, un bail peuvent être rédigés « par-devant notaire »; ils acquièrent ainsi la valeur probante d'un acte authentique. Mais ils auraient été *valables* même s'ils n'avaient pas été notariés. Ces contrats ne nous intéressent pas ici.

182. — En revanche, certains autres doivent être rédigés par acte authentique, sinon ils n'ont pas d'existence juridique. Sans les nommer tous, indiquons seulement les principaux contrats qui, traditionnellement, doivent être notariés : les donations (C. civ., art. 931) (46-1), le contrat d'hypothèque (art. 2127), le contrat de mariage (art. 1394), la subrogation conventionnelle consentie par le débiteur (art. 1250).

La raison que l'on donne, en général, pour expliquer la nécessité de la forme notariée de ces actes, c'est leur importance, la gravité de leurs conséquences, les difficultés juridiques qu'ils soulèvent. Le notaire est le « conseiller naturel des familles »; il doit appeler l'attention de ses clients sur la portée et le sens des clauses des actes dont il s'agit.

183. — A la liste traditionnelle des actes qui doivent revêtir la forme authentique, la loi du 3 janvier 1967, ajoute la *vente d'immeubles à construire* et la loi du 13 juillet 1979 fait de même en ce qui concerne les *emprunteurs dans le domaine immobilier.*

Mentionnons, aussi, la disposition du décret du 4 janvier 1955 (art. 4) qui déclare que tout acte, dont la publication doit être faite au Bureau de la

---

(46) M.-A. GUERRIERO, *L'acte juridique solennel,* 1975. — L. AYNÈS, *Formalisme* et *prévention in Le droit du crédit au consommateur*, Litec, 1982. — FLOUR, *Quelques remarques sur l'évolution du formalisme : Étude Ripert*, t. I, p. 93.

(46-1) Mais en pratique, on a réussi à échapper à cette règle par les procédés du don manuel, de la donation déguisée, de la donation indirecte.

Conservation des hypothèques, doit être dressé en la forme authentique. Cela crée une situation complexe. Une vente d'immeuble, par exemple (autre que celle d'un « immeuble à construire »), est valable même si elle n'est pas constatée dans un acte authentique. Mais cette validité ne concerne que les effets de l'acte entre les parties elles-mêmes : vendeur et acheteur. Pour que la vente d'immeuble soit *opposable* aux tiers, elle doit être publiée à la Conservation des hypothèques (il en est de même de la plupart des opérations intéressant les immeubles) : il en résulte que la pleine efficacité de cette vente suppose la rédaction d'un acte authentique, condition préalable de sa publicité (47).

B. — Forme sous seing privé

184. — Il importe, cependant, de noter que les contrats solennels ne sont pas, tous, des contrats devant être dressés par acte authentique. La « solennité » consiste, à l'égard de certains d'entre eux, dans la nécessité de rédiger un *écrit,* lequel peut aussi bien être fait en forme authentique que sous seing privé. En l'absence d'écrit, l'acte n'a pas d'existence légale. Déjà, l'article 1907 du Code civil énonce que le taux de l'intérêt conventionnel doit être fixé par écrit. L'exigence d'un écrit, fût-il simplement sous seing privé, est de plus en plus souvent nécessaire; c'est en considérant ce formalisme atténué que l'on a pu parler de « renaissance du formalisme ».

Bornons-nous à en donner quelques exemples. Un écrit est nécessaire pour : la *cession d'un brevet d'invention* (art. 20, L. 5 juill. 1844, modifiée par D. 30 sept. 1953 et L. 2 janv. 1968); le *contrat d'édition* (L. 11 mars 1957, art. 53, qui exige le consentement *personnel* et *par écrit* de l'auteur); le contrat de « crédit différé » (L. 24 mars 1952, art. 6, modifiée par L. n° 71-510, 1er juill. 1971); *les conventions collectives de travail* (C. trav., art. L. 132-2); le *contrat de société* (C. civ., art. 1835); *la vente d'un fonds de commerce* où certaines clauses destinées à informer l'acquéreur de la valeur exacte du fonds doivent figurer dans l'acte (L. 29 juin 1935, art. 12) (48); *les promesses unilatérales de vente d'un immeuble, d'un fonds de commerce et de diverses autres opérations voisines,* ainsi que la *cession de ces promesses* (L. 19 déc. 1963, art. 7) (49) *la convention d'indivision* (C. civ., art. 1873-2); le contrat de bail à ferme ou à métayage.

---

(47) R. NERSON, *La solemnisation dans la vente d'immeubles : Études Julliot de la Morandière,* 1963, p. 401.

(48) L'absence d'écrit ou des mentions prescrites entraîne la nullité de l'acte, mais, seul, l'acheteur peut en demander la nullité et le tribunal n'est pas obligé de la prononcer. Les juges doivent rechercher si cette omission a vicié le consentement de l'acquéreur et entraîné un préjudice : Com., 5 janv. 1971 : *J.C.P.* 71, IV, 36.

(49) Par promesses unilatérales, on entend les *contrats* par lesquels une personne promet unilatéralement de vendre, etc.; ce sont des *contrats unilatéraux* et non des engagements par volonté unilatérale.

185. — On ajoutera encore les contrats suivants, sans prétendre pour autant donner à cette liste un caractère limitatif :

— les contrats de travail à durée déterminée (C. trav., art. L. 121-1);

— le contrat d'apprentissage (art. L. 117-12);

— le contrat d'assurance de dommages et de personnes (C. assurances, art. L. 112-3);

— le contrat de location (L. 22 juin 1982, art. 3 et L. 23 déc. 1986, art. 2);

— le contrat de location-accession à la propriété immobilière (L. 12 juill. 1984, art. 5);

— la clause compromissoire par laquelle les parties conviennent de soumettre à l'arbitrage les litiges qui pourraient naître de l'exécution de leur contrat (N.C.P.C., art. 1443 (50);

— le contrat d'intégration agricole (L. 6 juill. 1964, art. 19).

Les lettres de change, les billets à ordre, les chèques sont nécessairement des titres écrits comportant obligatoirement certaines mentions.

186. — Ce formalisme entraîne pour conséquence que la *promesse* de passer ces contrats (c'est-à-dire l'« avant-contrat ») ou le *mandat* conféré en vue de les conclure doivent être passés dans la même forme que le contrat lui-même, sans cela les règles légales exigeant le respect de certaines formes seraient éludées (51). Cependant la Cour de cassation admet la validité de la promesse consensuelle d'hypothèque (52), en quoi elle est critiquée par la doctrine (53).

187. — La multitude des exceptions légales invite à se demander si le consensualisme a conservé dans notre droit la place d'un principe. S'il est nécessaire de passer un écrit pour exercer une activité professionnelle (contrat de travail), pour faire construire sa maison (contrat de location-accession à la propriété), pour obtenir un logement (contrat de location), pour assurer ses biens et sa responsabilité, pour se mettre en société, pour se faire éditer, pour entrer en apprentissage, pour vendre son fonds... que reste-t-il de cet affranchissement des formes que l'on professe encore aujourd'hui ? A y regarder de près, le consensualisme n'a plus d'empire sans partage que pour les menus achats de la vie quotidienne.

188. — Dans les hypothèses ci-dessus indiquées, l'écrit est-il exigé *ad solemnitatem*, comme condition de validité, ou bien *ad probationem*, simplement en vue de faire preuve de l'engagement ? Si la forme est demandée

---

(50) V. Civ 1re, 15 juill. 1987, cité par J. MESTRE : *Rev. trim. dr. civ.* 1988, p. 333.

(51) Civ.,7 fév. 1854 : *D.P.* 54, 1, 49.— Dijon, 26 avril 1932 : *D.H.* 1932, 339. — V. sur ce point : J. SCHMIDT, *Négociation et conclusion des contrats,* n° 570.

(52) Req., 5 nov. 1860 : *D.P.* 61, 1, 301. — Paris, 24 janv. 1928 : *D.H.* 1928, 277.

(53) GUERRIERO, *op. cit.,* p. 417.

pour la solennité, rien ne peut remplacer l'absence d'écrit pas même l'aveu ou le serment des parties intéressées. L'acte est donc nul, mais il peut s'agir d'une nullité simplement relative.

Tout autre est la situation lorsque l'écrit n'est nécessaire qu'en vue de la preuve. On sait, en effet, qu'au-dessus de 5 000 F, la preuve par témoins ou par présomptions n'est pas permise, en principe; mais, s'il ne s'agit pas de contrats solennels, l'absence d'écrit n'empêche pas l'existence de l'acte juridique (le *negotium*) : il pourra être prouvé par aveu ou par serment.

189. — Illustrons ce qui vient d'être dit par des exemples. Le contrat de mariage qui n'aurait pas été rédigé par-devant notaire n'a pas d'existence légale. Peu importe que les époux avouent avoir adopté comme régime, disons, la séparation de biens. Cet aveu n'aura aucune conséquence juridique : l'écrit authentique était nécessaire *ad solemnitatem*. Supposons, au contraire, un prêt d'argent d'un montant de 10 000 F. Le prêteur qui ne s'est pas ménagé une preuve écrite, ne pourra, certes pas, en principe, prouver ce prêt par témoins ou par présomptions, mais, si le débiteur avoue, la preuve est faite et il en est de même si on a eu recours au serment décisoire : cela montre que le prêt existait bien, en tant qu'acte juridique *(negotium)* : seul manquait l'écrit *(instrumentum)*, lequel peut être suppléé par l'aveu ou le serment.

189-1. — La question de la sanction à appliquer ne se pose pas lorsque le législateur a expressément disposé. En règle générale, il a édicté la nullité de l'acte (convention collective de travail, cession de brevet d'invention, vente à domicile). Parfois, il a prévu une autre sanction : ainsi, faute d'écrit, le bail à ferme est censé fait pour 9 ans aux clauses et conditions fixées par le contrat type établi par la Commission consultative des baux ruraux (C. rural, art. L. 411-4); ainsi en matière commerciale, le défaut des mentions obligatoires altère la valeur du titre, qui perd sa nature cambiaire pour valoir seulement titre ordinaire...

Dans le silence du législateur, il revient au tribunaux de déterminer la sanction qu'ils jugent adéquate. Tantôt, ils voient dans l'exigence de l'écrit une règle de preuve : ainsi en va-t-il en matière d'assurance (53-1); tantôt, reconnaissant à l'écrit une finalité de protection du consentement, ils prennent parti pour la nullité, par exemple en matière de cautionnement (53-2) ou en matière de conventions passées avec les agents d'affaires relatives à certaines opérations sur les immeubles ou les fonds de commerce (53-3); tantôt, ils appliquent une sanction spécifique : c'est ainsi qu'il a été jugé que

(53-1) Civ. 1re, 4 juill. 1978 : *Rev. gén. ass. terr.* 1979, 172, note A.-B.

(53-2) Civ. 1re, 21 juill. 1987 : *Bull. civ.* I, n° 238, p. 174. — *Adde*, Civ. 1re, 22 nov. 1988 : *D.* 1988, 290.

(53-3) Civ. 1re, 26 nov. 1985 : *Bull. civ.* I, n° 317, p. 280. — *Adde*, Paris, 4 nov. 1988 et Lyon, 27 oct. 1988 : *D.* 1988, I.R. 289.

la rédaction en langue étrangère d'un contrat de travail n'expose pas à la nullité mais « permet seulement au salarié d'exiger de l'employeur la délivrance d'un contrat conforme aux exigences du texte » (C. trav., art. L. 121-1, al. 2) (53-4); c'est ainsi que l'absence de convention écrite entre l'architecte et le client (D. 20 mars 1980, art. 1) « n'a aucune incidence sur le plan civil, dès lors que le contrat allégué ne participe pas de actes solennels, l'écrit n'étant exigé que sur le plan déontologique » (53-5). Sous cette apparente diversité de sanctions, se cache, en réalité, la volonté de tenir en échec la mauvaise foi de la partie qui excipe du formalisme pour se dérober à la parole donnée (53-6).

C. — Mentions informatives

190. — L'exigence de la forme scripturale s'accompagne souvent d'une réglementation stricte faisant obligation aux parties de mentionner, dans le document constatant leur accord, une série de précisions concernant les prestations offertes et l'engagement de l'*accipiens.* Ces énonciations qui alourdissent le mécanisme contractuel sont destinées à prémunir le particulier contre son irréflexion et son ignorance, face au professionnel tenté d'abuser de sa spécialisation.

191. — Pour se faire une idée de la « charge imprimée » qui pèse sur tout un chacun, on s'en tiendra à quelques exemples.

● Le contrat de location doit préciser (L. 23 déc. 1986, art. 3) :

— sa date de prise d'effet et sa durée;

— la consistance et la destination de la chose louée;

— la désignation des locaux à usage privatif et des parties et équipements à usage commun;

— le montant du loyer, ses modalités de paiement ainsi que ses règles de révision éventuelle;

— le montant du dépôt de garantie, le cas échéant.

● *Le contrat de travail à durée déterminée* (art. D. 121-3, C. trav.) doit comporter :

— la définition précise de son objet;

— le nom et la qualification du salarié remplacé lorsqu'ils s'agit de suppléer à une absence ou de remédier à une suspension;

— la date d'échéance du terme ou la durée minimale;

— la durée de la période d'essai éventuellement prévue;

— la nature des activités auxquelles participent le stagiaire durant son séjour dans l'entreprise quand l'employeur s'est engagé à assurer un complément de formation.

(53-4) Soc., 19 mars 1986 : *D.* 1987, 359, note G. LÉGIER.

(53-5) Paris, 28 juin 1985 : *D.* 1987, 13, note A. GOUZIO. — Dans le même sens, Civ. 3e, 11 juin 1986 : *D.* 1987, 285, note A. GOUZIO.

(53-6) « Sur l'approche par le juge du formalisme légal », V. *Les précieuses observations* de J. MESTRE : *Rev. trim. dr. civ.* 1988, 329 et s.

● *Le contrat de garantie et de service après-vente :*
a été réglementé par le décret n° 87-2045 du 22 décembre 1987 et l'arrêté du même jour lorsqu'il est passé entre professionnels et non-professionnels ou consommateurs et qu'il est relatif aux appareils suivants : réfrigérateur, machine à laver, cuisinière, séchoir, téléviseur, magnétoscope, chaîne haute-fidélité. La présentation de l'écrit doit être conforme à un modèle fixé par l'annexe du même décret dont toutes les rubriques doivent être remplies :

— référence de l'appareil (nature, type, marque);

— livraison (à domicile, gratuite ou non);

— mise en service par le vendeur (délai, coût, explication de l'utilisation);

— garantie légale prévoyant la réparation totalement gratuite y compris les frais de main d'œuvre ou le remplacement ou le remboursement total ou partiel selon que l'usage est totalement ou partiellement impossible...

● *Le contrat de vente d'objets d'occasion*

La loi n° 87-962 du 30 novembre 1987 relative à la prévention et à la répression du recel et le décret n° 88-1039 du 14 novembre 1988 relatif à la police du commerce de certains objets mobiliers ont imposé aux personnes « dont l'activité professionnelle comporte la vente ou l'échange d'objets mobiliers usagés ou acquis de personnes autres que celles qui les fabriquent ou en font le commerce », des obligations qui aboutissent à des contraintes équivalentes à celles des mentions informatives dans le contrat. Ces vendeurs professionnels doivent tenir jour par jour un registre où doivent figurer de nombreuses indications :

— identification du vendeur (état-civil, nature de la pièce d'identité produite);

— identification de l'objet (principales caractéristiques apparentes, tous signes de marque apposés tels que signature, monogramme, emblème);

— précision du prix d'achat ou estimation de la valeur vénale en cas d'échange, d'acquisition gratuite ou de dépôt en vue de la vente.

Observons que la réglementation ne vise pas uniquement les brocanteurs tenant boutique mais aussi les manifestations publiques, telles que foires, salons, marchés aux puces.

Bien d'autres opérations pourraient servir à la démonstration, notamment la vente d'objets d'ameublement (53-7) ou le contrat de location-accession à la propriété immobilière (53-8).

(53-7) Le décret du 14 mars 1986 impose de délivrer à l'acheteur une fiche technique d'identification de l'objet vendu comportant 5 mentions (dimensions, style ou copie, essence, procédé de mise en œuvre).

(53-8) La loi du 12 juill. 1984 n'impose pas moins de douze mentions dans l'écrit constatant le contrat (art. 5).

191-1. — Comme pour l'exigence de l'écrit lui-même, le législateur n'indique pas toujours la sanction qu'il attache au défaut de la mention informative. Un bon nombre de textes édictent formellement la nullité, par exemple, pour le contrat d'engagement maritime, d'intégration agricole, pour le démarchage financier, pour la promotion immobilière. D'autres se placent sur le terrain pénal, telle la loi du 30 novembre 1987 en matière de vente d'objets d'occasion qui punit d'un emprisonnement de 15 jours à 6 mois et d'une amende de 20 000 à 200 000 F, l'omission des mentions à porter obligatoirement sur le registre, tel le décret du 22 décembre 1987 pour le service après-vente qui soumet à l'amende de 3e classe ceux qui auront contrevenu à la présentation des écrits telle qu'elle est fixée par l'annexe. D'autres encore prévoient des sanctions particulières, comme en matière de crédit où, en l'absence des mentions requises, le prêteur est déchu du droit aux intérêts *de plano* pour le crédit immobilier (art. 31, al. 4, loi du 13 juill. 1979), à l'appréciation du juge pour le crédit mobilier (art. 23, L. n° 78-22, 10 janv. 1978). D'autres enfin restent silencieux, ce qui est le cas notamment de l'article 1907, alinéa 2 du Code civil et de la loi du 28 décembre 1986 sur le prêt d'argent. La Cour de cassation a décidé que l'omission de la mention écrite du taux d'intérêt entraînait application impérative du taux légal (53-9).

D. — Documents annexes

192. — Le législateur a poussé la minutie jusqu'à prévoir de façon impérative, l'envoi d'annexes accompagnant l'offre de contracter ou complétant le contrat conclu. Ainsi dans le démarchage à domicile, il doit être joint au bon de commande un formulaire détachable destiné à faciliter l'exercice de la faculté de renonciation (L. 22 déc. 1972, art. 3; même disposition pour les opérations de crédit : L. 19 janv. 1978, art. 7). Ainsi dans le contrat d'assurance-vie et de capitalisation, la proposition d'assurance comprend nécessairement d'une part, une lettre type de renonciation indiquant les valeurs de rachat au terme de chacune des six premières années au moins, d'autre part, une note d'information — contre récépissé — comportant des indications sur les dispositions essentielles du contrat (L. 11 juin 1985, art. 1er). Ainsi dans le contrat de bail d'habitation, à l'exemplaire remis au locataire doivent être annexées une copie de la dernière quittance de l'occupant précédant, une copie des extraits du règlement de copropriété mis à jour, une copie de l'accord collectif de location etc... Il est, en outre, imposé l'établissement d'une fiche de renseignements relatifs aux éléments de confort, à la durée du contrat, aux charges locatives, l'établissement d'un état des lieux et d'une liste des charges locatives, collectives et individuelles.

(53-9) Civ. 1re, 24 juin 1981 (3 arrêts) : *Bull. civ.* I, n°s 233, 234, 235; *J.C.P.* 82, II, 19713, note VASSEUR; *Rev. trim. dr. civ.* 1982, 429, obs. RÉMY. Cette disposition est applicable au solde débiteur d'un compte courant (Civ. 1re, 9 fév. 1988 : *Bull. civ.* n° 34, p. 23. — Com., 12 avril 1988 : *L'actualité fiduciaire*, n° 712, p. 36).

Ainsi, en *cas de vente d'un véhicule d'occasion* de plus de 5 ans, le vendeur doit remettre à l'acquéreur d'une part, le certificat de visite technique, d'autre part, le document révélant les résultats des vérifications effectuées par le centre de contrôle agréé (D. 5 mars 1986).

192-1. —A côté de ces annexes, variables selon l'opération conclue, il faut faire état d'une mesure générale, à savoir la délivrance d'une facture, qui est obligatoire pour tout achat de produits ou toute prestation de services effectués pour une activité professionnelle (Ord. n° 86-1243, 1er déc. 1986, art. 31). Sur toute facture doivent figurer certaines mentions : nom ou raison sociale, adresse des parties, numéro d'immatriculation au registre du commerce et des sociétés, indication distincte du prix hors taxes, du taux de la T.V.A. et de son montant et les « rabais, remises ou ristournes, dont le principe est acquis et le montant chiffré lors de la vente ou de la prestation de service ». Cette dernière précision est requise en vue de faire respecter la transparence tarifaire et d'empêcher ainsi les pratiques discriminatoires et les reventes à perte. Les infractions aux règles de facturation sont constitutives de délits punis d'une amende de 5000 à 100000 F (art. 31, *in fine*).

193. — D'une manière générale la jurisprudence, loin d'avoir une conception souple de la loi, renchérit sur le formalisme. La cour de Besançon, par exemple, a jugé que l'offre préalable de prêt prévue à l'article 5 de la loi du 10 janvier 1978 doit constituer la reproduction parfaite du modèle type, *y compris dans l'ordre, la disposition du paragraphe* et l'*emplacement des signatures* du prêteur et de l'emprunteur, et non seulement comporter les indications figurant au modèle type (54).

194. — Il n'est pas sûr que ce fatras bureaucratique atteindra la protection tant recherchée. Déjà les contrats classiques, marqués du sceau de la sobriété, n'étaient pas lus par les usagers. Quel esprit morbide s'aventurera dans la lecture attentive d'une telle masse de documents. Ce qui est certain, c'est qu'un contentieux ne manquera pas de naître de cette accumulation de précisions en pratique inaccessibles, à preuve cette espèce dont a eu à connaître la Cour de cassation où il a été débattu de la forme et de l'emplacement de la mention du taux effectif global prescrits par la loi du 28 décembre 1966 dans tout écrit constatant un prêt conventionnel assorti d'intérêt (55).

---

(54) 9 fév. 1983 : *J.C.P.* 84, IV, 330.

(55) Civ. 1re, 9 janv. 1985 : *J.C.P.* 85, *Actualités*, 13 fév.

§ 3. — Les formalités diverses

195. — Parmi les actes formalistes, on ne s'attardera pas sur les ventes aux enchères publiques. En matière mobilière, elles sont faites devant un officier ministériel (en principe, le commissaire-priseur) et selon un cérémonial bien connu. En matière immobilière, les ventes aux enchères se font, selon les cas, à l'audience des criées du tribunal par ministère d'avocat, ou dans une étude de notaire. Là aussi, les formalités sont nécessaires *ad solemnitatem*.

En revanche, on exposera, brièvement, d'autres formalités qui ont une portée plus générale.

A. — Formalités de publicité

196. — La publicité est nécessaire pour rendre certains contrats *opposables* aux tiers. On rappelle qu'il en est ainsi notamment en matière immobilière. La plupart des contrats intéressant les immeubles doivent être publiés et, comme on vient de le dire, pour que la publicité puisse être faite, l'acte doit être notarié.

Que se passera-t-il donc si le contrat relatif à un immeuble, la vente par exemple, n'a pas été publié ? La vente est valable entre les contractants — *inter partes* — mais elle est inopposable aux tiers. Il en résulte que le même immeuble, objet d'une seconde vente qui serait, elle, publiée la première, confère au deuxième acquéreur le titre de propriétaire : *la première vente lui est inopposable.* Mais le premier acheteur aura une action contre le vendeur qui a procédé de la sorte; il pourra lui demander une indemnité, ce qui s'explique par le fait que le contrat existe bien *inter partes*. Les même règles s'appliquent en matière hypothécaire; par exemple, doit être publiée sous forme de mention en marge des inscriptions existantes, la cession d'antériorité d'une hypothèque, à défaut, la convention de cession est inopposable aux tiers quand bien même ils en auraient eu connaissance (55-1).

197. — La publicité est nécessaire dans diverses autres matières, notamment en matière de société, de cession de brevets d'invention, de crédit-bail (55-2), etc. On ne peut en dire davantage, chaque publicité se faisant selon ses procédés propres. Mais la sanction générale — sous des modalités différentes — est l'inopposabilité aux tiers de l'acte non publié (56).

(55-1) Com., 6 janv. 1987 : *Bul. civ.* IV, n° 5, p. 3.

(55-2) Com., 17 mai 1988 : *J.C.P.* 88, II, 21117, note E.-M. BEY.

(56) Le terme « tiers » ne vise pas toujours les mêmes personnes. Dans chaque système de publicité, les « tiers » protégés répondent à une définition propre, qui sera précisée à l'occasion de l'étude de ces diverses publicités.V. MARTY, RAYNAUD et JESTAZ, *Les sûretés, la publicité foncière*, spéc. n° 756 et s. — Ph. THÉRY, *Sûretés et publicité foncière*, n° 383 et s. — *Adde*, Marie-Noëlle JOBARD-BACHELLIER, *Servitude et grandeur de la publicité foncière : D.* 1988, chron. 247.

B. — Formalités administratives

198. — La formalité administrative la plus familière est celle de l'enregistrement (57); elle repose sur une analyse de l'acte et a pour effet de constater son existence et de lui conférer date certaine (57-1). Elle comporte un versement de droits au profit du Trésor.

D'une façon générale, le défaut d'enregistrement n'entraîne pas la nullité, mais seulement la condamnation à des amendes fiscales. En outre, il prive l'acte de sa date certaine à l'égard des tiers (57-2), à moins que le tiers ne soit de mauvaise foi (57-3), que l'opération soit de nature commerciale (57-4) ou qu'il s'agisse d'assurance (57-5).C'est dire qu'en droit civil, la formalité n'est pas requise *ad validitatem*, sauf l'exception des promesses de vente d'un immeuble, d'un droit immobilier, d'un fonds de commerce, d'un droit au bail ou de parts de certaines sociétés immobilières (ainsi que la cession desdites promesses) que l'article 1840 A du Code général des impôts déclare nulles et de nul effet si elles n'ont pas été constatées par un acte sous seing privé enregistré dans le délai de 10 jours à compter de leur acceptation par le bénéficiaire (58).

199. — On aura une bonne idée des formalités de ce type en indiquant que le bail rural doit être établi sur papier muni du timbre de dimension, déposé à l'enregistrement qui perçoit 2,50 % du montant des fermages selon un fractionnement triennal, cette formalité devant être accomplie dans le mois de la conclusion du contrat. A défaut d'enregistrement dans le délai prescrit, il est dû une pénalité de retard pour le premier mois de 3 %

---

(57) V. STARCK, ROLAND et BOYER, *Introduction au droit*, n° 1477 et 1497.

(57-1) A.-M. CAVILLAINE-JUILLET, *La date de l'acte juridique*, thèse Clermont-Ferrand, 1979, ronéo.

(57-2) La preuve de l'heure de l'enregistrement peut être apportée au moyen d'un certificat délivré par le receveur des impôts qui a accompli cette formalité : Civ. 1re, 29 juin 1982 : *Bull. Civ.* I, n° 24.

(57-3) MALAURIE, n° 309.

(57-4) Civ, 30 mars 1966 : *Bull. civ.* I, n° 219; *Rép. dr. civ. Dalloz, V° Preuve*, n° 856 et s. par G. GOUBEAUX et Ph. BIHR.

(57-5) Un arrêt de la Cour de cassation (Civ. 1re, 28 oct. 1970 : *D.* 1971, 84, note BESSON) revenant sur la solution antérieurement donnée, déclare que la date des polices d'assurances et des avenants est opposable aux tiers (en l'espèce à la victime agissant contre l'assureur du responsable), motif pris de ce que ces actes ne sont pas soumis à l'enregistrement.

(58) Mais on notera bien que cette disposition d'une grande sévérité ne concerne que les promesses de vente d'immeubles, etc., acceptées en tant que telles, c'est-à-dire celles qui constituent des *contrats unilatéraux*, le promettant seul étant tenu envers le bénéficiaire de l'« option ». Elle ne s'applique évidemment pas aux *offres unilatérales*, d'une part, ni aux *promesses synallagmatiques de vendre et d'acheter,* lesquelles sont de véritables ventes (art. 1589, al. 1er). Si donc les parties remplacent l'offre unilatérale (ou pollicitation) par un engagement synallagmatique, la vente devenue parfaite échappe à la sanction fiscale (Civ. 3e, 22 janv. 1971 : *J.C.P.* 71, IV, 49).

du montant des sommes dont le versement a été différé et, pour chacun des mois suivants, de 1 % de ce montant; mais aucune sanction civile n'atteint le bail dans sa validité.

200. — D'autres administrations, en dehors du fisc, sont appelées, soit à recevoir des déclarations, soit à donner des autorisations relativement à certains contrats (58-1). Ce sont des motifs de politique économique qui ont conduit à de telles procédures. On citera, comme étant caractéristiques, le contrat de travail qui, pour les professions énumérées par arrêté ministériel, doit être porté à la connaissance des services publics de main-d'œuvre (C. trav., art. L. 320-1), la cession d'un office ministériel qui est soumise à l'agrément de la chancellerie, le certificat d'urbanisme par lequel l'administration indique l'état des règles d'occupation des sols et qui constitue une sorte de pré-autorisation de réaliser l'opération projetée (C. urbanisme, art. L. 410-1), la déclaration d'intention que doit adresser à la mairie le propriétaire d'un bien soumis au droit de préemption urbain (C. urbanisme, art. R. 213-5).

C. — Formalités conventionnelles

201. — Il est assez fréquent que pour certains contrats importants (par exemple une vente de fonds de commerce, une vente d'immeuble), les parties rédigent d'abord un acte sous seing privé, tout en déclarant dans une des clauses de cet acte, qu'il sera ultérieurement « formalisé », c'est-à-dire passé en la forme notariée, avant telle date déterminée, notamment en vue de sa publicité lorsque cette formalité est nécessaire *(réitération de l'acte)*.

Le premier acte, celui qui n'est que sous seing privé, est dénommé, en pratique, *compromis*. Ce terme n'est pas pris dans le vocabulaire légal où il possède un sens tout différent (59), mais il est couramment employé avec cette autre signification.

202. — Quelle est la portée exacte du compromis ainsi défini ? Est-il déjà un contrat liant définitivement les parties, ou simplement un *projet*, en attendant la réalisation du contrat notarié ? La question ne se pose pas à l'égard des contrats qui doivent, pour avoir une existence légale, être passés par acte authentique; à leur égard, le compromis n'est qu'un projet. Mais que décider pour les contrats qui, légalement, pourraient très bien être rédigés sous seing privé ?

(58-1) V. FARJAT, *L'ordre public économique*, thèse Dijon, 1963, préface GOLDMAN, n° 261 et s.

(59) Le compromis dans la terminologie légale est la convention par laquelle les parties ayant un litige entre elles, se mettent d'accord pour soumettre leur différend à un *arbitre*, au lieu de le porter devant les tribunaux (C. proc. civ., art. 1447 et s.).

Tout dépend de l'intention des parties. Si celle-ci est clairement exprimée, le juge est obligé d'en tenir compte. Si les parties ne précisent pas clairement quelle est, dans leur esprit, la portée du compromis, le juge sera amené à rechercher, dans chaque cas, quelle a été la commune intention probable des parties. C'est donc là une question d'interprétation du contrat.

203. — En fait, le plus souvent, sauf indices contraires, les tribunaux estiment que le compromis lie déjà les parties. Cela est tout naturel dès lors que le principe, en la matière, est le consensualisme (60). Un arrêt de la Chambre des requêtes de 1936 exprimait cette position en ces termes : « L'énonciation, dans un acte de vente sous seing privé, portant accord sur la chose et sur le prix, qu'un acte notarié sera ultérieurement dressé, n'a pour effet de subordonner la formation et l'efficacité du contrat à l'accomplissement de cette formalité que s'il résulte clairement soit des termes de la convention, soit des circonstances que telle a été la volonté des parties » (60-1). La solution a été reprise par la Cour de cassation dans l'affaire *Steinlen* : par acte sous seing privé, Mme Steinlen s'était engagée à céder à M. Lignel un immeuble et l'œuvre de la famille Steinlen moyennant une somme payable comptant et une rente viagère mensuelle; cet acte portait que « l'accord ne prendrait son effet définitif qu'après avoir été entériné par un notaire »; Mme Steinlen puis son légataire refusèrent de donner suite au compromis, quoique le partenaire eût rempli ses obligations, en arguant qu'il ne constituait pas une vente ferme mais un simple projet d'intention. La cour d'Orléans, saisie sur renvoi après cassation, avait décidé que le compromis valait vente faute d'établir que les parties avaient entendu retarder la formation du contrat jusqu'à l'acte authentique. La Cour suprême (60-2) rejette le pourvoi attendu que... l'arrêt retient souverainement que les parties à l'acte du 13 novembre 1978 s'étaient, dès cette date, entendues sur la chose et sur le prix et que, si elles ont prévu l'entérinement de l'acte par un notaire, il ne résulte *ni des dispositions de cet acte, ni des circonstances de la cause* qu'elles aient voulu faire de cette modalité accessoire un élément constitutif de leur engagement.

204. — Celui des contractants qui se refuserait à « formaliser » l'acte peut y être contraint par une action en justice. Le tribunal constatera son refus et déclarera que le jugement tient lieu d'acte authentique (61), et c'est alors ce

---

(60) Civ., 9 déc. 1930 : *D.* 1931, 1, 118. — Paris, 12 janv. 1961 : *Gaz. Pal* 1961, 1, 212. — Civ. 3e, 2 mai 1968 : *Rép. Defrénois* 1968, p. 621. — Civ. 3e, 5 janv. 1983 : *J.C.P.* 84, II, 20312, note THUILLIER : le fait que le transfert de la propriété à l'acquéreur soit réservé jusqu'au jour de la signature notariée, ne permet pas de décider que le vendeur n'est tenu que d'une obligation de faire, génératrice seulement de dommages et intérêts au profit de l'acheteur. Les juges du fond doivent rechercher si la solennité d'un acte notarié était nécessaire pour engager les parties dans les liens d'un contrat définitif.

(60-1) Req., 4 mai 1936 : *D. H.* 1936, 313.

(60-2) Civ. 3e, 14 janv. 1987 : *D.* 1988, 80, note Joanna SCHMIDT.

(61) Toulouse, 19 oct. 1960 : *D.* 1962, 96, note BREAU.

jugement, acte authentique évidemment, qui sera publié sur les registres fonciers (62). Cette solution avait paru un temps être remise en question. Un arrêt de la 3e Chambre civile (62-1) avait jugé qu'une telle convention ne créait qu'une obligation de faire, ne pouvant engendrer, en cas de refus d'exécution, qu'une créance mobilière sous forme de dommages-intérêts. Mais, la même Chambre est revenue depuis sur cette jurisprudence et a cassé une décision qui avait admis (alors que celle-ci avait constaté l'accord sur les éléments essentiels de la vente) que le refus de signer l'acte ne donnait lieu qu'à dédommagement, parce qu'elle n'avait pas précisé « si la solennité d'un acte notarié était nécessaire pour engager vendeur et acquéreur dans les liens d'un contrat définitif » (62-2). Il semble désormais acquis qu'on puisse obtenir une vente forcée, en imposant au promettant la passation de l'acte authentique (62-3).

Le refus de réitération peut être sanctionné également par une condamnation à des dommages et intérêts.

Le conseil pratique qui se dégage de ces observations, c'est qu'il est prudent de bien indiquer dans le « compromis » si on a déjà entendu s'engager ferme ou si, au contraire, cet acte n'était qu'un projet de contrat.

D. — Formalités habilitantes

205. — On se bornera à mentionner, ici, que, s'agissant de personnes incapables d'exercer leurs droits (mineurs, aliénés notamment), les contrats ne peuvent être faits, en leur nom, que par les personnes habilitées à cet effet, père, mère, tuteur (C. civ., art. 389-3 pour l'administrateur légal, 450 pour le tuteur du mineur, 495 pour le tuteur du majeur). Dans certains cas, l'autorisation du conseil de famille, et même quelquefois l'homologation du juge des tutelles, est nécessaire. Certaines personnes qui, sans être aliénées, ont besoin d'être conseillées ou assistées, telles que les prodigues, les infirmes, etc., peuvent être mises sous le régime de la curatelle. En ce cas, la validité de certains contrats par eux conclus exige l'intervention d'un curateur.

206. — Ces diverses formalités ont pour but la protection des intérêts de l'incapable. Aussi, leur inobservation est-elle sanctionnée par la *nullité*

(62) Un arrêt a précisé que le jugement dont il s'agit ne fait que constater le refus de « réitération » de la part du vendeur *sans se substituer pour autant à l'accord des parties.* Il ne fait donc pas obstacle à une demande en nullité pour cause d'aliénation mentale du vendeur lors du « compromis » initial (Civ. 1re, 15 déc. 1970 : *J.C.P.* 71, IV, 27; *D.* 1971, somm. 72).

(62-1) 2 avril 1979 : *J.C.P.* 80, II, 19697, note DAGOL; *Rép. Defrénois*, 1980, 32385, note MORIN.

(62-2) Civ. 3e, 5 janv. 1983 : *D.* 1983, 617, note JOURDAIN; *J.C.P.* 84, II, 30312; *Rev. trim. dr. civ.* 1983, 35, obs. RÉMY.

(62-3) Civ. 1re, 8 avril 1986 : *J.C.P.* 86, IV, 162.

relative des actes. La nullité est dite relative parce que, seule, la personne protégée, ou son représentant, peut la demander : l'acte n'est nul que *relativement* à l'incapable. Il en résulte que le cocontractant de l'incapable ne peut demander la nullité du contrat dont il s'agit : il est tenu de l'exécuter. On retrouvera ces questions ultérieurement en étudiant les *nullités relatives* et les *nullités absolues.*

On vient de faire allusion à la possibilité pour un incapable de contracter par l'intermédiaire de son père ou de son tuteur qui le représente. Ce n'est là qu'un cas particulier d'une question bien plus générale : celle de la *possibilité de contracter par l'intermédiaire d'autrui.* C'est la question de la représentation, qu'il nous faut maintenant exposer.

SECTION II

REPRÉSENTATION CONTRACTUELLE

207. — On peut définir la représentation comme une technique de formation des contrats et même, plus généralement, de formation de tout acte juridique, par l'intermédiaire d'autrui. Ce qu'il y a de caractéristique, c'est que celui qui exprime la volonté nécessaire à la formation du contrat — *le représentant* — n'agit pas pour lui-même, mais pour le compte et au nom d'une autre personne — le *représenté* (62-4).

208. — La représentation est apparue assez tard, historiquement. Le droit romain ne l'a admise que tardivement et incomplètement, car elle paraissait contraire au caractère strictement personnel de l'obligation. On concevait mal, au début, que quelqu'un puisse être obligé, donc exposé à encourir des sanctions sévères, quelquefois sur sa personne même, s'il n'avait pas personnellement consenti à s'obliger.

Mais les besoins pratiques ont montré qu'il n'était pas possible de maintenir ce principe rigoureusement. S'agissant d'incapables (incapacités d'exercice), il était nécessaire d'organiser la représentation à leur profit. Puis on s'est rendu compte que bien d'autres circonstances rendaient utile, voire nécessaire, l'admission de la représentation dans les actes juridiques, ne serait-ce que pour satisfaire aux relations d'affaires qui doivent se traiter sur de multiples places.

(62-4) E. PILON, *Essai d'une théorie générale de la représentaton dans les obligations*, thèse Caen, 1897. — M. STORCK, *Essai sur le mécanisme de la représentation dans les actes juridiques*, thèse Strasbourg, 1982, préface D. HUET-WEILLER. — Ph. PETEL, *Les obligations du mandataire*, thèse Montpellier, 1987. — MALAURY et AYNÈS, *Les contrats spéciaux*, 2e, éd., n° 530 et s.; *Rép. dr. civ. Dalloz, V° Représentation* par A. RIEG, *V° Mandat* par R. RODIÈRE.

On étudiera, dans deux sous-sections, les conditions et les effets de la représentation, dont le rôle en droit moderne est considérable. Un problème particulier, le contrat avec soi-même, sera exposé sous une troisième rubrique.

SOUS-SECTION I

LES CONDITIONS DE LA REPRÉSENTATION

Elles sont au nombre de trois : le pouvoir de représentation (§1), l'intention de représentation (§2), la volonté du représentant (§3).

§ 1. — Le pouvoir de représentation

209. — Une personne ne saurait agir pour le compte d'une autre sans en avoir le pouvoir. Cela conduit à préciser, tout d'abord, les sources des pouvoirs du représentant; il faudra ensuite examiner le cas très fréquent que pose le dépassement ou l'absence de pouvoirs ce qui nous amènera à examiner le problème du mandat apparent.

A. — Sources du pouvoir

Ce sont la loi, le jugement ou le contrat

1° La loi

210. — C'est le cas, notamment, du père et de la mère que la loi investit conjointement (C. civ., art. 383) de l'administration légale des biens personnels de leur enfant mineur, lorsqu'ils exercent en commun l'autorité parentale. Hypothèse rare, car les jeunes gens n'ont pas de fortune personnelle, mais cela peut arriver : ils ont pu recevoir une donation ou un legs ou... gagner beaucoup d'argent comme vedette de la chanson, du cinéma, ou, victimes d'un accident, ils ont une action en responsabilité contre un tiers et, s'ils obtiennent gain de cause, une créance en réparation.

C'est aussi le cas du *tuteur;* le Code civil détermine les conditions de sa désignation et l'investit du pouvoir très général de représenter l'incapable dans tous les actes civils (art. 450).

C'est la loi, également, qui précise les pouvoirs des époux sur les biens du ménage, biens propres ou biens de communauté. On lit, par exemple, à l'article 1421 du Code civil que « chacun des époux a le pouvoir d'adminitrer seul les biens communs et d'en disposer... le tout sous réserve des article 1422 à 1425 », c'est-à-dire à l'exception des libéralités, de certaines opérations sur les immeubles, fonds de commerce, exploitations, droits sociaux non négociables et du bail d'un fonds rural ou d'un immeuble à usage commercial, industriel ou artisanal (62-5).

En matière de société, les pouvoirs des organes sociaux étaient naguère fixés dans les statuts, sauf s'il s'agissait d'une S.A.R.L. (société à responsabilité limitée), où c'est le législateur lui-même qui indiquait les pouvoirs des gérants. Depuis la loi du 24 juillet 1966, cette règle a été généralisée. Les pouvoirs de représentation des divers organes sociaux sont fixés par la loi. Les dispositions statutaires limitant ces pouvoirs sont inopposables aux tiers (la seule sanction du dépassement des pouvoirs statutaires sera la responsabilité de l'organe vis-à-vis de la société).

2° Le jugement

211. — Dans certains cas, c'est le tribunal qui confère les pouvoirs de représentation. Le cas le plus connu est celui que prévoit l'article 219 du Code civil : lorsque l'un des conjoints se trouve hors d'état de manifester sa volonté (éloignement, maladie, prison, etc.), « l'autre peut se faire habiliter par justice à le représenter ». Il est fréquent aussi que le tribunal nomme un administrateur pour liquider à l'amiable telle entreprise ou désigne un séquestre chargé de conserver un immeuble jusqu'à ce que soit vidée la question de propriété. La loi n° 85-99 du 25 janvier 1985 a donné un statut aux administrateurs judiciaires qu'elle définit comme des « mandataires chargés par décision de justice d'administrer les biens d'autrui ou d'exercer des fonctions d'assistance ou de surveillance dans la gestion de ces biens » (art. 1er). Le même texte aménage, aussi, la profession de mandataires-liquidateurs que le juge désigne, dans le cadre des procédures collectives, pour représenter les créanciers et procéder éventuellement à la liquidation d'une entreprise en état de cessation des paiements. Lorsque c'est le tribunal qui confère le pouvoir, il en fixe également le contenu, les actes que le représentant est habilité à faire (en ce sens, C. civ., art. 219; L. n° 85-98, 25 janv. 1985, art. 31 et 148).

3° Le contrat

212. — C'est le cas le plus fréquent : il s'agit du *contrat de mandat.* L'objet de ce contrat est précisément de permettre à l'un des contractants : le *mandataire* de représenter l'autre : le *mandant.* Le mandataire agit donc au nom et pour le compte du mandant (C. civ., art. 1984 à 2010). Mais il n'est pas indispensable qu'il en aille ainsi : le mandataire n'est pas obligé d'agir ouvertement pour le compte d'autrui et de déclarer que le contrat qu'il passe est destiné à produire ses effets dans la personne d'un tiers.

(62-5) A. COLOMER, *Régimes matrimoniaux*, Litec, 3e éd., n° 418 et s.

Lorsque la représentation est inconnue du partenaire, on est en présence d'un mandat sans représentation, connu sous le nom de contrat de *commission* ou de *prête-nom* (62-6). Cette manière occulte de procéder n'est pas permise en matière judiciaire. Un adage fort ancien, *Nul en France ne plaide par procureur hormi le roi* (62-7) fait obligation au mandataire *ad litem* (l'avocat, l'avoué) d'indiquer qu'il agit comme représentant et de révéler l'identité du plaideur représenté.

213. — La formation de ce contrat est réglée par l'article 1985 du Code civil. Le mandat peut être donné par acte authentique ou par acte sous seing privé, même par lettre; il peut, aussi, être consenti verbalement, mais la preuve testimoniale n'en est reçue que conformément au droit commun, ce qui implique l'exigence d'un écrit chaque fois que l'intérêt en cause excède 5 000 F, à moins que l'on ne se trouve dans une des exceptions admises par la loi : impossibilité matérielle ou morale de préconstituer la preuve, perte du titre par cas fortuit, existence d'un commencement de preuve par écrit, etc. (C. civ., art. 1347 et 1348).

Le même texte ajoute que l'acceptation du mandat peut n'être que tacite et résulter de l'exécution qui lui a été donnée par le mandataire. Il existe, d'ailleurs, bien d'autre cas de mandat informel. En matière d'indivision, par exemple, l'article 815-3 déclare que l'indivisaire qui prend en main la gestion des biens indivis, *au su* des autres et néanmoins *sans opposition* de leur part, est censé avoir reçu un mandat tacite couvrant les actes d'administration. L'article 1540 du Code civil pose la même présomption de mandat tacite, s'agissant de la gestion par l'un des époux des biens de l'autre (62-8).

214. — La diversité d'origine des pouvoirs du représentant pose, également, la question de savoir quelle est leur portée exacte, c'est-à-dire quels sont les actes, les contrats que le représentant peut passer pour le compte du représenté.

Lorsque les pouvoirs sont d'origine légale (administrateur légal, tuteur par exemple), c'est la loi, tout naturellement, qui indique quels sont les actes entrant dans le cadre de la représentation. Il faut donc consulter les textes relatifs à ces pouvoirs et, au besoin, les interpréter si la formule légale est trop vague ou imprécise. Ainsi, s'agissant du tuteur, l'article 456 dispose qu'il accomplit seul comme représentant du mineur tous les actes d'admi-

(62-6) Civ. 1re, 4 oct. 1988 : *J.C.P.* 88, IV, 373 : les commissaires-priseurs qui ne veulent pas ou ne peuvent pas révéler le nom de celui qui serait le vendeur d'un tableau — lequel n'a pas été peint par l'artiste à qui il a été spécialement attribué — doivent être considérés comme les prête-noms du vendeur et tenus à l'égard de l'adjudicataire du tableau des obligations dudit vendeur. Pour une bonne définition du contrat de commission, Versailles, 29 sept. 1988 : *D.* 1988, I.R. 296.

(62-7) ROLAND et BOYER, *Adages*, p. 650 et s.

(62-8) Le mari qui a eu recours à des avances consenties par ses parents pour les besoins d'une exploitation acquise en commun, est censé avoir reçu de son épouse mandat de contracter un emprunt : Civ. 1re, 12 nov. 1986 : *J.C.P.* 88, II, 21128, note Ph. SIMLER.

nistration — dans lesquels entre la gestion des valeurs mobilières — et qu'il peut aliéner à titre onéreux les meubles à usage courant et les biens ayant le caractère de fruits.

215. — Au contraire, la représentation conventionnelle prête davantage à discussion. De quelles prérogatives exactes, le représentant a-t-il été investi ? A-t-il seulement été chargé de signer, à la place du mandant, une convention arrêtée dans toutes ses dispositions ? Le mandat est alors *impératif.* A-t-il joui de toute latitude pour discuter les termes du contrat ? Le mandat est *indicatif.* En l'absence de précisions suffisantes, le mandat conçu en termes généraux n'embrasse que les actes d'administration (C. civ., art. 1988).

B. — Dépassement de pouvoirs

216. — En principe, si le représentant dépasse le cadre des pouvoirs qui lui sont conférés, l'acte ainsi fait n'est pas opposable au représenté. Celui qui a contracté avec un représentant ne peut, donc, pas agir contre le prétendu représenté, puisque, précisément, il n'y a pas de représentation.

L'application de cette règle concernant le dépassement des pouvoirs est relativement aisée lorsque les pouvoirs sont fixés par la loi. Les tiers sont censés connaître la loi et s'ils passent un contrat avec un tuteur, par exemple, dans une hypothèse où la loi ne permet pas au tuteur d'agir, l'acte n'a aucune valeur à l'égard du mineur ou de l'aliéné en tutelle.

Le représentant qui tire ses pouvoirs d'un jugement doit pouvoir en justifier en produisant une copie de ce jugement.

217. — L'hypothèse du mandat est plus délicate. Bien entendu, le mandataire doit pouvoir justifier de ses pouvoirs. En pratique, il en fait la preuve en produisant un écrit *(instrumentum)* qui est dénommé, précisément, un « pouvoir », écrit que le mandant lui a remis pour lui permettre d'agir en son nom. En cas de contestation sur l'existence du mandat, il appartient au demandeur d'en faire la preuve selon les modalités prévues à l'article 1985 du Code civil qui sont, d'ailleurs, celles du droit commun (62-9).

218. — Le fonctionnement de la règle de l'inopposabilité des actes excédant les pouvoirs conférés est écartée chaque fois que le mandant couvre après coup les opérations conclues en son nom : *ratihabitio mandato aequiparatur* (62-10). La ratification équivaut au mandat, en ce que l'agrément

---

(62-9) Civ. 1re, 22 juin 1983 : *Gaz. Pal.* 1984, 1, pan. 10 (la nécessité d'un écrit s'impose même à l'encontre des tiers qui ont traité avec le mandataire prétendu). — Civ. 1re, 7 déc. 1983 : *Gaz. Pal.* 1984, 1, pan. 139 (la preuve par témoins ou présomptions, à défaut d'écrit, suppose un commencement de peuve par écrit).

(62-10) ROLAND et BOYER, *Adages*, p. 886,

opère rétroactivement (63). A la ratification expresse, la jurisprudence assimile la ratification tacite, telle celle qui découle du comportement du mandant qui n'a pas précédemment protesté contre les dépassements répétés de pouvoir de son mandataire (64).

219. — En l'absence de ratification, la règle de l'inopposabilité est entendue avec souplesse par la jurisprudence dans le souci de garantir les tiers cocontractants, ce qui l'amène, de façon générale, à tolérer certains débordements par rapport à la commission d'origine. Ainsi la Cour de cassation a jugé, à propos d'une caution réelle, qu'en l'absence de précision dans la procuration, le mandataire n'avait pas outrepassé ses pouvoirs en faisant inscrire, dans l'acte, une clause de renonciation aux bénéfices de division et de discussion (65).

220. — Il n'empêche qu'il est des cas où le dépassement de pouvoirs est patent et ne peut être excusé par une compréhension bienveillante des juges. On rejoint alors le cas du défaut de pouvoirs qu'il nous faut maintenant examiner. Est-ce que rien ne peut justifier la régularisation d'une telle situation ?

C. — Défaut de pouvoirs

1° Le danger du mandat

221. — Le mandat crée un lien de représentation bien précaire : le mandat est révocable à tout moment et sans que l'on soit obligé d'avoir un juste motif de révocation. On exprime cette possibilité en disant que le mandat est révocable *ad nutum* (v. C. civ., art. 2004). Il prend fin, également, *de plein droit,* par la mort du mandant ou celle du mandataire (v. art. 2003, dernier al.) (66) sauf volonté d'établir un mandat *post mortem* dont la validité est reconnue si son objet est licite (66-1).

---

(63) Civ. 1re, 4 déc. 1979 : *Gaz. Pal.* 1980, 1, pan. 142. — Civ. 1re, 25 mars 1981 : *Gaz. Pal.* 1981, 2, pan. 286. Le fait que le mandataire, qui dépasse son mandat, déclare agir en son nom personnel ne s'oppose pas à ce que le mandant ratifie ces actes : Civ. 1re, 28 avril 1980 : *Gaz. Pal.* 1980, 2, pan. 449. — Civ. 3e, 8 juill. 1987 : *J.C.P.* 87, IV, 321 : l'existence d'une procuration, quelle qu'en soit la date, emporte ratification rétroactive des actes du mandataire.

(64) Civ. 3e, 2 mai 1978 : *Bull. civ.* III, 136.

(65) Civ. 1re, 6 mars 1979 : *J.C.P.* 79, II, 19140, concl. Gulphe. — Civ. 1re, 6 janv. 1982 : *Gaz. Pal.* 1982, pan. 183 (extension de la perception des intérêts à la perception du capital).

(66) Si l'art. 2008, C. civ. déclare valide ce que le mandataire a accompli dans l'ignorance de la mort du mandant, il lui appartient d'apporter la preuve de son ignorance, Soc., 22 juin 1978 : *Gaz. Pal.* 1978, 2, somm. 368; *D.* 1979, I.R. 146, note M. Vasseur. — En outre, l'extinction du mandat par la mort cesse d'être applicable au cas où la volonté même tacite des parties a été d'en prolonger les effets après le décès du mandant, ce qui est le cas du mandat tendant à gratifier les personnes qui ont secouru le mandant jusqu'à ces derniers moments : Colmar, 20 fév. 1980 : *Rev. Alsace-Lorraine* 1980, 151.

(66-1) Civ. 1re, 28 juin 1988 : *Bull. civ.* I, n° 209, p. 147 : le mandat *post mortem* ne peut transgresser les règles d'ordre public édictées en matière successorale; en conséquence, la banque qui exécute le mandat donné par le défunt à sa compagne de retirer, après son décès, les sommes disponibles à son compte, commet une faute génératrice de responsabilité à l'égard des héritiers.

La révocabilité du mandat *ad nutum* n'est, cependant, pas une règle impérative. Rien n'interdit aux contractants de stipuler l'*irrévocabilité du mandat pendant une période déterminée.* Il n'est, d'ailleurs, pas nécessaire que l'irrévocabilité soit *expressément* stipulée; elle peut résulter des autres clauses du mandat, tel le « mandat exclusif » (le mandant s'interdit de faire lui-même l'opération pour laquelle des pouvoirs sont conférés au mandataire, par exemple, vendre un bien lui appartenant, et, à plus forte raison de confier cette même mission à un tiers). D'une manière générale, l'*irrévocabilité du mandat peut résulter de son objet et du but poursuivi par le mandant* (67), ou encore du fait qu'il est donné dans l'*intérêt commun* des deux parties (67-1). Mais dans aucun de ces cas, l'irrévocabilité n'est une conséquence nécessaire; c'est là une *question de fait* que le juge appréciera. Le principe général reste celui de la révocabilité *ad nutum.*

222. — La précarité du mandat pourrait être la source de désagréables surprises pour le tiers qui contracte avec un mandataire, au vu du « pouvoir » que celui-ci lui montre, mais qui ignore la révocation du mandat ou la mort du mandant, ce qui, en principe, rompt le lien de représentation.

C'est la raison pour laquelle le Code civil pose deux règles protectrices des tiers. Les articles 2008 et 2009 maintiennent les liens de représentation si les tiers ignorent la révocation ou la mort du mandant. C'est un cas où l'*apparence du mandat* l'emporte sur la réalité (en fait le mandat avait pris fin), et cela montre que le Code civil se soucie de la protection des tiers qui ont agi de bonne foi (68).

2° Le problème du mandat apparent

223. — C'est là un problème qui se pose très fréquemment en fait et sur lequel il existe une jurisprudence extrêmement abondante et assez confuse.

Sa fréquence vient de ce qu'il n'est pas toujours facile de vérifier l'existence et les limites des pouvoirs du mandataire ou du prétendu tel. La rapidité nécessaire à la conclusion de nombreuses conventions à l'époque actuelle est une des causes de cette absence de vérification. Ce n'est pas la seule : les usages, la confiance qu'inspire celui qui se prétend mandataire, d'autres facteurs encore, peuvent faire croire à l'existence d'un mandat qui, en réalité, n'a jamais existé ou qui ne conférait pas les pouvoirs nécessaires

(67) *J.C.P.* 63, II, 13105, note ESMEIN; *D.* 1963, 277, note CALAIS-AULOY.

(67-1) Le mandat donné dans l'intérêt commun du mandant et du mandataire ne peut être révoqué que du consentement mutuel des intéresés ou pour une cause légitime reconnue en justice (Com., 10 oct. 1984 : *Bull. civ.* IV, n° 260). — Pour un contrat de concession rompu brutalement et unilatéralement : Com, 8 avril 1986 : *Gaz. Pal.* 1986, pan. 161. — Pour une absence de motif légitime : Civ. 1re, 21 juin 1988 : *Bull. civ.* I, n° 199, p. 138 (réorganisation d'un service des ventes à seule fin de se soustraire au paiement de commissions).

(68) Il est évident que, si une faute peut être établie, l'existence du mandat apparent sera admise sans difficulté dès lors que l'*apparence* a été créée par cette faute (Com., 29 mars 1966 : *J.C.P.* 66, II, 15310, 1re esp. — 28 fév. 1966 : *Bull. civ.* III, n° 124, p. 105).

à la conclusion de l'acte litigieux. Les tiers se sont ingéniés, donc, à trouver un système leur permettant de poursuivre celui qu'ils avaient considéré comme étant le mandant lors de l'opération conclue. C'est ainsi qu'est née la fameuse théorie du mandat apparent.

224. — Cependant, le *fondement* de cette théorie n'est pas facile à saisir — la jurisprudence a nettement évolué à cet égard — et, malgré une certaine stabilisation, les *faits* qui permettent de conclure à l'existence d'un mandat apparent restent encore sujets à controverse. Sans étudier à fond, ici, cette question qui a fait l'objet de nombreuses études (69), il est nécessaire d'en indiquer les grandes lignes, telles qu'on peut les dégager d'une jurisprudence encore mouvante.

a) Critère tiré de la faute du mandant

225. — Dans une première phase, les tribunaux considéraient que le fondement de la théorie du mandat apparent n'était autre que *la faute du mandant,* donc sa responsabilité. En effet si, par sa faute, une personne permet au tiers de considérer, de bonne foi, qu'un tel est son mandataire, elle est responsable envers eux du préjudice qu'ils subiraient si on déclarait que le contrat par eux conclu ne lui était pas opposable. Or, la meilleure façon de réparer ce préjudice... c'est d'empêcher qu'il ne se réalise, en déclarant le contrat conclu *opposable au pseudo-mandant* (ce serait là une réparation en nature).

226. — Cette justification a été nettement abandonnée par un arrêt remarqué de l'Assemblée plénière de la Cour de cassation du 13 décembre 1962 (70) aux termes duquel :

« Le mandant peut être engagé sur le fondement du mandat apparent, *même en l'absence d'une faute...* si la croyance du tiers à l'étendue des pouvoirs du mandataire est *légitime* ».

227. — Depuis cette décision, il semble définitivement admis que le mandat apparent n'implique pas nécessairement la faute, donc la responsabilité, du « mandant » malgré lui (71). C'est la *théorie générale de l'apparence* — qui a de nombreuses manifestations en droit — qui serait le fondement du mandat apparent.

---

(69) V. CALAIS-AULOY, *Essai sur la notion d'apparence en matière commerciale,* thèse Montpellier, 1959. — LESCOT, *Le mandat apparent : J.C.P.* 64, I, 1826. — J.-P. ARRIGHI, *Apparence et réalité en droit privé. Contribution à l'étude de la protection des tiers contre les situations apparentes,* thèse Nice, 1974. — SOURIOUX, *La croyance légitime : J.C.P.* 82, I, 3058.

(70) *J.C.P.* 63, II, 13105, note ESMEIN; *D.* 1963, 277, note CALAIS-AULOY.

(71) Il est évident que si une faute peut être établie, l'existence du mandat apparent sera admise sans difficulté dès lors que l'*apparence* a été créée par cette faute (Com., 29 mars 1966 : *J.C.P.* 66, II, 15310, 1re esp. — 28 fév. 1966 : *Bull. civ.* III, n° 124, p. 105). Il reste certains arrêts qui font allusion à la faute, par exemple Com., 24 avril 1977 (*Bull. civ.* IV, n° 99), qui fait reproche aux juges du fond de n'avoir pas recherché si la société en cause n'était pas demeurée étrangère à l'apparence alléguée.

Cependant, cela ne supprime pas toute la difficulté : celle-ci n'est que reculée, car il s'agit encore de savoir *dans quelles circonstances* il serait possible d'affirmer que la croyance des tiers dans l'existence du mandat et de son étendue est *légitime.*

b) Critère tiré de l'erreur légitime

228. — Dans son arrêt rendu le 30 novembre 1965 par la 1re chambre civile (72), la Cour de cassation a paru adopter une conception restrictive en cette matière en subordonnant l'existence du mandat apparent à la constatation d'une *erreur commune,* c'est-à-dire telle qu'elle eût été susceptible d'être partagée par n'importe quelle personne raisonnable; ce n'est qu'à cette condition que la croyance à l'existence du mandat serait légitime. C'était relier notre problème à celui de l'*apparence,* en général, selon l'adage *error communis facit jus* (72-1).

229. — Mais de nombreuses autres décisions conduisent à constater que telle n'est pas, en définitive, la conception de la Cour de cassation. Dans un arrêt du 29 avril 1969, elle déclare :

> « que si une personne peut être engagée sur le fondement d'un mandat apparent, c'est à la condition que la croyance du tiers aux pouvoirs du prétendu mandat soit légitime, *ce caractère supposant que les circonstances autorisaient le tiers à ne pas vérifier lesdits pouvoirs* (73) ».

230. — C'est bien en ce sens que s'est fixée la jurisprudence (74). Il n'est plus question d'erreur commune, ni de faute; Le seul problème qui reste en suspens est de déterminer quelles sont les circonstances qui autorisent le tiers à ne pas vérifier les pouvoirs.

Statuant après cassation de l'arrêt précité de la première chambre civile du 29 avril 1969, la cour de Lyon tente, dans une formule synthétique, de rassembler les divers facteurs qui sont de nature à conférer à l'erreur, en matière de mandat apparent, le caractère légitime qui lui sert de fondement. Dans son arrêt du 26 novembre 1970 (75), cette cour déclare que, pour apprécier les circonstances de nature à dispenser les tiers de toute vérification, il faut se référer à la *nature de l'opération envisagée, à la personnalité et à la profession du prétendu mandant, à la personnalité même du tiers.* Assuré-

(72) *J.C.P.* 66, II, 14631, observ. R.L.; *D.* 1966, 449, note CALAIS-AULOY.

(72-1) ROLAND et BOYER, *Adages,* p. 299.

(73) Civ. 1re, 29 avril 1969, 1re esp. — V. aussi un deuxième arrêt rendu le même jour au *D.* 1970, 23, note CALAIS-AULOY; *J.C.P.* 69, II, 15972, obs. LINDON.

(74) Civ. 2e, 17 oct. 1979 : *Bull. civ.* II, n° 166. — Com., 20 avril 1982 : *Bull. civ.* IV, 118. On trouve une affirmation très explicite de ce principe dans Versailles, 11 fév. 1988 : *D.* 1988, I.R. 85 : « l'apparence d'un mandat suppose que, compte tenu des usages et de la conjoncture, celui qui a contracté *n'avait pas à vérifier l'étendue des pouvoirs dont il était fait état* et n'a donc commis aucune faute, ou bien que soient établis des agissements ou carences de la part du mandant, tels qu'ils aient rendu vraisemblable l'existence de tels pouvoirs ».

(75) *D.* 1971, somm. 69.

ment !... Mais selon quel dosage, en vertu de quelle combinaison entre ces divers critères ?... Rien ne permet de le dire avec précision, *a priori.*

231. — De l'examen de la jurisprudence, il ressort que les circonstances justificatives varient au gré des espèces, et que, parfois,il en est demandé plusieurs pour que le mandat soit régularisé. On retiendra, parmi les faits justificatifs, les exemples suivants :

— l'usage de papier à en-tête avec indication des références bancaires (76), ou la remise du document portant en gros caractères le nom de la société et son blason (77);

— l'usurpation de fonction ou de qualité, telle que se faire passer pour le concessionnaire régional d'une entreprise de construction alors que l'on n'en est seulement l'architecte (78) ou se présenter comme directeur régional alors qu'on n'est qu'attaché au bureau des ventes (79);

— l'intervention d'un notaire, par exemple de celui qui avait rédigé les statuts de la société et devant qui avait été passé l'acte de prêt par un gérant sans pouvoirs (80), ou de celui qui, après avoir rédigé la promesse de vente appelée à être réitérée devant lui dans la forme authentique, a indûment reçu un acompte sur le prix (81);

— la faible valeur de l'intérêt en jeu, jointe à l'habitude qu'avait le commis d'encaisser pour le patron (82);

— l'ancienneté et la constance des pouvoirs de gestion exercés pendant 23 ans, d'où résulte la régularité d'une augmentation de loyer (83);

— la réception habituelle des clients au siège social d'une agence immobilière justifiant que l'agence elle-même réponde du détournement frauduleux des loyers encaissés (84);

— le défaut de publicité d'un événement induisant à croire au maintien de la qualité primitive (85);

— la mention d'une procuration notariée dans l'acte litigieux (promesse de vente) dressé par un officier public, tenu par son devoir de conseil de

(76) Com., 2 oct. 1979 : *Gaz. Pal.* 1980, 1, pan. 44.

(77) Civ. 1re, 25 oct. 1980 : *Gaz. Pal.* 1981, 1, pan. 54. — Précédemment : Com., 29 avril 1970 : *J.C.P.* 71, III, 16694, note MAYER-JACK.

(78) Com., 5 mars 1980 : *Gaz. Pal.* 1980, 2, pan. 352.

(79) Com., 2 oct. 1979, préc.

(80) Civ. 3e, 6 juill. 1982 : *Gaz. Pal.* 1982, 2, pan. 354.

(81) Civ. 3e, 21 janv. 1981 : *Gaz. Pal.* 1981, 2, pan. 173.

(82) Com., 8 juill. 1981 : *Gaz. Pal.* 1982, 1, pan. 57.

(83) Civ. 3e, 18 janv. 1977 : *Gaz. Pal.* 1977, 1, somm. 96; *Rev. trim. dr. civ.* 1977, 571, obs. CORNU.

(84) Civ. 1re, 15 déc. 1976 : *Gaz. Pal.* 1977, 1, somm. 75.

(85) Civ. 1re, 15 déc. 1976 : *Gaz. Pal.* 1977, 1, somm. 75.

s'assurer de l'existence de la procuration à laquelle il se réfère ainsi que de l'étendue des pouvoirs du mandataire (85-1).

232. — A l'inverse, des décisions en nombre plus réduit rejettent la notion d'apparence, considérant qu'en l'espèce le tiers cocontractant n'était pas dispensé de se livrer à une vérification. Ainsi la Cour de cassation a jugé que le caractère exorbitant des conditions consenties (cautionnement accordé sans limitation de somme et de durée par une caisse de crédit agricole au profit d'une société étrangère à l'agriculture) ne fondait pas l'erreur légitime (86).

c) Contrôle de la Cour de cassation

233. — Ce qui rend le problème plus ardu encore, c'est que la Cour de cassation ne laisse pas au juge du fond l'appréciation souveraine du caractère légitime de l'erreur. Maints arrêts ont été cassés pour avoir considéré comme légitime une erreur que la Haute juridiction n'estimait pas mériter de l'être (87). Mais ne donnant elle-même aucune définition précise du caractère légitime de l'erreur, la Cour de cassation n'assume-t-elle pas en cette matière le rôle d'un troisième degré de juridiction ? Ce n'est pas poser une règle de droit susceptible d'orienter et d'unifier l'interprétation des juges du fond que de proclamer que la légitimité de l'erreur résulte d'une appréciation des circonstances...(arrêt préc. 29 avril 1969), car ces circonstances sont éminement variables d'une espèce à l'autre.

234. — Au surplus, la Cour suprême n'hésite pas à casser, pour défaut de base légale, les décisions insuffisamment motivées, afin de garder pour elle la censure du concept d'erreur légitime :

« en se déterminant par ces seuls motifs, sans préciser les modalités de l'intervention de cette personne ayant pu induire légitimement en erreur la société ayant réalisé les maquettes, la cour d'appel n'a pas mis la Cour de cassation en mesure de contrôler la qualification juridique par elle donnée à cette intervention... » (88).

§ 2. — L'intention de représentation

235. — Le représentant doit agir dans l'intention de représenter et le tiers avec qui il contracte doit le considérer comme animé de cette volonté : c'est la *contemplatio domini.*

(85-1) Civ. 1re, 11 mars 1986 : *Gaz. Pal.* 1986, 2, pan. 128; *Bull. civ.* I, n° 67.

(86) Civ. 1re, 10 mai 1978 : *Bull. civ.* I, 150; — Dans le même sens : Civ. 2e, 17 oct. 1979 : *Bull. civ.* II, 166. — Toulouse, 4 janv. 1984 : *J.C.P.* 85, IV, 85. — T.G.I. Évry, 10 juin 1985 : *Gaz. Pal.* 1986, 1. somm. 214. — Versailles, 24 juin 1988 : *D.* 1988, I.R. 241.

(87) V. par exemple l'arrêt préc. du 29 avril 1969, 1re esp. — Civ. 3e, 19 nov. 1970 : *J.C.P.* 70, IV, 322. — Civ. 1re, 19 janv. 1971 : *J.C.P.* 71, IV, 47.

(88) Com., 30 oct. 1979 : *Gaz. Pal.* 1980, 1, pan. 45. — Dans le même sens, Civ. 3e, 13 janv. 1981 : *Gaz. Pal.* 1981, 1, pan. 158.

Cette considération du maître de l'affaire est en réalité à double face. D'un côté, il est nécessaire que le tiers sache que celui avec qui il traite opère pour le compte d'un autre; c'est, en effet, le crédit de cet autre qui est déterminant puisque le rapport d'obligation se fixe dans son patrimoine. D'un autre côté, cet *animus* doit être déclaré de la part du représentant qui doit faire connaître qu'il agit ès-qualités, faute de quoi il s'engagerait personnellement.

Dans de telles hypothèses où l'intention de représenter est connue du cocontractant, on dit que le représentant agit *pour le compte et au nom du représenté*; la représentation est qualifiée *parfaite*.

Pour autant, le mandataire n'est pas obligé de dévoiler l'identité de son mandant, lorsque celui-ci a intérêt à conserver l'anonymat. Par exemple, un individu très fortuné, convoite un immeuble saisi qui est mis aux enchères; les créanciers, s'ils sont au courant, s'entendront pour gonfler abusivement les enchères et obtenir un prix exorbitant. Pour écarter ce risque, le candidat acquéreur charge un tiers de traiter pour lui, sans révéler pour qui il conclut l'opération. Ce tiers se présente bien comme un mandataire, il agit en tant que représentant; mais il masque le nom du représenté et se réserve la faculté de se substituer telle personne qu'il fera connaître ultérieurement. Une telle vente est dite avec *déclaration de command* ou *élection d'ami.*

Un tel mécanisme suppose la réunion de deux conditions. D'abord, il faut que l'acheteur en nom se soit expressément réservé par le contrat la faculté d'élir command, sinon il est un contractant ordinaire, tenu personnellement d'exécuter la vente. Ensuite, l'acheteur apparent doit désigner le véritable bénéficiaire de l'opération dans le délai qu'il s'est fixé, en pratique dans les 24 heures qu'impose la législation fiscale (C.G.I., art. 686) pour considérer qu'il y a transfert unique et non double mutation. A la différence du mandat où le contrat conclu par représentation n'engage que le mandant, la déclaration de command lie aussi le commandé-mandataire, car, faute pour lui de faire connaître le nom du command, il devient acheteur véritable et définitif comme dans une vente pure et simple.

§ 3. — La volonté du représentant

236. — Pour que le contrat recherché par le représenté puisse se nouer, la volonté du tiers contractant doit rencontrer une autre volonté. Est-ce celle du représenté exprimée par les soins du représentant, est-ce celle, propre, du représentant ?

A. — Appréciation du consentement en la personne du représentant

237. — Il n'est pas discuté que la représentation fonctionne par le jeu de la rencontre des consentements du tiers contractant et du représentant. Aussi, les vices du consentement et l'existence même du consentement sont examinés en la personne du mandataire : si ses facultés mentales étaient altérées, s'il a subi des violences, s'il a été induit en erreur au moment de la passation de l'acte, il y a là autant de causes de nullité. On considère, en effet, que le représentant n'est pas un simple porte-parole; s'il ne fait que transmettre — sans pouvoir rien y changer — la volonté d'autrui, il ne s'agit plus d'un mandataire, mais d'un simple messager *(nuntius)*. Le préposé qui délivre des billets d'entrée dans une salle de spectacle n'est pas un représentant de son employeur, car il est dépourvu de véritable initiative. Cette solution a suscité quelques interrogations en doctrine. Dès lors que l'on attribue la valeur efficiente à la volonté du représentant, comment expliquer qu'un contrat puisse dérouler ses effets dans le patrimoine d'une personne qui n'y a pas été présente par son consentement. L'objection n'est pas sans réponse. En ce qui concerne les représentations légale et judiciaire, la prescription de l'autorité publique justifie qu'une volonté individuelle ait action sur autrui. S'agissant de la représentation conventionnelle, l'obstacle n'est pas insurmontable non plus : si la volonté du représentant a un caractère obligatoire à l'égard du représenté, c'est que celui-ci l'a voulu. De surcroît, la protection de la volonté commandait cette solution : puisque seul le représentant émet le consentement, c'est en lui seul qu'il convient de rechercher s'il a été ou non vicié.

B. — Appréciation de la capacité en la personne du représenté

238. — Les exigences de capacité, à la différence de celles ayant trait à la volonté, sont requises en la personne du représenté. Celui-ci doit avoir la capacité de jouissance étant donné que c'est sur sa tête que se fixent les résultats de l'opération. Corollairement, l'incapacité du représentant ne fait pas obstacle à la validité du contrat qu'il souscrit au nom du représenté. Il suffit que le représentant ait une capacité de fait, celle de comprendre le sens et la portée de ses actes. *On peut donc agir licitement pour autrui, alors qu'on ne le pourrait pas pour soi-même.* Ainsi un mineur est habile à passer pour un tiers un contrat qu'il lui serait interdit de signer pour lui-même.

239. — Cette manière de voir doit être approuvée pour deux raisons. En premier lieu, le donneur d'ordre connaissant l'incapacité de son mandataire est, logiquement, irrecevable à venir s'en plaindre plus tard. En second lieu, les règles de capacité sont conçues pour protéger l'incapable lui-même contre ses engagements inconsidérés; or, l'incapable ne s'engage pas en personne, il n'y a donc pas lieu de le préserver contre des actes qui ne l'atteignent en rien.

SOUS-SECTION II

LES EFFETS DE LA REPRÉSENTATION

§ 1. — Les rapports du représenté et du tiers

240. — L'idée générale est que le représenté est partie au contrat. Illustrons cette proposition en donnant un exemple.

On sait que les actes sous seing privé n'ont de date contre les tiers que du jour où ils ont été enregistrés, ou ont acquis la qualité de date certaine par les autres modes prévus à l'article 1328 du Code civil. Une personne représentée ne pourrait pas invoquer cette règle. A son égard, la date mentionnée au contrat passé par le représentant est présumée exacte, car c'est lui, le représenté, qui est la vraie partie contractante (il lui est, bien entendu, possible de la contester comme à toute partie contractante, en prouvant qu'il s'agit d'une date inexacte, mais la charge de la preuve lui en incombe) (88-1).

241. — Etant partie au contrat, c'est le représenté qui acquiert les droits issus de ce contrat : il devient *immédiatement propriétaire* des choses acquises pour son compte ou *créancier* des obligations assumées par le tiers. De même, il devient *directement et immédiatement débiteur* à l'égard du tiers qui avait traité avec le représentant. Une transaction conclue entre l'assureur, mandataire de l'assuré, et la victime est opposable à ce dernier (89). Ajoutons, au plan procédural, l'existence d'une action directe entre personnes qui ont négocié *corpore alieno* : le représenté peut poursuivre directement le remboursement de sa créance contre le tiers contractant, comme il peut être lui-même directement assigné par ce dernier.

Parmi les conséquences qu'engendre le principe de l'effet direct, citons les solutions suivantes :

— les significations faites au mandataire font courir les délais contre le mandant (89-1);

— le fait que le mandataire de l'acheteur ait vérifié la marchandise et l'ai réceptionnée sans réserve empêche l'acheteur d'agir en résolution pour défaut de conformité (89-2);

— la clause limitative de responsabilité contenue dans le contrat conclu par le mandataire s'impose au mandant (89-3).

(88-1) Civ 1re, 4 janv. 1984 : *Bull. civ.* I, n° 5.

(89) Paris, 7 nov. 1970 : *D.H.* 1971, 366; chron. BERRE et GROUTEL : *D.* 1971, p. 121.

(89-1) Civ 3e, 5 juin 1984 : *Bull. civ.* III, n° 109.

(89-2) Com, 12 fév. 1980 : *D.* 1981, 278, note AUBERTIN.

(89-3) Com., 21 mars 1983 : *Gaz. Pal.* 1983, 2, pan. 225; *Bull. civ.* IV, n° 92.

§ 2. — Les rapports du représentant et du tiers

242. — C'est la proposition inverse de la précédente. Le représentant ne peut rien réclamer au tiers avec qui il a contracté, à moins que son pouvoir ne l'habilite non seulement à conclure, mais encore à exiger l'exécution pour le compte de celui qu'il représente.

En contrepartie, le tiers ne peut rien lui réclamer personnellement (89-4). Comme l'a dit un des rédacteurs du Code civil, le représentant est comme l'échafaudage qui permet de construire la maison, mais qui disparaît, cette maison une fois construite. Le représentant a permis la conclusion du contrat, après quoi il disparaît de la scène juridique (90).

243. — Il pourrait en être autrement si le représentant s'engageait personnellement à côté du représenté ou traitait sans faire connaître au partenaire sa qualité de représentant (90-1). Rien n'empêche un mandataire de convenir avec le tiers qu'il se porte garant de l'exécution du contrat par le mandant. En ce cas, le tiers peut poursuivre à la fois le mandant et le mandataire selon les modalités prévues au contrat (91). De cette hypothèse on rapprochera la convention de *ducroire* en vertu de laquelle un commissionnaire garantit l'exécution par un tiers du contrat qu'il a passé.

244. — D'autre part, si les agissements du mandataire ont été fautifs, il peut engager sa responsabilité personnelle à l'égard du tiers qui a, de ce fait, subi quelque préjudice. Sa responsabilité est alors délictuelle (92). Il a été jugé par la Chambre mixte le 26 mars 1971 (93) que le mandataire répond des fautes par lui commises, soit spontanément, soit même sur les instructions du mandant (dans ce dernier cas, mandant et mandataire sont responsables *in solidum* à l'égard des tiers). Cette jurisprudence a été formellement confirmée par un arrêt de la Chambre commerciale du 9 mai 1977 (94).

Mais ces situations restent exceptionnelles. Dans la plupart des cas, les liens de droit issus du contrat se nouent directement entre le représenté et le tiers, pour ainsi dire par-dessus la tête du représentant.

(89-4) Civ. 3e, 23 nov. 1988 : *J.C.P.* 89, IV, 30.

(90) Sur le principe : Civ. 1re, 14 nov. 1978 : *Gaz. Pal.* 1979, 1, somm. 98. — Civ. 1re, 4 mars 1986 : *Gaz. Pal.* 1986, 2, somm. 330, note A. PIÉDELIÈVRE.

(90-1) Civ. 3e, 10 fév. 1988 : *J.C.P.* 89, II, 21192, note ATIAS : un syndic de co-propriété qui donne un ordre de travaux sous sa seule dénomination et non au nom du syndicat, peut être poursuivi personnellement en paiement desdits travaux.

(91) Dans le contrat de « commission », l'engagement personnel du commissionnaire à côté de celui du commettant est fréquent. V. B. STARCK, Les rapports du commettant et du commissionnaire avec les tiers : *Le contrat de commissionnaire* : *Études collectives Hamel.*

(92) Com., 9 mai 1985 : *Bull. civ.* IV, n° 143.

(93) *J.C.P.* 71, II, 16762.

(94) *D.* 1977, I.R. 402, note F. DERRIDA; *Gaz. Pal.* 1977, 1, somm. 193.

§ 3. — Les rapports du représentant et du représenté

245. — Les situations sont extrêmement variées. Les obligations du mandataire et du mandant résultent du contrat qui les lie, lequel peut être conclu à titre gratuit ou moyennant rémunération. La Cour de cassation décide que le mandat est présumé salarié lorsqu'il a été donné à une personne qui fait profession de s'occuper des affaires d'autrui. Nonobstant l'article 1986 du Code civil qui dispose que « le mandat est gratuit s'il n'y a convention contraire », la Cour suprême pose que les juges du fond exercent un pouvoir souverain d'appréciation des preuves à eux soumises, pour estimer que le contrat ne comporte aucune rémunération au profit des mandataires (95).

246. — Les droits et les obligations des représentants légaux (tuteurs, administrateurs légaux, etc.) sont définis par les textes qui les concernent. On ne saurait entrer dans l'exposé de ces questions appartenant aux matières les plus diverses. Mais on notera que, quelle que soit la source de la représentation, il est une obligation commune à tous les représentants, celle *de rendre des comptes* à la personne qu'ils représentent. Celle-ci possède à leur encontre l'action en *reddition de compte* (C. civ., art. 1993).

247. — Quant à la responsabilité, elle est fixée par les articles 1991, 1992, 1997 du Code civil : le mandataire doit remplir sa mission tant qu'il en demeure chargé; il répond non seulement du dol mais encore des fautes qu'il commet dans sa gestion; il n'est tenu d'aucune garantie, quand il a fait connaître la limite de ses pouvoirs, pour ce qui a été fait au-delà.

En application de ces principes, la jurisprudence retient comme faute : le fait d'affecter les loyers à l'acquit des charges de copropriété (96), le fait de ne pas déposer en temps voulu une demande de brevet (97), le fait pour l'administrateur d'un appartement de ne pas veiller à ce que le locataire soit assuré (98), le fait pour un propriétaire de confier la vente de ses appartements à d'autres agences en violation d'une clause d'exclusivité au profit d'un agent immobilier (99), le fait pour un régisseur de rédiger si mal une convention d'occupation précaire qu'elle a permis au locataire de revendiquer le bénéfice du renouvellement (99-1), le fait pour l'avoué de ne pas attirer l'attention de ses clients sur l'état obéré de la succession (99-2).

---

(95) Civ. 1re, 8 mars 1977 : *Bull. civ.* I, 90. — Civ. 1re, 8 janv. 1985 : *Gaz. Pal.* 1985, 2, pan. 137.

(96) Civ. 3e, 13 janv. 1981 : *Gaz. Pal.* 1981, 1, pan. 158.

(97) Paris, 13 janv. 1978 : *Ann. prop. ind.* 1979, 236.

(98) Poitiers, 4 mars 1981 : *Rev. loyers* 1982, 20.

(99) Civ. 3e, 28 fév. 1984 : *J.C.P.* 84, IV, 146.

(99-1) Paris, 28 sept. 1984 : *Rev. loyers* 1985, 106.

(99-2) Civ., 18 janv. 1989 : *D.* 1989, I.R. 29.

248. — Enfin, tout représentant est tenu d'une *obligation de loyauté* envers le représenté : il ne doit pas oublier qu'il traite dans l'intérêt de ce dernier. Cela conduit à des difficultés lorsque dans un contrat, les intérêts personnels du représentant sont contraires à ceux du représenté.

SOUS-SECTION III

LE CONTRAT AVEC SOI-MÊME

249. — A première vue, on n'aperçoit mal comment il peut exister un contrat avec soi-même puisque, logiquement, il faut être deux pour pouvoir contracter et, qu'en l'espèce, l'acte ne paraît procéder que d'une volonté unique. Pourtant l'existence du contrat avec soi-même se vérifie dans plusieurs hypothèses (99-3).

Cumul des qualités de partie et de représentant

250. — Un des cas type est le suivant. Une personne donne mandat à une autre d'acheter un bien déterminé. Le mandataire possède un objet de cette nature. Peut-il conclure le contrat en le signant en une double qualité : au nom de son mandant et en son nom propre ? Il en est de même de l'administrateur d'une société qui voudrait traiter pour le compte de celle-ci, en acquérant, par exemple, un bien dont il est lui-même propriétaire. Même problème pour un représentant légal, un tuteur, par exemple, qui contracterait au nom du pupille et en son nom propre en vue de lui vendre, lui louer une chose lui appartenant. N'y a-t-il pas lieu de faire application de l'adage *Nemo in rem suam auctor esse potest* (99-4) ?

Cumul des représentations

251. — Ce même problème se pose, en termes voisins, sinon identiques, lorsqu'une personne est le représentant de deux autres, par exemple, mandataire de l'une qui l'a chargée d'acheter une certaine chose et de l'autre qui l'a chargée de vendre une chose de même nature. Si les deux ordres en sens inverse se correspondent, le représentant peut-il conclure le contrat en utilisant son double pouvoir ? Cette situation se présente fréquemment en matière de sociétés. Une même personne, administrateur dans deux sociétés, peut-elle conclure, seule, une opération entre elles en se servant des pouvoirs que lui donne sa qualité de représentant commun ?

(99-3) GOUGET, *Théorie générale du contrat avec soi-même*, thèse Caen, 1903. — VALLIMARESCO, *Des actes juridiques avec soi-même : Rev. trim. dr. civ.* 1926, 973.

(99-4) ROLAND et BOYER, *Adages*, p. 1132.

Cumul des patrimoines

252. — Si la représentation est habituellement l'une des composantes du contrat avec soi-même, elle n'en constitue pas pour autant une donnée nécessaire. En effet, il est des situations exceptionnelles où un même individu se trouve à la tête de plusieurs patrimoines : par exemple, l'héritier sous bénéfice d'inventaire peut se porter acquéreur d'un bien de la succession qu'en sa qualité d'héritier bénéficiaire, il met en vente; ou encore la même personne dirige deux entreprises distinctes constituées en société et établit des rapports juridiques entre elles deux.

On examinera la question du contrat avec soi-même sous l'angle successif de la législation, de la doctrine et de la jurisprudence.

§ 1. — Le contrat avec soi-même en législation

253. — Le législateur n'a pas résolu ce problème dans son ensemble. Seuls, certains cas particuliers ont été envisagés. Les solutions légales, dictées par le souci de protection du représenté, sont plus ou moins sévères, tantôt interdisant, tantôt réglementant le contrat avec soi-même.

A. — Dispositions prohibitives

254. — Les dispositions prohibitives visent les principaux domaines suivants :

- En matière de *vente*, l'article 1596 du Code civil dispose :

« Ne peuvent se rendre adjudicataires, sous peine de nullité, ni par eux-mêmes, ni par personnes interposées :

— les tuteurs, des biens de ceux dont ils ont la tutelle;

— les mandataires, des biens qu'ils sont chargés de vendre (99-5);

— les administrateurs, de ceux des communes ou des établissements publics confiés à leurs soins;

— les officiers publics, des biens nationaux dont les ventes se font par leur ministère ».

- En matière de *cession de droits litigieux*, l'article 1597 du Code civil fait défense aux juges, greffiers, avocats, notaires de devenir « cessionnaires des procès, droits et actions litigieux qui sont de la compétence du tribunal dans le ressort duquel ils exercent leurs fonctions et à peine de nullité ».

Ce texte exclut clairement la possibilité pour le mandataire de se porter « contre-partiste » dans les ventes aux enchères publiques.

(99-5) Civ. 1re, 17 juin 1986 : *Gaz. Pal.* 1986, 2, pan. 218.

• En matière de *protection des incapables*, plusieurs textes instituent la prohibition :

— l'article 450 du Code civil interdit au tuteur d'acheter les biens des mineurs, de les prendre à loyer ou à ferme, à moins que le conseil de famille n'ait autorisé le subrogé tuteur à lui en passer bail, ou d'accepter la cession d'aucun droit ou créance contre son pupille;

— l'article 389-3 dispose de façon analogue en déclarant à l'alinéa 2 que l'administrateur légal, quand ses intérêts sont en opposition avec ceux du mineur, doit faire nommer un administrateur *ad hoc* par le juge des tutelles.

• En matière de *procédures collectives*, défense est faite aux dirigeants de la personne morale en liquidation de se porter acquéreur dans le cadre de la réalisation de l'actif ainsi qu'à leurs parents ou alliés jusqu'au deuxième degré inclusivement (L. n° 85-98, 25 janv. 1985, art. 155). Le décret n° 85-1388 du 27 décembre 1985 interdit également au liquidateur, que ce soit en son nom personnel ou au nom du créancier, d'être déclaré adjudicataire des immeubles du débiteur (art. 128) ou de se porter acquéreur des biens (art. 139, al. 3).

• En matière de *courtage*, le courtier assermenté chargé de procéder à une vente publique ou qui a été requis pour l'estimation de marchandises déposées dans un magasin général, ne peut, à peine de radiation définitive de la liste, se rendre acquéreur pour son compte des marchandises dont la vente ou l'estimation lui a été confiée (D. 29 avril 1964, art. 18).

• En matière de *société à responsabilité limitée*, selon l'article 51 de la loi du 24 juillet 1966, dans sa rédaction issue de la loi du 5 janvier 1988, il est interdit aux gérants ou associés de contracter sous quelque forme que ce soit des emprunts auprès de la société, de se faire consentir par elle un découvert ainsi que de faire cautionner ou avaliser par elle leurs engagements envers les tiers.

B. — Dispositions restrictives

255. — A côté de ces textes catégoriquement prohibitifs, d'autres adoptent une position plus nuancée; ils autorisent le contrat avec soi-même, à charge de respecter certaines procédures :

• En ce qui concerne les *incapables majeurs*, l'article 1125-1 du Code civil impose, à peine de nullité, à quiconque exerce une fonction dans un établissement pour personnes âgées ou pour malades mentaux et qui désirent se rendre acquéreur d'un bien ou cessionnaire d'un droit appartenant à l'une des personnes hébergées dans l'établissement, de solliciter l'autorisation de justice. La même règle vaut pour le bail du logement occupé précédemment par la personne hospitalisée.

• En matière de *bourse de valeurs*, si la loi n° 88-70 du 22 janvier 1988 autorise les sociétés de bourse à se porter contre-partie (art. 1er, al. 2), il faut tenir compte des restrictions inscrites à l'arrêté du 2 septembre 1988, portant homologation du règlement général du Conseil des bourses de valeurs. D'une part, « les opérations de bourse effectuées pour son propre compte par une personne agissant dans le cadre de ses fonctions pour le compte d'une société de bourse ne peuvent être réalisées dans des conditions privilégiées, par rapport à celles dont bénéficie l'ensemble de la clientèle », ce qui, en termes clairs, veut dire que le personnel peut faire lui-même la contre-partie des opérations qui lui sont confiées; les ordres doivent simplement être traités dans le respect des principes de diligence, loyauté, neutralité et impartialité ! (art. 2-6-6). D'autre part, les personnes chargées d'une fonction de négociation, de cotation ou de surveillance ne peuvent opérer pour leur compte propre sur les valeurs dont elles ont la responsabilité (art. 1-2-5 et 2-6-7).

• En matière de société anonyme, la loi du 24 juillet 1966 réglemente les conventions intervenant entre une société et l'un de ses administrateurs ou directeurs généraux, ainsi que les conventions auxquelles ces mêmes personnes sont indirectement intéressées ou dans lesquelles elles traitent avec la société par personnes interposées. Il est nécessaire de suivre la procédure de l'article 103 qui prévoit l'information du conseil, un rapport spécial du commissaire aux comptes, une approbation par l'assemblée générale dont l'intéressé est exclu pour le calcul de la majorité. Cette réglementation ne s'applique pas aux opérations courantes, si elles sont conclues à des conditions normales; son inobservation ne débouche sur l'annulation que si le non-respect des exigences légales a eu des conséquences dommageables pour la société. Ces dispositions sont applicables, *mutatis mutandis*, aux accords passés entre la société à responsabilité limitée et l'un de ses gérants ou associés (art. 50).

§ 2. — Le contrat avec soi-même en doctrine

256. — Le caractère parcellaire de la législation et son manque d'unité ont conduit la doctrine à se partager entre la thèse de l'illicéité et la thèse de la validité.

A. — Thèse de l'illicéité

257. — La plupart des auteurs est hostile à la reconnaissance du contrat avec soi-même (99-6). Ils observent que l'ensemble des dispositions légales est plutôt défavorable et qu'il existe deux espèces d'objection à son admission.

258. — Une *difficulté technique* tout d'abord. Il a été soutenu que le contrat étant, par définition, l'œuvre de deux volontés, il est impossible

(99-6) V. notamment Demogue, *Obligations*, t. I, n° 40 et s.

d'admettre qu'il s'agit de contrat dès lors qu'une seule volonté s'exprime. Tout au plus, pourrait-on y voir un acte juridique unilatéral. Cette objection n'est pas retenue, en général (99-7).

259. — Une autre difficulté se rencontre sur le terrain de *l'obligation de loyauté* qui pèse sur le représentant. S'il contracte pour son propre compte, en même temps que pour celui qu'il représente — s'il se porte « contrepartiste » — il sera pris dans un dilemme : agir au mieux de ses propres intérêts (acheter, par exemple, au prix le plus bas) ou des intérêts de celui qu'il représente (vendre au plus haut prix) : situation « cornélienne » ! Il en est de même s'il représente deux personnes différentes ayant des intérêts contraires. En ce cas, il pourrait être tenté de favoriser l'une d'entre elles.

B. — Thèse de la validité

260. — Pour d'autres auteurs, rien ne s'oppose à ce que le contrat avec soi-même soit valable en dehors des domaines où le législateur est intervenu pour le prohiber ou le réglementer (100).

261. — D'abord la validité est conforme au principe de la liberté des actes juridiques. Tout ce qui n'est pas prohibé est permis. En second lieu, le représenté est couvert par l'action en responsabilité dont il dispose à l'égard du représentant qui manquerait à son obligation de loyauté à son endroit.

Et, surtout, il n'est pas exact de dire qu'au plan technique, le contrat avec soi-même se heurte à l'objection tirée de l'unité de la personne. Cette seule personne, en effet, peut exprimer deux consentements distincts : celui du mandant ès qualités et le sien à titre personnel, ou ceux de ses deux mandants. Ce qui ramène à la dualité des parties contractantes, laquelle s'analyse davantage en un antagonisme d'intérêts que dans une dualité de personnes. Ainsi la volonté d'un seul peut former le contrat si elle traduit deux intérêts contradictoires.

262. — La justification du contrat avec soi-même est plus délicate dans le cas où il n'implique pas de représentation. La contrariété des intérêts n'apparaît pas de prime abord; mais, en creusant quelque peu, on n'en découvre pas moins une opposition entre les deux positions. Par exemple dans le cas de l'héritier bénéficiaire : lorsqu'il se vend à lui-même un bien de la succession, il n'agit pas uniquement pour son propre compte, mais aussi pour la défense d'intérêts autres que les siens (légataires, créanciers).

(99-7) V. Larroumet, n° 258 et s.

(100) La validité de *principe* du « contrat avec soi-même », a également ses partisans : Marty et Raynaud, n° 94. — Weill et Terré, n° 90.

§ 3. — Le contrat avec soi-même en jurisprudence

263. — Que décide la jurisprudence dans les cas non prévus par la loi ? Sa position est hésitante, mais la solution qui paraît l'emporter est plutôt celle de la prohibition (101).

264. — C'est ainsi que les tribunaux ont étendu l'interdiction de l'article 1596 du Code civil des ventes publiques aux ventes privées (102), qu'ils déclarent la prohibition applicable même si la vente se fait au prix fixé par le mandant (102-1).

265. — De même, il a été décidé que le commissionnaire ne peut se porter « contrepartiste » à l'insu du commettant, qui a le droit de demander la nullité de l'opération et la répétition des sommes payées (103). En revanche, dans les opérations de bourse, la Cour de cassation écartait, avant l'intervention de la loi du 11 juillet 1972 (C. commerce, art. 85), l'exception de contrepartie lorsque l'exécution du marché avait été faite en connaissance de cause par le donneur d'ordre (104). On retire donc l'impression que la jurisprudence est plus nuancée qu'on ne l'affirme d'ordinaire.

266. — En définitive, il semble que l'interdiction se manifeste surtout en présence d'une représentation légale; et, de fait, il serait singulier que la personne qui se voit imposer un représentant reste sans protection contre les dangers du contrat avec soi-même.

Mais la même rigueur n'est pas de mise dans la représentation conventionnelle qui supporte, semble-t-il, une distinction suivant qu'il s'agit d'exécution d'ordres en sens inverse ou de contrepartie.

Dans le premier cas — deux personnes ayant des intérêts opposés — on admettra la licéité du contrat avec soi-même. L'intermédiaire commun des deux parties n'ayant pas d'intérêt personnel à l'opération, on est en droit de penser qu'il sera impartial dans la transaction, pour conserver plus sûrement ses deux clients.

---

(101) Civ., 10 déc. 1912 : *D.* 1914, 1, 97, note LACOUR; *S.* 1916, 1, 41, note NAQUET. — Rennes, 6 janv. 1959 : *D.* 1959, 273. — Paris, 12 nov. 1964 : *D.* 1965, 415.

(102) Civ. 1re, 2 oct. 1980 : *Gaz. Pal.* 1981, 1, pan. 14; *D.* 1981, I.R. 55. — Précédemment : Paris, 12 nov. 1964 : *D.* 1965, 415. — T.G.I. Orléans, 8 janv. 1980 : *D.* 1980, 176, note Y. GUYON.

(102-1) Civ. 1re, 27 janv. 1987 : *Bull. civ.* I, n° 32.

(103) Civ., 28 oct. 1903 : *S.* 1904, 1, 436. — Req., 28 mars 1904 : *D.* 1905, 1, 65, note LACOUR.

(104) Req., 11 janv. 1909 : *D.* 1909, 1, 529, note LACOUR.

Dans le deuxième cas, il en va différemment car, psychologiquement, le dédoublement n'est guère concevable. Le représentant qui se porte contrepartie, sans avertir le représenté, sera porté à passer un contrat avantageux pour lui et à trahir ses devoirs vis-à-vis de son mandant. Ici le danger de l'opération est indiscutable. C'est pourquoi, la Cour de cassation estime que le mandataire qui se livre, à l'insu de son client, à la contrepartie, commet un dol.

Il faut donc, dans cette hypothèse, que le mandant soit tenu au courant et autorise expressément son mandataire à jouer le rôle du cocontractant.

On pourrait, donc, conclure en proposant la licéité inconditionnelle quand il s'agit de compenser des ordres et la licéité subordonnée à l'agrément du mandant en cas de contrepartie.

SECTION III

RENCONTRE DES VOLONTÉS

267. — Pour contracter, il faut être deux et tomber d'accord sur le même objet. Cette concordance des volontés implique une phase préparatoire de concertation (sous-section I) avant le moment de la décision (sous-section II), laquelle n'est pas toujours immanquablement irréversible (sous-section III).

SOUS-SECTION I

LA PRÉPARATION DU CONTRAT

268. — Le contrat, hormis les transactions de tous les jours, ne se réalise pas en un trait de temps (105). Une période plus ou moins longue, faite de propositions et de contrepropositions, précède normalement l'accord des volontés. Ce qui remplit cette période pré-contractuelle, c'est une succession d'échanges entre les parties dans un processus que caractérisent essentiellement l'*obligation de renseignement*, accidentellement une série de devoirs que, par commodité, on regroupera sous l'expression *obligation de négocier*.

(105) V. sur la question Johanna SCHMIDT, *Négociation et conclusion de contrats*, Dalloz, 1982.

§ 1. — L'obligation de renseignement

Renseignement ou conseil ?

269. — Y a-t-il lieu de distinguer le devoir de renseignement du devoir de conseil ? (106). La majorité de la doctrine se prononce pour l'affirmative mais ne donne pas le même contenu à la distinction.

Selon certains (106-1), la ligne de démarcation passe par *l'objet de l'obligation*. L'obligation de conseil comporte un jugement de valeur (107); il s'agit d'indiquer à l'autre partie les conséquences du contrat envisagé pour mieux mettre en lumière l'opportunité qu'il y a — ou non — à passer telle convention : par exemple, le garagiste doit suggérer un échange standard moins onéreux, au lieu d'effectuer d'autorité des réparations dont le coût excède la valeur vénale de l'automobile (108); l'architecte doit déconseiller le choix d'une entreprise si elle ne lui paraît par présenter la qualification suffisante (108-1); le professionnel en informatique a le devoir de guider son client pour le choix des matériels (108-2); le conseil en économie privée a l'obligation de mettre en garde sur les anomalies dans une comptabilité ou une déclaration fiscale (108-3); l'éditeur est tenu d'avertir ses auteurs d'avoir à procéder à une révision sérieuse du manuscrit au lieu de les inviter simplement à délivrer le bon à tirer... (108-4).

Le renseignement, au contraire, est exclusif de tout avis et n'est pas destiné à orienter la décision du partenaire. Son objet est uniquement de

---

(106) V. M. DE JUGLART, *L'obligation de renseignements dans les contrats : Rev. trim. dr. civ.* 1945, p. 1 à 22. — ALISSE, *L'obligation de renseignements dans les contrats*, thèse Paris, 1975. — Y. BOYER, *L'obligation de renseignements dans la formation du contrat,* thèse Aix, 1977, préface Y. LOBIN. — LUCAS DE LEYSSAC, *L'obligation de renseignements dans les contrats, in L'information en droit privé,* L.G.D.J., 1978, sous la direction de Y. LOUSSOUARN et P. LAGARDE, p. 305 à 341. — G. VENANDET, *La protection de l'intégrité du consentement dans la vente commerciale,* thèse Nancy, 1976, p. 105 et s. — J. CALAIS-AULOY, *Droit de la consommation,* Dalloz, 1986, n° 26 et s. — B. RUDDEN, *Le juste et l'inefficace pour un non-devoir de renseignements : Rev. trim. dr. civ.* 1985, 91 et s.

(106-1) V. notamment GHESTIN, n° 456 et s.

(107) Civ. 1re, 15 janv. 1985 : *D.* 1985, 233, note J.-L. AUBERT (entre dans le devoir de conseil, pour un notaire, l'obligation de vérifier la situation hypothécaire). — Paris, 22 juin 1983 : *D.* 1985, I.R. 43 (le fournisseur de matériel informatique, tenu d'une obligation de conseil, se doit de proposer des appareils en rapport avec les dimensions de l'entreprise).

(108) Rouen, 18 mai 1973 : *J.C.P.* 74, II, 17867, note GROSS; *Rev. trim. dr. civ.* 1974, 164, obs. CORNU. — Com., 12 mai 1966 : *Bull. civ.* IV, n° 243.

(108-1) Versailles, 20 nov. 1987 : *D.* 1988, I.R. 2.

(108-2) Paris, 15 janv. 1987 : *D.* 1987, I.R. 37.

(108-3) Paris, 25 nov. 1987 : *D.* 1988, I.R. 3. — 21 oct. 1987 : *D.* 1987, I.R. 254 (location d'une photocopieuse).

(108-4) Paris, 4 fév. 1988 : *D.* 1988, I.R. 62. — V. encore Com., 24 juin 1986 : *D.* 1988, 537, note C. CARREAU. — Civ. 3e, 24 fév. 1988 : *D.* 1988, I.R. 65 (architecte). — Com., 28 oct. 1986 : *J.C.P.* 87, IV, 12 (matériel informatique). — Civ. 1re, 10 fév. 1987 : *J.C.P.* 87, IV, 127 (agent immobilier). — Com., 11 juill. 1988 : *D.* 1988, I.R. 243 (produit d'étanchéité).

porter à la connaissance du cocontractant certains éléments d'information de façon purement objective, en vue de lui permettre de se décider en connaissance de cause : ainsi manque à ce devoir le notaire qui ne renseigne pas ses clients sur la date de caducité prochaine du permis de construire (108-5), le médecin qui n'éclaire pas sa patiente sur les risques de l'opération l'empêchant de prendre sa décision en connaissance de cause (108-6), le mannequin qui n'informe pas spontanément l'agence de publicité de ses prestations antérieures de nature à nuire au document publicitaire projeté (108-7).

269-1. — Selon d'autres auteurs, il conviendrait de se régler davantage sur la *chronologie* et de séparer l'obligation pré-contractuelle de renseignement de l'obligation contractuelle de conseil (108-8). Le fournisseur ou le prestataire de services doit instruire son partenaire des caractéristiques de la chose ou de la prestation afin qu'il puisse conclure le marché en connaissance de cause. Ce devoir se situe avant la rencontre des volontés, il intéresse directement le consentement et sa validité. Mais le fournisseur ou le prestataire ne sont pas quittes pour autant; pèse ensuite sur eux, l'affaire conclue, une obligation de conseil. Il en va ainsi pour le fabricant de peinture qui se doit de rappeler à son client que le stockage du produit réclame un local bien ventilé (108-9); pour le notaire qui a l'obligation d'attirer l'attention du prêteur sur l'insuffisance du gage (108-10). Un tel devoir de conseil se relie à l'obligation de délivrance ou de garantie et sa méconnaissance débouche sur la mise en jeu de la responsabilité.

269-2. — Qu'il s'agisse d'une différenciation par l'objet ou par la chronologie, les deux thèses se retrouvent pour admettre l'extrême difficulté qu'il y a en pratique de faire le départ : « Le passage de l'information (ou renseignement) au conseil s'opère de façon subreptive » (108-11). La jurisprudence, quant à elle, n'est pas habitée par des scrupules terminologiques; n'emploie-t-elle pas le mot conseil alors qu'en réalité il s'agit d'information et l'inverse (108-12) allant parfois, à de rares exceptions près (108-13),

---

(108-5) Civ. 1re, 12 nov. 1987 : *D.* 1987, I.R. 239.

(108-6) Civ. 1re, 19 avril 1988 : *D.* 1988, I.R. 125.

(108-7) Paris, 4 fév. 1988 : *D.* 1988, I.R. 63.

(108-8) V. spécialement, CALAIS-AULOY, *Droit de la consommation*, n° 25 et s. — LE TOURNEAU, *De l'allègement de l'obligation de renseignement ou de conseil : D.* 1987, chron. 1010 — V. aussi J. SCHMIDT, *L'évolution de la responsabilité pré-contractuelle en droit français in Évolution de la responsabilité délictuelle en droit comparé*, Francfort-sur-le-Main, 1987. — Luc BIHL, *Le droit de la vente*, n° 257 et s.

(108-9) Versailles, 27 juill. 1988 : *D.* 1988, I.R. 259.

(108-10) Civ. 1re, 30 juin 1987 : *D.* 1987, I.R. 174.

(108-11) LE TOURNEAU, chron. préc.

(108-12) Versailles, 21 oct. 1987 : *D.* 1988, I.R. 2. — Civ. 1re, 10 fév. 1987 : *Bull. civ.* I, n° 44, p. 32.

(108-13) Civ. 1re, 12 mai 1987 : *D.* 1988, somm. comm. 155, obs. BERR.

jusqu' à faire état indistinctement et cumulativement des deux sortes d'obligation (108-14) ?

Compte tenu de cette confusion, on envisagera le devoir de renseignement sans plus distinguer entre information proprement dite et conseil *stricto sensu.*

A. — Obligation de renseignement en législation

270. — L'obligation de renseigner n'est pas à proprement parler une nouveauté de la période contemporaine. Auparavant déjà, on peut en relever diverses manifestations : loi du 1er août 1905 relative à la répression des fraudes, plusieurs fois modifiée, — loi du 13 juillet 1930 imposant à l'assuré de déclarer exactement toutes circonstances de nature à faire apprécier par l'assureur les risques qu'il prend à sa charge — loi du 29 juin 1935 sur la vente du fonds de commerce obligeant le vendeur à énoncer dans l'acte de cession certaines mentions relatives à l'origine de propriété, aux charges grevant le fonds, au chiffre d'affaires et aux bénéfices...

271. — Mais c'est de nos jours, avec le développement de la consommation et du contrat d'adhésion, que les interventions législatives se sont multipliées en vue de donner au contractant, surtout face au professionnel, une connaissance suffisante des données contractuelles. Les textes les plus marquants sont les suivants :

— *loi du 1er juillet 1971 sur le crédit différé* soumettant l'opération à la précision des règles concernant le montant du prêt et sa date d'attribution, les modalités des versements à la charge du souscripteur avant et après l'octroi du prêt ainsi que le coût du financement (art. 54);

— *loi du 3 janvier 1972 sur le démarchage financier* qui exige une note d'information succincte en toutes circonstances et, en ce qui concerne les plans d'épargne, la remise d'un bulletin de souscription comportant diverses informations;

— *loi du 22 décembre 1972 sur la vente et le démarchage à domicile* imposant la remise au client d'un exemplaire comportant, notamment, les mentions suivantes : nom du fournisseur et du démarcheur, lieu de conclusion du contrat, désignation précise de la nature et des caractéristiques des objets offerts ou des services proposés, modalités et délais d'exécution du contrat, prix global à payer, indication de la faculté de renonciation et reproduction intégrale du texte de la loi s'y rapportant;

— *loi du 10 janvier 1978 en matière de crédit à la consommation* dont l'originalité consiste dans la rédaction d'une « offre préalable » énonçant le montant du crédit et de ses fractions périodiquement disponibles, la nature,

(108-14) Com. 11 juill. 1988 : *D.* 1988, I.R. 243.

l'objet et les modalités du contrat avec les conditions d'assurance, le coût total ventilé du crédit et, s'il y a lieu, son taux effectif global, ainsi que le total des perceptions forfaitaires demandées en sus des intérêts, en distinguant celles correspondant aux frais de dossier et celles correspondant aux frais par échéance (art. 5). Cette offre préalable est rédigée selon l'un des modèles type fixé par le comité de la règlementation bancaire après consultation du comité national de la consommation (L. 24 janv. 1984);

— *décret du 4 octobre 1978 pris pour l'application de la loi du 1*er *août 1905 en ce qui concerne les véhicules automobiles* prescrivant l'inscription en caractères apparents et de mêmes dimensions, sur tout document utilisé dans les transactions, de la marque, du type ou appellation commerciale, du millésime de l'année modèle et, s'agissant des ventes d'occasion, des mois et année de la première mise en circulation et du nombre de kilomètres (art.2 et 5);

— *loi du 22 juin 1982 dite loi Quilliot* qui consacre son titre VI à l'information du (futur) locataire, lequel a droit, notamment, à une fiche de renseignements concernant « la localisation et la consistance des locaux, les éléments de confort, la durée du contrat de location, le loyer ainsi que le montant des charges locatives de l'année précédente et une estimation du montant de ces charges »;

— *loi bancaire du 24 janvier 1984 et décret du 24 juillet 1984* qui font obligation d'informer le client, lors de l'ouverture du compte, sur les conditions d'utilisation dudit compte et le prix des différents services auxquels il donne accès, ainsi que sur les engagements réciproques de l'établissement de crédit et du client (art. 7 du décret);

— *loi du 12 juillet 1984 définissant la location-accession à la propriété immobilière* qui prévoit que le contrat de location-accession peut être précédé d'un contrat préliminaire par lequel le vendeur s'engage à réserver à l'accédant un immeuble ou partie d'immeuble. Le contrat doit comporter onze mentions minutieusement énumérées par l'article 5 parmi lesquelles on retiendra : la date d'entrée en jouissance et le délai dans lequel le locataire doit exercer sa faculté d'acquérir la propriété, le montant de la redevance mise à sa charge, l'absence de maintien dans les lieux en cas de résolution du contrat ou de non-levée de l'option... et « l'intention de l'accédant de payer le prix »;

— *loi du 11 juin 1985 sur les contrats de capitalisation* portant que l'assureur doit remettre contre récépissé une note d'information comportant des indications précises et claires sur les dispositions essentielles du contrat, sur les conditions d'exercice de la faculté de renonciation, ainsi que sur le sort de la garantie décès en cas d'exercice de cette faculté de renonciation;

— *loi du 23 décembre 1986* tendant à favoriser l'investissement locatif...;

— *décret du 22 décembre 1987* sur le contrat de garantie et de service après-vente.

On observera que, par-delà les textes précités qui n'édictent l'obligation d'information qu'*inter partes* et seulement à propos d'une opération donnée, il existe une disposition de portée générale, l'article 28 de l'ordonnance n° 86-1243 du 1er décembre 1986 aux termes duquel :

Tout vendeur de produit ou tout prestataire de services doit par voie de marquage, d'étiquetage, d'affichage ou par tout autre procédé approprié, informer le consommateur sur les prix, les limitations éventuelles de la responsabilité contractuelle et les conditions particulières de la vente, selon des modalités fixées par arrêtés du ministre chargé de l'Économie, après consultation du Conseil national de la consommation.

B. — Obligation de renseignement en jurisprudence

272. — On ne trouve pas, en jurisprudence, de décision proclamant le principe selon lequel le débiteur de la prestation est tenu de fournir, avant le contrat, certains renseignements à son créancier. Pourtant, nombreux sont les arrêts dont la solution présuppose l'existence d'une telle obligation. On doit donc s'interroger sur les fondements de ce devoir précontractuel ainsi que sur les conditions de sa mise en jeu.

1° Fondement

273. — De très nombreuses justifications ont été avancées pour asseoir le devoir de renseignement. Selon une opinion restée isolée, il reposerait sur l'article 1602 du Code civil d'après lequel le vendeur est tenu d'expliquer clairement à quoi il s'oblige : qui vend le pot dit le mot (108-15); du moins pour l'obligation *précontractuelle*, l'obligation de conseil faisant partie intégrante de l'obligation de délivrance (108-16). D'après un autre auteur, il ne s'agirait que d'une application de la théorie générale des vices cachés (108-17). Par ailleurs, on a soutenu que tout dériverait de l'article 1135 du Code civil qui oblige non seulement à ce qui est exprimé mais encore à toutes les suites que l'équité, l'usage ou la loi donnent à l'obligation d'après sa nature (108-18); de fait, il arrive que la jurisprudence se règle sur cette exigence de bonne foi (109). A vrai dire, les fondements les plus fréquemment invoqués sont au nombre de deux. Le premier dérive du dol qui, d'après la jurisprudence, peut être constitué par le silence de l'une des parties dissimulant à

(108-15) V. Roland et Boyer, *Adages*, p. 876.

(108-16) V. Bihl, n° 1262.

(108-17) V. B. Gross, *La notion d'obligation de garantie dans les contrats*, L.G.D.J.

(108-18) Calais-Auloy, n° 27.

(109) Civ. 1re, 27 oct. 1982 : *D.* 1982, I.R. 532, obs. Audit. — Civ. 1re, 15 mars 1988 : *J.C.P.* 88, IV, 191 : *Bull. civ.* I, n° 80, p. 52 (à propos d'une chaufferie, violation de 1135 par la société d'entretien qui aurait dû prévenir des modifications intervenues dans l'installation).

son cocontractant un fait qui, s'il avait été connu de lui, l'aurait empêché de contracter. Dans la mesure où l'on accueille le concept de *réticence dolosive*, on consacre indirectement, certes, mais non moins sûrement l'existence de l'obligation de renseignement. Quoique chacun soit gardien de ses intérêts, la bonne foi exige un minimum de révélations quant aux prestations offertes, surtout quand il y a inégalité entre les parties, provenant soit de la supériorité économique, soit de la compétence professionnelle de l'une d'entre elles. Il arrive à la jurisprudence de viser expressément l'obligation de loyauté; la cour de Paris dans un arrêt du 21 novembre 1975 (110) déclare dans un attendu sévère :

« en plus des dispositions légales, la bonne foi contractuelle ajoute un devoir d'honnêteté élémentaire de renseigner le cocontractant sur tous les événements propres à l'intéresser, sans avoir à lui laisser le soin ou la chance de les découvrir dans les 140 pages d'un règlement de copropriété ».

Ainsi, il y a manquement à l'obligation de renseignement, et la vente doit être annulée, lorsque l'acquéreur d'un terrain compris dans un lotissement n'a pu obtenir le permis de construire aux motifs que la décision parcellaire n'avait pas été autorisée et que le lot n'était pas desservi par des réseaux de viabilité. Selon la troisième Chambre civile, la société venderesse et son gérant, professionnels des transactions immobilières, avaient envers l'acheteur, qui manquait d'expérience en matière d'urbanisme, le devoir de vérifier la situation de la parcelle vendue (111).

274. — Le second fondement se trouve dans *l'article 1382 du Code civil* et débouche sur l'allocation de dommages et intérêts, soit comme complément de réparation à la suite d'une annulation pour erreur (112), soit en remplacement d'une annulation pour dol (113), soit enfin à titre de pure indemnité en dehors de tout vice du consentement.

275. — Dans cette dernière hypothèse, la responsabilité du médecin pour défaut d'information occupe une place importante. Citons à titre d'exemple le cas d'une patiente qui, à la suite d'une aortographie, avait été frappée, dès le lendemain, d'une hémiparésie transformée en hémiplégie massive due à une hyperlipidémie liée à l'utilisation de contraceptifs. La Cour de cassation approuve la cour d'appel d'avoir fait reproche au radiologue de ne s'être pas enquis de l'état exact de sa patiente, qui faisait redouter des rétrécissements ou occlusions vasculaires et d'en avoir déduit que le doc-

---

(110) *D.* 1976, somm. 50. La Cour de cassation fait la même observation s'agissant d'un devis modificatif particulièrement complexe : v. sur cet arrêt GARCIN et MORETEAU : *Le dol et l'obligation de renseignement dans la formation des contrats,* Annales de la Faculté de droit de Lyon, 1982, p. 122.

(111) Civ. 3e, 3 fév. 1981 : *D.* 1984, 457, note J. GHESTIN.

(112) Civ. 3e, 29 nov. 1968 : *Gaz. Pal.* 1969, 1, 63.

(113) Com., 14 mars 1972 : *D.* 1972, p. 653, note J. GHESTIN; *Rép. Defrénois* 1973, art. 30293, n° 3, p. 446, obs. J.-L. AUBERT. — Civ. 1re, 4 janv. 1975 : *J.C.P.* 75, II, 18100, note Ch. LARROUMET; *D.* 1975, p. 405, note Ch. GAURY; *Rev. trim. dr. civ.* 1975, p. 537, n° 1, obs. G. DURRY; *Rép. Defrénois* 1975, art. 31030, n° 49, p. 1532, obs. J.-L. AUBERT.

teur N., « par son omission de s'informer complètement de la pathologie particulière de sa cliente, avait exposé celle-ci au risque, qui s'est réalisé, inhérent à son état ». Le docteur *devait s'informer pour informer* à son tour (114).

De même, dans une décision en date du 29 mai 1984, la Cour suprême décide qu'il ne peut être reproché à une cour d'appel d'avoir retenu la responsabilité du médecin qui a pris la décision de faire pratiquer une aortographie, dès lors que le pourcentage des risques était suffisant pour que le praticien qui ne les ignorait pas fût tenu d'aviser son client ou ses représentants des conséquences possibles de l'intervention, de façon à le mettre à même de comparer les bienfaits estimés et les risques encourus... (115). Paradoxalement, le médecin ou le chirurgien n'est tenu d'informer son patient que des risques habituels inhérents à l'opération et non des risques dont la survenance n'est qu'exceptionnelle (115-1).

276. — En dehors du contrat médical, la jurisprudence a considéré la violation d'un devoir de renseignement comme une faute génératrice de responsabilité civile dans les espèces les plus variées. Le fabricant doit indiquer à l'acheteur le mode d'emploi des produits qu'il commercialise (116), le vendeur professionnel de matériaux (carrelages) doit attirer l'attention de l'acheteur profane sur la qualité choisie ainsi que les précautions à prendre pour la mise en œuvre (117), le teinturier doit avertir ses clients des risques des nettoyages (118), la société spécialisée dans la fabrication des couleurs et vernis pour artistes-peintres a le devoir de révéler la consistance particulière et la relative matité de la peinture qui s'écaille sur la toile (119), l'organisateur d'une course cycliste a l'obligation d'informer sur les conditions du déroulement de la compétition (120), le garagiste doit renseigner le client sur l'importance des travaux de réparation, leur coût

---

(114) Civ. 1re, 13 fév. 1985 : *J.C.P.* 85, II, 20388, concl. GULPHE.

(115) Civ. 1re, 29 mai 1984 (1re esp.) : *D.* 1985, 281.

(115-1) Civ. 1re, 20 mars 1984 : *D.* 1985, I.R. 369, obs. J. PENNEAU. — Civ. 1re, 20 janv. 1987 : *Bull. civ.* I, n° 19, p. 14. — Civ. 1re, 18 avril 1988 : *Bull. civ.* I, n° 107, p. 73; *J.C.P.* 88, IV, 221; *D.* 1988, I.R. 125. — V. C. MAURAIN et G. VIALA, *Les limites juridiques de l'information thérapeutique : J.C.P.* 85, I, 3203.

(116) Cette jurisprudence s'applique surtout aux dommages causés par les choses dangereuses. Ex. : Civ., 31 janv. 1973 : *Bull. civ.* I, n° 37; *Rev. trim. dr. com.* 1974, 146, obs. HÉMARD. — Com., 16 oct. 1973 : *J.C.P.* 74, II, 17846, note MALINVAUD. — Civ., 15 mai 1979 : *D.* 1979, I.R. 440. — V. OVERSTAKE, *La responsabilité du fabricant de produits dangereux : Rev. trim. dr. civ.* 1972, 485. — Denise NGUYEN-THANH-BOURGEAIS et Janine REVEL, *La responsabilité du fabricant en cas de violation de l'obligation de renseigner le consommateur sur les dangers de la chose vendue : J.C.P.* 75, I, 2679. — *Adde* : Civ. 1re, 11 oct. 1983 : *Bull. civ.* I, n° 228; *Rev. trim. dr. civ.* 1984, 731 obs. HUET.

(117) Civ. 1re, 27 fév. 1985 : *D.* 1985, I.R. 298.— Civ. 1re, 13 juill. 1985 : *D.* 1985, *Flash* du n° 31.

(118) Civ. 1re, 20 mars 1978 : *Bull. civ.* I, n° 78.

(119) Civ. 1re, 23 avril 1985 : *J.C.P.* 85, IV, 238.

(120) Poitiers, 16 mai 1984 : *D.* 1985, I.R. 143, note F. ALAPHILIPPE.

prévisible et leur opportunité (121). Semblable obligation pèse encore sur l'huissier (121-1), sur le conseil juridique (121-2), sur l'agent immobilier (121-3), sur le banquier (121-4), sur l'avoué (121-5), etc. Quant au notaire, très nombreux sont les points sur lesquels il est, professionnellement, tenu d'éclairer son client : attirer l'attention des parties sur l'insuffisance du gage quand il authentifie des actes de prêts hypothécaires (122), vérifier (donc s'informer) les déclarations du vendeur sur la catégorie de la licence d'un débit de boissons même s'il n'est pas le négociateur de l'acte (123), révéler à l'acquéreur la situation obérée du vendeur (124), alerter l'héritier sur la nécessité de souscrire une déclaration de succession et de verser un acompte sur les droits de mutation (125), ne pas commettre d'omissions : non révélation de servitudes (125-1), de l'état d'occupation des lieux (125-2), du caractère indivis d'un water-closet (125-3)...

2° Conditions

Il convient de noter que l'obligation de renseignement suppose qu'il y ait nécessité d'informer, c'est-à-dire que l'objet du contrat doit être une chose dangereuse ou complexe et que le rapport s'établit entre un client non initié et un vendeur professionnel. A supposer que telle soit l'hypothèse, trois conditions sont exigées pour qu'entre en mouvement l'obligation précontractuelle de renseignement.

277. — En premier lieu, il incombe au consommateur de *préciser le but* qu'il poursuit et l'usage auquel il destine la chose. « Qui a été trop laconique décharge d'autant le partenaire de sa responsabilité » (125-4). De ce point de vue, un arrêt de la cour de Paris est particulièrement net, dans lequel on lit : « Il appartenait à l'utilisateur, qui ne pouvait ignorer les difficultés inhérentes à l'adoption de procédés informatiques, *de définir ses besoins et les objectifs à atteindre* en précisant clairement la nature et l'im-

---

(121) Civ. 1re, 20 mars 1984 : *D.* 1985, p. 494, note G. Daverat (sol. impl.).

(121-1) Paris, 20 janv. 1987 : *D.* 1987, I.R. 28.

(121-2) Paris, 24 mars 1988 : *D.* 1988, I.R. 123.

(121-3) Civ. 1re, 10 fév. 1987 : *D.* 1987, I.R. 39. — Paris, 12 juill. 1988 : *D.* 1988, I.R. 237.

(121-4) Civ. 1re, 30 juin 1987 : *D.* 1988, somm. comm. 158.

(121-5) Paris, 15 mars 1988 : *D.* 1988, I.R. 113.

(122) Civ. 1re, 21 mai 1985 : *D.* 1985, I.R. 370.

(123) Civ. 1re, 4 juin 1985 : *J.C.P.* 85, IV, 286.

(124) Civ. 1re, 27 mars 1985 : *D.* 1985, I.R. 466.

(125) Civ. 1re, 6 mars 1984 : *J.C.P.* 85, II, 20493, note M. Dagot.

(125-1) Civ. 1re, 10 fév. 1987 : *D.* 1987, I.R. 40.

(125-2) Paris, 2 mars 1987 : *D.* 1987, I.R. 72.

(125-3) Versailles, 18 mars 1988 : *D.* 1988, I.R. 125.

(125-4) Le Tourneau, chron. préc. p. 103.

portance des travaux qu'il souhaitait voir mécaniser... » (125-5). Selon la Cour de cassation, un dialogue doit s'instaurer entre le professionnel et le consommateur tenu d'éclairer son partenaire sur le résultat recherché (125-6); on parle aussi de la nécessaire collaboration des deux contractants (125-7). Cette première condition se comprend d'elle-même. Le défaut d'information de la part du professionnel n'est critiquable que s'il est prouvé que la qualité attendue — qui était déterminante pour le client — était connue du professionnel (126).

278. — En second lieu, il est demandé que le débiteur de l'information soit lui-même *au courant*, car on ne saurait, naturellement, lui faire grief de n'avoir pas révélé ce qu'il ignorait. Pour autant, l'ignorance ne constitue pas un fait justificatif dans tous les cas; la qualification professionnelle de l'informateur lui interdit d'exciper de son défaut de savoir. Ainsi le garagiste ne peut ignorer que le compteur indique un kilométrage inférieur à la réalité (127) : *artifex spondet peritiam artis*, l'artisan est garant de son art (127-1). Naturellement, ce devoir de connaître — qui va pour le débiteur de l'information jusqu'à l'obligation de la rechercher là où elle se trouve (127-2) — ne pèse que sur les vrais spécialistes; le revendeur simple intermédiaire, peu au fait des aspects techniques de tous les produits qu'il commercialise, ne saurait en être tenu (127-3). Par ailleurs, à supposer ce revendeur spécialiste, il sera, lui aussi, dispensé de son obligation s'il se trouve en face d'un client que l'expérience a suffisamment instruit (127-4) :

« L'obligation d'informer ne porte donc pas toujours sur les faits que connaissent les vendeurs. Elle peut comporter, spécialement lorsqu'il s'agit d'un professionnel traitant avec un profane, l'obligation de se renseigner afin de pouvoir fournir les informations dues » (128).

(125-5) 3 avril 1979, cité par MALAURIE et AYNÈS, *Les contrats spéciaux*, p. 179, n° 99. — En ce sens également, Com., 15 janv. 1980 : *Bull. civ.* IV, n° 22, p. 18. — Versailles, 24 juin 1988 : *D.* 1988, I.R. 240.

(125-6) 8 juin 1979 : *Bull. civ.* IV, n° 186, p. 152. — Paris, 30 juin 1983 : *D.* 1985, I.R. 43, obs. HUET.

(125-7) Paris, 31 janv. 1986 : *Expertises* 1986, 232. — Paris, 10 mai 1988 : *D.* 1988, I.R. 174.

(126) Com., 8 juill. 1974 : *Bull. civ.* IV, n° 217. — Civ. 3e, 7 mai 1974 : *Bull. civ.* III, n° 186.

(127) Civ. 1re, 19 janv. 1977 : *D.* 1977, I.R. 196. — V. aussi T.G.I. Argentan, 15 oct. 1970 : *D.* 1971, 1718, note J. GHESTIN.

(127-1) ROLAND et BOYER, *Adages*, p. 1156.

(127-2) Civ. 3e, 15 juin 1988 : *J.C.P.* 88, IV, 297 (pour une construction en sous-sol, par la suite inondée, l'entrepreneur devait se renseigner auprès des services compétents sur les possibilités de fluctuation du niveau de la nappe phréatique).

(127-3) Civ. 1re, 23 avril 1985 : *D.* 1985, 558, note S. DION; *Rev. trim. dr. civ.* 1986, 367, obs. J. HUET.

(127-4) Paris, 10 avril 1986 : *Expertises* 1986, 258 (acquéreur d'un matériel informatique déjà au courant parce que déjà équipé).

(128) J. GHESTIN, *op. cit.*, n° 430 et s. et du même auteur *Conformité et garantie dans la vente*, 1983, n° 83 et s.

279. — En dernier lieu, le créancier de l'obligation de renseignement a le *devoir de se renseigner* (128-1) pour que son ignorance devienne légitime. Ainsi il lui appartient de prendre connaissance par lui-même des caractéristiques de la chose (128-2) dès lors qu'elles rentrent dans la compréhension d'un client moyen et, en tout cas, de questionner le professionnel pour provoquer le renseignement (129). Cette exigence est conforme au sens commun; à chacun la défense de ses intérêts : Aide-toi, le Ciel t'aidera... « Le créancier doit acquérir le droit d'être informé, c'est-à-dire le droit d'ignorer » (130). Le manque de connaissance sera d'autant plus facilement excusable que la partie est un simple particulier dépourvu de connaissances techniques (130-1).

§ 2. — L'obligation de négociation

280. — Il n'est pas question ici, d'évoquer les cas où telle partie est tenue de souscrire un contrat, comme le conducteur d'automobile qui doit s'assurer ou l'établissement de crédit qui doit ouvrir un compte au client que lui désigne la Banque de France.

Par hypothèse, le problème se situe à l'intérieur de la liberté contractuelle; l'intéressé, en principe libre de contracter ou de ne pas contracter, peut perdre son autonomie de décision lorsque le processus de formation du contrat est parvenu à un stade avancé. Alors naissent, éventuellement, à sa charge deux types d'obligation, l'une consistant à donner suite, l'autre à parfaire la rencontre des volontés.

A. — Obligation de donner suite

1° Obligation de poursuivre les pourparlers

281. — Le fait d'être en cours de discussion ne suffit pas, à lui seul, à entraîner les parties vers un engagement définitif, les privant de la faculté de changer d'avis. Mais, si les simples pourparlers n'ont pas de caractère obligatoire, ils n'autorisent pas pour autant n'importe quel comportement. Il y a faute, plus précisément abus de droit, à entamer des pourparlers avec l'arrière-pensée de ne pas les conduire à leur terme ou d'y mettre brutale-

---

(128-1) V. P. JOURDAIN, *Le devoir de se renseigner : D.* 1983, chron. 139. — B. RUDDEN, *Le juste et l'inefficace : pour un non-devoir de renseignements : Rev. trim.* 1985, n° 91 et s.

(128-2) De nombreuses décisions relèvent une négligence ou une omission fautive de se renseigner et refusent alors d'annuler le contrat pour défaut d'information : Civ. 2e, 27 nov. 1979 : *Bull. civ.* III, n° 215, p. 167; *D.* 1980, I.R. 465, obs. JULIEN. — Civ. 3e, 4 nov. 1980 : *J.C.P.* 81, IV, 31.

(129) Com., 28 oct. 1981 : *Gaz. Pal.* 1982, 1, pan. 128.

(130) JOURDAIN, chron. préc. p. 139.

(130-1) T.G.I. Paris, 4 mars 1980 : *D.* 1980, I.R. 262, obs. GHESTIN. — Civ. 3e, 18 janv. 1983 : *Gaz. Pal.* 1984, 2, pan. 234, obs. F. CHABAS.

ment fin après une longue suite de contacts et de nombreuses tergiversations (131).

Ce qui est vrai des pourparlers l'est *a fortiori* de l'accord de principe en vertu duquel les parties conviennent de traiter, sans pour autant définir les conditions du contrat. Il n'y a évidemment pas, en l'espèce, de véritable convention mais seulement affirmation d'un engagement réciproque de rechercher les modalités de l'accord. Il n'en résulte pas moins l'obligation pour chacun de continuer ou de reprendre les pourparlers, le refus ou la rupture de négociation constituant une faute donnant lieu à dommages et intérêts (132). Cet accord de principe ne s'analyse pas comme une obligation de résultat de conclure, mais comme une obligation de moyens de tenter de conclure (133).

2° Obligation de respecter l'offre faite

282. — L'offre, une fois émise, engage son auteur qui ne saurait se dégager sans motif légitime. Il en va différemment lorsque l'offre est assortie de réserves; les réserves expressément formulées ne laissent aucune place à la discussion et le pollicitant peut toujours les alléguer pour ne pas aller plus loin (offre de vente jusqu'à épuisement du stock). L'obligation de donner suite est plus délicate à apprécier lorsqu'on est en présence de réserves dérivant de l'usage ou postulées par la nature du contrat. Par exemple, un directeur de théâtre peut impunément refuser l'accès de son établissement à une personne qui ne porte pas une tenue décente ou le vêtement de circonstances (134); un directeur de journal peut légitimement contrôler les demandes d'insertion publicitaire qu'il reçoit quoiqu'il ait diffusé ses tarifs de publicité (135). De même, dans les contrats conclus *intuitu personae*, il existe toujours la réserve implicite de ne pas accepter la première personne qui se présentera; le bailleur n'est pas tenu, nonobstant une offre ferme et précise de location, de louer à n'importe qui.

Néanmoins, l'exercice de cette faculté de sélection n'est pas absolu. Celui qui en userait sans juste raison s'exposerait à une action en responsabilité pour faute, tel l'hôtelier qui, sans motif valable, refuserait d'héberger un voyageur, tel l'entrepreneur de spectacles qui agirait de même avec un client (136).

---

(131) Com., 21 mars 1972 : *J.C.P.* 73, II, 17543. — Civ. 3ᵉ, 16 oct. 1973 : *D.* 1974, I.R. 35. — Comp. Civ. 1ʳᵉ, 19 janv. 1977 : *D.* 1977, 593.

(132) Civ. 3ᵉ, 16 avril 1973 : *Bull. civ.* III, n° 287.

(133) Paris, 27 mai 1980 : *D.* 1981, 314, note LE TOURNEAU.

(134) T.G.I. Seine, 20 fév. 1952 : *D.* 1952, 253. — T.G. I. Aix-en-Provence, 6 déc. 1968 : *Gaz. Pal.* 1969, 1, 111; *Rev. trim. dr. civ.* 1969, 353, obs. CORNU.

(135) Nîmes, 13 mai 1932 : *D.H.* 1932, 404.

(136) Trib. civ. Bordeaux, 14 déc. 1903 : *S.* 1905, 2, 17, note FERRON. — Trib. civ. Seine, 10 mars 1906 : *D.P.* 1906, 5, 662. — Aix-en-Provence, 21 déc. 1910 : *D.P.* 1911, 1, 385, note PLANIOL. — Civ., 9 mars 1915 : *D.P.* 1916, 1, 25, note PLANIOL. — T.G.I. Seine, 17 oct. 1960 : *D.* 1960, 771.

3° Obligation d'honorer la condition

283. — Chaque fois qu'une partie a pris l'engagement de conclure sous une condition déterminée et que cette condition vient à se réaliser, obligation lui est faite de passer le contrat.

La situation se présente avec le pacte de préférence. Par ce pacte, l'un des cocontractants a par avance choisi telle personne comme bénéficiaire de la prestation, s'engageant à la prendre comme partenaire à l'exclusion de tout autre le jour où elle se déciderait à réaliser l'opération. La validité de ce contrat unilatéral n'est pas discutée; elle est expressément reconnue, en ce qui concerne l'édition, par la loi du 11 mars 1957 dont l'article 34 déclare licite la stipulation par laquelle l'auteur s'engage à accorder un droit de préférence à un éditeur pour l'édition de ses œuvres futures de genres nettement déterminés (137).

284. — Une situation de même type se rencontre avec la promesse unilatérale de contracter par laquelle l'offrant propose, à son partenaire qui accepte, de conclure le contrat à charge de se décider dans un certain délai. A l'opposé du pacte de préférence, les conditions du contrat sont dès à présent arrêtées, de sorte qu'il suffit au bénéficiaire de la promesse de manifester sa volonté en temps voulu pour nouer le contrat définitif.

B. — Obligation de parfaire

1° Obligation de compléter

285. — On suppose qu'il n'y a pas parfaite congruence entre les termes de l'offre et ceux de l'acceptation. L'accord est réalisé sur les points essentiels, mais restent en suspens certaines clauses accessoires (clause attributive de compétence par exemple). Il est de principe que l'acceptation réduite aux seuls éléments principaux suffit à former le contrat (138), sauf stipulation contraire reportant la conclusion au règlement sur le tout (139). Ainsi dans la vente, conformément à l'article 1583 du Code civil, le contrat est parfait dès que le vendeur et l'acheteur ont convenu de la chose et du prix (140).

---

(137) Paris, 30 juin 1975 : *Rev. trim. dr. com.* 1976, 511, note DESBOIS.

(138) Req., 20 janv. 1941 : *D.A.* 1941, 179. — Civ. 1re, 26 nov. 1962 : *D.* 1963, 61. — Comp. Com., 16 juin 1953 : *Bull. civ.* III, n° 223. A moins qu'il apparaisse que les parties aient tenu pour essentiel ce qui était accessoire : Civ. 3e, 2 mai 1978 : *D.* 1979, 317, note J. SCHMIDT.

(139) Com., 7 juin 1971 : *Bull. civ.* IV, n° 161 et 12 juill. 1971 : *D.* 1971, somm. 220 (fixation des modalités du prix); la Cour de cassation vient de juger que le contrat n'est pas conclu entre l'agence de voyages et son client, lorsque les parties ne sont pas d'accord sur les modalités de paiement du prix et sur le versement d'arrhes, car il s'agit là d'un des éléments essentiels du contrat : Com., 20 mars 1984 : *J.C.P.* 84, IV, 22.

(140) Civ. 1re, 21 janv. 1958 : *Bull. civ.* I, n° 50. — 30 nov. 1964 : *Bull. civ.* I, n° 534 (sol. impl.).

Une partie seulement des arrangements étant conclue, les partenaires ont l'obligation de se retrouver pour négocier les points secondaires et compléter ainsi l'accord déjà acquis. Ils y sont en quelque sorte forcés puisque ni l'un ni l'autre ne peut désormais se libérer de son engagement.

A défaut d'entente, les questions non réglées le seront par les dispositions législatives supplétives ou par référence aux usages (C. civ., art. 1135), ou encore par renvoi aux clauses des contrats types usités par l'une des parties.

2° Obligation de régulariser

286. — Parfois, il est nécessaire de procéder en deux temps. Tel est le cas lorsque les contractants ont procédé par acte sous seing privé et que l'intervention du notaire est requise *ad validitatem*; tel est le cas, encore, lorsque la perfection du contrat est subordonnée à l'observation d'un délai pendant lequel un tiers a le pouvoir de se substituer au contractant primitif (droit de préemption). Dans les deux hypothèses, il convient de régulariser et c'est une obligation pour chacun.

A raisonner sur la vente, si une promesse de contrat existe préalablement, le contrat se forme lorsque le bénéficiaire déclare « lever l'option ». On sait qu'en cas de refus du promettant de réitérer cette promesse, notamment de signer l'acte notarié prévu dans le compromis, le bénéficiaire peut l'assigner en justice et obtenir un jugement qui remplacera cette réitération. Mais, en ce cas, le contrat est censé conclu dès le jour du « compromis », le jugement dont il s'agit ne se substituant pas à l'accord des parties.

SOUS-SECTION II

LA CONCLUSION DU CONTRAT

287. — Il est classique d'enseigner que la conclusion du contrat soulève deux questions, l'une relative au lieu, l'autre au moment où se réalise l'accord contractuel (140-1). Y a-t-il bien en réalité deux problèmes à résoudre ?

Le lieu de conclusion

288. — On trouvait, précédemment, un intérêt majeur à la détermination du lieu de formation du contrat car ce lieu exerçait une influence sur la compétence territoriale du tribunal appelé à trancher les litiges nés de

---

(140-1) CARBONNIER, n° 18 *bis*. — FLOUR et AUBERT, n° 162 et s. — LARROUMET n° 277 et s. — MAZEAUD et CHABAS, n° 140 et s. — WEILL et TERRÉ, n° 147 et s. — MARTY et RAYNAUD, n° 117. — GHESTIN, n° 243 et s. — MALAURIE et AYNÈS, n° 255 et s.

l'accord contractuel. Il y avait en ce sens, pour les contrats commerciaux, la disposition de l'article 420, alinéa 3, de l'ancien Code de procédure civile, et pour certains contrats civils celle de l'article 59, alinéa 3 du même Code. Avec le Nouveau Code de procédure civile, la localisation au lieu de *passation* du contrat n'est plus prise en compte (141), l'article 46 disposant que le demandeur peut saisir, à son choix, outre la juridiction du lieu où demeure le défendeur, la juridiction du lieu de la *livraison* effective de la chose ou du lieu de l'*exécution* de la prestation de services.

Le seul intérêt qui survive en ce domaine concerne le contrat revêtant un caractère international. En l'absence de spécification par les parties de la loi compétente, le contrat est régi, le cas échéant, par la loi du lieu où le contrat a été passé : *locus regit actum* mais il s'agit là d'une question de droit international et, au surplus, d'une disposition purement supplétive dont le domaine d'application demeure discuté.

Dans ces conditions, l'identification du contrat dans l'espace n'a plus de conséquence en droit interne, de quelque façon que les volontés se rencontrent, sur la même place ou à distance.

La date de conclusion

289. — Le plus souvent, les contrats étant rédigés par écrit — ne serait-ce que pour avoir, le cas échéant, un moyen de preuve — l'accord contractuel se formera au moment où les parties auront, chacune, apposé leur signature au bas de l'acte. Lorsque le contrat est conclu verbalement, la preuve de sa conclusion ne pourra être apportée que selon le système de preuves relatif aux actes juridiques. Autrement dit, lorsque les contractants sont *en présence l'un de l'autre*, l'échange des paroles et des signatures a lieu simultanément et sur le champ, d'où résulte la naissance instantanée du contrat.

290. — Au cas des contrats entre présents, il faut assimiler le cas des contrats conclus par téléphone.

Une conversation téléphonique est, généralement, confirmée par lettre et celle-ci y fait référence (« Conformément à l'entretien téléphonique de ce jour, par exemple, je vous confirme, etc. »). On dispose, ainsi, d'une preuve écrite du moment de formation du contrat : ce n'est pas la date de la lettre évidemment, mais celle de l'entretien téléphonique (142).

291. — La règle de la simultanéité est prise en défaut dans quelques hypothèses où le législateur soucieux de protéger le consommateur retarde le moment de l'acceptation et du même coup la naissance du contrat.

---

(141) Sauf la faculté d'option offerte au salarié de citer devant le Conseil de prud'hommes du lieu où l'engagement a été contracté (C. trav., art. R. 517-1, al. 3).

(142) V. Req., 14 mai 1912 : *D.* 1913, 1, 281, note VALÉRY et 22 mars 1920 : *S.* 1920, 1, 208.

C'est ainsi que, selon l'article 9 de la loi du 12 juillet 1971 relative à l'enseignement à distance, le contrat ne peut être signé qu'au terme d'un délai de six jours francs après sa réception. Une technique identique est retenue par la loi du 13 juillet 1979 relative à la protection des emprunteurs dans le domaine immobilier; celle-ci enlève tout effet à l'acceptation que donnerait l'emprunteur moins de dix jours après la réception de l'offre. L'intention du législateur est d'éviter que le consentement ne soit donné par emportement, d'où un temps de réflexion impérativement imposé aux partenaires.

292. — Dans toutes ces hypothèses, la fixation de la date ne fait aucune difficulté parce que l'identité de lieu permet la concomitance entre l'offre et l'acceptation. Au contraire, lorsque la distance sépare les intéressés, l'expression des deux consentements est nécessairement successive et se pose alors la question de la datation du contrat.

Les conventions entre absents ou par correspondance, bien loin de représenter un mode exceptionnel de conclusion des contrats, en constituent sans discussion la voie habituelle. Dans la majorité des cas, en effet, les contractants traitent par échange de lettres, par télégrammes ou par télex (142-1).

On présentera, d'abord, les intérêts qui s'attachent à la détermination de la date avant d'évoquer la discussion que la question a suscitée en doctrine, pour tenter de dégager la tendance de la jurisprudence en la matière.

§ 1. — Les intérêts liés à la date de conclusion

Position du problème

293. — Supposons que Pierre, habitant Paris, envoie une lettre à Paul qui réside à Lyon. Dans cette lettre, Pierre fait une offre de contrat ferme et donne à Paul un délai de quinze jours pour l'accepter. Avant l'expiration du délai, Paul décide d'accepter l'offre, écrit une lettre en ce sens, laquelle parvient à Paris le lendemain ou le surlendemain de son expédition, ou même plus tard suivant les circonstances (intempéries, grèves, jours fériés, etc.).

Etant donné que Paul a accepté dans les délais dont il disposait, le contrat s'est nécessairement formé (on se rappelle que Pierre, l'offrant, est tenu par son offre). Mais *quand* s'est-il formé ? Des conséquences juridiques importantes découlent du choix du moment.

(142-1) VALÉRY, *Des contrats par correspondance*, 1895. — COHEN, *Des contrats par correspondance en droit français, anglais et américain*, thèse Paris, 1921. — AUBERT, *Notion et rôle de l'offre et de l'acceptation dans la fonction du contrat*, thèse Paris, 1970, préface FLOUR.

A. — Attribution des risques

294. — S'agissant d'une vente, par exemple, l'acheteur devient *propriétaire* de la chose achetée dès que le contrat est formé, et avant même qu'il en ait pris livraison (C. civ., art. 1583). Si la chose vient à être détruite par un cas de force majeure, c'est le propriétaire qui en subit la perte : il doit en payer le prix au vendeur qui avait cessé d'en être propriétaire lors de sa destruction.

En reprenant notre exemple, Paul avait envoyé sa lettre d'acceptation un samedi, celle-ci arrive à Paris le lundi suivant, mais entre temps, le dimanche, la chose vendue est détruite par un événement de force majeure (par exemple, un attentat criminel à la bombe, qui a détruit la maison vendue). Si on se règle sur le moment de l'acceptation de l'offre, le contrat était formé dès samedi (jour de l'envoi de la lettre d'acceptation), par conséquent Paul était déjà propriétaire de la maison qui sera détruite le lendemain. C'est lui qui en subit la perte : il doit donc payer le prix convenu au vendeur.

Si, au contraire, on s'attache, non plus à la seule acceptation mais à la connaissance qu'en prend le destinataire, le contrat n'est formé que lundi, dans notre exemple. Lors de l'attentat qui a détruit la maison, Pierre, l'offrant, n'avait pas encore reçu la lettre d'acceptation de Paul, le contrat n'était pas formé. La perte de la maison est pour Pierre, car la vente ne peut plus se former, son objet ayant disparu : il ne peut donc pas en réclamer le prix.

Nous avons raisonné sur l'exemple de la vente, mais les mêmes observations pourraient être faites pour tout contrat translatif de propriété (échange, apport en société, etc., v. C. civ., art. 1138).

B. — Détermination de la capacité

295. — Le moment de formation peut encore jouer un rôle si l'une des parties devient entre temps *capable* ou *incapable.*

Supposons que Pierre fût à la veille de sa majorité. Il était encore mineur samedi, le contrat passé sans l'intervention des organes protecteurs du mineur serait annulable si on adoptait la théorie de l'émission ou de l'expédition. Il devient majeur dimanche, si bien que le contrat sera valable si on se rallie à la théorie de la réception.

C. — Possibilité de retrait de l'offre

296. — On déclare, en outre, que tant que le contrat n'est pas formé, l'offrant peut *retirer son offre* qui n'avait jusqu'alors qu'un caractère unilatéral, donc non obligatoire. Mais cette conséquence est à écarter si l'on reconnaît à l'offre unilatérale un caractère obligatoire, au moins pendant le délai indiqué ou un délai fixé par le juge (143). Cependant, elle retrouve tout son intérêt pour permettre de décider si le contrat s'est formé avant l'expiration du délai pendant lequel l'offre était obligatoire.

D. — Incidence sur la validité du contrat

297. — La date de formation a une importance déterminante sur le fonctionnement de certaines procédures. Par exemple, dans le cadre de l'action paulienne, seul peut agir en révocation de l'acte frauduleux le créancier dont le titre est antérieur à cet acte. Ce qui se comprend aisément, les créanciers postérieurs au contrat d'où procède l'appauvrissement incriminé ne sauraient se plaindre, car ils connaissaient l'état du patrimoine au jour où ils ont traité (le bien aliéné en était déjà sorti).

298. — L'enjeu est de même ordre dans le cadre des procédures collectives. La partie qui fait l'objet d'un redressement ou d'une liquidation judiciaires, peut avoir accompli, pendant la période qui s'est écoulée entre le jour de la cessation des paiements et celui du jugement déclaratif, certaines opérations en fraude aux droits de ses créanciers. Certains de ces actes sont nuls de droit du seul fait qu'ils ont été passés pendant la période suspecte (L. 25 janv. 1985, art. 107), d'autres sont susceptibles d'être annulés si les partenaires qui ont traité avec le débiteur ont eu connaissance de la cessation des paiements (art. 108). La validité de ces contrats dépend donc directement de la date à laquelle on considère que les volontés se sont rencontrées.

299. — Le moment de formation de l'accord des volontés peut avoir encore d'autres conséquences, ainsi en cas de réforme de la législation pour savoir laquelle de la loi ancienne ou de la loi nouvelle doit régir la situation. Il en va de même pour fixer le point de départ des délais, tel que celui fixé par la loi pour la prescription ou celui fixé par la convention pour l'exécution.

§ 2. — La doctrine sur la date de conclusion

300. — Deux thèses principales sont en présence, la première qui prend en considération la coexistence des volontés, la seconde qui exige leur concours.

---

(143) V. Civ., 8 fév. 1968 : *J.C.P.* 68, IV, 42. — Comp. Civ., 21 déc. 1960 : *D.* 1961, 417, note Ph. MALAURIE.

A. — Thèse de la date d'émission

301. — La théorie part de l'idée que le contrat est conclu par la simple *juxtaposition* de deux volontés concordantes. A la volonté de l'offrant, par hypothèse déjà exprimée, il suffit que vienne s'adjoindre le consentement du destinataire de l'offre, il suffit donc qu'à son tour cette acceptation soit exprimée. Dans notre exemple, le contrat s'est formé dès que Paul a accepté l'offre, il s'est donc formé à Lyon, au moment où la volonté d'accepter l'offre s'est exprimée. C'est la *théorie dite de la déclaration.* Cette thèse a été justement critiquée; elle est impraticable, en effet, car on ne peut ni établir le moment où la réponse a été rédigée ni empêcher son signataire de la détruire.

302. — Ainsi s'explique une variante de cette théorie désignée par les termes *théorie de l'expédition;* elle prétend que seule l'expédition de la lettre prouve la volonté irrévocable d'accepter. En fait cela n'est pas exact, car une lettre expédiée peut encore être retirée au bureau de poste si on la réclame avant son départ, en l'identifiant; les règlements postaux le permettent. En tous cas, elle peut être révoquée par un moyen de communication plus rapide : télégramme ou téléphone.

On ajoute un argument pratique. La poste oblitérant les timbres, la date de l'expédition est facile à déterminer. Cela est vrai, mais la déclaration de volonté peut s'extérioriser donc se prouver, par d'autres moyens : par exemple, *l'exécution immédiate du contrat proposé, la revente de la marchandise* offerte à un tiers acquéreur, etc.

B. — Thèse de la date de réception

303. — Dans une deuxième conception, la coexistence des volontés est regardée comme insuffisante, la formation du contrat exigeant leur *concours.* En effet, lorsqu'une manifestation de volonté demeure ignorée du partenaire, c'est tout comme si elle n'existait pas :

« il n'y a de véritable concordance entre les deux oui que quand chacun sait que l'autre l'a dit » (144).

Pour reprendre notre exemple, il faut que Pierre, l'offrant, *ait été informé de cette acceptation* (théorie de l'information). Mais que doit-on entendre par informer ?

304. — Selon certains, il est demandé que le pollicitant ait pris effectivement connaissance de l'acceptation, en pratique, qu'il ait lu la lettre de réponse. A ce prix seulement il y aurait interpénétration des volontés. Un

---

(144) MALAURIE, note sous Civ. 1re, 21 déc. 1960 : *D.* 1961, 417.

tel point de vue est inacceptable pour la raison qu'il est impossible de savoir à quel moment la lettre a été ouverte et qu'il ne saurait dépendre du bon vouloir du destinataire de hâter ou de retarder la formation du contrat, selon l'empressement qu'il met à lire son courrier.

Aussi bien préfère-t-on à cette thèse, qui n'a que peu de partisans, sa variante dite *théorie de la réception.* Le contrat est conclu dès que le pollicitant a eu la possibilité de prendre connaissance de l'acceptation, c'est-à-dire dès le moment où la lettre lui est parvenue.

305. — Ces théories classiques sont complétées par des théories plus récentes qui constatent qu'aucune solution satisfaisante ne se dégage d'une analyse rationnelle de la rencontre des volontés et qui proposent de se placer à un autre point de vue, celui des intérêts en présence. On ne s'attardera pas à exposer ces théories, lesquelles se subdivisent en théorie moniste qui s'ordonne autour de la détermination du partenaire devant supporter les risques du contrat et les théories dualistes qui suggèrent des règles différentes selon qu'il s'agit de localiser le contrat dans le temps ou dans l'espace (145).

§ 3. — La jurisprudence sur la date de conclusion

Absence de principe en législation

306. — Les tribunaux ont été et sont encore embarrassés pour donner une réponse nette. En effet, notre législation ne comprend que des dispositions particulières et contradictoires sur le problème. Le Code civil en contient trois : en matière de donation, l'article 932 dispose que la donation entre vifs n'a d'effet à l'égard du donateur que du jour où son acceptation lui a été *notifiée* (théorie de la réception); en matière de stipulation pour autrui, l'article 1121 porte qu'il suffit que le tiers ait *déclaré* vouloir en profiter (théorie de la déclaration); en matière de mandat, l'article 1985, alinéa 2, déclare que l'acceptation du mandat peut n'être que tacite et résulter de l'exécution qui lui a été donné par le mandataire (théorie de l'émission). Quant au Code de procédure civile, il porte à l'article 68 :

« la date de la notification par voie postale, est à l'égard de celui qui y procède, celle de *l'expédition* et, à l'égard de celui à qui elle est faite, la date de *la réception* de la lettre ».

306-1. — A ces textes de droit interne, il convient d'ajouter les dispositions du décret n° 87-1034 du 22 décembre 1987 sur les contrats de vente internationale de marchandises (145-1). Aux termes des ses articles 23 et

(145) V. FLOUR et AUBERT, *op. cit.*, n° 169 et s.

(145-1) Ce décret porte publication de la Convention des Nations unies sur les contrats de vente internationale de marchandises faite à Vienne le 11 avril 1980, avec pour date d'entrée en vigueur le 1er janvier 1988.

18-2 combinés, « le contrat est conclu au moment où l'acceptation d'une offre prend effet... », c'est-à-dire « au moment où l'indication d'acquiescement *parvient* à l'auteur de l'offre », ce qui consacre la théorie de la réception. L'article 22 précise, toutefois, que l'acceptation peut être rétractée si la rétractation parvient à l'auteur de l'offre avant le moment où l'acceptation aurait pris effet.

307. — Il est difficile de prendre appui sur ces textes pour en déduire une règle d'application générale, étant donné qu'ils sont en contradiction les uns avec les autres, faisant tour à tour appel aux deux conceptions et parfois aux deux à la fois. On est donc ramené à l'hypothèse du vide législatif, mais on sait que le silence de la loi — ou son obscurité — ne dispense pas le juge de se prononcer (C. civ., art. 4). Quelles furent donc les réponses ? On doit distinguer suivant que l'on examine les décisions des juridictions du fond (tribunaux de 1re instance et cours d'appel), ou celles de la Cour de cassation.

A. — Juridictions du fond

308. — Elles sont hésitantes et n'adoptent pas toutes la même théorie.

Un grand nombre de décisions — la majorité semble-t-il — se rallient à la *théorie de l'émission* (146). Elles font le raisonnement suivant. Un contrat, c'est l'accord de deux volontés; or, cet accord existe dès que la volonté du destinataire de l'offre — Paul — a exprimé sa volonté ferme de s'engager, donc dès l'émission. Peu importe que Pierre n'en soit pas encore informé : les deux volontés concordantes existent déjà. Le moment ou le lieu de formation est donc celui de l'acceptation, dès lors qu'on peut en faire la preuve. C'est l'expédition de la lettre, sauf autre manifestation de volonté que l'on puisse prouver, qui établit le plus fréquemment l'acceptation. Certes, l'acceptant doit *informer* l'offrant de son acceptation; mais ce n'est là qu'une *obligation découlant d'un contrat déjà né.*

309. — D'autres décisions se rattachent à la *théorie de la réception* (147). Elles observent que le contrat suppose non seulement deux volontés concordantes, mais un véritable concours de volontés. Les deux volontés doivent se connaître, prendre, en quelque sorte, possession l'une de l'autre. Cela ne peut se produire que lors de la réception, par l'offrant — Pierre — de la lettre d'acceptation.

On ajoute en faveur de la théorie de la réception le fait que le destinataire peut, comme on l'a dit, malgré l'expédition de la lettre, revenir sur sa

---

(146) Req., 29 janv. 1923 : *D.* 1923, 1, 176. — Com., 7 janv. 1959 : *Bull. civ.* III, n° 10. — Paris, 31 mai 1937 : *D.H.* 1937, 431.

(147) Civ. 1re, 21 déc. 1960 : *D.* 1961, 1, 417, note MALAURIE. — Com., 7 oct. 1953 : *Bull. civ.* III, n° 290. — Civ. 3e, 24 oct. 1978 : *Bull. civ.* III, n° 320; *Rép. Defrénois* 1979, a. 32148, n° 82, note AUBERT.

décision par un moyen plus rapide : télégramme, téléphone notamment; ou même retirer une lettre déjà expédiée, à condition de pouvoir l'identifier et invervenir en temps utile. Tout cela prouverait que le contrat n'était pas encore formé lors de l'expédition de la lettre.

Les faits indiqués sont exacts, mais on ne peut en tirer des conséquences en faveur de la théorie de la réception. Ce n'est pas seulement le destinataire, mais l'offrant lui-même qui peut revenir sur sa décision, en retirant la lettre ou en la révoquant par un moyen plus rapide. Quel que soit le système adopté — émission ou réception — le contrat suppose l'existence de deux volontés *exprimées.* Or, la révocation ou le retrait de la lettre anéantit l'expression de la volonté; tout se passe comme si *jamais* la lettre, aussi bien celle de l'offrant que celle du destinataire, n'avait été expédiée.

310. — L'opposition entre les deux thèses est radicale et semble sans issue. Comment a-t-elle pu se maintenir étant donné la possibilité offerte aux plaideurs de s'adresser à la Cour de cassation pour demander à ce qu'elle tranche le débat ? Ils l'ont souvent fait. Quelle a été la réponse de cette Haute juridiction ?

B. — Cour de cassation

311. — Jusqu'en 1932, la Cour de cassation a évité de se prononcer dans cette controverse. Elle déclarait que la date et le lieu de formation du contrat sont des *questions de fait,* non des *questions de droit.* Il en résultait que les juges du fond étaient souverains, et que leurs décisions à cet égard, ne pouvaient pas être cassées, quelles qu'elles fussent. Tous les pourvois en cassation formés contre les décisions au sujet de la date et du lieu de la formation des contrats par correspondance étaient, par conséquent, rejetés, que la décision attaquée ait adopté la théorie de l'émission ou celle de la réception (148).

Cette position de la Cour de cassation n'était pas approuvée par tous les auteurs. La date et le lieu de la formation des contrats par correspondance sont bien des questions de droit, car elles impliquent une prise de position sur la notion même de contrat : celui-ci résulte-t-il du fait que deux volontés concordantes coexistent ou faut-il, en outre, que chaque contractant connaisse la volonté de contracter de l'autre ?

La position de la Cour de cassation était un moyen de ne pas prendre parti dans cette controverse et un aveu, pour ainsi dire, qu'elle n'en voyait pas la solution en droit.

312. — A partir de 1932, un certain nombre d'arrêts de la Cour de cassation ont pris parti nettement en faveur de la théorie de l'émission (149)

(148) V. Civ., 2 fév. 1932 : *S.* 1932, 1, 68.

(149) Req., 21 mars 1932 : *D.* 1933, 1, 65, note SALLÉ DE LA MARNIERRE.

suivie de divers autres arrêts rendus entre 1954 et 1965 (150). On pensait, enfin, close l'ère des controverses. En fait, c'est la variante de l'« expédition » qui était retenue sous l'expression de l'émission.

313. — Mais des arrêts ultérieurs de la chambre commerciale (151) et de la troisième chambre civile (152) ont semblé revenir à la jurisprudence traditionnelle en admettant que les juges du fond apprécient souverainement le moment où l'accord des parties s'est réalisé.

314. — Cette position, malheureusement, paraît abandonnée si l'on s'en tient à une décision de la chambre commerciale du 7 janvier 1981 (153) qui délaisse toute référence au pouvoir souverain et consacre le système de l'émission. Faute de stipulation contraire dans l'acte prévoyant qu'une convention n'entrerait en vigueur qu'après sa signature par le représentant habilité de la société venderesse dans un délai de trente jours à compter de la signature de l'acheteur, passé lequel les parties deviendraient libres de tout engagement, cet acte était destiné à devenir *parfait,* non pas par la réception par l'acheteur de l'acceptation de la société venderesse, mais *par l'émission* par celle-ci *de cette acceptation.*

L'incertitude va donc subsister (154) et les juges du fond pourront librement opter entre la théorie de l'émission et celle de la réception; librement, mais non sûrement, car rien ne s'oppose, bien sûr, à ce que la Cour de cassation ne vienne, à nouveau, prendre position dans le débat.

§ 4. — Les conclusions sur la date du contrat

A. — Nécessité d'une intervention législative

315. — A notre avis, il s'agit d'une question réellement insoluble sur le plan théorique. Le législateur aurait *pu* et *aurait dû trancher lui-même* un problème qui se pose si fréquemment et dont les intérêts pratiques sont si nombreux. Il est du devoir du législateur de mettre fin à l'insécurité résultant, pour les particuliers, de l'absence de règle légale et du refus, par la Cour de cassation, de poser, en la matière, une règle jurisprudentielle.

---

(150) Soc., 2 juill. 1954 : *Bull. civ.* IV, n° 485, p. 365. — Soc., 3 mars 1965 : *D.* 1965, 492.

(151) 21 nov. 1966 : *J.C.P.* 67, II, 15012, note LEVEL.

(152) Civ. 3e, 24 oct. 1978 : *Gaz. Pal.* 1979, 1, somm. 18 : approbation des juges du fond ayant retenu la théorie de la réception.

(153) *Gaz. Pal.* 1981, 1, pan. 146; *Bull. civ.* IV, n° 11.

(154) Telle n'est pas l'opinion de M. CHABAS (obs. *Rev. trim. dr. civ.* 1981, p. 849) pour qui la Cour de cassation affirme « un principe, supplétif sans doute, mais un principe juridique » en déclarant que le contrat devient *parfait* par l'émission de l'acceptation.

Il serait pourtant très simple d'énoncer dans un texte clair, que le contrat par correspondance se forme à tel moment ou à tel autre. La solution légale pourrait être nuancée. Il n'est pas sûr que, faisant preuve d'une rigueur cartésienne, il faille lier, nécessairement, le problème du lieu de formation dans les hypothèses très rares où il est encore pris en compte, à celui du moment de l'accord des volontés. Rien n'impose, non plus, d'admettre les mêmes solutions selon les divers intérêts en jeu, la question du *transfert des risques* ne soulevant pas les mêmes questions que celle de la *possibilité de retrait de l'offre* ou de la *capacité des contractants,* alors même que toutes ces questions sont commandées par le *moment* de formation du contrat. C'est cette diversité de la nature des problèmes posés qui explique, d'ailleurs, la divergence des solutions pratiques et la position discrète de la Cour de cassation.

316. — Le législateur pourrait, devrait à notre sens, poser des règles en la matière, mais celles-ci ne sauraient être que *supplétives.* En ce cas, les contractants — ou l'un d'eux — qui, pour des raisons qui leur seraient propres, désireraient écarter les règles légales devraient le dire expressément. A défaut, la règle légale jouerait.

Ainsi disparaîtrait une difficulté sur laquelle on a énormément disserté — et de façon souvent très savante — mais qui est, en réalité, un faux problème ou, plus exactement, un problème que le législateur pourrait et devrait résoudre facilement.

317. — En attendant cette solution législative qui tardera peut-être..., les contractants pourraient — pour éviter des litiges — préciser eux-mêmes à quelle date et en quel lieu ils entendent que leur accord de volonté soit considéré comme formé. Aucune règle impérative ne les en empêche.

B. — Exemple du commerce international

318. — Il est intéressant de signaler que dans le commerce international ce problème — et bien d'autres qui n'ont pas été résolus, ni par le législateur ni par les conventions internationales — a été réglé, dans certains cas, par des ententes entre organismes professionnels qui ont rédigé des « contrats type » complétés par des « incoterms » *(international commerce terms)* donnant la définition des principaux termes usités dans le commerce international.

Les commerçants adhérant à ce système concluent leur contrat par téléphone, confirmé par télex. En un télex de vingt mots, des marchés considérables sont conclus. Parmi les divers points réglés par ces contrats-type, il y a celui des offres (caractère obligatoire, délai) et de l'acceptation (délai de réponse avec une grande précision, par exemple : pour une offre faite, par télex avant midi, la réponse doit être envoyée le même jour avant 18 heures; pour une offre reçue après midi, la réponse doit être envoyée le lendemain du jour ouvrable suivant, avant 12 heures, etc.).

Il est évident que, dans ces conditions, le problème du moment de formation du contrat est réglé par les parties elles-mêmes, sans aucun souci de logique abstraite, mais avec celui de la précision : ainsi, la question du moment du transfert des risques à l'acheteur est précisée dans les divers contrats type entre lesquels les parties peuvent choisir.

319. — Ce système, que l'on a pu qualifier de véritable défi que le commerce international a jeté aux législateurs, aux diplomates et aux juristes, montre la voie dans laquelle on devrait s'engager pour éviter l'enlisement actuel dans des controverses inutiles, dont l'un des exemples les plus significatifs est celui que pose la formation des contrats par correspondance.

SOUS-SECTION III

LA RÉTRACTATION DU CONTRAT

320. — Le contrat, une fois formé n'est pas à l'abri d'un retour de la volonté. Pour autant, il n'y a pas nécessairement manquement au devoir contractuel. D'une part, ce que les volontés communes ont pu faire, elles peuvent toujours, d'un commun accord, le défaire : ainsi dispose l'article 1134, alinéa 2, du Code civil : les conventions ne peuvent être révoquées que du consentement mutuel des parties... (155). D'autre part, en dehors du *mutuus dissensus,* il est des cas où la volonté d'un seul suffit à rompre le lien contractuel : pour cela il faut que les parties aient inséré une clause à cet effet dans leur convention ou que la loi ait autorisé l'un des contractants à revenir sur son engagement.

§ 1. — Le droit conventionnel de rétractation

321. — Par hypothèse on suppose la convention définitivement formée, ce qui exclut de l'examen les contrats à l'essai : vente d'un costume sur mesure, contrat de travail, par exemple. Alors la rencontre des consentements n'est pas acquise puisqu'aussi bien les parties l'ont subordonnée au caractère satisfaisant de l'essai.

322. — La question ne se pose vraiment que dans le cas où un accord ferme et définitif s'accompagne du versement d'arrhes (155-1), c'est-à-dire

(155) H. ROLAND et L. BOYER, *Adages, Obligatio contrario consensu dissolvitur,* p. 701.

(155-1) Louis BOYER, *La clause de dédit : Mélanges Raynaud,* 1985, p. 46.

d'une somme d'argent d'un montant variable remise lors de la conclusion. Cette question est délicate, parce que les arrhes sont susceptibles de remplir plusieurs fonctions (A) et que la jurisprudence n'a pas de règle fixe sur le sens à leur donner (B).

A. — Ambiguïté du terme arrhes

Selon la volonté des parties, les arrhes peuvent isolément jouer l'une ou l'autre des fonctions ci-après énumérées ou remplir les deux à la fois (156).

1° Les arrhes, signe d'un engagement définitif

323. — Dans ce première rôle, les arrhes constituent, soit un commencement d'exécution, soit l'évaluation des conséquences dommageables de l'inexécution. Les arrhes peuvent être un premier acompte, à valoir sur le restant du prix convenu. En ce cas, le contrat a été conclu dès la remise des arrhes qui manifesteraient ainsi que les pourparlers ont abouti à un accord. Le contrat est donc définitivement formé, les contractants devront l'exécuter. Cette interprétation du rôle des arrhes sort renforcée de la stipulation expresse selon laquelle leur remboursement par le vendeur ne saurait le dispenser d'exécuter le contrat (156-1).

324. — Les arrhes peuvent aussi être remises par l'un des contractants à titre de clause pénale. En ce cas, le contrat est formé aussitôt dans l'esprit des parties; mais prévoyant l'inexécution, les arrhes jouent le rôle de dommages-intérêts *forfaitaires* s'ajoutant à la résolution du contrat pour inexécution.

2° Les arrhes, faculté de dédit

325. — Mais, dans les usages, les arrhes ont, le plus souvent, une autre signification : elles sont un moyen de *se dédire*, de renoncer au contrat qui, dans l'esprit des contractants n'était pas définitivement conclu. Si celui qui a remis les arrhes renonce au contrat, la somme remise ne lui sera pas restituée. Si c'est celui qui a reçu les arrhes qui abandonne le projet de contrat, il doit remettre une somme double (les arrhes et une somme d'un montant égal) à l'autre partie. Mais le rétractant n'en est quitte avec le forfait stipulé qu'à la condition de se raviser dans des conditions correctes; sinon, il tombe sous l'application du droit commun de la responsabilité civile. Ainsi, l'artiste qui n'avertit pas les organisateurs de sa défection, et

---

(156) Civ., 23 mars 1966 : *D.* 1966, 397; *Rev. trim. dr. civ.* 1967, 183, obs. CORNU.

(156-1) Civ. 3e, 14 mai 1985 : *Gaz. Pal.* 1985, 2, pan. 288, note A. PIÉDELIÈVRE (sol. impl.).

ne fournit pas la moindre explication commet une faute dolosive justifiant sa condamnation à une somme supérieure au dédit conventionnellement prévu (156-2).

Cette faculté de dédit peut être limitée dans le temps (157).

326. — Il est possible que la remise des arrhes en tant que faculté de dédit ne concerne que l'un des contractants, le remettant des arrhes, l'éventuel acheteur notamment ou le bénéficiaire d'une promesse de vente. En ce cas, l'autre partie, le vendeur en général, ne peut pas se dédire, elle doit exécuter le contrat sous peine d'y être contrainte par toutes les voies de droit. La remise d'arrhes s'analyse, alors, comme étant un engagement définitif du vendeur seulement.

B. — Interprétation de la fonction des arrhes

1° L'interprétation légale

327. — Il existe peu de textes sur la signification de la remise des arrhes.

L'article 1590 du Code civil en matière de vente dispose :

« Si la promesse de vendre a été faite avec des arrhes, chacun des contractants est maître de s'en départir.

Celui qui les a données, en les perdant.

Et celui qui les a reçues, en restituant le double ».

Ce texte prévu pour la vente s'applique également aux promesses unilatérales de vente (158) et à tout contrat en général.

Mais il est unanimement admis que l'article 1590 n'est que *supplétif* et que, par conséquent, les parties peuvent donner à la remise des arrhes l'une ou l'autre des fonctions ci-dessus indiquées ou écarter le principe de la restitution au double s'il y a en ce sens stipulation expresse des parties (158-1).

L'article 1659 prévoit un autre cas de contrat avec faculté de dédit, la vente à réméré et la définit comme un pacte par lequel le vendeur se réserve de reprendre la chose vendue moyennant la restitution du prix principal et le remboursement des frais et loyaux coûts du contrat.

L'article 74 du décret du 20 juillet 1972 distingue expressément la clause de dédit de la condition suspensive, la clause de dédit permettant à l'une des parties d'être libérée de son engagement moyennant le paiement de la

---

(156-2) Civ. 1re, 22 oct. 1975 : *Bull. civ.* I, n° 290.

(157) Civ. 3e, 12 fév. 1971 : *J.C.P.* 71, IV, 73.

(158) Paris, 2 mars 1904 : *D.* 1905, somm. 34.

(158-1) Paris, 11 oct. 1988 : *D.* 1988, I.R. 288.

somme convenue, la clause étant indépendante de celle qui stipule une condition suspensive. Sa validité subsiste nonobstant l'obstacle apporté par le cocontractant à la réalisation de la condition (159). Enfin, pour mettre un terme à certains abus, une loi du 5 décembre 1951 a réglementé la pratique des arrhes en matière de vente mobilière, en décidant que les sommes versées d'avance sur le prix « *quels que soient la nature de ce versement et le nom qui est donné dans l'acte* » produiront des intérêts. En effet, certains vendeurs ou fabricants utilisaient la remise des arrhes pour se procurer, sans intérêts, des moyens de trésorerie importants.

328. — On le voit, ces différents textes ne se rapportent qu'à la vente et traitent la remise des arrhes comme prix de la faculté de dédit. La jurisprudence a-t-elle suppléé la carence du législateur en posant un principe général ?

2° L'interprétation jurisprudentielle

329. — Tout dépend de l'intention des parties : les termes « acompte » ou « arrhes » ne sont pas une indication certaine de cette intention et l'on sait que le juge peut et doit redresser les qualifications inexactes. Quant à connaître la véritable intention des parties, cela pose tout le problème de l'interprétation des clauses ambiguës que nous avons longuement analysé. Le juge tiendra compte des usages, auxquels les parties sont censées se référer. La Cour de cassation considère que, sur ce point, leur interprétation est souveraine (160). En jurisprudence, on trouve des décisions en faveur de l'une ou de l'autre interprétation : acompte (161), dédit bilatéral (162), dédit unilatéral, l'engagement étant irrévocable pour l'autre partie (163) ou clause pénale (164), ou encore dédit joint à un acompte (165).

En matière d'hôtellerie, en vertu d'une règle prétorienne bien établie, « la somme déposée lors de la réservation n'a que le caracrère d'un acompte dont le remboursement devient exigible si l'annulation a été faite en temps utile » (166). Tel n'est pas le cas du client qui, après avoir retenu 150 couverts dans un restaurant, ne prouve pas qu'il a décommandé avant l'avant-veille du jour de la réservation, alors que, par surcroît, il n'avait pas encore

(159) Civ. 1re, 19 déc. 1983 : *D.* 1984, I.R. 260.

(160) Civ. 3e, 3 avril 1973 : *J.C.P.* 73, IV, 200.

(161) Civ. 1re, 20 mai 1981 : *J.C.P.* 82, II, 19840, note G. Raymond. — Civ. 1re, 23 mars 1966 : *D.* 1966, 397. — Rouen, 20 fév. 1979 : *Gaz. Pal.* 1980, 1, somm. 188.

(162) Req., 26 déc. 1927 : *D.* 1928, 1, 166.

(163) Paris, 13 déc. 1955 : *D.* 1956, 130. — Orléans, 26 oct. 1967 : *D.* 1968, 210.

(164) Civ. 1re, 16 juill. 1956 : *D.* 1956, 609.

(165) Civ. 3e, 28 avril 1981 : *Gaz. Pal.* 1981, pan. 344.

(166) Com., 3 mai 1965 : *Bull. civ.* IV, n° 280. — Paris, 27 nov. 1984 : *J.C.P.* 85; *Actualités*, n° 5.

versé l'acompte prévu (166-1). Le retard mis à annuler la réservation interdit de limiter sa responsabilité à la somme convenue et oblige à rechercher l'exact préjudice subi (166-2).

§ 2. — Le droit légal de rétractation

Droit de la consommation et droit de repentir

330. — Le désir de revenir sur l'accord conclu appartient à toutes les époques et fait partie de la psychologie des contractants, qui, hésitants ou emportés, sont aussitôt saisis du regret d'avoir traité. Le Bas-Empire connaissait déjà une *condictio ob paenitentiam*, notamment dans le domaine des contrats innomés. Le Code civil, lui aussi, avait inscrit exceptionnellement la faculté de s'évader après coup du contrat (art. 1096 sur les donations entre époux et art. 1794 sur le marché à forfait).

331. — La législation des deux premiers tiers du XXe siècle avait consacré quelques autres cas. En matière de propriété commerciale, le locataire pouvait renoncer au renouvellement du bail, le propriétaire pouvait revenir sur son offre initiale de renouvellement (D. 30 sept. 1953 modifiant L. 30 juin 1926). En matière de contrat de travail, la loi du 8 octobre 1946 et celle du 31 décembre 1953 avaient permis la dénonciation du refus pour solde de tout compte par le salarié dans les deux mois de sa signature (C. trav., art. L. 122-17). Et s'agissant de la propriété littéraire et artistique, il avait été concédé à l'auteur, même postérieurement à la publication de son œuvre, un droit de retrait vis à vis du cessionnaire de son exploitation (art. 32, L. 11 mars 1957). Bref, le législateur était resté très timide, de peur de porter atteinte au principe de la force obligatoire du contrat, en retard sur la pratique commerciale qui, sous la forme du *repris-échangé* pour les articles ayant cessé de plaire, permettait à la clientèle de se raviser sans dommage.

332. — L'invention du commerce moderne et des techniques de séduction ne datent assurément pas d'aujourd'hui (167). Mais de nos jours, le développement considérable de la publicité, les facilités du crédit, lequel permet d'acheter sans avoir épargné et sans ressentir sur le champ le poids financier de l'engagement, constituent autant d'incitants à la consommation susceptibles d'altérer la volonté des contractants.

(166-1) Paris, 26 nov. 1987 : *D.* 1988, I.R. 7; *Rev. trim. dr. civ.* 1988, 525, obs. J. MESTRE.

(166-2) Com., 26 avril 1976; *Bull. civ.* IV, n° 136, p. 116; *Rép. Defrénois* 1977, p. 455, obs. AUBERT.

(167) V. Raymonde BAILLOD, *Le droit de repentir : Rev. trim. dr. civ.* 1984, p. 227.

C'est pourquoi le législateur a cru bon d'intervenir, mais les dispositions qu'il a prises n'ont pas la portée d'un principe, bien que leur domaine d'application soit étendu; en outre, les textes, nonobstant l'identité de leur finalité, ne présentent pas d'homogénéité dans leur mise en œuvre (167-1).

A. — Domaine du droit de repentir

333. — Depuis une bonne dizaine d'années, le droit de repentir a été successivement introduit dans les contrats ci-après :

• En matière de *démarchage financier,* la loi du 3 janvier 1972 (art. 21) ouvre aux souscripteurs de plans d'épargne un délai de quinze jours à compter de la souscription pour dénoncer leur engagement.

• En matière de *vente à domicile,* la loi du 22 décembre 1972 (art. 21) permet au client signataire du contrat proposé par le démarcheur, de rétracter son consentement dans un délai de sept jours à compter de la commande ou de l'engagement d'achat au moyen d'une lettre recommandée avec accusé de réception (167-2).

• En matière de *crédit,* la loi du 10 janvier 1978 (art. 7) concède à l'emprunteur la faculté de revenir sur son engagement dans un délai de sept jours à compter de l'acceptation de l'offre (167-3). En plus de ce droit de repentir principal, la loi institue un droit de repentir par ricochet se rapportant au contrat de vente ou de prestation de services dont le prix doit être acquitté en tout ou en partie à l'aide d'un crédit. D'une part, selon l'article 11, aucun engagement ne peut valablement être contracté par l'acheteur à l'égard du vendeur tant qu'il n'a pas accepté l'offre préalable du prêteur; d'autre part « le contrat de vente ou de prestation de services est résolu de plein droit, sans indemnité... si l'emprunteur a, dans les délais qui lui sont impartis, exercé son droit de rétractation »... (art. 13). Par conséquent, dès

---

(167-1) Y. Dagorne, *Contribution à l'étude de la faculté de dédit*, thèse Paris II, 1988. — Pizzio, *Un effort législatif en matière de protection du consentement : Rev. trim. dr. civ.* 1976, n° 66 et s. — Ferrier, *Les dispositions d'ordre public visant à préserver la réflexion des contractants : D.* 1980, chron. 177. — R. Baillod, *Le droit de repentir : Rev. trim. dr. civ.* 1984, 227. — Calais-Auloy, *Droit de la consommation*, spéc. n°s 109 et 284. — *Adde*, Carbonnier, n° 51. — Flour et Aubert, n° 187-4. — Malaurie et Aynès, n° 280. — Mazeaud et Chabas, n° 728. — Ghestin, n°s 128-4 et 152-2.

(167-2) Civ. 1re, 3 mai 1988 : *Bull. civ.* I, n° 125, p. 87 (l'achat d'un photocopieur par un ecclésiastique pour les besoins de la paroisse est insuffisant pour considérer qu'il a été conclu pour les besoins d'une activité professionnelle : il relève donc de la loi de 1972 sur la vente à domicile). — Crim., 14 juin 1988 : *J.C.P.* 88, IV, 298 (application de la loi à un contrat de publicité pour la vente d'un fonds de commerce).

(167-3) L'acheteur qui sollicite la livraison ou la fourniture immédiate du bien ou de la prestation de service doit reconnaître dans le contrat de vente, de façon manuscrite, qu'il a été informé qu'une telle demande a pour effet de réduire le délai légal de rétractation, lequel expirera le jour de la livraison du bien ou de l'exécution de la prestation sans pouvoir être inférieur à 3 jours (art. 3, D. n° 78-509 24 mars 1978). Le défaut de mention manuscrite conserve intacte la faculté de rétractation : Civ. 1re, 31 mai 1988 : *Bull. civ.* I, n° 166, p. 115; *D.* 1988, I.R. 171.

lors qu'une vente est financée par un crédit, la faculté de rétractation inhérente à l'emprunt retentit nécessairement sur l'engagement d'achat, les deux opérations étant indissolublement liées. En fait, plutôt que de parler de double droit de repentir, il convient de parler d'un droit de repentir unique à double détente.

• En matière d'assurances, la loi du 7 janvier 1981, ajoutant par son article 22 un article L. 132-5-1 au Code des assurances, édicte un droit de repentir applicable aux assurances sur la vie au profit de toute personne qui a signé une proposition ou une police d'assurance, à condition de faire connaître cette nouvelle volonté par lettre recommandée avec demande d'avis de réception dans les 30 jours suivants le premier (168) versement.

• En matière de *contrat de capitalisation*, la loi du 11 juin 1985 dispose que l'article L. 150-1 du Code des assurances est ainsi rédigé :

« Toute personne physique qui a souscrit un contrat de capitalisation a la faculté de le dénoncer par lettre recommandée avec demande d'avis de réception dans un délai de 30 jours à compter du premier versement ».

• En matière *d'accidents de la circulation*, la loi du 5 juillet 1985 porte, à l'article 9, que la victime peut, par lettre recommandée avec demande d'avis de réception, dénoncer la transaction intervenue entre elle, d'une part, la compagnie d'assurances ou le fonds de garantie, d'autre part, et ce, dans les quinze jours de sa conclusion.

• En matière de *vente à distance*, la loi n° 88-21 du 6 janvier 1988 relative aux opérations de télé-promotion avec offre de vente dites de « télé-achat », accorde à l'acheteur d'un produit — qui a contracté par correspondance, téléphone ou minitel — un délai de sept jours francs à compter de la livraison de sa commande pour faire retour de ce produit par échange ou remboursement, sans pénalités, à l'exception des frais de retour (168-1). Le refus du vendeur de rembourser ou de remplacer la marchandise retournée est puni d'une amende (2 500 F à 5 000 F) par le décret n° 88-539 du 5 mai 1988.

B. — Régime du droit de repentir

334. — L'examen du régime du droit de repentir conduit à présenter d'abord les conditions de sa mise en mouvement, pour s'interroger ensuite sur sa place exacte dans le processus contractuel.

---

(168) Le même texte introduit un article L.132-5-2 propre à l'hypothèse où l'assurance est intervenue à la suite d'un démarchage au domicile, au lieu de travail ou dans un lieu public, où le droit de rétractation est exercé dans les 7 premiers jours du mois visé à l'article précédent.

(168-1) G. PLAISANT, *La loi du 6 janvier 1988 sur les opérations de vente à distance et le télé-achat : J.C.P.* 88, I, 3350.

1° Conditions d'exercice du droit de repentir

335. — L'exercice du droit de repentir s'accomplit dans des termes identiques pour les sept hypothèses présentées ci-dessus, sauf sur un point capital, celui du délai qui est soit de sept, soit de quinze, soit de trente jours.

336. — Sa mise en œuvre est discrétionnaire, en ce sens qu'elle n'a pas à être motivée (169). Ce n'est pas à dire qu'elle soit en toutes circonstances à l'abri d'une censure, car on peut envisager l'hypothèse où le contractant dénoncerait l'accord seulement pour profiter de conditions financières plus avantageuses.

337. — L'exercice de cette faculté est facilité par l'obligation faite à l'autre partie de joindre à l'offre préalable un formulaire détachable ou un modèle de lettre de dénonciation (170) et par le recours uniforme à l'expédition par pli recommandé avec demande d'accusé de réception.

338. — Enfin, la gratuité garantit l'efficacité de ce droit nouvellement reconnu (170-1). Si l'auteur de la rétractation eût été contraint à un versement indemnitaire, il y aurait eu entrave au libre exercice de la dénonciation. De plus, il eût été singulier de mettre à la charge du consommateur le paiement d'une somme, qui aurait constitué une prime à l'abus de séduction que l'on entendait précisément écarter. Ainsi s'explique que, dans les cas où l'opération rétractée a reçu un commencement d'exécution, il y ait lieu à restitution de la prestation. Parfois le législateur va même plus loin en fixant un délai maximal de remboursement et, le délai dépassé, en rendant de plein droit la somme productive d'intérêts au taux légal majoré de moitié durant deux mois et porté au double au-delà (art. 9, L. 11 juin 1985).

339. — Par ailleurs, l'efficacité du droit de repentir est encore assurée par son caractère d'ordre public. Si, en effet, le cocontractant, sous la pression du professionnel, pouvait renoncer à se réclamer de cette protection, celle-ci deviendrait du même coup illusoire. Pour autant, le législateur ne l'a pas disposé expressément, excepté dans la loi du 5 juillet 1985 sur les accidents de la circulation où il est inscrit que « toute clause de la transaction par laquelle la victime abandonne son droit de dénonciation est nulle » (170-2).

---

(169) En ce sens : G. Raymond, *La protection du consommateur dans les opérations de crédit : Gaz. Pal.* 10-11 nov. 1978, p. 4. — D. Martin, *La défense du consommateur à crédit : Rev. dr. com.* 1977, 619 et s.

(170) Rien toutefois n'est prévu pour la résiliation de l'offre de transaction dans la loi du 5 juillet 1985.

(170-1) Cf. Françon, *La protection du consommateur dans la conclusion des contrats civils et commerciaux en droit français, in La protection des consommateurs : Travaux Association Capitant*, t. XXIV, 1973, p. 117 et s.

(170-2) La jurirsprudence n'en prend pas moins parti pour le caractère impératif de la faculté de renonciation. V. par exemple, Versailles, 24 juin 1988 : *D.* 1988, 237 (annulation d'un mandat exclusif de vente d'un immeuble, signé au domicile et ne mentionnant pas la possibilité pour le client de se rétracter dans les sept jours).

2° Analyse du droit de repentir

340. — Le manque de rigueur dans la terminologie — il est question de dénonciation, de renonciation, d'annulation, de rétractation — a naturellement engendré une controverse sur la qualification à donner à la faculté d'évasion du lien contractuel.

341. — Une première thèse inscrit le droit de repentir dans le processus de formation du contrat qui cesse d'être instantané pour devenir successif.

Le contrat se formerait par degrés, à la mode germanique de la *punctation* ou *ponctuation* (171). A un premier consentement créateur, s'ajouterait un second consentement conservateur, par abdication du pouvoir de se raviser. En d'autres termes, lorsqu'on est en présence d'un droit de repentir, on ne se contente pas d'une manifestation instantanée de volonté, on exige le maintien de cette volonté jusqu'à l'expiration du délai. Du même coup, la date de formation du contrat est reportée; le contrat ne devient parfait qu'à l'échéance légale.

342. — Cette façon de considérer le déroulement contractuel se heurte d'abord à la lettre des textes. On ne peut *rétracter* qu'un engagement pris, *annuler* qu'un acte pré-existant, *renoncer* qu'à une convention établie, *dénoncer* qu'un accord passé. Quant au contenu de ces lois, il fait apparaître qu'il ne s'agit pas de retarder l'échange des consentements, mais bien de remettre en cause, par volonté unilatérale, des consentements déjà échangés. Ce qui prouve que l'on est déjà à l'intérieur du contrat conclu, c'est que le législateur a jugé nécessaire de suspendre la prise d'effet du contrat pendant toute la durée du délai de repentir. La loi du 22 décembre 1972 comme celle du 10 janvier 1978 disposent, catégoriquement, qu'aucun paiement, sous quelque forme que ce soit, ne peut intervenir durant toute cette période (171-1). Si le contrat n'était pas conclu, il serait inutile d'envisager son exécution pour l'interdire. En réalité, le contrat est d'ores et déjà formé et c'est, parce qu'il l'est, qu'il faut paralyser sa mise en œuvre, tant que l'on se trouve dans le délai imparti pour le rétracter (172).

---

(171) RIEG, *La ponctuation, contribution à l'étude du contrat: Études Jauffret,* 1974. — CALAIS-AULOY, *op. cit.*, n° 248 : le consommateur, en se rétractant, « renonce à un contrat en voie de formation » et qu'il ne se dédit pas d'un contrat déjà conclu.

(171-1) Crim., 16 déc. 1986 : *J.C.P.* 87, IV, 70.

(172) En faveur de cette opinion, v. CARBONNIER, *op. cit.,* n° 51, p. 202. — FLOUR et AUBERT, n° 187-4.

CHAPITRE III

LES CONDITIONS DE VALIDITÉ DU CONTRAT

343. — L'article 1108 du Code civil déclare :

« Quatre conditions sont essentielles pour la validité d'une convention :
— le consentement de la partie qui s'oblige;
— la capacité de contracter;
— un objet certain qui forme la matière de l'engagement;
— une cause licite dans l'obligation ».

Nous consacrerons une section de ce chapitre à chacune de ces conditions de validité des conventions. Dans une cinquième section, on examinera le problème de la conformité du contrat à l'ordre public, avant de se demander, dans un dernier développement, si l'équivalence des prestations, autrement dit l'absence de lésion, n'est pas, elle aussi, du moins dans certains cas, une condition de validité des contrats.

Il faut, également, se rappeler que, d'une manière générale, les contrats qui seraient dépourvus des formes exigées *ad solenmnitatem* sont nuls; mais cette question ayant été déjà exposée, il n'y a pas lieu d'y revenir dans ce chapitre.

SECTION I

CAPACITÉ DE CONTRACTER

344. — D'après l'article 1124 du Code civil, sont incapables de contracter, dans la mesure définie par la loi : les mineurs non émancipés, les majeurs protégés au sens de l'article 488 du présent code (1).

(1) V. CARBONNIER, t. I, *La famille, les incapacités*, n° 155 et s. — G. CORNU, *Introduction, les personnes, les biens*, n°s 474, 475, 543. — MARTY et RAYNAUD, *Les personnes*, n° 512 et s. — MAZEAUD et DE JUGLART, t. II, vol. III, n° 1222 et s. — WEIL et TERRÉ, *Les personnes, la famille, les incapacités*, 5e éd., n° 736 et s. — *Rép. dr. civ. Dalloz*, V. *Incapables majeurs* par CHAMPENOIS, *Administration légale et tutelle* par E. ABITBOL et J. HAUSER, *Autorité parentale* par A. PONSARD.

345. — Avant d'envisager ces deux catégories d'incapables, on rappellera que le mineur émancipé a cessé d'être incapable pour tous les actes de la vie civile depuis la loi du 14 décembre 1964. Etant assimilé à un majeur (art. 481, al. 1), il peut sans restriction s'obliger et disposer de ses biens même à titre gratuit, sans avoir besoin d'être assisté par un curateur ou d'être représenté par un tuteur (1-1).

Toutefois, la pleine capacité du mineur émancipé comporte deux tempéraments notables; il lui est interdit de faire le commerce (C. civ., art. 487 et C. com., art. 2), aurait-il reçu une autorisation spéciale de ses parents; il est défendu à la jeune fille mineure émancipée de passer un contrat de mariage sans l'assistance des personnes dont le consentement est nécessaire à la validité de son mariage (C. civ., art. 1398, al. 1) : *habilis ad nuptias, habilis ad pacta nuptialia* (1-2).

On étudiera les règles relatives à la validité des contrats passés par les incapables ou pour eux par leurs représentants légaux, d'une part, en ce qui concerne les *mineurs non émancipés*, d'autre part, en ce qui concerne les *majeurs protégés*.

SOUS-SECTION I

LES MINEURS NON ÉMANCIPÉS

346. — La majorité civile étant fixée par le législateur à 18 ans, ceux qui n'ont pas atteint cet âge sont incapables de passer des actes juridiques eux-mêmes; à leur égard, l'incapacité (il s'agit d'incapacité d'exercice) est la règle. Cette règle, n'est, cependant, pas absolue, elle comporte des exceptions (§ 1); d'autre part, lorsqu'il s'agit d'actes que les mineurs sont incapables de faire personnellement, la loi a prévu dans quelles conditions ces actes pourraient être accomplis pour leur compte (§ 2) ainsi que la sanction qui frappe les actes irrégulièrement faits (§ 3).

§ 1. — Le domaine de l'incapacité

347. — Un certain nombre d'actes juridiques peuvent être faits valablement par les mineurs eux-mêmes, à la seule condition qu'ils aient atteint un âge suffisant pour comprendre ce qu'ils font, qu'ils aient la faculté de discernement. Au-dessous de cet âge, ils sont frappés de ce qu'on a appelé une *incapacité naturelle,* expression que l'on oppose à celle d'*incapacité civile* ou

(1-1) Ass. plén. 28 mai 1982 : *D.* 1983, 117, concl. J. CABANNES.

(1-2) ROLAND et BOYER, *Adages*, p. 384.

légale. L'acte fait par un mineur dépourvu de discernement est nul, incontestablement. Il s'agit d'une *nullité relative,* car elle a pour but de protéger le mineur. Elle ne peut être demandée que par le mineur ou son représentant.

A. — Actes personnels

348. — Il s'agit des actes pour lesquels on ne conçoit pas la représentation parce qu'ils postulent la volonté propre du mineur, volonté solitaire ou volonté assistée selon les cas.

Le mineur peut, seul, rédiger son testament à partir de seize ans (C. civ., art. 904), mais uniquement pour la moitié de la quotité disponible, peut seul reconnaître un enfant naturel ou agir en recherche de paternité. Pareillement, on ne conçoit pas d'intervention étrangère pour les actes qui se rapportent à son corps dont il est le maître exclusif; il doit consentir personnellement à une opération chirurgicale, et peut, seul, décider de l'utilisation de contraceptifs (L. 28 déc. 1967 et L. 4 déc. 1974).

Pour d'autres actes, au contraire, le mineur n'agit valablement que s'il obtient le consentement ou l'assistance du titulaire de l'autorité parentale ou de la tutelle. Il en va ainsi pour la jeune fille qui veut se marier, entre quinze et dix-huit ans (C. civ., art. 148) et souhaite passer un contrat de mariage (C. civ., art. 1398); le mineur n'est pas davantage abandonné à lui-même s'agissant de son adoption (C. civ., art. 345 et 360) ou de sa demande en substitution de nom (C. civ., art. 334-2).

B. — Actes professionnels

1° Entrée dans la profession

349. — En ce qui concerne les professions non commerciales, le mineur agit personnellement, mais la validité de son engagement est subordonnée à l'autorisation de son représentant légal. L'article L. 117-14 du Code du travail l'exige expressément pour le contrat d'apprentissage (2). S'agissant du contrat de travail (3), l'article L. 121-1 se borne à déclarer qu'« il est soumis aux règles du droit commun », ce qui requiert donc l'agrément du représentant légal. En fait, selon les usages, on présume l'existence de cette autorisation, lorsqu'il s'agit du contrat de travail. Si le représentant de l'enfant (père, mère, tuteur) n'entend pas lui permettre de travailler, il doit manifester ce désaccord par une opposition.

---

(2) L'entrée en apprentissage peut intervenir dès l'âge de quinze ans pour les jeunes justifiant avoir effectué la scolarité du 1er cycle de l'enseignement secondaire.

(3) L'art. L. 211-1 du Code du travail dispose que les jeunes ne peuvent s'embaucher qu'une fois libérés de leurs obligations scolaires.

350. — En revanche, pour ce qui est des métiers du commerce, la législation en interdit formellement l'accès au mineur, habilitation ou non (C. com., art. 2, dans sa rédaction du 5 juill. 1974); on a jugé, qu'avec l'abaissement à dix-huit ans de l'âge de la majorité, il n'était pas raisonnable de laisser des adolescents entreprendre une activité réputée périlleuse.

2° Exercice de la profession

351. — Une fois autorisé à travailler, tacitement (défaut d'opposition) ou expressément, il peut faire seul, valablement, tous les actes entrant dans le cadre de l'exercice de sa profession. Il peut même agir en justice pour tout ce qui concerne les droits découlant du contrat de travail. L'article L. 516-1 du Code du travail dispose en effet :

« Les mineurs qui ne peuvent être assistés de leur père, mère ou tuteur peuvent être autorisés par le Conseil (de Prud'hommes) à se concilier, demander ou défendre devant lui ».

En outre, l'adhésion à un syndicat professionnel est librement ouverte conformément à l'article L. 411-5 du Code du travail qui dispose : « Tout salarié, quels que soient son sexe, son âge, sa nationalité, peut librement adhérer au syndicat professionnel de son choix, sauf à observer que le mineur émancipé ne peut participer ni à l'administration ni à la direction de ce syndicat qui exige la jouissance des droits civiques (dix-huit ans) ».

C. — Actes courants

352. — L'article 450, alinéa 1er, du Code civil porte que le mineur peut agir dans les cas où la loi ou l'usage l'autorise.

Parmi les textes particuliers, on citera la possibilité de se faire ouvrir un livret de caisse d'épargne (C. caisses d'épargne, art. 13 et 15) ou un compte d'épargne-logement (C. construction, art. R. 315-19), étant précisé que les retraits ne sont permis que s'il a au moins seize ans et que son représentant ne s'y oppose pas.

Les actes autorisés par l'usage constituent une innovation de la loi du 14 décembre 1964 (C. civ., art. 450, al. 1er nouv.). En réalité, la jurisprudence antérieure était déjà dans ce sens : les actes de la vie courante, *compte tenu de l'âge du mineur,* sont faits valablement par le mineur seul : acheter des vêtements, des livres, louer des places dans les salles de spectacles, ou même louer une voiture automobile (4), mais non l'acheter (5).

Naturellement, font partie de ces actes autorisés par la coutume les actes conservatoires. On appelle ainsi les actes qui conservent un droit (inscription

---

(4) Civ. 1re, 4 nov. 1970 : *J.C.P.* 71, II, 16631.

(5) Civ. 1re, 9 mai 1972 : *Bull. civ.* I, n° 122.

d'une hypothèque, interruption d'une prescription); en effet, ces actes ne peuvent, en aucun cas, lui être préjudiciables, il n'y a donc aucune raison de les soumettre à un régime de protection (sur les actes conservatoires, V. *Introduction,* n° 1346).

§ 2. — Les remèdes à l'incapacité

353. — L'incapacité du mineur étant la règle, tous les actes autres que ceux indiqués ci-dessus entrent dans le domaine de l'incapacité. En règle générale, ces actes doivent être faits par le *représentant* du mineur (administrateur légal ou tuteur) et certains d'entre eux, les plus graves, ne seront valablement faits par ce dernier qu'avec des habilitations *ad hoc.*

A. — Représentation du mineur

354. — Dans le cadre de l'administration légale pure et simple, chacun des époux est réputé, à l'égard des tiers, avoir reçu de l'autre le pouvoir de faire seul les actes pour lesquels un tuteur n'aurait besoin d'aucune autorisation (C. civ., art. 389-4). C'est donc, indifféremment, le père ou la mère qui agit au nom de l'enfant.

355. — Dans le cadre de la tutelle, le tuteur accomplit seul, en tant que représentant, tous les actes d'administration (C. civ., art. 456). Il peut aussi aliéner à titre onéreux les meubles d'usage courant et les biens ayant le caractère de fruits. Quant aux baux qu'il a consentis, ils ne confèrent au preneur, à l'encontre du mineur devenu majeur ou émancipé, ni droit de renouvellement ni droit au maintien dans les lieux à leur expiration. Il a qualité pour introduire en justice une action relative aux *droits patrimoniaux* du mineur ou pour y défendre, avec pouvoir de se désister mais interdiction d'acquiescer.

B. — Habilitation du représentant

356. — Le tuteur a l'obligation d'être autorisé par le conseil de famille pour passer les actes de disposition au nom du mineur, notamment emprunter pour le pupille, aliéner ou grever de droits réels les immeubles, les fonds de commerce, les valeurs mobilières et autres droits incorporels ainsi que les meubles précieux ou ceux qui constitueraient une part importante du patrimoine pupillaire. La même autorisation est requise pour les actions en justice relatives à des droits extra-patrimoniaux.

357. — En cas d'administration légale pure et simple, l'habilitation du conseil de famille est représentée par le consentement du conjoint. A défaut d'accord entre les époux, l'acte doit être autorisé par le juge des tutelles (C. civ., art. 389-5). Enfin, lorsque le mineur est sous le régime de l'administration légale sous contrôle judiciaire, le père ou la mère — qui, par hypothèse ne peut recourir au consentement de son conjoint — doit se pourvoir d'une autorisation du juge des tutelles pour accomplir les actes qu'un tuteur ne pourrait passer qu'avec une habilitation du conseil de famille (C. civ., art. 389-6).

§ 3. — Les sanctions de l'incapacité

Le Code civil prévoit deux sortes de sanctions, selon les actes dont il s'agit : l'action en nullité et l'action en rescision pour lésion.

A. — Action en nullité

1° Conditions de la nullité

358. — Cette sanction est applicable aux actes que l'administrateur légal ou le tuteur ne peut faire qu'avec l'autorisation du conseil de famille ou, pour certains, avec, en outre, celle du juge des tutelles. Dès lors que ces autorisations n'ont pas été obtenues, l'acte est nul, qu'il ait été fait par le représentant du mineur et, à plus forte raison, par le mineur seul.

S'agissant de l'absence d'autorisations exigées dans l'intérêt du mineur, la nullité est *relative.*

Pour obtenir la nullité, il suffit de prouver que les habilitations exigées par la loi n'ont pas été obtenues : l'acte est nul « en la forme », c'est-à-dire indépendamment du point de savoir s'il est avantageux ou non pour le mineur (bien que non lésionnaire, la nullité doit être prononcée si elle est demandée par le mineur ou son représentant).

Quant aux actes qui exigent la présence personnelle du mineur avec l'*assistance* de certaines personnes (parents notamment), tels que le mariage, l'adoption et le contrat de mariage, le défaut d'assistance entraîne également leur nullité relative (6).

L'action en nullité dure cinq ans; ce délai ne court, à l'égard des actes faits par un mineur, que du jour de la majorité ou de l'émancipation.

2° Exclusion de la nullité

359. — L'article 1307 du Code civil dispose : « La simple déclaration de majorité faite par le mineur ne fait point obstacle à sa restitution »

(6) Avant la loi du 13 juill. 1965, la jurisprudence considérait que la nullité du contrat de mariage était dans tous les cas absolue. La loi de 1965 (art. 1398, al. 2) déclare expressément que, dans l'hypothèse dont il s'agit, la nullité est relative.

c'est-à-dire au prononcé de la nullité (6-1). La solution est, peut-être, excessive, car elle surprend le cocontractant trompé exposé à une action en nullité, et laisse impuni le comportement blâmable du mineur. En outre, on déduit de ce texte, par un argument *a contrario*, qu'une dissimulation frauduleuse, et non la simple affirmation mensongère de majorité, telle que la présentation d'une pièce d'identité falsifiée, entraîne déchéance du droit d'agir en nullité. Cette interprétation est considérée comme une application de l'idée de responsabilité civile : le comportement fautif serait source de préjudice pour le partenaire surpris si l'on maintenait la nullité; le meilleur mode de réparation consiste alors à conserver le contrat, ce qui implique le rejet de la demande en annulation. Une autre explication peut être avancée : le mineur, du seul fait qu'il a réussi à tromper son cocontractant, prouve du même coup sa capacité à agir, ce qui rend inutile toute disposition de protection.

B. — Action en rescision pour lésion

1° Domaine de l'action

360. — C'est la sanction des actes qui, selon la loi, auraient dû être conclus par le représentant du mineur (père, mère, tuteur), mais que celui-ci avait le pouvoir de faire seul, sans autre autorisation. Il s'agit d'actes d'administration courante. En pratique, fréquemment, un acte de cette nature est conclu par le mineur agissant seul. C'est donc un acte *irrégulièrement* fait. Cependant, compte tenu de son peu de gravité et des nécessités de la vie courante, ces actes, quoique irréguliers, ne sont pas nuls de ce seul fait; ils ne sont que rescindables (annulables) *pour lésion*. Pour obtenir leur nullité, le mineur ou son représentant doit prouver que l'acte est *lésionnaire*, c'est-à-dire économiquement désavantageux pour l'incapable (une chose a été vendue trop bon marché ou achetée à un prix excessif, etc.).

Cette règle est ancienne. On l'exprimait à Rome par l'adage : *Minor restituitur non tanquam minor sed tanquam laesus* (6-2). Autrement dit, pour ces actes-là — de simple administration — le mineur n'est pas vraiment incapable; il est simplement incapable de se léser !

361. — L'article 1306 du Code civil précise que la nullité pour lésion n'est pas admise si celle-ci résulte d'un événement casuel et imprévu. En somme, seuls sont rescindables les actes qui dénotent, de la part du cocontractant, un esprit d'exploitation de l'inexpérience du mineur. Cette action revêt le caractère d'une sanction contre ceux qui profitent de cette inexpérience pour faire accepter au mineur des conventions désavantageuses.

(6-1) V. MALINVAUD, *La responsabilité des incapables... à l'occasion d'un contrat*, 1963, n° 37 et s.

(6-2) ROLAND et BOYER, *Adages*, p. 531.

2° Limitation de la restitution

362. — Normalement, l'annulation ayant un effet rétroactif, le contrat est effacé même pour le passé et donne lieu à entière restitution de part et d'autre. Si on appliquait cette règle, le mineur bénéficiaire de l'annulation devrait rendre la totalité de ce qu'il a reçu; il en résulterait qu'en cas de dilapidation, il lui serait nécessaire de prélever d'autres valeurs dans son patrimoine pour satisfaire à cette obligation; le risque serait donc grand qu'il renonce à exercer l'action en rescision et la protection de la loi deviendrait illusoire. C'est pourquoi l'article 1312 du Code civil déclare qu'il ne peut être exigé de remboursement du mineur que dans la mesure où il est prouvé que « ce qui a été payé a tourné à (son) profit »; autrement dit l'obligation de restitution est limitée à l'enrichissement (7).

363. — On notera, aussi, la règle spéciale relative aux payements. Aux termes de l'article 1241 du Code civil :

« Le payement fait au créancier n'est point valable s'il est incapable de recevoir, à moins que le débiteur ne prouve que la chose payée a tourné au profit du créancier ».

Normalement, les dettes envers le mineur doivent être payées entre les mains de son représentant. Si le débiteur verse la somme due directement au mineur, il s'expose à payer une seconde fois, sauf s'il prouve que le mineur n'a pas dépensé cet argent, mais l'a, par exemple, placé ou employé à l'achat de biens qu'il a conservés.

364. — Notons, enfin, une règle commune aux divers actes que nous venons d'étudier. S'ils ont été conclus valablement en la forme, par le représentant du mineur et, le cas échéant, avec les autorisations requises, ils sont assimilés aux actes faits par une personne capable. Autrement dit, le mineur (ou son représentant) ne pourrait pas en demander la rescision pour lésion, en dehors des cas où un majeur le pourrait lui-même (vente d'immeuble notamment). Le seul recours du mineur lésé, c'est une action en responsabilité contre son représentant, notamment le tuteur, si les conditions de la responsabilité de ce dernier sont réunies.

SOUS-SECTION II

LES MAJEURS INCAPABLES

365. — En ce qui concerne les majeurs, la règle est la capacité, l'incapacité est l'exception (c'est donc la règle inverse de celle qui est appliquée aux mineurs).

Les majeurs incapables sont principalement les aliénés. Mais d'autres *déficiences mentales ou physiques* ont été prises en considération par le

---

(7) Par exemple : Civ. 1re, 5 avril 1978 : *Bull. civ.* I, n° 147.

législateur qui a élaboré un système de protection des majeurs. C'est une réglementation complexe, dont on se bornera, ici, à indiquer les grandes lignes. On distinguera selon que le majeur a fait ou n'a pas fait l'objet d'une procédure de protection.

§ 1. — Les majeurs non protégés

A. — Principe de la nullité

366. — Tous les aliénés ne sont pas placés sous le régime de la tutelle, de la curatelle ou de la sauvegarde de justice. A plus forte raison, il en est ainsi des personnes atteintes de diverses autres infirmités mentales, psychiques ou physiques. Ce sont des individus *en principe capables* de faire des actes juridiques valables.

Cependant, avant même la loi du 3 janvier 1968, la jurisprudence considérait que les actes juridiques passés par les aliénés étaient nuls, en se fondant sur l'article 1108 du Code civil qui fait figurer le consentement parmi les conditions de validité des conventions. Or, un aliéné ne peut pas émettre un véritable consentement, lequel, par hypothèse, suppose la faculté de discernement. Faute d'un texte spécial en la matière, la nullité des actes d'un aliéné n'ayant fait l'objet d'aucune procédure établissant sa démence, avait pour fondement l'*absence de consentement.* On en déduisait que l'acte était *inexistant* et que la nullité le frappant était une *nullité absolue.*

La loi du 3 janvier 1968 sur les incapables majeurs a réglementé cette question. Le nouvel article 489 déclare :

« Pour faire un acte valable, il faut être sain d'esprit » (8).

367. — La loi précise que la nullité frappant les actes des aliénés est *relative.* Il était, en effet, illogique de considérer que la nullité dont il s'agit fût absolue. Seules sont absolues les nullités qui sanctionnent l'inobservation des règles édictées dans un intérêt général. Or, s'agissant d'aliénés, l'intérêt général n'est pas en cause. Seuls sont à considérer les intérêts personnels de l'aliéné. Il en résulte que la nullité est relative (V. art. 489, al. 2 et art. 1304) (9) et se prescrit par le même délai de cinq ans.

(8) De ce fait, l'art. 901 du C. civ. initial qui proclame la même règle, mais seulement pour les donations et les testaments, n'a plus de raison d'être; on ne comprend pas qu'elle n'ait pas été supprimée par la loi de 1968.

(9) Une règle différente est admise lorsqu'il s'agit du *mariage* d'un aliéné, la nullité est, en ce cas, absolue. On a voulu permettre, ainsi, que la nullité de ce mariage pût être demandée, non seulement par l'aliéné qui peut s'en accomoder fort bien, mais encore par son époux dont la protection est également à considérer (il s'agit, précisons-le, d'aliénation mentale existant lors de la célébration du mariage et non survenue après).

B. — Preuve de la démence

368. — C'est le point difficile. Le majeur n'ayant fait l'objet, par hypothèse, d'aucune procédure de protection, la capacité étant, par ailleurs, la règle, il faut, pour faire annuler l'acte, établir que le contractant n'était pas sain d'esprit. Le régime de la preuve n'est pas le même selon que la nullité est demandée du vivant de l'aliéné ou après son décès :

1° Du vivant de l'aliéné

369. — La nullité ne peut être prononcée que si la preuve de la démence, au moment même de la conclusion du contrat, est apportée (10). Il ne suffit pas de prouver, qu'à l'époque de l'acte, l'individu était déjà notoirement considéré comme aliéné. Un aliéné notoire peut avoir des intervalles lucides. *Du moment qu'il n'est pas soumis à un régime de protection, la lucidité est présumée.* C'est donc au demandeur en nullité à prouver, qu'au moment de l'acte, l'individu en question se trouvait en état de démence.

370. — Cette preuve pourra être faite par tous moyens, notamment par témoins ou présomptions. La jurisprudence admettait, sous le régime antérieur à la loi de 1968, que cette preuve pouvait résulter du fait que l'intéressé était en état de démence immédiatement avant et immédiatement après la passation de l'acte dont la nullité était demandée. La loi nouvelle ne posant pas de règle spéciale à cet égard, le système jurisprudentiel antérieur a été logiquement maintenu.

2° Après le décès de l'aliéné

371. — La preuve sera plus difficile encore à faire. Pour obtenir la nullité des actes d'un individu décédé, la preuve de sa démence doit, en principe, résulter de l'acte attaqué lui-même; la preuve doit être *intrinsèque* : la démence, au moment même de l'acte, ne peut pas être établie par témoins ou présomptions, elle doit être évidente par le seul examen de l'acte (11).

Tel est, du moins, le principe posé par l'article 489-1 du Code civil. Mais ce principe est écarté dans plusieurs hypothèses.

Si l'acte attaqué est une libéralité, donation ou testament, la jurisprudence antérieure à la loi de 1968 permettait déjà d'attaquer ces actes pour insanité

(10) Com., 2 juin 1981 : *Bull. civ.* IV, 205.

(11) Civ. 1re, 15 mars 1977 : *Bull. civ.* I, n° 100; — V. sur la nécessité de la preuve intrinsèque et l'office du juge en ce domaine : Civ. 3e, 5 janv. 1981 : *Gaz. Pal.* 1981, 1, pan. 145. — Civ. 2e, 17 juill. 1986 : *Bull. civ.* III, n° 121, p. 95. — Civ. 3e, 1er juill. 1987 : *Bull. civ.* III, n° 134, p. 79. — Civ. 3e, 2 déc. 1987, inédit cité par J. MESTRE : *Rev. trim. dr. civ.* 1988, 342, qui analyse l'exigence du caractère intrinsèque de la preuve par la Cour de cassation.

d'esprit, en vertu de l'article 901 du Code civil. Alors même que l'action était intentée après le décès du disposant, la preuve de la démence au moment de l'acte pouvait être faite par tous les moyens, notamment par présomptions et témoignages : preuves extrinsèques (12). Cette solution est implicitement consacrée par l'article 489-1 précité.

Si, avant le décès, une procédure avait été commencée afin de placer l'aliéné sous le régime de la tutelle ou de la curatelle, bien que ces procédures n'aient pas abouti par suite du décès de l'aliéné, elles ont créé un doute sur la lucidité de celui qu'elles visaient. En ce cas, la preuve de la démence au moment des actes faits de son vivant peut, également, être faite par tous les moyens (art. 489-1, 3° implicitement) (12-1).

Observons, encore, que tout ce qui vient d'être dit au sujet des aliénés s'applique, de façon plus générale, à toute *maladie* ou *infirmité altérant gravement les facultés mentales,* de même qu'à la sénilité ou à l'état d'agonisant.

§ 2. — Les majeurs protégés

La loi de 1968 a prévu trois sortes de procédure : la tutelle, la curatelle, la mise sous sauvegarde de justice (12-2).

A. — Majeurs en tutelle

372. — Aux termes des articles 490 et 492 du Code civil, ce régime concerne ceux qui,

« par suite d'une altération grave de leurs facultés mentales ou corporelles, ont besoin d'être représentés d'une manière continue dans les actes de la vie civile ».

Il s'agit, principalement, des aliénés. Ces personnes ne peuvent, en principe, faire aucun acte juridique (à moins que le juge, en ouvrant la tutelle, n'indique certains actes que l'aliéné pourrait faire *seul* ou *assisté* par son tuteur : C. civ., art. 501).

1° Actes postérieurs

373. — Les actes (autres que ceux exceptionnellement autorisés) que l'aliéné aurait passés sont, dit l'article 502, *nuls de droit.* Le sens de cette expression doit être bien compris : elle ne signifie pas que la nullité joue automatiquement; il est toujours nécessaire qu'elle soit demandée par les personnes qui

---

(12) Civ., 5 déc. 1949 : *D.* 1950, 57; — Civ. 1re, 26 mai 1964 : *D.* 1964, 109, note LE BRIS.

(12-1) Civ. 1re, 27 janv. 1987 (deux arrêts) : *J.C.P.* 88, II, 20981, note FOSSIER : nécessité de prouver l'insanité au moment de l'acte, liberté de la preuve (certificat médical).

(12-2) J. MASSIP, *La réforme du droit des incapables majeurs*, t. I, 2e éd., DEFRÉNOIS, 1971, préface CARBONNIER. — L'article 503 du Code civil, DEFRÉNOIS, 1985, art. 33541.

sont qualifiées pour le faire (v. C. civ., art. 493). Elle ne signifie pas non plus que la nullité est absolue.

Le sens de l'expression « nuls de droit » est que le tribunal *doit* prononcer la nullité, du moment que l'acte est *postérieur* à l'ouverture de la tutelle (plus précisément deux mois après la publication de cette ouverture par une mention en marge de l'acte de naissance de l'aliéné : art. 493-2). Il n'y a donc aucune preuve à faire. Il est possible que, malgré l'ouverture de la tutelle, l'aliéné ait passé un acte dans un intervalle lucide. Cela ne le rend pas valable. Après l'ouverture de la tutelle, il n'existe plus, juridiquement, d'intervalle lucide. Tel est le sens de l'expression nuls de droit (13).

2° Actes antérieurs

374. — La loi a prévu un régime juridique différent pour les actes passés antérieurement à l'ouverture de la tutelle. Ces actes *peuvent* être annulés par le juge (C. civ., art. 503). La nullité n'est donc plus de droit. Pour l'obtenir, le demandeur en nullité doit prouver que la cause qui a provoqué l'ouverture de la tutelle, notamment la démence, existait notoirement à l'époque où l'acte attaqué a été fait (14). Il n'est pas nécessaire de prouver la folie au moment précis de l'acte, mais seulement que la folie remontait à une époque antérieure à l'ouverture de la tutelle, époque au cours de laquelle le contrat que l'on veut faire annuler a été conclu.

B. — Majeurs en curatelle

375. — Ce régime est prévu par la loi de 1968 (C. civ., art. 508 à 514), d'une part, pour les personnes dont les facultés mentales ou corporelles sont diminuées, mais de façon moins grave que celles dont l'état justifierait la mise en tutelle (art. 508), d'autre part, pour celui qui « par sa *prodigalité,* son *intempérance* ou son *oisiveté*, s'expose à tomber dans le besoin ou compromet l'exécution de ses obligations familiales » (art. 488, al. 3 et 508-1, combinés).

La curatelle est un régime d'assistance, et non de représentation, qui s'applique au majeur qui n'est pas hors d'état d'agir lui-même, mais qui a cependant besoin d'être conseillé ou contrôlé.

(13) Certains actes peuvent, exceptionnellement, être faits dans un intervalle lucide : conformément à la jurisprudence antérieure, les actes de la vie courante, les actes conservatoires, ainsi que des actes ayant un caractère personnel (mariage, contrat de mariage, testament, donations, reconnaissance d'enfants naturels); pour le mariage, et le contrat de mariage, l'aliéné doit être assisté (C. civ., art. 506 et 1399).

(14) Paris, 14 juin 1979 : *D.* 1980, I.R. 79. — Civ. 1re, 12 fév. 1985 : *D.* 1985, 518, note J. MASSIP. L'article 503 du Code civil n'est pas applicable lorsque le jugement d'ouverture de la tutelle n'a pas été prononcé avant le décès de l'incapable prétendu : en l'espèce, la décision refusant la mise en tutelle avait été critiquée devant le T.G.I., mais le décès était survenu entre temps. — Civ. 1re, 5 mai 1987 : *J.C.P.* 88, II, 21109, note Th. FOSSIER : la notoriété de l'insanité ayant conduit à l'ouverture de la tutelle s'entend d'une notoriété générale à laquelle il convient d'assimiler la connaissance personnelle qu'en avait le co-contractant à l'époque de l'acte.

1° Actes exigeant l'assistance du curateur

376. — D'après l'article 510 du Code civil, le majeur en curatelle ne peut, sans l'assistance de son curateur, faire aucun acte qui, sous le régime de la tutelle des majeurs, requérait une autorisation du conseil de famille. En cas de refus, il faut demander au juge des tutelles une autorisation supplétive.

Si ces formalités habilitantes n'ont pas été suivies, en d'autres termes, si le majeur a agi seul, la sanction est la nullité relative poursuivie par l'intéressé ou le curateur, action qui s'éteint par prescription quinquennale.

2° Actes dispensés de l'assistance du curateur

377. — Dans tous les cas où l'assistance du curateur n'était pas requise par la loi, les actes que le curatélaire a fait seul sont néanmoins susceptibles d'être attaqués de trois façons :

— par une action *en nullité* pour démence, à condition de prouver la démence ou l'aliénation complète des facultés mentales au moment même de l'acte. La preuve en sera facilitée, bien entendu, du fait de la mise en curatelle de l'intéressé;

— par une action *en rescision pour lésion* qui, on le sait, concerne l'acte dont les prestations sont inégales. L'individu a fait une mauvaise affaire; le contrat est rescindable;

— par une action *en réduction pour excès*. L'excès est une notion différente. L'acte, en lui-même, n'est pas lésionnaire : les prestations sont équivalentes de part et d'autre. Mais, il y a disproportion entre l'importance des dépenses et la fortune de celui qui les a engagées (hypothèse qui se rencontre justement en cas de prodigalité ou d'intempérance). En ce cas, la sanction n'est pas la rescision (c'est-à-dire la nullité), mais la réduction. On ramènera l'acte à des proportions raisonnables.

378. — Ces sanctions ne seront, d'ailleurs, pas prononcées automatiquement. Elles doivent, bien sûr, être demandées. Le juge appréciera s'il y a lésion ou excès. Mais, de plus, il doit, pour les prononcer, tenir compte de la bonne ou de la mauvaise foi du tiers cocontractant, de la fortune de la personne protégée, de l'utilité ou de l'inutilité de l'opération (art. 491-2, al. 3).

Toutes ces actions se prescrivent par un délai de cinq ans.

C. — Majeurs sous sauvegarde de justice

379. — C'est une innovation de la loi de 1968. Cette mesure est destinée à être appliquée à certaines personnes ayant besoin de protection pour passer des actes de la vie civile, sans que leur état soit tel qu'il nécessite un régime d'assistance ou de représentation (C. civ., art. 491).

La mise sous sauvegarde de justice résulte d'une simple déclaration faite au procureur de la République par le médecin traitant (art. 491-1) ou d'une décision provisoire rendue par le juge des tutelles, elle-même transmise au procureur de la République (art. 491-1, al. 2). Elle doit être publiée sur un registre spécial.

380. — Cette mesure ne crée pas, à proprement parler, une *incapacité* de la personne protégée. Cependant, si une action en nullité pour démence est intentée, la preuve que l'individu a passé l'acte en état de démence sera facilitée, non seulement si l'action est intentée de son vivant, mais alors même qu'elle serait intentée après son décès (on n'exigera pas la preuve intrinsèque de son état : v. art. 489-1, 2°).

381. — D'autre part, les actes faits par la personne mise sous la sauvegarde de justice seront *rescindables pour lésion* et *réductibles pour cause d'excès,* dans les conditions exposées ci-dessus (art. 491-2, al. 2).

La lucidité des contractants est donc une condition de validité des conventions. Nécessaire, cette condition relative, somme toute, au consentement, n'est pas suffisante. Le consentement d'un être lucide peut être vicié par suite d'une *erreur,* d'un *dol* ou d'une *violence* dont il a été la victime. Nous consacrerons à chacun de ces vices du consentement une sous-section de la section suivante.

SECTION II

CONSENTEMENT POUR CONTRACTER

La théorie des vices du consentement est inscrite à l'article 1109 du Code civil qui pose qu'« il n'y a point de consentement valable si le consentement n'a été donné que par erreur ou s'il a été extorqué par violence ou surpris par dol ». Le législateur ne se contente donc pas de n'importe quel consentement; il exige une volonté *éclairée*, c'est-à-dire exempte d'erreur ou de dol, et *libre*, c'est-à-dire pure de toute violence (14-1).

(14-1) CARBONNIER, 13e éd., n° 19 et s. — P. CHAUVEL, *Jurisclasseur*, fasc. 45, *Contrats, V° Vices du consentement*. — GHESTIN, n° 357 et s. — MALAURIE et AYNÈS, n° 257 et s. — MAZEAUD et CHABAS, n° 128 et s. — MARTY et RAYNAUD, n° 131 et s., 143 et s., 154 et s., 161. — WEILL et TERRÉ, n° 154 et s.

SOUS-SECTION I

L'ERREUR

Notion de l'erreur

382. — L'erreur (15) est une représentation inexacte de la réalité consistant à prendre pour vrai ce qui est faux ou ce qui est faux pour vrai. Lors de la conclusion du contrat, l'un des contractants s'est trompé sur l'un des éléments du contrat.

Fréquemment, mais non dans tous les cas, l'erreur est commune aux deux contractants.

Les erreurs peuvent être très diverses. On a pu se tromper sur la chose à propos de laquelle le contrat a été conclu, sur la matière dont elle est faite, sur ses qualités, sur ses utilisations possibles; on a pu se tromper sur la personne de son cocontractant, ou bien sur la cause, c'est-à-dire la raison, le motif de son engagement, sur la nature du contrat (prêt, donation, vente, etc.), sur la valeur de l'objet aliéné ou acquis, sur les conséquences que la loi attache à l'expression du consentement, etc.

Problématique

383. — La question que l'on se pose est alors la suivante : ce contrat, conclu par erreur, peut-il être annulé ou doit-il être maintenu, considéré comme valable, malgré l'erreur ?

La réponse n'est pas évidente. On pourrait soutenir, d'une part, qu'un consentement vicié par l'erreur n'est plus une expression de la volonté réelle du contractant. Le contrat manquerait alors de sa base même, la volonté de contracter. Cette conception conduirait à admettre la nullité.

Mais, en sens inverse, on peut faire remarquer que si l'on admettait trop facilement la nullité pour erreur, il serait à craindre que l'on ne vienne trop souvent demander en justice la nullité des contrats. Ce serait là une cause d'instabilité, d'insécurité, dans la vie contractuelle. Or, le droit se préoccupe de sauvegarder cette *stabilité*.

En outre, l'admission de la nullité pour erreur de l'un des contractants peut aboutir à une *injustice* pour l'autre contractant, lorsqu'il n'a pas lui-même

---

(15) GAUDREFOY, *L'erreur-obstacle*, thèse Paris, 1925. — GHESTIN, *La notion d'erreur dans le droit positif actuel*, 2e éd., 1971. — MAURY, *L'erreur sur la substance dans les contrats à titre onéreux : Études Capitant*, 1939, p. 491. — MALINVAUD, *De l'erreur sur la substance : D.* 1972, chron. 215. — J.-M. TRIGEAUD, *L'erreur de l'acheteur, l'authenticité du bien d'art* (étude critique) : *Rev. trim. dr. civ.* 1982, 55; *Rép. dr. civ. Dalloz, V° Erreur* par GHESTIN. — P. CHAUVEL, *Le vice du consentement*, thèse Paris II, 1981.

commis d'erreur et qu'il n'avait aucune raison de soupçonner l'erreur de son cocontractant. Doit-on, dès lors, pour protéger la victime de l'erreur, sacrifier les intérêts d'un contractant qui n'a rien à se reprocher ?

On peut aussi se demander si le caractère plus ou moins excusable de l'erreur doit ou non être pris en considération pour prononcer la nullité.

Toute solution du problème de l'erreur doit tenir compte de ces diverses considérations.

Plan

384. — Le Code civil se rattache à la deuxième conception : celle qui se préoccupe du maintien du contrat. Il n'admet la nullité pour erreur que dans certains cas. Mais, en pratique, ces cas sont apparus insuffisants. La jurisprudence — par une interprétation audacieuse du texte — a élargi le domaine d'application de la nullité pour erreur. Cependant, certaines limites n'ont pas pu être franchies : certaines erreurs n'affectent pas la validité du contrat; elles sont, déclare-t-on, indifférentes (quant à sa validité). Quoi qu'il en soit des cas d'erreur, leur régime est identique; on le présentera (§ 2) après avoir passé en revue le domaine de ce vice du consentement (§ 1).

§ 1. — Les cas d'erreur

385. — L'article 1110 du Code civil déclare :

« L'erreur n'est une cause de nullité de la convention que lorsqu'elle tombe sur la substance même de la chose qui en est l'objet ». — « Elle n'est point une cause de nullité, lorsqu'elle ne tombe que sur la personne avec laquelle on a l'intention de contracter, à moins que la considération de cette personne ne soit la cause principale de la convention ».

Par conséquent, le principe, selon cet article, c'est que l'erreur n'est pas cause de nullité. Il est, toutefois, écarté dans deux cas : erreur sur *la substance*, erreur sur *la personne* du cocontractant.

A ces deux espèces, la jurisprudence, sous l'empire des nécessités et pour répondre aux circonstances de fait, a accueilli d'autres causes d'erreur que l'on regroupera, pour la facilité, dans une troisième espèce que l'on dénommera erreur sur *le contrat*.

A. — Erreur sur la substance

386. — Remarquons, tout d'abord, une impropriété de la formule du Code. La chose dont il s'agit doit s'entendre comme étant *l'objet de l'obligation* de l'une ou de l'autre partie, et non comme étant *l'objet de la convention.* C'est par rapport à chaque contractant que le problème se pose, par rapport à *ses* obligations prises en vertu du contrat.

Ceci précisé, *que signifie le terme substance,* quand y a-t-il erreur sur la substance ? Plusieurs interprétations ont été données (16).

1° Substance et matière

387. — Dans une conception étroite, le terme substance est pris dans son sens physique : la *matière* dont est faite la chose. L'exemple bien connu est celui que donne Pothier, achat de chandeliers que l'on croyait en argent, mais qui, en réalité, sont en cuivre argenté. Toutes les fois que la matière de l'objet n'est pas celle que l'on avait en vue en contractant, il y aurait erreur, donc nullité du contrat, mais dans ces cas seulement.

Avec une pareille conception, rares seraient les hypothèses où la nullité pour erreur pourrait être prononcée. De plus, il est des cas où la matière dont est faite la chose n'a pas d'intérêt réel pour son utilisation. Pourquoi permettre la nullité en ces cas ?

2° Substance et qualité objective

388. — Une conception plus large et plus souple a été donnée et a prévalu en jurisprudence. Ce qui justifie la nullité, c'est l'erreur qui a pesé sur la volonté, celle qui a été *déterminante,* celle sans laquelle l'obligation n'aurait pas été assumée.

Par conséquent, on va considérer comme cause de nullité des erreurs portant sur les *qualités essentielles de la chose,* sur les qualités qui lui sont propres, celles qui lui donnent, pour ainsi dire, son individualité. On donne comme exemple, en ce sens, l'achat d'un meuble d'époque. Ce que recherche l'acheteur, ce n'est pas une commode en bois d'acajou, ce qui l'intéresse, c'est l'époque de fabrication de ce meuble. Il voulait acheter une commode faite par un ébéniste du XVIIIe siècle et non une copie que l'on a faite sous le second Empire, encore moins sous la Ve République.

389. — En ce cas, la substance n'est pas la matière, c'est *l'authenticité.* Un arrêt a annulé la vente faite aux enchères publiques de deux sièges que l'acquéreur, un antiquaire, sur la foi du catalogue, avait cru être des marquises Louis XV, et qui s'avérèrent, après décapage et dégarnissage, n'être que des bergères adroitement reconstituées... Marquises et bergères ne sont manifestement pas de la même « substance » (17). Encore faut-il que les parties n'aient

---

(16) Ph. MALINVAUD, *L'erreur sur la substance* : *D.* 1972, chron. 215. — J. GHESTIN, *La réticence, le dol et l'erreur sur les qualités substantielles* : *D.* 1971, chron. 247. — J.-M. TRIGEAUD, *L'erreur de l'acheteur, l'authenticité d'un bien d'art* : *Rev. trim. dr. civ.* 1982, 55.

(17) Civ. 1re, 23 fév. 1970 : *J.C.P.* 70, II, 16347, note P.A. — Paris, 7 déc. 1976 (Argenterie d'Augsbourg) : *Gaz. Pal.* 1977, 1, 135 et, sur pourvoi : Civ. 1re, 24 janv. 1979 : *D.* 1979, I.R. 148; *Rép. Defrénois* 1980, 384, obs. AUBERT. — V. aussi T.G.I. Paris, 25 janv. 1976 : *D.* 1977, 478, note MALINVAUD. — Versailles, 13 avril 1983 : *Gaz. Pal.* 1984, 1, somm. 60. — V. J.-M. TRIGEAUD, *L'erreur de l'acheteur, l'authenticité du bien d'art* : *Rev. trim. dr. civ.* 1982, p. 55 et s. — Paris, 24 sept. 1987 : *D.* 1987, I.R. 214 : erreur sur l'ancienneté d'un Triton de fontaine, époque Louis XIV.

pas accepté un aléa sur l'authenticité de l'œuvre, auquel cas on ne saurait parler de consentement donné sous l'empire d'une conviction erronée (17-1).

Il y a d'innombrables applications de ce genre d'erreurs ayant permis la nullité : achat d'une toile, faussement attribuée à tel peintre (18), achat de perles de culture et non de perles naturelles (19), etc. Un bail rural a été annulé à la demande du fermier en raison de l'erreur sur la durée et l'importance des travaux de remise en état de la ferme, de sa « valeur culturale » (20); il s'agissait d'une erreur sur les qualités substantielles de la ferme. L'erreur sur la date de mise en circulation d'une voiture achetée d'occasion a été admise comme cause de nullité (21). Ont été encore jugées qualités essentielles de la chose, la rentabilité d'un immeuble (22), la constructibilité d'un terrain vendu (23), l'existence d'un gage sur une automobile (24), l'adaptation d'un matériel informatique et d'un logiciel aux besoins spécifiques d'un client tels qu'ils avaient été appréciés lors de la visite préalable d'un technicien (24-1).

L'épineux problème d'arithmétique qu'avait suscité, pour beaucoup, la métamorphose des francs traditionnels en « nouveaux francs » d'abord, puis en « francs » nouveaux, ne pouvait pas manquer de créer des confusions. Des arrêts ont annulé les engagements entachés de semblables erreurs (25).

390. — On remarquera que, dans cette conception élargie de l'erreur, la matière peut ou non jouer un rôle déterminant : cela dépend des circonstances.

(17-1) Civ. 1re, 24 mars 1987 : *Bull. civ.* I, n° 105, p. 78; *D.* 1987, I.R. 83 : vente aux enchères publiques d'un tableau « attribué à Fragonard » et intitulé *Le Verrou*; l'authenticité est ultérieurement reconnue; la Cour de cassation approuve les juges du fond d'avoir refusé d'annuler la vente : « Attendu que..., ainsi accepté de part et d'autre, l'aléa sur l'authenticité de l'œuvre avait été dans le champ contractuel : qu'en conséquence, aucune des deux parties ne pouvait alléguer l'erreur en cas de dissipation ultérieure de l'incertitude commune... ».

(18) Paris, 5 mars 1890 : *S.* 90, 2, 133. — 12 fév. 1954 : *D.* 1954, 337. — T.G.I. Paris, 30 nov. 1967 : *D.* 1968, somm. 65 (il suffit que l'origine d'un tableau soit suspecte à la suite d'expertise).

(19) Req., 5 nov. 1929 : *D.* 1929, 539.

(20) Soc., 4 mai 1956 : *D.* 1957, 313, note P.-H. MALAURIE.

(21) Paris, 20 avril 1964 : *J.C.P.* 64, IV, 139. — Civ. 1re, 28 juin 1988 : *D.* 1988, I.R. 228. — *Contra* Com., 1er fév. 1971 : *J.C.P.* 71, IV, 68, vente, par un garagiste, d'une voiture de démonstration : la nullité pour vice de consentement n'est pas admise au motif que le bon de commande ne précisait pas sa date de fabrication.

(22) T.G.I. Fontainebleau, 9 déc. 1970 : *D.* 1972, 89, note GHESTIN; *Rev. trim. dr. civ.* 1972, 386, obs. CORNU.

(23) Rouen, 19 mars 1968 : *D.* 1969, 211. — Toulouse, 10 déc. 1968 : *D.* 1969, 466. — T.G.I. Lyon, 25 oct. 1973 : *J.C.P.* 74, IV, 430. — Civ. 1re, 1er juin 1983 : *Bull. civ.* I, n° 168.

(24) T.G.I. Argentan, 15 oct. 1970 : *D.* 1971, 718, note GHESTIN.

(24-1) Versailles, 23 juin 1988 : *D.* 1988, I.R. 241.

(25) V. Com., 17 juin 1970 : *J.C.P.* 70, II, 16504 au sujet d'un chèque libellé en « francs », nouveaux d'après la loi en vigueur au jour de l'émission, anciens dans l'esprit de celui qui l'avait émis. — V. aussi Com., 14 janv. 1969 : *Bull. civ.* IV, p. 13; *Rev. trim. dr. civ.* 1969, 556. — Mais refuse l'annulation Civ. 1re, 27 oct. 1970 : *J.C.P.* 71, II, 16710, parce qu'en l'espèce l'erreur n'était pas vraisemblable : bien qu'âgé de 83 ans, l'acquéreur, « commerçant averti », ne pouvait pas sérieusement prétendre que le prix de costumes en tergal, même achetés dans une *vente publique,* était de 76 à 80 anciens francs...

On notera encore — et surtout — que les qualités dites substantielles ont, en général, un caractère *objectif* en ce sens, qu'à les supposer établies, elles eussent été déterminantes pour tout individu. Toute personne est présumée rechercher une chose pour l'ensemble des qualités qui lui donnent ses caractères spécifiques. C'est la raison pour laquelle, dans des cas de ce genre, la jurisprudence n'a pas le souci de la protection du cocontractant. Raisonnons, en effet, sur l'exemple de l'achat d'un meuble d'époque. Si l'acheteur traite avec un antiquaire, ce dernier ne peut pas ignorer que le caractère spécifique des objets que ses clients recherchent, c'est leur authenticité (26). S'il vend une simple copie, l'attitude de l'antiquaire ne peut s'expliquer que par l'une des deux causes suivantes : ou bien, il est de *mauvaise foi* (alors il ne mérite pas qu'on le protège), ou bien il croyait, de bonne foi, lui aussi, à l'authenticité du meuble (quelquefois les imitations trompent les meilleurs experts), alors il y a *double erreur* et ce contrat, fondé sur ces deux erreurs, est un malentendu qui ne saurait lier les contractants.

3° Substance et qualité subjective

391. — Une troisième conception de l'erreur, plus large encore, est admise, mais cette fois sous une importante réserve.

Il arrive qu'un contractant désire se procurer un objet pour une raison personnelle, pour une *qualité* qui n'a été déterminante que pour lui. Par exemple, on trouve chez un antiquaire ou à la Foire du Trône, un objet que l'on croit avoir appartenu à un de ses ancêtres : un sabre que l'on croit avoir appartenu à son arrière-grand-père, maréchal du Premier Empire... On l'achète, non pour ses qualités spécifiques (on n'a pas l'intention de s'en servir, ni même de l'acquérir pour son ancienneté), mais à titre de souvenir de famille. Si on s'est trompé sur cette « qualité » qui, par hypothèse, a été *déterminante,* peut-on demander la nullité du contrat ?

Autres exemples pris dans la jurisprudence : un collectionneur achète une toile de Delacroix pour la raison qu'il croyait que ce tableau ornait la chambre à coucher de ce grand peintre. Vérification faite, cela n'était pas exact. Une personne achète un immeuble en vue d'y construire une école, mais pour des raisons diverses, ce terrain ne se prête pas à ce genre de construction (27). Un éditeur accepte de publier un livre parce que celui-ci doit contenir la relation des propos, recueillis par l'auteur auprès d'un médecin chef d'un camp allemand de concentration, et une grande incertitude persiste sur l'authenticité de l'interview à laquelle l'auteur dit avoir procédé (27-1).

---

(26) Il n'en serait autrement que si le client déclare que son intention est d'acheter un meuble de *style* Louis XVI, même si sa fabrication est plus récente.

(27) Civ., 23 nov. 1931 : *D.* 1932, 1, 129, note JOSSERAND.

(27-1) Versailles, 15 mars 1988 : *D.* 1988, I.R. 126.

392. — Peut-on, dans ces cas aussi, obtenir la nullité ? La jurisprudence distingue : *si le contractant ignorait quelle était la qualité déterminante aux yeux de l'acquéreur* des divers objets précités, *la nullité n'est pas prononcée.* Ce serait, en effet, sacrifier un contractant de bonne foi, lequel au demeurant n'avait commis aucune erreur. On voit, donc, qu'il y a une limite que l'on ne peut franchir sans créer des injustices.

393. — Il en va différemment si, lors de l'acquisition, l'acquéreur a déclaré ce qu'il recherchait, quelle était, pour lui, la qualité déterminante. On retombe alors dans l'alternative précédente : ou bien le cocontractant savait que cette qualité n'existait pas et il a été de mauvaise foi en se taisant (il ne mérite pas alors qu'on le protège), ou bien il croyait, de bonne foi, que cette qualité existait, il y a dans ce cas double erreur, le contrat n'a pas pu se former sur un malentendu.

4° Substance et prestation

394. — Une remarque commune aux divers cas d'erreur sur la substance doit être notée. En général, l'erreur porte sur la chose, ou les qualités de la chose que l'on veut acquérir et c'est dans ce sens que l'on a pris la plupart des exemples ci-dessus indiqués. Mais on peut, aussi, rencontrer une *erreur sur l'objet de sa propre prestation.*

La jurisprudence, après avoir été hostile, semble aujourd'hui admettre qu'on puisse se prévaloir de son ignorance sur sa propre chose.

a) Arrêts de rejet

395. — On a vu le cas d'une personne vendant tout un lot de vieilles choses dont elle voulait débarrasser son grenier. Or, parmi ces choses se trouvait une toile de Ruysdaël, le grand peintre hollandais du XVIIe siècle. La nullité pour erreur n'a pas été prononcée, en ce cas, au motif que ni l'un ni l'autre des contractants n'avaient en vue cette qualité de la toile (ou plutôt cette absence de qualité) pour conclure le contrat (28).

Un arrêt de la cour de Montpellier du 2 janvier 1963 (29) annule la vente, par des paysans analphabètes, d'une chapelle désaffectée, convertie en remise à bois, dont les murs étaient revêtus de fresques catalanes du XIe siècle, d'une inestimable valeur (la vente avait été faite pour 300 000 A.F à un amateur d'art averti). L'erreur des vendeurs était manifeste. Mais cet arrêt a été cassé (30), au motif que les vendeurs n'ignoraient pas l'ancienneté et l'origine de la chapelle,

---

(28) Trib. civ. St-Brieuc, 26 fév. 1908 : *D.* 1909, 2, 223.

(29) *Gaz. Pal.* 1963, 1, 193.

(30) Civ. 1re, 25 janv. 1965 : *D.* 1965, 217. L'épilogue de cette affaire très compliquée se trouve dans un arrêt de l'Ass. plén. 15 avril 1988 : *J.C.P.* 88, II, 21066, rapport du conseiller GRÉGOIRE, note J.-F. BARBIÉRI.

et que l'acte de vente ne contenait aucune allusion à l'ancienneté exacte et au style des fresques dont il s'agit... Cet arrêt est critiquable à plus d'un titre : comment faire allusion à une qualité qu'on ignorait (31) ? En réalité, la nullité aurait pu être prononcée pour *dol.*

b) Arrêts d'admission

396. — La solution de rejet n'a pas les faveurs de la jurisprudence actuelle. Déjà, la nullité pour erreur sur sa propre prestation avait été admise en faveur de ceux qui avaient promis des francs qu'ils croyaient anciens (32), ou en faveur de la partie qui avait conclu une transaction se croyant débitrice alors qu'elle était créancière (33). La célèbre affaire du Poussin qu'il nous faut exposer vient conforter la position nouvelle de la jurisprudence (34).

L'affaire *Poussin*

397. — *Les faits* : le 21 février 1968, les époux Saint-Arroman vendent aux enchères publiques un tableau que leur tradition familiale donnait comme dû au pinceau de Nicolas Poussin, représentant Olympos et Marsyas. L'expert attribue la toile à l'école des Carrache; elle est inscrite comme telle au catalogue de la vente et adjugée pour 2 200 F. Les musées nationaux exercent leur droit de préemption, puis exposent le tableau au Louvre comme une œuvre originale de Poussin. Dans ces conditions, les vendeurs agissent en nullité de la vente pour erreur sur la qualité substantielle de la chose vendue.

398. — *La procédure* : le tribunal de grande instance de Paris, le 13 décembre 1972 (35), admet la nullité de la vente sur le fondement de l'erreur, au motif que les époux Saint-Arroman n'auraient pas accepté la mise à prix telle qu'elle avait été fixée s'ils avaient sérieusement pu penser qu'il s'agissait d'un Poussin.

La cour de Paris, le 2 février 1976, rejette, au contraire, la demande en considérant que la preuve de l'erreur n'est pas rapportée parce qu'il n'est pas démontré que le tableau ait été exécuté par Poussin (36).

L'arrêt est cassé par la première Chambre civile, le 22 février 1978 (37) : les juges d'appel n'ont pas légalement fondé leur décision, car ils n'ont pas

(31) V. le commentaire de ces deux décisions par B. STARCK au *Rec. gén. lois et jurispr.* 1963, p. 587 et 1965, p. 203.

(32) Arrêts préc. Com., 17 juin 1949, 14 janv. 1969.

(33) Civ. 1re, 13 déc. 1972 : *Gaz. Pal.* 1973, 1, 293, note PLANCQUEEL.

(34) En faveur de cette opinion, FLOUR et AUBERT, n° 197. — GHESTIN, *op. cit.*, n° 391. — GULPHE, concl. sur arrêt, 13 déc. 1983 : *J.C.P.* 84, II, 20186.

(35) *D.* 1973, 410, note GHESTIN et MALINVAUD.

(36) *D.* 1976, 325, concl. CABANNES; *J.C.P.* 76, II, 18358, note LINDON.

(37) *J.C.P.* 78, II, 18925; *D.* 1978, 601, note MALINVAUD; *Rev. trim. dr. civ.* 1979, 126, obs. LOUSSOUARN.

recherché « si, au moment de la vente, le consentement des vendeurs n'a pas été vicié par leur conviction erronée que le tableau ne pouvait pas être une œuvre de Nicolas Poussin ».

Sur renvoi, la cour d'Amiens, le 1er février 1982 (38), tout en constatant que les vendeurs ont bien eu au moment de la vente la conviction que le tableau ne pouvait pas être de Poussin, rejette l'idée d'erreur sur la substance parce qu'à la date de la vente il n'existait aucun élément susceptible de fonder une telle attribution, laquelle, opérée après coup par les musées nationaux, ne pouvait être prise en compte du fait qu'elle constituait une circonstance postérieure à l'acte.

Cette appréciation est censurée par la Cour de cassation le 13 décembre 1983 (39) « attendu qu'en statuant ainsi et, en déniant aux époux Saint-Arroman le droit de se servir d'éléments d'appréciation postérieurs à la vente pour prouver l'existence d'une erreur de leur part au moment de la vente, la cour d'appel a violé le texte sus-visé... ».

Sur second renvoi, la cour de Versailles, le 7 janvier 1987 (39-1) confirme le jugement du tribunal de grande instance de Paris en considérant que les époux Saint-Arroman « en croyant qu'ils vendaient un toile de l'école de Carrache, de médiocre notoriété, soit dans la conviction erronée qu'il ne pouvait s'agir d'une œuvre de Nicolas Poussin, alors qu'il n'est pas exclu qu'elle ait pour auteur ce peintre, *ont fait une erreur portant sur la qualité substantielle* de la chose aliénée et déterminante de leur consentement, qu'ils n'auraient pas donné s'ils avaient connu la réalité ».

399. — *Le fond* : il y a plusieurs enseignements à tirer de cette longue procédure qui aura duré près de vingt ans.

— Le premier, qui n'a jamais été discuté, est qu'une erreur sur sa *propre prestation* peut être retenue comme vice du consentement au même titre que l'erreur sur la prestation du partenaire (40). Il y avait, pourtant, matière à controverse. Autant il est légitime que l'acheteur, ignorant de ce qu'il reçoit, puisse arguer de son erreur, autant il est singulier que le vendeur, qui a ou doit avoir une parfaite connaissance de sa chose, ait le droit de plaider le vice du

---

(38) *Gaz. Pal.* 1982, 1, 134, concl. NOUPERT; *J.C.P.* 83, II, 19916, note TRIGEAUD; *Rev. trim. dr. civ.* 1982, 416, obs. F. C.

(39) *D.* 1983, 341, note J.-L. AUBERT; *J.C.P.* 84, II, 20186, concl. GULPHE; *Rev. trim. dr. civ.* 1984, 109, obs. CHABAS.

(39-1) A. PIEDELIÈVRE, *Le dernier état de la jurisprudence Poussin : Gaz. Pal.* 1987, doctr. 196; *Rev. trim. dr. civ.* 1987, p. 741, obs. J. MESTRE; *D.* 1987, 485, note AUBERT; *J.C.P.* 88, 21121, note GHESTIN. Le tableau restitué à Mme Saint-Arroman a été revendu à Drouot le 12 déc. 1988 pour la somme de 7 400 000 F.

(40) La doctrine dominante considère que l'art. 1110 vise l'erreur du vendeur aussi bien que celle de l'acheteur : MARTY et RAYNAUD, *op. cit.*, n° 123. — MAZEAUD, *op. cit.*, n° 163. — LOUSSOUARN : *Rev. trim. dr. civ.* 1969, 559. — GHESTIN et MALINVAUD : *D.* 1973, 410.

consentement. La question aujourd'hui doit être considérée comme étant vidée.

— La seconde leçon a trait au concept même de l'erreur, qui est généralement présenté, trop simplement, comme une fausse représentation ou comme une opinion contraire à la réalité. Le tout est d'identifier l'élément de référence (la réalité) auquel la croyance doit être confrontée, si l'on veut vérifier l'existence même de l'altération du consentement qui est alléguée. Pour la Cour de cassation, il est indifférent que la réalité révèle une certitude, seule compte l'inadéquation de la croyance du contractant à cette *réalité qui peut être entachée d'un doute total.* Ce qui est précisément le cas de l'espèce, puisque même les spécialistes divergeaient à tel point qu'on ne sait pas encore si le tableau est ou non un Poussin.

— Le troisième enseignement, très explicite dans le dernier arrêt de la Cour de cassation, réside dans l'affirmation que *la preuve peut être tirée d'éléments postérieurs* à la conclusion du contrat. Il est permis de faire valoir en ce sens l'article 1304 du Code civil qui fixe au jour de la découverte de l'erreur le point de départ du délai de prescription de l'action en nullité : si on retient le jour de la révélation de l'erreur en la personne de l'*errans,* on sous-entend par là même l'admissibilité de tout élément de preuve survenant après la conclusion du contrat.

Une quatrième leçon consiste dans le rappel de la distinction entre l'erreur *sur la valeur* — qualifiée erreur *monétaire* par la cour de Versailles — qui ne saurait entraîner la nullité de la vente, la lésion n'emportant pas rescision dans les ventes de meubles, et l'erreur « *sur la valeur qualitative* de la chose qui n'est, comme en l'espèce, que la conséquence d'une erreur sur une qualité substantielle, l'erreur, en ce cas, devant être retenue en tant qu'erreur sur la substance ».

Enfin, l'arrêt de Versailles, véritable anthologie de l'erreur dans une remarquable rédaction (40-1), redit que, seule, compte la croyance constatée à la date du contrat, que peu importent les convictions antérieures, que l'attribution de l'œuvre par un expert portée au catalogue de la vente publique constitue tant pour le vendeur que pour l'acheteur une qualité substantielle de la chose vendue, qu'en cas d'aléa convenu sur l'attribution, il n'y a plus de motif à erreur.

5° Substance et valeur

400. — L'erreur sur la valeur n'est pas une cause de nullité, alors même qu'elle serait déterminante (41). Par exemple, le bénéficiaire d'une promesse de vente — qui ne donne pas suite — ne saurait tenter d'échapper à l'indemnité d'immobilisation en invoquant la découverte de l'installation du T.G.V. à

(40-1) Note AUBERT préc. — J.-P. COUTURIER, *La résistible ascension du doute* (quelques réflexions sur l'*affaire Poussin*) : *D.* 1989, chron. 23.

(41) Com., 26 mars 1974 : *D.* 1974, somm. 80.

distance de l'immeuble promis; une telle circonstance est relative, non à la substance, mais à la valeur du bien immobilier en cause (41-1). Pareillement, le preneur à bail dans un centre commercial en voie de création est irrecevable à se plaindre de la non-réalisation de travaux annoncés (construction d'une tour dans le voisinage, aménagement de voies d'accès), qui ne portent pas sur des éléments caractéristiques des locaux loués, affectant uniquement la commercialité, c'est-à-dire la valeur locative (41-2). Ces solutions résultent implicitement de la règle générale, posée par le Code civil, selon laquelle la lésion n'est pas une cause de nullité des contrats, sauf dans quelques cas exceptionnels (art. 1118).

Nous reviendrons plus longuement sur la lésion dans la section VI de ce chapitre. Pour l'instant, on se borne à remarquer que cette règle s'oppose à ce que l'erreur sur la valeur d'une chose ou, d'une prestation quelconque, entraîne la nullité du contrat (exception faite des rares cas où le législateur admet la nullité pour lésion).

Seulement, il faut bien comprendre le sens de cette dernière règle : la nullité ne peut pas être prononcée si l'on invoque l'erreur sur la valeur, et elle seule. Elle serait, au contraire, admise *si l'erreur sur la valeur n'était qu'une conséquence d'une erreur sur la substance* (42), par exemple, ou de toute autre erreur par elle-même cause de nullité : celui qui achète un objet en le croyant en argent massif et qui l'a payé sur cette base, alors qu'il s'agit de métal argenté, n'ira pas demander la nullité pour erreur sur la valeur... en courant ainsi à l'échec; il demandera la nullité pour erreur sur la substance, qui est une cause certaine de nullité. On a vu, ci-dessus, que la nullité d'un bail à ferme a été admise en présence d'une erreur sur la valeur culturale. Il ne faut pas être abusé par ces termes; la valeur culturale provient, en réalité, d'une erreur sur l'objet ou sur les qualités de l'objet, et c'est à ce titre que la nullité a été prononcée.

B. — Erreur sur la personne

401. — Le Code civil déclare que la nullité ne peut être demandée que si la personne du cocontractant a été la cause principale de la convention. En général, en effet, ce que l'on recherche en contractant, c'est un objet ou un service, sans que l'on s'inquiète si le débiteur est un tel ou tel autre.

402. — Il en va différemment dans les contrats où le choix du cocontractant a été fait en considération d'une qualité qui lui est personnelle. Ces contrats sont conclus *intuitu personae* (en considération de la personne) (42-1). On peut

(41-1) Paris, 28 janv. 1988 : *D.* 1988, I.R. 64.

(41-2) Paris, 15 janv. 1987 : *D.* 1987, I.R. 28.

(42) Civ. 1re, 28 nov. 1973 : *D.* 1975, 21, note RODIÈRE.

(42-1) M. CONTAMINE-RAYNAUD, *L'intuitus personae dans les contrats*, thèse Paris, 1974.

donner comme exemple, la donation (43), qui, très généralement, est faite à une personne bien déterminée et non à n'importe qui, ou le contrat de société de personnes (en nom collectif, notamment).

403. — Que doit-on entendre, dans ces cas, par erreur sur la personne ? Cela peut être son identité même, si elle a joué un rôle dans l'affaire. Mais cela peut être n'importe quelle qualité de la personne dès lors que c'est en vue de cette qualité que l'on a contracté. Il est évident, par exemple, que l'âge du contractant est déterminant dans un contrat de rente viagère. Il est évident aussi que la fortune d'une personne ou son honorabilité peut avoir été déterminante dans un contrat tel que la société en nom collectif. La cour de Paris (44) a annulé un compromis, convention d'arbitrage, pour *erreur sur une qualité de l'arbitre* désigné. En effet, il s'agissait d'un juriste qui avait donné une consultation à l'une des parties. Cela a paru incompatible avec la qualité d'arbitre, qui doit être totalement impartial et neutre pour juger. D'autres considérations que l'âge ou l'impartialité peuvent être considérées comme qualité essentielle de la personne, par exemple la solvabilité d'un acquéreur (45), la situation de famille d'un locataire (46) ou l'aptitude professionnelle d'un notaire (46-1).

404. — Contrairement à la lettre de l'article 1110, alinéa 2, qui ne considère que l'erreur sur la personne avec laquelle on a l'intention de contracter, la qualité substantielle ayant déterminé le consentement d'une partie peut être celle d'un tiers et pas uniquement celle de son cocontractant. Ainsi, il a été jugé par la Cour de cassation que le cautionnement est annulable lorsque la caution a ignoré l'insolvabilité du débiteur principal, qui, par hypothèse, n'était pas partie au contrat (47).

C. — Erreur sur le contrat

Examinons, successivement, les cas pratiques où la question se pose, puis les bases juridiques de la nullité.

---

(43) B. GRELON, *L'erreur dans les libéralités : Rev. trim. dr. civ.* 1981, p. 261 et s.

(44) 8 mai 1970 : *J.C.P.* 70, II, 16437, note P.-L. — Civ. 2e, 20 fév. 1974 : *D.* 1974 I.R. 109.

(45) Civ. 1re, 20 mars 1963 : *D.* 1963, 403 (acheteur dont les biens sont sous séquestre). — Com., 2 mars 1982 : *D.* 1983, 62, note AGOSTINI (erreur de la caution sur la solvabilité du débiteur cautionné).

(46) Soc., 23 fév. 1961 : *D.* 1961, somm. 110 (bail à des concubins se présentant comme mariés).

(46-1) Versailles, 16 mars 1988 : *D.* 1988, I.R. 176.

(47) Civ. 1re, 1er mars 1972 : *D.* 1973, 733, note MALAURIE. — Civ. 1re, 12 déc. 1972 : *D.* 1973, I.R. 29.

1° Cas pratiques

405. — On rencontre en fait divers cas d'erreur que la loi ne prévoit pas, mais que la jurisprudence retient comme causes de nullité. Il en est ainsi, notamment, de l'erreur sur la nature du contrat, de l'erreur sur l'objet de la prestation et de l'erreur sur la cause ou les motifs. En voici des exemples.

a) Erreur sur la nature

406. — L'hypothèse est rare, mais elle s'est présentée. Ainsi, une personne croyait conclure une vente contre une rente viagère, alors que le contrat qu'elle a signé prévoyait le paiement d'une somme en capital. La nature de la vente en viager est radicalement différente de celle d'une vente contre un prix ferme. Autre exemple encore, une personne souscrit une assurance croyant qu'elle avait contracté une assurance à primes fixes, mais en réalité, il s'agissait d'assurances mutuelles, à prime variable en fonction du nombre de sinistres de l'année (48).

b) Erreur sur l'objet

407. — On voulait vendre tel lot de terrain, et non celui qui, en réalité, a été vendu. Une personne cède ses droits dans une succession qui s'était ouverte en sa faveur, en croyant qu'elle n'avait que des droits en nue propriété; en réalité, elle succédait en pleine propriété (49). Elle avait donc cédé *autre chose* que ce qu'elle croyait (on remarque que l'erreur porte ici sur sa propre prestation, sur la chose qu'on s'est engagé à transférer). Ou encore il se produit un malentendu fondamental entre les parties sur le prix de vente, au mille, d'un ouvre-boîte (50).

c) Erreur sur la cause

408. — La cause est la raison déterminante de l'obligation; or, il peut y avoir une erreur sur ce plan également. Ainsi, une personne fait une donation à un individu, persuadée que celui à qui elle donnait était son enfant naturel. Elle apprend, par la suite, que cet enfant avait un autre père. La cause de la donation était erronée (51). Ou encore, une personne s'engage à réparer un dommage parce qu'elle croyait en être responsable; en réalité, les conditions de sa responsabilité ne sont pas réunies (52).

---

(48) Req., 6 mai 1878 : *D.* 80, 1, 12. — V. aussi Paris, 8 juill. 1966 : *Gaz. Pal.* 1967, 1, 33, l'une des parties voulait acheter un appartement, l'autre lui cède des parts sociales dans une société de construction donnant droit à la jouissance de l'appartement et, ultérieurement, la propriété. — Civ. 1re, 25 mai 1964 : *D.* 1964, 626; une personne s'était portée « caution » pour une autre pensant qu'elle n'assumait ainsi qu'un « engagement moral » (les juges constatent qu'il s'agissait d'un illettré).

(49) Civ., 17 nov. 1930 : *S.* 1932, 1, 17, note A. BRETON.

(50) Civ. 1re, 28 nov. 1973 : *D.* 1975, 21, note RODIÈRE.

(51) Paris, 3 fév. 1944 : *D.A.* 1944, 71.

(52) Req., 1er juill. 1924 : *D.H.* 1924, 509.

Des cas fréquents d'erreurs sur la cause se présentent dans les *transactions* que les victimes d'accidents d'automobile passent avec les compagnies d'assurance du responsable, dans l'ignorance de la gravité réelle des blessures.

Citons pour son pittoresque, sans l'approuver, un jugement du tribunal de commerce de la Seine du 2 avril 1943 (53) : en ignorant que son mari avait acheté des billets pour un spectacle (la Gaîté-Lyrique), sa femme achète, de son côté, des billets pour le même spectacle. La nullité a été prononcée, alors que le cocontractant n'avait rien à se reprocher et n'avait pas, lui, commis d'erreur. Dans tous les cas, l'appréciation de l'erreur sur la cause et la portée de l'engagement relèvent du pouvoir souverain d'appréciation des juges du fond (54).

d) Erreur sur les motifs

409. — Ces erreurs ont pu jouer un rôle décisif au moment de l'engagement. Elles ne peuvent pas, malgré cela, constituer — en principe du moins — une base de la nullité du contrat.

On peut citer comme exemple le cas d'une personne qui loue ou qui achète un appartement parce qu'elle escomptait se marier ou parce qu'elle pensait avoir trouvé une situation dans telle ville. Si le mariage n'a pas lieu, si la situation lui échappe, peut-elle demander la nullité du contrat pour cette erreur déterminante portant, non sur les qualités de la chose (l'appartement), mais sur des motifs qui lui sont totalement extérieurs ? La réponse est négative et on devine facilement pourquoi. Les motifs ne sont pas connus par l'autre contractant qui, par hypothèse, n'est nullement au courant des intentions matrimoniales ou autres de son cocontractant. Annuler le contrat serait sacrifier les intérêts du contractant de bonne foi; la jurisprudence, avec raison, ne l'admet pas.

410. — La situation serait différente si le contractant avait été informé des véritables motifs de l'acte et s'il avait accepté de conclure en considération de ces motifs. En ce cas, le cocontractant ne mérite pas de protection.

411. — Il est difficile quelquefois de distinguer les *motifs* de la *cause*. Or, l'erreur sur la cause, nous l'avons vu, est nécessairement sanctionnée par la nullité, tandis que l'erreur sur les motifs ne l'est pas, en principe du moins.

On ne peut entrer ici dans ces discussions subtiles. Indiquons, cependant, que les motifs sont purement personnels, subjectifs, par conséquent ignorés normalement du cocontractant, alors que la cause, au contraire, est un motif extériorisé, nécessairement connu de l'autre contractant, parce qu'*il est inhérent au contrat lui-même.* Quand, par exemple, une personne s'engage à réparer un dommage, parce qu'elle croyait en être responsable, il est évident

---

(53) *Gaz. Pal.* 1943, 2, 81.

(54) Civ. 1re, 16 fév. 1977 : *Bull. civ.* I, n° 72.

que cette croyance était connue par celui envers qui l'engagement de réparer a été pris. Si erreur il y a, en ce cas, elle porte sur la cause et non sur de simples motifs : la nullité sera prononcée sans difficulté.

412. — Il est également difficile de distinguer l'*erreur sur les motifs* de *l'erreur sur les qualités substantielles* de la chose, du moins lorsque l'on donne au mot substance son *sens subjectif* : achat d'un souvenir de famille, achat d'un terrain destiné à telle construction.

Fort heureusement, cette distinction difficile n'a pas d'intérêt pratique. Qu'on y voit une erreur sur la substance (prise dans le sens *subjectif* du terme) ou une erreur sur les motifs, la nullité ne sera prononcée, dans les cas où ces deux qualifications sont possibles, que si l'autre contractant était au courant de la situation. Que l'on parle alors d'erreur sur les motifs ou d'erreur sur les qualités substantielles du point de vue purement subjectif, cela revient au même. Ce qui est purement interne, ce qui est inconnu de l'autre partie, — qui, par hypothèse, n'avait *ni le devoir, ni le pouvoir* de connaître la raison déterminante du contractant — n'entre pas en ligne de compte, ne se trouve pas parmi les éléments de formation ou de validité du contrat. L'erreur n'entraînera pas, en ce cas, la nullité.

2° Bases juridiques

a) Doctrine classique

413. — Elle déclarait que, dans ces divers cas, l'erreur était si grave qu'elle avait annihilé complètement le consentement. Celui-ci n'est pas vicié, il est inexistant. Ces erreurs étaient dénommées *erreurs-obstacles* (elles feraient obstacle à la naissance de l'obligation). Cette doctrine en déduisait que la nullité résultait des termes mêmes de l'article 1108 qui fait figurer le consentement parmi les conditions de validité du contrat. Elle ajoutait que cette inexistence du consentement doit être sanctionnée par la *nullité absolue* de la convention.

b) Doctrine moderne

414. — La théorie classique n'a guère été admise en jurisprudence. Celle-ci raisonne tout différemment. Elle considère que, dans les divers cas dont il s'agit ici, on doit faire application de l'article 1110, alinéa 1er, qui concerne l'erreur sur la substance.

Le *terme substance reçoit ainsi un nouvel élargissement* : on déclare, en effet, que s'agissant d'erreurs *déterminantes* (par hypothèse), ces erreurs sont *substantielles.* De l'erreur sur la *substance de la chose,* seule prévue à l'article 1110, on passe ainsi, en déformant le sens des termes, *à l'erreur substantielle* ou au consentement vicié de façon substantielle (54-1).

(54-1) Paris, 27 fév. 1987 : *D.* 1987, I.R. 72 (achat d'une voiture d'occasion, dont le kilométrage était largement supérieur à celui indiqué et dont les organes de suspension et de direction étaient hors service, alors que le bon état du véhicule était déterminant pour l'acquéreur).

415. — La conséquence pratique doit, cependant, être approuvée; la nullité dont il s'agit sera une nullité *relative* et non une nullité absolue. En effet, il s'agit de protéger un particulier (la victime de l'erreur) et non l'ordre public, qui seul justifierait l'admission d'une nullité absolue.

De toute façon, la théorie de l'erreur-obstacle ne pourrait plus être soutenue depuis la loi du 3 janvier 1968 qui déclare que la nullité des actes faits par un aliéné est une nullité relative. L'absence de consentement résultant de certaines erreurs, aussi graves soient-elles, ne peut recevoir une sanction différente de celle qui résulte de l'absence totale de raison (55).

La doctrine moderne rejette, en général, la théorie de l'erreur-obstacle (56).

§ 2. — Le régime de l'erreur

Il ne suffit pas de se trouver dans l'un des cas précédemment énumérés pour faire valoir utilement l'altération de son consentement. Il faut, encore, que l'erreur réponde à certaines conditions et qu'elle soit prouvée.

A. — Conditions

1° Caractère déterminant de l'erreur

416. — L'erreur n'est une cause de nullité que si elle a exercé une influence décisive sur le consentement. La Cour de cassation rappelle régulièrement que l'élément sur lequel a porté l'erreur doit avoir été « le motif principal et déterminant de l'engagement » (57). C'est ainsi qu'un contrat de rente viagère ne saurait être annulé, en dépit d'une petite erreur sur l'âge du crédirentier, s'il apparaît que cette erreur minime portant sur deux ans n'a pas été déterminante dans l'esprit du débirentier (58).

417. — L'appréciation du caractère déterminant doit-elle se faire *in abstracto* ou *in concreto* ?

De prime abord, on est porté à recommander une appréciation individuelle de la situation, puisqu'aussi bien il s'agit de savoir ce qu'aurait fait, si elle ne

(55) Est donc critiquable l'arrêt précité, Paris, 8 juill. 1966 : *Gaz. Pal.* 1967, 1, 33 (achat de parts sociales au lieu d'un appartement) qui déclare que la nullité est absolue, les volontés des parties ne s'étant pas rencontrées.

(56) V . GHESTIN, n° 373. — FLOUR et AUBERT, n° 192.

(57) Req., 17 juin 1946 : *Gaz. Pal.* 1946, 2, 204. — Soc., 9 janv. 1985 : *D.* 1985, I.R. 237.

(58) Paris, 17 fév. 1938 : *S.* 1938, 2, 207.

s'était pas trompée, la partie qui a contracté, et non pas de connaître le comportement qu'aurait eu un individu type placé dans les mêmes conditions.

Les nécessités pratiques condamnent la recherche *in concreto.* En effet, s'il fallait, pour déterminer l'influence de l'erreur sur la volonté interroger, la propre conscience de l'*errans,* on se heurterait à des difficultés insurmontables. Comment extérioriser le for interne et comment discerner, parmi les facteurs générateurs de l'acte de volonté, celui qui a joué le rôle de catalyseur ?

Aussi, on ne peut que se résoudre à une appréciation *in abstracto* et, faute d'une investigation individualisée, se référer à l'opinion commune, c'est-à-dire présumer que l'erreur a eu, sur la partie, la même portée que sur un contractant normal se trouvant dans des conditions identiques. Cette approche intellectuelle est tempérée par la prise en compte de données socio-professionnelles, telle la qualité de spécialiste de l'une des parties, comme le montre un arrêt de la première Chambre civile du 31 mars 1987 (58-1). Une statuette en terre cuite, présentée comme étant d'époque Tang (restauration) et estimée au catalogue entre 80 et 120 000 F, avait été adjugée pour la somme de 350 000 F au propriétaire d'une galerie d'art à Londres. Un examen ultérieur par la méthode de thermoluminescence avait révélé que la tête et les mains du personnage étaient des ajouts récents. Les juges du fond avaient rejeté la demande en nullité pour erreur, observant que l'adjudicataire, négociant professionnel averti, assisté d'un expert au moment de la vente, était en mesure d'apprécier la portée de la mention « restauration » figurant au catalogue et de l'annonce particulière « très restaurée » faite par l'expert lors des enchères, qu'en outre la modicité de l'estimation de la statuette donnée par l'expert empêchait d'admettre qu'un professionnel pût ignorer qu'elle ne correspondait pas au prix d'un objet de pareille qualité. La Cour surpême rejette le pourvoi, délclarant que « de ces constatations et énnonciations les juges du second degré ont pu déclarer que M.S., en se portant acquéreur de la statuette, dont l'origine n'était pas contestée, dans ces conditions, avait assumé délibérément un risque qui lui interdisait d'obtenir la nullité de la vente ».

Bien entendu — le principe demeurant l'appréciation *in abstracto* — rien n'interdit au demandeur d'établir qu'en l'espèce telle qualité, qui n'est pas substantielle pour tous, l'a été réellement pour lui (59).

(58-1) *Bull. civ.* I, n° 115, p. 86; *D.* 1987, I.R. 91; *J.C.P.* 88, IV, 204.

(59) T.G.I. Paris, 7 mai 1975 : *D.* 1976, 605, note W. JEANDIDIER. — T.G.I. Paris, 21 janv. 1976 : *D.* 1977, 478, note MALINVAUD. — Paris, 29 janv. 1979 : *Gaz. Pal.* 1979, somm. 360 : dans la mise en location gérance d'une imprimerie, le changement en résultant dans la direction de la société n'était qu'en apparence déterminant pour la maison d'édition habituée à traiter avec le prédécesseur; seul importait le maintien du personnel technique. Sur la question, v. les excellents développements de FLOUR et AUBERT, *op. cit.*, n° 196.

2° Caractère excusable de l'erreur

418. — L'étude de la jurisprudence permet de dégager la règle selon laquelle le juge peut refuser de prononcer la nullité s'il estime que l'erreur commise n'est pas excusable. Il existe, en effet, un devoir de se renseigner (60) avant de contracter ou, du moins, d'informer son cocontractant de ses véritables intentions. Ne pas l'avoir fait peut — selon les circonstances — conduire le juge à refuser de prononcer la nullité (61) ou, s'il l'avait prononcé, malgré tout, à accorder des dommages-intérêts au cocontractant auquel aucune faute ne saurait être reprochée.

419. — Le caractère excusable est apprécié *in concreto*. C'est ainsi qu'il doit être tenu compte, par exemple, de l'âge, de l'expérience, de la compétence : une décoratrice ayant la pratique de ce genre de commerce ne saurait se méprendre sur l'authenticité de tableaux (62), un architecte se tromper sur la constructibilité d'un fonds (63), un spécialiste chevronné des opérations immobilières croire que la mention de l'accord préliminaire du ministère de l'Équipement lui donnait l'assurance que l'opération pourrait être menée à bonne fin (64), un commerçant penser que la publicité commandée s'effectuerait sur le rideau du théâtre et non sur les programmes, alors qu'il lui suffisait de lire le document qu'il avait signé (65), un cessionnaire d'actions se plaindre de l'opération conclue alors qu'il dirigeait précédemment la société cédante (66). La jurisprudence est plus indulgente à l'égard des personnes frustes et sans instruction (67) et sévère, au contraire, vis-à-vis d'une personne apte qui commet une erreur grossière, tel cet acquéreur qui veut faire des pantalons dans du tissu d'ameublement (68).

420. — Ce système, à première vue, choque la logique en matière de consentement : même si l'erreur est inexcusable, la volonté n'en est pas moins viciée et peut-être profondément.

Mais, cet aspect psychologique est écarté par d'autres considérations. Socialement, la bêtise ne justifie pas l'atteinte constante portée à la stabilité du

---

(60) P. Jourdain, *Le devoir de se renseigner : D.* 1983, chron. 139.

(61) Civ. 1re, 2 mars 1964 : *Bull. civ.* I, n° 122.

(62) Com., 20 oct. 1970 : *J.C.P.* 81, II, 16916, note Ghestin.

(63) Civ. 1re, 2 mars 1964 : *Bull. civ.* I, n° 122; *Rev. trim. dr. civ.* 1965, 112, obs. Chevallier. — Civ. 3e, 4 janv. 1985 : *Rev. trim. dr. civ.* 1985, 572, obs. J. Mestre (conseil juridique pratiquant la promotion immobilière).

(64) Colmar, 28 mai 1980 : *Rev. Alsace-Lorraine* 1981, 1, 25.

(65) Paris, 24 avril 1984 : *Gaz. Pal.* 10-12 mars 1985, p. 7, obs. J. Dupichot; *Rev. trim. dr. civ.* 1985, 572, obs. J. Mestre.

(66) Com., 15 nov. 1983 : *D.* 1985, I.R. 136, obs. J.-C. Bousquet.

(67) T.G.I. Fontainebleau, 9 fév. 1970 : *D.* 1972, 89, note Ghestin.

(68) Com., 4 juill. 1973 : *D.* 1974, 538, note Ghestin.

lien contractuel. Moralement, il est légitime d'exclure la protection légale lorsque la prétendue victime a commis une faute impardonnable en se laissant porter par des chimères : le chineur, qui a peu déboursé et qui n'aurait pas déboursé davantage, ne peut se plaindre, après coup, que la croûte des puces ne se révèle pas un Corot...

3° Caractère indifférent de la source de l'erreur

421. — Dans les divers cas où elle est retenue comme cause de nullité, il importe peu que l'erreur provienne d'une fausse représentation des faits ou d'une méconnaissance de la règle de droit. Autrement dit, l'erreur de fait comme l'erreur de droit peuvent être retenues comme viciant le consentement (68-1). Il est donc inexact de présenter l'erreur de droit comme une catégorie d'erreurs s'ajoutant aux autres (substance, nature, etc.). Il s'agit simplement de la *source* de l'erreur qui peut être l'ignorance du droit, comme aussi l'ignorance des faits.

L'erreur sur la substance et l'erreur sur la personne sont presque toujours des erreurs de fait. L'élément factuel d'où procède la méprise est, d'ailleurs, indifférent. L'erreur peut être la conséquence d'un vice caché; l'existence d'un tel vice n'exclut pas la demande en nullité pour erreur sur la qualité substantielle de la chose vendue (68-2), laquelle n'est pas soumise à l'exigence du bref délai que l'article 1648 du Code civil impartit pour l'exercice de l'action en garantie (69).

Quant à l'erreur sur la cause de l'obligation, sur sa nature ou sur l'objet, elle peut provenir, dans certains cas, d'une méconnaissance de la loi. Ainsi la personne qui a cédé ses droits successoraux en croyant que sa part d'héritage était une part en nue-propriété, alors qu'en réalité il s'agissait d'une part en pleine propriété, avait été trompée du fait de sa méconnaissance des lois en

---

(68-1) Civ. 1re, 20 janv. 1959 : *Bull. civ.* I, n° 36.

(68-2) Civ. 3e, 18 mai 1988 : *Bull. civ.* III, n° 86, p. 54; *D.* 1988, I.R. 155 (découverte, à la suite d'une expertise, que les menuiseries et la charpente de l'immeuble acheté étaient attaquées par les termites) : « Attendu que pour écarter l'action subsidiaire des époux Boulon en nullité de la vente, pour erreur sur la qualité substantielle de la chose vendue, l'arrêt se borne à énoncer que « la différence de qualité entre ce que les époux Boulon ont voulu acheter et ce qu'ils ont réellement acheté ne tient pas à la substance de l'immeuble, mais à l'existence d'un vice caché et, qu'en conséquence, la référence au défaut de consentement et à l'article 1110 est inadéquate; qu'en statuant ainsi, alors que l'existence d'un vice caché n'exclut pas, par elle-même, la possibilité d'invoquer l'erreur sur la qualité substantielle de la chose vendue, la cour d'appel a violé le texte susvisé ». — Rappr. Civ. 3e, 11 fév. 1981 : *Bull. civ.* III, n° 31, p. 24.

(69) Civ. 1re, 28 juin 1988 : *Bull. civ.* I, n° 211, p. 148; *J.C.P.* 88, IV, 320 : l'acquéreur d'une voiture d'occasion se voit refuser la délivrance d'une carte grise; une expertise révèle que le véhicule résultait de l'assemblage de deux voitures accidentées; la demande en nullité pour erreur est accueillie; selon le pourvoi, l'impossibilité de mettre en circulation le véhicule vendu, d'où procédait l'erreur invoquée par l'acheteur, constituait un vice caché rendant la chose impropre à l'usage auquel elle était destinée, il y avait donc lieu de soumettre l'action au bref délai de l'art. 1648 du Code civil; la Cour surprême décide que la demande en nullité n'est pas soumise à ces dispositions « peu important à cet égard que l'erreur invoquée fût la conséquence d'un vice caché ». Dans le même sens, Com., 8 mai 1978 : *Bull. civ.* IV, n° 135, p. 113. — En sens contraire, Civ. 3e, 11 fév. 1981 : *Bull. civ.* III, 1981, n° 31, p. 24.

matière successorale (70). Cela ne l'a pas empêchée d'obtenir la nullité. Il en est de même de celui qui s'imaginait que le cautionnement n'entraînait qu'un engagement moral (71), ou de la femme renonçant à la communauté dans l'ignorance du caractère commun d'un fonds de commerce qu'elle croyait être un bien réservé (72).

422. — On avait, certes, objecté que « nul n'est censé ignorer la loi », mais cette objection n'a pas été retenue. Cet adage a pour seul but d'éviter qu'un individu ne prétende se soustraire à l'application d'une loi, en invoquant l'ignorance du texte qui lui est applicable. En matière de contrats, c'est la volonté qui est l'élément fondamental, celui qui donne naissance à l'obligation. Si cette volonté est viciée par l'erreur, fût-elle une erreur de droit, le contrat manque de base réelle, il est donc annulable.

Il n'y a que deux cas où l'erreur de droit ne soit pas admise, parce que la loi elle-même s'y oppose : celui de la *transaction* et celui de l'*aveu* (v. art. 2052, al. 2 et 1356, al. 4).

Que décider si l'erreur porte sur un texte de loi controversé ? La question s'est souvent posée. Ainsi, une personne paie des cotisations à la Sécurité sociale, parce qu'elle s'y croyait tenue en vertu d'un texte. Ce texte controversé est ultérieurement interprété par la Cour de cassation appelée à se prononcer dans une affaire intéressant une autre personne; elle décide que ces cotisations ne sont pas dues. Celle qui avait payé réclame la restitution des sommes versées par erreur. Ses prétentions ont été rejetées : le caractère controversé du texte dont il s'agit ne permet pas, déclare la Cour de cassation, de soutenir que le paiement *était fait sans cause, par suite d'une erreur de droit* (73).

B. — Preuve

1° Charge de la preuve

423. — Selon les règles du droit commun, il appartient au demandeur de convaincre le juge que son consentement a été vicié. Les tribunaux sont très fermes sur le respect des règles commandant la charge de la preuve. C'est ce qui résulte d'un arrêt de la Cour de cassation qui, dans une affaire de reconnaissance de dette, approuve la cour d'appel d'avoir condamné au paiement la personne qui l'avait souscrite : celle-ci ne pouvait se contenter

---

(70) Civ. 17 nov. 1930 : *D.* 1932, 1, 161, note J.-Ch. LAURENT; *S.* 1932, 1, 17, note BRETON. — Civ. 1re, 15 juin 1960 : *S.* 1961, 1, note R. SAVATIER; *J.P.C.* 61, II, 12274, note VOIRIN.

(71) Civ. 1re, 25 mai 1964 : *D.* 1964, 626.

(72) Civ. 1re, 9 fév. 1970 : *J.C.P.* 71, II, 16806, note DAGOT et SPITERI; *Rev. trim. dr. civ.* 1970, 752, obs. LOUSSOUARN.

(73) Soc., 23 fév. 1966 : *Bull. civ.* IV, n° 207; *Rev. trim. dr. civ.* 1967, 150.

d'exciper de la présomption légale que l'article 1282 du Code civil attache à la remise du titre; elle devait démontrer l'erreur dont elle a été victime (74). La même rigueur se retrouve dans un jugement du tribunal de grande instance de Paris (75) : les héritiers du vendeur d'une toile attribuée à Fragonard sont déboutés de leur demande, aux motifs que le *de cujus* avait accepté un aléa sur l'authenticité de l'œuvre et qu'ils n'établissaient pas que leur auteur s'était dessaisi du tableau sous l'empire d'une conception erronée quant à l'identité de la signature (76).

2° Objet de la preuve

424. — Le contractant doit prouver, non seulement son erreur, mais encore son caractère *déterminant.* En outre, comme on l'a vu, lorsque l'erreur a un caractère « subjectif », lorsqu'elle s'attache à un élément du contrat qui n'eût pas été déterminant pour la moyenne des individus, il faut également prouver que le cocontractant connaissait — ou aurait dû connaître — l'élément qui, pour la victime de l'erreur, a été déterminant.

425. — Cette dernière exigence est connue, à tort, sous l'expression erreur commune. Il n'est pas question, en effet, de demander que les deux parties se soient également trompées; une erreur unilatérale suffit pour entraîner la chute du contrat. Ce que l'on veut dire, c'est que le cocontractant de l'*errans* doit avoir connu les raisons qui ont entraîné la décision de la victime de l'erreur; la preuve ne porte donc pas sur une double erreur. Pour autant, elle ne s'en dédouble pas moins : preuve de l'erreur en la personne du demandeur, preuve de la connaissance, dans la personne du défendeur, du caractère substantiel de la méprise.

3° Modes de preuve

426. — Sur tous ces points, la preuve peut être faite par tous les moyens légaux, et les juges du fond disposent d'un pouvoir souverain d'appréciation (77).

---

(74) Civ. 1re, 8 fév. 1984 : *D.* 1984, I.R. 299. On trouve la même rigueur dans un arrêt de la Chambre sociale du 7 oct. 1987 : *Bull. civ.* V, n° 532, p. 359 : une malade, lors de son entrée à l'hôpital, signe un document la plaçant, à sa demande, en régime particulier (isolement en chambre à un ou deux lits), d'où résulte pour elle l'obligation de payer un supplément au prix de la journée; elle refuse de s'en acquitter, au motif que son état de santé ne lui avait pas permis de mesurer la portée du document qu'elle avait signé; les juges du fond l'approuvent parce qu'un doute plane sur la validité de son consentement; cette décision est cassée, car il appartenait à la malade de prouver l'erreur qu'elle alléguait.

(75) T.G.I. Paris, 18 janv. 1984 : *D.* 1984, *Flash*, n° 8.

(76) Toulouse, 10 déc. 1968 : *D.* 1969, 466. — Et sur pourvoi, Civ. 3e, 29 mai 1970 : *D.* 1970, 705. — Civ. 1re, 26 janv. 1972 : *D.* 1972, 517; *Rev. trim. dr. civ.* 1973, 768, obs. LOUSSOUARN.

(77) Ainsi l'arrêt préc. (Civ. 1re, 27 oct. 1970), a considéré que l'erreur alléguée n'était pas vraisemblable, malgré l'âge du contractant, 83 ans, et le bruit d'une vente aux enchères publiques. En dépit de ces circonstances il a été jugé que l'acquéreur « commerçant averti » n'avait pas pu se tromper sur le prix de vente (francs nouveaux).

La multiplicité des démonstrations imposées à la victime de l'erreur rend les difficultés de preuve considérables. C'est, en pratique, pourquoi les juges tiennent largement compte des présomptions de fait puisées dans les conditions précises du contrat ou dans la nature de la qualité substantielle considérée, ou encore dans la qualification technique des parties. Par exemple, l'importance de la contre-prestation est souvent utile : on ne peut prétendre avoir acquis comme authentique une œuvre d'art pour le prix d'un sifflet de deux sous (78); de même les habitudes professionnelles sont par elles-mêmes révélatrices : lorsqu'il est d'usage de stipuler dans une facture que la chose vendue est ancienne, le défaut d'une telle insertion ne saurait servir d'argument à un acheteur qui est antiquaire; cette circonstance, qui aurait dû attirer l'attention de l'homme de l'art, constitue un indice contraire à l'erreur invoquée (79). Enfin, la preuve de l'erreur commune sera grandement facilitée toutes les fois que la qualité considérée faisait partie du champ contractuel, comme étant de celles qu'attend normalement tout contractant (80).

C. — Sanction

427. — On sait que cette sanction est la nullité de l'obligation et, par voie de conséquence, du contrat tout entier (80-1). On ne revient pas sur le caractère de cette nullité qui est, nous l'avons vu, relative, d'où il suit qu'elle ne peut être invoquée que par la partie dont le consentement a été vicié (80-2).

La nullité une fois prononcée, les choses doivent être remises dans le *statu quo ante,* les prestations devant être restituées — si le contrat a été exécuté — de part et d'autre. Cela peut susciter des difficultés lorsque la chose que l'on doit restituer ne se trouve plus dans l'état où elle était lors du contrat.

428. — Ce problème concerne toutes les nullités et on l'étudiera ultérieurement; mais, dès maintenant, il est intéressant de l'envisager dans le cadre de la nullité pour erreur. On reprendra, à cet effet, l'espèce précitée de l'acquéreur, dans une vente publique, de sièges qui, après dégarnissage et décapage, firent apparaître des bergères à la place des marquises qu'il avait cru acquérir. Ayant obtenu la nullité pour erreur sur la substance, il rendit les fausses marquises; le vendeur prétendit obtenir un dédommagement

---

(78) Paris, 22 fév. 1950 : *D.* 1950, 269.

(79) Trib. civ. Seine, 9 mars 1925 : *D.H.* 1925, 263.

(80) Com., 4 juill. 1973 : *D.* 1974, 538, note GHESTIN. — V. aussi FLOUR et AUBERT, *op. cit.*, n° 206 et s.

(80-1) Sur l'exigence d'un préjudice pour le prononcé de l'annulation, Civ. 1re, 6 janv. 1987 : *D.* 1987, I.R. 16 et v. FLOUR et AUBERT, n° 205.

(80-2) Civ. 1re, 1er mars 1988 : *Bull. civ.* I, n° 56, p. 37; *J.C.P.* 88, IV, 171.

pour les frais de remise en état des sièges en question. Sa prétention fut repoussée, les juges du fond ayant déclaré que le décapage et le dégarnissage dont il s'agit n'était pas une détérioration de la chose, mais une opération courante, voire nécessaire, pour permettre la vérification de l'authenticité du meuble. La solution eût été différente si l'erreur de l'acquéreur provenait de quelque faute de sa part, si elle n'avait pas été excusable.

SOUS-SECTION II

LE DOL

429. — Aux termes de l'article 1116 du Code civil :

« Le dol est une cause de nullité de la convention lorsque les manœuvres pratiquées par l'une des parties sont telles qu'il est évident que, sans ces manœuvres, l'autre partie n'aurait pas contracté ».

De ce texte, il résulte que le dol est une pratique blâmable — des « manœuvres » — ce qui permet de classer le dol parmi les actes fautifs. Le dol (81) est — on est d'accord pour l'affirmer — un délit civil. Il peut d'ailleurs, *dans certains cas,* constituer une infraction pénale. La plus connue est l'escroquerie, qui consiste à se faire remettre ou délivrer des fonds, des meubles, des promesses, etc., en employant des moyens frauduleux, tels qu'usage de faux noms ou de fausses qualités, machination, production de pièces... (C. pén., art. 405).

Plusieurs points doivent retenir l'attention : quelle est la conception exacte du dol ? Quels en sont les éléments constitutifs ? A quelles conditions engendre-t-il la nullité ? En quoi se distingue-t-il de l'erreur ?

§ 1. — La conception du dol

A. — Dol, erreur provoquée

430. — L'article 1116 figure dans une section du Code civil consacrée au consentement. De ce fait, il était unanimement admis que la manœuvre dont il s'agit ne dégénère en dol que si elle a provoqué une *erreur* dans l'esprit de celui

(81) Y. Fabre, *Essai sur la nature juridique du dol*, thèse Toulouse, 1941. — Boccara, *Dol, silence et réticence : Gaz. Pal.* 1953, 1, doctr. 24. — Boccara, *Le dol civil et le dol criminel dans la conclusion des contrats*, thèse Paris, 1952. — V. Bonnasies, *Le dol dans la conclusion du contrat,* thèse Aix, 1955. — J. Ghestin, *La notion d'erreur dans le droit positif actuel,* 2e éd., 1971. — Ottenhof, *Le droit pénal et la formation du contrat civil,* thèse Rennes, 1970. — J. Ghestin *La réticence, le dol et l'erreur sur les qualités substantielles : D.* 1971, chron. 247. — Nguyen Thahn Bourgeois, *Contribution à l'étude de la faute contractuelle : la faute dolosive et sa place actuelle dans la gamme des fautes : Rev. trim. dr. civ.* 1973, 496. — G. Brière de l'Isle, *La faute dolosive : D.* 1980, chron. 133. — Magnin *Réflexions critiques sur une extension possible de la notion de dol dans la formation des actes juridiques. L'abus de situation : J.C.P.* 76, I, 2780; *Rép. dr. civ. Dalloz, V° Dol*, par J. Ghestin.

contre lequel elle a été pratiquée. Le dol ne fait pas, cependant, double emploi avec l'erreur prévue à l'article 1110, dont nous venons de parler. En effet, cette dernière est une erreur spontanée : le contractant *s'est trompé;* tandis que, dans l'hypothèse du dol, l'erreur a été provoquée : le contractant *a été trompé* (81-1). Il est naturel que la loi et la jurisprudence fassent montre de plus de sévérité en présence d'un dol; il ne s'agit pas, dans cette hypothèse, de protéger la victime du dol, seulement, mais encore d'infliger une sanction à celui qui en est l'auteur.

431. — Le dol présente donc un double aspect avec son élément objectif, les manœuvres, et son élément subjectif, l'erreur. Une nuance a, de tout temps, été admise, cependant, selon que le dol intervient dans le cadre des actes à titre onéreux ou de ceux à titre gratuit. Pour ces derniers, la jurisprudence se montre d'une particulière sévérité envers l'auteur des manœuvres. Le dol pratiqué pour obtenir une donation ou un legs est dénommé *captation* ou *suggestion.* Bien qu'aucun texte de loi ne prévoie cette hypothèse spéciale, la jurisprudence, continuant la tradition qui remonte à l'ancien droit, admet avec quelque facilité le caractère de manœuvre et de vice du consentement — erreur ou, peut-être, violence, lorsqu'il s'agit de captation ou de suggestion (81-2).

B. — Dol, pression exercée

432. — Un arrêt de la cour de Colmar (82) a nettement rompu avec les idées traditionnelles en cette matière; il remet en question la définition du dol, en tant qu'il serait nécessairement une erreur provoquée. Cet arrêt ne nie pas que le dol demeure un vice du consentement, mais, contrairement à ce qui a été affirmé jusqu'alors, il prétend que ce vice a sa nature propre, qui ne se confond pas avec l'erreur, ni d'ailleurs avec la violence.

En l'espèce, divers actes ayant le caractère de libéralités, ont été faits par une dame âgée de 75 ans au profit de sa fille et de son gendre, et au détriment de son fils. Or, il a pu être prouvé que ces actes ont été consentis dans des conditions suspectes. La disposante a été « chambrée » par les bénéficiaires de la donation, un premier notaire a refusé de rédiger l'acte, lequel n'a été dressé que par un second notaire, tard dans la nuit, après plusieurs heures de discussion...

A la demande de la donatrice, l'acte en question est annulé pour dol par le tribunal de première instance, puis en appel par la cour de Colmar. Or, la motivation de l'arrêt de cette cour écarte la définition habituelle du dol. Il était

---

(81-1) Ce qui n'empêche pas une application cumulative, le cas échéant, de l'erreur et du dol : Versailles, 23 fév. 1988 : *D.* 1988, I.R. 94

(81-2) J. Guyénot, *La suggestion et la captation en matière de libéralités dans leurs rapports avec la notion de dol : Rev. trim. dr. civ.* 1964, 199.

(82) V. Colmar, 30 janv. 1970 : *J.C.P.* 70, II, 16609, note Loussouarn; *D.* 1970, 297, note Alfandari.

difficile, semble penser cette cour d'appel, de prétendre qu'en l'espèce les manœuvres pratiquées aient créé quelque erreur dans l'esprit de la donatrice. La définition classique du dol — erreur provoquée — n'aurait pas permis l'annulation de l'acte. C'est par *lassitude,* non par ignorance de ce qu'elle faisait, que le consentement a été donné. Mais, observe judicieusement la cour de Colmar, le Code civil ne mentionne pas l'erreur dans la définition du dol. Il y est seulement question de *manœuvres sans lesquelles l'autre partie n'aurait pas contracté.* Cela est nécessaire et suffisant pour annuler l'acte, c'est ajouter au texte que d'exiger, en outre, que ces manœuvres aient trompé le contractant.

La cour de Colmar invoque, pour conforter sa thèse — ce qui est inhabituel — la définition du dol donnée par les textes romains et acceptée par un éminent juriste enseignant au début de ce siècle (83). L'un des commentateurs de cette décision l'approuve (84) en estimant que cette nouvelle conception du dol comble un *no man's land* en matière de vices du consentement : celui qui résulterait de manœuvres déloyales qui ne sont ni des actes caractérisés de violence morale (la violence résulte de menaces qui inspirent la crainte), et qui n'ont pas davantage engendré d'*erreur.* Mais la pression subie par le contractant a engendré cette lassitude qui l'a fait consentir, alors que normalement il ne l'aurait pas fait.

433. — L'analyse de la cour de Colmar est intéressante et de nature à faire réviser les conceptions qui paraissaient bien établies jusqu'alors, selon lesquelles le dol est une erreur provoquée. Peut-être cette cour dépasse-t-elle le cadre du procès à elle soumis en donnant cette nouvelle définition du dol. S'agissant de libéralités, la théorie de la captation et de la suggestion (85) aurait probablement suffi pour faire annuler l'acte. Ayant choisi le terrain du *dol* en général, sa thèse n'en est que plus digne de retenir l'attention. Elle trouverait, aujourd'hui, un appui dans l'article 7 de la loi du 22 décembre 1972 relative au démarchage et à la vente à domicile, d'après lequel :

> « Quiconque aura abusé de la faiblesse ou de l'ignorance d'une personne pour lui faire souscrire, par le moyen de visites à domicile, des engagements au comptant ou à crédit sous quelque forme que ce soit, sera puni d'un emprisonnement de un à cinq ans et d'une amende de 3 600 F à 36 000 F ou de l'une de ces deux peines seulement, lorsque les circonstances montrent que cette personne n'était pas en mesure d'apprécier la portée des engagements qu'elle prenait ou de déceler les ruses ou artifices déployés pour la convaincre à y souscrire, ou font apparaître qu'elle a été soumise à une contrainte. »

434. — Cette nouvelle conception du dol, qui nous paraît préférable, n'a pas, toutefois, supplanté la notion traditionnelle qui requiert le phénomène induit de l'erreur, quoique la jurisprudence condamne parfois, abstraction faite des vices du consentement, l'exploitation caractérisée de la faiblesse d'un

(83) GAUDEMET, *Théorie générale des obligations,* p. 70.

(84) LOUSSOUARN, note préc.

(85) V. GUYÉNOT, *La suggestion et la captation en matière de libéralités dans leurs rapports avec le dol: Rev. trim. dr. civ.* 1964, p. 199 et s.

contractant (85-1). En effet, la Cour de cassation, dans un arrêt du 2 juin 1981 (86), a jugé que la seule insistance manifestée auprès d'une personne pour la convaincre de vendre des parts de société n'était pas constitutive d'une manœuvre dolosive *en l'absence de preuve d'artifices, de fraude, de mensonge ou de tromperie de la part des acquéreurs.*

§ 2. — Les manifestations du dol

Contrairement à l'article 1116 du Code civil qui définit le dol uniquement par les manœuvres, la jurisprudence s'est montrée plus libérale en accueillant, sous la même étiquette, le mensonge et la simple réticence.

A. — Manœuvres dolosives

435. — Pour qu'il y ait manœuvres au sens de l'article 1116 du Code civil, il faut, un peu à la manière du droit pénal, la réunion de trois éléments constitutifs : un élément matériel, un élément psychologique, un élément moral.

1° Elément matériel

436. — Le terme de manœuvre est pris dans le sens de manœuvre déloyale, de tromperie. En fait, il pourrait donc s'agir de toutes espèces d'artifices, tels que présentation de faux écrits, de faux diplômes, de faux témoins, de mises en scène, destinés à déterminer l'autre partie à contracter.

Tel est le cas du vendeur d'automobiles qui trafique le numéro du moteur ou le compteur kilométrique (87), du contractant sans scrupules qui abuse de la faiblesse d'esprit de son partenaire (88) ou qui noye sa raison dans une bonne bouteille (89). Tel est le cas du banquier qui fait intervenir un de ses chefs de bureaux pour certifier à la caution que la situation du débiteur principal est satisfaisante et qu'il n'y a aucun risque à garantir ses engagements, alors que, la veille de la passation de l'acte, le compte de celui-ci était débiteur et que, quelques jours plus tard, il avait dû être clôturé (90).

(85-1) Sur la question, V. les observations de J. MESTRE : *Rev. trim. dr. civ.* 1988, 115, à propos d'un arrêt de la cour d'appel d'Aix du 17 avril 1987 (inédit).

(86) Com., 2 juin 1981 : *Bull. civ.* IV, 205. — V. encore Civ. 1re, 23 janv. 1980 : *Gaz. pal.* 1980, 2, pan. 327 (pas de contradiction entre la constatation d'une influence éminemment suspecte, exercée par une partie sur l'autre, et l'affirmation du défaut de preuve de manœuvres caractérisant le dol, *seules de nature à entraîner la nullité des conventions.* — Cf. MAGNIN préc., qui combat la conception de la cour de Colmar.

(87) Com., 19 déc. 1961 : *D.* 1962, 240. — Aix, 19 avril 1966 : *J.C.P.* 66, II, 14742.

(88) T.G.I. Belley, 29 mars 1965 : *D.* 1965, somm. 119.

(89) Rennes, 6 juin 1881 : *S.* 1882, 2, 23.

(90) Com., 7 fév. 1983 : *D.* 1984, I.R. 84.

2° Elément psychologique

437. — Le dol est nécessairement une faute, et, même une *faute intentionnelle.* Si, par ignorance de la véritable situation, on induit son cocontractant en erreur, il ne peut pas y avoir nullité pour dol (mais, le cas échéant, la nullité pourrait être prononcée pour erreur si les conditions étudiées précédemment sont remplies).

Ainsi il n'y a pas dol lorsqu'un individu dénommé Louis de Bourbon, et se croyant lui-même descendant de Louis XIV, obtient un prêt d'argent d'une dame monarchiste (91).

3° Elément moral

438. — Certaines manœuvres ne seront pas considérées comme dolosives lorsqu'elles sont, à tort ou à raison, acceptées par les usages. Il en est ainsi des procédés publicitaires qui vantent, par exemple, les qualités d'un tissu « inusable » ou d'un produit dont les propriétés sont telles que laver la vaisselle ou le linge devient un véritable plaisir, etc. Celui qui, prenant à la lettre ces promesses publicitaires, constaterait que la réalité est différente, ne pourrait pas obtenir la nullité du contrat passé. Ce genre de dol est toléré par les usages : on l'appelle *dolus bonus* (le bon dol) par opposition au *dolus malus* (le mauvais dol).

439. — Pour autant le *dolus bonus* ne permet pas de dépasser l'habileté permise à tout vendeur (92). Le législateur est même intervenu pour réprimer la publicité mensongère : l'article 44 de la loi du 27 décembre 1973 l'incrimine en ces termes :

« Est interdite toute publicité comportant, sous quelque forme que ce soit, des allégations, indications ou présentations fausses ou *de nature à induire en erreur*, lorsque celles-ci portent sur un ou plusieurs des éléments ci-après : existence, nature, composition, qualités substantielles, teneur en principes utiles, espèce, origine, quantité, mode et date de fabrication, propriétés, prix et conditions de vente de biens ou services qui font l'objet de la publicité, conditions de leur utilisation, résultats qui peuvent être attendus de leur utilisation, motifs ou procédés de la vente ou de la prestation de services, portée des engagements pris par l'annonceur, identité, qualités ou aptitudes du fabricant, des revendeurs, des promoteurs ou des prestataires ».

Application de cette disposition a été faite, notamment, dans l'affaire de la boisson *Tang* : la boisson — faite de substances chimiques — était présentée comme une boisson *au goût de fruits pressés;* la publicité était accompagnée de l'image de fruits frais, ce qui donnait à penser que la boisson en était composée (93).

---

(91) Paris, 30 déc. 1934 : *S.* 1935, 2, 190. — V. aussi Civ. 3e, 16 mars 1969 : *Bull. civ.* n° 198.

(92) Civ. 1re, 1er fév. 1960 : *Bull. civ.* I, n° 67.

(93) Crim., 13 mars 1979 : *J.C.P.* 79, C.I., 13104, chron. GUINCHARD. La publicité est punissable sans qu'il soit nécessaire qu'elle ait effectivement trompé. Il suffit qu'elle soit suffisamment suggestive pour produire cet effet (Crim., 8 mai 1979 : *J.C.P.* 79, C.I., 7951).

440. — On citera aussi l'espèce dont a eu à connaître le tribunal correctionnel de Paris (94). Il s'agissait de la société S., fabricant de valises bien connu, qui avait fait réaliser un film publicitaire fort édifiant sur les extraordinaires capacités de résistance de ses valises. Le film représentait, avec le concours d'une équipe de cascadeurs, la simulation d'un match de football au cours duquel une valise S. tenait lieu de ballon, tandis que des bulldozers du type tracto-pelles, constitués en deux équipes de trois engins chacune, évoluaient devant une trentaine de camions rangés en bordure de terrain comme l'auraient été des spectateurs. Et, il était donné à voir un spectacle au cours duquel la valise sur laquelle apparaissait le nom de S. était soumise à de très dures et exceptionnelles épreuves : elle était, successivement, projetée en l'air, ramassée, traînée et poussée par les pelles des bulldozers, qui la projetaient violemment par terre, puis lui faisaient subir de très forts « roulés-boulés » au cours desquels la valise allait, dans le feu de l'action, jusqu'à passer sous les roues des bulldozers... le tout pour ressortir finalement indemne. Une société concurrente déposa plainte pour publicité mensongère que le tribunal accueillit, en estimant que l'impression d'ensemble était de nature à induire en erreur sur le degré de robustesse réelle de la valise en question.

440-1. — Signalons, encore, la loi du 1er août 1905 sur les fraudes et falsifications en matière de produits ou de services, modifiée par la loi du 10 janvier 1978. Ce texte punit de peines correctionnelles [emprisonnement de 3 mois à 2 ans et (ou) amende de 1 000 F à 2 500 F], quiconque, qu'il soit ou non partie au contrat, aura trompé ou tenté de tromper le cocontractant, par quelque moyen ou procédé que ce soit, même par l'intermédiaire d'un tiers, sur l'un des éléments suivants du produit : nature ou espèce, composition et teneur en principes utiles, origine, *qualités substantielles* (94-1), etc. Si le caractère pénal de la tromperie est reconnu, l'action civile pour dol est facilitée, car, généralement, on n'a pas à rechercher l'influence que la fraude a exercé en fait sur la volonté de l'acquéreur; la constitution du délit fait présumer que la tromperie a été l'élément déterminant du consentement.

B. — Mensonge dolosif

441. — Le terme « manœuvre » s'applique-t-il aux simples mensonges ? D'après la jurisprudence, tout dépend des circonstances de fait. Si la situation est telle que le mensonge a eu une influence certaine sur la détermination de contracter, les juges pourront y voir un dol. C'est ce qui a été jugé s'agissant de lettres mensongères vantant le confort d'une villa meublée donnée en loca-

(94) 2 juin 1982 : *Gaz. Pal.* 18 août 1982 confirmé par la cour de Paris le 12 avril 1983.

(94-1) Pour une illustration, Crim., 27 janv. 1987 : *D.* 1987, I.R. 54 : le délit est constitué lorsque le vendeur d'un véhicule d'occasion ne révèle pas qu'un accident antérieur avait réduit le véhicule à l'état d'épave, même si les dégâts causés à ce véhicule ont été normalement réparés.

tion (95), d'affirmations erronées sur les avantages prétendus d'une convention de cour commune (96), de tromperies sur l'importance de l'impact d'une publicité quant aux personnes touchées ou à l'étendue de son domaine géographique (97), de mensonges sur les qualités d'un tracteur (98), de l'indication mensongère quant à la qualification requise pour l'utilisation d'un camion malaxeur (99), d'un renseignement inexact sur la situation administrative d'un terrain (99-1).

442. — En toutes circonstances, la victime trop naïve ne sera pas protégée (100). Dans le monde des affaires, il n'est pas permis de faire montre de trop d'innocence et, par une transposition au dol de la notion d'erreur inexcusable, on refuse l'annulation au crédule qui a pris des vessies pour des lanternes (101). On aboutit à ce paradoxe : plus la contrevérité est grossière, moins elle est sanctionnée. Par ailleurs, la compétence technique ne réalise pas nécessairement une fin de non-recevoir : le dol n'est pas, de plein droit, écarté en raison des connaissances professionnelles de la partie qui s'en prétend victime (102).

C. — Réticence dolosive

443. — On va même plus loin encore. Le simple silence que l'on garde sur des éléments déterminants peut être retenu comme viciant le consentement par dol : c'est ce qu'on appelle la *réticence.*

Dans certains cas, c'est le législateur lui-même qui sanctionne la réticence. Il en est ainsi, notamment, en matière d'*assurance* : l'assuré doit déclarer toutes les circonstances susceptibles de permettre d'apprécier l'étendue du risque couvert. Citons aussi les articles 1641 à 1648 du Code civil d'où il résulte que le *vendeur* doit informer l'acheteur des *vices occultes* de la chose vendue, dont il a connaissance. De même, le *vendeur d'un fonds de commerce* doit insérer dans

---

(95) Civ. 3e, 23 avril 1971 : *J.C.P.* 71, IV, 138.

(96) Civ. 3e, 6 nov. 1970 : *J.C.P.* 71, II, 16942, note GHESTIN.

(97) Com., 7 juill. 1973 (2 arrêts) : *D.* 1973, somm. 124.

(98) Com., 29 mai 1973 : *D.* 1973, I.R. 180.

(99) Com., 30 mai 1985 : *J.C.P.* 85, IV, 280.

(99-1) Civ. 3e, 25 fév. 1987 : *Bull. civ.* III, n° 36, p. 21.

(100) Dans un seul cas, le mensonge est sans conséquence juridique : d'après l'art. 1307 du Code civil : « La simple déclaration de majorité, faite par le mineur, ne fait point obstacle à sa restitution » (nullité de l'acte). Cela se comprend. Si cette règle n'existait pas, la protection des mineurs serait illusoire, il suffirait qu'ils se prétendent majeurs pour faire n'importe quel contrat. Mais, si ce mensonge n'empêche pas l'action en nullité, il en serait autrement si le mineur produisait de faux papiers pour faire croire à sa majorité; en ce cas, il commettrait un *dol* qui rendrait son action en nullité irrecevable.

(101) Soc., 26 août 1957 : *Bull. civ.* n° 1011. — Comp. Civ. 1re, 27 juin 1973 : *D.* 1973, I.R. 204.

(102) Civ. 1re, 27 juin 1973 : *Bull. civ.* I, n° 221, p. 136; *J.C.P.* 73, éd. G, IV, 311; *D.S.* 1973, I.R. 204; *Rev. trim. dr. civ.* 1974, 144, obs. LOUSSOUARN; *Rép. Defrénois* 1974, 776, obs. SOULEAU (tromperie sur la marque d'un camion vendu à un transporteur).

l'acte de vente (nécessairement écrit) certaines mentions destinées à permettre à l'acheteur de connaître la valeur du fonds (chiffre d'affaires, bénéfices, etc.). A ces hypothèses classiques s'ajoutent les nombreuses dispositions légales récentes édictant dans l'intérêt du consommateur une obligation de renseignement (v. *supra* La préparation du contrat).

444. — Mais, en dehors même des cas où le législateur sanctionne la réticence, celle-ci est considérée par les tribunaux comme un dol, cause de nullité du contrat, toutes les fois qu'elle est blâmable (103) et qu'elle fait apparaître une intention de nuire (104).

Ainsi, ont été jugés dolosifs par omission les comportements suivants : la dissimulation de l'installation prochaine d'une porcherie à proximité de la maison vendue (104-1), la non-producttion du seul compte d'exploitation réel dans une vente d'appareils distributeurs (104-2), le silence gardé sur le fait que la maintenance d'un matériel informatique acheté d'occasion n'était plus assurée par le fabricant (104-3), la non-révélation que l'unique chambre de l'appartement était éclairée par un soupirail (104-4), l'attitude de la société venderesse d'un ordinateur qui s'abstient de dire que l'informaticien salarié au service de l'acheteur assume pour elle les fonctions de gérant (104-5), la dissimulation par le vendeur de l'absence d'autorisation administrative pour l'ouverturee d'une salle de bal (104-6), le silence du mari sur la valeur d'une propriété mise dans son lot (104-7).

---

(103) V. Com., 27 oct. 1965 : *Bull. civ.* III, n° 534; *Rev. trim. dr. civ.* 1966, 529. — Civ. 1re, 5 juin 1971 : *J.C.P.* 71, IV, 178. — *Adde* GHESTIN, *La réticence, le dol et l'erreur... : D.* 1971, chron. 248 et s.

(104) Civ. 1re, 7 mars 1979 : *Bull. civ.* I, n° 69. — Com., 10 mai 1970 : *Bull. civ.* IV, n° 152; *Rép. Defrénois* 1971, art. 29868, p. 582, obs. AUBERT (caducité de la licence d'exploitation d'une auberge). — Civ. 3e, 15 janv. 1971 : *D.* 1971, somm. 148; *Bull. civ.* III, n° 38; *Rev. trim. dr. civ.* 1971, p. 839, obs. LOUSSOUARN (possibilité ou non d'obtenir un permis de construire). — Com., 15 juin 1973 : *D.S.* 1973, I, 193; *Bull. civ.* IV, n° 185 (autorisation administrative de distribuer du carburant dans un garage, périmée depuis longtemps). — Civ. 3e, 19 fév. 1974 : *J.C.P.* 74, éd. G, IV, 125 (mentions laconiques d'un volumineux acte d'attribution-partage de société civile immobilière dissimulant aux attributaires une amputation de leurs droits sur une parcelle). — Civ. 3e, 7 mai 1974 : *D.S.* 1974, I.R. 176 (alimentation en eau insuffisante pour un immeuble acquis en vue d'y exploiter un hôtel). — Com., 8 juill. 1974 : *D.S.* 1974, 221 (impossibilité pour le cessionnaire d'un bail d'en obtenir le renouvellement alors qu'il compte créer un fonds de commerce). — Civ. 1re, 23 mai 1977 : *Bull. civ.* I, n° 191 (ignorance de la situation financière désastreuse de la société dans laquelle le cessionnaire des parts de ladite société a été tenu). — Civ. 1re, 21 janv. 1981 : *D.* 1981, I.R. 503, obs. VASSEUR (réticence d'une banque sur la solvabilité d'un débiteur cautionné). — Civ. 1re, 19 juin 1985 : *J.C.P.* 85, IV, 305 (omission de révéler l'ancienneté du moteur d'un véhicule d'occasion).

(104-1) Civ. 3e, 2 oct. 1974 : *Bull. civ.* III, n° 330.

(104-2) Crim, 10 déc. 1985 : *Gaz. Pal.* 1986, 1, pan. 96.

(104-3) Versailles, 21 mai 1986 : *D.* 1987, 266, note J. HUET.

(104-4) T.G.I. Perpignan, 5 juin 1985 : *Gaz. Pal.* 13 oct. 1987, note LE TOURNEAU.

(104-5) Versailles, 14 avril 1988 : *D.* 1988, I.R. 150.

(104-6) Com., 13 oct. 1980 : *D.* 1981, I.R. 309, obs. GHESTIN; *Rev. trim. dr. civ.* 1981, 630, obs. CHABAS.

(104-7) Civ. 1re, 23 juin 1987 : *D.* 1987, I.R. 168.

L'invalidation du contrat dans de telles situations n'est encourrue que si la réticence est *frauduleuse*, c'est-à-dire si elle a constitué un manquement à l'obligation de renseignement pesant sur le vendeur. Or, cette obligation, on le sait, est tempérée par le devoir de s'informer que la jurisprudence met à la charge de l'autre partie, qui doit manifester un minimum de curiosité. Si l'acheteur a fait preuve d'une passivité coupable, si sa déconvenue tient à une légèreté peu excusable, il s'expose, à coup sûr, au rejet de sa demande complémentaire de dommages et intérêts (104-8), éventuellement, en fonction des circonstances, au rejet de son action en annulation (104-9).

Il arrive, cependant, que la jurisprudence qualifie la simple réticence de réticence dolosive lorsque l'une des parties, *ratione materiae,* est en droit de se fier à l'entière bonne foi de son cocontractant. C'est ce qui se produit, notamment, en matière de mandat. Se rend coupable d'un dol le mandataire qui, devant traiter pour un tiers, agit pour son propre compte en tant que marchand de biens et, après s'être porté acquéreur, revend aussitôt au double (105).

Par ailleurs, le réticence n'est constitutive d'un dol que si elle procède de la mauvaise foi, si elle a été pratiquée de façon délibérée, *en vue de tromper le cocontractant*. La Cour de cassation rappelle cette exigence, en termes très explicites, dans une affaire où l'acheteur d'un camion d'occasion, non satisfait de son acquisition, avait provoqué une expertise, puis assigné en résolution de la vente sur le fondement, à la fois, des vices cachés et du dol, au motif que de nombreuses factures relatives à des interventions antérieurement effectuées sur le camion n'avaient été portées à sa connaissance qu'en cours de procédure et qu'il était nécessaire de procéder à d'importantes réparations pour permettre au véhicule « de travailler à peu près normalement ». Les juges du fond avaient estimé « qu'il y avait manifestement dol en l'espèce ». Cette décision a été cassée : « attendu qu'en se déterminant ainsi, sans rechercher si le défaut de communication des factures de réparation et d'indication de réparation restant à effectuer *avait été fait intentionnellement pour* tromper le contractant et le déterminer à conclure la vente, la cour d'appel, *faute d'avoir caractérisé la réticence dolosive*, n'a pas donné de base légale à sa décision » (105-1).

(104-8) Versailles, 17 juin 1987 : *Bull. Joly des sociétés* 1987, p. 780, note L. FAUGÉROLAS; *Rev. trim. dr. civ.* 1988, 336, obs. MESTRE. — Rappr. Com., 10 fév. 1987 : *Bull. civ.* IV, n° 41, p. 31.

(104-9) Civ. 3e, 10 juin 1987 : *D.* 1987, somm. 445, obs. L. AYNÈS. — Com., 8 déc. 1987 : *Bull. civ.* IV, n° 263, p. 198.

(105) Colmar, 2 oct. 1980 : *Rev. Alsace-Lorraine* 1980, 200.

(105-1) Civ. 1re, 12 nov. 1987 : *Bull. civ.* I, n° 293, p. 211; *Rev. trim. dr. civ.* 1988, 339, obs. MESTRE; *D.* 1987, I.R. 236. — Versailles, 21 mai 1986 : *D.* 1986, 560, note M. JEANTIN, où l'on trouve, à propos de la vente d'un fonds de commerce, cet attendu : « ...considérant que l'obligation de renseigner l'acheteur étant limitée aux indications exigées dans l'acte de vente, le dol ne peut être invoqué par ce dernier que dans la mesure où le vendeur lui a caché sciemment l'existence de cette situation et où, par sa réticence ou son silence volontaire, *il a manqué à la bonne foi* sur laquelle l'autre partie était en droit de compter... ».

§ 3. — Les conditions de la nullité pour dol

Elles sont au nombre de deux : le caractère déterminant des manœuvres, la nécessité que le comportement malhonnête émane du cocontractant.

A. — Caractère déterminant du dol

1° Dol principal et dol incident

445. — C'est par suite du dol que le contractant a donné son consentement. Cela résulte des termes mêmes de l'article 1116 précité : sans la déloyauté de l'une des parties, l'autre n'aurait pas contracté (105-2). Le dol déterminant (106) est encore appelé dol principal, et on l'oppose à ce qu'on appelle le dol incident (cette terminologie n'est pas dans les textes) (107). Le dol incident est celui qui n'a pas eu d'influence sur la conclusion même du contrat, mais seulement sur ses clauses, notamment le prix. Par exemple, l'acheteur d'un appartement était, de toute façon, décidé à conclure le contrat; mais la manœuvre dolosive par laquelle on lui a fait croire que ledit appartement avait certains éléments de confort, a fait qu'il a consenti à payer un prix supérieur au juste prix.

446. — Une partie de la doctrine (108) critique l'opposition entre dol incident et dol principal en raison de son caractère artificiel. En effet, au plan psychologique, rien ne justifie de distinguer entre la volonté globale de contracter et la volonté concrète de traiter à telles conditions. Dans tous les cas, seule importe l'influence exercée sur le consentement : des conditions désavantageuses acceptées à la suite d'une tromperie justifient tout autant l'annulation qu'une manœuvre ayant déclenché le consentement sur le principe même du contrat.

(105-2) Paris, 15 janv. 1987 : *D.* 1987, I.R. 28 : la souscription d'un bail commercial dans un centre commercial en voie de création impliquant, pour les preneurs, l'acceptation d'un risque tant en ce qui concerne le développement du centre que l'exploitation de leur propre commerce, les prétendues manœuvres des promoteurs — à les supposer établies — *n'ont pas été déterminantes* du consentement des signatures, les éléments reconnus mensongers ou non réalisés, dont faisaient état les promoteurs dans la publicité, étant entrés *pour une part minime* dans l'appréciation de ce risque. — Com, 8 déc. 1987 : *J.C.P.* 88, IV, 64 : refus du dol invoqué contre une banque, parce qu'il n'est pas prouvé que la caution ait fait de la solvabilité du débiteur principal la condition déterminante de son engagement.

(106) Réaffirmation très nette des principes dans Civ. 1re, 1er mars 1977 : *D.* 1978, 91, note LARROUMET.

(107) Cette qualification est utilisée par la jurisprudence : Com., 11 juill. 1977 : *D.* 1978, 155, note LARROUMET.

(108) RIPERT et BOULANGER, *op. cit.*, n° 185. — V. GHESTIN note au *D.* 1972, 653. — V. aussi FLOUR et AUBERT, n° 212.

2° Annulation ou dommages-intérêts

447. — On déclare, en général, que si le dol n'a été qu'incident, la nullité du contrat ne peut pas être demandée; la seule sanction serait alors une indemnité, une réduction du prix, selon les cas (109). En réalité, la jurisprudence n'est pas aussi nette. Divers arrêts ont admis la nullité bien que le dol ne fût qu'incident (110). La Chambre commerciale a même jugé, à propos de la vente d'un fonds de commerce, qu'une action fondée sur le dol ne saurait être déclarée irrecevable au motif que l'acquéreur n'a pas sollicité l'annulation de la vente mais seulement la réduction du prix (111). Cela s'explique par le désir des tribunaux d'infliger une sanction sévère à l'auteur d'un acte dolosif. Bien entendu, la victime du dol incident peut, si elle le préfère, vouloir le maintien du contrat, en réclamant seulement la réduction du prix ou une indemnité (111-1). Cette solution est expressément consacrée dans les articles 1641 à 1644 du Code civil qui ouvre une option à l'acheteur victime de vices cachés, entre l'action rédhibitoire (résolution de la vente) et l'action estimatoire (conservation de la chose contre restitution d'une portion du prix). Il n'y a pas de raison de ne pas y voir l'expression d'une règle générale.

B. — Imputabilité au cocontractant

448. — Le dol doit émaner du cocontractant selon l'article 1116 du Code civil (112). La solution est constante (112-1). Un arrêt de la Chambre commerciale du 14 décembre 1977 fait une exacte application de ce principe (113) : deux époux avaient contracté un prêt en vue d'acheter un véhicule d'occasion; l'automobile ne leur avait jamais été livrée et les emprunteurs n'avaient pas remboursé; l'arrêt d'appel avait débouté l'organisme de crédit de son action en remboursement en considérant que le contrat de prêt était entaché d'un vice du consentement, car il trouvait sa

(109) Com., 2 mai 1984 : *J.C.P.* 84, IV, 218. Nonobstant la demande d'annulation pour dol, la cour d'appel est approuvée pour n'avoir alloué que des dommages-intérêts aux motifs que les manœuvres ne constituaient qu'un dol incident.

(110) Civ. 1re, 22 déc. 1954 : *D.* 1955, 254.

(111) Com., 14 mars 1972 : *D.* 1972, 653, note GHESTIN. — *Adde*, Civ. 3e, 26 fév. 1974 : *D.* 1974, I.R. 24.

(111-1) Com., 14 mars 1972 : *D.* 1972, 653, note GHESTIN.

(112) Com., 26 avril 1971 : *J.C.P.* 72, II, 16986, note N. BERNARD. — Com., 18 juin 1973 : *J.C.P.* 73, éd. G, IV, 297; *D.S.* 1973, I.R. 188 (qui affirment — mais la solution est particulière au droit des sociétés — qu'une souscription, entachée de dol à la suite des manœuvres des dirigeants sociaux, demeure valable envers les tiers créanciers de la société) ou d'un tiers dont il est le complice (Civ. 3e, 6 nov. 1970, préc.).

(112-1) Com., 22 juill. 1986 : *Bull. civ.* IV, n° 163, p. 138. — Civ. 1re, 28 juin 1978 : *Bull. civ.* I, n° 246, p. 195.

(113) *Gaz. Pal.* 1978, 1, somm. 103.

seule cause dans les manœuvres délictueuses du garagiste qui avait amené les acquéreurs à emprunter. L'arrêt est cassé pour cette raison que, le garagiste *étant étranger au contrat de prêt,* ces manœuvres n'étaient pas constitutives d'un dol et pour cette autre raison que l'erreur commise, portant sur les mobiles de l'obligation, n'était pas constitutive d'un vice du consentement.

449. — Si les manœuvres émanaient d'un tiers, la nullité ne pourrait pas être obtenue. Certes, le tiers, auteur du dol, pourra être actionné en paiement de dommages et intérêts sur la base de l'article 1382 du Code civil, car il a commis une faute qui, par hypothèse, a entraîné un préjudice : la conclusion d'un contrat que, normalement, on n'aurait pas conclu; mais le contrat sera maintenu. Cela s'explique facilement. Il n'y a aucune raison de sacrifier, dans ce cas, le cocontractant de bonne foi. Bien entendu, si le cocontractant a été *complice* du dol émanant d'un tiers, la nullité pourra être prononcée (114).

D'après la jurisprudence, la règle selon laquelle le dol n'entraîne la nullité que s'il émane du cocontractant, est écartée s'il s'agit de *donations* (114-1) ou autres *contrats à titre gratuit*, tel le cautionnement (115). Cette même règle est évidemment inapplicable, par nature, aux *actes juridiques unilatéraux*, tel le *testament* (116). Dans ces divers cas, le dol vicie le consentement de celui qui en a été victime, quel qu'en soit l'auteur.

§ 4. — La supériorité du dol sur l'erreur

450. — Lorsque l'erreur a sa source dans quelque artifice pratiqué par le cocontractant, la partie victime a avantage à demander la nullité pour dol, plutôt que d'invoquer l'erreur prévue à l'article 1100 (117). Cet avantage est triple : la preuve du dol est plus facile, le domaine de la nullité plus large, la sanction plus efficace.

A. — Au plan de la preuve

451. — En cas d'erreur non provoquée, le contractant qui s'est trompé doit faire une preuve difficile : l'erreur psychologique. Tandis que le dol étant une manœuvre, un fait émanant du cocontractant, ce fait (ou cette abstention, en cas de réticence) pourra être prouvé plus facilement, parce qu'il est extériorisé.

(114) Req., 17 oct. 1934 : *D.H.* 1934, 522.

(114-1) V. TERRÉ et LEQUETTE, *Les successions, les libéralités*, 2e éd., 1988, n° 264.

(115) Pau, 17 déc. 1953 : *D.* 1954, somm. 21.

(116) Req., 2 janv. 1878 : *D.* 78, 1, 136.

(117) Les juges saisis d'une action fondée sur le dol peuvent annuler le contrat en appliquant l'article 1110 sur l'erreur : Com., 13 oct. 1980 : *D.* 1981, I.R. 310, obs. GHESTIN.

L'article 1116, alinéa 2, déclare : « Il ne se présume pas et doit être prouvé ». C'est là chose évidente. Cependant, cet article a un sens. Il signifie qu'un contrat, aussi désavantageux fût-il, n'est pas, pour autant, présumé avoir été conclu par suite d'un dol. Le dol ne résulte pas automatiquement du contrat *(dolus ex re ipsa)* : il doit être prouvé (118). Il en va ainsi quand bien même la victime serait créancière d'une obligation de renseignements (118-1).

La preuve peut être faite par tous les moyens, notamment des témoignages ou des présomptions (119). L'appréciation du caractère dolosif relève du pouvoir souverain des juges du fond (120).

B. — Au plan du domaine

452. — On se rappelle que, s'agissant de l'erreur spontanée, certaines erreurs ne permettent pas la nullité : erreurs sur la valeur, sur les motifs, sur les qualités de la chose, qui n'ont été déterminantes que pour des raisons personnelles au contractant. On ne veut pas, en effet, porter trop facilement atteinte à la stabilité du contrat et, surtout, on ne veut pas, en protégeant la victime de l'erreur, sacrifier un cocontractant de bonne foi.

En cas de dol, ces réserves ne jouent pas. Il en résulte que la nullité pourra être prononcée dans tous les cas d'erreur déterminée par le dol, même lorsqu'elle porte sur les motifs (120-1), la valeur (120-2), ou les qualités substantielles d'un point de vue purement personnel (121).

Un seul exemple suffit pour prendre la mesure de l'élargissement du domaine de la nullité, quand celle-ci repose sur une erreur provoquée. Supposons un fonctionnaire achetant un appartement dans une ville donnée, dans la perspective d'y être affecté. S'il a pris cette décision parce qu'il pensait, à tort, y être prochainement nommé, il s'est trompé et ce, dans des conditions qui ne motivent pas la remise en cause du contrat. Si, au contraire, on lui a *fait croire* que sa nomination était imminente, c'est une habileté dolosive qui a déterminé son consentement et l'acte est nul.

---

(118) Civ., 4 juin 1957 : *D.* 1958, 79, note Ph. MALAURIE.

(118-1) Paris, 10 mai 1988 : *D.* 1988, I.R. 171.

(119) Civ., 4 janv. 1949 : *Gaz. Pal.* 1949, 1, 145.

(120) Jurisprudence constante; V. Req., 27 oct. 1941 : *D.A.* 1942, 56. — Civ. 3e, 13 juin 1973 : *J.C.P.* 73, IV, 288; *Rev. trim. dr. civ.* 1974, 144, obs. LOUSSOUARN.

(120-1) Civ. 3e, 2 oct. 1974 : *Bull. civ.* III, n° 330.

(120-2) Paris, 22 janv. 1953 : *J.C.P.* 53, II, 7435, note J.-M.

(121) Com., 19 déc. 1961 : *D.* 1962, 240. — Civ. 1re, 13 fév. 1967 : *D.* 1967, somm. 74.

C. — Au plan de la sanction

453. — Elle peut être plus énergique en cas de dol. Non seulement le contrat sera *annulé* à la demande de la victime du dol (il s'agit, bien entendu, là aussi, de nullité relative), mais, de plus, l'auteur du dol peut, le cas échéant, être condamné à verser une *indemnité* au contractant victime de ses manœuvres (122).

Ce n'est pas à dire que la nullité constitue la seule sanction de l'erreur spontanée; dans la mesure où l'annulation du contrat pour erreur ne suffit pas à opérer une pleine restitution de l'*errans*, rien ne s'oppose à ce qu'il lui soit attribué également des dommages et intérêts (122-1).

SOUS-SECTION III

LA VIOLENCE

454. — D'après l'article 1109 du Code civil, il n'y a point de consentement valable, « s'il a été extorqué par la violence » (122-2).

On remarquera que, de même que le dol, ce n'est pas la violence qui est un vice du consentement, à proprement parler. La violence *stricto sensu* n'est qu'un fait matériel qui ne retentit sur la volonté que par le biais de la crainte qu'elle engendre ; elle est la cause qui vicie le consentement.

La violence *ne crée pas d'erreur* dans l'esprit de celui qui en est victime; à l'opposé des deux autres vices qui atteignent le consentement dans son élément d'intelligence, la violence affecte la volonté dans son élément de *liberté*, supprimant pratiquement la liberté de décision. Or, pour qu'un consentement soit valable, il faut qu'il émane d'une volonté libre et non seulement d'une volonté éclairée.

En réalité, le vice du consentement est mal dénommé; ce n'est pas la violence en soi mais la crainte que celle-ci inspire qui altère le consente-

(122) Civ. 1re, 4 fév. 1975 : *J.C.P.* 75, II, 18100, note LARROUMET; *D.S.* 1975, 405, note GAURY; *Rev. trim. dr. civ.* 1975, p. 537, obs. DURRY (le droit de demander la nullité d'un contrat par application des articles 1116 et 1117 du Code civil n'exclut pas l'exercice par la victime d'un dol, d'une action en responsabilité délictuelle pour obtenir de son auteur réparation du préjudice qu'elle a subi et cette action se prescrit par 30 ans à partir des manœuvres dolosives). — Civ. 1re, 4 oct. 1988 : *Bull. civ.* I, n° 265, p. 183 : la renonciation à l'action en résiliation est sans incidence sur l'action délictuelle en dommages-intérêts.

(122-1) Civ. 1re, 4 fév. 1975 : *J.C.P.* 75, II, 18100, note LARROUMET.

(122-2) J. ROVINSKI, *La violence dans la formation du contrat*, thèse Aix, 1987. — DEMOGUE, *De la violence comme vice du consentement : Rev. trim. dr. civ.* 1914, n° 435 et s. — A. BRETON, *La notion de violence en tant que vice du consentement*, thèse Caen, 1925. — TREILLARD, *La violence comme vice du consentement en droit comparé : Mélanges Laborde-Lacoste*, 1963, n° 419 et s.; *Rép. dr. civ. Dalloz, V° Violence* par A. RIEG. — GHESTIN, n° 443 et s.

ment. Placé devant l'alternative de souscrire aux engagements voulus par l'autre partie ou de s'exposer à ses représailles, le partenaire fait un choix délibéré. Il se rend compte qu'il fait une mauvaise affaire, mais il la préfère à un mal plus grave : de deux maux, on choisit le moindre. *Coacta voluntas, tamen voluntas* (122-3). La notion se retrouve en droit pénal : de même qu'au dol correspond l'escroquerie, la violence est incriminée sous la qualification d'extorsion ou de chantage (C. pén., art. 400).

Qu'est-ce que la violence ? A quelles conditions entraîne-t-elle la nullité du contrat ? Examinons successivement ces deux questions.

§ 1. — Les éléments constitutifs de la violence

455. — Il existe une notion classique de la violence; mais la jurisprudence s'en est éloignée. Alors que l'article 1109 ne vise que le consentement extorqué par violence, d'où il résulte qu'il y faut l'action de l'homme, les tribunaux ont finalement élargi le concept et retenu comme cause de nullité la contrainte, quelle qu'en soit l'origine, serait-elle due à la seule nécessité.

A. — Violence imputable à l'homme

Violence physique, violence morale

456. — Comme le dol, la violence a été, à l'origine, avant tout un délit (à Rome la *metus*). Ce délit consiste à agir sur la volonté d'autrui en employant des moyens de contrainte physique ou morale.

En réalité, la contrainte physique proprement dite ne fait pas partie des vices du consentement. Si le contrat a été passé sous la torture ou s'il a fallu de force tenir la main du contractant pour le faire signer, la volonté est toute fictive : *il y a absence totale de consentement.* Lorsqu'on parle de violence physique, ce n'est que par ellipse, pour désigner les hypothèses où le mal dont on est menacé est lui-même d'ordre physique : menaces de mort, de coups, de séquestration, de privation de nourriture...

En définitive, il n'y a de violence vice du consentement qu'à travers la contrainte morale, qui s'analyse dans des menaces dont il faut préciser l'objet, l'auteur et le destinataire.

1° Objet de la menace

457. — Selon l'article 1112 du Code civil, pour que la violence soit retenue comme vice du consentement, il importe peu qu'elle inspire au contractant la crainte d'exposer sa *personne* ou sa *fortune* : pour la personne, menace de mort, de diffamation ou d'abandon (122-4); pour le

(122-3) ROLAND et BOYER, *Adages*, p. 160.

(122-4) Civ. 3e, 19 fév. 1969 : *J.C.P.* 69, IV, 82; *Bull. civ.* III, n° 157, p. 119.

patrimoine, menace d'incendier la maison, de briser la carrière professionnelle, de se porter surenchérisseur et d'expulser l'adjudicataire (122-5).

Le même texte réclame que le mal dont on brandit la menace soit présent. Le terme est impropre. Le mal se produira nécessairement dans l'avenir, puisqu'il n'est appelé à se réaliser que si on refuse de contracter. Ce qui est actuel, c'est la crainte elle-même, celle qu'on éprouve à présent à l'idée du mal à venir.

2° Auteur de la menace

458. — On notera qu'aux termes de l'article 1111 du Code civil, la violence est cause de nullité du contrat *même si elle émane d'un tiers* et pas seulement du cocontractant, contrairement à ce qui est prévu pour le dol (123). Cette règle n'est pas facile à justifier. Il semble bien qu'elle n'ait été conservée par le Code civil qu'à la suite d'une tradition remontant au droit romain, lequel était particulièrement sévère lorsqu'il sanctionnait des actes de violence.

En droit moderne, la règle dont il s'agit pourrait paraître injuste à l'égard du cocontractant de bonne foi. N'étant pas, par hypothèse, l'auteur de la violence, pourquoi devrait-il subir les conséquences (nullité du contrat) des violences émanant d'un tiers ?

La seule explication serait qu'alors même que l'on n'est pas, personnellement, auteur des violences subies par le cocontractant, on a eu le tort d'en profiter. Il y aurait une sorte de *présomption de complicité.* C'est une explication en grande partie artificielle, mais on n'en trouve pas d'autre.

3° Destinataire de la menace

459. — Outre le contractant, la menace peut viser, déclare l'article 1113 du Code civil, *le conjoint, les descendants ou les ascendants.* Celui qui signe une reconnaissance de dette sous la menace que son enfant lui sera enlevé s'il n'y consent pas a émis un consentement vicié.

460. — Les cas prévus par l'article 1113 précité sont-ils les seuls où la violence exercée contre une personne autre que le contractant vicie le consentement ? Il faut répondre négativement. On peut avoir consenti sous une menace visant une personne quelconque, dès lors que les liens du contractant avec cette personne étaient tels que le mal dont cette dernière était menacée a pu déterminer le consentement. Pour obtenir la nullité, il faut, mais il suffit, de prouver l'existence de ces liens sans lesquels la menace concernant ces personnes eût été sans influence sur le consentement.

(122-5) Civ. 1re, 3 nov. 1959 : *D.* 1969, 187, note HOLLEAUX.

(123) Com.,4 juin 1973 : *Bull. civ.* IV, n° 193, p. 174; *D.S.* 1973, I.R. 180; *Rev. trim. dr. civ.* 1974, p. 144, obs. LOUSSOUARN (nullité de l'engagement pris par une veuve envers une banque, sous la contrainte morale de son beau-père qui assurait sa subsistance et celle de ses enfants).

461. — Outre la personne physique, qu'il s'agisse du partenaire ou de ses proches, la violence peut être dirigée aussi contre une personne morale. La Chambre sociale l'a admis explicitement dans un arrêt du 8 novembre 1984 (124) : l'article 1112 du Code civil concerne également les sociétés, car le consentement de ces personnes morales est exprimé par leurs représentants légaux, qui sont des personnes physiques à l'égard desquelles la violence peut exercer une influence.

B. — Violence imputable à la nécessité

462. — La jurisprudence a admis qu'il peut y avoir violence sans que celle-ci soit imputable à un fait de l'homme. Des événements de force majeure ou dérivant d'une sorte d'état de nécessité peuvent créer une situation qui altère la liberté du consentement (124-1).

1° Circonstances naturelles

463. — L'exemple bien connu est celui du navire sur le point de faire naufrage : son capitaine promet une somme considérable pour le sauvetage. Une loi du 29 avril 1916 concernant les conventions d'assistance et de sauvetage maritime permet au tribunal de modifier le montant de la prime de sauvetage lorsqu'elle ne paraît pas équitable, soit parce qu'elle est excessive, soit parce qu'elle insuffisante (125). Mais, dès avant cette loi, des tribunaux admettaient la nullité ou la réduction des conventions de sauvetage maritime en constatant que le consentement n'avait été donné que sous l'empire de la contrainte : l'imminence du naufrage, lequel était dû à des circonstances extérieures, non imputables au cocontractant : celui-ci avait eu le tort de profiter de l'état de détresse de la victime de ces événements (126).

2° Circonstances économiques

464. — Un arrêt (127) a annulé un contrat de travail comportant des clauses désavantageuses pour l'employé qui l'avait conclu sous l'empire d'un état de nécessité (besoin immédiat d'argent, maladie d'un de ses

---

(124) *J.C.P.* 85, IV, 23; *Rev. trim. dr. civ.* 1985, p. 368, obs. MESTRE. — La Cour de cassation rejette le pourvoi formé contre l'arrêt de la cour d'appel de Douai, 16 juin 1982 : *J.C.P.* 84, II, 20035, note JAMBU-MERLIN.

(124-1) LALLEMENT, *L'état de nécessité en matière civile*, thèse Paris, 1922. — PALLARD, *L'exception de nécessité en droit civil*, thèse Poitiers, 1949, préface R. SAVATIER. — ABOAF, *L'état de nécessité et la responsabilité dans la vente commerciale*, thèse Nancy, 1976.

(125) Les dispositions de cette loi ont été reprises, en substance, par l'article 15 de la loi n° 545 du 7 juillet 1967 en matière maritime et étendues par la loi du 31 mai 1924, article 57, à la navigation aérienne.

(126) Req., 27 avril 1887 : *D.* 88, 1, 263.

(127) Soc., 5 juill. 1965 : *Bull. civ.* IV, n° 545.

enfants). Une autre décision a assimilé à la violence l'état de nécessité créé par le besoin d'une intervention chirurgicale urgente ayant donné lieu à une demande d'honoraires excessifs (128). Mais, jusqu'à ces dernières années, la jurisprudence était peu importante et, du reste, divisée (129).

Il semble qu'un courant beaucoup plus restrictif se dessine (129-1). La Chambre commerciale, le 20 mai 1980 (130), censure un arrêt de la cour de Paris qui avait vu une violence dans la prééminence socio-économique de l'un des partenaires, et, le 8 février 1984, la même Chambre a cassé l'arrêt qui avait retenu, comme étant entachée d'un vice du consentement, la démission d'un salarié parce qu'elle avait été présentée dans un moment de désarroi provoqué par la persistance des douleurs résultant d'une blessure (131). Les juges du fond, de leur côté, paraissent se ranger à une interprétation mesurée de l'influence des circonstances économiques sur le consentement. Ainsi l'atteste un arrêt de la cour de Paris qui, à propos de la réclamation d'un entrepreneur, arguant que seule une impérieuse nécessité de trésorerie l'avait amené à contracter, déclare que « les difficultés économiques de l'entreprise ne sauraient constituer à elles seules le cas de contrainte morale » (132).

465. — On remarquera, cependant, que, lorsque la violence n'émane pas d'un individu, les tribunaux ne prononcent pas la nullité en constatant simplement que la volonté du contractant était déterminée par la contrainte; ils relèvent, en outre, le caractère désavantageux, excessif ou lésionnaire, de l'engagement ainsi assumé.

§ 2. — Les conditions de la nullité pour violence

466. — La sanction de la violence est, d'une part, la *nullité relative* de l'engagement, d'autre part, le cas échéant, des *dommages et intérêts* pour réparer le préjudice causé à la victime de la violence, préjudice que la nullité du contrat ne suffirait pas à réparer complètement.

---

(128) Rennes, 20 mars 1929 : *S.* 1929, 3, 556. — Rappr. Civ. 1re, 3 nov. 1976 : *Gaz. Pal.* 1977, 1, 67, note DAMIEN (mise à profit par l'avocat de la gêne du client, pressé par le besoin de percevoir rapidement les dommages et intérêts qui lui ont été alloués).

(129) Pour la reconnaissance de la violence : Trib. com. Seine, 12 mars 1945 : *Gaz. Pal.* 1945, 1, 107. — Trib. Cernay, 12 déc. 1946 : *Gaz. Pal.* 1947, 1, 90. — En sens contraire : Colmar, 12 juill. 1946 : *S.* 1946, 2, 124. — Trib. civ. Saumur, 5 juin 1947 : *Gaz. Pal.* 1947, 2, 59. — Comp. Lyon, 20 fév. 1964 : *Gaz. Pal.* 1964, 1, 420.

(129-1) V. toutefois les observations de J. MESTRE : *Rev. trim. dr. civ.* 1988, 105, à l'occasion d'un arrêt de la Chambre commerciale du 2 juin 1987, admettant qu'une convention passée avec un gérant est contraire au principe de libre révocabilité, en raison de son impact financier et eu égard aux facultés financières de la société.

(130) *Bull. civ.* IV, n° 212.

(131) *D.* 1984, I.R. 388.

(132) V. J. MESTRE, *Rev. trim. dr. civ.* 1984, 709.

Mais, tout comportement constitutif de violence ne débouche pas pour autant sur la nullité. Deux conditions sont requises : l'une relative au degré de la violence, l'autre à son caractère illégitime.

A. — Gravité de la violence

467. — L'article 1112 déclare :

« Il y a violence, lorsqu'elle est de nature à faire impression sur une *personne raisonnable*... On a égard, en cette matière, *à l'âge, au sexe* et à la *condition des personnes* ».

Autrement dit, le juge appréciera chaque cas concrètement (132-1). Contrairement à ce qui paraît résulter du début du texte, l'appréciation ne se fait pas *in abstracto*, c'est-à-dire par rapport à un type abstrait, la « personne raisonnable », mais par rapport à celui qui, dans l'espèce considérée, a consenti sous la menace.

Ainsi a été maintenu le contrat passé par l'homme d'affaires avisé (133) et, à l'inverse, annulée la convention conclue par un vieillard aux facultés intellectuelles affaiblies (134), par une femme âgée et inexpérimentée (135) ou par un fils souffrant d'un déséquilibre nerveux (135-1).

B. — Illégitimité de la violence

La violence ne vicie le consentement que si elle a été exercée injustement, si elle a un caractère injustifié. On illustrera cette proposition en envisageant successivement les voies de fait et les voies de droit.

1° Voies de fait

468. — A Boulogne, un commando de syndicats envahit un navire dont il prend possession, enferme les officiers dans une cabine et empêche les opérations de chargement. La garde de la cabine du capitaine est confiée à un syndicaliste muni d'une hâche. C'est dans ces conditions qu'est signé un accord prévoyant un rappel de salaires et le versement d'une substantielle cotisation au syndicat.

La cour de Douai annule la convention, relevant les diverses circonstances d'atteinte à la liberté des marins et constatant la situation de contrainte dans laquelle s'était trouvé le représentant de l'armateur au

---

(132-1) Civ. 1re, 5 mai 1986 : *D.* 1986, I.R. 271.

(133) Req., 17 nov. 1925 : *S.* 1926, 1, 121, note BRETON.

(134) Req., 27 janv. 1919 : *S.* 1920, 1, 198.

(135) Civ. 1re, 3 nov. 1959 : *D.* 1960, 187, note HOLLEAUX. — *Adde* : Com., 30 janv. 1974 : *D.* 1974, 382.

(135-1) Civ. 1re, 22 avril 1986 : *Gaz. Pal.* 1986, 2, pan. 138.

moment de la signature de l'accord. Ce n'est pas la seule occupation qui était condamnable; à la limite elle aurait pu être considérée comme légitime si elle avait été paisible; ce sont les voies de fait qui sont constitutives de la contrainte illégitime (136).

2° Voies de droit

469. — La menace d'exercer une voie de droit n'entraîne pas la nullité du contrat ainsi obtenu. L'engagement de payer, souscrit sous la menace de saisie ou de l'exercice d'une action en justice proférée par son créancier, n'est pas annulable pour violence (137). Saisir les biens d'un débiteur qui ne paie pas ses dettes est un acte légitime. Encore faut-il que cette menace n'ait pas un caractère abusif (138). Elle revêt ce caractère lorsqu'elle a pour but d'obtenir une promesse ou un avantage *sans rapport ou hors de proportion* avec l'engagement primitif. En voici un exemple : un propriétaire avait construit son habitation en empiétant un peu sur le terrain contigu; afin d'éviter d'être inquiété pour cette erreur d'implantation, il avait accepté, d'une part de payer le prix de vente au vendeur dudit terrain, d'autre part, de verser à l'acquéreur renonçant la somme qui lui était nécessaire pour acheter un autre fonds. La cour d'appel réforme les premiers juges : une pareille transaction devait être annulée pour avoir été signée sous l'empire d'une violence injuste comme étant hors de proportion avec la réparation du dommage allégué (139). En revanche, il n'y a pas illégitimité lorsque deux époux n'ont consenti à vendre un appartement que sous la menace d'une plainte de la part d'une société au détriment de laquelle ils avaient détourné une somme d'argent : cette menace n'avait pas eu pour but d'obtenir du signataire un engagement excessif et il existait un rapport direct entre le droit de créance découlant pour la société de l'acte de vente et le règlement partiel de cette créance par imputation (140).

Les juges répressifs s'inspirent de la jurisprudence civile pour appréhender la notion de chantage ou d'extorsion. En principe, la menace de recourir aux voies légales pour obtenir le paiement d'une dette ne tombe pas sous le coup de l'article 400 du Code pénal (140-1). Le comportement n'est

---

(136) Douai, 16 juin 1982 : *J.C.P.* 83, II, 20035, note JAMBU-MERLIN; *Rev. trim. dr. civ.* 1984, 111, obs. CHABAS.

(137) Civ. 1re, 11 mars 1959 : *Bull. civ.* 1959, I, n° 151 (menace justifiée de poursuites pénales pour obliger l'auteur de l'infraction à signer une reconnaissance de dette). — Soc. 4 mai 1960 : *Bull. civ.* IV, n° 442 (même menace en vue d'obtenir la démission d'un employé indélicat). — *Adde* : Com., 30 janv. 1974 : *D.* 1974, 382.

(138) V. Paris, 31 mai 1966 : *Rev. trim. dr. civ.* 1967, 147. — Civ. 1re, 3 nov. 1959 : *D.* 1960, 187, note HOLLEAUX; dans ces cas, l'obligation assumée sous la menace d'user d'une voie de droit contre le débiteur a été annulée pour violence, les juges ayant constaté que l'engagement était *excessif*).

(139) Poitiers, 7 nov. 1979 : *D.* 1980, I.R. 265, note GHESTIN.

(140) Paris, 8 juill. 1982 : *D.* 1983, 473, note LANDRAUD, approuvé par Civ. 3e, 17 janv. 1984 : *Bull. civ.* III, n° 13; *Rev. trim. dr. civ.* 1985, p. 367, obs. J. MESTRE.

(140-1) Crim., 12 mars 1985 : *Bull. crim.*, n° 110, p. 290.

pénalement répréhensible que si les menaces sont formulées dans le dessein d'extorquer une somme d'argent sans cause légitime ou si l'indemnité est hors de proportion avec le préjudice subi (140-2).

3° Crainte révérencielle

470. — On voit ainsi que certaines menaces, certaines pressions, bien qu'altérant la liberté du consentement, ne permettent pas la nullité de l'engagement, par suite de leur caractère légitime.

Un exemple de ce genre de pressions nous est donné par l'article 1114 du Code civil, lequel déclare que :

« La seule *crainte révérencielle* envers le père, la mère ou autre ascendant, sans qu'il y ait eu de violence exercée, ne suffit point pour annuler le contrat ».

La crainte révérencielle est celle qu'inspirent les parents (du moins il en était ainsi du temps où le Code a été rédigé). Un contrat conclu parce qu'on n'a pas osé désobéir à son père, lui manquer de respect, ne peut pas être annulé. Mais, il en serait autrement si l'ascendant avait utilisé des violences proprement dites. Tel est le cas lorsqu'un père, en vue d'arracher une convention lui reconnaissant certains droits successoraux, cherche à intimider son fils en procédant, d'une part au blocage des comptes en banque de sa mère défunte suivi d'une main-levée une fois l'accord conclu, d'autre part à la restitution à la même date d'une reconnaissance de dette antérieure; un tel comportement réalise une violence illégitime justifiant l'annulation de l'engagement (140-3). Il a été jugé que l'autorité qu'un époux peut avoir sur son conjoint n'est pas, non plus, de nature à constituer une violence illégitime (141).

Tels sont les vices du consentement. En réalité, le Code civil, et de nombreux auteurs, ajoutent aux trois vices du consentement que nous venons d'étudier (erreur, dol, violence), un quatrième : la lésion. Nous verrons, cependant, que cette conception n'est pas exacte. C'est pourquoi nous préférons traiter de la lésion dans une autre section. Mais, auparavant, il nous faut étudier les conditions de validité du contrat relatives à l'*objet* et à la *cause* des obligations.

(140-2) VOUIN et RASSAT, *Droit pénal spécial*, 6e éd., 1988, n° 95.

(140-3) Civ. 1re, 22 avril 1986 : *Gaz. Pal.* 1986, 2, pan. 138. — Rappr. T.G.I. Versailles, 25 avril 1979 : *Gaz. Pal.* 1979, 2, 532 : un garçon très affecté par la révélation, la veille de son mariage, d'une liaison de sa future épouse, laisse, néanmoins, se dérouler la cérémonie sur la seule insistance de son père et dans le souci de ne pas nuire à la renommée de la famille qui avait invité près de 700 personnes, qu'il était impossible de décommander; il y a violence morale privant le consentement de toute efficacité.

(141) Civ. 1re, 3 juin 1959 : *Bull. civ.* I, n° 276.

SECTION III

OBJET DU CONTRAT

Objet du contrat et objet de l'obligation

471. — Le Code civil vise tantôt l'objet du contrat (par exemple, l'article 1126 : « Tout contrat a pour objet une chose... »), tantôt l'objet de l'obligation (par exemple l'article 1129 : « il faut que l'obligation ait pour objet une chose... »). Il y a là une imprécision terminologique regrettable. En toute rigueur, on ne saurait parler d'objet du contrat, car le contrat en soi n'a pas d'objet. Le contrat n'a que des effets qui consistent dans la création d'une ou plusieurs obligations. Ce sont ces obligations nées du contrat qui ont un objet : livrer une chose, donner des soins, ne pas faire de concurrence, etc. On devrait donc dire dans un langage précis : objet de l'obligation née du contrat (payer le loyer, c'est l'objet de l'obligation issu du contrat de location). C'est, donc, par ellipse que l'on parle d'objet du contrat. Nonobstant l'impropriété, on conservera l'expression pour sa commodité.

Contenu du contrat

472. — En simplifiant, il est permis de réduire l'objet au contenu du contrat. C'est la réponse au *quid debetur* d'Oudot : qu'est-ce qui est dû ? A quoi le débiteur est-il astreint vis-à-vis du créancier ? Selon les cas, il est tenu de *dare,* de *facere* ou de *non facere.* Le *dare* s'analyse dans le transfert d'un droit réel, propriété, usage, possession, qui a pour matière telle ou telle chose. Le *facere* consiste dans l'accomplissement d'un fait positif (d'où le nom de prestation), *le non facere* dans une abstention.

473. — Dans la section relative à « l'objet et la matière des contrats », le Code civil contient très peu de textes concernant les conditions de validité relativement à l'objet des obligations assumées par les parties. Mais il faut tenir compte, en outre, de nombreux autres textes extérieurs au Code qui prohibent telle ou telle obligation (141-1).

En définitive, les exigences en ce domaine se résument à l'existence, à la détermination, à la possibilité, à la commercialité.

(141-1) V. H. Mayer, *L'objet du contrat*, thèse Bordeaux, 1968. — J.-F. Overstake, *Essai de classification des contrats spéciaux*, thèse Bordeaux, 1969, préface J. Brethe de la Gressaye. — M.-L. Engelhard-Grosjean, *La détermination de l'objet dans les contrats*, *Annales*, Faculté de droit de Clermont-Ferrand, t. XIII, 1976, p. 439 et s. — *Rép. dr. civ. Dalloz, V^{is} Contrats et conventions* par Louis Boyer, *V^{is} Obligations* par F. Derrida. — Ghestin, n° 509 et s.

SOUS-SECTION I

L'EXISTENCE DE L'OBJET

474. — Le contrat ne saurait se former si l'objet n'existe pas ou n'existe plus au moment de l'échange des volontés. Mais, il n'est pas nécessaire que la chose existe actuellement; les choses qui pourront exister peuvent faire l'objet d'une convention.

§ 1. — L'existence actuelle

Délimitation de la question

475. — Il va de soi qu'on ne s'engage pas sur rien. Seule, donc, est à considérer l'hypothèse où la chose a cessé d'exister au moment où la convention est intervenue. Encore faut-il apercevoir que le problème n'intéresse pas les choses de genre; en application de *genera non pereunt* (141-2), il ne peut y avoir inexistence, puisqu'en cas de disparition il est toujours loisible de se procurer une chose équivalente sur le marché. Il n'y a donc jamais défaut d'objet, sauf obstacle empêchant le jeu de la fongibilité, comme un arrêt de fabrication ou une interdiction d'importer.

Le problème ne se pose que pour les *corps certains*, qui ne se rencontrent que dans un exemplaire unique, qui n'ont aucun équivalent. En ce cas, les conséquences de la perte ne sont pas les mêmes selon qu'elle se produit dans un contrat commutatif ou dans un contrat aléatoire.

A. — Perte dans le contrat commutatif

Que se passe-t-il lorsqu'une chose qui a existé vient à périr, à l'insu des parties, au moment de la conclusion du contrat ? La loi, à propos de la vente, distingue entre la perte totale et la perte partielle.

1° Perte totale

476. — La perte totale de la chose vendue entraîne la nullité de la vente, à condition qu'elle se soit réalisée avant l'échange des consentements. Après la conclusion, la disparition de la chose n'affecte plus la naissance du contrat, mais l'attribution des risques. Il s'agit d'une nullité absolue : l'obligation du vendeur est sans objet, celle de l'acheteur est sans cause. L'exemple classique est celui du marché portant sur des betteraves qui n'avaient

(141-2) ROLAND et BOYER, *Adages*, p. 378 et s.

plus d'existence au moment où les intéressés avaient traité parce que le gel les avait fait pourrir dans leur silo (141-3). De la même façon, le contrat serait nul s'il portait sur un brevet d'invention perdu par péremption ou par déchéance.

2° Perte partielle

477. — En cas de perte partielle survenue dans les mêmes conditions, l'article 1601, alinéa 2, du Code civil ouvre à l'acheteur une option :

« Si une partie seulement de la chose est périe, il est au choix de l'acquéreur d'abandonner la vente ou de demander la partie conservée en faisant déterminer le prix par la ventilation ».

En réalité, la solution suppose l'intervention du juge, car on ne saurait admettre que l'acheteur ait le droit de choisir la résolution dans tous les cas, même si la fraction perdue était de peu d'importance.

3° Pluralité d'objets

478. — Lorsque la convention porte sur plusieurs choses matériellement distinctes et que certaines seulement on péri, l'objet n'est pas toujours défaillant pour le tout; il ne le serait qu'à la condition qu'il y ait eu indivisibilité dans l'intention du créancier, qui n'aurait pas acheté telles choses sans les autres.

B. — Perte dans le contrat aléatoire

1° Vente de l'espoir

479. — La situation est toute différente lorsque les parties ont contracté en connaissance du risque de disparition de la chose. Dans la vente, l'acheteur a accepté de courir un aléa, celui de la destruction de l'objet du contrat au moment où il traitait; les conditions ont été arrêtées en considération du risque couru, donc à un prix moindre. Le contrat ayant un caractère aléatoire, le cocontractant qui a perdu ne peut se prévaloir, ni de la nullité en cas de perte totale, ni de la réduction en cas de perte partielle. On ne saurait soutenir qu'en cas de destruction complète, la vente, bien qu'aléatoire, manque néanmoins d'objet; dans une vente aléatoire, ce qui est vendu, ce n'est pas même la chose espérée (et qui a péri), mais l'espoir que la chose subsistera : *venditio spei* et non *venditio rei speratae.* Or, cet espoir existait au moment de la rencontre des volontés.

(141-3) Req., 5 fév. 1906 : *D.P.* 1907, 1, 468; *S.* 1906, 1, 280. — On assimile à la perte totale de la chose la détérioration rendant la marchandise totalement inutilisable : Req., 23 juin 1921 : *Gaz. Pal.* 1921, 2, 380 (vin mouillé).

2° Assurance maritime

480. — La solution est si peu douteuse qu'elle est consacrée par des textes en matière d'assurances maritimes. Selon l'article L. 172-4 du Code des assurances :

« Toute assurance faite après le sinistre ou l'arrivée des objets assurés ou du navire transporteur est nulle, *si la nouvelle en était connue avant la conclusion du contrat...* »;

et d'après l'article L. 172-5

« l'assurance sur bonnes ou mauvaises nouvelles est nulle s'il est établi qu'avant la conclusion du contrat, l'assuré avait personnellement connaissance du sinistre ou l'assureur de l'arrivée des objets assurés ».

De ces dispositions, il ressort que le contrat voit le jour valablement : en dépit de la perte antérieure du navire ou des marchandises assurées, il n'y a pas défaut d'objet, puisque l'ignorance du sinistre laisse subsister l'aléa.

§ 2. — L'existence future

481. — L'alinéa 1130, alinéa 1er, du Code civil dispose expressément que les choses futures peuvent faire l'objet d'une obligation; et les articles 1601-1 à 1601-4 réglementent spécialement la vente d'immeubles à construire, distinguant la vente à terme de la vente en l'état futur d'achèvement. Toutefois, le Code civil prévoit une exception en prohibant à l'alinéa 2 de l'article 1130, les pactes sur succession future (141-4).

A. — Principe

La chose qui n'existe pas encore, mais qui doit exister un jour, constitue un objet valable.

1° Interprétation large de la chose future

482. — Les contrats sur chose future sont d'application courante : cultivateur qui vend sa prochaine récolte, éleveur qui négocie le croît à venir de son troupeau, industriel qui s'engage à livrer à terme telle marchandise qu'il n'a pas encore fabriquée.

La jurisprudence a une conception extensive de la notion de choses futures. La catégorie vise, non seulement les biens envisagés dans leur

---

(141-4) La loi du 11 mars 1957 sur la propriété littéraire et artistique dispose, à l'art. 33, que « la cession globale des œuvres futures est nulle ». Toutefois, est licite, la stipulation par laquelle l'auteur s'engage à accorder un droit de préférence à un éditeur pour la publication de ses œuvres futures de genres nettement déterminés, droit qui est limité pour chaque genre à cinq ouvrages nouveaux.

matérialité, mais aussi les droits à venir : cession de loyers à échoir, transmission avant la mise aux enchères par le copropriétaire d'un immeuble de la part qui lui reviendra dans la licitation, hypothèque en garantie d'une créance non encore née (142), abandon d'intérêts futurs d'une créance, etc.

2° Non-survenance de la chose

483. — Qu'arrive-t-il lorsque la chose escomptée par les parties lors du contrat ne vient pas à l'existence ? Le vigneron, par exemple, est empêché par la grêle de livrer la récolte de vin qu'il avait vendue sur pied (« sur souches »).

En règle générale, le contrat sera réputé non avenu faute d'objet. En effet, il était passé sous la condition de l'existence à venir de la prestation et cette condition a défailli. Cette solution suppose, naturellement, que l'obstacle à la réalisation de la chose ne provienne pas du fait du débiteur.

Mais, il en est autrement lorsque les parties ont entendu courir un risque. Alors le contrat est ferme parce qu'il ne porte pas sur une chose future espérée, mais sur l'espoir de l'arrivée à l'existence de la chose en question. Ainsi en est-il lorsque le passant achète le prochain coup de filet du pêcheur; il devra la somme promise, même si le filet ne ramène aucun poisson *(emptio spei et non emptio rei speratae).*

Il n'est pas toujours aisé de distinguer la vente aléatoire de la vente commutative. Tout dépend de la nature de l'événement qui commande la survenance de la chose. S'il repose sur la volonté du contractant, le contrat est commutatif (cas de l'industriel); s'il est extérieur à la volonté, le contrat est aléatoire (vente après les semailles d'une récolte non encore levée).

B. — Exception

483-1. —L'exclusion des pactes sur succession future est traditionnelle, remontant au droit romain. La prohibition est portée par l'article 1130, alinéa 2 en ces termes :

> « On ne peut cependant renoncer à une succession non ouverte, ni faire aucune stipulation sur une pareille succession, même avec le consentement de celui de la succession duquel il s'agit » (142-1).

D'autres textes font écho à cette règle de principe; l'article 1389 du Code civil qui condamne entre époux les conventions ou renonciations dont l'objet serait de changer l'ordre légal des successions; l'article 1600 qui

---

(142) V. J. Mestre, *Le gage des choses futures : D.* 1982, chron. 141.

(142-1) Sur la question, Terré et Lequette, *Les successions, les libéralités*, 2e éd., 1988, n° 603 et s.

déclare qu'on ne peut vendre la succession d'une personne vivante, même de son consentement. Il est donc défendu de disposer par contrat de cette chose future que constitue une succession non ouverte.

1° Raisons de la prohibition

484. — S'agissant du pacte sur sa *propre* succession, l'interdiction irait à l'encontre de la liberté de tester; jusqu'à son décès, le disposant doit pouvoir modifier ou révoquer la manière dont il opère la dévolution de ses biens; il perdrait cette liberté s'il prenait un engagement définitif par contrat.

S'agissant de la succession *d'autrui*, tout pacte s'y rapportant est considéré comme immoral, impliquant un *votum mortis,* c'est-à-dire comme faisant naître dans l'esprit des parties le souhait de la mort de l'actuel propriétaire des biens. De plus, un tel pacte est jugé dangereux parce qu'incitant les usuriers à capter les héritages en les achetant à vil prix aux fils de famille à court d'argent.

2° Etendue de la prohibition

485. — La jurisprudence a interprété les textes d'interdiction de façon rigoureuse, les faisant jouer même lorsque le pacte ne portait que sur un élément de la succession et n'admettant de dérogation que venant de la loi. Quoi qu'on en ait dit (143), cette rigueur ne s'est guère démentie. Un arrêt (144) en témoigne; en l'espèce, un appartement avait été vendu moyennant une rente à servir pendant douze ans, étant précisé que, si le décès du vendeur survenait avant cette date, l'acquéreur serait entièrement libéré; cette dernière éventualité s'étant réalisée, la fille du vendeur demandait la nullité de la clause de libération anticipée; la cour d'appel qui avait accueilli cette prétention est approuvée par la Cour de cassation sur le considérant suivant : la clause, ayant pour seul but de priver la succession du vendeur des annuités du prix de vente échues postérieurement à son décès, avait pour conséquence de faire échec aux règles successorales en ce qu'elle attribuait à l'acquéreur un droit privatif sur une créance appartenant à la succession.

Notons, aussi, qu'en dépit de l'expression « pacte sur succession future » qui implique l'existence d'une convention, la Cour de cassation décide que la prohibition est susceptible de s'appliquer à un acte unilatéral (144-1).

---

(143) A. LUCAS, *Le recul de la prohibition des pactes sur succession future : Rev. trim. dr. civ.* 1976, 455.

(144) Civ. 1re, 7 déc. 1983 : *J.C.P.* 84, IV, 55. — Même esprit de défaveur dans Civ. 1re, 11 mars 1981 : *Bull. civ.* I, p. 73; *Rev. trim. dr. civ.* 1982, 448, obs. PATARIN.

(144-1) Civ. 1re, 17 mars 1987 : *Bull. civ.* I, n° 97, p. 73; *Rev. trim. dr. civ.* 1988, 784, obs. PATARIN.

On ne confondra pas le pacte sur succession future avec le pacte *post mortem*, c'est-à-dire la convention dont l'exécution est retardée jusqu'à la mort d'une personne, pourvu que cette convention n'ait pas pour objet la succession ou tel élément de celle-ci. L'intérêt de la distinction se présente, surtout, en cas de promesse de vente dont l'option ne peut être levée qu'après le décès du promettant. Une telle promesse, selon la Cour de cassation (144-2), engage le promettant immédiatement et de façon irrévocable et fait naître au profit du bénéficiaire un « droit actuel pur et simple », dont seule l'exécution est différée au jour du décès. On est en présence d'une promesse *post mortem* valable, non d'un pacte sur succession non ouverte, prohibé.

486. — Il n'existe traditionnellement que trois cas où le caractère futur de la succession ne fait pas obstacle à une convention s'y rapportant :

— *l'institution contractuelle* par laquelle le disposant s'engage, au contrat de mariage d'une personne, à lui laisser tout ou partie de sa succession. Cette dérogation, qui est portée par faveur pour le mariage, n'enlève pas à l'instituant la faculté de disposer librement, à titre onéreux, des biens compris dans l'institution;

— *la substitution fidéicommissaire* par laquelle il est imposé au gratifié de conserver les biens reçus pour les remettre à son tour à une personne désignée par le disposant — exception limitée, elle aussi, puisque ne fonctionnant qu'au premier degré et au seul profit des petits enfants et des neveux et nièces;

— *la donation-partage* grâce à laquelle l'ascendant, de son vivant, compose les lots de chacun de ses descendants en plein accord avec eux.

SOUS-SECTION II

LA DÉTERMINATION DE L'OBJET

Corps certains et choses de genre

487. — L'article 1129 du Code civil dispose :

« Il faut que l'obligation ait pour objet une chose au moins déterminée quant à son espèce. La quotité de la chose peut être incertaine pourvu qu'elle puisse être déterminée ».

La même exigence est posée par la Convention de Vienne sur les ventes internationales de marchandises, applicable en France à compter du 1er janvier 1988, qui, dans son article 14, pose « qu'une proposition est suffisamment précise lorsqu'elle *désigne les marchandises* et, expressément ou implicitement, *fixe la quantité et le prix* ou donne des indications permettant de les déterminer ».

(144-2) Civ. 1re, 30 mai 1985 : *D.* 1986, 65, note NAJJAR; *Rev. trim. dr. civ.* 1986, 391, obs. PATARIN. — Civ. 1re, 5 mai 1986 : *J.C.P.* 87, II, 20851, note BARRET.

Cet article ne concerne, évidemment, que les choses de genre. Les corps certains, en raison même de leur nature, exigent une détermination précise et complète dès l'accord des volontés; à défaut d'identification, le contrat serait nul pour objet inexistant.

§ 1. — La détermination de l'espèce

1° Genre

488. — Il est absurde d'imaginer que l'on vienne à contracter sans définir la chose qui est la matière de la prestation, encore que la jurisprudence en offre parfois l'exemple (144-3). Au fond, cette définition se dédouble, devant porter à la fois sur le genre et sur l'espèce.

La détermination du *genre* est une exigence d'évidence et de bon sens; à défaut, on ne conçoit pas que les volontés puissent se rencontrer, sinon dans un vide contractuel. Promettre un animal, c'est en réalité ne rien promettre, car il serait loisible de se libérer avec le plus minuscule des invertébrés... Aussi bien, le Code civil ne vise-t-il que l'indication de l'espèce.

En ce qui concerne *l'espèce*, il s'agit simplement de spécifier à quelle famille appartient l'objet de la prestation, sans qu'il soit nécessaire de procéder à une désignation dans l'individu. Si on vend une certaine quantité de fer battu, il suffit de préciser s'il s'agit de fer tendre, de fer fort ou de fer métis. Avec cette détermination, l'objet devient certain au sens de l'article 1108 du Code civil (145).

2° Qualité

489. — Une fois déterminée l'espèce, il n'est pas exigé de stipuler la qualité. Encore faut-il qu'elle soit déterminable. C'est ce que déclare l'article 1246 du Code civil :

> « Si la dette est d'une chose qui ne soit déterminée que par son espèce, le débiteur ne sera pas tenu, pour être libéré, de la donner de la meilleure espèce, mais il ne pourra l'offrir de la plus mauvaise ».

Autrement dit, dans le silence des parties, le débiteur doit livrer une chose de qualité moyenne. Mais cette disposition étant supplétive, il appartient au juge de rechercher quelle a été l'intention des parties; il s'aidera des usages, des rapports antérieurs existant entre les cocontractants et, spécialement, du prix demandé.

(144-3) Versailles, 5 fév. 1986 : *D.* 1986, I.R. 236 : à propos d'un assortiment de maroquinerie vendu 5 000 F, sans aucune précision.

(145) Civ. 1re, 14 déc. 1983 : *J.C.P.* 84, IV, 61. — Civ. 3e, 27 nov. 1983 : *J.C.P.* 85, IV, 49.

§ 2. — La détermination de la quotité

1° Fixation de la quotité

490. — Normalement, l'expression de la quantité est indispensable chaque fois que les marchandises se vendent *au poids*, *au nombre* et *à la mesure* (146). Si la quantité n'était pas chiffrée, le débiteur se libérerait avec la plus minime quotité. Ainsi, le paysan qui traite avec le meunier s'acquitterait de son obligation de livrer du blé en ne fournissant que quelques grains. Son engagement, alors, serait illusoire. Il en irait de même pour un bail sans fixation de durée (146-1), pour un contrat de travail à durée déterminée dont le terme n'est pas précisé (146-2).

491. — On notera que certains contrats, par leur nature, excluent une détermination préalable de la quantité. Tel est le cas du transport en taxi : la distance parcourue, qui représente la quantité de l'objet, n'est connue qu'après coup par lecture du taximètre. Ou du contrat de restauration où l'hôte propose la boisson à discrétion, comptant sur les facultés d'absorption limitée de ses clients ou encore du louage d'ouvrage où il est admis que l'absence d'un prix conventionnellement prévu n'empêche pas la formation du contrat, le juge se reconnaissant le pouvoir de le déterminer au vu des pièces produites et des circonstances de l'espèce. Cette dispense est toute naturelle dans les innombrables travaux d'artisanat d'importance courante : travaux de secrétariat, réparations diverses (146-3). En revanche, pour les opérations importantes, il est raisonnable de présumer que faute de fixation du prix, les contractants ne sont pas encore tombés d'accord (146-4).

2° Détermination et déterminabilité

492. — En toutes circonstances, il n'est pas nécessaire que l'objet de la prestation soit déterminé au moment même de la naissance de l'obligation, mais il doit pouvoir l'être au jour de l'exécution. Ainsi, une vente est valable même si le prix n'est pas fixé aussitôt, pourvu qu'il puisse l'être ultérieurement. Par exemple, on peut vendre une marchandise cotée en bourse au prix du jour de la livraison. Ce prix, on ne le connaît pas lors de l'engagement, mais il sera facile de le déterminer d'après les cours de la

---

(146) Com., 17 nov. 1980 : *Gaz. Pal.* 1981, 1, pan. 67.

(146-1) Com., 23 fév. 1967 : *Bull. civ.* III, n° 88, p. 84.

(146-2) Soc., 19 juin 1987 : *Bull. civ.* V, n° 400, p. 253.

(146-3) Civ. 1re, 20 mars 1984 : *Bull. civ.* I, n° 106, p. 88 (garagiste)

(146-4) Com., 9 nov. 1987 : *Bull. civ.* IV, n° 235, p. 176 (remplacement d'une pièce essentielle sans ordre du client).

bourse au jour de l'exécution du contrat. Autre exemple : la vente de bois sur pied est valablement conclue moyennant la fixation du prix au m^3 au quart, dès lors que le vendeur n'ignore pas la signification exacte de cette unité de mesure et que l'acquéreur peut exécuter ses obligations en convertissant le prix ainsi convenu en un prix « au réel » (147). De même, dans un contrat de transport, la quantité de transport de marchandises, qui n'a pas été fixée à l'origine, s'est trouvée déterminée quand la convention a été normalement exécutée pendant plus d'un an (148).

493. — Une question qui s'est très souvent posée concerne la vente des véhicules automobiles. La commande porte, d'habitude, que le prix n'est donné qu'à titre indicatif et que le prix définitif sera celui du tarif en vigueur au jour de la livraison; le délai étant indiqué comme n'étant pas de rigueur, il est facile au fabricant de retarder le moment de la livraison pour bénéficier de l'augmentation du prix; le client demeure donc dans l'incertitude quant à la somme exacte qu'il devra acquitter et se trouve à la merci de son contractant, le vendeur. La jurisprudence condamne le vendeur à la restitution de l'acompte versé, le contrat de vente étant nul pour fixation unilatérale du prix (149) : il lui arrive toutefois de considérer la convention valable pour la raison que le prix est déterminé, non par le concessionnaire-contractant, mais par le concédant, tiers à l'opération (149-1).

494. — Lorsque la somme due varie en fonction d'un indice (clause d'échelle mobile), elle est déterminée : le contrat est donc, de ce point de vue, valable, sous la réserve que l'indice de variation choisi par les parties soit lui-même licite. Mais des difficultés se sont élevées lorsque l'indice choisi par les contractants (par exemple l'indice des prix de détail) qui, lors du contrat, était publié par des organismes officiels, cesse d'être publié : l'objet de l'obligation devient-il de ce fait indéterminé ? Il faut répondre négativement. L'indice pourra, le cas échéant, être déterminé par expert; celui-ci tiendra compte des éléments de calcul qui entraient dans les prévisions des parties lors du choix de l'indice (150).

Le contrat serait nul si l'accord des parties sur le prix ou sur ses éléments de détermination n'était pas définitif. Ainsi a été annulée une vente comportant un prix qui devait résulter de « l'acceptation par l'acheteur du tarif

---

(147) Com., 22 avril 1986 : *J.C.P.* 86, IV, 184.

(148) Com., 8 nov. 1983 : *J.C.P.* 84, IV, 19.

(149) Civ. 1re, 20 mai 1981 : *J.C.P.* 82, II, 19840, note G. RAYMOND. — Civ. 1re, 30 oct. 1979 : *D.* 1980, I.R. 569, note AUDIT et LARROUMET.

(149-1) Civ. 1re, 8 nov. 1983 : *J.C.P.* 85, II, 20373, note G. RAYMOND.

(150) V. déjà sur cette question, Civ., 26 oct. 1948 : *S.* 1949, 1, 89, note B. STARCK, rendu à la suite de la suspension de la publication des indices pendant la dernière guerre. — Cf. Civ. 1re, 22 mai 1967 : *J.C.P.* 67, II, 15214, note J.-Ph. LÉVY. —Civ. 3e, 22 juill. 1987 : *Bull. civ.* III, n° 151, p. 88, v. *infra*, n° 608. Un problème voisin est né à la suite de la loi du 6 mars 1958 qui a substitué, à l'indice des prix de la vie calculé sur 213 articles, un nouvel indice calculé sur 250 articles. Le prix stipulé indexé sur les 213 articles n'est pas devenu, de ce fait, indéterminé.

préférentiel que lui consentirait son vendeur et qui serait, *de bonne foi*, établi entre eux sur des bases nettement précisées » (151). Sur de telles bases, le prix n'était pas *objectivement déterminable*, puisqu'il restait suspendu à une entente ultérieure des parties (152).

495. — Selon une formule devenue classique, le contrat est valable si le prix est déterminé « en vertu des clauses du contrat, par voie de relation avec des éléments qui ne dépendent plus de la volonté de l'une ou de l'autre partie » (153). D'une manière générale, la déterminabilité de l'objet équivaut à sa détermination toutes les fois que la fixation de la prestation s'opère en dehors de la volonté des contractants. Quand en va-t-il ainsi ? Dans deux séries d'hypothèses qui supposent le recours à un tiers ou à un élément objectif.

495-1. — *Détermination par un tiers.* L'article 1592 du Code civil admet que le prix puisse être laissé à l'arbitrage d'un tiers, c'est-à-dire à un mandataire commun. La jurisprudence requiert, justement, que la personne désignée présente le caractère d'un *penitus extraneus*, c'est-à-dire ne soit lié en aucune façon à l'une des parties.

Que décider par exemple, lorsque le tiers est une société contrôlée par l'une des parties ? Dans une cession de parts sociales, il est stipulé que le prix consistera dans la moitié des appointements touchés par l'acquéreur dans la société dont il est le gérant majoritaire; grâce aux pouvoirs qu'il tient de cette qualité, il dispose discrétionnairement de la faculté de réduire sa rémunération et donc le prix d'acquisition. La Chambre commerciale

---

(151) V. aussi Civ. 1re, 6 oct. 1965 : *Gaz. Pal.* 1966, 1, 53 : engagement « sur l'honneur » de réviser le prix de vente lors de la signature de l'acte authentique « en cas de dévaluation de 10 % du coût de la vie ».

(152) Par application de cette règle, a été considéré comme déterminé l'engagement pris par une entreprise théâtrale envers un acteur, qui stipulait que le contrat « devait se poursuivre *jusqu'à la fin de représentation de la pièce ou jusqu'à ce que survienne une baisse de recettes* »; ce sont là des événements futurs et certains *qui ne dépendent pas de la volonté exclusive de l'une des parties* (Paris, 23 déc. 1967, cité dans la note au *J.C.P.* 71, II, 16611). — V. aussi Civ. 3e, 3 déc. 1970 : *J.C.P.* 71, IV, 9 (honoraires d'architecte non déterminés, mais fixés par le juge compte tenu de justifications produites et des circonstances particulières). — V. au contraire, Com. 27 avril 1971, trois arrêts : *Gaz. Pal.* 7-9 nov. 1971, p. 5 (ventes annulées pour indétermination du prix).

Sur les problèmes suscités par l'exigence du caractère déterminable du prix dans la vente : BERMOND DE VAUX, *La détermination du prix dans le contrat de vente : J.C.P.* 73, I, 2567. — GHESTIN, *L'indétermination du prix de vente et la condition potestative (de la réalité du consentement à la protection de l'une des parties contre l'arbitraire de l'autre) : D.S.* 1973, chron. 293. — Cf. la note MALAURIE sous Paris, 22 nov. 1972 : *D.S.* 1974, 98 (spéc. I). — V. pour une vente de lubrifiants, Com., 11 janv. 1984 : *J.C.P.* 84, IV, 88.

(153) Civ. 3e, 15 fév. 1984 : *J.C.P.* 84, 131 (l'immeuble vendu est déterminable au jour de la convention,dès lors que sa superficie est à prendre dans une parcelle précise, quoique le vendeur s'en remette par avance à l'acquéreur quant à sa délimitation exacte). — Paris, 23 mai 1986 : *Gaz. Pal.* 30 juin 1987, note VIANDIER. — Civ. 2e, 12 janv. 1983 : *J.C.P.* 84, IV, 194 (le prix n'a pas à être fixé dans le principe d'une manière absolue; l'objet est déterminé lorsque le prix peut être fixé par simple pesage à la réception, car il ne dépend pas de la volonté unilatérale d'une des parties). — Paris, 23 mai 1986 : *Gaz. Pal.* 30 juin 1987, note VIANDIER. — Civ. 1re, 28 juin 1988 : *D.* 1988; *D.* 1989, 121, note MALAURIE : il n'y a pas indétermination lorsque le prix est fonction du chiffre d'affaires du cabinet.

(154) juge que le mode de calcul du prix n'est pas « libéré de l'intention arbitraire de la volonté de l'acheteur ».

Une autre difficulté qui se présente fréquemment est celle de savoir ce qu'il advient du contrat dans le cas où le mécanisme de fixation par le tiers est insusceptible de fonctionner ? On peut suposer, en effet, que le tiers n'a pas été effectivement désigné ou qu'il se récuse après sa désignation. La réponse est fournie par l'article 1592 du Code civil, d'après lequel il n'y a point de vente si le tiers ne veut ou ne peut faire l'estimation. Le tribunal est sans pouvoir pour désigner lui-même le tiers-expert ou pour fixer le prix, au motif qu'il n'entre pas dans son office d'établir les contrats des particuliers (155).

495-2. — *Détermination par un élément objectif.* La référence la plus objective est constituée par le renvoi à un prix réglementé par les pouvoirs publics : si cette détermination administrative disparaît, le contrat devient caduc et non pas nul, à partir du moment où c'est la volonté unilatérale de l'une des parties qui est substituée au règlement (155-1).

Une autre référence est fournie par le prix du marché, à condition qu'il existe un cours proprement dit constaté par un organisme étranger aux parties tel que mercuriales ou cote de Bourse. La Cour de cassation ne se contente pas de formules approximatives telles que « prix habituellement pratiqué » (155-2), ou « renvoi aux tendances du marché » (155-3).

Les situations nées d'une clause d'exclusivité posent des problèmes spécifiques. Les compagnies pétrolières, par exemple, promettent de livrer des carburants à un pompiste de leur marque; celui-ci, en retour, s'engage à les acheter au tarif en vigueur au jour de la livraison; la Cour de cassation déclare nul le contrat cadre, c'est-à-dire l'accord d'origine qui fixe les conditions générales des contrats d'application, lesquels sont réalisés par les commandes ultérieures — qui, seules, constituent des ventes. Pour la Cour suprême, la clause d'approvisionnement exclusif empêche que la détermination du prix soit soumise au libre jeu de la concurrence (155-4) en

---

(154) V. Com., 5 mai 1959 : *D.* 1959, 575. — Com., 15 juin 1982 : *Bull. civ.* IV, n° 229, p. 200. — Sur la question, V. GHESTIN, n° 528-1 et s.

(155) Paris, 23 mai 1986 : *Gaz. Pal.*, 13 oct. 1987, 9, note A.P.S. (désaccord des parties sur la désignation du tiers-arbitre). — Civ. 1re, 16 mai 1984 : *Bull. civ.* I, n° 164, p. 140; *J.C.P.* 84, IV, 240 (la désignation par le tribunal, faut d'accord entre les parties, d'un expert chargé d'évaluer un bien ne peut être assimilée à celle d'un arbitre prévue à l'art. 1592 du Code civil).

(155-1) Com., 11 janv. 1984 : *Bull. civ.* IV, n° 17, p. 14.

(155-2) Com., 11 oct. 1978, (3 arrêts) : *D.* 1979, 135, note E. HOUIN : *J.C.P.* II, 19034, note LOUSSOUARN.

(155-3) Com., 7 déc. 1981 : *D.* 1982, I.R. 95. — V. aussi Paris, 23 mars 1988 : *D.* 1988, I.R. 123 (« prix généralement pratiqués dans la région »).

(155-4) Com., 27 avril 1971 : *Bull. civ.* IV, n° 107. — Com., 5 nov. 1971 : *D.* 1972, 353, note GHESTIN; *J.C.P.* 72, II, 16975, note BORÉ. — Com., 25 fév. 1986 : *Bull. civ.* IV, n° 35. — Com., 12 janv. 1988 : *D.* 1988, I.R. 27; *Bull. civ.* IV, n° 31, p. 21; *Rev. trim. dr. civ.* 1988, obs. MESTRE (affaire *Natalys*).

l'abandonnant à la seule volonté du fournisseur. Pour échapper à cette jurisprudence, les compagnies ont pris pour référence le tarif d'autres fournisseurs, notamment « la moyenne entre le tarif des trois plus importantes sociétés de lubrifiants » (155-5).

La même condamnation frappe les contrats de bière; dans un premier temps, la Cour de cassation avait jugé régulière la prise en compte du cours pratiqué au jour de la livraison; elle voyait dans cet accord, non un contrat de vente mais une convention d'exclusivité de fourniture. Mais elle a opéré un revirement par trois arrêts rendus le même jour (155-6) en se fondant non sur l'article 1591 du Code civil, propre à la vente, mais sur l'article 1129 imposant la détermination de l'objet dans les contrats en général (155-7).

Le principe de la déterminabilité ultérieure du prix n'est pas applicable au contrat de prêt dont le taux d'intérêt doit être fixé par écrit dès la conclusion de la convention. Est également soumis à la détermination, dès l'origine, le taux de l'intétrêt bancaire, s'agirait-il du solde débiteur d'un compte courant (155-8).

SOUS-SECTION III

LA POSSIBILITÉ DE L'OBJET

496. — A l'impossible nul n'est tenu, dit-on en maxime, ce qui, transposé à la matière de l'obligation, signifie que le contrat est nul dès lors que la prestation ne peut être réalisée. La possibilité de l'objet doit s'entendre d'une possiblité matérielle et d'une possibilité juridique.

(155-5) Com., 21 juin 1977 : *Bull. civ.* IV, n° 178 et 179.

(155-6) Com., 11 oct. 1978 : *J.C.P.* 79, II, 19034, note LOUSSOUARN.

(155-7) Encore faut-il que l'opération ne se ramène pas à une obligation de faire, auquel cas il n'y aurait pas nullité pour indétermination du prix sur le fondement des art. 1591 et 1129 : Com., 9 nov. 1987 : *Bull. civ.* IV, n° 237, p. 177; *Rev. trim. dr. civ.* 1988, 527,obs.MESTRE; *D.* 1989, 35, note MALAURIE; *J.C.P.* 89, II, 21186, note G. VIRASSAMY.

(155-8) Com., 9 fév. 1988 : *J.C.P.* 88, II, 21026, note GAVALDA et STOUFFLET et 12 avril 1988 : *D.* 1988, 309, concl. JEOL. — M. VASSEUR : *La fixation du taux d'intérêt et du taux effectif global en matière de découvert en compte : D.* 1988, chron. 157. — S'agissant de la caution, on admet la déterminabilité , dès lors qu'il n'y a pas de doute qu'elle a eu connaissance de l'étendue et de la nature de l'obligation contractée : Com., 22 nov. 1988 : *J.C.P.* 89, IV, 28.

§ 1. — La possibilité matérielle

1° Obligations de *dare*

497. — S'agissant de l'obligation de *dare*, l'impossibilité prise en considération vient de la nature, non de l'homme : la chose doit se trouver *in rerum natura* et on ne saurait valablement stipuler la dation d'un hippocentaure, comme le faisaient observer les textes romains.

2° Obligation de *facere*

498. — S'agissant de l'obligation de faire, seule une impossibilité *absolue* fait obstacle à la naissance du lien contractuel. S'engager à toucher le ciel du doigt relève de cette catégorie. C'est dire que l'impossibilité doit tenir à la chose, non à la personne du débiteur. Elle est réelle et s'apprécie *in abstracto*.

499. — Dès l'instant que l'impossibilité n'est que *relative*, c'est-à-dire qu'elle ne tient qu'à l'inaptitude personnelle de tel contractant, à son impuissance propre, l'obligation n'est pas nulle et le promettant répond de l'inexécution de sa promesse. La prestation est objectivement faisable par une personne plus qualifiée. Ainsi, un artiste qui s'était engagé à peindre une toile ne peut se soustraire à son engagement en invoquant son manque d'inspiration. Ainsi, un petit artisan, qui n'a ni la compétence ni les moyens pour construire un immeuble de grande hauteur, n'est pas jugé dans l'impossibilité de le faire et demeure tenu, le fait promis en lui-même n'étant par irréalisable. Il y a là un trait général de notre droit; comme l'écrit si heureusement le doyen Carbonnier :

> « l'extrême difficulté de faire son devoir n'en dispense pas; il n'est pas contradictoire à l'essence de l'obligation d'être lourde, onéreuse, tant qu'elle n'est pas radicalement impossible » (156).

500. — On considère qu'il n'y a pas d'impossibilité absolue à promettre le fait d'autrui. Si une personne prend l'engagement qu'une autre exécutera telle prestation, elle n'est pas déliée de sa promesse de « porte-fort » par le refus du tiers de s'exécuter. En effet, elle ne s'est engagée qu'à faire son possible pour obtenir le consentement du tiers; le défaut de résultat établit le manquement du promettant à son engagement, sans traduire une impossibilité insurmontable. C'est pourquoi, par exemple, encourt une responsabilité l'impresario qui promet à un directeur de salle que tel acteur jouera et qui n'arrive pas à déplacer l'artiste.

---

(156) *Les obligations,op. cit.*, p. 20.

§ 2. — La possibilité juridique

501. — Pour que la condition de possibilité de l'objet soit remplie, il ne suffit pas de l'absence d'obstacle de fait, il y faut encore l'absence d'un empêchement de droit. L'impossibilité de conclusion est d'ordre juridique lorsque la chose existe dans sa matérialité mais que l'auteur de la promesse n'a pas sur cette chose les droits qu'il s'était obligé à transférer ou qu'il avait promis de constituer.

1° Vente de la chose d'autrui

502. — L'article 1599 du Code civil déclare que « la vente de la chose d'autrui » est nulle (156-1). Cette règle ne concerne, d'ailleurs, que les choses certaines. Si on vendait une chose certaine dont le vendeur n'était pas propriétaire lors de la vente (156-2), le contrat serait nul. Il s'agit d'une nullité relative que seul l'acheteur peut demander. Quant au *verus dominus* (le propriétaire de la chose), la vente lui est inopposable. Il n'a pas à en demander la nullité : il peut *revendiquer* sa chose entre les mains de tout détenteur.

Il en va différemment si la vente porte sur une chose de genre, chose fongible. On peut vendre une denrée qu'on ne possède pas encore, mais qui, étant dans le commerce, pourra être acquise par le vendeur et livrée à l'acheteur à la date convenue. C'est là une vente parfaitement valable.

2° Hypothèque des biens à venir

503. — Aux termes de l'article 2130 du Code civil :
« Les biens à venir ne peuvent pas être hypothéqués ».

Un contrat d'hypothèque portant sur un bien dont le débiteur n'est pas encore propriétaire est nul. On n'a pas voulu que l'on puisse hypothéquer, par avance, des biens dont on espère hériter. Cette règle s'applique par les même raisons que celles qui interdisent les pactes sur succession future. Cependant, un assouplissement est prévu par l'alinéa 2 de l'article 2130. Si les biens présents et libres sont insuffisants pour la sûreté de la créance, le débiteur peut, en reconnaissant cette insuffisance, « consentir que chacun des biens qu'il acquerra par la suite y soit spécialement affecté au fur et à mesure des acquisitions ».

504. — De son côté, la jurisprudence fait application de la règle contenue dans les textes. Par exemple, la Cour de cassation déclare que le bailleur doit restituer les redevances perçues à propos de la location d'un terrain à usage de remblai, lorsque le contrat est rendu irréalisable en raison du refus de l'autorité administrative d'octroyer la permission de remblayer.

(156-1) Il n'y a pas de vente de la chose d'autrui, si le vendeur dispose sur la chose d'un droit conditionnel : Civ. 3e, 20 juin 1973 : *Bull. civ.* III, n° 433, p. 314.

(156-2) Mais le bail de la chose d'autrui est valable : Civ. 3e, 6 nov. 1979 : *D.* 1980, I.R. 95.

SOUS-SECTION IV

LA COMMERCIALITÉ DE L'OBJET

Sens du mot commerce

505. — L'article 1128 du Code civil déclare :

« Il n'y a que les choses qui sont dans le commerce qui puisse être l'objet de convention »

L'expression *dans le commerce* ne doit pas être prise dans le sens que lui donne le droit commercial comme visant les actes de commerce, c'est-à-dire la spéculation sur tous biens que les commerçants achètent pour revendre plus cher. Dans l'article 1128, ce mot a un autre sens, plus proche du latin *commercium*; il désigne la possibilité pour une chose de servir d'objet à une opération juridique, la possibilité de passer d'un patrimoine dans un autre. C'est la circulation juridique envisagée abstraitement, sans référence directe à telle ou telle procédure de transfert. Cette notion trace une ligne de démarcation s'agissant de l'objet entre le permis et l'interdit, classant les choses *in commercio* ou les situant *extra comercium.*

Contenu du mot commerce

506. — Sous le terme *commercium*, on a l'habitude de ranger de nombreuses notions qui n'en font pas partie *stricto sensu* et qui relèvent davantage du concept d'illicéité, telles que la cause illicite, la contravention à l'ordre public, la méconnaissance des bonnes mœurs. Rationnellement, il convient de séparer ces concepts de celui de la commercialité de l'objet. En effet, il existe des choses qui sont *in commercio*, mais qui, cependant, ne peuvent pas faire la matière d'un engagement comme étant contraires aux exigences de l'ordre public; le cas type est celui de la monnaie; une somme d'argent est une chose placée dans le commerce et la promesse de la payer ne peut jamais être annulée au titre de la non-commercialité; elle ne peut l'être qu'au nom de la cause illicite ou de l'ordre public. Au fond, la commercialité est inhérente à la *nature même de la chose* sur laquelle porte le contrat. A cet égard, la liberté des transactions sur toutes espèces de choses constitue la norme, l'*extra commercium* l'exception.

Ainsi strictement entendue, la non-commercialité intéresse, principalement, la personne humaine, la souveraineté de l'État et les droits de clientèle. Dans une catégorie résiduelle; on regroupera des interdits particuliers dérivant de considérations spécifiques.

§ 1. — La personne humaine

1° Corps humain (157)

507. — La règle est l'intangibilité du corps humain qui ne peut subir en principe aucune atteinte, même du consentement de l'individu. Mais ce principe n'est pas absolu et, parmi les nombreux tempéraments qu'il comporte, on ne retiendra ici que les principaux.

— *Le contrat médical.* Il a toujours été considéré comme licite même si l'opération envisagée comporte un risque considérable pour le patient, à condition que celui-ci ait consenti en connaissance de cause ou que la famille ait donné son accord si l'intéressé se trouvait dans un état d'inconscience. Il est raisonnablement admis, qu'en cas d'ugence (blessé de la route), l'intervention chirurgicale a lieu valablement à la seule initiative et sous la responsabilité du praticien.

— *La disposition des produits du corps.* Des considérations altruistes font admettre légitimement qu'un individu puisse aliéner les produits de son corps au bénéfice d'un autre : lait fourni par la nourrice, cheveux destinés à parer à la calvitie, sang pour la perfusion des opérés, sperme pour la stérilité. Certaines de ces conventions postulent la gratuité. Ainsi le donneur de sang ne peut-il prétendre qu'au remboursement de ses frais, nullement au paiement d'un prix.

— *Le prélèvement d'organes.* La première intervention du législateur date du 7 juillet 1949, autorisant la kératoplastie chaque fois que le *de cujus* a, par disposition testamentaire, légué ses yeux à un établissement public ou à une œuvre privée pratiquant la greffe de la cornée. Un texte de portée beaucoup plus générale, la loi du 22 décembre 1976, a réglementé les prélèvements d'organes, en distinguant le prélèvement *in vivo* du prélèvement *post mortem.* D'après l'article 1er, le prélèvement sur une personne vivante n'est possible qu'à deux conditions : la greffe doit avoir un but thérapeutique, le donneur doit exprimer son consentement de façon expresse, et s'agissant d'un mineur, le don de l'organe ne peut être effectué qu'au profit d'un frère ou d'une sœur. En ce qui concerne les prélèvements effectués sur un cadavre, la loi est beaucoup plus tolérante : d'une part, l'opération peut être pratiquée, non seulement à des fins thérapeutiques, mais également à des fins scientifiques (158), d'autre part, il suffit que le défunt n'ait pas fait connaître de son vivant son refus d'un tel prélèvement (158-1).

---

(157) *Le corps humain et le droit : Travaux Association Capitant*, t. XXVI, 1975. — *Rép. dr. civ. Dalloz, V° Corps humain* par J. Penneau. — J. Pelissier, *La sauvegarde de l'intégrité physique de la personne*, thèse Paris II, 1977.

(158) V. R. Savatier, *Les problèmes juridiques des transplantations d'organes humains : J.C.P.* 69, I, 2247. — Charaf-Eldine, *Droit de la transplantation d'organes*, thèse Paris, 1975.

(158-1) J.-B. Grenouilleau, *Commentaire de la loi n° 76-1181 du 22 décembre 1976 relative aux prélèvements d'organes : D.* 1977, p. 213. — S'agissant du mineur, le prélèvement sur le cadavre n'est soumis à l'autorisation expresse de son représentant que dans l'éventualité d'une greffe : Cons. d'État, 17 fév. 1988 : *D.* 1989, 41, concl. Stian.

— *La réalisation d'une recherche biomédicale sur une personne* (158-2). La loi n° 88-1138 du 20 décembre 1988 autorise les essais, études ou expérimentations pratiqués sur l'être humain si plusieurs conditions sont réunies : la recherche biomédicale doit être fondée sur une expérimentation préclinique suffisante, viser à étendre la connaissance scientifique de l'être humain et les moyens susceptibles d'améliorer sa condition, être effectuée dans des conditions matérielles et techniques adaptées à l'essai et compatibles avec les impératifs de rigueur scientifique et de sécurité des personnes qui se prêtent à ces recherches... et, surtout, être précédée du « consentement libre, éclairé et exprès » de la personne qui s'y expose (art. L 209-9, C. santé publ.). Le patient, dans le cas où la recherche ne poursuit pas de finalité thérapeutique directe à son profit, a droit à une « indemnité en compensation des contraintes subies » (art. L. 209-15).

2° Droits de la personnalité

508. — Les droits expatrimoniaux étant inséparables de la personne, la volonté privée ne saurait avoir prise sur eux. On ne peut aliéner son autorité parentale, disposer de son patronyme, à moins qu'il ne s'agisse d'une utilisation comme dénomination sociale ou nom commercial (158-3), renoncer à défendre sa réputation, etc. D'une façon générale, ces droits obéissent à un régime juridique exorbitant du droit commun : ils sont intransmissibles aux héritiers du patrimoine, ils ne peuvent être saisis par les créanciers, ils sont insusceptibles de prescription et ne peuvent faire l'objet d'une quelconque convention.

On rapprochera des attributs de la personne, l'exercice des libertés fondamentales qui sont pareillement hors du commerce. La liberté de se marier étant d'ordre public, a été annulée la clause de célibat dans le contrat de travail des hôtesses de l'air. Il serait interdit d'engager *ses services à vie* (C. civ., art. 1780).

Sont interdites, également, les *clauses de non-concurrence*, sauf si elles sont limitées dans le temps ou dans l'espace. Ainsi, celui qui vend son fonds de commerce ne peut pas s'engager, de façon générale et définitive, à ne pas exercer un commerce similaire; l'engagement ne serait valable que pour un temps limité ou pour un ressort territorial déterminé (159).

(158-2) J.-M. AUBY, *La loi du 20 décembre 1988 relative à la protection des personnes qui se prêtent à des recherches biomédicales : J.C.P.* 89, I, 3384.

(158-3) Arrêt *Bordas*, 12 mars 1985 : *D.* 1985, 471, note GHESTIN : *J.C.P.* 85, II, 20400, concl. MONTANIER, note BONNET. — *Adde*, Com., 16 juin 1987 : *J.C.P.* 87, IV, 296.

(159) Soc., 13 oct. 1988 : *D.* 1988, I.R. 246. — Com., 15 nov. 1988 : *J.C.P.* 89, IV, 20.

§ 2. — L'État souverain

509. — Ce qui touche au pouvoir régalien échappe, naturellement, à l'action de la volonté du particulier. Citons : les biens du domaine public qui, s'ils peuvent faire l'objet d'une concession, ne peuvent être aliénés; la fonction publique qui ne peut être matière à convention; les différentes activités dont l'État s'est réservé le monopole : tabacs et allumettes, poudres et salpêtres, marque de l'or et de l'argent, etc.

510. — On pourrait douter de l'extra-commercialité des offices ministériels puisque le titulaire de la charge a le pouvoir de la céder moyennant finances. En réalité, il monnaye, non pas la fonction qui est « morceau d'État », mais le droit de présenter son successeur à l'agrément de la Chancellerie. Certes, à cette occasion, il perçoit une rétribution qui correspond à la valeur vénale de l'office; il n'empêche que le Gouvernement conserve le droit de nomination et contrôle très strictement l'aptitude et la moralité des candidats, ainsi que le prix de cession qui doit être agréé par les pouvoirs publics et que l'on dénomme *prix de chancellerie.*

§ 3. — Les droits de clientèle

1° Clientèle commerciale

511. — La validité de la cession des droits de clientèle n'a jamais été discutée en matière commerciale. La clientèle commerciale constituant l'élément primordial du fonds de commerce, s'aliène tout naturellement en même temps que le fonds lui-même. En revanche, la cession d'une charge de syndic-administrateur judiciaire ne constitue pas un transfert de clientèle. La Cour de cassation en a ainsi décidé, considérant que les tâches des syndics ne constituent que l'exécution de mandats de justice, qui ne sont pas des choses dans le commerce et ne peuvent pas faire l'objet d'une convention... qu'à défaut de clientèle attachée à leurs fonctions, toute personne réunissant les conditions requises peut obtenir son inscription sur la liste (159-1).

2° Clientèles civiles

512. — En revanche, on a discuté très longtemps sur la cession des clientèles civiles, celle des professions libérales : architectes, avocats, méde-

(159-1) 20 mars 1984 : *D.* 1986, 189, note D. CARBONNIER.

cins, chirurgiens, dentistes, experts-comptables, vétérinaires... (160). De nombreux arrêts ont posé que la clientèle civile était hors du commerce parce que les rapports s'établissant entre malades et médecins (160-1), plaideurs et avocats (160-2), infirmières, kinésithérapeutes et leurs clients (160-3)... étaient des rapports de confiance et qu'un tel lien de confiance ne saurait se transmettre à prix d'argent. Mais, cette jurisprudence n'est pas sans nuances, spécialement pour les professions médicales. Tout en continuant d'affirmer qu'une telle clientèle est placée *extra commercium* (160-4), elle est arrivée, par un moyen détourné, à en valider la cession. Elle a considéré qu'un médecin avait le droit de s'engager envers un autre à le présenter et à le recommander à ses clients, qu'ils s'agissait là d'une obligation de faire portant sur des actes licites et comme tels susceptibles d'être rémunérés, qu'il pouvait également céder son installation, son fichier, son matériel (160-5). D'où il résultait que le prix de ces diverses prestations correspondant à la valeur de la clientèle il y avait en réalité, sans la lettre, cession de clientèle. Cette position l'a finalement emporté pour d'autres clientèles professionnelles tant dans des arrêts de cours d'appel (161) que dans des arrêts de la Cour de cassation (162).

3° Observations critiques

513. — Cette position de la jurisprudence doit être approuvée. Il est normal que la personne qui cesse son activité professionnelle conserve le

---

(160) PLANIOL et RIPERT, t. VI par ESMEIN, n° 239. — H.-L. et J. MAZEAUD, t. II, 1er vol. par F. CHABAS, n° 249. — MARTY et RAYNAUD, t. II, 1er vol., n° 168. — R. SAVATIER, *La transmission des clientèles des professions libérales : Rép. gén. not. et enregistrement* 1933, art. 23562. — ROUBIER, *Droits intellectuels et droits de clientèle : Rev. trim. dr. civ.* 1939, 251. — ESMEIN, *Une clientèle de profession libérale est-elle un bien patrimonial ? : Gaz. Pal.* 1952, 1, doctr. 14. — MAQUET, *Profession libérale et patrimonialité : J.C.P.* 56, 1, 1333. — JULIEN, *Les clientèles civiles, remarques sur l'évolution de leur patrimonialité : Rev. trim. dr. civ.* 1963, 213. — P. LECLERCQ, *Les clientèles attachées à la personne*, thèse Grenoble, 1965. — BLONDEL, *La transmission à cause de mort des droits extra-patrimoniaux et des droits patrimoniaux à caractère personnel,* 1969, n° 120 et s. — Sur la cession de clientèle médicale, V. SAVATIER (R. et J.), AUBY et PÉQUIGNOT, *Traité de droit médical,* 1956, p. 378 et s.

(160-1) Paris, 4 mars 1988 : *D.* 1988, I.R. 108.

(160-2) Civ. 1re, 31 mai 1988 : *D.* 1988, I.R. 169.

(160-3) Civ. 1re, 19 janv. 1988 : *D.* 1988, I.R. 35. — Civ. 1re, 17 nov. 1987 : *J.C.P.* 88, IV, 31.

(160-4) Paris, 4 mars 1988 : *D.* 1989, 59, note PENNEAU.

(160-5) Civ. 1re, 27 nov. 1984 et 8 janv. 1985 : *D.* 1986, 448, note PENNEAU.

(161) Pau, 4 oct. 1954 : *J.C.P.* 55, II, 8470, note J. SAVATIER; *Gaz. Pal.* 1954, 2, 252 (clientèle d'expert-comptable). — Colmar, 17 déc. 1957 : *Gaz. Pal.* 1958, I, 403 (cabinet d'architecte). — Lyon, 6 janv. 1958 : *Gaz. Pal.* 1958, I, 392 (cabinet médical). — Reims, 10 avril 1979 : *D.* 1980, I.R. 267, obs. GHESTIN.

(162) Civ. 1re, 7 mars 1956 : *D.* 1956, 523, note PERCEROU : reconnaissance de la valeur patrimoniale de la présentation du successeur à la clientèle d'un chirurgien-dentiste. — Civ. 1re, 17 mai 1961 : *Bull. civ.* I, 257 : « Aucune disposition légale n'interdit aux héritiers d'un praticien de céder le cabinet médical exploité par leur auteur ». — Civ. 1re, 24 mai 1978 : *Gaz. Pal.* 1978, 2, pan. 335. — La 1re Chambre civile a réaffirmé que, si l'office notarial et le titre de notaire ne sont pas dans le commerce, le droit pour le notaire de présenter un successeur à l'autorité publique constitue un droit patrimonial qui peut faire l'objet d'une convention régie par le droit privé. Des conventions de cession d'office peuvent même intervenir entre des officiers publics pour aboutir à la suppression d'une étude : 16 juill. 1985 : *D.* 1985, *Flash*, n° 31. — Civ. 1re, 8 janv. 1985 : *J.C.P.* 86, II, 20545, note G. MEMETEAU (chirurgien).

fruit de son travail poursuivi de longues années et puisse rentrer dans les dépenses qu'elle a exposées pour s'installer. De plus, cette solution favorise l'accès plus rapide des jeunes générations, car le détenteur de la clientèle s'en dépossèdera plus volontiers s'il n'a pas le sentiment d'être spolié. En outre, la situation des professions libérales n'est guère différente de celle des commerçants et il est peu cohérent d'autoriser la cession de sa clientèle par un auxiliaire de justice et de la refuser à un vétérinaire ou à un expert-comptable.

Assurément, cette admission ne va pas sans quelques inconvénients. Elle ferme l'accès à la profession à ceux qui n'ont pas les moyens d'acquitter le prix de cession; elle expose à un risque de commercialisation de professions qui doivent y échapper.

Ces raisons expliquent, sans doute, que la clientèle de l'avocat soit encore jugée incessible, même par des moyens détournés. On observera, néanmoins, que les textes nouveaux sur les sociétés civiles d'avocats ont indirectement introduit une certaine vente de clientèle en réglementant la cession et la transmission des parts sociales par un associé ou par ses ayants droit.

§ 4. — Les autres cas de non-commercialité

514. — Il n'est pas question de recenser ici l'ensemble des prohibitions se rapportant à l'objet des obligations, mais seulement de donner, à travers quelques illustrations, un aperçu sur la variété des espèces placées hors du commerce. Elles découlent d'impératifs le plus souvent orientés vers la protection d'intérêts généraux (santé, sécurité), quelquefois de considérations d'ordre privé.

1° Protection de la santé

515. — De nombreux textes particuliers ont posé des dispositions relatives à des objets ou à des produits qui intéressent la santé publique. La réglementation est très disparate; souvent elle instaure des formalités de fabrication ou de vente, souvent aussi elle prononce l'interdiction.

— L'article L. 512 du Code de la santé publique réserve aux pharmaciens la vente en gros ou au détail et toute délivrance au public des médicaments qui se définissent (art. L. 511) :

« Toute substance ou composition présentée comme possédant des propriétés curatives ou préventives à l'égard des maladies humaines ou animales ainsi que tout produit pouvant être administré à l'homme ou à l'animal en vue d'établir un diagnostic médical ou de restaurer, corriger ou modifier leurs fonctions organiques ».

En l'espèce, donc, la mise *extra commercium* n'est pas absolue, puisque une catégorie de personnes — à vrai dire très étroite — peut faire le commerce de ces produits, qui est fermé à toutes les autres.

— L'article L. 626 du Code de la santé publique incrimine le fait de contrevenir aux dispositions des règlements d'administration publique concernant la production, le transport, l'importation, la détention, l'offre, la cession, l'acquisition et l'emploi des substances ou plantes classées comme vénéneuses par voie réglementaire. La loi du 7 juillet 1980 modifiant l'alinéa 2 de ce texte édicte que les règlements prévus au présent article pourront *prohiber toutes opérations* relatives à ces substances.

— L'article L. 657 interdit les biberons à tube qui, difficile à nettoyer, sont de nature à favoriser la génération microbienne ainsi que les tétines et sucettes fabriquées en d'autres produits que du caoutchouc... L'article R. 5213 n'autorise que les coiffeurs titulaires de la carte professionnelle à utiliser, pour friser, défriser, onduler les cheveux, les produits renfermant de l'acide thioglycolique ou ses sels ! L'article 658-1 confie à des personnes présentant des niveaux de qualification professionnelle déterminés par décret le commerce des produits cosmétiques et des produits d'hygiène corporelle, c'est-à-dire toutes les substances ou préparations autres que les médicaments destinés à être mises en contact avec les diverses parties superficielles du corps humain ou avec les dents et les muqueuses en vue de les nettoyer, de les protéger, de les maintenir en bon état, d'en modifier l'aspect, de les parfumer ou d'en corriger l'odeur !

— L'article 240 du Code rural interdit l'exposition, la vente ou la mise en vente des animaux atteints ou soupçonnés d'être atteints de maladie contagieuse. Le propriétaire ne peut s'en dessaisir que dans les conditions déterminées par un règlement d'administration publique qui fixe, pour chaque espèce d'animaux et de maladies, le temps pendant lequel l'interdiction de vente s'applique aux animaux qui ont été exposés à la contagion. L'article 371-1 donne pouvoir au ministre de l'Agriculture d'interdire totalement, pour une durée maximale de trois ans, la vente, le transport ou le colportage, sous toutes leurs formes et notamment celle de pâtés et conserves, d'espèces de gibier de montagne menacés dans leur existence même...

2° Protection de la sécurité

516. — Le mot vise, non seulement le consommateur de produits et l'usager de services, mais aussi le citoyen qui prétend à la paix publique.

A cet égard, la loi du 21 juillet 1983 édicte une véritable obligation de sécurité dans les termes les plus généraux : d'après l'article 1er, les produits et les services doivent, dans des conditions normales d'utilisation ou dans d'autres conditions raisonnablement prévisibles par le professionnel, présenter la sécurité à laquelle on peut légitimement s'attendre. Des décrets en conseil d'État, pour les produits qui ne répondent pas à cette exigence, fixent les conditions dans lesquelles... l'offre, la vente, la distribution à titre gratuit, la circulation des produits ou leur mode d'utilisation sont interdits ou réglementés. Ces textes ne sont pris qu'après avis de la commission de la sécurité des consommateurs. La procédure est identique pour les services non conformes à l'obligation posée par la loi.

517. — Mais il existe, aussi, des textes spéciaux soustrayant tel objet à telle ou telle convention. Ainsi en va-t-il avec la loi du 12 juillet 1985 relative à la publicité faite en faveur des armes à feu et de leurs munitions. On y relève plusieurs prohibitions. En vertu de l'article 5, les armes à feu et munitions définies à l'article 1er ne peuvent être mises en loterie ni être offertes en récompense de concours, sauf s'il s'agit de thèmes cynégétiques ou de compétition de tir sportif. En vertu de l'article 3, les mêmes objets ne peuvent être proposés à la vente ou faire l'objet de publicité sur des catalogues, prospectus, publications périodiques ou tout autre support de l'écrit, de la parole ou de l'image que lorsque l'objet, le titre et l'essentiel du contenu de ces supports ont trait à la chasse, à la pêche ou au tir sportif. Enfin, l'article 4 n'autorise l'envoi des documents publicitaires qu'aux personnes qui en on fait la demande ou à celles dont l'activité professionnelle relève de l'armurerie.

3° Protection d'un intérêt privé

518. — Le cas type est fourni par les *clauses d'inaliénabilité*. Les clauses qui font défense à l'acquéreur de céder (vendre, donner, etc.) le bien par lui acquis étaient considérées par la jurisprudence comme illicites si elles sont illimitées dans le temps (cela est contraire à la liberté de circulation des biens), et si elles ne sont pas justifiées par un intérêt légitime (par exemple, empêcher la dilapidation des biens par une personne trop jeune ou encline à la prodigalité). Cette jurisprudence a été confirmée, en son principe, par une loi n° 71-526 du 3 juillet 1971, qui apporte en la matière quelques précisions et des limitations. Ces nouvelles dispositions ont été insérées dans le Code civil, où elles figurent à l'article 900-1 nouveau aux termes duquel :

> « Les clauses d'inaliénabilité affectant un bien donné ou légué ne sont valables que si elles sont temporaires et justifiées par un intérêt sérieux et légitime. Même dans ce cas, le donataire ou légataire peut être judiciairement autorisé à disposer du bien si l'intérêt qui a justifié la clause a disparu ou s'il advient qu'un intérêt plus important l'exige.
>
> Les dispositions du présent article ne préjudicient pas aux libéralités consenties à des personnes morales ou même à des personnes physiques à charge de constituer des personnes morales » (163).

En fait, les clauses d'inaliénabilité ne se rencontrent guère qu'en matière de libéralités : elles sont insérées dans une donation ou un testament. C'est la raison pour laquelle la loi du 3 juillet 1971 n'envisage pas le sort d'une semblable clause dans un acte à titre onéreux. Cependant, on ne saurait exclure cette éventualité et l'opinion dominante considère que l'article 900-1 doit lui être appliqué (164).

---

(163) V. le commentaire de cette loi par Ph. SIMLER, *Les clauses d'inaliénabilité : D.* 1971, comm. leg. n° 416-1 et s. — CORVEST, *L'aliénation conventionnelle : Rép. Defrénois* 1979, art. 32126.

(164) MAZEAUD et DE JUGLART, *Principaux contrats,* t. III, vol. II, 6e éd., 1984, n° 711-2.

519. — Un autre exemple intéresse la protection du débiteur. La loi du 11 octobre 1985 relative à la clause pénale et au règlement des dettes déclare nulle de plein droit toute convention par laquelle un intermédiaire se charge ou se propose moyennant rémunération :

— soit d'examiner la situation d'un débiteur en vue de l'établissement d'un plan de remboursement;

— soit de rechercher pour le compte d'un débiteur l'obtention de délais de paiement ou d'une remise de dette.

Le législateur frappe d'emprisonnement et d'amende tout intermédiaire qui aura perçu une somme d'argent à l'occasion de l'une de ces opérations.

SECTION IV

CONFORMITÉ DU CONTRAT A L'ORDRE PUBLIC

Les textes sur l'ordre public

520. — Le Code civil, dans son article 6, interdit de déroger par des conventions particulières aux lois qui intéressent l'ordre public et les bonnes mœurs. Ce texte de principe est complété par d'autres dispositions, notamment par l'article 1133 qui déclare la clause illicite, non seulement quand elle est prohibée par la loi, mais quand elle est contraire aux bonnes mœurs ou à l'ordre public.

Ces textes, dans la mesure où leur non-respect entraîne la nullité de la convention, édictent indirectement une condition qui s'ajoute à celles posées par l'article 1108, mais qui, à leur différence, ne constitue qu'une exigence négative (165).

La finalité de l'ordre public

521. — La double condition : ordre public et bonnes mœurs n'en fait, en réalité, qu'une seule. Dans l'un et l'autre cas, il s'agit d'assurer la suprématie de la société sur l'individu, la sauvegarde de l'intérêt général contre les égoïsmes asociaux, la cohésion de l'ensemble contre les forces de dissociation qui le menacent. A ce titre, les bonnes mœurs rentrent, en quelque sorte, dans la notion plus vaste d'ordre public pour n'en être plus que l'un de ses multiples aspects.

---

(165) Sur l'ensemble de la question, v. spécialement MALAURIE, *L'ordre public et le contrat,* thèse Paris, 1953, préface P. ESMEIN. — FARJAT, *L'ordre public économique,* thèse Dijon, 1963. — JULLIOT DE LA MORANDIÈRE, *L'ordre public en droit privé interne : Études Capitant,* 1939, p. 381 et s. — RIPERT, *L'ordre économique et la liberté contractuelle : Études Geny*, 1934, t. II, 347 et s. — HAUSER : *Rép. dr. civ. Dalloz*, 2e éd., *V° Ordre public et bonnes mœurs.* — V. FLOUR et AUBERT n° 273 et s.; WEILL et TERRÉ, n° 241 et s; MAZEAUD et CHABAS, n° 117 et s.

L'extension de l'ordre public

522. — Depuis le Code civil, au XXe siècle surtout, la notion d'ordre public s'est considérablement développée, emportant corrélativement le déclin de la liberté contractuelle. L'absence de définition a favorisé le gonflement de la notion et permis son extension chaque fois que les besoins sociaux l'exigeaient. Ce qui, en outre, a facilité cette infiltration, c'est le pouvoir que s'est toujours reconnu le juge de confronter les initiatives privées avec le bien commun. Même lorsque le législateur n'a pas conféré un caractère impératif aux règles qu'il édictait, les tribunaux n'ont jamais hésité, lorsque la cause l'exigeait, à leur conférer un caractère d'ordre public.

C'est pour cette raison que l'on a pu parler d'un ordre public *virtuel* qui serait, peut-être, plus exactement qualifié ordre public judiciaire, en contraste avec l'ordre public *textuel,* de source législative, condamnant expressément les conventions qui lui sont contraires.

La diversification de l'ordre public

523. — A la faveur de cette extension, au vieil ordre public, moral et politique par son objet, conservateur dans son esprit, se sont ajoutés des ordres publics nouveaux. Leur caractéristique est double. D'une part, à l'opposé de l'ordre public traditionnel qui relevait de l'appréciation de l'autorité judiciaire, les ordres publics contemporains sont essentiellement *d'origine législative.* Non seulement on a multiplié dans une même loi les dispositions impératives au détriment des dispositions supplétives, mais on a même fermé le champ contractuel à la libre volonté individuelle pour la totalité de certaines lois et, parfois, pour des législations entières (contrat de travail, contrat d'assurances, baux à ferme et d'habitation...). D'autre part, ces ordres publics nouveaux procèdent d'une inspiration très différente; autrefois, on avait seulement le souci de sauvegarder certaines valeurs essentielles de civilisation; maintenant, on se propose de *réformer les rapports économiques et sociaux* dans une perspective de progrès. L'ordre public d'aujourd'hui est novateur; il est devenu instrument de réforme. Sans se dissimuler l'arbitraire de cette division, on exposera les grandes manifestations de l'ordre public en les regroupant dans trois grands sous-ensembles : l'ordre public *social*, l'ordre public *monétaire*, l'ordre public *économique*.

SOUS-SECTION I

LA CONFORMITÉ A L'ORDRE PUBLIC SOCIAL LES BONNES MŒURS

Ordre public social et ordre public politique

524. — L'aspect sans doute le plus ancien de l'ordre public social a trait à tout ce qui touche l'organisation de l'Etat. On ne s'attardera pas sur cet ordre public politique, se bornant à rappeler que sont nulles les conventions dérogeant aux lois de droit public : lois constitutionnelles (vente du droit de vote, corruption électorale), lois administratives (trafic d'influence, concussion), lois fiscales (convention dissimulant une partie du prix dans la vente), lois pénales (contrat d'assurance garantissant l'assuré contre les conséquences pécuniaires de ses délits), etc. Ce qui ne signifie pas que toute loi de droit public appartienne nécessairement à l'ordre public et que, conséquemment, il soit interdit de l'éluder par convention.

L'important est, non la nature de la loi, mais l'incidence de l'opération par rapport au bon ordre social. Ainsi est-il parfois licite de stipuler dans un contrat une clause attributive de compétence territoriale, car une entorse à la géographie légale des litiges ne porte pas atteinte au monopole étatique d'administration de la justice.

Ordre public social et bonnes mœurs

525. — Si l'on met à l'écart l'ordre public politique, l'ordre public social se ramène tout entier aux bonnes mœurs (166). La notion de bonnes mœurs est inhérente à la civilisation. Les Romains condamnaient les pactes *adversus bonos mores*. Domat, sous l'ancien droit, écrira :

> « chaque particulier étant lié à ce corps de la société dont il est un membre, il ne doit rien entreprendre qui en blesse l'ordre; les promesses ou les conventions qui violent les lois ou les bonnes mœurs n'obligent à rien ».

La difficulté est de dégager un critère satisfaisant du concept de bonnes mœurs.

526. — Faut-il adopter une tendance empirique, autrement dit se régler sur l'évolution des comportements habituels, ou bien faut-il résister à l'évolution et faire prévaloir une éthique dictée par une conception idéaliste ?

---

(166) TCHAVDAROFF, *La notion de bonnes mœurs*, thèse Toulouse, 1927. — SAIGET, *Le contrat immoral*, thèse Paris, 1939. — BONNECASE, *La notion juridique de bonnes mœurs, sa portée en droit civil français : Études Capitant*, 1939, p. 91 et s. — RIPERT, *La règle morale dans les obligations civiles*, 4e éd., Paris, 1949, n° 23 et s. — R. DORAT DES MONTS, *La cause immorale*, thèse Paris, 1956. — Ph. LE TOURNEAU, *La règle « Nemo auditur »...*, thèse Paris, 1970, préface P. RAYNAUD, p. 132 et s. — P. ROLLAND, *La liberté morale et l'ordre public*, thèse Paris II, 1976. — *Rép. dr. civ. Dalloz, Vis Ordre public et bonne mœurs* par J. HAUSER.

Les tribunaux adoptent une position intermédiaire; ils ne se contentent pas de se référer à la pratique courante, ce qui serait suivre les mœurs et non révéler les *bonnes* mœurs; ils cherchent, sinon dans une morale transcendentale, du moins dans une conception élevée de la vie, un élément de référence qui leur permette de dissocier l'admissible de l'intolérable, le convenable de l'inconvenant (166-1). En définitive, si on analyse quelque peu en profondeur, le combat est d'arrière-garde; le juge, ralentissant l'évolution, bride la permissité et le laxisme excessifs du législateur qui, sous le couvert de la compréhension, a tendance à se porter résolument en avant. Un seul exemple : la loi du 25 juillet 1985 qui fait entrer dans la liste des discriminations interdites celles qui se rapportent aux mœurs; l'article 416 nouveau du Code pénal punit désormais d'un emprisonnement de deux mois à un an et/ou d'une amende de 2000 à 20000 F toute personne offrant de fournir un bien ou un service qui l'aura refusé à raison de l'origine de celui qui le requiert, de son sexe, de ses *mœurs...* sauf motif légitime « hormis en matière de discrimination raciale » (L. 30 juill. 1987).

Cette tendance modératrice de la jurisprudence s'observe tant au regard de la morale du *sexe* que de la morale de la *spéculation* qui sont les domaines privilégiés de la théorie des bonnes mœurs.

§ 1. — La morale du sexe

Le commerce sexuel ne supposant pas nécessairement la *copula carnalis,* il est normal que le concept de bonnes mœurs développe ses exigences tant *dans* l'union qu'*en dehors* de l'union des sexes, ainsi que dans la procréation *artificielle.*

A. — Dans l'union sexuelle

A s'en tenir à l'essentiel, on raisonnera sur le concubinage et sur la prostitution, ce qui nous permettra de constater le recul, à des degrés divers, de la théorie classique des bonnes mœurs.

1° Le concubinage

527. — La condamnation du concubinage se traduisait surtout, jusqu'à ces dernières années, par l'interdiction des libéralités entre concubins et l'impossibilité pour la concubine d'obtenir réparation du dommage causé par la mort accidentelle de son concubin.

(166-1) ALIAS et LINOTTE, *Le mythe de l'adaptation du droit au fait : D.* 1977, chron. 251. — Toulouse, 21 sept. 1987 : *D.* 1988, 184, note D. HUET-WEILLER : « Leur rôle (celui des tribunaux) n'est pas en effet d'entériner toutes ces pratiques et ces comportements au motif fallacieux qu'il leur appartiendrait en tout état de cause, et en dépit des conséquences dramatiques qui pourraient en résulter, de suivre l'évolution des mœurs ». — Déjà, Trib. corr. Orange, 19 avril 1950 : *Gaz. Pal.* 1950, 2, 35, d'après lequel « il ne faut pas suivre *aveuglément* l'évolution des mœurs ».

528. — L'idée d'immoralité est évidente s'agissant des donations et des legs (166-2). En vertu d'une jurisprudence constante, une libéralité n'est pas intrinsèquement contraire aux bonnes mœurs parce qu'il y a (eu) des relations sexuelles entre le disposant et le gratifié. La libéralité n'est exposée à la nullité que si elle tend à nouer, à maintenir ou à reprendre l'union hors mariage (167). Elle est, au contraire, valable lorsque le geste libéral vise à mettre fin à une situation jugée malsaine ou lorsqu'elle est dictée par de justes motifs : assurer l'avenir de la personne délaissée, la remercier des soins rendus, réparer le préjudice provoqué par la rupture... (168). Bref, ce que prohibe les bonnes mœurs, c'est le *pretium stupri.*

529. — En matière de responsabilité, la jurisprudence s'est longtemps opposée au dédommagement de la concubine sous le couvert de l'absence d'intérêt légitime juridiquement protégé, ce qui revenait en l'espèce à se reposer sur l'immoralité du lien. Cette solution a été finalement écartée, comme nous l'avons vu (169), par un arrêt de la Chambre mixte du 27 février 1970.

530. — Aujourd'hui, le mariage de fait n'est plus du tout frappé par la réprobation sociale et l'on assiste à une officialisation juridique du lien de concubinage (170). On l'observe dans les domaines les plus variés. En matière de droit du travail, les contrats de solidarité peuvent bénéficier en priorité à des célibataires assumant la charge d'un enfant ou bénéficiaires de l'allocation de parent isolé. En matière de sécurité sociale, et pour n'évoquer que l'assurance maladie, l'assimilation est totale — depuis la loi du 2 janvier 1978 — entre la femme mariée et la concubine désignée par les textes sous la formule « personne qui vit maritalement avec un assuré social et qui se trouve à sa charge effective, totale et permanente ». En matière de législation sur les loyers, l'article 16 de la loi du 22 juin 1982 dispose, qu'en cas d'abandon du domicile par le locataire, le contrat de location continue au profit... du *concubin notoire* et, qu'en cas de décès du locataire, le contrat

---

(166-2) ASCENCIO, *L'annulation des donations immorales entre concubins : Rev. trim. dr. civ.* 1975, p. 248 et s.

(167) Par exemple : Civ. 1re, 25 janv. 1972 : *D.* 1972, 413, note LE TOURNEAU.

(168) Par exemple : Civ. 1re, 6 oct. 1959 : *D.* 1960, 515, note MALAURIE. — Civ. 1re, 16 juill. 1974 : *J.C.P.* 74, IV, 326.

(169) V. t. I, n° 144 et s.

(170) Toutefois, il a été jugé que la clause de célibat imposée à une hôtesse de l'air portait atteinte aux bonnes mœurs parce quelle incitait à vivre en concubinage : Paris, 30 avril 1963 : *D.* 1963, 428, note A. ROUAST. — P. VOIRIN, *Marion pleure, Marion crie, Marion veut qu'on la marie : D.* 1963, chron. 247. — Il a été décidé par l'Assemblée plénière de la Cour de cassation (19 mai 1978 : *J.C.P.* 78, II, 19009, rapp. SAUVAGEOT, note LINDON) qu'il ne peut être porté atteinte sans abus à la liberté du mariage par un employeur que dans des cas très exceptionnels où les nécessités de la fonction l'exigent impérativement (contrat liant un établissement privé d'enseignement catholique et une institutrice célibataire, qui s'était mariée, puis avait divorcé et s'était remariée). — Soc., 10 juin 1982 : *D.* 1982, I.R. 357 : les salariés ne sont pas tenus d'observer une clause du règlement intérieure leur imposant le célibat. — Sur la liberté nuptiale, V. l'étude de N. COIRET, *La liberté du mariage au risque des pressions matérielles : Rev. trim. dr. civ.* 1985, p. 63 et s.

de location est transféré aux ascendant, descendant, *concubin notoire*. La même règle se retrouve dans la loi n° 86-1290 du 23 décembre 1986 (loi *Méhaignerie*) à l'article 13. En matière de fonction publique, le bénéfice des dispositions de la loi Roustan, réservant 25 % des postes vacants aux instituteurs mariés souhaitant rejoindre leur conjoint dans son lieu d'affectation, a été étendu par circulaire aux couples d'enseignants vivant maritalement. En matière fiscale, la loi va même plus loin, accordant un privilège au concubinage par le truchement du quotient familial. Notons, encore, que pour prémunir contre les conséquences de l'instabilité de l'union libre, les tribunaux mettent volontiers à la charge du concubin qui reprend sa liberté une indemnité fondée, soit sur une faute dans la manière de rompre ou d'établir les relations, soit sur une obligation naturelle pesant sur l'auteur de la rupture tenu d'un devoir de reconnaissance ou de secours (171).

531. — Ainsi, s'est réalisée progressivement l'exéquation entre le mariage et le concubinage; ce qui permet de se demander quelle place occupent encore les bonnes mœurs dans les relations sexuelles hors mariage qui présentent un caractère suffisant de stabilité. L'évolution est telle qu'on a pu préconiser une révision de la conception du mariage et l'institution d'une union conjugale aux effets limités, d'où seraient bannis le devoir de fidélité et le devoir de secours et d'assistance et dont « la dissolution normale serait provoquée par l'arrivée d'un terme » (171-1). Au demeurant, à partir du moment où la loi reconnaît l'existence d'une famille naturelle sur le modèle de la famille légitime, il devient peu cohérent de blâmer encore le concubinage et d'y voir une situation immorale. Il est même probabe que la jurisprudence sera amenée à valider indistinctement toutes les libéralités entre concubins, sans plus se soucier de la cause qui les a inspirées.

2° La prostitution

532. — Une des applications les plus connues de la morale sexuelle intéressait les maisons de tolérance. Tous les contrats tendant à l'établissement ou à l'exploitation d'un établissement de prostitution étaient frappés de nullité au titre du manquement aux bonnes mœurs. Ainsi en était-il du contrat de prêt en vue de l'acquisition d'une maison close (172), du contrat de location de l'immeuble destiné à abriter les belles de nuit (173) ou encore de l'engagement de personnel domestique (174).

---

(171) Sur l'ensemble de la question, v. J. Rubellin-Devichi, *L'attitude du législateur contemporain face au mariage de fait : Rev. trim. dr. civ.* 1984, chron. 389 et s. — V. aussi F. Alt-Maes, *La situation de la concubine et de la femme mariée dans le droit français : Rev. trim. dr. civ.* 1983, p. 641 et s. — *Les concubinages, approche socio-juridique*, sous la direction de J. Rubellin-Devichi, préface Carbonnier, 2 tomes, Éditions du C.N.R.S., 1986.

(171-1) M.-T. Calais-Auloy, *Pour un mariage aux effets limités : Rev. trim. dr. civ.* 1988, p. 255 et s.

(172) Req., 17 juill. 1905 : *D.* 1906, I, 72.

(173) Civ. 1re, 4 janv. 1956 : *J.C.P.* 57, II, 10008, note J. Mazeaud.

(174) Soc., 8 janv. 1964 : *J.C.P.* 64, II, 13545.

533. — La loi du 13 avril 1946 a décidé la fermeture des maisons de tolérance, mais de nombreux établissements ont continué leur activité ou se sont reconstitué illégalement. D'où l'intervention du législateur par une ordonnance du 25 novembre 1960 frappant la tolérance de la prostitution dans les lieux ouverts au public et par une loi du 11 juillet 1975 réprimant la tolérance dans les lieux privés. L'article 335-6 du Code pénal incrimine quiconque, disposant à quelque titre que ce soit de locaux ou emplacements non utilisés par le public, les met ou les laisse à la disposition de personnes en sachant qu'elles se livreront ou qu'elles s'y livrent à la prostitution, ou quiconque vend les mêmes locaux aux mêmes fins. Ce texte intéresse à l'évidence le droit des obligations, car, dès l'instant que le législateur érige en infraction pénale une certaine convention, la vente, elle, devient automatiquement contraire à l'ordre social et la sanction civile de la nullité s'ajoute à la sanction pénale. Par ailleurs, s'agissant du bail, le même texte prévoit sa résiliation et l'expulsion du locataire, sous-locataire ou occupant qui se livre à la prostitution ou la tolère. Quant au contrat de travail, il est pareillement réprouvé, puisque l'article 334-5° du Code pénal qualifie de proxénète celui qui embauche, fût-ce avec son consentement, une personne même majeure en vue de la prostitution.

B. — En dehors de l'union sexuelle

1° Condamnation de la publicité contraire aux bonnes mœurs

534. — L'illustration classique est celle du courtage matrimonial. Il demeura longtemps interdit. Un arrêt de la Chambre civile du 1er mai 1855 (175) l'avait condamné en termes éloquents, lui reprochant de créer un marché du mariage et de compromettre la liberté du consentement :

« Attendu que le mariage... doit être libre, éclairé et, par conséquent, affranchi de toute influence étrangère et intéressée à agir sur la détermination des uns (les époux) ou des autres (les parents); que tout ce qui serait de nature à altérer la moralité et la liberté du consentement est par cela même contraire au vœu de la loi, à l'ordre public et aux bonnes mœurs...; qu'aux relations destinées à préparer l'indissoluble société dans laquelle chacun des époux apporte, avec ses biens, sa personne même et sa vie tout entière, un pacte de cette nature mêlerait l'intervention et l'intérêt d'un agent dominé par des idées de spéculation et de trafic... ».

Il fallut attendre un arrêt de la Chambre des requêtes du 27 décembre 1944 pour voir reconnaître la validité du courtage matrimonial (176). On citera, plus près de nous, un jugement du tribunal de Chartres qui déclare que la profession de conseillère matrimoniale est parfaitement honorable, à la condition que sous cette dénomination ne se cache pas la profession de pourvoyeuse de personnes de sexe différent, et que tel n'est pas le cas de celle qui ne s'est pas assurée que le client remplissait les conditions indispensables au mariage : à défaut de cette précaution, la conseillère signe un

(175) *D.* 1855, 1, 147.

(176) *D.* 1945, 121.

contrat risquant de favoriser l'adultère et trompe ses clients qui ne l'ont autorisée à fournir leur nom qu'en vue du mariage et non d'une union adultère; en conséquence, la rétribution demandée ne peut être exigée car elle est fondée sur un contrat immoral nul (177).

535. — Depuis, les opérations d'entremise se sont multipliées et les bonnes mœurs s'en sont accommodées. Il n'est plus d'hebdomadaire, même de qualité scientifique, qui ne contienne des colonnes d'annonces au libellé érotique où chacun recherche la libération de ses fantasmes en offrant ses services dans le cadre de l'hétéro, de l'homo ou de la multi-sexualité. Que l'on est loin des réserves à l'égard du courtage matrimonial qui avait, au moins, le mérite de poursuivre une fin honorable, l'entrée en mariage !

536. — La publicité pornographique ne se limite pas aux seules petites annonces. Le Code pénal comprend une section VI intitulée « de l'outrage aux bonnes mœurs commis notamment par la voie de la presse et du livre ». Son article 283 est rédigé en termes très larges, incriminant fabrication, détention, distribution, location, affichage, exposition de tous imprimés, écrits, dessins, affiches, gravures, peintures, photographies, films, reproductions phonographiques, emblèmes, objets ou images contraires aux bonnes mœurs. De toute cette législation, très complète et apparemment très contraignante (mais le Parquet poursuit rarement), on fera une mention particulière de la loi du 16 juillet 1949 relative aux publications destinées à la jeunesse. Ces publications ne doivent comporter aucune illustration, aucun récit, aucune chronique... présentant sous un jour favorable... la débauche ou tous actes... de nature à démoraliser l'enfance ou la jeunesse. L'article 13 de ce texte prohibe *à titre absolu* l'importation, pour la vente ou la distribution gratuite en France, desdites publications ainsi que leur exportation.

537. — Et que dire de « l'ambiguïté du droit face au syndrome transsexuel » (178) ? La tendance des juges du fond est à admettre, de plus en plus largement, les changements de sexe qui tiennent davantage de l'aversion de son sexe que d'une mutation biologique. On lit, par exemple, sous la plume de magistrats du tribunal de grande instance de Paris, qu'il y a lieu à rectification sur les registres de l'état civil pour prendre en compte « la discordance exceptionnelle intervenue... entre les composantes d'ordre physique qui avaient permis à la naissance de désigner le sexe et la composante psychologique, devenue prépondérante par l'effet d'un déterminisme échappant à la volonté du sujet » (179). Mais la Cour de cassation contient le mouvement avec fermeté. Elle refuse de tenir compte d'une apparence

(177) 12 oct. 1976 : *Gaz. Pal.* 1977, 1, somm. 127.

(178) Tel est le titre de la chronique de J. PETIT à la *Rev. trim. dr. civ.* 1976, p. 263 et s. — Sur la question, consulter J. RUBELLIN-DEVICHI : *Rev. trim. dr. civ.* 1985, p. 135 et s. — M. GOBERT, *Le transexualisme, fin ou commencement ? : J.C.P.*, 88, I, 3361.

(179) 9 juill. 1985 : *D.* 1985, *Flash*, n° 33. — *Adde* références citées par P. JOURDAIN au *D.* 1987, p. 446.

sexuelle nouvelle dès lors qu'elle n'est pas le résultat d'éléments préexistants à l'opération et d'une intervention chirurgicale commandée par des nécessités thérapeutiques, mais qu'elle relève de la volonté délibérée du sujet (179-1); elle ne juge pas que le rejet de la demande soit contraire à la convention européenne des droits de l'homme dans son article 8 établissant le droit au respect de la vie privée et familiale (179-2). En définitive, la Cour suprême pose la supériorité du sexe biologique sur le sexe psychologique; mais elle ne réussira pas pour autant à donner une identité sexuelle au transsexuel opéré qui a, certes, abandonné son sexe morphologique sans pour autant accéder au sexe génétique de son souhait. Ne vaudrait-il pas mieux reconnaître l'existence d'« apatrides sexuels » ? (179-3).

2° Condamnation des atteintes à la dignité de la personne

538. — La considération de la dignité de la personne empêche qu'une convention passée par un individu égaré, faisant commerce de son corps, reçoive un quelconque appui des tribunaux, ceux-ci devant, au contraire, s'efforcer d'en interdire l'exécution ou d'en effacer les conséquences préjudiciables.

Ainsi, le tribunal de grande instance de Paris a refusé toute efficacité à une convention de strip-tease (180). Les considérants de cette décisions sont dignes d'être rapportés :

« Attendu que l'obligation juridique est le rapport de droit en vertu duquel le créancier peut utiliser les moyens de contrainte que met à sa disposition l'autorité publique pour obliger le débiteur — d'où l'emploi du vocable « obligation » — à faire ou ne pas faire quelque chose; que l'affirmation d'obligations juridiques découlant d'une convention de strip-tease voudrait dire dès lors que la femme, éventuellement revenue au sentiment de la pudeur, pourrait se voir contrainte par le juge, au besoin sous astreinte comminatoire ou définitive, à s'exposer nue, y compris les parties sexuelles, à la vue du public; que le caractère scandaleux de l'hypothèse d'exécution forcée révèle l'absence d'obligation juridique et la nullité de la convention de strip-tease contraire aux bonnes mœurs, moyen soulevé d'office par le tribunal *en vertu de la mission de salubrité sociale impartie par l'article 6 du Code civil* confiant au juge la sauvegarde de l'éthique essentielle des éléments sains de la population, même en l'absence de textes répressifs et dans le silence des pouvoirs publics... ».

Ainsi, le tribunal de Paris, dans un arrêt célèbre dit de la *rose tatouée* (181), a déclaré nulle comme illicite et contraire à l'ordre public la convention entre un cinéaste et une mineure tendant à obtenir que celle-ci pose nue dans un film et se soumette à un tatouage sur les fesses, tatouage dont le présentateur de la séquence filmée annonce au public qu'il sera prélevé et vendu à des tiers.

(179-1) P. exemple : Civ. 1re, 3 mars et 31 mars 1987 : *J.C.P.* 88, II, 21000, note AGOSTINI.

(179-2) Civ. 1re, 7 juin 1988 : *Bull. civ.* I, n° 176, p. 122.

(179-3) AGOSTINI, note préc.

(180) T.G.I. Paris, 8 nov. 1973 : *D.* 1975, 401, note PUECH; *Rev. trim. dr. civ.* 1974, 806, obs. LOUSSOUARN.

(181) T.G.I. Paris, 3 juin 1969 : *D.* 1970, 136, note J.P.; *Rev. trim. dr. civ.* 1970, 347, obs. LOUSSOUARN.

On trouve même des arrêts qui font état du droit à l'image et au respect de la vie privée, dans des circonstances à vrai dire singulières. Tel celui de la cour de Paris (181-1) qui accorde réparation du préjudice moral subi par un artiste de cabaret pour diffusion, dans une émission de télévision, de son numéro de *strip-tease*, qu'elle avait pourtant autorisé à filmer.

C. — Dans la procréation artificielle

538-1. — Toutes les formes de la procréation dite assistée (181-2) ne sont pas à mettre sur le même plan moral. La première technique, celle de *l'insémination artificielle avec donneur* (I.A.D.) (181-3) n'est guère blamâble — réserve faite du plan religieux — dans la mesure où elle vise à remédier à l'infertilité du mari ou du concubin et où elle procède de l'accord commun du couple receveur (181-4), C'est dans ce sens, semble-t-il, que s'est prononcée la cour de Toulouse (181-5), dans une espèce où le concubin avait accepté que sa compagne fût inséminée avec le sperme fourni par le C.E.R.C.O.S.; la brouille venue, le concubin agit avec succès en nullité de la reconnaissance de l'enfant : la mère fait observer en appel, d'une part,que le fait pour le concubin d'avoir consenti à l'insémination valait renonciation à contester par la suite sa paternité, d'autre part, que cette rétractation lui est préjudiciable autant à elle qu'à l'enfant; la Cour confirme l'annulation de la reconnaissance, vu le caractère incontestable de l'absence de paternité biologique, mais n'octroie de dommages-intérêts qu'à l'enfant; des considérants très forts sont développés : office du juge et évolution des mœurs, respect de l'enfant à naître, distinction de la procréation artificielle entre époux et entre concubins; l'un d'eux mérite particulièrement d'être rapporté ici :

« Attendu qu'ainsi qu'il a été excellement écrit, le corps humain ne peut faire l'objet d'actes d'appropriation ou de disposition, il fait en effet partie du domaine de l'être et non pas de celui de l'avoir; à la différence du don d'organe, le don de sperme aboutit à donner à l'enfant à naître l'être même du donneur, et l'autoriser aboutit à faire de la personne humaine une chose; pareil don heurte en outre de front le principe de l'indisponibilité de l'état des personnes, celui-ci ne pouvant faire l'objet de cessions à titre onéreux ou gratuit; dès lors tant la cause que l'objet d'une convention passée entre époux ou concubins tendant à un recours à un tiers donneur de sperme ou à une femme donnant ses ovules présentent un caractère illicite tout comme la cause en est également ilicite; elle est par suite nulle et en outre fautive au regard de l'intérêt de l'enfant à naître qui va devenir un orphelin de père ».

(181-1) 10 oct. 1988 : *D.* 1988, I.R. 288.

(181-2) V. J. PENNEAU, *Rép. dr. civ. Dalloz, V^is Corps humain* et les références citées. — M.Th. MEULDERS-KLEIN, *Le droit de l'enfant face au droit à l'enfant et les procréations médicalement assistées : Rev. trim. dr. civ.* 1988, p. 645 et s.

(181-3) L'I.A.D. se distingue de l'I.A.C. où le sperme est celui du conjoint ou du concubin.

(181-4) Demeure en question l'insémination *post mortem* rendue possible par la congélation de la semence par l'azote liquide.— T.G.I. Créteil, 1er août 1984 : *Gaz. Pal.* 1984, 2, 560, concl. LESEC; *J.C.P.* 84, II, 20321, note CORONE; *Rev. trim. dr. civ.* 1984, 703, obs. RUBELLIN-DEVICHI.

(181-5) 21 sept. 1987, *D.* 1988, 184, note D. HUET-WEILLER. — V. aussi A. SÉRIAUX, *La procréation artificielle sans artifices : illicéité et responsabilité : D.* 1988, chron. 201. — J. RUBELLIN-DEVICHI : *Rev. trim. dr. civ.* 1987, 725. — Déjà le T.G.I. de Nice (30 juin 1976 : *D.* 1977, 45, note D. HUET-WEILLER; *Rev. trim. dr. civ.* 1977, 745, obs. NERSON et RUBELLIN-DEVICHI) avait admis le désaveu de la part d'un mari qui avait pourtant consenti à l'insémination de sa femme.

538-2. — Le second procédé consiste dans un prélèvement d'ovules chez une femme extérieure au couple, suivi d'une *fécondation in vitro* et d'une implantation, dans l'utérus de la femme stérile, de l'embryon dès les premiers stades de la division cellulaire. Outre le risque de morbidité inhérent à toute intervention, la fécondation externe soulève de plus graves problèmes : *quid* des embryons en surnombre et surtout des embryons congelés dans l'attente d'une implantation lorsque père et mère prédécèdent ? (181-6).

538-3. — Quant à la dernière technique, elle appelle, sur le plan moral, les plus extrêmes réserves. Il s'agit de la *gestation pour autrui*, la mère porteuse étant inséminée avec le sperme du mari de la femme stérile. La convention passée entre le couple et la mère de substitution est nulle en ce qu'elle a, d'une part, un double objet illicite : la mise à disposition des fonctions reproductrices de la mère porteuse et la livraison du nouveau-né, et, d'autre part, en ce qu'elle méconnaît le principe d'ordre public de l'état des personnes : « Elle organise, à l'avance, dit la cour de Paris (181-7), la naissance d'un enfant dont l'état ne correspondra pas à la filiation réelle au moyen de la renonciation de la future mère aux droits qu'elle tient de la filiation et qu'elle accepte de céder à des tiers » (181-8). De même est nulle, à raison de l'illicéité de son objet, l'association qui favorise de semblables conventions (181-9).

La science permet d'aller bien au-delà et on peut imaginer qu'une femme accepte l'implantation d'un embryon né de la fécondation *in vitro* d'un ovocyte et d'un spermatozoïde, tous deux provenant d'un organisme de conservation; dans de telles éventualités, une fabrication abstraite se substituerait à la génération dans l'amour, le laboratoire remplacerait le lit nuptial, l'enfant étant voué *in ovo* à l'orphelinat.

§ 2. — La morale de la spéculation

539. — Depuis Vespasien, l'argent n'a pas d'odeur et pas de morale. Il n'empêche qu'il ne saurait être utilisé à n'importe quelle fin et qu'il ne saurait être recherché par n'importe quel moyen. Le législateur a été ainsi amené à réprimer certaines formes de spéculation, par exemple, la spéculation boursière : ont été créées deux infractions spécifiques, l'exploitation abusive d'informations privilégiées avant que le public en ait eu connais-

---

(181-6) J. RUBELLIN-DEVICHI, *Congélation d'embryons, fécondation in vitro, mère de substitution, point de vue d'un juriste, colloque génétique, procréation et droit*, 18-19 janv. 1985, p. 321 et s. et obs. : *Rev. trim. dr. civ.* 1988, p. 720 et s.

(181-7) 11 oct. 1988 : *D.* 1988, I.R. 275.

(181-8) J. RUBELLIN-DEVICHI, *La gestation pour le compte d'autrui : D.* 1985, chron. 147. — ATIAS, *Le contrat de substitution de mère : D.* 1986, chron. 67. — V. la jurisprudence citée au *Rép. dr. civ. Dalloz, V^is Contrats et obligations*, mise à jour 1988, n° 107.

(181-9) Aix, 29 avril 1988 : *J.C.P.* 89, II, 21191, note Ph. PÉDROT.

sance et la publication d'informations fausses ou trompeuses (Ord. 28 sept. 1967 modifiée par L. n° 88-70 22 janv. 1988), qui visent à sauvegarder la loyauté et l'égalité dans les opérations de Bourse. Le civiliste, quant à lui, s'attache surtout aux deux domaines classiques de la spéculation, celle qui porte sur la vie et celle qui porte sur le gain.

A. — Spéculation sur la vie

540. — La considération de la mort d'autrui réagit sur la validité ou la réglementation de certains actes juridiques.

Le contrat d'assurance sur la vie, participant du *votum mortis,* a été jugé immoral en des termes très sévères aux différents moments de notre histoire. L'ordonnance de 1681 interdit de faire aucune assurance sur la vie des personnes; les juristes furent hostiles y voyant une opération « contraire aux bonnes mœurs et capable de donner lieu à une infinité d'abus et de tromperies ». Suivant le Digeste, Pothier répète que la vie d'un homme libre n'est susceptible d'aucune estimation. L'ancienne France pratiqua, cependant, avec engouement les tontines que le banquier napolitain Tonti avait conseillées à Mazarin : association dans laquelle des personnes versent chacune une somme qui reviendra, selon les statuts, aux derniers survivants de la société; la tontine n'est en réalité qu'une « loterie funèbre », très éloignée de l'assurance; elle revient à tirer un bénéfice du malheur d'autrui; l'assurance, elle, a pour but d'atténuer ce malheur.

En 1804, Portalis reprit la condamnation de l'ancienne jurisprudence :

« Ces espèces de pactes sur la vie ou la mort d'un homme sont odieux et ils peuvent n'être pas sans danger. La cupidité qui spécule sur les jours d'un citoyen est souvent bien voisine du crime qui peut les abréger ».

Cependant, l'assurance sur la vie connaissait en Angleterre un vif succès, qui passa sur le continent. Le Conseil d'État en 1818 reconnut la validité du contrat. L'avis de la Haute Assemblée servit de base aux autorisations accordées aux compagnies d'assurances. A partir du Second Empire, la pratique de l'assurance sur la vie passe dans les mœurs. La loi du 30 juillet 1930 a reconnu sa validité et définit sa réglementation (C. ass., art. L. 132).

541. — La raison de ce revirement est à rechercher dans l'utilité pratique que présente l'opération. Elle permet à un chef de famille de prémunir les siens contre l'absence de ressources qu'entraînerait son décès et de donner à ses proches une certaine sécurité financière. Le changement n'en est pas moins digne de remarque, constituant une illustration saisissante de la variabilité de la notion de bonnes mœurs.

On doit cependant noter que, là où risque de subsister un dessein immoral et dangereux (crainte de l'infanticide), la législation reste prohibitive : le Code des assurances interdit l'assurance en cas de décès sur la tête d'un mineur de douze ans, d'un majeur en tutelle ou d'une personne placée dans un établissement psychiatrique. La sanction est la nullité d'un tel contrat (C. ass., art. L. 132-3).

542. — La spéculation sur la vie, rappelons-le, débouche aussi sur la prohibition des pactes sur succession future, mais, curieusement, le contrat de rente viagère qui présente le même *votum mortis* est, au contraire, considéré avec faveur.

B. — Spéculation sur le gain

543. — Aux termes de l'article 1965 du Code civil, « la loi n'accorde aucune action pour une dette de jeu ou le paiement d'un pari ». Cette disposition sous-entend la nullité du contrat qui est jugé immoral comme étant source de ruine ou de profit immérité. La condamnation ne concerne que les rapports entre les joueurs; cependant, les tribunaux annulent, aussi, et par analogie, les contrats de nature à favoriser le jeu; il en est ainsi du cas d'avance de fonds faite à un joueur en vue de servir au jeu. Encore faut-il, pour que fonctionne l'exception de jeu, que le prêteur ait effectivement connu la destination des fonds prêtés et qu'il ne s'agisse pas d'un simple accord de commodité non constitutif d'un prêt (181-10).

543-1. — Quant aux loteries, c'est-à-dire « toutes opérations offertes au public, sous quelque dénomination que ce soit, pour faire naître l'espérance d'un gain qui serait acquis par la voie du sort », elles faisaient l'objet d'une interdiction quasi absolue (L. 21 mai 1836, art. 1er).

Une première brèche a été ouverte avec la création de la loterie nationale en 1933, puis ce fut le tour du Loto en 1975. Depuis, les exceptions se sont multipliées : 1) loterie d'objets mobiliers exclusivement destinés à des actes de bienfaisance, à l'encouragement des arts ou au financement d'activités sportives à but non lucratif (L. 9 sept. 1986); 2) lotos traditionnels (quines, rifles, poules au gibier) lorsqu'ils sont organisés dans un cercle restreint, « dans un but social (L. du 5 janv. 1988), culturel, scientifique, éducatif, sportif ou d'animation locale » et ne comportant que des mises et des lots de faible valeur (actuellement 2 500 F); 3) loteries proposées au public dans les fêtes foraines (9 sept. 1986). Par ailleurs, la situation a été aggravée avec les lois du 9 septembre 1986 et du 5 mai 1987 qui ont apporté d'importantes dérogations à l'interdiction de certains appareils de jeux qui permettent, par l'apparition de signes, de se procurer un avantage direct ou indirect. Ces machines à sous peuvent fonctionner dans les casinos où un jeu est déjà autorisé.

Ces dispositions — principalement les dernières — traduisent, à la mesure de ce que l'on observe pour les mœurs, un relâchement de la moralité publique. L'attrait de l'argent facile détruit le sens de l'effort et le goût de l'épargne. Perette rêvait de s'enrichir en travaillant; nos contemporains entendent faire fortune en jouant. La télévision leur en propose d'innombrables occasions. N'est-ce pas là, comme on l'a noté (181-11), un moyen

---

(181-10) Civ. 1re, 3 mai 1988 : *D.* 1988, I.R. 140.

(181-11) MALAURIE et AYNÈS, *Les contrats spéciaux*, p. 450.

de détourner le peuple de la vie publique et de lui offrir un dérivatif à ses soucis quotidiens ?

544. — La réalisation d'un gain immoral tombe également sous le coup de la loi pénale qui prévoit l'agiotage. L'article 419 du Code pénal punit d'emprisonnement et d'amende tous ceux qui auront, directement ou par personne interposée, opéré ou tenté d'opérer la hausse ou la baisse artificielle des prix des denrées ou marchandises ou des effets publics ou privés par l'un des moyens qu'il incrimine : faits faux ou calomnieux semés sciemment dans le public, offres jetées sur le marché à dessein de troubler les cours, suroffres faites au prix que demandaient les vendeurs, action sur le marché dans le but de se procurer un gain qui ne serait pas le résultat du jeu naturel de l'offre et de la demande.

SOUS-SECTION II

LA CONFORMITÉ A L'ORDRE PUBLIC MONÉTAIRE LES CLAUSES D'INDEXATION

Notion d'ordre public monétaire

545. — Le droit des obligations est fondamentalement un droit pécuniaire. Tous les rapports qu'il englobe et qu'il régit ont un instrument de mesure commun, l'argent. Or, qui dit argent dit monnaie, dit Etat. Le pouvoir de battre monnaie est régalien par excellence : seul l'Etat a le droit d'émettre les signes monétaires, de les retirer de la circulation, d'en imposer ou d'en modifier le cours. Cette souveraineté monétaire poursuit divers objectifs : assurer la régulation et le bon ordre des transactions, orienter la politique économique et sociale en recourant à l'inflation ou à la déflation selon les exigences du moment, opérer des transferts de richesse grâce au jeu de la dévaluation. Le contrat s'insérant dans le système monétaire se heurte nécessairement à ces mécanismes; il ne peut ignorer les conséquences du cours légal et du cours forcé; il ne peut rester à l'écart de la réglementation des prix, du contrôle des changes, de l'encadrement du crédit, etc. Le tout est de déterminer quelle marge de liberté conserve la décision individuelle, face aux prérogatives étatiques et à la prédominance des impératifs collectifs.

Il ne saurait être question de décrire toutes les répercussions de l'ordre public monétaire sur le régime des rapports contractuels; c'est affaire d'économiste plus que de juriste. Mais le droit ne peut ignorer l'incidence de la monnaie sur la consistance financière de la prestation conventionnelle. C'est dire qu'on ne traitera, ici, que des clauses d'indexation.

Notion d'indexation

546. — L'indexation a pour finalité de parer à la dépréciation monétaire. Elle constitue une modalité accessoire du prix contractuel — son utilité apparaît en cas de paiement différé ou à exécution successive — qui assure la variation de la prestation monétaire en fonction d'un parallélisme établi avec les fluctuations de l'indice économique de référence (produits quelconques, devises, or, généralité des prix).

L'indexation doit être isolée d'autres mécanismes qui sont également générateurs de variation. La distinction doit être faite avec la *clause d'actualisation* qui permet aux parties, lorsqu'elles fixent l'économie de leur contrat antérieurement à sa prise d'effet, de stipuler que le prix contractuel sera calculé en appliquant à un prix de référence arrêté à une date précise le taux de variation de l'indice qu'elles ont choisi (182). Elle se différencie aussi de ce qu'on appelle, en matière de baux commerciaux, la *clause de loyers alternatifs* qui prévoit un prix résultant de l'addition d'une somme déterminée dans son montant et d'une somme variable égale à un certain pourcentage du chiffre d'affaires (183). L'intérêt de la distinction tient essentiellement à ce que la clause d'actualisation, qui n'est qu'un mode de détermination du prix originaire, est elle-même susceptible d'indexation, alors qu'on ne conçoit pas de revalorisation de la partie variable de la clause de loyer alternatif, qui ne constitue pas une clause d'échelle mobile (184).

Laissant de côté ces hypothèses très particulières, envisageons le seul cas de l'indexation. Comment le problème se présente-t-il ?

Nominalisme monétaire

547. — Par cette expression, on veut dire qu'un « franc » est toujours un « franc », quelle que soit sa valeur en tant que pouvoir d'achat, ou, pour ceux qui croient encore à cette fiction, sa teneur théorique en or. Celui qui doit 1 000 F acquittera sa dette en versant 1 000 F, même si, entre le jour où la dette est née et celui où elle est payée, le franc a perdu les neuf dixièmes de son pouvoir d'achat ou davantage.

Ce principe nominaliste est exprimé dans l'article 1895 du Code civil qui déclare, en substance, que l'obligation qui résulte d'un *prêt d'argent* n'est toujours que de la somme numérique énoncée au contrat : le débiteur se libère donc en versant cette somme numérique, quelle que soit la variation de la valeur de la monnaie (184-1).

Bien que visant le seul contrat de prêt, ce texte a été considéré par la jurisprudence comme s'appliquant *à tout contrat mettant à la charge de l'une des parties l'obligation de payer une somme d'argent.* Il en est ainsi, notamment, dans tous les contrats de vente; l'acheteur, débiteur du prix,

---

(182) Civ. 3e, 23 fév. 1983 : *J.C.P.* 85, II, 20390, note B.B.

(183) Civ. 3e, 5 janv. 1983 et 14 juin 1983 : *J.C.P.* 85, II, 20389.

(184) V. sur la question B. Boccara, *Définir l'indexation : J.C.P.* 85, I, 3187.

(184-1) *Contra*, cependant, s'agissant du rapport à succession : Civ. 1re, 18 janv. 1989 : *J.C.P.* 89, IV, 105.

s'acquitte de sa dette en versant la somme numérique fixée au contrat. Loyers, arrérages de rentes, etc., obéissent au même principe.

En période de stabilité monétaire et économique, cette règle ne présente pas d'inconvénient. Il en est autrement lorsque, par suite de crises économiques et financières, la valeur réelle de la monnaie se dégrade.

Ruine du crédit et de l'épargne

548. — L'inconvénient de la règle nominaliste en période d'instabilité monétaire se manifeste toutes les fois que l'exécution de l'obligation de payer une somme d'argent est différée dans le temps. Cela concerne, donc, tous les contrats *successifs* (bail, rente viagère, etc.) qui, par hypothèse, supposent des paiements échelonnés sur une certaine période et aussi les contrats où le débiteur bénéficie d'un *terme pour le paiement*, notamment les ventes à crédit.

Cette règle a causé la ruine d'innombrables contractants. Après la guerre de 1914-1918, le franc a perdu les quatre cinquièmes de sa valeur. Tous ceux qui avaient contracté des emprunts avant la guerre, ou qui avaient acheté des biens dont le paiement n'était exigible que quelques années après la vente, ont pu se libérer en versant à leurs créanciers le nombre de francs figurant au contrat, mais ce nombre représentait à peine le cinquième de la valeur des sommes prêtées ou des biens achetés.

Nécessité d'un valorisme contractuel

549. — Aucun système économique, du moins dans le monde capitaliste ou semi-capitaliste, n'est viable sans crédit. Et personne ne saurait être astreint à consentir un crédit de quelque durée à son débiteur si le danger du nominalisme doit planer inexorablement sur lui. La « valorisation » des créances, que les tribunaux refusent et que le législateur n'accorde qu'avec parcimonie, a été finalement réalisée grâce à l'insertion dans les contrats de clauses d'indexation, encore appelées clauses d'échelle mobile. Leur but est d'obtenir une *valorisation contractuelle des dettes de sommes d'argent,* afin de maintenir la valeur *réelle* et non la simple valeur nominale des dettes libellées en francs.

Raisonnons sur un exemple simple. Pierre vend un immeuble à Jean, et lui consent un crédit de dix ans. Lors de la vente, l'immeuble valait 100 000 F. Mais, comme Pierre n'a pas la certitude que dans dix ans, 100 000 F auront la même valeur, le même pouvoir d'achat qu'au jour du contrat, il convient avec Jean que cette somme sera automatiquement réévaluée en fonction d'un indice choisi : par exemple, en fonction du cours de l'or, du cours d'une monnaie étrangère (dollar, livre anglaise), du cours d'une marchandise (blé, beurre), d'un indice général des prix, des salaires de telle catégorie, etc. Il en résulte que, si la valeur de l'indice de référence augmente, par exemple, si le cours du blé vient à doubler au jour du paiement, la dette double elle aussi : de 100 000 F dans l'exemple choisi, elle passerait donc à 200 000 F.

Ces clauses d'indexation sont-elles valables ? Telle est la question.

Elle a donné lieu à une jurisprudence extrêmement abondante que nous décrirons tout d'abord (§ 1). Puis le problème a été réglementé par le législateur (§ 2).

§ 1. — Les clauses d'indexation en jurisprudence

550. — L'étude de la jurisprudence qui s'était formée sur la question des indexations, avant leur réglementation par ordonnances, est importante à un double titre. Elle permet, tout d'abord, de prendre conscience des données économiques de ce problème, données qui ont guidé les tribunaux et, plus tard, le législateur. Mais cette étude n'a pas que ce seul intérêt scientifique. La jurisprudence sur les indexations continue de régir, malgré l'intervention du législateur, un certain nombre de conventions, tant antérieures que postérieures aux ordonnances de 1958 et 1959. On ne saurait donc l'ignorer. Cette jurisprudence a évolué. Une première phase se situe avant l'arrêt de la Cour de cassation du 27 juin 1957; cet arrêt inaugure une seconde phase.

A. — Jurisprudence antérieure à l'arrêt du 27 juin 1957

551. — On peut résumer cette première phase de la jurisprudence dans la double proposition suivante : 1°) nullité des clauses de référence à l'or ou aux devises, sauf dans les paiements internationaux, 2°) validité, sous certaines réserves, des clauses d'échelle mobile dans tous les contrats autres que le prêt d'argent.

1° Clauses or et devises

a) Nullité de principe

552. — On appelle clauses monétaires *stricto sensu* celles qui prennent comme indice de référence le cours de l'or ou le cours d'une monnaie étrangère. Si dans un contrat de vente, par exemple, on déclarait que le prix sera payable en or (clause-or) ou d'après la valeur de l'or (clause valeur-or) ou payable en dollars ou d'après le cours du dollar (ou toute autre monnaie étrangère), cette clause était frappée de nullité.

La raison invoquée est que ces clauses portent directement atteinte au principe selon lequel la monnaie nationale est le franc. Le principe était considéré d'ordre public. Tout État souverain émet sa propre monnaie. La valeur de la monnaie ne peut être sauvegardée que dans la mesure où les particuliers s'en servent, en lui faisant confiance. En période de crise économique ou financière, s'il avait été possible de fixer la dette du débiteur en or ou en monnaie étrangère, ou en fonction de la valeur de l'or ou d'une monnaie étrangère, le danger aurait été grand de voir l'or ou la monnaie étrangère se substituer en fait à la monnaie nationale. Cela aurait aggravé la crise en provoquant — ou, du moins, en favorisant — la fuite devant la monnaie nationale. La prohibition frappait les clauses qui écartaient le franc, non seulement dans sa fonction de *monnaie de paiement,* mais également dans sa fonction de *monnaie de compte* (185).

b) Validité dans les paiements internationaux

553. — Les clauses monétaires dont il s'agit (clauses-or, valeur-or, etc.) sont cependant considérées comme valables dans les contrats comportant un *paiement international.* Cette règle est posée nettement par un arrêt célèbre de la Cour de cassation du 3 juin 1930 (186). En effet, dans les rapports internationaux, le franc n'a pas de cours légal, il n'a pas le caractère d'une monnaie, ce n'est qu'une devise, un moyen de paiement, dont la valeur n'est autre que son pouvoir d'achat, ou sa teneur théorique en or.

En outre, la nullité de ces clauses dans les rapports internationaux aurait nui aux intérêts français. Il est évident que les créanciers français sur des places étrangères ont tout intérêt à se trouver à l'abri des dépréciations monétaires étrangères; inversement, les pays étrangers ne consentiraient pas de crédit aux débiteurs français sans la sauvegarde que leur procurent ces clauses.

Mais qu'est-ce qu'un *paiement international?* La définition proposée par le procureur général Matter, et reprise par la Cour de cassation (arrêt précité), est la suivante : *ce paiement se caractérise par un mouvement double et réciproque de flux et de reflux de biens ou de valeurs au-dessus des frontières.*

2° Clauses d'échelle mobile

a) Le *pro et* le *contra*

554. — Les clauses d'échelle mobile, dénommées également clauses d'indexation « économique », sont celles qui prennent comme indice de référence le cours d'une marchandise (blé, beurre, etc.), d'un groupe de marchandises, ou d'une prestation (par exemple, le prix du kilomètre en 2e classe, le prix du kilowatt) ou le salaire dans telle branche d'activité (par exemple, le salaire horaire du métallurgiste parisien) ou le S.M.I.G. (salaire minimum interprofessionnel garanti) ou encore des indices généraux des prix (prix de gros, prix de détail) publiés par divers organismes.

555. — En faveur de la validité, on donne pour raison que ces clauses — contrairement aux précédentes — ne portent pas atteinte à la monnaie nationale, car les variations des indices dont il s'agit sont commandées, du moins en partie, par la *conjoncture économique*, et non par des facteurs purement monétaires (inflation, dévaluation). Il est évident, par exemple, qu'une mauvaise récolte de blé influe sur le prix de cette denrée; que le niveau des salaires ou le prix des marchandises est déterminé par des causes économiques, étrangères en grande partie à des considérations proprement monétaires, etc.

556. — Bien entendu, ces clauses « économiques » ont eu leurs adversaires qui ont fait observer qu'en fait le but poursuivi par les contractants qui y avaient recours

---

(185) C'est la raison pour laquelle les arrêts qui valident les clauses valeur-devises nous paraissent critiquables.

(186) *D.* 1931, 1, 5, note SAVATIER, concl. proc. gén. MATTER.

était analogue, sinon identique, à celui des clauses « monétaires » (les mettre à l'abri des fluctuations de la valeur réelle de la monnaie) et que c'était quelque peu hypocrite de valider les unes tout en annulant les autres...

557. — En outre, de nombreux auteurs, instruits par des analyses économiques, ont soutenu que les clauses d'échelle mobile sont un *facteur d'inflation.* Elles auraient comme conséquence de provoquer la hausse des prix par un ajustement automatique; or, la hausse des prix se répercute nécessairement de contrat en contrat. Il est évident que celui qui doit payer plus cher les marchandises achetées, par suite du jeu de la clause d'échelle mobile, les revendra, à son tour, plus cher; il en est de même de l'employeur qui doit ajuster le niveau des salaires de ses ouvriers en fonction de semblables clauses : le coût de production des marchandises fabriquées s'élevant automatiquement, cela crée un renchérissement du coût de la vie qui fait jouer à nouveau la clause d'échelle mobile concernant les salaires, et ainsi de suite : c'est ce qu'on a appelé la course infernale des prix et des salaires, ou encore la menace d'inflation galopante...

b) La validité de principe

558. — Cette vision pessimiste n'a pas convaincu, cependant, la Cour de cassation, qui proclama la validité de ces clauses (187). Elle s'est probablement rendu compte que les annuler, elles aussi, comme les clauses monétaires, c'eût été interdire, pratiquement, la passation de tous contrats comportant des paiements différés dans le temps. Cela eût conduit à l'étouffement économique, le crédit étant nécessaire dans la vie des affaires. Quant au danger d'inflation, il est moindre que ce que l'on en dit, dans un système où l'économie est dirigée ou surveillée par l'État, qui dispose de divers moyens de contrôler, au moins en partie, le niveau des prix et d'intervenir dans la conjoncture.

559. — Toutefois, les critiques ci-dessus rappelées n'ont pas été sans influencer la jurisprudence. Elles ont conduit la Cour de cassation à apporter deux réserves importantes à la validité des clauses d'indexations : d'une part, ces clauses étaient annulées, si elles laissaient apparaître l'*intention monétaire* du créancier; d'autre part, toutes les clauses dont il s'agit, même si l'intention monétaire n'était pas apparente, étaient interdites dans les contrats de *prêt d'argent.*

c) L'exception tirée de la finalité monétaire

560. — Bien qu'ayant pour référence des indices économiques, les clauses d'échelle mobile étaient annulées si les parties déclaraient expressément dans leur convention que la clause-blé, ou indexée sur l'indice des prix, le S.M.I.G., etc., avait été insérée... en vue de protéger le créancier contre une éventuelle dépréciation du franc, ou contre la hausse du coût de la vie (188); elles dévoilaient ainsi leur pensée : méfiance envers le franc. Il y a des vérités qui ne sont pas bonnes à dire ! L'intention monétaire, donc la nullité de la clause, a été également déduite du fait qu'elle n'était appelée à jouer qu'en cas de hausse de l'indice de référence, et non de baisse; cette *absence de réciprocité* mettait en évidence le « but monétaire » poursuivi par les contractants (189) et la nullité s'ensuivait (190).

---

(187) Req., 18 fév. 1929 : *D.H.* 1929, 113; *S.* 1930, I, 1, note HUBRECHT. — Civ., 12 mars 1952 : *Gaz. Pal.* 1952, 1, 392. — Com., 12 mars 1952 : *J.C.P.* 52, II, 6998, note J.-Ph. LÉVY.

(188) V. Soc., 22 nov. 1951 : *J.C.P.* 51, II, 6649.

(189) Com., 15 nov. 1950 : *D.* 1951, 21.

(190) Cette nullité s'expliquait par l'idée de *cause illicite* bien plutôt que par celle d'objet illicite.

La possibilité d'annuler des clauses d'échelle mobile, en principe valables, par la recherche de l'intention monétaire des contractants, introduisait un facteur d'insécurité, incompatible avec les nécessités du crédit (191).

d) L'exception du contrat de prêt d'argent

561. — La deuxième réserve — de loin la plus importante et la plus grave dans ses conséquences — concerne les contrats de *prêt d'argent.* Dans ce contrat, et lui seul, toutes les clauses d'échelle mobile étaient interdites, qu'elles fassent ou non apparaître l'intention monétaire. De nombreuses décisions émanant de tribunaux ou de cours d'appel, proclament leur nullité en invoquant l'article 1895 du Code civil (principe du nominalisme) qui, en ce qui concerne le prêt d'argent, aurait un caractère d'ordre public (192). Beaucoup d'auteurs se prononçaient dans le même sens (193). Quelques décisions invoquaient, non l'article 1895, mais les lois monétaires instituant le cours forcé (194).

562. — Le caractère d'ordre public de l'article 1895 ou des lois monétaires n'a pas paru à certains auteurs une justification suffisante de la nullité des clauses d'échelle mobile dans les seuls contrats de prêt d'argent, alors qu'il n'est pas contesté que le nominalisme monétaire est une règle générale, applicable à tous les contrats (195). On comprend difficilement que les mêmes textes soient d'ordre public dans le prêt d'argent et n'aient pas ce même caractère dans les autres contrats. Aussi, a-t-on cherché, sur un autre terrain, la justification de cette jurisprudence concernant la nullité des clauses d'échelle mobile dans les prêts d'argent.

563. — On se souvient que le principal grief que les économistes et les financiers adressent aux clauses d'échelle mobile, c'est leur caractère inflationniste, dès lors qu'elles seraient admises de façon générale. Ils conviennent, certes, qu'il ne serait pas possible de les interdire dans tous les cas, sous peine d'asphyxie de l'économie. D'ailleurs, certaines catégories sociales sont suffisamment influentes pour faire prévaloir leur point de vue, celui de la validité des clauses d'échelle mobile. Mais une barrière doit — à tout prix — être trouvée. Cette barrière serait celle des prêts d'argent (196). Autrement dit, c'est en sacrifiant les prêteurs d'argent que l'on limiterait les effets néfastes de l'inflation...

564. — Cette thèse ne nous paraît pas convaincante. Si les clauses d'échelle mobile sont un facteur d'inflation (et cela n'est pas niable), la disproportion entre les sommes dues en vertu des contrats autres que le prêt et celles qui résultent des prêts d'argent est trop grande pour que la nullité de ces clauses dans ces derniers contrats joue le rôle de barrage contre le déferlement inflationniste résultant de leur validité de principe. On n'arrête pas un raz-de-marée avec des palissades.

---

(191) Comp. FRÉJAVILLE, *Les clauses d'échelle mobile : D.* 1952, chron. 31 et s.

(192) V. Rouen, 2 fév. 1950 : *J.C.P.* 50, II, 5435. — Orléans, 22 juill. 1953 : *D.* 1953, 655.

(193) V. R. SAVATIER, note au *D.* 1954, 2, et les références doctrinales citées.

(194) Aix, 2 avril 1951 : *D.* 1951, 401, note RIPERT, approuvé par Civ. 1re, 3 nov. 1953 : *D.* 1954, 2, note SAVATIER, préc.

(195) V. cependant SAVATIER, note préc.

(196) V. en ce sens VASSEUR, *Le droit des clauses monétaires et les enseignements de l'économie politique : Rev. trim. dr. civ.* 1952, p. 431; l'auteur emploie l'expression de clauses « monétaires » dans un sens élargi, comme englobant toutes les clauses d'indexation.

565. — D'autre part, si l'on proclame la nullité de ces clauses dans les prêts, on ne voit pas comment on pourrait obliger ceux qui disposent de capitaux à les prêter, privés qu'ils seraient de la sauvegarde que leur procurerait les clauses d'indexation. C'est un moyen infaillible pour arriver à la fermeture du robinet du crédit. Le remède est pire que le mal.

566. — Cela est tellement vrai que les emprunts publics ou semi-publics — malgré les enseignements de l'économie politique — ont été indexés en vertu de divers textes légaux : l'emprunt Pinay de 1952 est indexé sur le cours de la pièce d'or, l'indice le plus réprouvé en jurisprudence et, comble de désaveu de celle-ci, cet indice ne joue que dans le sens de la hausse. L'emprunt Ramadier 1956 est indexé sur le cours des valeurs cotées à la Bourse de Paris. La S.N.C.F. (indice du kilomètre en 2e classe), l'E.D.F., les Charbonnages, le Crédit foncier émettent, en vertu de divers textes, des emprunts indexés. Il arrive même que de très grosses entreprises privées, comme la société Châtillon-Commentry, ou de Wendel, ou des industries de sidérurgie, émettent des emprunts indexés sans qu'aucun texte réglementaire ou légal ne les y autorise (197).

Or, ces divers emprunts drainaient la majeure partie des capitaux disponibles. Porter remède à l'inflation galopante en interdisant la clause d'échelle mobile dans les seuls prêts entre particuliers était, donc illusoire.

567. — En résumé, cette première phase de la jurisprudence crée une situation chaotique et paradoxale. Les clauses d'échelle mobile « économiques » sont nulles dans les prêts privés internes, elles sont valables dans la plupart des emprunts publics, semi-publics ou émis par de grosses entreprises; elles sont valables dans tous les autres contrats et même obligatoires en vertu de la loi, dans certains cas (baux à ferme, S.M.I.G. notamment).

568. — Les épargnants sont ainsi amenés ou bien à dépenser leur argent ou à acheter des biens « valeurs-refuges » (ce qui favorise l'inflation) ou bien à stipuler des intérêts très élevés, destinés à compenser la perte de la valeur de la monnaie (autre facteur d'inflation); les entreprises qui n'ont pas la possibilité d'indexer leurs emprunts ne peuvent se procurer des capitaux qu'en pratiquant un *autofinancement* excessif, qui lui aussi, a des inconvénients.

Cette situation ne pouvait se maintenir indéfiniment; elle a fini par provoquer un revirement spectaculaire de la Cour de cassation, ce qui nous amène à exposer la deuxième phase de la jurisprudence.

B. — Jurisprudence issue de l'arrêt du 27 juin 1957

1° L'espèce

569. — Cet arrêt (198) — l'un des plus importants que la Cour de cassation ait rendus — doit être analysé attentivement. Son importance est considérable, non seulement par suite du revirement qu'il opère en cette matière, mais aussi parce que sa *motivation*, plus encore que sa *solution,*

---

(197) V. l'exposé de l'extension croissante des prêts indexés dans la chronique de M. VASSEUR, *Échelle mobile 1953 : D.* 1954, p. 1.

(198) Civ. 1re : *J.C.P.* 57, II, 10093 *bis*, concl. proc. gén. BESSON; *D.* 1957, 649, note RIPERT; *Gaz. Pal.* 1957, 2, 41; *Bull. civ.* I, n° 302.

continue d'avoir des répercussions aujourd'hui, malgré l'intervention législative qui allait intervenir par les ordonnances du 30 décembre 1958 et du 4 février 1959.

En l'espèce, il s'agissait d'un *prêt d'argent indexé sur le prix du blé.* La cour d'appel valida la clause, en constatant qu'elle n'avait pas de caractère monétaire. Le pourvoi formé contre cet arrêt demanda sa cassation pour violation de l'article 1895 du Code civil et des lois monétaires instituant le cours forcé, considéré comme textes d'ordre public. Le pourvoi fut cependant rejeté. En substance, l'argumentation de la Cour de cassation est la suivante.

2° La motivation

570. — L'article 1895 précité, a pour objet d'écarter, dans le silence du contrat, la révision par le juge, c'est-à-dire la « valorisation judiciaire ». *Cet article n'a pas le caractère d'ordre public.* Il n'est pas contraire à l'ordre public que le prêteur d'argent se garantisse, par l'insertion d'une clause dans le prêt, le pouvoir d'achat de la somme prêtée.

On ne saurait interdire ces clauses dans les prêts, alors qu'on les autorise dans les autres contrats.

Les lois monétaires en vigueur n'impliquent pas l'invariabilité du pouvoir d'achat de la monnaie, lequel est fonction du prix des denrées. Tout créancier peut donc faire état des variations de ce pouvoir d'achat. L'influence de ces clauses sur la stabilité de la monnaie (le danger d'inflation) est par trop incertain pour être pris en considération.

571. — L'arrêt ajoute, enfin, en rejetant le pourvoi, que les considérations de la décision d'appel attaquée, qui avaient validé la clause au motif qu'elle n'avait pas, dans l'intention des parties, des préoccupations monétaires, sont inopérantes. Autrement dit, alors même qu'il serait démontré que la « clause-blé » n'avait d'autre but que la conservation de la valeur réelle de la monnaie prêtée, elle ne serait pas pour autant frappée de nullité.

3° Les conséquences

572. — Tout est donc remis en question. Non seulement les clauses d'échelle mobile dans les prêts sont validées, mais la motivation qui conduit la Cour de cassation à cette solution (contrairement aux conclusions de son procureur général, et après délibération en Chambre du Conseil, ce qui est rare), motivation qui repose sur l'affirmation que l'article 1895 n'est pas d'ordre public et que l'intention monétaire n'a, en elle-même, rien d'illicite, pose le problème des clauses d'échelle mobile dans une perspective tout à fait nouvelle, quel que soit le contrat dans lequel elles sont insérées.

573. — Le retentissement de cette décision a été considérable. Les juristes se sont immédiatement demandés si les distinctions antérieures entre les clauses « monétaires » et les clauses « économiques » étaient désormais condamnées. Mais, ce furent surtout les économistes et les financiers qui se sont alarmés. Malgré le doute exprimé par la Chambre civile quant à l'influence de ces clauses sur la stabilité de la monnaie, leur caractère inflationniste fut dénoncé avec plus de vigueur que jamais.

Le gouvernement s'en émut. Il se décida, enfin, à intervenir dans cette matière qui, jusqu'alors, avait été laissée à la seule interprétation des tribunaux. Son intervention s'inspira d'idées nettement hostiles à ces clauses.

D'ailleurs, la France — après une nouvelle dévaluation — allait être dotée d'un franc nouveau, à qui on prédisait une longue stabilité. Le moment n'était-il pas venu, sinon de supprimer, du moins de réglementer étroitement ces clauses qui, quoi qu'on en dise, expriment une défiance envers la stabilité de la monnaie ? C'est cette réglementation qu'il nous faut maintenant exposer.

§ 2. — Les clauses d'indexation en législation

Les ordonnances du 30 décembre 1958 et du 4 février 1959

574. — La réglementation résulte de l'article 79 de l'ordonnance n° 58-1374 du 30 décembre 1958 (loi de finances pour 1959) dont le troisième alinéa a été modifié par une ordonnance n° 59-246 du 4 février 1959. Elle est, on le notera, l'œuvre du gouvernement légiférant par ordonnances.

575. — Les alinéas 1 et 2 de ces textes déclarent abrogées toutes dispositions générales, de nature législative ou réglementaire, tendant à l'indexation automatique des prix de biens ou de services, autres que celle concernant le S.M.I.C. Il s'agit des indexations prévues par certaines lois ou décrets. Cela ne concerne pas notre sujet qui est limité aux indexations dans les contrats. On laissera, donc, de côté ces deux premiers alinéas de l'article 79.

576. — C'est le troisième alinéa qui nous intéresse : il vise, en effet, les indexations figurant dans des dispositions « statutaires » ou « conventionnelles » (199). Ecartons, encore, les indexations figurant dans des dispositions « statutaires »; il s'agit, notamment, des conventions collectives de travail étendues par arrêtés ministériels à l'ensemble de la profession, et des marchés administratifs de travaux et de fournitures (200).

Ces éliminations faites, on ne retient ici que la réglementation intéressant les *indexations figurant dans les conventions.*

---

(199) Crim., 13 déc. 1982 : *D.* 1983, I.R. 183 (la prohibition des indexations fondées sur le S.M.I.C. ne visant que les dispositions statutaires ou conventionnelles ne s'applique pas à la détermination de l'indemnité due à la victime d'une infraction pénale).

(200) V. R. SAVATIER, *La nouvelle législation des indexations : D.* 1959, chron. 66.

577. — Encore faut-il noter que la première rédaction de cet alinéa 3 par l'ordonnance du 30 décembre 1958 n'a eu qu'une vie brève : elle frappait, en effet, de nullité, des indexations jusqu'alors considérées valables, même lorsqu'elles figuraient dans des *contrats antérieurs* à l'ordonnance dont il s'agit. Cela portait atteinte à des droits contractuels que l'on tenait, à juste titre, comme valablement acquis. Pareille atteinte à la loi contractuelle n'était pas tolérable. Aussi, ce texte fut-il modifié par une ordonnance du 4 février 1959 qui ménageait, en principe, le sort des contrats indexés passés antérieurement. C'est ce dernier texte qui régit actuellement le problème des indexations (201). Les règles qu'il édicte en cette matière sont donc différentes selon qu'il s'agit de contrats conclus *postérieurement* à l'entrée en vigueur de l'ordonnance du 4 février 1959, ou *antérieurement* à celle-ci. On les étudiera successivement (202).

A. — Contrats postérieurs à l'ordonnance de 1959

Prohibition des indices généraux

578. — La règle générale est, désormais, celle de l'interdiction des indexations fondées sur le S.M.I.G., actuellement S.M.I.C., sur le niveau général des prix ou des salaires, sur le prix des biens, produits ou services *n'ayant pas de relation directe avec l'objet de la convention ou avec l'activité de l'une des parties* (203).

Autrement dit, toutes les indexations sont interdites, sauf si l'indice de référence choisi a un rapport direct avec l'activité de l'une des parties (que

(201) Il a été lui-même complété par d'autres dispositions; une loi du 13 juill. 1963, une loi du 9 juill. 1970 et une loi du 20 déc. 1977.

(202) R. SAVATIER, *Dépréciation monétaire et vie juridique des contrats : D.* 1972, chron. 1. — P. ESMEIN, *Indexations permises et indexations interdites : Gaz. Pal.* 1959, 1, 33; *La querelle des indexations : Gaz. Pal.* 1963, 2, doctr. 21. — M. PÉDAMON, *Le régime contemporain des clauses monétaires : D.* 1958, chron. 101; *L'or au regard du droit : Mélanges Savatier* 1965, p. 739 et s. — J.-Ph. LÉVY, *Après le tournant financier de fin 1958. La monnaie, les obligations et les payements : J.C.P.* 59, I, 1472. — S. DE LA MARNIERRE, *La clause d'indexation : J.C.P.* 59, I, 1510; *L'influence de la dépréciation monétaire sur les rapports juridiques contractuels : Travaux Association Capitant*, Journées d'Istamboul, 1972. — TENDLER, *Indexation et ordre public : D.* 1977, chron. 245. — S. DE LA MARNIERRE, *Observations sur l'indexation comme mesure de valeur : Rev. trim. dr. civ.* 1977, p. 54 et s. — L. BOYER, *A propos des clauses d'indexation : Du nominalisme monétaire à la justice contractuelle : Mélanges Marty,* 1978, p. 87 et s. — J. HONORAT, *Les indexations contractuelles et judiciaires : Mélanges Flour,* 1979, p. 251 et s. — Régis FABRE, *Les clauses d'adaptation dans les contrats : Rev. trim. dr. civ.* 1983, p. 1 et s. — S. DE LA MARNIERRE, *Observations sur l'indexation comme mesure de valeur : Rev. trim. dr. civ.* 1977, 54; *Rep. dr. civ. Dalloz, V° Payement,* n° 187 et s., par A. PONSAR et P. BLONDEL.

(203) Soc., 31 janv. 1985 : *D.* 1985, I.R. 237 (condamnation de l'indice I.N.S.E.E. des prix à la consommation dans un accord d'entreprise garantissant le pouvoir d'achat des salariés). — Com., 3 nov. 1988 : *D.* 1988, I.R. 271 (prohibition dans un contrat de fournitures de l'indice général des taux de salaires horaires des ouvriers toutes activités série France entière).

ce soit le créancier ou le débiteur) ou avec l'objet de la convention. Cette règle est cependant écartée lorsqu'il s'agit de dettes d'aliments ou de rentes viagères (204).

La *ratio legis*

579. — Il est permis de se demander quelle a été l'idée directrice du législateur en matière d'indexation. Autoriser les indexations lorsqu'elles sont en rapport avec l'*activité du débiteur* dénote le louable souci de ne pas écraser ce dernier sous le poids d'une dette augmentant plus vite que ses ressources. Mais alors pourquoi admettre aussi les indexations ayant un rapport avec l'*activité du créancier ?* C'est sans doute pour offrir à ceux qui consentent un crédit une garantie suffisante sans laquelle ils refuseraient de traiter. Assurément, mais les deux préoccupations ci-dessus indiquées sont parfaitement antinomiques ! Quant à l'admission des indices en rapport avec l'*objet de la convention* elle s'explique, semble-t-il, par l'idée qu'il est équitable que les sommes d'argent ayant servi à l'acquisition d'un bien soient revalorisées en même temps que ce bien. Encore faut-il que l'acquéreur ait conservé ce bien... Chaque catégorie d'indexation admise a, donc, sa justification propre, mais leur admission cumulative aboutit à un système compliqué et contradictoire.

580. — La réglementation de 1959 s'explique, surtout, par le désir de ne pas permettre l'adoption d'indices généraux (salaires, S.M.I.C., indices des prix, notamment) susceptibles d'être insérés dans tout contrat. En cas de crise économique et financière, le danger serait grand de voir ces indices figurer automatiquement dans la plupart des contrats comportant un paiement différé; ils deviendraient de véritables clauses de style et le franc perdrait l'une de ses fonctions qui est celle d'être la monnaie de compte nationale. Ce serait là un facteur de « fuite devant le franc », facteur d'inflation. En imposant une réglementation qui conduit à *diversifier les indexations,* ce danger est, sinon évité, du moins amoindri.

581. — Quant à l'exception concernant les dettes d'aliments et les rentes viagères, elle a, probablement, été admise, d'une part, parce que la protection des créanciers paraissait, dans ces deux cas, particulièrement souhaitable, d'autre part, parce que, limitée à des hypothèses particulières, cette exception ne pouvait pas mettre en péril la stabilité du franc.

L'imprécision terminologique

582. — Telle est la doctrine économique et financière qui a inspiré les auteurs de l'ordonnance de 1959, œuvre de compromis, voulant concilier des considérations diverses et contradictoires.

(204) La liberté des indexations relativement aux rentes viagères a été reconnue par L. n° 63-609 du 13 juill. 1963, art. 4.

Mais ce n'est pas là la seule faiblesse de cette réglementation. Ce qu'on peut, en outre, regretter, c'est sa formulation juridique. Les termes employés sont vagues et se prêtent à des interprétations divergentes. Cela crée un climat d'insécurité qui n'est pas favorable à l'adoption des clauses d'échelle mobile, dans l'incertitude où l'on se trouve, souvent, quant à leur validité; le crédit en souffre. Ce sont ces difficultés d'interprétation de la réglementation des indexations qu'il nous faut exposer, en envisageant tout d'abord, la *règle* limitant les indexations désormais autorisées; puis l'*exception* à cette règle, lorsqu'il s'agit de dettes d'aliments et de rentes viagères.

1° La règle générale

Dans les contrats postérieurs à l'ordonnance du 4 février 1959, les indexations sont valables si l'indice de référence a un rapport direct avec l'activité de l'une des parties ou avec l'objet de la convention. Cette règle pose de nombreux problèmes d'interprétation.

a) Notion d'activité

583. — Que faut-il entendre par « activité » ? Est-ce seulement une activité professionnelle ? Telle semble être l'opinion d'une décision qui annule la clause d'indexation du prix de vente d'une pharmacie indexé sur la rente 5 % 1956 (emprunt Ramadier lui-même indexé sur le cours des valeurs françaises à la Bourse de Paris), alors que le vendeur, sans profession, se prévalait de la qualité de rentier (205). La Cour suprême a jugé qu'il n'était pas nécessaire que l'indice fût en rapport avec l'activité *principale* de l'un des contractants (206) et décidé, en cas de changement d'activité, qu'il faut considérer celle qui était exercée au jour de la conclusion du contrat (207). En outre, en cas de pluralité des débiteurs, on peut se régler indifféremment sur l'activité de l'un d'entre eux (208).

584. — *Quid des retraités ?* L'indexation en rapport avec leur activité est-elle possible ?... Le ministère de la Justice a répondu affirmativement si l'indice tient compte de l'activité *antérieure* à la retraite (209). La cour de Versailles s'est prononcée dans le même sens considérant que la retraite s'analyse comme le prolongement et la conséquence de l'activité exercée,

---

(205) T.G.I. Boulogne-sur-Mer, 18 mai 1962 : *Gaz. Pal.* 1962, 2, 198.

(206) Civ. 3e, 15 fév. 1972 : *J.C.P.* 72, II, 17094, note J.-Ph. LÉVY; *D.S.* 1973, 417, note GHESTIN; *Rép. Defrénois* 1973, art. 30290, obs. MALAURIE; *Rev. trim. dr. civ.* 1972, 616, obs. CORNU. — Civ. 1re, 7 nov. 1984 : *Bull. civ.* I, n° 91; *Rev. trim. dr. civ.* 1985, p. 174, obs. MESTRE.

(207) Civ. 1re, 5 juin 1984 : *J.C.P.* 84, IV, 262 (en l'espèce il y avait eu transformation d'une clinique d'accouchement en maison de retraite). — Civ. 1re, 6 juin 1984 : *J.C.P.* 85, II, 20471, obs. J.-Ph. LÉVY. — V. aussi Civ. 1re, 20 juill. 1971 : *J.C.P.* 72, II, 16951, note J.-Ph. LÉVY.

(208) Civ. 1re, 18 juin 1980 : *Gaz. Pal.* 1980, 1, 156 (mari et femme débiteurs solidaires, choix de l'activité du mari); *Rev. trim. dr. civ.* 1981, 397, obs. CHABAS.

(209) *J.C.P.* 61, éd. N, IV, 3117, p. 54.

d'où il résulte que les mensualités dues pour l'achat d'une maison par un inspecteur général d'assurances sont valablement indexées sur la valeur du point de retraite dans les assurances (210).

b) Notion d'objet de la convention

585. — Que faut-il entendre par l'objet de la convention ? (210-1). En réalité, l'objet de la convention, c'est de créer des obligations à la charge des parties; est-ce de l'*objet de ces obligations* qu'il s'agit ? Il faut, pensons-nous, répondre affirmativement à cette question. Mais une décision va plus loin; elle déclare que l'objet de la convention doit être entendu dans le sens le plus large; on doit y comprendre l'*objectif de l'opération,* c'est-à-dire le *but* poursuivi, sa cause. En l'espèce, il s'agissait d'un *emprunt contracté en vue de construire ou d'acheter une maison.* L'indice du prix de la construction inséré dans l'acte de prêt a été considéré comme licite, parce qu'il avait un rapport direct avec l'objet du prêt (211). Pareillement la cour de Paris a considéré que l'objet de la convention devait s'entendre de « l'affectation des sommes prêtées en vue de laquelle les parties ont contracté » : en conséquence, s'agissant d'un emprunteur faisant profession de promouvoir et financer des parcs de stationnement, il est tout à fait légitime de choisir un indice qui est constitué par des facteurs essentiels du coût de la construction (212). La Cour de cassation a elle-même statué en ce sens à plusieurs reprises (213).

La solution eût été différente si on s'était borné à analyser l'objet de l'obligation naissant du prêt : cet objet est l'argent que l'on doit rembourser (or, il n'y a, de toute évidence, aucun rapport entre l'argent, envisagé en lui-même, et le prix de la construction).

c) Notion de rapport direct

586. — Mais les plus grosses difficultés surgissent lorsqu'il s'agit de savoir si, entre l'indice choisi, d'une part, l'activité de l'une ou de l'autre

(210) 10 janv. 1979 : *Gaz. Pal.* 1979, 2, somm. 544.

(210-1) L'ordonnance n'exclut de son champ d'application aucune relation conventionnelle. Ainsi jugé pour le contrat d'assurance : Civ. 1re, 28 avril 1987 : *Bull. civ.* I, n° 129, p. 98.

(211) Amiens, 27 janv. 1966 : *J.C.P.* 66, II, 14705. L'affirmation dans l'acte que l'emprunt doit servir à des travaux immobiliers ne suffit pas à justifier l'indexation sur l'indice du coût de la construction : Civ. 1re, 18 fév. 1976 : *J.C.P.* 76, II, 18465, note LÉVY.

(212) Paris, 15 déc. 1980 : *Gaz. Pal.* 1981, 1, 270; *D.* 1981, I.R. 344, note VASSEUR.

(213) Civ. 3e, 16 juill. 1974 : *D.S.* 1974, 681, note MALAURIE, spéc. — Civ. 1re, 9 janv. 1974 : *J.C.P.* 74, II, 17806, note J.-Ph. LÉVY. — Civ., 12 avril 1972 : *J.C.P.* 72, II, 17235, note J.-Ph. LÉVY; dans les trois espèces, elle a reconnu la validité de l'indexation, sur le coût de la construction, d'une cession de parts d'une S.A.R.L. dont l'actif comprenait essentiellement un bâtiment vétuste, bâtiment dans lequel le cessionnaire se proposait de créer un magasin à grande surface (1re esp.); d'un prêt d'argent en vue d'une opération de construction (2e et 3e esp., cf. les notes de M. Lévy qui souligne que la destination des deniers doit être clairement convenue entre les parties au contrat de prêt). *Adde*, Civ. 1re, 27 oct. 1981 : *Bull. civ.* I, 262.

partie, ou encore l'objet de la convention, d'autre part, il existe un *rapport direct.* Peut-on, par exemple, insérer dans un contrat de bail une clause indexant le loyer sur le salaire horaire du manœuvre maçon, clause utilisée fréquemment ? Y a-t-il entre l'objet du bail et le salaire du maçon un rapport direct ? Certes, la construction du local loué nécessite des travaux de maçonnerie, ce qui semble justifier l'existence du rapport direct dont il s'agit. Mais on a rétorqué que le local loué était *déjà construit,* que des travaux de maçonnerie ne sont désormais qu'éventuels et peu importants (réparations), ce qui s'oppose à la reconnaissance d'un lien de connexité entre le loyer et le salaire du maçon ?... L'embarras des juges est grand. On a vu un même tribunal (en réalité deux chambres distinctes d'un même tribunal) donner à cette question des réponses opposées (214).

Ce n'est là qu'un exemple. Il existe bien d'autres décisions où la question de savoir si le rapport direct exigé par le texte relatif aux indexations est observé (215). Parmi les décisions innombrables, on relèvera que le rapport direct est établi (et donc l'indexation valable) entre :

— le prix de vente d'un fonds rural et le salaire de l'ouvrier agricole (216);

— le prix de vente d'un fonds de garagiste et le salaire horaire de l'ouvrier mécanicien (217);

— le prix d'une cession de parts d'une S.A.R.L., composée essentiellement d'un bâtiment vétuste, et le coût de la construction (218);

— l'activité d' industriel du chromage et le salaire d'un ouvrier qualifié de cette profession (prêt) (219);

— l'activité d'une sage-femme directrice de clinique et le salaire horaire des infirmières d'une certaine catégorie (prêt) (220);

— la profession d'exploitant de débit de boissons et l'indice partiel du prix à la consommation « boissons alcoolisées » (prêt);

— la profession de restaurateur et le prix de la bouteille d'eau minérale d'une marque connue (prêt) (221);

---

(214) Pour la validité de l'indice, Trib. civ. Seine, 18e Ch., 13 juin 1961 : *J.C.P.* 62, II, 12453. — Pour la nullité, Trib. civ. Seine, 8e Ch., 5 mars 1962 : *J.C.P.* 62, II, 11852. La cour d'appel de Paris a pris parti pour la nullité (28 juin 1962 : *J.C.P.* 62, II, 12896).

(215) V. Amiens, 27 janv. 1966 préc. — Lyon, 9 fév. 1966 : *J.C.P.* 67, IV, 91-92. — Amiens, 28 juill. 1961 : *D.* 1961, 726; *Rec. gén. lois et jurispr.* 1962, p. 137, note B. STARCK. — Bordeaux, 20 déc. 1966 : *J.C.P.* 67, II, 15120, note J.-Ph. LÉVY.

(216) Civ. 3e, 17 juill. 1972 : *D.* 1973, 238, note MALAURIE.

(217) Civ. 3e, 15 fév. 1972 : *J.C.P.* 72, II, 17094, note J.-Ph. LÉVY.

(218) Civ. 3e, 16 juill. 1974 : *D.* 1974, 681, note MALAURIE.

(219) Civ. 1re, 13 nov. 1980 : *Gaz. Pal.* 1981, 1, pan. 94.

(220) Civ. 1re, 25 mars 1981 : *Gaz. Pal.* 1981, 2, pan. 305.

(221) Com., 31 janv. 1984 : *J.C.P.* 84, IV, 112.

— le prix de vente d'actions d'une société et la valeur du point de retraite du cadre de ladite société (222);

— la profession d'hôtelier (agrandissement de l'hôtel) et l'indice de la construction (223);

— la location d'un fonds de restaurant de montagne et le forfait des remontées mécaniques (223-1).

587. — En revanche, il arrive que les tribunaux ne reconnaissent pas l'existence du lien direct exigé par les ordonnances. On ne peut indexer le prix de vente d'un fonds de mercerie sur la rémunération d'une vendeuse de textile au motif que l'acheteur n'est pas salarié et que la présence d'une vendeuse n'est pas nécessaire à l'exploitation du commerce (224). On ne peut pas davantage faire varier le loyer d'un bail commercial en fonction du salaire horaire du manœuvre maçon (225).

588. — On s'est demandé si, aux termes de la réglementation actuelle, une clause *valeur-or* serait licite. La réponse devrait être affirmative si le « rapport direct » prévu par le texte existait en l'espèce. Seraient admises semblables clauses si l'une des parties était joaillier, banquier, ou... dentiste (226).

La même question s'est posée s'agissant d'une clause monnaie étrangère. La Cour de cassation y a clairement répondu dans un arrêt du 12 janvier 1988 (226-1). En l'espèce, il s'agissait d'un prêt contracté par un Français stipulé en francs suisses; la cour d'appel l'avait déclaré illicite en se fondant et sur la réglementation des changes (D. du 27 janv. 1967, art. 6) et sur les ordonnances de 1958-1959. La Cour de cassation, délaissant le premier motif, rejette le pourvoi :

« attendu que le *caractère interne du prêt* étant admis, la juridiction du second degré a retenu à bon droit que ce contrat était *soumis à l'ordonnance du 4 février 1959* modifiant l'ordonnance du 30 décembre 1958, laquelle n'admet les indexations que si elles sont en relation directe avec l'objet de la convention ou avec l'activité de l'une des parties, prohibant ainsi, sauf lorsque l'un des contractants est banquier ou financier, la fixation de la créance en monnaie étrangère. »

---

(222) Civ. 1re, 6 oct. 1982 : *D.* 1983, I.R. 40.

(223) Poitiers, 12 janv. 1983 : *D.* 1984, I.R. 110.

(223-1) Civ. 1re, 7 mars 1984 : *Bull. civ.* I, n° 91.

(224) T.G.I. St-Quentin, 4 juin 1970 : *Gaz. Pal.* 1970, 2, somm. 64.

(225) Civ. 3e, 6 juin 1972 : *D.* 1973, 151, note MALAURIE. — V. aussi Civ. 3e, 18 fév. 1976 : *J.C.P.* 76, II, 18465, obs. LÉVY. — Civ. 3e, 16 juill. 1974 : *Bull. civ.* III, n° 311.

(226) ESMEIN, note au *J.C.P.* 63, II, 13022. — Mais la clause d'indexation sur le « napoléon » est nulle dans une vente d'immeuble, Civ. 3e, 22 oct. 1970 : *J.C.P.* 71, II, 16636 *bis*, note J.-Ph. LÉVY. — T.G.I. Paris, 5 fév. 1972 : *Gaz. Pal.* 1972, 2, 488; *Rev. trim. dr. civ.* 1972, 784, obs. CORNU.

(226-1) Civ. 1re, 12 janv. 1988 : *D.* 1989, 80, note MALAURIE; *Rev. trim. dr. civ.* 1988, 738, obs. MESTRE.

Cet arrêt constitue une innovation importante. Traditionnellement, la jurisprudence condamnait toute référence à une monnaie étrangère qu'elle soit prise comme monnaie de paiement ou monnaie de compte; puis, dans un arrêt *Colombo* (226-2), la Cour suprême avait posé un distinguo : nullité de la clause devise-monnaie de paiement comme contraire au cours légal du franc, validité de la clause devise-monnaie de compte comme tombant sur la seule indexation. Désormais la stipulation monnaie étrangère de compte n'est plus valable que dans la soumission à l'un des deux critères des ordonnances de 1958-1959, à savoir l'objet de la convention (opération internationale) ou l'activité de l'une des parties (en l'espèce, la banque ou la finance).

d) Souveraineté des juges du fond

589. — Ce qui contribue à la variété des solutions, c'est la position prise à l'égard de cette question par la Cour de cassation. Toutes les fois que la question lui a été soumise, elle a déclaré que ces questions échappent à son contrôle, s'agissant de *questions de fait,* souverainement appréciées par les juges du fond (227). Cependant une amorce de contrôle par la Cour de cassation paraît se dégager de certaines décisions (228).

Cette incertitude est source d'insécurité. Une loi est mauvaise lorsqu'elle ne permet pas de prévoir, avec quelque précision, son champ d'application. Dans le domaine des affaires, cette insécurité est particulièrement regrettable. La loi n° 70-600 du 9 juillet 1970, est venue cependant apporter deux précisions en cette matière. Elle valide certaines indexations et en prohibe d'autres, créant d'autres cas particuliers s'ajoutant à celui des dettes d'aliments.

2° Les cas particuliers

a) Convention relative à un immeuble bâti

590. — Est, désormais, « réputée en relation directe avec l'objet d'une *convention relative à un immeuble bâti,* toute clause prévoyant une indexa-

(226-2) Civ. 1re, 10 mai 1966 : *D.* 1966, 497, note M ALAURIE; *J.C.P.* 66, II, 14871.

(227) Com., 10 oct. 1967 : *D.* 1967, 727. — Civ. 1re, 22 mai 1967 : *J.C.P.* 67, II, 15214, note J.-Ph. LÉVY. — Civ. 3e, 16 juill. 1974 : *D.S.* 1974, 681, note MALAURIE. — Civ. 1re, 9 janv. 1974 : *J.C.P.* 74, II, 17806, note J.-Ph. LÉVY. — Civ. 3e, 7 mars D.S. 1973, 519, note MALAURIE. — Civ. 3e, 17 juill. 1972 : *D.S.* 1973, 238, note MALAURIE. — Civ. 3e, 6 juin 1972 : *J.C.P.* 72, II, 17255; *D.S.* 1973, 252, note MALAURIE; *Bull. civ.* III, n° 249. — Civ. 1re, 12 avril 1972 : *J.C.P.* 72, II, 17235, note J.-Ph. LÉVY. — Civ. 1re, 20 juill. 1971 : *J.C.P.* 72, II, 16951, note J.-Ph. LÉVY; *D.S.* 1972, somm. 57; *Rev. trim. dr. civ.* 1972, p. 393, obs. LOUSSOUARN.

(228) Com., 7 janv. 1975 : *D.S.* 1975, 516, note MALAURIE (reprochant à Paris, 10 oct. 1972 : *D.S.* 1973, 485, note Y. LOBIN, d'avoir annulé une clause d'indexation qui, prise dans son ensemble, n'était ni claire ni précise, ce qui postulait donc la recherche de la commune intention des parties). — Civ. 1re, 9 janv. 1974 : *J.C.P.* 74, II, 17806, note J.-Ph. LÉVY (précisant que « l'objet de la convention » doit s'entendre dans son acception la plus large). — Cf. notes préc. de MM. LÉVY et MALAURIE. — V. aussi Com., 31 janv. 1984 : *J.C.P.* 84, IV, 112.

tion sur la variation de l'*indice national du coût de la construction publié par l'I.N.S.E.E.* ». Cette disposition semble viser tout autant les acquisitions d'immeubles bâtis, que leur location. Bien entendu, la validité certaine de cet indice ne signifie pas qu'un autre ne serait pas licite, dès lors qu'il serait en rapport direct avec l'objet de la convention. Mais disposant, désormais, d'un indice dont la validité est certaine alors que la controverse subsiste quant aux autres, il est évident qu'en matière de conventions relatives à un immeuble bâti, le choix des parties se portera, le plus souvent, sur l'indice officiellement valable. La Cour de cassation paraît admettre que la présomption légale de la loi du 9 juillet 1970, réputant direct le rapport entre l'indice national du coût de la construction établi par l'I.N.S.E.E., et toute convention relative à un immeuble bâti, est exclusivement attachée à cet indice officiel (229).

b) Contrat de travail

591. — Le contrat de travail relève d'un régime particulier dont l'économie est réglementée par le Code du travail. Le salaire minimum de croissance (Smic), institué par la loi du 2 janvier 1970, est ordonné à une double finalité : d'une part, garantir aux rémunérations les plus faibles le maintien du pouvoir d'achat, ce qui a aussi l'avantage d'éviter un brusque surcroît de charges aux entreprises dans l'hypothèse d'un retard dans le réajustement; d'autre part, faire participer les moins favorisés au développement économique de la nation. D'où une double technique. La garantie du pouvoir d'achat est assurée par l'indexation du S.M.I.C. sur l'évolution de *l'indice national des prix à la consommation* : dès que se constate une hausse d'au moins 2 %, le salaire est relevé dans la même proportion (art. L. 141-3, C. trav.). La participation aux fruits de la croissance économique est fixée, indépendamment, par le gouvernement le 1er juillet de chaque année, au vu de l'avis de la Commission nationale de la négociation collective; l'accroissement annuel du pouvoir d'achat ne peut être inférieur à la moitié de l'augmentation du pouvoir d'achat des salaires horaires moyens enregistrés par l'enquête trimestrielle du ministre du Travail (art. L. 141-4 et 5, C. trav.).

c) Dettes alimentaires et rentes viagères entre particuliers

592. — La réglementation nouvelle avait, dès le début, admis une *exception* au régime restrictif des indexations qu'elle instituait pour les contrats postérieurs à sa mise en vigueur : les *dettes d'aliments* n'y étaient pas soumises. Puis, une loi du 13 juillet 1963 (art. 4) assimila aux dettes d'aliments

---

(229) Civ. 3e, 7 mars 1973 : *D.S.* 1973, 519 (nullité d'une clause indexant le loyer d'un bail à usage mixte sur l'indice du coût de la construction dans la région parisienne établi par la section centrale des architectes). — *Contra* T.G.I. Paris, 11 mars 1972 : *D.S.* 1973, 125, note crit. MALAURIE (validant une indexation sur l'indice de la contruction publié par l'Académie d'architecture).

« *les rentes viagères constituées entre particuliers* » (230). Dans ces deux cas, par conséquent, les règles ci-dessus exposées ne sont pas applicables. Toutes les indexations sont-elles, de ce fait, permises en ce qui les concerne ? C'est là une nouvelle difficulté.

593. — On sait que, pendant longtemps, la jurisprudence faisait une distinction entre les clauses monétaires (valeur-or, valeur-devises) et les clauses économiques, et que ces dernières étaient, seules, licites à condition qu'elles ne découvrent pas l'« intention monétaire » des parties. Mais cette jurisprudence a été brisée par le célèbre arrêt de la Chambre civile du 27 juin 1957 précité. Aux termes de cette décision, l'article 1895 n'est pas d'ordre public et l'intention monétaire n'est pas illicite.

Il en résulte que toutes les indexations sont désormais valables lorsqu'il s'agit de dettes d'aliments ou de rentes viagères : sont licites les clauses ayant pour indices le S.M.I.C., le prix de diverses marchandises, l'indice du coût de la vie, etc. La Cour de cassation a expressément admis la clause de l'acte de vente d'un fonds de commerce comportant indexation sur l'indice mensuel des prix à la consommation des ménages urbains, de la rente viagère en laquelle avait été converti le prix de vente (231).

La Cour de cassation range parmi les dettes d'aliments la contribution aux charges du mariage, bien qu'elle en soit distincte par son fondement et par son but (231-1) ainsi que la prestation compensatoire qui prend la forme d'une rente indexée (231-2); en conséquence, leur montant peut être indexé sur l'indice des prix à la consommation.

d) Paiements internationaux

594. — La réglementation des indexations est muette, en outre, sur la question des *paiements internationaux*. Sont-ils, eux aussi, assujettis à cette réglementation; leur validité exige-t-elle un rapport direct avec l'activité de l'une des parties ou avec l'objet de la convention ?

Certains auteurs l'ont soutenu (232). On en a déduit que l'*activité de l'une des parties* permettrait aux banquiers — mais à eux seuls — d'indexer leurs conventions sur une monnaie étrangère, puisqu'il font le commerce de l'argent (233). Ce serait, alors, restreindre considérablement la licéité de ces indexations.

---

(230) Cette exception concerne tous les contrats comportant une rente viagère telle, notamment, la *vente* dont le prix est stipulé en rente viagère (Civ. 1re, 28 janv. 1969 : *D.* 1969, 272).

(231) Civ. 1re, 17 juin 1980 : *Gaz. Pal.* 1980, 2, pan. 559; *Bull. civ.* I, 154.

(231-1) Civ. 2e, 13 janv. 1988 : *D.* 1988, I.R. 30. — Civ. 1re, 31 mai 1988 : *Bull. civ.* I, n° 164, p. 114.

(231-2) Civ. 2e, 18 janv. 1989 : *D.* 1989, I.R. 44.

(232) MALAURIE, note au *D.* 1966, p. 500, 2e col.

(233) GOLDMAN : *Clunet* 1963, 754.

Il a été, également, affirmé que tout contrat qui concerne une opération *internationale* (vente notamment) a un « *objet international* », ce qui permettrait l'indexation sur la monnaie du pays intéressé qui serait *en rapport direct avec l'objet international de la convention,* et même avec toute autre monnaie étrangère (234).

C'est, somme toute, retrouver, par un détour, le régime qui, depuis 1930, gouverne les paiements internationaux, lesquels échappent à toute restriction en la matière. Telle est, en définitive, la position de la Cour de cassation qui considère que tout paiement international échappe à l'empire du droit monétaire interne. Ce qui résulte *a contrario* mais sans équivoque de l'arrêt du 12 janvier 1988, qui ne réglemente l'indexation que dans les contrats internes (235).

595. — Mais que faut-il entendre par paiement international ? Les relations d'affaires par-delà les frontières ne sont plus aujourd'hui ce qu'elles étaient en 1930 : la nécessité d'un va et vient de biens ou de valeurs d'un pays à un autre, critère du paiement international dans la jurisprudence *Matter*, n'est plus conciliable ni avec les investissements étrangers en France, ni avec l'élargissement des marchés (Communauté européenne), ni non plus avec l'existence de nouvelles monnaies (Écu, D.T.S.) on comprend, dans ces conditions, que la Cour de cassation, après avoir encore exigé en 1983 (236) la nécessité d'un flux et d'un reflux, se contente désormais de ce que l'opération réponde à une nécessité du commerce international (236-1).

B. — Contrats en cours

596. — Il s'agit des contrats conclus antérieurement à la réglementation légale des indexations, mais qui étaient, ou qui sont encore, en cours d'exécution, après son entrée en vigueur. L'idée qui a guidé le législateur à leur égard a été de maintenir la validité des indexations conformément à la jurisprudence antérieure, afin de ne pas bouleverser les prévisions des contractants. C'est pourquoi les contrats en cours échappent, en principe, à la réglementation des indexations. Cependant, ce principe, admis comme à regret (237), comporte une importante exception : celle-ci concerne les contrats en cours qui comprennent des « obligations réciproques et successives ». La loi précitée du 9 juillet 1970 prévoit une deuxième exception.

(234) MALAURIE, note préc.

(235) Civ. 1re, 12 janv. 1988 : *D.* 1989, 80, note MALAURIE. — V. aussi Paris, 15 sept. 1987 : *D.* 1987, I.R. 196.

(236) Civ. 1re, 15 juin 1983 : *J.C.P.* 84, II, 20123, note J.-Ph. LÉVY; *D.* 1984, I.R. 268, note VASSEUR.

(236-1) Civ. 1re, 13 mai 1985 : *Bull. civ.* I, n° 146 (emprunt en Suisse par un Français avec remboursement en France : il n'y a qu'un seul mouvement, de la Suisse à la France).

(237) L'art. 79, al. 3 initial (rédaction de l'ord. du 30 déc. 1958) n'avait pas prévu le maintien de la liberté des indexations pour les contrats antérieurs.

Principe et exceptions seront successivement examinés.

1° Le principe

L'ordonnance du 4 février 1959 ne réglementant le sort des indexations que relativement à *certains* contrats en cours, il en résulte *a contrario* qu'en dehors de ces cas, les indexations sont libres.

Il n'y a aucun doute sur leur validité si l'indice de référence est « économique » : indices généraux des prix, coût d'une denrée ou d'un groupe de denrées, indices de salaires, S.M.I.G. devenu S.M.I.C., prix de services, etc.

597. — La question s'est, cependant, posée au sujet des clauses *valeur-or* ou *valeur-devises.* En effet, l'arrêt du 27 juin 1957 avait statué à propos d'une *clause-blé* insérée dans un contrat de prêt. L'objet direct de cette décision avait été de valider les clauses d'indexation dans les *prêts d'argent,* jusqu'alors considérées comme prohibées. Il ne s'était pas prononcé directement au sujet de la licéité des clauses « monétaires ». On pouvait, donc, se demander si ces clauses allaient être considérées comme valables sur la base de la seule *motivation* de cet arrêt. Celui-ci, on s'en souvient, déclare, pour valider la clause-blé dans le prêt d'argent, que l'article 1895 n'est pas d'ordre public, et que les lois monétaires ne font pas obstacle à ce que le créancier stipule une garantie le mettant à l'abri de la perte du pouvoir d'achat de la monnaie.

598. — C'est l'interprétation la plus large qui a prévalu. La motivation de l'arrêt du 27 juin 1957 a été considérée comme exprimant la nouvelle doctrine de la Cour de cassation au sujet des indexations non réglementées restrictivement par la loi. Un arrêt rendu en 1962 (238) valide expressément la *clause valeur-or* insérée dans un prêt antérieur à l'ordonnance de 1959. Un deuxième arrêt statua dans le même sens quelques mois après (239).

599. — Cette même interprétation a prévalu relativement aux clauses d'indexation sur la *valeur d'une monnaie étrangère.* Insérées dans les contrats antérieurs à l'ordonnance de 1959, ces clauses ont été validées en application de la doctrine de l'arrêt du 27 juin 1957 précité (240).

Cet arrêt a été critiqué (241), comme n'ayant pas tenu compte de la législation sur la *réglementation des changes* (D. 5 juill. 1947, art. 59). Mais la Cour de cassation n'a pas modifié son point de vue (242).

---

(238) Civ., 4 déc. 1962 : *D.* 1963, 698, note PÉDAMON; *Rec. gén. lois et jurispr.* 1963, p. 201, note B. STARCK.

(239) Civ. 1re, 26 nov. 1963 : *J.C.P.* 64, II, 13652, note HUBRECHT.

(240) V. pour une clause valeur franc suisse, Civ. 1re, 10 mai 1966 : *J.C.P.* 66, II, 14871.

(241) Note J.-Ph. LÉVY au *J.C.P.*, préc.

(242) V. Civ. 1re, 4 fév. 1969 : *Gaz. Pal.* 1969, 1, 232; *Rev. trim. dr. civ.* 1969, p. 803, obs. CORNU.

600. — Il est même intéressant d'observer que la nouvelle *motivation* de ces arrêts va jusqu'à poser, en règle générale, que rien n'empêche une stipulation en monnaie étrangère, les lois monétaires ne s'opposant pas à ce qu'une monnaie étrangère soit prise comme monnaie de compte (243). Celle-ci ne serait écartée que dans les cas précis où un rapport direct avec l'objet de la convention ou l'activité de l'une des parties est exigé.

2° Les exceptions

Elles résultent de deux dispositions :

a) Obligations réciproques et successives

601. — L'article 79 de l'ordonnance de 1959 contient une disposition qui a donné lieu à une abondante jurisprudence. Il y est dit, en substance, que les indexations, autres que celles qui ont un rapport direct avec l'objet de la convention ou avec l'activité de l'une des parties, cessent de produire effet au-delà du niveau atteint lors de la dernière revalorisation antérieure au 31 décembre 1958, lorsqu'elles sont insérées dans des contrats comportant des *obligations réciproques et successives.* A l'égard de ces contrats, il ne s'agit donc pas d'une nullité des indexations visées, mais d'un *blocage* prenant date à la dernière revalorisation antérieure au 31 décembre 1958 (244).

• Raison de la dérogation

602. — Quant à la raison de cette règle particulière, il n'est un mystère pour personne que ce qu'a voulu le législateur a été d'obtenir un blocage des clauses d'indexations insérées dans les *salaires.* Le volume monétaire des salaires pèse d'un poids énorme dans l'économie nationale; son augmentation automatique était considérée — et elle l'est encore — comme le principal facteur inflationniste (la hausse des salaires entraîne celle des prix des marchandises produites, cette hausse des prix entraîne, à son tour, celle des salaires, et ainsi de suite...., jusqu'à la catastrophe financière).

Il était, donc, d'une nécessité vitale — pensait-on — d'éliminer cette cause majeure de l'inflation. Tel étant le but recherché, il eût été, malgré

---

(243) Civ. 1re, 10 mai 1966 : *D.* 1966, 497, note MALAURIE. — Civ. 1re, 25 mars 1981 : *Bull. civ.* I, n° 88; *Gaz. Pal.* 1981, 2, pan. 286 (solution très explicite). Un arrêt de la Chambre commerciale du 30 avril 1969 (préc.) va même plus loin, à notre sens, même trop loin. Il valide une clause faisant varier la somme à payer en fonction de la valeur de la livre sterling pour la simple raison que celle-ci n'intervient que comme monnaie de compte, ce que les lois monétaires n'interdiraient pas. Aucune allusion n'est faite dans cet arrêt à la législation réglementant les indexations, et la date du contrat litigieux n'est pas précisée.

Quoi qu'il en soit, tous les « contrats en cours » ne bénéficient pas du régime de liberté des indexations. Ce régime est exceptionnellement écarté dans certains cas. — V. encore Civ. 1re, 27 avril 1977 : *Bull. civ.* I, 150.

(244) La date exacte dépendait de l'indice choisi. Si celui-ci était, par exemple, le S.M.I.G., sa revalorisation intervient de temps à autre, selon un système prévu par la loi. C'est la dernière revalorisation de l'année 1958 qui opérait le blocage.

tout, politiquement inopportun de proclamer le blocage dont il s'agit à l'égard des salaires seulement.

603. — Aussi, les auteurs du texte de 1959 eurent-ils l'idée d'employer une formule savante et quelque peu mystérieuse : le blocage des indexations des contrats en cours vise tous ceux qui comportent des obligations « réciproques et successives ». Assurément, les contrats de travail en constituent le type même : c'est un contrat *successif,* comportant des obligations *réciproques* (prestation de travail d'une part, de salaires d'autre part). Mais la formule employée était plus large : les salariés n'étaient plus les seules victimes de la réglementation destinée à sauver la monnaie.

Cela nous conduit à nous demander quelle est la portée de cette énigmatique proposition.

• Contrats concernés

604. — Quels sont les contrats comportant des obligations réciproques et successives ? En dehors du contrat de travail, à l'égard duquel la réponse ne fait pas de doute, figure le *contrat de bail.* Les prestations sont réciproques (le bailleur doit fournir le local, le locataire doit les loyers) et successives. Les indexations contenues dans les baux (il s'agit principalement de baux commerciaux), même antérieurs à l'ordonnance de 1959, sont soumises à la réglementation nouvelle (244-1). Valables, si elles sont en rapport direct avec l'activité de l'une des parties ou l'objet de la convention (mais, étant, par hypothèse, antérieures à la disposition de 1959, cela ne pouvait être qu'une heureuse et fort rare coïncidence !), elles sont soumises au blocage prévu si cette condition n'est pas remplie (245).

605. — Dans diverses autres hypothèses, le caractère réciproque et successif des obligations issues du contrat a suscité la controverse. D'une façon générale, les tribunaux interprètent *restrictivement* l'ordonnance de 1959 qu'ils déclarent *contraire au droit commun, celui de la liberté des indexations* (245-1). Les arrêts, en ce sens, sont nombreux. On se bornera à en citer quelques-uns :

— l'obligation d'un employeur de verser une *retraite* à son ancien employé ne comporte pas d'obligation réciproque faute de contrepartie *actuelle* : cette obligation étant assumée par hypothèse *antérieurement* à l'ordonnance de 1959, toutes les indexations y sont autorisées (246);

— le *contrat de vente* moyennant le versement d'un prix fixé en plusieurs annuités, n'est pas, non plus, un contrat comportant des obligations réci-

(244-1) P. CHAUVEL, *Indexation et baux commerciaux : Rev. dr. com.* 1986, n° 359 et s.

(245) Cependant, en dépit de ce blocage, la loi a prévu un système de *révision judiciaire* des loyers commerciaux : D. 30 sept. 1953, art. 23 à 33, modifié par D. 3 juill. 1972.

(245-1) Sur le rappel du principe, Civ., 6 oct. 1982 : *D.* 1988, I.R. 40.

(246) Civ., 20 nov. 1962 : *D.* 1963, 319. — Civ., 29 oct. 1964 : *Bull. civ.* II, 652.

proques et successives. Seul l'acheteur est tenu d'une obligation successive. Pour obtenir le blocage de l'indexation prévue, l'acheteur avait fait observer que le vendeur, de son côté, n'est pas libéré par le transfert de propriété de la chose vendue et par sa livraison; il reste, en effet, tenu d'une *obligation de garantie* (garantie d'éviction, garantie des vices), ce qui conférerait au contrat le caractère réciproque et successif. Mais cette prétention a été rejetée car l'obligation de garantie du vendeur n'est qu'éventuelle (247);

— *l'obligation de garantie et de non-concurrence du vendeur d'un fonds de commerce* n'entraîne pas davantage des obligations réciproques et successives dans le sens de l'ordonnance de 1959 (248). Si la vente du fonds est antérieure à ce texte, toutes les indexations du prix restant dû sont licites.

b) Conventions portant sur un local d'habitation

606. — En revanche, s'agissant de convention portant sur un local d'habitation, est interdite toute clause « prévoyant une indexation fondée sur l'indice « *loyers et charges servant à la détermination des indices généraux des prix de détail* ». Est également interdite l'indexation sur le *taux des majorations légales fixées en application de la loi du 1er septembre 1948*, à moins que le montant initial n'ait lui-même été fixé conformément aux dispositions de ladite loi et des textes pris pour son application ». Cette prohibition est applicable même aux contrats en cours. La prohibition dont il s'agit s'explique, sans doute, par la politique de contrôle des loyers.

La loi du 22 juin 1982 relative aux droits et obligations des locataires et des bailleurs, dans son article 58, pose la validité de l'indexation des loyers calculée sur « la variation d'un indice national mesurant le coût de la construction »... et sous-entend, ainsi, que cet indice est le seul utilisable.

La loi du 23 décembre 1986 (art. 15) dispose que le contrat de location peut prévoir la révision du loyer, mais que l'augmentation qui en résulte ne peut excéder la variation de l'indice I.N.S.E.E. du coût de la construction.

C. — Conséquences des indexations prohibées

607. — Les ordonnances de 1958-59 sont muettes sur la solution à donner en présence d'une indexation prohibée. Le juge est-il autorisé à substituer à un indice illicite une indexation licite ? Dans la négative, quels sont le caractère et l'étendue de la nullité encourue ?

1° Substitution d'indice

608. — Plusieurs situations doivent être distinguées :

— les parties ont stipulé une indexation avec référence à un indice déterminé « ou à tout autre qui lui serait substitué ». Il appartient au juge du

(247) Civ. 1re, 13 déc. 1966 : *J.C.P.* 67, II, 15080.

(248) Com., 12 mars 1968 : *J.C.P.* 68, II, 15612, note J.-Ph. LÉVY.

fond, qui constate que l'indice contractuel n'est plus applicable, de retenir un indice de substitution conformément à l'esprit des parties lors de la conclusion de l'opération (249);

— les parties n'ont pas prévu d'indice de remplacement, mais l'une d'elle fait une proposition en ce sens. Dans un contrat d'assurance sur la vie, le capital prévu avait été indexé sur l'indice des prix de gros; la Cour d'appel, qui a déclaré nulle cette stipulation, n'encourt aucun reproche pour avoir substitué à l'indice illicite un nouvel indice se référant au salaire de base de la sécurité sociale, selon l'offre faite par l'assureur à son cocontractant (250);

— en dehors de ces hypothèses, il est certain que les juges n'ont pas de pouvoir de substitution (251), à moins qu'il ne résulte des circonstances de la cause la volonté indiscutable des parties d'ajuster les prestations aux fluctuations monétaires, comme c'est le cas lorsqu'elles se sont référé à un indice inexistant (252), à un indice qui a cessé d'être publié (253) ou encore à un indice annulé (253-1).

609. — Cette attitude qui témoigne d'une volonté d'assurer la validité du contrat et le respect des intentions des parties, en limitant le domaine des ordonnances de 1958-1959 est encouragée par la Cour suprême qui n'hésite pas à reprocher à une cour d'appel d'avoir annulé comme illicite une clause de révision d'un prix de cession de brevets, sans rechercher la commune intention des parties alors que, dans son ensemble, cette clause n'était ni claire ni précise (254).

2° Nullité de l'indice

a) Caractères de la nullité

610. — La clause illicite n'ayant pu être écartée par voie de substitution, il est évident que la nullité s'impose. Mais de quelle sorte de nullité s'agit-il? Dans la mesure où l'on estime que le régime de l'indexation tend à préserver la valeur de la monnaie, on est en présence d'une considération

(249) Civ. 3e, 29 juin 1977 : *Bull. civ.* III, 223.

(250) Civ. 1re, 9 nov. 1981 : *Bull. civ.* I, n° 281.

(251) MALAURIE, note au *D.* 1974, 683. — GHESTIN note au *J.C.P.* 72, II, 17191. — Y. LOBIN note au *D.* 1973, 485. — PICARD note au *J.C.P.* 73, II, 17579. — VOULET, note au *D.* 1974, 249.

(252) Civ. 3e, 15 fév. 1972 : *J.C.P.* 72, II, 17094, note J.-Ph. LÉVY.

(253) Civ. 3e, 2 mai 1972 : *Bull. civ.* III, n° 268. — Sur un cas voisin, Civ. 3e, 18 avril 1984 : *J.C.P.* 84, II, 20268, note MALINVAUD, qui reconnaît la validité de l'indice national du bâtiment, tous corps d'état, caractérisé par le symbole BT01, à l'encontre des dispositions de l'article R. 231-5 du Code de la construction qui ne prévoyait que deux autres indices : l'index pondéré départemental qui n'est plus publié depuis 1977 et l'index I.N.S.E.E. du coût de la construction.

(253-1) Civ. 3e, 22 juill. 1987 : *Bull. civ.* III, n° 151, p. 88. — Civ. 1re, 19 avril 1988 : *Bull. civ.* I, n° 106, p. 72 (Smic remplaçant le Smig).

(254) Com., 7 janv. 1975 : *D..S.* 1975, 516, note MALAURIE.

d'intérêt général et on devrait conclure à une nullité d'ordre public; si, au contraire, on juge que l'objectif poursuivi est davantage de maintenir l'équilibre des prestations respectives, on est amené à conclure que la nullité est relative. De nombreuses juridictions du fond se sont prononcées en faveur de la nullité relative, au motif que la prohibition de certaines clauses intéresse, non pas l'ordre public de direction, mais l'*ordre public de protection* (255). Mais la Cour de cassation se prononce pour la nullité absolue, insusceptible de confirmation ou de ratification, posant, en l'espèce, que, nonobstant plusieurs années d'exécution d'un contrat de fourniture de cassis, l'acheteur est fondé à s'opposer, par la suite, à l'exécution des stipulations d'indexation (255-1).

De toute façon, quelle que soit la nature reconnue à la nullité, il faut admettre que le paiement fait, sans aucune réserve, en exécution d'une clause illicite, peut donner lieu à répétition. La règle *Nemo auditur propriam turpitudinem allegans* est écartée en l'espèce (255-2).

b) Portée de la nullité

611. — Mais le problème est ailleurs : la nullité de la clause d'indexation laisse-t-elle subsister le contrat où elle était insérée, qui s'exécutera comme si cette clause était non écrite; ou bien la nullité de la clause entraîne-t-elle la nullité du contrat tout entier ?

612. — La jurisprudence a donné des réponses divergentes à cette question. En général, seule la clause est annulée et le contrat est maintenu (256). Mais le contraire a été également jugé, et le contrat tout entier a été annulé (257).

Pour annuler le contrat dans son ensemble, le juge constate que le consentement du créancier n'a été donné qu'en considération de la clause d'indexation, celle-ci a joué le rôle de *cause* de son obligation. Dépourvue d'indexation, son obligation manque de cause, ce qui entraîne sa nullité.

---

(255) T.G.I. Albi, 13 juill. 1973 : *J.C.P.* 73, II, 17579, note PICARD; *D.* 1974, 510, note MALAURIE; *Rev. trim. dr. civ.* 1974, 167, obs. CORNU. — Amiens, 9 déc. 1974 : *J.C.P.* 75, II, 18135, note J.-Ph. LÉVY. — Toulouse, 5 mars 1975 : *J.C.P.* 75, II, 18034, note PICARD.

(255-1) Com., 3 nov. 1988 : *D.* 1988, I.R. 271 et *D.* 1989, 93, note MALAURIE.

(255-2) ROLAND et BOYER, *Adages*, p. 579.

(256) Civ., 21 nov. 1932 : *D.H.* 1933, 19. — T.G.I. Lyon, 22 fév. 1965 : *D.* 1965, 383. — Civ. 3e, 8 oct. 1974 : *D.S.* 1975, 189. — 9 juill. 1973 : *D.S.* 1974, 24, note MALAURIE. — 13 fév. 1969 (2e esp.) : *J.C.P.* 69, II, 15942, note J.-Ph. LÉVY; *Rev. trim. dr. civ.* 1971, p. 627, obs. LOUSSOUARN. — T.G.I. Paris, 5 fév. 1972 : *J.C.P.* 73, éd. G, IV, 312; *Rev. trim. dr. civ.* 1972, p. 714, obs. CORNU (ces décisions maintiennent le contrat malgré la nullité de la clause d'indexation parce que celle-ci n'a pas été une condition déterminante de l'accord des parties et que sa suppression ne bouleverse pas l'équilibre de la convention). — Com., 3 nov. 1988 : *D.* 1988, I.R. 271 (sol. implicite)

(257) T.G.I. Soissons, 5 janv. 1966 : *D.* 1967, 704 note EDERMAN. — Civ. 3e, 24 juin 1971 : *J.C.P.* 72, II, 17191, note GHESTIN (nullité d'une clause valeur-or affectant un prix de vente qui entraîne l'annulation du contrat de vente).

Cette solution a été approuvée par un arrêt de la Cour de cassation (258) dans une espèce dans laquelle, afin de prévenir toute difficulté d'interprétation, les parties avaient expressément déclaré que l'indexation constituait la cause déterminante de la convention.

Mais n'a-t-elle pas été abandonnée, au moins pour les baux commerciaux ? Dans ce domaine, alors même que les parties auraient expressément lié le sort du bail à celui de la clause d'indexation prohibée, le contrat doit être maintenu nonobstant la nullité de la clause, parce que l'indivisibilité constituerait une fraude à la loi sur la propriété commerciale (259).

613. — Entre ces deux solutions opposées, on notera une décision selon laquelle la nullité de l'indexation n'entraîne pas la nullité du contrat, mais seulement la suppression du délai octroyé à l'acheteur pour s'acquitter du prix. L'argument, ici encore, est tiré de la notion de cause. On ne saurait nier, en effet, que c'est à raison des risques de dépréciation de la monnaie dans le temps, que le créancier stipule une clause d'indexation. Si celle-ci est nulle, le délai auquel il avait consenti est privé de cause (260).

Dans l'espèce où cet arrêt a été rendu, cette solution a pu être donnée parce que l'acheteur avait la faculté de renoncer au délai de payement et qu'en fait, il y a renoncé pour faire maintenir la vente. Mais le système de cet arrêt ne saurait être généralisé : supprimer le délai de payement, tout en maintenant le contrat, c'est le modifier, c'est transformer une vente à crédit en vente au comptant ou réduire la longueur des délais pour le payement. Or, les délais de payement ont pu être déterminants, ont pu être la cause ou l'une des causes sans lesquelles l'acheteur n'aurait pas contracté !

Conclusion

614. — Quelle conclusion tirer de cette étude des indexations ? Le moins qu'on puisse dire, c'est qu'elle n'a pas inauguré une ère de sérénité judiciaire et de sécurité des transactions. L'opposition est manifeste entre la jurisprudence, favorable aux indexations, qui proclame même que la liberté des indexations constitue le principe de *droit commun* et la réglementation légale, qui y est hostile. C'est cette opposition qui nourrit le contentieux déjà si copieux en la matière et qui a conduit la Cour de cassation à énoncer des formules contestables.

Il avait été soutenu que, lorsqu'en 1962, la Cour de cassation avait validé une clause valeur-or dans un contrat de prêt, elle avait statué avec « la

(258) Civ. 3e, 5 fév. 1971 : *J.C.P.* 71, I, 66.

(259) Civ. 3e, 6 juin 1972 : *D.* 1973, 151, note MALAURIE. — 9 juill. 1973 : *D.* 1974, 24, note Ph. M. (l'arrêt affirme, en outre, que la clause d'indexation du loyer n'est qu'une clause accessoire dont l'annulation ne détruit pas l'équilibre du contrat, puisque le propriétaire conserve le droit de révision légale).

(260) Civ. 3e, 22 oct. 1970, préc.

splendide liberté d'un cas unique et d'une fin de série » (261). S'agissant de contrats antérieurs à l'ordonnance de 1959, on pouvait penser que la validation de cette clause ne tirerait pas à grande conséquence, le nombre de ces contrats anciens étant limité et en voie d'épuisement. D'ailleurs, s'agissant des contrats postérieurs, la jurisprudence penche nettement vers la nullité de la clause valeur-or (262).

Rappelons, en outre, que la Cour de cassation, en 1966, a validé les clauses monnaies étrangères qui sont autrement plus sensibles à la perte du pouvoir d'achat du franc. Et la Haute juridiction est allée, pour justifier cette position, jusqu'à nier que le caractère du franc, *monnaie de compte,* soit d'ordre public (263).

C'est là, à notre avis, une affirmation dangereuse et inexacte qui méconnaît la nature juridique de la monnaie et sa double fonction (v. *Introduction,* n° 1250 et s.). Elle ne pourrait pas se maintenir si venait à disparaître l'étroit carcan dans lequel est insérée l'actuelle réglementation des indexations.

615. — Quant à cette réglementation elle-même, ses contradictions et ses incertitudes viennent, non seulement d'une rédaction juridique défectueuse, mais d'une conception économique superficielle. L'inflation est un phénomène dont les causes sont multiples. Ce ne sont pas les clauses d'indexation qui en sont la cause principale : elles n'en sont que les effets.

Bien des systèmes économiques sont morts d'« inflation galopante », sans que le virus des clauses d'indexation y ait contribué. Certes, une indexation généralisée serait dangereuse par suite de son automatisme; mais, d'un autre côté, la hausse générale des prix engendre, sous une forme ou sous une autre, une réaction de défense destinée à y remédier. L'exemple le plus net est celui de la hausse des salaires qui suit de près et, quelquefois dépasse, la hausse du coût de la vie par des mécanismes autres que les clauses d'indexation. L'indexation libre n'est pas un remède à la hausse des prix, ou du moins, c'est un de ces remèdes qui tue le malade. Mais la hausse des prix *sans clause de sauvegarde* pour le crédit conduirait à l'asphyxie économique.

616. — Une conclusion semble pouvoir se dégager de cette étude : si une certaine réglementation des indexations ne peut pas être évitée — quitte à la clarifier — c'est à combattre le mal, la hausse des prix toujours menaçante que doivent s'employer les efforts de toute politique économique et législative.

---

(261) CORNU : *Rev. trim. dr. civ.* 1963, 375.

(262) Civ. 3e, 24 juin 1971 : *J.C.P.* 72, II, 17191, note GHESTIN. — T.G.I. Paris, 5 fév. 1972 : *Gaz. Pal.* 1972, 2, 488.

(263) Seule serait d'ordre public la règle faisant du franc la *monnaie de paiement* (règle du « cours légal »); encore commence-t-on à se demander si cette règle elle-même sera maintenue (J.-Ph. LÉVY, note préc. au *J.C.P.* 66, II, 14871 et les auteurs indiqués par lui en ce sens). — *Adde*, Civ. 1re, 16 juill. 1987 : *Bull. civ.* I, n° 228, p. 167. — Versailles, 18 fév. 1988 : *D.* 1988, I.R. 93.

SOUS-SECTION III

LA CONFORMITÉ A L'ORDRE PUBLIC ÉCONOMIQUE LES CLAUSES ABUSIVES

Évolution de l'ordre public économique

617. — Ripert lançant (264), il y a cinquante ans, la formule « ordre économique », n'imaginait pas à quel point la réalité contemporaine allait féconder l'expression.

Certes, il existait auparavant, dès le Code civil et comme dans toute société, des conventions que l'on annulait pour des raisons économiques. Mais, à l'époque, le système en vigueur étant le libéralisme, l'intervention dans les contrats ne servait qu'à mieux garantir la liberté individuelle, quitte à restreindre le champ de la liberté contractuelle.

Si l'on interdisait d'engager ses services à vie, on limitait assurément le champ de l'autonomie de la volonté, mais cette restriction était portée pour éviter l'enchaînement de l'individu et pour sauvegarder sa mobilité professionnelle.

618. — L'ordre public économique contemporain dérive d'une conception radicalement opposée. Loin de défendre la liberté, le législateur se manifeste pour la restreindre, voire la supprimer, en soumettant les contrats les plus courants à une réglementation impérative. Au lieu de laisser à l'initiative privée l'échange des biens et des services, il entend les aménager pour les ajuster aux objectifs qu'il poursuit. Bref, l'économie libérale a cédé la place à l'économie dirigée. Pour autant, la liberté contractuelle n'a pas totalement disparu; la liberté de s'engager ou de ne pas s'engager est demeurée intacte, sous réserve de quelques rares contrats forcés, principalement du contrat d'assurance. Ce qui est atteint par le nouvel ordre public économique c'est *le contenu de l'accord contractuel* que les parties n'ont plus la faculté d'aménager à leur guise; les droits et les obligations de chacun sont, en tout ou en partie, impérativement réglementés, si bien qu'aujourd'hui « contracter n'est plus que se placer volontairement dans un cadre légal » (265). Ainsi, dans le contrat de travail, il n'y a

---

(264) CLAPS-LIENHARD, *L'ordre public*, 1934. — Ph. MALAURIE, *L'ordre public et le contrat*, thèse Paris, 1953, préface P. ESMEIN. — FARJAT, *L'ordre public économique*, préface GOLDMAN, thèse Dijon, 1963. — RIPERT, *L'ordre économique et la liberté contractuelle : Études Gény*, 1934, t. II. — JULIOT DE LA MORANDIÈRE, *L'ordre public en droit privé interne : Études Capitant*, 1939, 381. — J. HÉMARD, *L'économie dirigée et les contrats commerciaux : Mélanges Ripert*, t. II, p. 341. — R. SAVATIER, *L'ordre public économique*, 1969. — *Rép. dr. civ. Dalloz, V° Ordre public et bonnes mœurs*, par J. HAUSER.

(265) FLOUR et AUBERT, *op. cit.*, p. 217.

pas à discuter les congés payés ou le repos hebdomadaire; dans le contrat de transport, rien ne peut être changé aux conditions du « tarif », qui ne s'applique pas seulement au prix; dans le contrat de location, la détermination du loyer, sa durée, le maintien dans les lieux... échappent à la négociation individuelle.

Finalité de l'ordre public économique

619. — Les motifs qui ont amené une telle métamorphose sont de deux ordres. En premier lieu, l'idée de *justice* : la liberté contractuelle n'empêche pas que l'inégalité de puissance économique aboutisse à ce que le plus fort dicte sa loi au plus faible. Il devient donc nécessaire de rétablir l'équilibre entre cocontractants par des mesures de protection appropriées. En second lieu, l'*utilité sociale* : les intérêts privés, à les supposer concordants et justes, ne sont pas nécessairement conformes à l'intérêt général. Il faut donc limiter à nouveau la liberté contractuelle pour la mettre au service des finalités collectives.

620. — Ce double but explique que la doctrine ait proposé une distinction entre *l'ordre public de protection* dont la violation n'entraînerait qu'une nullité relative et l'*ordre public de direction* dont la méconnaissance provoquerait une nullité absolue. Mais la frontière n'est pas nettement tracée et les chevauchements sont nombreux, car la protection des faibles et la direction de l'économie, tout en constituant des objectifs distincts, peuvent se réunir dans le même dispositif législatif. La hausse des salaires est indiscutablement une mesure de justice sociale; elle peut aussi être un instrument de relance économique par une augmentation du pouvoir d'achat des salariés. La jurisprudence témoigne de cette incertitude entre les deux notions : plusieurs décisions ont admis que relevait de l'ordre public de protection l'interdiction de certaines clauses d'indexation, alors qu'il est évident qu'une telle prohibition, en ce qu'elle vise à préserver la valeur de la monnaie, dépend de l'ordre public de direction (266).

Caractéristiques de l'ordre public économique

621. — Un des traits marquants de l'ordre public économique est sa *mobilité.* Puisqu'on tend à adapter les contrats à une politique économique et que cette politique varie suivant la conjoncture nationale et internationale et suivant le régime politique, il est évident que le contenu de l'ordre économique est amené à changer très souvent. Ce qui n'empêche pas une certaine stabilité dans l'orientation générale, qui se traduit par la conservation des acquis et une avancée constante dans la même direction.

(266) Par exemple, Toulouse, 5 mars 1975 : *Rép. Defrénois* 1975, art. 31021, note MALAURIE; *J.C.P.* 75, II, 18034, note J. PICARD. — Sur l'ensemble de la question G. COUTURIER, *L'ordre public de protection, et malheurs d'une vieille notion neuve : Études Flour,* p. 95 et s.

Un second caractère se découvre dans le *pointillisme de la réglementation*. Le législateur descend dans le détail le plus menu, décrivant longuement les droits et obligations de chacun, imposant certaines formes, obligeant à la remise de documents établis selon des modèles imposés, etc.

Enfin, dernière caractéristique, l'ambivalence de méthode utilisée par le législateur pour asseoir l'ordre économique. Il est fait, à la fois, de *défense* et de *prescription*; il ne se réduit pas à une liste d'interdictions en vue de détourner les contractants de passer telle convention contrariant ses objectifs, il se traduit dans une série de commandements obligeant les parties à insérer leur accord dans le cadre qu'il a fabriqué. Jusqu'à ces dernières années, on avait justement observé que l'ordre public économique, à l'opposé de l'ordre public social, était à dominante positive; mais cette prévalence a disparu depuis la loi du 10 janvier 1978 relative à la protection et à l'information des consommateurs. En effet, ce texte capital, en introduisant très largement le concept de clause réputée abusive, a renversé la tendance en donnant le pas à l'aspect négatif du nouvel ordre public économique. C'est à cette nouveauté essentielle qu'il convient de consacrer cette sous-section.

Notion de clause abusive

622. — L'interdiction des clauses abusives est fort ancienne : pacte léonin en matière de sociétés, conditions impossibles, illicites ou immorales dans les libéralités. La jurisprudence, de son côté, avait recouru aux mécanismes généraux du droit contractuel pour limiter le jeu des clauses de non-responsabilité dans le transport, et avait usé de ses pouvoirs d'interprétation pour refouler les clauses non acceptées ou infléchir le sens des clauses ambiguës... A son tour, le législateur est entré dans cette voie. Ainsi la loi du 10 juillet 1965 fixant le statut de la copropriété des immeubles bâtis a-t-elle prescrit que le règlement de copropriété ne peut imposer aucune restriction aux droits des copropriétaires, en dehors de celles qui seraient justifiées par la destination de l'immeuble; ainsi la loi du 10 juillet 1970 répute-t-elle non écrite toute stipulation tendant à interdire la détention d'un animal familier dans un local d'habitation; ainsi le législateur de 1975 a-t-il investi le juge du pouvoir de réviser la clause pénale manifestement excessive ou dérisoire; plus près de nous, la loi du 5 janvier 1988 répute non écrite toute clause des statuts ayant pour effet de subordonner l'exercice de l'action sociale à l'autorisation de l'assemblée (C. civ., art. 1843-5). Mais toutes ces prohibitions ne tombaient que sur quelques hypothèses particulières, ne frappant jamais tel pan du droit des contrats dans son ensemble.

623. — A l'opposé, la loi n° 78-23 du 10 janvier 1978 sur la protection et l'information des consommateurs fait de la clause abusive une donnée, pour ainsi dire, consubstantielle au champ contractuel. Il suffit de lire son article 35 pour s'en convaincre :

« Dans les contrats conclus entre professionnels et non professionnels ou consommateurs, peuvent être interdites, limitées ou réglementées par des décrets en Conseil d'Etat, pris après avis de la commission instituée par l'article 36, en distinguant éventuellement selon la nature des biens et des services concernés, les clauses relatives au caractère déterminé ou déterminable du prix ainsi qu'à son versement, à la consistance de la chose ou à sa livraison, à la charge des risques, à l'étendue des responsabilités et garanties, aux conditions d'exécution, de résiliation, résolution ou reconduction des conventions, lorsque de telles clauses apparaissent imposées aux non professionnels ou consommateurs par un abus de la puissance économique de l'autre partie et confèrent à cette dernière un avantage excessif.

De telles clauses abusives, stipulées en contradiction avec les dispositions qui précèdent, sont réputées non écrites ».

624. — Comment en est-on arrivé à une disposition de portée si générale ? L'évolution sociale, le passage d'une économie familiale à une économie de consommation, la transformation du processus contractuel ont peu à peu rendu nécessaire la protection du client isolé et ignorant face aux professionnels jouissant d'une supériorité à la fois technique (connaissance des produits et des services), juridique (expérience de la portée pratique de telle ou telle stipulation) et économique (domination et monopole). Il en était résulté toute une série d'abus : exigence de paiements anticipés, prévision de dommages-intérêts considérables en cas de retard dans le règlement, clauses d'irresponsabilité mettant à couvert préventivement le fabricant, le distributeur, le prestataire de services, des conséquences de son inexécution, de ses défaillances, de ses atermoiements, etc.

625. — Contre de telles pratiques, on avait cru découvrir le remède dans le contrat d'adhésion dont la doctrine souhaitait un régime exorbitant tenant compte de la différence de conditions socio-professionnelles des parties en présence. Mais la jurisprudence n'avait guère suivi les suggestions des auteurs et on s'était aperçu à l'usage que le problème n'était pas tant celui du principe du consentement à un contrat pré-rédigé que celui d'une disproportion inéquitable entre les prestations respectives. Sur ce dernier point, les stipulations engendrant l'injustice contractuelle étant parfaitement licites au regard des règles régissant les obligations, il n'était d'autres ressources que de s'en prendre à l'économie même du contrat pour dénoncer ses dispositions abusives et les extirper de la vie contractuelle (267).

Telle fut la raison de la grande loi de 1978, qui, s'inspirant des législations étrangères, entreprit la défense systématique du consommateur. On en présentera les points forts en examinant successivement le critère, le domaine et la sanction des clauses abusives (268).

---

(267) Pour éviter le déséquilibre, il existe une autre méthode radicalement opposée qui consiste à sous-entendre dans le contrat, comme étant obligatoire, une clause qui n'y figure pas :la clause est alors *réputée écrite.* Pour un exemple en législation, voir le décret du 2 août 1985, qui imposant l'extension de la garantie catastrophes naturelles aux polices d'incendie, dispose : « les contrats... sont réputés, nonobstant toute disposition contraire, contenir une telle clause. Des clauses-types, réputées écrites dans ces contrats, sont déterminées par arrêté » (C. ass., art. L. 125-3 nouveau).

(268) Sur la question, CALAIS-AULOY, *Droit de la consommation,* 2e éd., 1986, n° 116 et s. — H. BRICKS, *Les clauses abusives*, L.G.D.J., 1982, et la bibliographie donnée en fin d'ouvrage. — PIZZIO : *Rép. dr. civ. Dalloz, V° Droit de la consommation*, 1987, n° 977 et s. — THRÉARD, *La*

§ 1. — Le critère des clauses abusives

626. — De l'ensemble de l'article 35 de la loi du 10 janvier 1978, il ressort que la définition de la clause abusive exige la réunion de deux types de conditions, les unes touchant au fond, les autres à la procédure.

A. — Critères de fond

Ils sont inscrits *in terminis* dans le texte de la loi : avantage excessif et abus de puissance économique.

1° Avantage excessif

627. — Pour qu'une clause soit abusive, il faut d'abord qu'elle confère au professionnel un avantage excessif. L'imprécision de cette notion est génératrice de deux interrogations. On peut se demander, d'abord, quelle doit être la nature du déséquilibre existant entre les prestations réciproques. Normalement, l'avantage est de type pécuniaire; ainsi lorsqu'il s'agit d'une clause concernant le montant du prix ou ses modalités de versement.

Mais, il n'est pas nécessaire qu'il en soit ainsi; la liste des clauses de l'article 35 en fait foi, qui envisage la consistance de la chose, sa livraison, la charge des risques, les conditions d'exécution, de résiliation, de résolution, etc. Au reste, l'intention du législateur n'a pas été de bouleverser les règles relatives à la lésion, qui reste strictement cantonnée dans les limites de l'article 1118 du Code civil.

628. — On peut se demander, ensuite, si l'avantage excessif doit résulter de la clause seule ou de l'ensemble du contrat. Pour juger de l'abus, on admet que le déséquilibre doit être analysé par rapport à l'ensemble des stipulations contractuelles. En effet, une clause prise en elle-même peut profiter à une seule des parties; la déclarer abusive serait anormal si, dans le même contrat, une autre clause favorisait, sur un autre point, l'autre partie; les obligations assumées de part et d'autre se contrebalançant, la convention n'est pas déséquilibrée. Mais la difficulté pratique est d'apprécier avec exactitude l'équivalence que confèrent des clauses de nature très diffé-

loi du 10 janvier 1978 sur la protection et l'information des consommateurs de produits et services : Gaz. Pal. 1978, 1, 249. — BIHL, *La loi n° 78-23 du 10 janvier 1978 sur la protection et l'information du consommateur : J.C.P.* 78, I, 2909. — BERLIOZ, *Droit de la consommation et droit des contrats : J.C.P.* éd. C.I., 1979. — D. NGUYEN THANH-BOURGEAIS, *Réflexions sur deux innovations de la loi n° 78-23 du 10 janvier 1978 : D.* 1979, chron. 15. — J.-P. GRIDEL, *Remarques de principe sur l'article 35 de la loi n° 78-23 du 10 janvier 1978 relatif à la prohibition des clauses abusives : D.* 1984, chron. 158. — G. FAISANT, *Les nouveaux aspects de la lutte contre les clauses abusives : D.* 1988, chron. 253. — *De l'efficacité de la lutte contre les clauses abusives* (à propos d'un arrêt de la cour de Paris du 22 mai 1986) : *D.* 1986, chron. 299. — J.-C. TAHITA, *La loi du 10 janvier 1978 et la protection du consommateur contre les clauses abusives des contrats*, thèse Poitiers, 1985.

rente (269); la faculté de résilier le contrat pour l'acheteur ou le paiement d'un moindre prix compensent-ils la possibilité pour le vendeur de limiter l'étendue de sa responsabilité ? Une telle question est d'espèce et dépend donc de la sagesse du juge.

2° Abus de puissance économique

629. — Le second critère est encore plus imprécis que le premier, car on ne sait à quoi se référer pour détecter l'abus de puissance économique. D'ailleurs, était-il opportun d'en faire une condition nécessaire ? Dès l'instant qu'une stipulation provoque une inéquivalence grave dans une convention, ce simple constat devrait suffire pour la réputer inefficace; au demeurant, à supposer admise la nécessité d'un second critère, fallait-il se régler sur la position économique ? Il semble que, dans les faits, la supériorité du professionnel, hormis les situations de monopole ou d'oligopole, soit davantage d'ordre technique; par hypothèse, le professionnel a l'habitude de passer telles conventions qui font partie de sa profession; il connaît les incidences des différentes stipulations, les risques les plus fréquents; il a l'expérience des pratiques ayant cours dans la profession; il dispose, enfin, d'une organisation appropriée. Cette supériorité technique est certainement la seule que détiennent tous les professionnels, qui ne sont pas nécessairement des magnats de l'industrie, du commerce ou de la finance.

630. — Reste la question de preuve. Qui doit supporter la charge d'établir que la clause est abusive ? Etant donné l'orientation générale du texte vers la protection du consommateur, il serait singulier d'en faire supporter le poids au non-professionnel. La raison voudrait qu'une fois établi le déséquilibre du contrat, l'on présumât que les clauses qui l'ont engendré ont été imposées par un abus de la puissance économique du professionnel, quitte à ce dernier à renverser la présomption. Précédemment, le problème probatoire était assez théorique étant donné qu'il fallait une procédure réglementaire qui se suffisait à elle-même, dispensant le consommateur d'établir l'existence de critères de fond. Mais, le problème a retrouvé son acuité, ainsi qu'on le verra, avec l'arrêt de la Cour de cassation du 16 juillet 1987, qui semble permettre d'agir sur le seul fondement de l'article 35 de la loi, et avec la loi du 5 janvier 1988 qui confère aux associations de consommateurs le droit de poursuivre la suppression des clauses abusives.

B. — Critères de procédure

631. — Le législateur du 10 janvier 1978 se borne à poser le principe de la prohibition des clauses abusives et à délimiter le cadre dans lequel elles sont susceptibles de jouer; il charge le gouvernement du soin de les interdire, de les limiter, de les réglementer.

---

(269) Hélène Bricks, *Les clauses abusives, op. cit.*

1° Le cadre législatif

632. — La loi de 1978 ne vise pas toutes les stipulations insérées dans un contrat conclu entre professionnels et consommateurs; elle restreint sa protection à certaines clauses qu'elle énumère, à savoir, celles relatives :

— au caractère déterminé ou déterminable du prix;

— au versement du prix;

— à la consistance de la chose;

— à la livraison de la chose;

— à la charge des risques;

— à l'étendue des responsabilités et garanties;

— aux conditions d'exécution du contrat;

— aux conditions de résiliation, résolution ou reconduction du contrat (269-1).

633. — Le caractère limitatif de cette liste avait été discuté (270). Il ne l'est plus depuis l'arrêt du Conseil d'État du 3 décembre 1980 (271). En l'espèce, était en discussion l'article 1er du décret du 24 mars 1978 dont il est utile de rappeler le libellé :

« Dans les contrats conclus entre des professionnels, d'une part, et, d'autre part, des non-professionnels ou des consommateurs, est interdite comme abusive au sens de l'alinéa 1er de l'article 35 de la loi susvisée la clause ayant pour objet ou pour effet de constater l'adhésion du non-professionnel ou consommateur à des stipulations contractuelles qui ne figurent pas sur l'écrit qu'il signe ».

De nombreux requérants, tous compagnies d'assurances, demandaient l'annulation de ce texte pour excès de pouvoir, en ce que la clause de renvoi qu'il vise ne fait pas partie de l'énumération de l'article 35. Le Conseil d'Etat prononce l'annulation. Il vise d'abord les clauses soumises à l'empire du pouvoir réglementaire :

« Considérant qu'il résulte de ces dispositions que le gouvernement *n'est autorisé* à utiliser les pouvoirs qu'il tient du 1er alinéa de l'article 35 précité de la loi du 10 janvier 1978 que pour interdire, réglementer ou limiter les *seules clauses relatives aux éléments contractuels limitativement énumérées audit aliéna* et qui peuvent être considérées comme abusives en raison des conditions de leur intervention et de leurs effets... »

Il vise ensuite les critères de fond :

« Considérant que le gouvernement a interdit une clause dont l'objet peut porter sur des éléments contractuels autres que ceux limitativement énumérés dans cet alinéa, qui ne révèlent pas dans tous les cas un abus de puissance économique *et qui ne confèrent pas nécessairement un avantage excessif au professionnel* ».

(269-1) Sur ces divers cas, V. GHESTIN, n° 611 et s.

(270) GHESTIN, *op. cit.*, n° 598. — L. BIHL, *La loi n° 78-23 du 10 janvier 1978 sur la protection et l'information du consommateur : J.C.P.* 78, I, 2909.

(271) *J.C.P.* 81, II, 19502, concl. HAGELSTEEN; *D.* 1981, 228, note LARROUMET; *Rép. Defrénois* 1981, I, 32551, note M. VION.

Et le Conseil d'État de conclure que :

« dès lors, ces dispositions, en raison de leur généralité, *n'entrent pas dans les limites de l'habilitation* que le gouvernement a reçu du 1er alinéa de l'article 35 de la loi précitée ».

2° Le cadre réglementaire

634. — Ce sont des décrets en Conseil d'État, pris après avis de la commission des clauses abusives, qui interdisent, limitent, réglementent les clauses révélatrices de l'iniquité contractuelle dans les limites de l'article 35 de la loi.

a) Commission des clauses abusives (272)

635. — Instituée par la loi du 10 janvier 1978, la commission comprend quinze membres :

— trois magistrats de l'ordre judiciaire ou administratif; le président appartient nécessairement à l'ordre judiciaire;

— trois représentants de l'administration, choisis en raison de leurs compétences;

— trois jurisconsultes qualifiés en matière de droit ou de technique des contrats;

— trois représentants des associations représentatives et agréées de défense des consommateurs;

— trois représentants des professionnels.

Le décret du 25 janvier 1981 a précisé le mode de désignation des membres de ladite commission. Ils sont tous nommés par arrêté du ministre chargé de la Consommation, sur proposition du Garde des Sceaux ou du ministre de l'Intérieur pour les magistrats des deux ordres.

636. — La commission, qui siège auprès du ministre de la Consommation, peut être saisie soit par le ministre lui-même, soit par les associations de consommateurs, soit par les professionnels intéressés; elle peut également se saisir d'office (art. 37, al. 2 de la loi).

La procédure demeure informelle, à l'exception de deux points réglés par le décret du 25 janvier 1981 : institution d'un commissaire du gouvernement en la personne du directeur général de la concurrence et de la consommation au ministère de l'Économie, qui présente les observations des départements ministériels intéressés; désignation d'un ou plusieurs rapporteurs qui peuvent être extérieurs à la commission pour l'examen de chaque clause ou groupe de clauses contractuelles.

---

(272) A. Sinay-Cytermann, *La commission des clauses abusives et le droit commun des obligations : Rev. trim. dr. civ.* 1985, 471 et s.

637. — Le rôle de la commission est triple. Elle a d'abord pour mission de donner un *avis sur les projets de décret* ayant pour objet d'interdire, de limiter, ou de réglementer certaines clauses considérées comme abusives : le gouvernement n'est pas lié par l'opinion de la commission.

Ensuite, la commission connaît des modèles de convention habituellement proposés par les professionnels à leurs contractants non professionnels ou consommateurs, recherchent si ces documents contiennent des clauses qui pourraient présenter un caractère abusif et recommandent la suppression ou la modification des clauses jugées telles. L'objet de telles *recommandations* est d'inciter les professionnels à réviser leur comportement contractuel et à informer les consommateurs de leurs droits, pour les aider à combattre eux-mêmes le déséquilibre des contrats. Compte tenu de ces deux objectifs, il eût fallu donner la plus large publicité à ces documents. Or, selon l'article 38 de la loi, le ministre chargé de la Consommation *peut*

« ... les rendre publiques sous réserve qu'elles ne contiennent aucune indication de nature à permettre l'identification de situations individuelles ».

Enfin, la commission établit, chaque année, *un rapport sur son activité.* Ce rapport doit être publié et peut comprendre, le cas échéant, des propositions de réforme législative ou réglementaire. La commission a été très active dès l'année de son institution au cours de laquelle elle a examiné plusieurs catégories de contrats, adressé deux recommandations (sur les contrats de garantie et sur les recours en justice) et proposé plusieurs réformes concernant les vices dans la vente. A la fin de 1987, elle avait émis 26 recommandations portant, essentiellement, sur certains secteurs d'activité : baux, achat d'objets d'ameublement, contrat de déménagement, de distribution d'eau... (273).

b) Rôle de l'autorité judiciaire

638. — Le législateur du 10 janvier 1978 s'en étant remis à l'Administration, elle seule a le pouvoir de décider, par des décrets en Conseil d'État, de l'abusif et du non-abusif, sous l'unique réserve de respecter les critères définis à l'article 35 de la loi. Du même coup, l'autorité judiciaire est évincée d'un domaine qui, constitutionnellement, est le sien, celui d'apprécier la justice des causes entre particuliers. Il ne lui demeure que le prononcé de la nullité de stipulations déclarées abusives en dehors d'elle. Le risque de jugement selon l'équité, source de personnalisation de la règle de droit au détriment de sa généralité impersonnelle, n'est sans doute pas étranger à ce que l'on a appelé « la marginalisation de l'autorité judiciaire » (274).

---

(273) GHESTIN, n° 608 et s.

(274) J.-P. GRIDEL, *op. cit.*

639. — L'inconvénient de ce procédé est évident s'agissant des clauses abusives qui ne sont visées par aucun décret. Le support de l'article 35 de la loi est insuffisant : ce texte, certes, prévoit la nullité des clauses stipulées en contradiction avec les dispositions qu'il renferme, mais, précisément, ces dispositions imposent l'intervention d'un décret en Conseil d'État. Faute de dispositions réglementaires, abandonnées à l'arbitraire du pouvoir, le juge se trouve démuni et il n'y a plus de clause abusive. Ainsi en a logiquement décidé la cour d'Aix (275) à propos d'un contrat de location d'appareils téléphoniques qui présentait deux abus : une durée de location minimale trop longue, une formule mathématique de révision du loyer incompréhensible pour un non-professionnel. Selon la Cour,

« ... ne sont pas abusives, ni susceptibles à ce titre d'être réputées non écrites par application de la loi du 10 janvier 1978 et du décret du 24 mars 1978, les clauses... dès lors qu'à ce jour n'ont été déclarées abusives par le décret précité, ni les dispositions d'un contrat relatives à la location d'un bien mobilier pendant une longue durée, ni la révision du prix du loyer de ce bien calculée par référence à un élément extérieur aux parties ».

Le Conseil d'État s'est prononcé dans le même sens à propos de clauses relatives aux révisions de prix dans le secteur des voyages, se contentant d'observer que le décret du 24 mars 1978 ne les visait pas (275-1).

639-1. — Mais la Cour de cassation, dans un arrêt du 16 juillet 1987 (275-2), admet que la clause abusive puisse être regardée comme non écrite sur le seul fondement de l'article 35 de la loi de 1978.

Un client avait commandé à Home Salon un mobilier pour lequel il avait versé un acompte. Le bon de commande portait au recto « date de livraison deux mois » et, au verso, que ce délai n'était donné qu'à titre indicatif, un retard ne pouvant déboucher sur la résiliation ou l'octroi de dommages-intérêts; toutefois l'annulation de la commande et la restitution des sommes versées pouvaient être demandées dans les 90 jours suivant une mise en demeure restée sans effet, cette dernière ne pouvant être faite qu'après expiration du délai indicatif. Le client qui avait patienté 4 mois, puis mis en demeure, recevait une offre de livraison un mois et huit jours plus tard; il la refusait et demandait l'annulation du contrat.

La cour de Montpellier avait jugé que la clause invoquée par Home Salon n'était pas abusive. Sa décision est cassée : « alors que conférant au professionnel vendeur un avantage excessif, notamment *en lui laissant en fait l'appréciation du délai de livraison* et *en réduisant le droit à réparation prévu à l'article 1610 du Code civil* au bénéfice de l'acquéreur non professionnel en cas de manquement par le vendeur à son obligation essentielle de délivrance dans le temps convenu, cette clause devait être réputée non écrite ».

---

(275) 20 mars 1980 : *D.* 1982, 131, note P. DELEBECQUE. — Pour une réaffirmation du principe : Trib. inst. Metz, 4 janv. 1983 : *D.* 1984, 591, note J.-P. PIZZIO.

(275-1) Cons. d'État, 7 fév. 1986 : *Gaz. Pal.* 1986, 2, somm. 313.

(275-2) Civ. 1re, 16 juill. 1987 : *D.* 1988, 49, note CALAIS-AULOY; *J.C.P.* 1988, II, 21001, note G. PAISANT; *Bull. civ.* I, n° 226, p. 266; *Rev. trim. dr. civ.* 1988, 114, obs. MESTRE.

Cet arrêt a été approuvé par la doctrine qui y a vu, soit « une lueur d'espoir », soit une ouverture pour une plus large condamnation des clauses abusives. En réalité, on doit voir dans cet arrêt un bouleversement complet dans le régime de l'abus jusque là observé. En effet, il y avait, en l'espèce, deux clauses incriminées : l'une — *hors décret* — touchant le délai de livraison, l'autre — *condamnée par le décret* — visant la restriction de la responsabilité du professionnel. Or, la Cour de cassation vise distributivement l'article 35 de la loi pour la première des deux et les articles 2 et 5 du décret pour la seconde. En particulier, elle déclare qu'il résulte du premier de ces textes (art. 35 de la loi) que *sont* interdites et réputées non écrites les clauses relatives notamment à la livraison de la chose, lorsqu'elles sont imposées par un abus de puissance économique et qu'elles confèrent un avantage excessif; il en découle qu'*une clause doit être réputée non écrite dès qu'elle est abusive comme répondant aux deux critères d'excès (puissance et avantage) et qu'elle entre dans l'énumération de l'article 35.*

Dans ces conditions, on en arrive à une dualité de compétence pour déclarer une stipulation non écrite au titre de l'abus : d'une part, l'autorité judiciaire, d'autre part, l'autorité réglementaire; ici, une condamnation *a posteriori* à effet relatif, là, une condamnation préventive opposable *erga omnes.* Cette restauration jurisprudentielle de l'office du juge rejoint l'investiture nouvelle qui lui est conférée par la loi du 5 janvier 1988 l'autorisant à supprimer, sur la requête des associations de consommateurs, les clauses abusives dans les modèles de convention (*infra*, n° 660-4).

§ 2. — Le domaine des clauses abusives

640. — La détermination du champ d'application de la loi de 1978 implique une triple recherche : dans quels contrats, des décrets en Conseil d'État peuvent-ils intervenir pour prendre des mesures d'interdiction, de limitation ou de réglementation ? Quels sont les contractants que l'on entend protéger par cette voie ? Quelles sont les clauses susceptibles d'être régies par la loi *Scrivener* ?

A. — Quant aux contrats

1° Nature du contrat

641. — Le projet de loi était plus restrictif que le texte finalement adopté. Il visait les contrats « conclus entre un consommateur et un professionnel, sur un modèle habituellement proposé par ce dernier et que le consommateur ne peut en fait modifier... », ce qui était une manière de restreindre le nouveau dispositif aux seuls contrats d'adhésion. Le texte amendé par le Sénat avait accentué cette orientation en donnant, liminairement, une définition du contrat d'adhésion en matière de consommation, contrat présenté comme :

« une convention conclue par le consommateur sans négociation préalable de l'ensemble de ses clauses ou stipulations, d'après un ou plusieurs modèles utilisés par des professionnels de manière habituelle ».

Cette position a été, en définitive, abandonnée par l'Assemblée nationale, qui a supprimé la mention expresse... « dans les contrats d'adhésion... ». On en infère justement que le contenu des contrats peut être contrôlé même pour les conventions qui ne sont pas conclues par adhésion et que tous les rapports contractuels sont assujettis aux dispositions sur les clauses abusives, quel que soit leur type (vente, location, assurance, prêt, etc.), quel que soit leur objet (meubles ou immeubles).

La suppression de toute restriction n'offre guère d'utilité pratique. La plupart des clauses abusives ne sévissent que dans les contrats d'adhésion; de plus, la notion même de clause abusive, en ce qu'elle postule que la stipulation soit *imposée* au contractant, sous-entend qu'on est en présence d'un contrat prérédigé dans lequel les clauses ne sont pas discutées, c'est-à-dire en présence d'un contrat d'adhésion.

2° Forme du contrat

642. — L'alinéa 3 de l'article 35 prend soin de préciser que les dispositions de la loi sont applicables aux contrats « quels que soient leur forme ou leur support ». Il en est ainsi, notamment, des bons de commande, factures, bons de garantie, bordereaux ou bons de livraison, billets, tickets contenant des stipulations ou des références à des conditions générales préétablies. En revanche, le législateur ne dit rien quant au caractère scriptural de l'engagement. Mais cette condition, si elle n'est pas expressément prévue, ressort implicitement et sans ambiguïté de la formule utilisée pour édicter la sanction: les clauses abusives sont « réputées non écrites ». Qu'il faille que la clause soit écrite ne signifie d'ailleurs pas que le contrat doive être lui-même écrit dans son entier. Le voyageur qui descend à l'hôtel ne signe pas de contrat d'hôtellerie; il n'empêche que l'hôtelier a pu afficher une clause de non-responsabilité à la réception ou dans les chambres et que cette clause peut être déclarée abusive.

B. — Quant aux contractants

643. — Si les contrats sans distinction sont justiciables des règles sur les clauses abusives, il n'en découle pas que tous les contractants puissent s'en prévaloir. Les dispositions de la loi de 1978, loin de protéger toutes les parties en situation d'infériorité, ne concernent que les « contrats conclus entre professionnels et non-professionnels ou consommateurs ». En outre, le législateur est resté muet sur le cas des prestations du service public. La délimitation du domaine d'application exige donc que la qualité de contractant soit envisagée, à la fois, du point de vue de la profession et du point de vue du droit applicable.

1° Professionnels et non-professionnels ou consommateurs

a) Professionnels

644. — La qualification de contractant professionnel vise toute personne physique ou morale, fournisseur de biens ou prestataire de services, établissant des relations contractuelles dans l'exercice d'une activité industrielle, commerciale, artisanale, libérale, agricole ou autre. Dans le principe, la définition ne souffre pas de difficultés. Mais il est des situations marginales qui font naître l'incertitude. Que l'on songe, par exemple, au contrat de vente ou au contrat de location relatifs à l'habitation. Il est sûr que celui qui acquiert ou qui loue pour se loger ou loger sa famille est un consommateur; littéralement, il n'a droit à la protection contre les clauses abusives qu'à la condition d'avoir traité avec un professionnel du logement; or, son partenaire peut être un simple particulier qui tire quelques revenus de son patrimoine immobilier. Doit-on réserver la protection de la loi au seul locataire tenant son titre locatif d'un bailleur professionnel ? L'affirmative serait contraire à l'esprit du texte. Jusqu'à présent, la question est demeurée sans réponse.

b) Non-professionnels ou consommateurs

645. — En accolant ces deux termes, le législateur a-t-il seulement voulu mieux identifier le consommateur, en indiquant qu'il s'agit d'un non-professionnel, contractant pour des besoins personnels ou familiaux ? Auquel cas les termes « non-professionnels ou consommateurs » seraient synonymes et il n'existerait qu'une catégorie de personnes protégées : les consommateurs. A-t-il eu en vue une catégorie intermédiaire, celle des contractants qui ne sont ni professionnels ni consommateurs ?

La question mérite d'être posée, car ce groupe n'est pas imaginaire. On relève, d'abord, des contrats conclus entre deux professionnels exerçant des activités différentes, tel le contrat passé par un industriel qui achète du matériel de bureau : la position de l'industriel est à double face, il est professionnel parce que le matériel est destiné à son activité professionnelle, il est consommateur dans la mesure où, faute de qualification vis-à-vis du vendeur, il ne peut pas discuter les termes du contrat. On relève, aussi, des contrats où l'une des parties, indiscutablement non professionnelle, n'a pas pour autant la qualité de consommateur, par exemple l'écrivain qui contracte avec son éditeur ou l'épargnant qui négocie avec un établissement bancaire.

646. — Quoique la question soit discutée (276), la doctrine admet que le mot consommateur doit être entendu, non dans le sens relativement étroit

(276) V. H. Bricks, *op. cit.*, n° 172 et s. — Ghestin, *op. cit.*, n° 596. — Calais-Auloy, *op. cit.*, n° 203.

que lui donne le langage courant, mais dans le sens large de non-professionnel, désignant l'acquéreur de biens ou l'utilisateur de services non spécialiste du produit ou de l'activité faisant la matière du contrat. La convention relève du régime des clauses abusives dès lors que les relations contractuelles se sont nouées entre un professionnel, qui fait métier de conclure pareille convention, et un partenaire — exerçant ou non une profession — qui n'a pas l'habitude de conclure une telle convention. Encore convient-il d'observer que l'habitude, quelle que soit sa fréquence, ne suffit pas pour passer d'un camp dans l'autre : la maîtresse de maison, familiarisée avec les achats ménagers, ne devient pas, par là même, un professionnel de la consommation.

646.1. —Quant à la jurisprudence, la Cour de cassation s'est prononcée dans deux arrêts. Dans la première espèce, il s'agissait d'un agent d'assurances qui avait commandé des housses publicitaires d'annuaire téléphonique pour les distribuer à ses clients; les juges du fond avaient admis la protection de la loi *Scrivener*, mais leur décision est censurée au motif qu'il résultait de leurs constatations que le demandeur avait traité en qualité de professionnel de l'assurance et pour la publicité de son cabinet, « circonstances d'où il résultait qu'en l'espèce cette loi n'était pas applicable » (276-1). Dans la deuxième espèce, une agence immobilière avait fait installer un système d'alarme contre le vol par la société Abonnement téléphonique; le matériel fonctionnant de façon défectueuse en provoquant des alertes intempestives, la résiliation du contrat était demandée; la société installatrice invoquait plusieurs clauses du contrat de maintenance s'y opposant, avançant, notamment, qu'elle n'était débitrice que d'une obligation de moyens et que les dérangements, quelles qu'en fussent les causes, ne pouvaient ouvrir droit à indemnité ou à résiliation. La Cour de cassation proclame « que les juges d'appel ont estimé que le contrat conclu entre Abonnement téléphonique et la société Pigranel échappait à la compétence professionnelle de celle-ci, dont l'activité d'agent immobilier était étrangère à la technique très spéciale des systèmes d'alarme et qui, relativement au contenu du contrat en cause, était *dans le même état d'ignorance que n'importe quel autre consommateur*, qu'ils en ont déduit à bon droit que la loi du 10 janvier 1978 était applicable » (276-2).

Les annotateurs concluent à un revirement de jurisprudence et soulignent que la Cour de cassation passe d'une conception restrictive à une conception extensive, traitant désormais comme consommateur le professionnel d'une autre spécialité. Tel pourtant n'est pas le sentiment de la Cour suprême dont le rapport (276-3) relève qu'il n'y a pas contradiction mais complémentarité entre ces arrêts, ni contradiction avec ceux rendus

(276-1) Civ., 1re, 15 avril 1986 : *Bull. civ.* I, n° 290, p. 91; *J.C.P.* 86, IV, 174; *Rev. trim. dr. civ.* 1987, 86, obs. Mestre.

(276-2) Civ. 1re, 28 avril 1987 : *D.* 1988, note Ph. Delebecque; *J.C.P.* 87, II, 20893, note G. Paisant; *Rev. trim. dr. civ.* 1987, 537, obs. Mestre.

(276-3) Rapport 1987, p. 208 et s.

pour l'application des lois du 22 décembre 1972 sur la vente à domicile et du 10 janvier 1978 (n° 78-22) relative à certaines opérations de crédit (276-4). Nonobstant, la lumière n'est pas faite et on ne voit pas exactement pourquoi l'agent d'assurances faisant de la publicité est regardé comme un professionnel, tandis que l'agent immobilier qui fait installer une alarme contracte comme un simple consommateur.

Ce qui est sûr, c'est que n'entrent pas dans les prévisions de la loi, d'une part, les relations entre professionnels, qu'ils soient ou non de la même spécialité, d'autre part, les relations entre profanes, quand bien même l'un d'entre eux serait davantage que l'autre rompu aux affaires.

2° Personnes privées et personnes publiques

647. — On s'est interrogé sur le point de savoir si les opérations de consommation sont ou non soumises à la prohibition des clauses abusives, lorsqu'elles interviennent entre particuliers et personnes du secteur public. La réponse varie selon trois types de situation.

a) Contractant non gestionnaire d'un service public

648. — La solution n'est pas discutée lorsque le contrat est proposé à la clientèle par un professionnel dépendant de l'État, mais n'assurant pas la gestion d'un service public. L'entreprise nationalisée, par exemple, est régie par la loi de 1978, au même titre que l'entreprise privée, pour cette raison que la nationalisation ne déclenche pas l'application du droit public et que son seul effet est d'opérer un changement de propriétaire. Tel est le cas des compagnies d'assurances, des établissements financiers ou des firmes automobiles que l'État s'est approprié.

b) Contractant gérant un service public industriel et commercial

649. — La question se pose dans les mêmes termes, quel que soit le statut de l'organe gestionnaire, personne privée (concessionnaire de transports urbains), établissement public (S.N.C.F., E.D.F.), collectivité publique (régies, par exemple, l'Imprimerie nationale). Ces services publics industriels et commerciaux, dans leurs rapports avec les usagers, appartiennent au droit privé et compètent au juge judiciaire. Leur particularité tient au pouvoir qui leur est reconnu d'insérer dans les contrats conclus avec la clientèle des *clauses exorbitantes du droit commun.* N'y a-t-il pas incompatibilité entre la licéité de la clause exorbitante et la condamnation de la clause abusive? Il ne semble pas et ce, pour deux raisons. En premier lieu, la clause exorbitante désigne, fréquemment, une stipulation simplement inusuelle au regard du pur contrat de droit privé; mais rien n'empêche qu'elle

---

(276-4) Civ. 1re, 15 avril 1982 : *Bull. civ.* I, n° 133, p. 118. — Civ. 1re, 14 mars 1984 : *Bull. civ.* I, n° 101, p. 84. — Civ. 1re, 23 juin 1987 : *Bull. civ.* I, n° 209, p. 154. — Civ. 1re, 3 mai 1988 : *D.* 1988, somm. comm. 407, obs. AUBERT.

méconnaisse, en plus, l'équité contractuelle en vertu de l'article 35 de la loi de 1978 et qu'elle soit, pour ce motif, radicalement illicite. En second lieu, les données juridiques observées en l'espèce sont les mêmes que celles que l'on rencontre quand le lien de droit s'établit entre personnes privées : le service public occupe la position dominante du professionnel, l'usager est dans la même infériorité que le consommateur et l'un comme l'autre sont unis par une relation contractuelle. Cette argumentation est formellement consacrée par certaines juridictions (276-5).

Ce qui différencie les deux cas, c'est la compétence juridictionnelle, rien d'autre. En effet, si le juge judiciaire a plénitude de juridiction à l'égard des contrats passés entre les services publics industriels et commerciaux et leurs usagers, c'est sous réserve qu'il n'ait pas à apprécier la légalité d'un acte administratif. Or, il se peut que certaines clauses figurant dans de tels contrats aient été fixées par décision réglementaire, à la suite d'une homologation ministérielle, par exemple. Alors, le contrat devient en même temps un acte administratif et les tribunaux judiciaires contreviendraient au principe selon lequel les juridictions judiciaires non répressives n'ont pas qualité pour statuer sur les exceptions d'illégalité des actes administratifs, s'ils examinaient eux-mêmes la validité d'une stipulation-disposition. C'est donc au juge administratif que revient le pouvoir de dire si, dans le contrat qui lie le service public industriel ou commercial et sa clientèle, il y a manquement à la législation sur les clauses abusives.

A cet égard, on citera un arrêt rendu par la première Chambre civile, le 31 mai 1988 (276-6), rendu dans un litige opposant la Société des eaux de l'Essonne à un abonné qui considérait comme abusive la clause mettant à la charge de l'usager les frais de réparation du compteur dus pour toute cause qui ne serait pas la conséquence de l'usage, notamment le gel. Selon la Cour suprême, les stipulations du cahier des charges type, approuvé par le décret du 17 mars 1980 « ont un caractère réglementaire, de sorte que les tribunaux de l'ordre judiciaire ne peuvent, sans méconnaître le principe de la séparation des pouvoirs, déclarer que des clauses figurant dans ce décret, ou reprises dans un règlement du service d'eau, ont un caractère abusif au sens de l'article 35 de la loi n° 78-23 du 10 janvier 1978 ».

(276-5) T.G.I. Angers, 11 mars 1986 : *J.C.P.* 87, II, 20789, note J.-P. GRIDEL : « Il n'est pas douteux que la relation entre l'E.D.F. et ses usagers est de nature contractuelle, ni que la fourniture d'énergie électrique a le caractère d'une vente. De plus, au sens de la lettre comme dans l'esprit des dispositions susvisées, l'E.D.F. présente tous les caractères du professionnel, et notamment la supériorité technique et juridique ainsi que la position monopolistique, tandis que ses abonnés présentent, eux, tous les caractères du consommateur. Dans ces conditions, il importe de considérer que les dispositions de l'article 2 du décret du 24 mars 1978 s'appliquent aux relations contractuelles entre l'E.D.F. et ses usagers, lors même que l'E.D.F. serait un établissement public chargé de la gestion d'un service public industriel et commercial ».

(276-6) *Bull. civ.* I, n° 161, p. 111 : *D.* 1988, somm. comm. 406, obs. J.-L. AUBERT.

c) Contractant gérant un service public administratif

650. — Dans l'hypothèse précédente, l'usager avait en face de lui un service public industriel et commercial, c'est-à-dire une personne juridique distincte de l'Etat, nonobstant sa situation de subordination par rapport à lui. Il en va tout autrement quand l'usager fait appel à un service public administratif, car, dans ce cas, il traite avec la puissance publique elle-même. Il en résulte que la dénonciation des clauses abusives est insusceptible d'entrer en mouvement. D'une part, on ne saurait qualifier de professionnel le service public administratif, puisqu'il s'identifie à la puissance publique. D'autre part, la situation de l'usager est entièrement distincte de celle de l'individu dans un contrat d'adhésion. Alors que, dans un contrat d'adhésion, le bénéfice de la prestation dérive tout de même d'une rencontre des volontés, l'usager des services publics administratifs n'émet pas un consentement contractuel; il se place sous un statut de prescriptions légales et réglementaires que seule l'autorité souveraine (Parlement, gouvernement, Administration) est en droit d'édicter et, de surcroît, libre de modifier. C'est pourquoi, et faute d'avoir la qualité de contractant, ni l'étudiant d'une Faculté, ni l'expéditeur d'une lettre, ni le citoyen fréquentant la piscine municipale ne peuvent prétendre à la protection de la loi de 1978.

C. — Quant aux clauses

651. — Compte tenu du procédé normatif mis en place par la loi de 1978, c'est dans les dispositions réglementaires qu'il faut puiser, pour recenser les clauses interdites comme étant entachées d'abus. De ce point de vue, il existe un texte de portée générale, le décret du 24 mars 1978 et certains textes particuliers dont l'incidence est limitée. Mais ce constat n'est donné que sous la réserve de l'avenir de la jurisprudence inaugurée par l'arrêt du 16 juillet 1987.

1° Décret du 24 mars 1978

652. — C'est le premier et le seul décret qui ait été promulgué en application de l'article 35 de la loi de 1978. Il vise les trois clauses suivantes :

— les clauses ayant pour objet ou pour effet de *réduire le droit à réparation du non-professionnel ou consommateur*, en cas de manquement par le professionnel à l'une quelconque de ses obligations (art. 2). Cette disposition concerne, notamment, les ventes d'automobiles et d'appareils électroménagers dans lesquelles figure une clause de style par laquelle le vendeur garantit le remplacement des pièces défectueuses, mais fait supporter à l'acheteur les frais de main-d'œuvre nécessaires à la remise en état de l'objet défectueux, ou la clause émanant du laboratoire photographique aux termes de laquelle est prévu seulement le remplacement du film perdu ou détérioré en cours de développement, et non une réparation *ad hoc* (276-7);

— les clauses qui ont pour objet ou pour effet de *réserver au professionnel le droit de modifier unilatéralement les caractéristiques* du bien à livrer ou du service à rendre (art. 4). Il s'agit, là, de condamner la pratique courante en vertu de laquelle il est stipulé que les spécificités de l'appareil vendu ne sont mentionnées qu'à titre indicatif et qu'elles n'engagent le vendeur en aucune façon. Toutefois, des nuances sont introduites dans le texte : il peut être prévu que le professionnel peut apporter des modifications liées à l'évolution technique, à la double condition qu'il n'en résulte ni augmentation de prix, ni altération de qualité et que la clause laisse au non-professionnel ou consommateur la possibilité de mentionner les caractéristiques auxquelles il subordonne son engagement;

— les *clauses limitatives ou exclusives de garantie.* L'article 4 déclare que

« ... le professionnel ne peut garantir contractuellement la chose à livrer ou le service à rendre sans mentionner clairement que s'applique, en tout état de cause, la garantie légale qui oblige le vendeur professionnel à garantir l'acheteur contre toutes les conséquences des défauts ou vices cachés de la chose vendue ou du service rendu ».

Ainsi, la partie, qui offre une garantie contractuelle, a-t-elle l'obligation de déclarer expressément que reste nécessairement applicable la garantie légale, qui constitue la garantie minimum susceptible d'accroissement, non de diminution.

653. — Le système est satisfaisant s'agissant de la vente : le consommateur acquéreur d'un bien, bénéficiaire, en toutes circonstances, de la garantie légale, trouve, dans les articles 1641 et suivants du Code civil tels qu'ils ont été interprétés par la jurisprudence, une protection complète et totale. En revanche, en ce qui concerne les services, l'utilisateur n'a pas une situation privilégiée, puisque seulement deux articles du Code civil, l'un relatif au louage (art. 1721), l'autre relatif au prêt à usage (art. 1891) prévoient une protection contre les vices cachés; il n'est donc pas garanti légalement de façon générale et doit, en dehors des contrats ci-dessus, solliciter une stipulation expresse du professionnel. Le parallélisme recherché par les rédacteurs du décret est manqué : l'utilisateur de services n'est pas traité à l'égal de l'acquéreur de biens.

2° Autres textes

654. — Le mécanisme prévu par l'article 35 de la loi de 1978 subordonnant à l'initiative du gouvernement l'interdiction ou la réglementation des clauses abusives, il était à craindre que des considérations diverses, d'ordre

---

(276-7) T.I. Mulhouse, 23 janv. 1987 : *D.* 1988, comm. 370. — *Contra :* Paris, 22 mai 1986 : *D.* 1986, 563, note DELEBECQUE. — Civ. 1re, 25 janv. 1989 : *D.* 1989, I.R. 43 : discussion sur la nature du contrat liant un client au photographe; reconnaissance d'une dualité, vente (pellicule) et entreprise (tirage); indivisibilité entre les deux d'où application de l'art. 2 du décret du 24 mars 1978.

politique ou économique, viennent contenir les exigences de la justice contractuelle et rendre exceptionnelles les manifestations du pouvoir réglementaire (277). C'est ce qui s'est effectivement produit. D'une part, des décrets n'ont été pris que pour certains contrats spéciaux. D'autre part, un certain nombre de recommandations faites par la commission des clauses abusives sont demeurées sans suite.

655. — Au titre des textes particuliers, on se contentera de citer la loi du 22 juin 1982 (art. 27) relative aux droits et obligations des locataires et bailleurs, dont la substance est passée dans la loi du 23 décembre 1986 (art. 4).

« Est réputée non écrite toute clause :

— qui oblige le locataire, en vue de la vente ou de la location du local loué, à laisser visiter celui-ci les jours fériés ou plus de deux heures les jours ouvrables;

— par laquelle le locataire est obligé de souscrire une assurance auprès d'une compagnie choisie par le bailleur;

— qui prévoit l'ordre de prélèvement automatique comme unique mode de paiement du loyer ou qui impose au locataire la signature par avance de traites ou de billets à ordre;

— par laquelle le locataire autorise le bailleur à prélever ou à faire prélever les loyers directement sur son salaire dans la limite cessible;

— qui prévoit la responsabilité collective des locataires en cas de dégradation d'un élément commun de la chose louée;

— par laquelle le locataire s'engage par avance à des remboursements sur la base d'une estimation faite unilatéralement par le bailleur au titre des réparations locatives;

— qui autorise le bailleur à diminuer ou à supprimer des prestations stipulées au contrat sans prévoir la diminution correspondante du loyer et des charges et, le cas échéant, une indemnisation;

— qui prévoit la résiliation de plein droit du contrat en cas d'inexécution des obligations du locataire pour un motif autre que le non-paiement du loyer ou des charges dûment justifiées;

— qui autorise le bailleur à percevoir des amendes en cas d'infractions aux clauses d'un contrat de location ou d'un règlement intérieur d'immeuble;

— qui interdit au locataire l'exercice, dans le respect de ses obligations principales, d'une activité politique, syndicale, associative ou confessionnelle ».

656. — Parmi les recommandations significatives qui n'ont pas été entérinées, on signalera :

— celle concernant le transport terrestre de voyageurs jugeant abusive, par exemple, sauf le cas de force majeure ou les impératifs de sécurité, la clause qui exonère le professionnel de sa responsabilité lorsque les horaires qu'il a lui-même établis ne sont pas respectés;

— celle se rapportant à l'hôtellerie de plein air et considérant comme inadmissible la clause imposant au campeur réservant un emplacement, de s'engager pour une durée minimale d'un mois, ainsi que celle subordonnant l'admission du campeur à son inscription à quelque association, groupement ou amicale;

— celle recommandant que soient éliminées des modèles de contrats de vente de véhicules, les clauses ayant pour objet ou pour effet de constater

(277) GHESTIN, *op. cit.*, n° 604.

que l'acheteur a pris connaissance des conditions générales figurant au verso du document qu'il signe ou figurant sur un document distinct;

— celle visant, dans les contrats de location de coffre-fort, les clauses permettant au professionnel de modifier unilatéralement le prix, la durée de la location, les caractéristiques de l'emplacement loué et celles rendant opposable au consommateur un document qu'il n'a pas signé (1987).

Signalons qu'a été élaboré, sous la houlette du professeur Calais-Auloy, un projet de Code de la consommation qui a été publié en 1985 dans la Documentation française.

§ 3. — La sanction des clauses abusives

657. — Au plan pénal, le projet de loi avait d'abord prévu de permettre au pouvoir réglementaire d'assortir les manquements de peines correctionnelles, ce qui était contraire à l'article 34 de la Constitution. Le gouvernement, interdisant les clauses abusives, ne pouvait édicter que des peines contraventionnelles. Il n'a usé de ce pouvoir qu'une seule fois, s'agissant de l'inobservation de la réglementation des clauses de garantie (278). En dehors de cette hypothèse marginale, il existe, quel que soit l'objet de la clause, le recours à l'article R. 26-15 du Code pénal qui punit d'une amende de 30 à 250 F ceux qui auront contrevenu aux décrets et arrêtés légalement faits par l'autorité administrative.

658. — Au plan civil, le projet du gouvernement prévoyait un régime de sanction inhabituel : la nullité était une nullité absolue; s'agissant de la clause abusive, tout intéressé pouvait en provoquer la chute; s'agissant du contrat, seul le consommateur pouvait le faire tomber dans son entier. La solution était déplorable, conférant au consommateur un moyen de se rétracter à sa guise en se couvrant du prétexte de l'abus. Finalement, la loi a écarté ce dispositif et décidé que les clauses abusives seraient réputées non écrites. Cette sanction circonscrite à la seule clause incriminée est apparue la solution la plus adéquate : le désir du consommateur est satisfait, qui veut le maintien du contrat débarrassé de la clause qui lui a été extorquée. Ainsi donc la convention se trouve rééquilibrée, ce qui est conforme à la finalité même de la loi.

Le législateur ne s'est pas prononcé sur le caractère de cette nullité. Une doctrine isolée (279) estime que la nullité devrait être relative au motif qu'il s'agit d'ordre public de protection. Pourtant, il est sûr que seule la nullité absolue est susceptible de constituer une sanction efficace; si on laissait les

(278) Omission dans une convention de garantie de la persistance de la garantie légale. Amende de 1 000 à 2 000 F.

(279) GHESTIN, *op. cit.*, n° 592.

consommateurs seuls maîtres de la situation, il y aurait bien peu d'actions en ce sens, étant donné l'ignorance de la pluplart et leur hésitation à entreprendre un procès; au contraire, en ouvrant le droit d'agir aux associations de consommateurs, on se donne des chances sérieuses de voir sanctionner les abus, et, à long terme, de les voir disparaître (280).

659. — La loi du 27 décembre 1973, dite *Loi Royer*, avait autorisé les associations agréées de consommateurs à « exercer devant toutes les juridictions l'action civile relativement aux faits portant un préjudice direct ou indirect à l'intérêt collectif du consommateur » (art. 46). Mais, la Cour de cassation (280-1) s'en était tenue à une notion très technique de l'action civile, définie comme l'action en réparation d'un dommage causé par une infraction à la loi pénale. Cette conception restrictive présentait plusieurs inconvénients; d'une part, en présence d'une infraction pénale, il y avait risque d'apercevoir surtout l'atteinte à l'intérêt général plutôt qu'un préjudice causé à l'intérêt des consommateurs; d'autre part, en l'absence d'une infraction pénale, les associations étaient impuissantes à dénoncer les pratiques abusives des professionnels. Par ailleurs, s'agissant de la sanction, les associations ne pouvaient espérer qu'une condamnation à des dommages-intérêts, la plupart du temps symboliques; ce n'est qu'exceptionnellement que certaines juridictions avaient prescrit d'autres mesures, notamment la cessation des agissements illicites (280-2), solution que la Cour de cassation avait finalement retenue au seul profit du juge des référés (280-3). C'est dans ces conditions qu'est intervenue la loi n° 88-14 du 5 janvier 1988 relative aux actions en justice des associations agréées de consommateurs et à l'information des consommateurs (280-4). Pour simplifier l'exposé de ce texte dont le sens est parfois difficile, voire obscur, on distinguera selon que l'association de consommateurs emprunte la voie pénale ou la voie civile.

---

(280) V. sur cette question Denise NGUYEN THANH-BOURGEAIS, *Les contrats entre professionnels et consommateurs et la portée de l'ordre public dans les lois Scrivener du 10 janvier 1978 et du 9 juillet 1979: D.* 1984, 91 n° 22 et s.

(280-1) Civ. 1re, 16 janv. 1985 : *J.C.P.* 85, II, 20484, note CALAIS-AULOY; *D.* 1985, 317, note AUBERT; *Bull. civ.* I, n° 25, p. 26.

(280-2) Orléans, 21 juin 1984 : *D.* 1985, 98, note CALAIS-AULOY.

(280-3) Civ. 1re, 1er déc. 1987 : *Bull. civ.* I, n° 320, p. 230.

(280-4) BIHL, *La loi du 5 janvier 1988 sur l'action collective des organisations de consommateurs : Gaz. Pal.* 1988, 1, doctr. 268. — CALAIS-AULOY, *Les actions en justice des associations de consommateurs* (commentaire de la loi du 5 janv. 1988) : *D.* 1988, chron. 193. — CHRISTIANOS, *L'accès du consommateur à la justice : France-Grèce : Rev. internat. dr. comp.* 1988, 403. — G. PAISANT, *Les nouveaux aspects de la lutte contre les clauses abusives : D.* 1988. chron. 253. — RAFFRAY, *Remarques sur quelques étapes marquantes de l'évolution du droit de la consommation et sur leurs conséquences pour les praticiens : J.C.P.*, éd. N, 1988, I, 207. — TAISNE, *Le cautionnement du crédit à la consommation et la prescription biennale de la loi du 10 janvier 1978,* note sous Douai, 19 juin 1986 : *D.* 1988, 369. — VINEY, *Un pas vers l'assainissement des pratiques contractuelles : la loi du 5 janvier 1988 relative aux actions en justice des associations agréées de consommateurs : J.C.P.* 88, I, 3355.

A. — Voie pénale

660. — Comme précédemment les associations peuvent exercer les droits de la partie civile, issus d'une infraction pénale, portant un préjudice direct ou indirect à l'intérêt collectif des consommateurs (art. 1er); elles ont le choix de s'adresser à la juridiction répressive ou à la juridiction civile. La nouveauté réside dans les prérogatives reconnues à la juridiction saisie; il ne s'agit plus seulement de dommages-intérêts; il est permis au juge d'ordonner au défendeur ou au prévenu, le cas échéant sous astreinte, toute mesure destinée à faire cesser des *agissements illicites*, ou à supprimer, dans le contrat ou le type de contrat proposé au consommateur, une *clause illicite.*

En ce qui concerne la *cessation de l'agissement illicite*, le texte n'est pas profondément novateur : dans d'autres domaines déjà, ce mode de réparation avait été retenu comme le plus adéquat, ainsi en matière de troubles de voisinage ou d'atteinte aux droits de la personnalité. En l'espèce, l'illicéité se rencontre dans les publicités mensongères, dans la commercialisation de produits nuisibles à la santé, dans les pratiques restrictives de concurrence.

En revanche, s'agissant de la *suppression de la clause illicite*, on est incontestablement en présence d'une innovation particulièrement heureuse. En effet, réputer une clause simplement non écrite ne donne pas satisfaction, car la clause maintenue au document contractuel reçoit, malgré tout, application, du fait de l'ignorance du consommateur et de l'habileté du professionnel. En l'effaçant du texte, on inhibe par là-même, de façon parfaite, toute mise en jeu de la clause illicite.

660-1. — Cette possibilité de suppression fait naître essentiellement deux problèmes : Comment comprendre l'expression « type de contrat » ? Quelle incidence la disparition de la clause exerce-t-elle sur l'effet relatif de la chose jugée ? Sur le premier point, la discussion est ouverte : ou bien il s'agit de la formule type utilisée par le rédacteur du contrat ou bien de l'ensemble des contrats de même type contenant la même clause (280-5). Sur le second point, on a soutenu qu'il n'y avait pas atteinte à l'autorité relative de la chose jugée, si bien que le défendeur à l'action serait seul tenu d'extraire de ses contrats ou de ses types de contrat la clause illicite dont le juge a prescrit la suspension; mais on voit mal comment circonscrire à la seule espèce en cause l'effet de l'éradication : tous les contrats passés avec la même clause par le même professionnel avec d'autres consommateurs doivent, eux aussi, être remaniés, d'où il ressort que le bénéfice de la décision profite à tous les partenaires du professionnel incriminé; certes, seule l'association partie civile pourra agir en exécution forcée, mais il n'en reste pas moins, qu'au plan de l'opposabilité, la décision vaut *erga omnes* à l'intérieur du cercle de tous les cocontractants victimes de ladite clause.

(280-5) V. G. VINEY, *op. cit.*

660-2. — Pour obtenir l'exécution de la mesure prescrite, l'article 4 de la loi du 5 janvier 1988 confère à la jurisprudence répressive, qui déclare le prevenu coupable, le pouvoir d'ajourner le prononcé de la peine. Cet ajournement est lié à l'injonction, sous astreinte le cas échéant, d'avoir à faire cesser l'agissement illicite ou à retirer la clause illicite. A l'audience de renvoi, la juridiction statue sur la peine et liquide l'astreinte; celle-ci peut être réduite ou supprimée en fonction du comportement du condamné; elle est abolie de plein droit si le professionnel s'est conformé à une injonction prononcée par un autre juge répressif ayant ordonné de faire cesser une infraction identique.

B. — Voie civile

660-3. — En l'absence d'infraction pénale, la loi consacre un double droit au profit des associations agréées de consommateurs.

D'abord, *un droit d'intervention.* L'article 5 de la loi déclare que les associations peuvent intervenir devant les juridictions civiles lorsque la demande initiale a pour objet la réparation d'un préjudice subi par un ou plusieurs consommateurs à raison de faits *non constitutifs d'une infraction pénale.* On observera que cette situation suppose qu'un consommateur lésé ait pris l'initiative du procès pour que l'association ait qualité à se joindre à l'action en responsabilité. Le texte précise que l'association peut demander, notamment, l'application des mesures prévues à l'article 3, c'est-à-dire la cessation du comportement *illicite* ou la radiation de la clause *illicite.*

660-4. — Ensuite *un droit d'action.* L'article 6 de la loi va beaucoup plus loin. Il habilite la juridiction civile à ordonner « la suppression de *clauses abusives* dans les modèles de conventions habituellement proposées par les professionnels aux consommateurs », ouvrant pour la première fois aux associations un droit d'action à titre principal devant la juridiction civile. Quelle est la portée de cette disposition ? Vise-t-elle les seules clauses déclarées abusives en vertu d'un décret en Conseil d'État, pris en application de l'article 35 de la loi du 10 janvier 1978 et sur recommandation de la Commission des clauses abusives ? Si une telle interprétation était retenue, l'article 6 serait superflu, car il ferait double emploi avec les articles 3 et 5; en effet, de telles clauses, ayant été interdites par décret, sont par hypothèse illicites et relèvent à ce titre de la suppression visée auxdits articles — sauf à noter que ce droit d'action n'est plus lié, dans l'article 6, à l'existence d'une infraction pénale. La seule manière utile de comprendre le texte est de reconnaître que le terme « clauses abusives » s'applique à toute clause répondant à la définition donnée par l'article 35 de la loi de 1978, faisant appel au double critère de l'abus de puissance économique et de l'avantage excessif, sans plus passer par l'intermédiaire d'un décret en Conseil d'État. Avec cette compréhension, on opère un partage de compétence entre l'autorité administrative gardant le *pouvoir d'interdire* et l'autorité judiciaire acquérant le *pouvoir de sanctionner*; de plus, on rend compte de la différence de vocabulaire employé par le texte entre *l'illicite* et *l'abusif*: le premier ayant trait à la déclaration du caractère abusif par le gouvernement, le second à sa constatation par le juge (280-6).

Cette manière de voir, ainsi qu'on l'a souligné (280-7), prend appui sur de très fortes considérations : l'intervention des parlementaires favorables au contrôle judiciaire, les déclarations du directeur de la concurrence admettant la possibilité pour le juge civil de supprimer les clauses abusives indépendamment de toute intervention réglementaire, la nécessité de s'aligner sur la législation d'autres États de la communauté européenne. Il est infiniment probable que cette interprétation prévaudra, compte tenu de la jurisprudence de la Cour de cassation qui s'est autorisée à réputer non écrite une clause abusive sur le seul fondement de l'article 35 de la loi de 1978 (281).

SECTION V

CAUSE DU CONTRAT

661. — Trois textes de base, outre l'article 1108, sont consacrés par le Code civil à la cause :

— L'article 1131 :

« L'obligation sans cause, ou sur une fausse cause, ou sur une cause illicite, ne peut avoir aucun effet ».

— L'article 1132 :

« La convention n'est pas moins valable quoique la cause n'en soit pas exprimée ».

— L'article 1133 :

« La cause est illicite, quand elle est prohibée par la loi, quand elle est contraire aux bonnes mœurs ou à l'ordre public ».

Ces textes mentionnent bien la cause comme étant une condition de validité des obligations, mais n'en donnent aucune définition (281-1). Or, c'est là le point difficile que nous analyserons tout d'abord en présentant le

---

(280-6) GHESTIN, n° 608-1. — V. ausi PAISANT, *op. cit.*, p. 258.

(280-7) G. VINEY, *op. cit.*

(281) V. *supra*, n° 639-1. — *Adde*, rapport de la Cour de cassation 1987, p. 214.

(281-1) DUBREUIL, *Des mobiles dans les contrats*, thèse Lyon, 1909. — P. LOUIS-LUCAS, *Volonté et cause*, thèse Dijon, 1918. — DABIN, *La théorie de la cause*, 1919. — HAMEL, *La notion de cause dans les libéralités*, thèse Paris, 1920..— H. CAPITANT, *De la cause des obligations*, 3e éd., 1927. — JOSSERAND, *Les mobiles dans les actes juridiques*, 1928. — RÉVÉRAND, *La cause et le motif dans les contrats et les libéralités*, thèse Paris, 1930. — RIPERT, *La règle morale dans les obligations civiles*, 4e éd., 1950. — T. IONASCO, *Les récentes destinées de la théorie de la cause : Rev. trim. dr. civ.* 1931, n° 29 et s. — DE BOIS-JUZAN, *De la clause en droit français*, thèse Bordeaux, 1939. — Louis BOYER, *La notion de transaction. Contribution à l'étude des concepts de cause et d'acte déclaratif*, thèse Toulouse, 1947. — M. DESFOSSEZ, *Réflexions sur l'emploi des motifs comme cause des obligations : Rev. trim. dr. civ.* 1985, 521; *Rép. dr. civ. Dalloz, V° Cause* par J. MAURY.

point de vue de la doctrine (sous-section I) et la position de la jurisprudence (sous-section II); puis nous verrons comment est réglé le problème de la preuve (sous-section III).

SOUS-SECTION I

LA DOCTRINE CLASSIQUE DE LA CAUSE

662. — La compréhension de l'idée de cause a donné lieu à une controverse célèbre. Certains auteurs sont allés jusqu'à critiquer l'adoption, par le Code civil, de la notion de cause, qui compliquerait inutilement la théorie des contrats (282). On ne retracera pas ici cette thèse *anticausaliste* et les controverses subtiles qu'elle a engendrées, dont l'intérêt n'est, d'ailleurs, que purement académique (283).

On s'en tiendra à la doctrine classique de la cause que l'on exposera au moins dans ses grandes lignes.

On appelle ainsi la doctrine qui avait déjà cours dans l'ancien droit et qui a été adoptée par les auteurs du dix-neuvième siècle et par certains du début de ce siècle (284), sans que, bien entendu, leurs opinions concordent entièrement.

§ 1. — La cause, pourquoi de l'obligation

A. — Cause efficiente et cause finale

663. — Sur un point, le seul peut-être, l'accord est général : la cause dont il s'agit dans les articles 1131 à 1133 du Code civil est la *raison déterminante,* le « pourquoi » de celui qui s'oblige. Une formule a été proposée par un auteur, formule qui exprime de façon simple cette idée. En comparant l'objet et la cause, il déclare : l'objet, c'est la réponse à la question : qu'est-ce qui est dû *(quid debetur ?),* tandis que la cause, c'est la réponse à la question : pourquoi il est dû *(cur debetur ?).*

On voit que le mot cause n'est pas pris, ici, avec le sens de cause génératrice, ou de *cause efficiente*, c'est-à-dire de cause qui engendre un effet, mais

(282) L'auteur français le plus connu comme « anticausaliste » est PLANIOL (v. son *Traité élém.* II, n° 1037). Le juriste belge LAURENT est également hostile à l'idée de cause (v. *Principes de droit civil,* t. XVI, n° 111).

(283) V. l'exposé de la controverse *in* MARTY et RAYNAUD, n° 195 et s. et A. WEILL et TERRÉ, n° 267 et s.

(284) V. notamment H. CAPITANT, *De la cause des obligations,* 1923.

avec celui de motivation d'un acte : il s'agit donc de *cause finale* (finale, dérivant de *finalité*) ou encore de *but*. La cause éclaire et explique le consentement de celui qui s'oblige; elle a un sens psychologique.

B. — Cause et motifs

664. — Mais, lorsqu'on recherche le pourquoi d'un acte, les motivations qui le justifient dans l'esprit de celui qui s'oblige, on s'aperçoit, tout de suite, qu'il n'est pas si facile de répondre.

Raisonnons en prenant un exemple simple : un individu achète un immeuble; il s'engage à en payer le prix. L'*objet* de son obligation est facile à identifier : c'est le *prix* qu'il s'est obligé à payer. Mais *pourquoi a-t-il pris cet engagement ?* C'est la réponse à ce « pourquoi » qui nous révèlera la cause de son obligation.

Une première réponse est possible : il s'est engagé à payer le prix pour que le vendeur s'engage à lui transférer la propriété de l'immeuble et à le lui livrer. En ce cas, la cause de l'obligation de l'acheteur n'est autre que l'engagement du vendeur. Mais ne doit-on pas aller plus loin et se demander pourquoi l'acheteur a voulu obtenir l'engagement du vendeur ? Il est évident que ce qui l'intéresse, ce n'est pas seulement que le vendeur s'oblige au transfert de l'immeuble; il souhaite obtenir ce transfert, il désire que l'obligation soit *exécutée.*

665. — On pourrait poursuivre encore et se demander pourquoi a-t-il voulu acquérir cet immeuble ? Diverses réponses sont alors possibles : il avait peut-être l'intention de l'habiter, ou de le donner, ou de le louer; ce sont, là aussi, des motivations. Et, bien entendu, on peut se poser d'autres questions encore : pourquoi a-t-il voulu donner cet immeuble ? A-t-il voulu doter un de ses enfants ? Son but, la raison déterminante de l'achat, n'a-t-il pas été plutôt de faire une donation à sa concubine ? La location de l'immeuble acheté était-elle une opération de placement ordinaire, ou bien le bail a-t-il été consenti à un cercle de jeux clandestins ou pour y installer quelque activité immorale ? Et quel est le but de ce placement et ainsi de suite...

Où s'arrêter dans cette recherche du pourquoi, et du pourquoi des pourquois ?

666. — *La doctrine classique* répond à cette question : la cause que doit retenir le juge est seulement le premier but, le *but immédiat* de l'obligation, car c'est le seul que l'on puisse connaître avec certitude. Toutes les autres raisons ne sont que des « *motifs* » plus ou moins éloignés, et, de toute façon, *purement personnels* (285). Il est difficile, voire impossible, de les connaître.

(285) V. JOSSERAND, *Les mobiles dans les actes juridiques, op. cit.*

Le juge n'a pas à en tenir compte, *ils n'entrent donc pas sous la dénomination de la cause, ils lui sont extérieurs et ne jouent pas le rôle de condition de validité de l'obligation.*

§ 2. — La cause dans les différentes obligations

Systématisant cette analyse, la doctrine classique distingue quatre situations contractuelles : contrats synallagmatiques, contrats réels, promesses unilatérales, actes à titre gratuit.

A. — Dans les contrats synallagmatiques

667. — En ce qui concerne ces contrats, la cause de l'obligation de chacun des contractants, est l'obligation prise à son égard par le cocontractant et, plus précisément, l'*exécution de cette obligation* (286). Ainsi, l'acheteur s'oblige à payer parce que le vendeur s'oblige envers lui à transférer la propriété de la chose achetée et à la lui livrer. Inversement, le vendeur a pris, à l'égard de l'acheteur, ces obligations pour encaisser le montant du prix que l'acheteur s'est engagé à lui payer.

668. — Bien entendu, comme on vient de le montrer, les motivations ultimes sont plus profondes et plus complexes, de part et d'autre, mais ces motivations sont *personnelles, variables* d'un individu à l'autre, et le droit n'a pas à s'en occuper (286-1). Seul le but immédiat est dénommé « cause », et ce but est le même dans tout contrat de vente pour tout vendeur et pour tout acheteur, quels qu'ils soient.

Et il en est de même pour les autres contrats synallagmatiques (louage, mandat salarié, etc.). *La cause varie selon les contrats, elle ne varie pas selon les contractants.*

B. — Dans les contrats réels

669. — Dans ce genre de contrats, la remise de la chose est la cause de l'obligation du contractant qui promet de la restituer. Il importe peu que l'on se rallie ou non à la conception des contrats réels; de toute façon, la remise de la chose conditionne l'obligation de restituer. C'est parce que

(286) Cette précision est apportée par H. CAPITANT, *op. cit.* : elle est suivie par la jurisprudence. On lit, ainsi, dans un arrêt de la Chambre civile du 30 déc. 1941 (*D.A.* 1942, 98) : « Attendu que... dans les contrats synallagmatiques, l'obligation de chaque contractant trouve sa cause dans l'obligation, *envisagée par lui comme devant être effectivement exécutée,* de l'autre contractant »... — V. Civ. 1re, 20 fév. 1973 : *D.* 1974, 37, note MALAURIE; *Gaz. Pal.* 1973, 2, 565.

(286-1) Com., 6 déc. 1988 : *J.C.P.* 89, IV, 48 : l'engagement reste valable quels qu'en aient été les motifs déterminants pourvu qu'ils n'aient pas été introduits dans le champ contractuel et qu'ils ne constituent pas ainsi la cause de l'obligation.

l'emprunteur compte sur la remise d'une certaine somme qu'il s'engage à la rendre. Il en est de même dans les autres contrats réels : dépôt, gage, prêt à usage (commodat). Là encore, on doit se garder, déclare la doctrine classique, de rechercher les motivations personnelles et variables de chacun. Ce sont là des motifs, non des causes. *Dans tous les contrats réels de même nature, la cause est la même : la remise de la chose* (287).

C. — Dans les promesses unilatérales

670. — On raisonne, en général, sur la promesse de payer une certaine somme. Pourquoi le promettant s'engage-t-il ? Il peut en être tenu en vertu d'une obligation. Par exemple, il est l'auteur responsable d'un accident, donc juridiquement tenu à réparer le dommage causé; l'existence de cette obligation préexistante donne une cause à sa promesse. Il peut y avoir d'autres raisons : un héritier est tenu de verser une certaine somme à un tiers à la suite d'un testament; il promet de payer à telle date, dans telles conditions, pour s'acquitter de cette dette envers le légataire. Autre raison encore : l'existence d'une dette alimentaire envers un époux, un enfant légitime, voire naturel, etc.

671. — Bien entendu, la promesse de payer peut aussi s'inspirer d'une *intention libérale,* elle devient alors une libéralité, mais c'est là une promesse de nature différente que nous retrouverons dans un instant. En nous limitant, ici, aux promesses unilatérales autres que celles qui sont faites à titre gratuit, leur cause, selon cette doctrine, c'est la *préexistence d'une obligation* dont le promettant veut ainsi se libérer. Cette obligation doit *exister*, être *licite* et *morale* pour que la promesse soit valable.

672. — Une remarque s'impose aussitôt, que les auteurs ne semblent pas avoir faite. Tandis que dans les contrats synallagmatiques et dans les contrats réels, la cause résulte de la seule analyse de la nature du contrat, sans aucune recherche de la situation particulière des contractants (dans toutes les ventes, dans tous les prêts, la cause de celui ou de ceux qui s'obligent résulte de la définition même du contrat), *la promesse unilatérale ne permet de déceler sa cause qu'en recherchant, de façon plus concrète, les raisons du promettant*, et ces raisons ne sont pas les mêmes dans toutes ces promesses. Promettre afin de s'acquitter d'une dette délictuelle est quelque chose de particulier et de différent d'une promesse faite en vue de s'acquitter d'un legs ou d'une dette alimentaire. La cause perd donc, là, l'un de ses caractères; elle n'est pas aussi objective et abstraite que dans les cas précédents, et tend à se « personnaliser » selon les promettants. A tout le moins, les auteurs classiques ne vont pas plus loin dans l'analyse et ne recherchent pas d'autres motifs : l'existence d'une obligation préexistante est *nécessaire* et *suffisante* pour définir la cause de ce genre d'obligations.

---

(287) Civ. 1re, 20 nov. 1974 : *J.C.P.* 75, II, 18109, note CALAIS-AULOY.

673. — La promesse unilatérale est une catégorie juridique plus large que celle sur laquelle on raisonne habituellement. A côté des promesses de payer, on peut mentionner les promesses unilatérales de vendre ou d'acheter, ou encore ce que l'on appelle les pactes de préférence (si je décide de vendre mon immeuble, je vous promets de *vous* le vendre, par préférence à tout autre, aux mêmes prix et conditions). Dans tous ces cas, la promesse n'est valable que si elle a une *cause*, une raison déterminante, licite et non contraire aux bonnes mœurs. Mais pour la découvrir, une analyse concrète de la situation est nécessaire. La promesse, par elle-même, n'exprime pas sa cause.

674. — On peut rapprocher des promesses unilatérales le *payement.* Le payement est un acte juridique unilatéral dont la validité dépend de l'existence d'une cause : l'existence d'une dette dont le *solvens* entend se libérer. Si le payement est fait *sans cause,* le *solvens* peut le *répéter*, demander la restitution des sommes versées; c'est le payement de l'indu.

D. — Dans les actes à titre gratuit

675. — Il s'agit de contrats occupant une place à part parmi les contrats unilatéraux. On raisonnera, principalement, sur les donations. Le donateur s'oblige sans escompter une contrepartie quelconque, par définition même. Quelle est donc la cause dans les donations ? Cette question a beaucoup embarrassé la doctrine classique. Il est évident que le donateur ne s'oblige pas sans une raison bien précise : doter un enfant, faire un acte de pure charité, fonder un hôpital, faire une libéralité à une concubine, etc. Mais les classiques ne pouvaient pas admettre que ces motivations fussent comprises comme les causes de la donation, car elles sont personnelles, variables d'un donateur à un autre, et ne présentent pas ce caractère d'*objectivité* et de *généralité* qui définit la cause, selon eux. C'est la raison pour laquelle la doctrine traditionnelle déclare que la cause, dans les donations, n'est autre que l'intention libérale : *l'animus donandi... !* Les raisons ci-dessus indiquées (doter un enfant, fonder un hôpital, etc.) ne sont que des motifs extérieurs à la notion de cause, et que le juge n'a pas à prendre en considération, pour valider ou annuler la donation.

676. — C'est, évidemment, le point le plus vulnérable de la doctrine classique, et ses adversaires — les anticausalistes — n'ont pas manqué de le viser pour montrer l'inutilité de la notion de cause (288). En effet, dès lors que, par hypothèse, on se trouve en présence d'une donation, *l'animus donandi* existe nécessairement, sans cela ce ne serait pas une donation ! Et si l'on interdit au juge la prise en considération des motifs, *l'animus donandi* ne sera jamais illicite ou immoral en lui-même, parce qu'il est vidé de toute

---

(288) On observera qu'alors même que la notion de cause serait inutile dans les donations, cela ne supprimerait pas, nécessairement, son intérêt dans les actes à titre onéreux...

substance. La volonté abstraite de donner — *l'animus donandi* — est, moralement, neutre. A quoi bon s'occuper de la cause dans les donations ?

677. — On s'est efforcé, en présence de cette objection, de faire admettre que dans les donations, *certains motifs personnels du donateur devaient être introduits dans la notion de cause,* parce qu'il est impossible de les en dissocier. Mais on n'a jamais réussi à montrer pourquoi ce qui était possible, voire nécessaire, dans les donations, ne l'était pas dans les actes à titre onéreux : là aussi, certains motifs sont *psychologiquement indissociables* du but immédiat.

§ 3. — La cause, contrôle de la finalité du contrat

678. —On ne saurait, donc, méconnaître les objections que rencontre la théorie classique de la cause qui, pour les promesses unilatérales déjà, et pour les donations surtout, se heurte à des difficultés, voire à des impossibilités d'application.

Il devient dès lors indispensable de se demander quelle est la raison pour laquelle cette doctrine avait posé, en postulat, la nécessité de restreindre la notion de cause au seul *but immédiat* et *objectif* de celui qui s'oblige, en rejetant dans le « non-droit » les motifs personnels qui, cependant, sont eux aussi englobés dans la motivation du contractant. Ce découpage, alors même qu'il serait intellectuellement possible (289), est-il juridiquement justifié ?

679. — Pour les tenants de la théorie classique, la distinction entre le « but immédiat » et les « motifs » a pour première raison la difficulté de preuve de ces derniers, enfouis dans le for intérieur du contractant. Permettre de les mettre à jour conduirait à conférer aux juges des pouvoirs redoutables d'investigation pour sonder les cœurs et les reins... Ce serait, en deuxième lieu, et surtout, porter atteinte à la liberté de chacun, qu'il importe de sauvegarder avant tout.

680. — Cette conception se rattache aux idées individualistes du dix-neuvième siècle et à une certaine philosophie libérale. Nous pensons qu'il n'est pas possible d'y souscrire. L'homme vit en société, c'est l'axiome de départ, base du droit tout entier. Les droits subjectifs et les libertés, y compris celle de contracter, sont subordonnés aux normes juridiques générales. Le contrat est une technique d'échange de biens ou de services principalement, et sert aussi à réaliser des libéralités. Mais, cette technique ne saurait se suffire à elle-même, trouver sa justification dans une prétendue autonomie de la volonté. Elle ne peut être socialement, donc, juridiquement acceptable que si elle répond, d'une part, à sa fonction propre,

---

(289) HAUSER, *Objectivité et subjectivisme dans l'acte juridique,* thèse Paris, 1971.

l'échange, la circulation des biens et des services, à titre onéreux ou gratuit, d'autre part, si elle est conforme ou, du moins, si elle n'est pas contraire aux intérêts généraux de la collectivité, au bien commun. C'est déformer l'idée de contrat que de l'isoler du contexte social où il s'insère. Le *contrôle de la finalité* du contrat par le législateur et par le juge rejoint le contrôle de toute activité humaine s'exerçant dans un milieu social.

681. — Certes, ce contrôle ne doit pas dégénérer en inquisition véritable; c'est là une question de mesure. Mais, si une barrière est souhaitable à cet égard, elle sera dressée au plan des moyens de preuve de la cause, des moyens d'investigation accordés au juge pour la recherche des motifs et non au plan de la légitimité même de ce contrôle des motifs des contractants.

682. — La cause permet une sorte de « police » des contrats (police étant pris dans le sens social élevé de ce terme), et l'admettre en matière de contrats est aussi naturel qu'en dehors des contrats, où nul ne nie — et n'a jamais sérieusement nié — le droit pour le législateur et pour le juge d'assigner des limites à l'exercice des droits, grâce à la théorie de l'*abus des droits,* laquelle repose, nous l'avons vu, sur un contrôle des mobiles.

En définitive, ce que l'on peut reprocher aux doctrines classiques, ce n'est pas d'être *causalistes*, mais de ne pas l'être assez..., en donnant, de la cause, une définition trop étroite. C'est cette notion étriquée, désincarnée, trop abstraite, qui a fourni aux anticausalistes leurs meilleurs arguments, entre autres celui de l'inutilité de la notion de cause.

Il fallait montrer, dès le début de cette étude de la cause, la raison d'être de cette notion, son utilité, voire sa nécessité, afin de faire mieux comprendre ses innombrables applications jurisprudentielles. De même que le mouvement se prouve en marchant, la plus simple démonstration du rôle que joue la cause dans la vie contractuelle est celle de son application constante par les tribunaux (290).

(290) Il est singulier que les anticausalistes invoquent, en leur faveur, des systèmes législatifs, tels le droit romain ou le droit allemand moderne pour lesquels la cause n'est pas une condition de validité des contrats. Est-ce à dire que ces systèmes juridiques valident des obligations sans cause ou dont la cause est illicite ou immorale ? On sait bien qu'il n'en est rien ! Assurément, l'obligation sans cause ou dont la cause est immorale ne sera pas annulée; mais le débiteur pourra, dans ces législations, réclamer au créancier la restitution d'un *enrichissement sans cause* ou pour une *cause immorale* (*condictio sine causa, condictio indebiti, condictio ob turpem causam*, etc.). Que ce soit par la voie *contractuelle* de la *nullité* ou par la voie *extracontractuelle* de *l'enrichissement injuste ou immoral,* cela importe peu. Ce sont des moyens juridiques différents au service d'une même idée : le contrôle de la finalité des obligations contractuelles.

SOUS-SECTION II

LA CONCEPTION JURISPRUDENTIELLE DE LA CAUSE

683. — Il convient d'analyser successivement : l'absence de cause (§ 1), la cause illicite ou immorale (§ 2), la fausse cause (§ 3). En effet, la notion de cause apparaît sous un jour différent dans ces trois hypothèses. C'est pour ne pas les avoir toujours distinguées que l'étude de la cause a pu paraître difficile.

§ 1. — L'absence de cause

La carence de la cause ne se présente pas de façon uniforme dans tous les contrats; de ce point de vue, il y a lieu de distinguer les contrats à titre gratuit des contrats à titre onéreux et, à l'intérieur de cette catégorie, les contrats commutatifs des contrats aléatoires.

A. — Contrats commutatifs

684. — Ce sont ceux où l'obligation de chaque contractant a été souscrite en vue d'une contrepartie qui était regardée par lui comme devant être équivalente à sa propre obligation (C. civ., art. 1104). Il en résulte que l'absence de cause n'est autre que l'*absence* de *contre-prestation* (290-1).

Lorsque la nullité est demandée pour absence de cause, ce terme est pris dans son sens étroit : le *but immédiat* que le contractant a en vue en s'obligeant. L'absence de cause suffit pour justifier la nullité de l'obligation, voire du contrat dans son ensemble. Il est inutile, dans ce cas, de se poser d'autres questions concernant les motivations personnelles de celui qui s'oblige (291). Cela est vrai qu'il s'agisse d'*absence totale* ou d'absence partielle de cause.

(290-1) Civ. 1re, 25 mai 1988 : *Bull. civ.* I, n° 149, p. 102 : « La cause des obligations d'une partie réside, lorsque le contrat est synallagmatique, dans l'obligation de l'autre ».

(291) Com., 6 déc. 1988 : *D.* 1988, I.R. 298. — On doit cependant envisager la situation où le but immédiat de celui qui s'oblige existe bien, mais où manque le *motif* qui l'avait déterminé à s'engager. Il y a alors erreur sur la cause; on en parlera ultérieurement : « la fausse cause ».

1° Absence totale de cause

685. — Les exemples de nullité pour *absence totale* de cause abondent en jurisprudence; il suffit de donner quelques exemples.

La cession d'un brevet d'invention, qui n'avait plus d'efficacité parce qu'il était frappé de déchéance, supprime la cause de l'obligation assumée par le cessionnaire (292).

D'une manière plus générale, la cession d'un objet, déjà détruit lors du contrat, est dépourvue de cause à l'égard du cessionnaire. La destruction peut, d'ailleurs, s'entendre juridiquement et entraîner la disparition de la cause : une convention liant un entrepreneur de transport à un chauffeur-routier prévoyait l'achat à terme d'un camion utilisé par ce dernier, payable sous la forme d'une retenue mensuelle à imputer sur le prix de vente; la résiliation du contrat avant le terme fixé pour la vente a pour conséquence de priver de cause les retenues pratiquées pour le paiement du véhicule (293).

Le contrat de « remplacement militaire » fait par une personne dégagée des obligations militaires n'a pas de cause (294).

L'engagement de verser une somme d'argent en échange de la cession d'un contrat n'a pas de cause si cette cession ne peut avoir lieu (295).

Celui qui promet de rendre une somme d'argent qui ne lui a pas été remise obtient la nullité de son engagement pour défaut de cause (296).

Est nul un partage portant sur des biens qui n'étaient pas indivis (297), une transaction relative à des droits qui n'étaient pas litigieux (298), ou un acte de cautionnement ne portant pas mention du débiteur cautionné (298-1).

686. — Retenons, encore, les deux espèces suivantes :

— une personne cède à une autre l'agrément administratif nécessaire à l'exploitation d'un fonds d'auto-école. Le cessionnaire refuse d'en acquitter le prix au motif que, le nombre d'établissements de ce type n'étant pas

---

(292) Bordeaux, 23 nov. 1896 : *S.* 1898, 2, 297.

(293) Soc., 22 mars 1979 : *Bull. civ.* V, 198.

(294) Req., 30 juill. 1873 : *D.* 1873, 1, 330.

(295) En l'espèce, le contrat dont la cession était envisagée n'a pas pu être conclu par suite de la dissolution de la société qui jouait le rôle de cocontractant (Civ., 30 déc. 1942 : *D.A.* 1942, 98).

(296) Civ., 18 mai 1898 : *D.* 1900, 1, 481.

(297) Civ., 26 oct. 1943 : *D.* 1946, 301, note BOULANGER.

(298) Req., 28 fév. 1905 : *S.* 1905, 1, 212.

(298-1) Civ. 1re, 20 oct. 1987 : *D* 1987, I.R. 217.

limité, l'agrément préfectoral est délivré à quiconque remplit les conditions d'aptitude. La convention est nulle faute d'objet et, corrélativement, l'obligation de payer la licence nulle pour défaut de cause (299);

— une société donne à bail, avec exclusivité, un local situé dans un centre commercial moyennant versement par le locataire d'une certaine somme en contre-partie de cette exclusivité. La législation, en vigueur à l'époque de la convention, ne permettant pas au bailleur de faire respecter cet engagement, l'obligation souscrite par le locataire est dépourvue de cause et la société bailleresse doit rembourser les sommes perçues (300).

687. — Inversement, l'existence de la cause est souvent mise en lumière dans des espèces variées :

— Dans une *promesse unilatérale de vente* d'un fonds de commerce, une *clause de dédit* est insérée aux termes de laquelle, si le bénéficiaire de la promesse ne se porte pas acquéreur dans les délais convenus, il devra verser au promettant une certaine somme (en l'espèce, le dédit était élevé : 400 000 francs anciens, alors que le prix de vente était fixé à 3 500 000). Au bout de huit jours, le bénéficiaire de la promesse fit savoir au promettant qu'il renonçait à l'acquisition envisagée. Devait-il verser le dédit ? La cour d'appel répond négativement au motif que :

« L'insertion, dans une promesse unilatérale de vente, d'une clause prévoyant le paiement d'une somme déterminée à titre de dédit, doit être réputée non écrite, puisqu'elle est sans cause »...

Mais cet arrêt est cassé dans les termes suivants (301) :

« Attendu qu'en statuant ainsi, alors que la cause de l'engagement pris par l'acquéreur éventuel de verser un dédit résidait dans l'*avantage* que lui procurait le promettant en s'interdisant de vendre son fonds de commerce à une autre personne pendant un délai déterminé, la cour d'appel a faussement appliqué et, par suite, violé le texte de loi ci-dessus visé (C. civ., art.1131). »

— Les propriétaires d'un domaine viticole demandent à une agence spécialisée de mettre en œuvre une campagne publicitaire en vue de parvenir à un accroissement considérable de leurs ventes; les résultats des deux premières campagnes ayant donné des résultats très décevants, ils refusent d'exécuter leurs engagements. La Cour, qui constate que la publicité effectuée était variée et attrayante et que le publicitaire n'avait fait aucune promesse fallacieuse, caractérise justement la cause de l'obligation des propriétaires et les condamne à bon droit à s'acquitter de leurs dettes (302).

— Un débiteur s'engage à céder ses parts de société aux tiers qui s'obligent à payer ses créanciers à sa place (dans une certaine limite), afin de lui

(299) Civ. 3e, 4 mai 1983 : *Bull. civ.* III, n° 103; *Rev. trim. dr. civ.* 1984, 111, obs. CHABAS.

(300) Com., 5 oct. 1981 : *Gaz. Pal.* 1982, 1, pan. 68; *D.* 1982, 16.

(301) Com., 23 juin 1958 : *J.C.P.* 58, II, 10857, note ESMEIN; *D.* 1958, 581, note MALAURIE; *Rec. gén. lois et jurispr.* 1959, 82, obs. B. STARCK.

(302) Civ. 1re, 26 juin 1984 : *J.C.P.* 84, IV, 285.

éviter une saisie. Le fait qu'aucun prix n'ait été indiqué dans l'acte n'exclut pas qu'une telle cession ait pu constituer la cause de l'engagement de régler le passif. La Cour, qui constate que la cession a été effectivement réalisée pour le prix d'un franc, a pu estimer que l'obligation de prise en charge des dettes de l'intéressé avait pour cause l'engagement réciproque du débiteur de céder ses parts sociales (303).

688. — L'existence de la contrepartie de l'engagement peut faire difficulté dans certains cas. Ainsi, le contrat passé par un *généalogiste* avec une personne à qui il a fait promettre une rémunération élevée en échange de la révélation d'une succession ouverte en sa faveur, a été annulé pour défaut de cause, car il était apparu, en l'espèce, que l'héritier aurait sûrement appris l'ouverture de cette succession sans le concours du généalogiste. En fait, la promesse de céder à ce dernier une fraction de la succession était dépourvue de cause (304). Mais un arrêt postérieur valide un contrat analogue étant donné qu'en l'espèce, l'héritier avait demandé les renseignements et que le généalogiste s'était acquitté de sa mission de recherche (305).

689. — Une difficulté du même ordre, mais plus grande encore, s'est présentée dans le cas où la même personne avait vendu deux biens à deux acquéreurs différents, chaque fois pour un prix converti en bail à nourriture. La cour d'appel avait prononcé la nullité de ces deux ventes, considérant qu'elles avaient été conclues sans contrepartie réalisable, puisque la venderesse était dans l'impossibilité d'obtenir de chacun des acheteurs l'exécution cumulative de leurs obligations respectives. Cet arrêt a été cassé, la Cour suprême déclarant que l'obligation souscrite par l'un et l'autre des acquéreurs ne pouvait être tenue pour dépourvue de cause, dès lors que la venderesse demeure en droit d'exiger de l'un ou de l'autre de ses cocontractants l'exécution de son entière obligation (306).

2° Absence partielle de cause

690. — Il résulte de la définition même des contrats commutatifs que les prestations des contractants sont regardées par eux comme devant être équivalentes. Est-ce à dire que toute inégalité des prestations peut être considérée comme une absence partielle de cause et justifier la nullité ou, le cas échéant, la réduction de l'obligation ?

On pressent l'objection : ce serait introduire une source d'instabilité grave dans les contrats. C'est ce qui explique les réserves suivantes.

---

(303) Civ. 1re, 17 fév. 1981 : *Gaz. Pal.* 1981, 2, pan. 245.

(304) Civ. 1re, 18 avril 1953 : *D.* 1953, 403. — Civ. 1re, 9 nov. 1960 : *J.C.P.* 60, II, 11884.

(305) Civ. 1re, 26 nov. 1968 : *Bull. civ.* I, n° 299. — Civ. 1re, 20 nov. 1974 : *J.C.P.* 75, éd. G, IV, 7; *D.S.* 1975, 13 (ne manque pas de cause l'obligation d'un emprunteur de restituer les sommes qui lui ont été remises pour l'achat d'un matériel à crédit lorsque ce matériel ne lui est pas livré en raison de la faillite du vendeur).

(306) Civ. 1re, 22 juin 1977 : *Bull. civ.* I, 232.

691. — Lorsque l'inégalité des prestations vient d'*une insuffisance ou d'une exagération du prix* de la contre-prestation (bien ou service), la loi elle-même s'oppose, en principe, à la nullité : c'est le problème de la *lésion* que nous étudierons dans la section suivante. En dehors de quelques cas exceptionnels, la lésion, qui, cependant, manifeste bien une absence d'équivalence, n'est pas une cause de nullité.

692. — Mais la question peut se présenter différemment. *La contre-prestation est objectivement, matériellement, incomplète*; elle ne correspond pas à celle qui était envisagée par le débiteur. J'ai acheté, par exemple, un appartement de six pièces, et on m'en livre un, de cinq pièces seulement. A supposer même que le prix ne soit pas lésionnaire — qu'il s'agisse d'un juste prix — la contre-prestation n'a pas l'étendue voulue par l'acheteur. Que décider en ce cas ? Le Code civil a prévu la situation spéciale d'une chose *détruite en partie,* et dispose dans l'article 1601, alinéa 2 :

« Si une partie seulement de la chose est périe, il est au choix de l'acquéreur d'abandonner la vente, ou de demander la partie conservée, en faisant déterminer le prix par la ventilation ».

Cette solution doit être appliquée de façon générale toutes les fois que l'on se trouve en présence d'une prestation incomplète. La jurisprudence s'en sert, notamment, pour faire réduire les honoraires des agents d'affaires (306-1) ou autres membres des professions libérales (avocats, médecins, etc.), lorsque les honoraires demandés sont hors proportion avec les prestations fournies (307).

693. — L'absence partielle de cause se rencontre dans les prêts. L'emprunteur reçoit 800, et déclare avoir reçu 1 000, par exemple. C'est une forme déguisée d'« usure » (intérêts excessifs), qui est un délit pénal (on réserve, bien entendu, le problème de la preuve de l'absence de cause qui est, on le verra, difficile).

694. — Il est évident, enfin — c'est là la deuxième réserve — que le débiteur ne saurait se prévaloir d'*une absence de cause minime ou peu importante* pour obtenir la nullité du contrat. En cas de litige, le juge apprécie la mesure qu'il convient de prendre pour rétablir l'équilibre des prestations.

3° Moment d'appréciation de l'absence de cause

695. — Pour rechercher l'absence de cause, totale ou partielle, c'est au moment de la formation du contrat qu'il faut se placer. Ce moment d'appréciation est dicté par l'article 1131 du Code civil qui fait de la cause une

(306-1) Civ. 1re, 16 janv. 1980 : *D.* 1980, I.R. 308. — Civ. 1re, 21 déc. 1981 : *Bull. civ.* I, n° 450, p. 360.

(307) V. Civ., 9 mai 1866 : *D.* 1866, I, 246. — Req., 28 mai 1913 : *S.* 1913, 1, 116 (plaideur qui termine un procès par une transaction sans avertir son mandataire). — Paris, 25 janv. 1954 : *J.C.P.* 54, 8055, note G. Raphael-Leygues. — Sur pourvoi, Civ. 1re, 17 avril 1956 : *D.* 1956, 427; *J.C.P.* 56, 9314 (honoraires d'un généalogiste). — Comp. T.G.I. Paris, 25 nov. 1974 : *Gaz. Pal.* 1975, 2, 663.

condition intrinsèque de validité (307-1). Les tribunaux sont très nets sur ce point. Un entrepreneur s'était engagé à effectuer des travaux dans l'appartement d'un particulier, moyennant quoi celui-ci s'engageait à le faire visiter aux clients de l'entreprise et à lui servir de « public-relation ». L'entreprise ayant été mise en liquidation de biens, le particulier se trouvait dans l'impossibilité d'exécuter son engagement. Les juges du fond en avaient déduit que l'obligation de ladite société était devenue sans cause. Selon la Cour de cassation, les juges du fond qui ont constaté que la contrepartie de la gratuité des travaux n'était ni fallacieuse, ni chimérique, ne pouvaient tirer l'absence de cause d'une circonstance postérieure, telle que la liquidation des biens de l'entrepreneur survenue plus de dix-huit mois plus tard (308). Il apparaît ainsi que la disparition de la cause pendant la période d'exécution est sans effet sur la validité.

696. — On en conclurait à tort que la défaillance ultérieure de la cause soit indifférente. Si elle ne tombe plus sur l'existence même du contrat, elle intéresse son accomplissement. En effet, elle sert à justifier la corrélation des obligations réciproques et fonde le mécanisme de la résolution ou, le cas échéant, celui de la suspension de l'obligation privée de cause après coup.

Relève nettement de cette analyse la curieuse espèce suivante (308-1). Mme Klein, propriétaire d'une automobile, avait proposé, par une petite annonce, d'accompagner une personne seule ou âgée, en vacances; elle avait ainsi lié connaissance avec M. Schoh et convenu avec lui que la dépense du carburant et des repas lui incomberait; le véhicule ayant subi plusieurs pannes, M. Schoh avait remis à Mme Klein une somme de 35 000 F pour l'achat d'un autre véhicule; après une quinzaine de promenades dans la nouvelle voiture, la brouille était survenue et Mme Klein avait refusé de restituer à M. Schoh les 35 000 F, qu'il lui réclamait. La cour d'appel avait condamné Mme Klein à restituer 30 000 F; Mme Klein faisait grief à la cour d'avoir ainsi statué au motif essentiel que l'obligation de son ex-compagnon était devenue sans cause, alors que l'existence de la cause doit être appréciée au moment de la formation du contrat. La Cour de cassation approuve les juges du fond qui ont retenu à bon droit que l'inexécution par Mme Klein de son obligation *à prestations successives* justifiait la demande de M. Schoh en restitution d'*une partie de la somme* qu'il avait

---

(307-1) Com., 30 juin 1987 : *Bull. civ.* IV, n° 163, p. 122; *J.C.P.* 87, IV, 311; *Rev. trim. dr. civ.* 1988, 346, obs. MESTRE (l'inexécution du contrat d'assistance ne saurait entraîner la nullité de la convention pour absence de cause, la contre-partie offerte n'étant ni fallacieuse ni chimérique). — Civ. 1re, 13 déc. 1988 : *D.* 1989, I.R. 4 : pour déterminer la commune intention des parties au moment de l'acte, il n'est pas interdit de relever le comportement ultérieur des contractants.

(308) Civ. 3e, 25 oct. 1977 : *Gaz. Pal.* 1978, 1, somm. 17; *Bull. civ.* III, 270. — Dans le même sens, Civ. 3e, 16 nov. 1977 : *Gaz. Pal.* 1978, 1, somm. 17. — Civ. 3e, 8 mai 1974 : *D.* 1975, 305, note LARROUMET.

(308-1) Civ. 1re, 16 déc. 1986 : *Bull. civ.* I, n° 301, p. 287; *Rev. trim. dr. civ.* 1987, 750, obs. MESTRE.

versée en exécution de son engagement réciproque et corrélatif. L'annotateur voit dans cette décision l'illustration des idées d'Henri Capitant sur la place de la cause dans *l'exécution* du contrat.

B. — Contrats aléatoires

697. — La notion d'absence de cause se présente différemment dans les contrats aléatoires. En effet, dans ces contrats, la contrepartie, donc la cause, est constituée par le risque de perte ou la chance de gain, *voulus* par les parties. Dès lors que cette chance et ce risque existent, l'obligation a une cause; elle en est dépourvue, au contraire, si ces risques n'existent pas (309). Le Code civil exprime cette idée relativement aux contrats de rente viagère dans les articles suivants :

Art. 1974. — Tout contrat de rente viagère créé sur la tête d'une personne qui était morte au jour du contrat, ne produit aucun effet.

Art. 1975. — Il en est de même du contrat par lequel la rente a été créée sur la tête d'une personne atteinte de la maladie dont elle est décédée dans les vingt jours de la date du contrat.

698. — L'hypothèse prévue au premier de ces textes vise nettement un cas d'absence totale de cause tenant au fait que le crédirentier est déjà décédé. L'interprétation du second est plus difficile; il semble instituer une présomption de connaissance, par le débirentier, de la mort imminente du crédirentier, présomption d'ailleurs *irréfragable*, puisqu'elle permet la nullité d'un acte (art. 1352, al. 2). En effet, la preuve de l'ignorance par le débirentier de la maladie du crédirentier ne permet pas de valider le contrat (310); mais on peut y voir aussi une nullité pour absence de cause (311).

699. — Que décider si le crédirentier meurt très rapidement de la maladie dont il était déjà atteint lors du contrat, mais plus de vingt jours après sa conclusion ? La première Chambre civile de la Cour de cassation a refusé d'annuler le contrat de rente viagère conclu avec la Caisse des dépôts et consignations, alors que le crédirentier était mort de la maladie dont il était déjà atteint, quarante-neuf jours après le contrat, et avant même que la première annuité lui fût versée. Elle considère que l'*aléa* existait en l'espèce, car il est impossible de prévoir le temps de survie d'un malade, même gravement atteint (312). En revanche, la 3e Chambre civile, par un arrêt

(309) Il n'est pas toujours aisé de distinguer l'aléatoire du commutatif. — V. à propos de l'octroi par l'inventeur d'un médicament d'un accord d'option en vue de la délivrance d'une licence de fabrication et du refus de mise sur le marché du nouveau produit par l'autorité compétente : Com., 23 oct. 1978 : *Gaz. Pal.* 1979, 1, somm. 38.

(310) V. Paris, 18 fév. 1956 : *D.* 1956, 326.

(311) Le caractère exceptionnel de la nullité prévue à l'art. 1975 conduit la jurisprudence à l'interpréter restrictivement; il n'est pas applicable, a-t-on décidé, au bail à nourriture, contrat lui-même aléatoire, conclu en fonction des chances de survie du créancier (Civ., 28 janv. 1952 : *D.* 1952, 321, note LALOU) ou à la vente en nue-propriété (Civ., 12 mars 1930 : *D.* 1932, 1, 28).

(312) Civ. 1re, 21 oct. 1969 : *J.C.P.* 70, II, 16159, concl. LINDON.

postérieur, approuve les juges du fond qui ont annulé ce genre de contrat, alors que le débiteur est décédé vingt-deux jours après sa conclusion, mais en relevant que le débirentier, qui vivait sous le même toit que le crédirentier, connaissait l'imminence de son décès (313). D'autres décisions ont admis la nullité pour absence d'aléa s'agissant de vente consentie à son médecin traitant par une femme âgée et malade (314); en ce cas, la nullité de la constitution de la rente repose, à notre avis, davantage sur l'idée de dol que sur l'idée d'absence de cause (315).

700. — C'est également pour absence d'aléa qu'est nul, en vertu de la loi elle-même, le contrat d'assurance d'une chose qui a déjà péri, ou n'était plus exposée au risque assuré (C. ass., art. L. 121-15). Les primes doivent alors être restituées à l'assuré sous déduction des frais exposés par l'assureur. Et, au cas de connaissance de la situation, la partie dont la mauvaise foi est prouvée doit à l'autre une somme double de la prime d'une année.

701. — Enfin, se rattache à la même conception la nullité, prononcée par les tribunaux, des contrats de vente d'immeuble, moyennant une rente viagère dont les *arrérages sont inférieurs aux revenus* du bien aliéné. C'est là un exemple typique d'absence de cause dans un contrat aléatoire : le vendeur ne reçoit *rien* en échange de son immeuble et n'avait, en fait, aucune chance de recevoir quoi que ce soit puisque les loyers de ce bien sont, dans l'hypothèse envisagée, supérieurs ou égaux aux arrérages versés par le débirentier (316). Là encore, la bonne ou la mauvaise foi du débirentier importe peu : la nullité ne repose pas sur le dol, mais sur l'absence de cause.

La notion de cause, entendue comme étant le *but immédiat* poursuivi par le débiteur qui s'oblige, *but objectif* tenant à la *nature du contrat* et non aux motifs personnels du contractant a — on le voit — de nombreuses applications dans les contrats à titre onéreux, commutatifs ou aléatoires.

En est-il de même dans les contrats à titre gratuit, notamment dans les donations ?

---

(313) Civ. 3e, 6 nov. 1969 : *J.C.P.* 70, II, 16502, note BÉNABENT.

(314) T.G.I. Nevers, 11 avril 1973 : *D.* 1973, somm. 90. — T.G.I. Paris, 6 nov. 1973 : *J. not.* 1974, p. 1412, note J. VIATTE.

(315) Le contrat est aléatoire même si, comme cela se pratique fréquemment, la vente stipule un prix en capital, aussitôt converti en rente viagère. C'est cette rente qui constituait, dans la commune intention des parties la contrepartie de la chose vendue, la *cause* de l'obligation du vendeur; la clause relative au capital est purement formelle (elle sert de base à l'évaluation de la rente). Il en résulte que le contrat est gouverné par les règles concernant les contrats aléatoires (v. Civ. 1re, 7 janv. 1971 : *J.C.P.* 71, II, 16991) et notamment par l'art. 1975 préc.

(316) Req., 1er mai 1911 : *D.* 1911, 1, 353, note PLANIOL. — Civ. 1re, 22 avril 1955 : *Bull. civ.* I, n° 135. — 5 fév. 1964 : *Gaz. Pal.* 1964, 2, 93. — Civ. 3e, 13 mai 1971 : *Bull. civ.* III, n° 301, p. 215. — Civ. 3e, 7 déc. 1971 : *D.S.* 1972, 275 (refus d'annuler une vente d'immeuble contre rente viagère, les avantages consentis au vendeur étant supérieurs aux revenus de l'immeuble).

C. — Contrats à titre gratuit

702. — Ces contrats — les donations notamment — se définissant par l'engagement du donateur sans contrepartie, il est évident que la notion de cause, entendue comme étant le but immédiat, la contrepartie que le débiteur avait en vue en s'engageant, n'a aucun sens, aucune utilité en ce qui les concerne.

Certes, les tenants de la doctrine classique qui, on l'a dit, déclarent que la cause dans la donation n'est rien d'autre que *l'animus donandi,* l'intention libérale du disposant, font observer que la recherche de cette intention n'est pas inutile, car c'est elle qui permet, justement, de distinguer le contrat à titre onéreux de celui qui est à titre gratuit. On se souvient, par exemple, qu'il était important de savoir, jusqu'à une époque récente, si l'on se trouvait en présence d'un transport bénévole ou d'un transport intéressé. Pour le déterminer, il fallait bien rechercher l'intention, l'*animus* du transporteur : le transport n'était qualifié de bénévole que s'il était inspiré par l'intention de rendre service sans rien recevoir en échange.

703. — Mais la cause ainsi entendue est un élément de *qualification* des contrats et non une condition de *validité* de l'obligation. Cela nous fait sortir du cadre du problème ici analysé. Si l'on veut s'y maintenir, force est bien d'admettre qu'aucune donation ne pourrait être annulée en invoquant *l'absence de cause :* celle-ci est incluse *nécessairement* dans le consentement même du donateur... Sur ce point, les anticausalistes avaient raison : dans les donations, la cause, entendue comme étant le *but immédiat* de celui qui s'oblige, est une notion inutile.

704. — Pour trouver une utilité juridique à la notion de cause dans les contrats à titre gratuit, il faut rechercher, non pas la contrepartie, puisque, par définition, le contractant n'en attendait pas, mais se demander quels étaient les *motifs personnels, subjectifs,* qui ont déterminé la volonté de celui qui s'est engagé, le donateur notamment. A cet égard, un arrêt de la Cour de cassation est particulièrement significatif. Deux époux, par acte du 22 juillet 1981, avaient consenti à leurs enfants une donation-partage pour bénéficier du régime fiscal de faveur en vigueur à l'époque (tarif préférentiel, réduction des droit de 20 %); la loi de finances rectificative du 3 août 1981 avait supprimé rétroactivement ces avantages à compter du 9 juillet 1981; les donateurs avaient agi en nullité de ladite convention comme étant *devenue rétroactivement sans cause.* La Cour de cassation approuve la cour de Paris qui avait jugé que l'acte ne se trouvait plus justifié par le mobile qui avait incité les parties à y recourir (316-1).

Mais, alors, *on change de point de vue.* Ce n'est plus l'existence même de la cause qui est recherchée, mais principalement son caractère licite et

---

(316-1) Civ. 1re, 11 fév. 1986 : *J.C.P.* 88, II, 21027, note C. DAVID.

moral. Or, cette recherche, comme nous allons le voir, n'est pas particulière aux contrats à titre gratuit. L'étude de la jurisprudence montre qu'elle peut être faite à l'égard de tous les contrats, qu'ils soient à titre onéreux ou à titre gratuit.

§ 2. — La cause illicite ou immorale

A. — Notion

705. — La nullité d'une obligation pour cause illicite ou immorale est souvent demandée et prononcée par les tribunaux (317). Certes, l'immoralité ou l'illicéité de la cause résulte quelquefois de l'examen du but immédiat de celui qui s'oblige. Celui qui achète une maison de jeux ou une maison de tolérance poursuivait un but illicite et immoral. Et il en est de même de celui qui promet une somme d'argent à un autre qui se charge, en contrepartie, de commettre un délit ou un crime.

Inversement, c'est en appréciant le but immédiat qu'a été considéré comme licite le pacte de non-concurrence accepté par un employé, dans un rayon de vingt-cinq kilomètres de l'entreprise de son employeur, pour tout le temps où ce dernier continuerait son activité; en l'espèce, on a relevé que cet engagement avait une contrepartie dans les divers avantages contractuels offerts à l'employé (318).

706. — Mais, le juge ne se borne pas à rechercher le but immédiat de la partie qui s'oblige. Il va plus loin et s'inquiète de savoir quelles sont les raisons plus lointaines, les motifs plus individualisés, qui expliquent son engagement. Ces raisons, ces motifs, qui ont joué un rôle décisif au moment de l'obligation, on les désigne sous le nom de *cause impulsive et déterminante;* si la cause, ainsi entendue, a quelque caractère illicite ou immoral, l'obligation est entachée de nullité.

Un individu achète ou loue un local, jusqu'alors sans utilisation particulière, pour y installer une maison de jeux clandestine. Si le local lui est fourni, son engagement de payer a une cause, mais elle est immorale et illicite. Pour annuler ce contrat, le juge a dû dépasser la notion de cause définie comme étant le seul but immédiat de l'obligation; il lui a fallu rechercher ce qui était la vraie raison de l'obligation, sa cause impulsive et déterminante (319).

707. — Une objection se présente, toutefois, à l'esprit. Le cocontractant, n'est-il pas sacrifié si l'on adopte cette définition de la cause ? Le cocontrac-

---

(317) DORAT DES MONTS, *La cause immorale,* thèse Paris, 1955. — M. DÉFOSSEZ, *Réflexions sur l'emploi des motifs comme cause des obligations : Rev. trim. dr. civ.* 1985, p. 521 et s.

(318) Soc., 21 avril 1971 : *J.C.P.* 71, IV, 138.

(319) Civ., 27 déc. 1945 : *Gaz. Pal.* 1946, 1, 88. — Soc., 29 oct. 1957 : *Bull. civ.* IV, n° 127, p. 731.

tant, qui connaît nécessairement le but immédiat d'une obligation, ignore, peut-être, les motifs plus lointains, car ces motifs sont personnels : c'est précisément là, la différence entre but immédiat et motifs; le but immédiat est *objectif,* il est le même pour tous dans le cadre d'un même contrat, tandis que les motifs sont *subjectifs*, ils varient d'un individu à un autre.

708. — Cette objection est sérieuse. Aussi, le juge n'annule-t-il le contrat pour cause illicite ou immorale que lorsque l'immoralité ou le caractère illicite de la cause impulsive et déterminante est *connu* par le cocontractant. Dans notre exemple, le contrat de vente ou de location ne sera annulé que si le vendeur ou le bailleur connaissait la destination du local. *L'immoralité est alors commune aux deux contractants.* C'est ce qui a fait dire à une partie de la doctrine que l'on est ici en présence d'une nullité pour *cause du contrat* et non seulement pour *cause de l'obligation* (320). Cette solution se vérifie *a contrario* d'un arrêt de la Chambre civile du 4 décembre 1956 qui a décidé, à propos d'un bail dont l'objet était, à l'insu du bailleur, l'établissement d'une maison de débauche, que le bailleur ne pouvait agir en nullité en vertu de l'article 1131, la cause illicite lui étant inconnue (321). On a cherché à minimiser la portée de cet arrêt, dénoncé comme favorisant la dissimulation (322), en observant que le propriétaire était fautif de ne pas s'être renseigné sur l'utilisation que le locataire entendait donner aux lieux.

B. — Applications

709. — La notion de cause impulsive et déterminante s'applique aussi bien aux contrats à titre onéreux qu'aux contrats à titre gratuit, quoique les arrêts soient plus nombreux en matière de libéralités.

1° Contrats à titre onéreux

710. — C'est souvent dans le contrat de prêt qu'est relevée l'immoralité ou l'illicéité de la cause conçue subjectivement. Si la somme convenue a bien été remise à l'emprunteur, son obligation de restituer a une cause. Mais cela ne suffit pas pour la valider. Encore faut-il que la cause de l'emprunt ne soit pas immorale ou illicite. Ainsi, lorsqu'il est prouvé que l'emprunt a été contracté en vue du jeu (au cours d'une partie de poker, etc.), l'obligation est entachée de nullité, l'emprunteur sera donc dispensé de rendre l'argent remis en vertu d'un contrat nul (323).

---

(320) MAZEAUD et CHABAS, n° 267 et s.

(321) *J.C.P.* 57, II, 10008, note J. MAZEAUD.

(322) FLOUR et AUBERT, *op. cit.*, n° 266. — A. WEILL, *Mélanges Marty* 1978, p. 1165 et s.

(323) Crim., 19 nov. 1932 : *D.* 1933, 1, 26, note H. CAPITANT. — V. aussi Req., 17 avril 1923 : *D.* 1923, 1, 172, prêt pour permettre à une femme mariée de s'enfuir avec son amant; — Com. 16 mai 1977 : *Bull. civ.* IV, 120 : les sommes prêtées ont eu une cause valable bien qu'il ait été soutenu qu'elles aient servi à payer la partie du prix dissimulée à l'administration fiscale.

Là, encore, le juge, dépassant la notion étroite de cause (but immédiat), a dû découvrir les motifs personnels, la cause impulsive et déterminante de l'emprunt. Mais, bien entendu, la nullité suppose que l'immoralité de l'opération était connue par le cocontractant, le prêteur. Dans ce cas, également, on parle de la cause du contrat plus que de la cause de l'obligation, afin de marquer ainsi que l'immoralité était commune aux deux contractants.

711. — Mais ce n'est pas à dire que l'immoralité ou l'illicéité de la cause ne puisse se retrouver dans bien d'autres contrats à titre onéreux. Ainsi ont été annulés :

— une vente indexée sur l'or, la clause d'indexation étant la cause impulsive et déterminante du contrat (324);

— la convention entre époux pour faciliter leur divorce (325);

— l'assurance sur la vie stipulant le bénéfice du capital-décès à la maîtresse d'un homme marié (326);

— le contrat de travail qui comprend des avantages inhabituels au profit de l'employé et qui révèle qu'ils constituent la rémunération des relations adultères avec la patronne (327);

— la reconnaissance de dette tendant à dépouiller de ses droits un héritier réservataire (328);

— le contrat de commissionnement sur armes réalisé en infraction à la réglementation sur le commerce des munitions (328-1);

— la fourniture de talismans, ouvrages, cours et disques astrologiques... par un voyant, l'article R. 34 du Code pénal sanctionnant la pratique du métier de deviner et de pronostiquer d'une peine contraventionnelle (328-2);

— l'acte d'entremise en vue de réaliser une adoption (328-3).

2° Contrats à titre gratuit

712. — La notion de cause illicite ou immorale est fréquemment invoquée en matière de libéralités (329). C'est, tout d'abord, le cas des dona-

(324) Civ. 3e, 24 juin 1971 : *J.C.P.* 72, II, 17191, note GHESTIN.

(325) Civ. 1re, 22 janv. 1975 : *J.C.P.* 75, IV, 80.

(326) Civ. 1re, 8 oct. 1957 : *D.* 1958, 317.

(327) Soc., 4 oct. 1979 : *D.* 1980, I.R. 267.

(328) Civ. 1re, 26 mars 1980 : *D.* 1981, I.R. 311, note GHESTIN; *Gaz. Pal.* 1980, 2, pan. 327.

(328-1) Paris, 15 mai 1986 : *D.* 1986, *Flash*, n° 25.

(328-2) Paris, 24 nov. 1987 : *D.* 1988, I.R. 3; *Rev. trim. dr. civ.* 1988, 345, obs. MESTRE.

(328-3) Civ. 1re, 22 juill. 1987 : *J.C.P.* 87, IV, 350; *D.* 1988, 172, note J. MASSIP (l'intermédiaire ne peut prétendre qu'au remboursement de se frais et débours, non à des honoraires qui avaient été fixés à 3 000 dollars).

(329) A. COURROYE, *L'examen de la jurisprudence et la cause dans les libéralités,* thèse Lyon, 1984. — C. BRAVARD, *L'intention libérale chez les concubins*, thèse Lyon, 1984.

tions ou des legs adressés à une *concubine.* Ces libéralités ne sont pas nécessairement nulles; tout dépend, précisément, de la cause impulsive et déterminante qui les anime. Si la libéralité est faite au moment de la rupture et à titre de réparation des conséquences matérielles et morales de la rupture, les tribunaux ne voient là rien d'immoral : cette donation est valable (330). Il en est autrement si la libéralité est faite en vue de convaincre la concubine de commencer ou de continuer (330-1) une liaison considérée comme immorale; en ce cas, les tribunaux annulent la donation dont la cause est qualifiée d'immorale. Tel est le cas de la donation faite par un mari adultère à sa maîtresse « pour la retenir auprès de lui... alors qu'il savait qu'elle avait un autre amant plus jeune, qu'elle devait, du reste, épouser aussitôt après la mort de son protecteur » (331). En général, la nullité est prononcée à la demande des héritiers du donateur, après le décès de celui-ci (332).

713. — C'est ensuite la nullité des donations faites à des *enfants adultérins* (333). Ces donations étaient prohibées par la loi et reposaient donc sur une cause illicite (art. 908, al. 3 ancien). La loi du 3 janvier 1972 a mis les enfants naturels sur le pied des enfants légitimes, à l'exception des enfants adultérins dont les droits successoraux *ab intestat* sont réduits lorsqu'ils sont en concours avec le conjoint victime de l'adultère ou avec les enfants légitimes issus du mariage de leur auteur (C. civ., art. 759 et 760). Cette réduction sert de limite à ce que ces enfants peuvent recevoir par donation ou par legs de l'auteur de l'adultère en présence de ces mêmes successibles (art. 908). Dans ces conditions, serait illicite toute libéralité propre à faire échec à l'action en réduction du conjoint et des enfants légitimes dans la limite du quantum réductible.

§ 3. — La fausse cause

714. — L'article 1131 déclare nulle l'obligation qui a une fausse cause. Que faut-il entendre par là ? En réalité la situation se dédouble : ou bien la cause est *erronée* ou bien la cause est *simulée.*

(330) Com., 16 juill. 1974 : *J.C.P.* 74, IV, 326. — Civ., 4 nov. 1982 : *Jurisdata* n° 936 (validité à titre de reconnaissance pour les soins prodigués jusqu'au décès, le caractère adultérin des relations étant indifférent). — Paris, 9 juin 1987 : *D.* 1987, I.R. 166. — Civ. 1re, 17 nov. 1987 : *D.* 1987, I.R. 244.

(330-1) Paris, 3 juin 1987: *D.* 1987, I.R. 172.

(331) Civ. 1re, 2 déc. 1981 *D.* 1982, I.R. 474, obs. D. MARTIN. — Même solution dans Civ. 2e, 10 janv. 1979 : *Bull. civ.* II, n° 10.

(332) Civ., 6 oct. 1959 : *D.* 1960, 515, note MALAURIE. — Civ. 1re, 1er juill. 1965 : *Rev. trim. dr. civ.* 1966, p. 284. — Civ. 1re, 16 oct. 1967 : *J.C.P.* 67, II, 15287, qui valide un legs fait par un homme marié à sa maîtresse.

(333) M. GRIMALDI, *L'article 908 du Code civil : l'incapacité de recevoir à titre gratuit des enfants adultérins de fait : J.C.P.* 81, I, 3035.

A. — Cause erronée

715. — La cause est fausse lorsqu'elle résulte d'une erreur de celui qui s'oblige, erreur portant soit sur le but immédiat, soit, même, sur des motifs plus éloignés. Voici une société de télévision qui s'est engagée à verser une redevance à l'auteur prétendu d'un procédé servant de support à un jeu télévisé; elle s'aperçoit que ce procédé ne pouvait pas bénéficier de la loi du 11 mars 1957 sur la propriété littéraire et artistique et, en conséquence, refuse de s'exécuter. Un tel engagement ne peut avoir aucun effet car il a été pris sur une fausse cause et le fait que la société ait consenti à un certain dédommagement ne lui interdit pas de soutenir la nullité en vertu de l'article 1131 du Code civil (334).

716. — En réalité, la fausse cause nous ramène à une question déjà étudiée, celle de l'*erreur, vice du consentement.* Il n'y a pas lieu d'y revenir, sauf à remarquer que, là aussi, la nullité peut être prononcée non seulement lorsque l'erreur porte sur la cause dans le sens objectif et étroit du terme, mais encore sur les motifs personnels dès lors qu'ils ont été *déterminants* et *ont été connus* ou *auraient dû être connus par le cocontractant.*

717. — La nullité pour « fausse cause » avait quelque utilité lorsque la notion d'erreur sur la substance était comprise de façon étroite. Mais on sait que la jurisprudence en est arrivée à identifier toute erreur *substantielle,* c'est-à-dire *déterminante,* avec l'erreur sur la substance, ce qui lui permet d'englober sous ce terme l'erreur sur la cause et même, sous la réserve indiquée, l'erreur sur les motifs. De ce fait, la mention de la fausse cause dans l'article 1131 est, à notre sens, inutile.

B. — Cause simulée

718. — On ajoute, en doctrine, que la fausse cause se rencontre aussi dans l'hypothèse du *contrat simulé.* Les parties passent un contrat apparent, mais déclarent, par une contre-lettre, que le contrat réellement conclu est différent par sa nature (c'est, par exemple, une donation et non une vente), ou par ses conditions (prix, modalités de payement, etc.).

Une société de crédit, qui avait financé en partie l'achat d'un véhicule, avait fait signer à l'acquéreur un contrat de location dudit véhicule moyennant un loyer trimestriel; faute de paiement, la société émettait la prétention de conserver la propriété du véhicule. Cette prétention est repousée, vu

(334) Civ. 1re, 6 oct. 1981 : *Gaz. Pal.* 1982, 1, pan. 68; *Bull. civ.* I, 227. — V. aussi Soc., 28 fév. 1985 : *J.C.P.* 85, IV, 169 (le rétablissement de l'exacte qualification ne justifie pas l'annulation du contrat pour fausse cause).

que l'opération avait pour but le financement de l'acquisition de la voiture par son utilisateur et que tant la prétendue location que l'acquisition du véhicule par la société se trouvaient affectées d'une cause simulée (335).

Nous aurons à étudier ultérieurement la simulation dans les contrats; il n'y a donc pas lieu de s'y arrêter ici. Et cela, d'autant moins qu'il est douteux que l'article 1131 ait fait allusion à la simulation. En effet, ce texte déclare *sans effet,* l'obligation qui a une fausse cause; or, l'article 1321 du Code civil affirme le contraire au sujet de la simulation : entre les parties contractantes, les contre-lettres ont plein effet; ce n'est que dans de rares cas, et en vertu de textes spéciaux, que les contre-lettres sont sans effet entre les contractants eux-mêmes.

719. — Ce qui distingue la cause simulée de la cause erronée, c'est que la première n'entraîne pas nécessairement la nullité de l'obligation; la simulation n'étant pas en soi une cause de nullité, il y a lieu de rechercher la véritable cause qui, à condition d'être licite, supportera l'obligation (335-1).

En voici un exemple. Une reconnaissance de dette portait qu'elle était souscrite à titre de remboursement d'un prêt. Ses signataires soutenaient que, n'ayant reçu du prêteur aucune somme, leur engagement était nul pour défaut de cause. En réalité, les signataires avaient acquis de précédents emprunteurs des parts sociales et ils s'étaient obligés, pour paiement, à se substituer à eux pour le remboursement dudit prêt. Dès lors, l'obligation du souscripteur de la reconnaissance de dette n'était pas sans cause; elle comportait simplement une cause simulée, elle était donc valable dès lors que la cause véritable était connue et licite (336).

720. — Telles sont les applications de la notion de cause en jurisprudence, notion qui est, somme toute, double : c'est, d'une part, dans les *contrats à titre onéreux, la contrepartie qui constitue le but immédiat* de celui qui s'oblige, d'autre part, dans *tous les contrats*, à titre onéreux ou gratuit, les motifs décisifs : la *cause impulsive et déterminante.*

Encore faut-il, pour que l'absence de cause ou la cause illicite ou immorale entraîne la nullité de l'obligation, qu'on puisse en faire la *preuve.* C'est là, le dernier aspect de cette question.

---

(335) T.G.I. Angers, 6 juin 1978 : *D.* 1979, 641, note G. PARLÉANI.

(335-1) Il incombe au bénéficiaire de l'obligation de prouver que sa créance repose sur une autre cause licite : Civ. 1re, 20 déc. 1988 : *D.* 1989, I.R. 12.

(336) T. I. Boulogne-Billancourt, 7 juin 1978 : *Gaz. Pal.* 1979, 1, somm. 260.

SOUS-SECTION III

LA PREUVE EN MATIÈRE DE CAUSE

On distinguera, sur le plan de la preuve, également, l'absence de cause (§ 1) et la cause illicite ou immorale (§ 2).

§ 1. — La preuve de l'absence de cause

A. — Engagements formellement causés

721. — Selon le droit commun, c'est à celui qui allègue un fait ou un acte juridique qu'il appartient de le prouver.

Supposons donc qu'une personne réclame le paiement d'une somme d'argent, représentant le prix d'une vente par elle conclue ou le remboursement d'un prêt par elle consenti. Il incombe au demandeur de prouver l'existence de la vente ou du prêt. A cet effet, elle produira, en principe, un écrit prouvant l'existence du contrat de vente ou du contrat de prêt. Exceptionnellement, on le sait, la preuve pourra être faite par témoins ou par présomptions.

722. — Le défendeur peut, cependant, essayer de faire échec à la demande. Il peut nier l'existence même de la vente ou du prêt; il peut, également, prétendre que ces contrats sont entachés de nullité. A ce dernier titre, il peut soutenir que la vente ou le prêt sont dépourvus de cause. Mais, en ce cas, la preuve de l'absence de cause incombe au défendeur (337). C'est à l'acheteur qu'il appartient de prouver que la chose achetée était détruite lors du contrat, et que, par conséquent, son engagement est dépourvu de cause. C'est à l'emprunteur qu'il incombe d'établir que l'argent promis ne lui a jamais été remis et que, de ce fait, son obligation de rembourser manque de cause, totalement ou partiellement. Mais il ne dispose pas de la liberté des preuves et se trouve contraint par l'article 1341 du Code civil de produire un écrit pour prouver contre la mention de la cause portée à l'acte. D'où il suit qu'est irrecevable l'offre de preuve testimoniale relative à la cause énoncée à la convention (338).

723. — Le même jeu concernant la charge de preuve s'observe dans l'hypothèse de fausse cause. Lorsque, par exemple, le signataire d'une

(337) Civ. 1re, 9 nov. 1964: *Bull. civ.* I, n° 490, p. 381.

(338) Civ. 1re, 27 oct. 1976: *Gaz. Pal.* 1977, 1, somm. 4.

reconnaissance de dette a établi que la cause exprimée dans l'acte ne correspondait pas à la réalité, il appartient à son adversaire, bénéficiaire de cette reconnaissance, d'apporter la preuve que l'engagement dont il poursuit l'exécution a, néanmoins, une cause réelle et licite (339).

Jusque-là, on trouve l'application pure et simple des règles ordinaires de la preuve et il n'y a pas lieu de s'y arrêter davantage. La seule particularité concerne l'hypothèse des billets non causés.

B. — Billets non causés

724. — On appelle ainsi les écrits (billets) par lesquels une personne se reconnaît débitrice d'une autre personne, d'une certaine somme, sans en indiquer la cause. Le billet est rédigé ainsi, par exemple : « Je reconnais devoir à Pierre Durand la somme de 1 000 F que je m'engage à lui payer au plus tard le 1er décembre 1986 », signé : Jacques Dupont.

Quelle est sa portée ? C'est à son sujet que l'article 1132 du Code civil énonce :

« La convention n'est pas moins valable quoique la cause n'en soit pas exprimée ».

Ce texte a donné lieu à diverses interprétations, car sa rédaction est défectueuse ou, du moins, sybilline.

1° Promesse abstraite

725. — Dans une première interprétation, l'article 1132 consacrerait la *validité des promesses abstraites,* c'est-à-dire indépendantes de toute cause, à l'exemple du droit romain, notamment, où celui qui promettait, selon certaines formes, était tenu d'exécuter sa promesse, sans pouvoir exciper de l'absence de cause (340).

La consécration par l'article 1132 de l'existence d'obligations valables, abstraction faite de leur cause, était prônée par certains commercialistes qui y trouvaient l'explication de l'engagement du souscripteur d'un effet de commerce à l'égard du porteur de bonne foi de cet effet, sans qu'il puisse se soustraire à l'obligation de payer, en arguant de l'absence de cause ou de la cause illicite ou immorale de son engagement (règle dite de *l'inopposabilité des exceptions).*

726. — Mais cette interprétation ne résiste pas à l'examen. Le Code civil énonce, dans l'article 1131, la nécessité d'une cause licite et morale pour la

(339) Civ. 1re, 7 nov. 1979 : *D.* 1980, I.R. 268, note GHESTIN.

(340) A la question *Spondesne mihi centum dare ?* celui qui répondait *Spondeo* était pris au piège de ce formalisme, il était débiteur de 100, sans autre condition. En réalité, le droit romain admit l'existence d'actions en restitution ou en libération si la promesse était faite sans cause ou en vertu d'une cause illicite ou immorale. V. sur l'acte juridique abstrait : M. VIVANT, *Le fondement juridique des obligations abstraites : D.* 1978, chron. 39 et s.

validité des obligations. C'est là une *règle de portée tout à fait générale.* Il ne pouvait pas, dans l'article suivant, se donner un démenti à lui-même, en consacrant la validité des obligations sans cause résultant de « billets non causés ». C'eût été réduire à presque rien la règle générale.

2° Preuve à la charge du créancier

727. — Dans une deuxième thèse, l'article 1132, lorsqu'il déclare que « la convention n'est pas moins valable quoique la cause n'en soit pas exprimée » ne vise pas l'obligation — le *negotium* — mais le billet en tant que moyen de preuve — l'*instrumentum* —. Son sens est le suivant : le créancier, détenant un billet non causé, peut s'en servir en justice comme moyen de preuve de sa créance.

728. — Reste à savoir quelle est l'efficacité de ce moyen de preuve. En lui-même, le billet dont il s'agit prouve bien le *consentement* du débiteur (« je reconnais devoir ») et l'*objet* de l'obligation (1 000 F); *il n'en prouve pas la cause.* Dans cette deuxième thèse, le billet peut donc servir de preuve de certains éléments de l'obligation, mais non de tous; le créancier, détenteur du billet, devrait encore prouver la cause de la promesse pour en exiger le payement.

729. — Pareille interprétation paraîtrait absurde, si elle ne s'éclairait pas par l'histoire. Afin de lutter contre des abus émanant, notamment, d'usuriers, le droit romain permettait au débiteur engagé par une promesse abstraite (dont la cause n'était pas exprimée) de recourir à une procédure spéciale : *la querela non numeratae pecuniae.* Il lui suffisait de *nier* que l'argent lui ait été versé pour que le fardeau de la preuve fût inversé. C'était alors au créancier qu'il incombait de prouver le versement de la somme prêtée, autrement dit l'existence de la cause de l'obligation du débiteur. Il est, de toute façon, plus facile de prouver un fait *positif:* le versement de l'argent, qu'un fait *négatif,* le non-versement de la somme promise. C'est, en définitive, cette conception qui se trouverait consacrée dans l'article 1132.

3° Preuve à la charge du débiteur

730. — Mais cette thèse n'a pas triomphé, elle non plus. Dès avant la rédaction du Code civil, la procédure de la *querela non numeratae pecuniae avait été abandonnée* (341); l'article 1132 du Code civil consacre, précisément, cet abandon. Cela conduit donc à une troisième thèse. Selon l'interprétation qui, finalement, s'est imposée, le billet non causé joue le rôle de preuve de l'obligation et de *preuve complète :* il prouve *directement* le *consentement* du débiteur et *l'objet* de la dette et laisse *présumer l'existence*

(341) V. LOYSEL : Exception d'argent non nombré n'a point de lieu. Mais elle subsistait encore naguère dans certains pays où sévissait l'usure.

d'une cause. Sans cela, on ne voit guère quelle serait l'utilité pratique du billet dont il s'agit. La jurisprudence est nettement fixée dans le sens d'une présomption d'existence de la cause (341-1). La Cour de cassation a jugé que cette présomption jouait même pour une reconnaissance de dette ne répondant pas aux conditions de forme de l'article 1326 du Code civil, à savoir l'exigence du « bon pour » (341-2).

731. — Bien entendu, ce n'est là qu'une *présomption simple* et non une présomption irréfragable. Le débiteur peut, donc, contre-attaquer en prouvant que cette promesse est dépourvue de cause; il peut prouver que l'argent, qui devait lui être remis et sur lequel il comptait en souscrivant sa reconnaissance de dette, ne lui a jamais été remis. Il n'est, certes, pas facile de prouver un fait négatif, de démontrer que quelque chose ne s'est pas produit. Mais, théoriquement, cette preuve est admissible. Tel est, selon la jurisprudence, le sens de l'article 1132 (342).

732. — La preuve de l'absence de cause pourra, d'ailleurs, être faite par tous les moyens (343), la règle « contre un écrit on ne peut prouver que par écrit » (C. civ., art. 1341) ne joue pas en présence d'un billet non causé. Ce billet n'indiquant pas la cause de l'obligation, le débiteur qui prétend que la cause n'existe pas n'émet pas de prétention contraire à un écrit.

§ 2. — La preuve de la cause illicite ou immorale

733. — Nous avons vu que le caractère illicite ou immoral de la cause n'apparaît, le plus souvent, qu'après une recherche de ce qu'on a appelé la cause impulsive et déterminante. Le juge ne se borne pas à examiner l'existence de la contrepartie, il doit pénétrer plus à fond dans l'intention des contractants pour y découvrir leurs vrais mobiles. De quelle manière faut-il le convaincre? (343-1). Exige-t-on que le contrat porte en lui-même la marque de son immoralité ou de son illicéité (preuve *intrinsèque*)? Ou se contente-t-on de la découvrir dans les circonstances extérieures à l'acte lui-même (preuve *extrinsèque*)?

(341-1) Civ. 1re, 1er oct. 1986 : *Gaz. Pal.* 1986, 2, pan. 246. — Paris, 17 mai 1988 : *D.* 1988, I.R. 171.

(341-2) Civ. 1re, 14 juin 1988 : *Bull. civ.* I, n° 290, p. 132.

(342) Civ., 22 janv. 1913 : *D.* 1913, 1, 144. — 22 mai 1944 : *D.A.* 1944, 108. — Civ. 1re, 7 nov. 1973 : *D.* 1974, somm. 14 (la cause étant présumée, les juges n'ont pas, à défaut de conclusions pour défaut de cause, à rechercher sa nature exacte). — Civ. 1re, 25 juin 1980 : *D.* 1981, I.R. 311, note GHESTIN (application de l'art. 1132 à un acte constatant que l'obligation cautionnée ne révélait pas sa cause). — Com., 22 juill. 1980 : *Gaz. Pal.* 1980, 2, pan. 529 (légitimité d'une action en paiement de chèques contre les héritiers qui n'établissent pas l'inexistence de la cause).

(343) Civ. 3e, 21 juin 1972 : *Bull. civ.* III, n° 416.

(343-1) S'agissant de la charge de la preuve, il a été jugé que dans le cas où la cause est démontrée fausse, il incombe au bénéficiaire de l'obligation d'établir que sa créance a une cause licite faute de quoi il doit succomber dans ses prétentions : Civ. 1re, 20 déc. 1988 : *J.C.P.* 89, IV, 71.

A. — Preuve extrinsèque

734. — La jurisprudence avait, tout d'abord, déclaré que la preuve du caractère illicite ou immoral de la cause ne pouvait résulter que des clauses mêmes de l'acte : c'était le système de la *preuve intrinsèque.* C'était, là, un moyen de s'opposer à ce que l'on attaquât trop facilement des conventions, en prétextant l'existence de motifs illicites ou immoraux.

735. — Mais cette jurisprudence, trop rigoureuse, et qui n'avait aucune base légale, ne s'est pas maintenue. La preuve de l'immoralité ou de l'illicéité de la cause peut être faite par tous les moyens, notamment par témoins ou par présomptions (344). Le recours à la preuve extrinsèque constitue donc la règle.

Le danger d'un pouvoir d'investigation excessif des juges dans le for intérieur du débiteur n'est pas à redouter. On n'oublie pas, en effet, que s'agissant de motifs personnels, la nullité n'est encourue que si le cocontractant a pu ou aurait pu les connaître. Ces motifs ont été, en fait, *extériorisés, intégrés dans le champ contractuel.* C'est pourquoi certains auteurs considèrent qu'ils constituent la cause du contrat, non celle de l'obligation.

B. — Preuve intrinsèque

736. — Il n'y a que dans un cas particulier que l'ancien système de la preuve intrinsèque (344-1) est toujours en vigueur : c'est celui des donations faites à des enfants adultérins ou incestueux. Cela vient de ce que le Code civil (art. 335 et 342 anciens) ne permettait pas que l'on établisse en justice la preuve de la filiation adultérine ou incestueuse. Il était, par conséquent, interdit d'attaquer une donation en demandant à faire la preuve, par un moyen extérieur à l'acte, que le donataire est l'enfant adultérin ou incestueux du donateur. Le seul moyen, c'était de montrer que les clauses de la donation elle-même établissaient que la cause impulsive et déterminante de la libéralité était la croyance à l'existence du lien de filiation adultérine.

La question est aujourd'hui réglée par le législateur qui a introduit un article 908-1 au Code civil. Le texte oblige les héritiers — dans la mesure où ils sont encore admis à faire réduire une libéralité adressée à l'enfant adultérin dans les termes de l'article 908 — à prouver, intrinsèquement, que la filiation adultérine a été la cause de la libéralité :

« ... si par des indices tirés de l'acte lui-même, il est prouvé qu'elle a été la cause de la libéralité ».

---

(344) Civ., 2 janv. 1907 : *D.* 1907, 1, 137, note A. COLIN. — Civ. 3e, 10 oct. 1968 : *D.* 1969, somm. 37.

(344-1) L. MAZEAUD, *La preuve intrinsèque*, thèse Lyon, 1921.

Mais, on n'oubliera pas qu'il s'agit là d'un cas particulier. Sur le plan général, la preuve de l'immoralité ou de l'illicéité de la cause peut être faite par tous les moyens et, notamment, par témoins et par présomptions.

737. — *La conclusion* qui se dégage de l'ensemble des développements que nous venons de consacrer à la notion de cause rejoint l'analyse théorique qui a été faite sur le plan doctrinal, au début de cette étude. On s'aperçoit que la volonté des parties, même dépourvue de vices (erreur, dol ou violence), ne suffit pas pour valider le contrat. *Le contrat doit avoir une utilité économique et sociale.* Il ne peut pas devenir, entre les mains des particuliers, un moyen pour parvenir à des fins immorales ou illicites. En annulant les contrats poursuivant des buts antisociaux, le tribunal exerce un contrôle sur les contrats, au nom de l'intérêt général.

SECTION VI

EXIGENCE D'UN JUSTE PRIX CONTRACTUEL

738. — C'est là une question délicate et importante qui connaît depuis quelques années un regain d'actualité, comme en témoignent les nombreuses décisions jurisprudentielles en matière de lésion et les études doctrinales qui lui sont consacrées (345).

Après avoir précisé les données de ce problème (sous-section I), on étudiera les principaux cas de lésion sanctionnés par le législateur (sous-section II), ainsi que l'œuvre de la jurisprudence en cette matière (sous-section III); nous ferons, enfin, quelques brèves remarques concernant le régime de la lésion (sous-section IV).

SOUS-SECTION I

LA CONCEPTION DE LA LÉSION

La lésion doit, tout d'abord, être définie avec précision afin d'éviter toute confusion avec des notions voisines. On indiquera ensuite les conceptions qui, sur le plan législatif, se heurtent en présence d'un contrat lésionnaire.

---

(345) MAURY, *Essai sur le rôle de la notion d'équivalence en droit civil français,* thèse Toulouse, 1920.— ANDRONESCO, *L'inégalité des prestations dans le contrat*, thèse Paris, 1922. — P. LOUIS-LUCAS, *Lésion et contrat*, thèse Paris, 1926. — M.-A. PÉROT-MOREL, *De l'équilibre des prestations dans la conclusion d'un contrat*, thèse Lyon, 1961, préface NERSON. — D. RANDOUX, *Le juste prix des biens et des services dans les relations individuelles et commerciales...*, thèse Lille, 1973. — H. DE MESMAY, *La nature juridique de la lésion*, thèse Paris II, 1981. — Abdelkader MRABTI, *Contribution à l'étude critique de la notion de lésion*, thèse Paris II, 1986. — GHESTIN, n° 540 et s. — *Rép. dr. civ. Dalloz, V° Lésion*, par A. RIEG.

§ 1. — La définition de la lésion

Lésion et imprévision

739. — On définit, habituellement, la lésion comme étant le préjudice résultant d'un déséquilibre grave entre les prestations que se doivent réciproquement les contractants liés par un contrat à titre onéreux. Naturellement, pour qu'on puisse parler de lésion, le déséquilibre doit exister *dès la conclusion du contrat* (346). Si le prix fixé lors de la conclusion était juste, mais que, par suite de fluctuations économiques postérieures, il s'avère excessif ou insuffisant lors de l'exécution du contrat, on se trouve en présence d'*imprévision* (événement imprévu ayant profondément altéré l'équilibre initial du contrat), et non de lésion. L'imprévision pose des problèmes différents de ceux que pose la lésion ainsi qu'on le verra (346-1). On ne confondra pas non plus, la rescision pour lésion avec la *réfaction du contrat* que justifie, après coup, une exécution incomplète ou imparfaite de la part de l'un des contractants. Voici un organisme qui loue à une société une salle de 220 places pourvue de certains équipements, pour un prix de 45 000 F. La salle offerte ne présente pas la capacité voulue ni les aménagements envisagés. Le client est en droit d'opérer une réduction sur le prix convenu (10 000 F), en raison de la médiocrité des services rendus et de leur insuffisance manifeste (347). En l'espèce, la convention était équilibrée à l'origine; ce n'est que plus tard que la somme initialement convenue devient excessive compte tenu du manquement partiel du débiteur à ses obligations.

---

(346) Sur le principe que la lésion doit résulter de l'acte passé lui-même et non de faits postérieurs : Civ. 1re, 16 mai 1972 : *D.S.* 1972, 636, note A.B. (arrêt qui, en matière de vente entre cohéritiers équivalant à un partage, refuse de reporter le point de départ de la prescription au jour de la survenance du terme incertain affectant le paiement du prix). — Sur l'appréciation de la lésion au jour de l'accord des volontés, Civ. 3e, 30 mai 1984 : *Gaz. Pal.* 1984, pan. 303. — Versailles, 9 juin 1986 : *Gaz. Pal.* 9 oct. 1986, note P. FRÉMOND.

(346-1) Toutefois, en matière de propriété littéraire ou artistique, la valeur de l'œuvre ne s'apprécie pas au jour de la cession mais au jour où est engagée l'action en révision du prix.

(347) Paris, 17 mars 1987 : *D.* 1988, 219, note Jean-Régis MIRBEAU-GAUVIN. — *Adde* pour une indemnité d'immobilisation réduite *prorata temporis* en cas de renonciation anticipée du bénéficiaire d'une promesse unilatérale de vente à lever l'option : Civ. 3e, 5 déc. 1984 : *J.C.P.* 86, II, 20555, obs. G. PAISANT. — Comp. Civ. 3e, 10 déc. 1986 : *J.C.P.* 87, II, 20857, note G. PAISANT.

A. — Exigences quant au prix

1° Prix insuffisant ou excessif

740. — La lésion résulte d'un prix insuffisant ou d'un prix excessif. Si le déséquilibre provient d'une insuffisance portant sur une prestation autre que le prix, on se trouve en présence d'une *absence partielle de cause,* non d'une lésion. Assurément, le prix constituant, dans les contrats à titre onéreux, la contre-prestation due par l'un des contractants, l'insuffisance du prix est bien, elle aussi, une absence partielle de cause. Mais les règles juridiques qui gouvernent l'absence partielle de cause, en général, que nous venons d'étudier, ne s'appliquent pas à ce *cas particulier* qu'est l'insuffisance du prix. Le législateur a estimé, à tort ou à raison, que la notion de prix est par trop incertaine pour qu'un contrat puisse être attaqué pour lésion (en règle générale tout au moins). Alors que l'absence partielle de cause peut entraîner la nullité d'un contrat *quel qu'il soit,* ou du moins la réduction de l'une des obligations afin de rétablir l'équilibre, la lésion, c'est-à-dire le prix insuffisant est, en principe, sans influence sur la validité du contrat, cette règle comportant de rares exceptions.

2° Prix vil ou dérisoire

741. — La lésion doit également être distinguée du prix vil ou dérisoire. L'existence d'un prix est de l'essence même de la plupart des contrats à titre onéreux, il en est l'une des composantes. L'absence de prix — ou ce qui revient pratiquement au même, un prix dérisoire ou vil — appelle une autre sanction que la lésion, car le contrat, en ce cas, manque à la fois d'objet pour l'un des contractants et de cause pour l'autre (il s'agit, en ce cas, d'absence *totale* de cause et non d'absence *partielle*). L'absence de prix ou le prix vil ou dérisoire est une *cause de nullité de tous les contrats comportant un prix,* tandis que la lésion n'est cause de nullité que dans certains cas exceptionnels (348).

3° Prix libre ou taxé

742. — Le prix lésionnaire doit aussi être distingué des prix qui ne sont pas conformes à la *taxation légale.* On sait que dans une économie dirigée ou surveillée, le prix de certains biens ou services est réglementé par l'État. La non-observation de cette taxation est sanctionnée civilement par la nullité absolue du contrat et même pénalement, le plus souvent. La lésion,

(348) Sur la distinction du prix dérisoire et du prix lésionnaire et sur la jurisprudence s'y rapportant, v. MAZEAUD et DE JUGLART, *Principaux contrats,* 6e éd., 1984, nos 874 et 875.

au contraire, n'est sanctionnée qu'exceptionnellement et sur le plan civil seulement. Elle ne se manifeste, donc, que dans le « secteur libre », c'est-à-dire celui où le prix peut être fixé au gré des contractants. Telle est bien la situation actuelle depuis que l'ordonnance n° 86-1243 du 1er décembre 1986 a posé, à l'article 1er, que les prix des biens, produits et services sont librement déterminés par le jeu de la concurrence. Le secteur réglementé n'a pas disparu pour autant, le gouverneemnt pouvant, d'une part réglementer les prix dans les zones où la concurrence est limitée en raison de situations de monopole ou de difficultés durables d'approvisionnement, d'autre part prendre des mesures contre les hausses excessives des prix, motivées notament par un état manifestement anormal du marché (art. 1er, al. 2 et 3).

4° Prix objectif et prix subjectif

743. — Enfin, il importe de souligner que le prix auquel on se rapportera pour savoir s'il y a insuffisance ou exagération est celui qui résulte du marché et non celui qui exprime l'intérêt personnel du contractant. C'est la *valeur vénale* « objective » qui est l'élément de référence de la lésion, et non la valeur « subjective » que peut attribuer à la prestation l'un ou l'autre des contractants. Il y a lésion lorsque le prix s'éloigne de cette valeur vénale.

On peut synthétiser ces différentes précisions pour donner de la lésion la définition suivante : il y a lésion lorsque le *prix* d'un bien ou d'un service, tel qu'il a été fixé dans le contrat, *s'éloigne sensiblement de la valeur vénale*, objective, de ce bien ou de ce service.

B. — Exigences quant au contrat

744. — D'autre part, la lésion ainsi définie ne peut se manifester que dans les contrats *commutatifs,* ceux où chaque partie « s'engage à donner ou à faire une chose qui est regardée comme *l'équivalent* de ce qu'on lui donne ou de ce qu'on fait pour elle » (art. 1104). Si le contrat est *aléatoire,* l'idée d'équivalence des prestations est absente, par définition même; les parties acceptent d'avance le déséquilibre résultant des chances de gain, ou de perte; c'est ce qui a fait dire que « l'aléa chasse la lésion » (349).

Cette position de principe est rappelée dans un arrêt très explicite de la première Chambre civile de la Cour de cassation qui souligne, en même temps, que l'appréciation du caractère aléatoire d'un contrat relève du pouvoir souverain d'appréciation des juges du fond (350).

---

(349) J. DÉPREZ, *La lésion dans les contrats aléatoires : Rev. trim. dr. civ.* 1955, p. 1 et s. — ARAUD, *La rescision pour cause de lésion dans les contrats aléatoires,* thèse Toulouse, 1941. — MOURALIS, *La notion d'aléa et les actes juridiques aléatoires,* thèse Grenoble, 1958. — G. KLEIN, *Aléa et équilibre contractuel dans la formation du contrat de vente d'immeuble en viager : Rev. trim. dr. civ.* 1979, p. 13 et s. — ROLAND et BOYER, *Adages*, p. 1103.

(350) 14 juin 1977 : *Bull. civ.* I, 220. — Dans le même sens, Civ. 3e, 2 juin 1981 : *D.* 1981, I.R. 454.

745. — L'application de cette règle ne souffre aucun infléchissement dans les contrats de jeu et de pari, où il est tout à fait impossible d'apprécier, à l'origine, le profit susceptible d'être retiré par l'un des contractants et où chacun a délibérément accepté de perdre, tout en souhaitant gagner.

746. — La situation peut se présenter différemment lorsque l'une des prestations est liée à la durée de la vie humaine. En premier lieu, l'esprit de spéculation n'habite pas nécessairement l'une des parties; en second lieu, le perfectionnement des calculs fondés sur les statistiques marginalise la dose d'aléa. C'est ainsi qu'il a été jugé, en présence d'une vente d'immeuble consentie moyennant un versement comptant et une rente viagère avec réserve partielle d'usufruit au profit du vendeur, qu'il n'existait aucun aléa sérieux eu égard à l'état de santé du vendeur que connaissaient les acquéreurs (351). En sens inverse, il a été déclaré que l'âge ou l'état de santé du vendeur ne pouvaient exclure le caractère aléatoire de la vente que s'ils permettaient de prévoir une mort prochaine et que tel n'était pas le cas d'une femme âgée de 69 ans au moment de l'acte, qui ne prétendait même pas souffrir d'une santé déficiente au jour de l'audience (352).

747. — En matière de droit d'usage et d'habitation, la jurisprudence semble ferme pour exclure la lésion motivant soigneusement ses arrêts, relevant, par exemple, que les clauses de la convention privaient l'acquéreur de la jouissance immédiate des biens et lui imposaient des obligations dont la durée, l'étendue et le coût étaient indéterminés (353), ou s'appuyant sur l'âge de la venderesse, sa santé et son intention libérale (354).

748. — En tous cas, il est certain que la vente n'est pas aléatoire lorsque la rente viagère n'a été calculée qu'après coup et que le prix de vente a d'abord été fixé en capital (355). Et la même solution doit être donnée lorsque la vente déguise une donation, c'est-à-dire lorsqu'il a été stipulé un prix fictif, qui n'est pas la contrepartie du transfert du droit de propriété et que ce transfert a pour cause réelle l'intention libérale du donateur (356).

§ 2. — Les intérêts en présence

749. — La question, qu'il nous faut maintenant aborder, est celle de savoir si les contrats comportant pareil déséquilibre seront, malgré tout, valables ou bien si la partie lésée peut en demander la nullité ou, du moins,

(351) Civ. 3e, 2 oct. 1980 : *Gaz. Pal.* 1981, 1, pan. 16.

(352) T.G.I. Privas, 27 fév. 1980 : *D.* 1980, I.R. 488.

(353) Civ. 3e, 9 janv. 1979 : *Gaz. Pal.* 1979, 1, somm. 242.

(354) Nancy, 21 fév. 1979 : *D.* 1980, I.R. 116.

(355) Civ. 3e, 17 déc. 1980 : *Gaz. Pal.* 1981, 1, pan. 144.

(356) Nîmes, 28 juin 1976 : *Gaz. Pal.* 1978, 1, 38, note G. RAYMOND.

le réajustement de son prix. Les quelques explications que nous avons données en définissant la lésion ont déjà fait entrevoir la réponse : dans notre droit positif, la lésion n'affecte pas *en général* la validité des conventions; il n'en est autrement que dans certains *cas exceptionnels.* Par là, le droit français contemporain se distingue de certaines législations étrangères et rejette, également, les conceptions du droit canonique qui faisait du juste prix et du juste salaire une condition de validité des contrats. Quelle est la philosophie de notre système ?

Comme nous l'avons déjà constaté à plusieurs reprises, on se trouve, ici encore, en présence de deux attitudes possibles.

A. — Justice contractuelle

750. — On fait valoir, en faveur de l'admission de la lésion, la nécessité morale de faire régner dans les contrats la justice commutative. L'idée est ancienne; elle remonte à la doctrine des Pères de l'Église, en particulier à Saint Ambroise qui voyait un péché à ne pas contracter au juste prix; elle est développée par les théologiens et canonistes médiévaux, principalement par Saint Thomas d'Aquin, en liaison avec la prohibition biblique de l'usure.

751. — Par ailleurs, au plan de l'analyse juridique, on remarque qu'une disproportion entre les obligations qui se servent mutuellement de cause est non seulement choquante, mais également contraire à l'idée de contrat. Qui dit contrat dit échange des biens et des services; qui dit échange dit égalité ou du moins équivalence.

752. — Du point de vue social, il est irréaliste de se reposer sur le principe selon lequel chacun est gardien de ses intérêts au motif qu'il est normalement en mesure de les défendre. Les faits démentent cette assertion. La meilleure preuve s'en trouve dans la nécessité de l'intervention du législateur qui, par de multiples voies (obligation de renseignement, droit de rétractation, mentions informatives, clauses abusives), est venu réprimer l'exploitation que l'homme peut faire de l'homme. N'est-ce pas, d'ailleurs, l'un des premiers impératifs du droit que de consacrer une vigilance spéciale à l'égard de ceux qui en ont particulièrement besoin, les faibles et les inexpérimentés ?

753. — Pour toutes ces raisons, on ne saurait décider qu'un contrat lésionnaire doit être maintenu tel quel, par attachement au principe de l'autonomie de la volonté qui a pu faire dire à un économiste :

« Il n'y a pas d'autre juste prix que celui dont les parties ont convenu ».

B. — Sécurité contractuelle

754. — En sens contraire, on a fait observer que l'admission de la nullité pour lésion — ou de l'admission de la révision du prix lésionnaire — introduirait la plus grande insécurité dans la vie contractuelle. Il serait à craindre que, regrettant la conclusion d'un contrat, les particuliers ne viennent, trop souvent,à en demander la nullité, en prétextant l'existence plus ou moins réelle d'une lésion. C'est surtout en période d'*instabilité économique* que ce danger se manifeste : le contractant qui a cédé un bien contre de l'argent dont la valeur se déprécie, tente de faire annuler le contrat afin de retrouver son bien qui a échappé à l'érosion monétaire. C'est ce qui explique que les problèmes de lésion donnent lieu, depuis quelques décennies, à un contentieux si abondant.

755. — De surcroît, une autre objection naît des incertitudes de la théorie de la valeur (357). Pour ceux qui admettent que la valeur est éminemment relative et subjective, toute recherche en ce domaine est vaine; l'ancien droit ne reconnaissait-il pas la légitimité du prix d'affection, bien qu'il fût supérieur au juste prix. Mais force est d'admettre l'existence, au regard du droit, d'une valeur objective qui est la valeur vénale, toujours appréciable en argent, au besoin par les juges en cas de contestation.

756. — Le système du Code civil, en matière de lésion, se rattache à ce dernier impératif de sécurité contractuelle, en principe du moins. Il est exprimé de la façon suivante par l'article 1118 :

« La lésion ne vicie la convention que dans certains contrats ou à l'égard de certaines personnes... ».

Il est donc très important de noter que *la lésion, aussi grave soit-elle, ne vicie pas les contrats en règle générale.* Le Code civil a opté pour la stabilité des contrats, fût-ce au prix de l'injustice dont pourrait souffrir la partie lésée.

757. — Cependant, ce principe n'est pas absolu. Dans certains cas exceptionnels, la loi — le Code civil d'abord et certaines lois postérieures — a sanctionné la lésion. De son côté, la jurisprudence a été appelée à prendre parti au sujet de la lésion. Elle a dû, en premier lieu, interpréter les textes légaux dont il s'agit; elle s'est efforcée, ensuite, d'élargir quelque peu le domaine de la lésion sanctionnée, le système légal apparaissant d'une excessive sévérité. C'est ce qu'il nous faut exposer maintenant.

---

(357) DURAND, *La dette de valeur en droit français,* thèse Paris II, 1972. — L. PIERRE-FRANÇOIS, *La notion de dette de valeur en droit civil, essai d'une théorie,* 1975.

SOUS-SECTION II

LES CAS LÉGAUX DE LÉSION

758. — L'article 1118 invite à distinguer deux catégories de cas. Il vise la lésion à l'égard de certaines personnes. Cette question a été déjà étudiée et il suffit d'un simple renvoi. Nous avons vu ci-dessus que certains contrats fait par les *mineurs non émancipés* sont rescindables pour lésion et qu'il en est de même pour les majeurs ayant fait l'objet d'une procédure de mise sous *sauvegarde de justice* (358). Avant la loi du 14 décembre 1964, l'action en rescision pour lésion pouvait être intentée par les mineurs émancipés pour obtenir l'annulation de certains actes faits par eux; mais cette loi a fait disparaître ce cas de lésion; les mineurs émancipés sont désormais assimilés à des majeurs, pour les actes de la vie civile (C. civ., art. 481).

759. — L'article 1118 vise également la lésion dans certains contrats, lorsqu'ils sont faits par des personnes capables. Le texte de principe est complété par deux sortes de dispositions; les premières excluent formellement la rescision pour lésion dans l'échange (C. civ., art. 1706) et dans la transaction (art. 2052), les autres l'admettent en matière de vente d'immeuble (C. civ., art. 1674) et de partage (C. civ., art. 887, al. 2). A ces deux cas prévus par le Code civil (359) s'en sont ajoutés d'autres dans les lois postérieures.

§ 1. — La lésion dans le Code civil

A. — Lésion dans la vente

760. — L'article 1674 du Code civil prévoit le cas de lésion dans les ventes d'immeubles : si le prix de vente laisse apparaître une lésion de plus des sept douzièmes, le vendeur peut demander la rescision de la vente, c'est-à-dire sa nullité (359-1). On notera plusieurs particularités au sujet de cette lésion, relative à son domaine et à sa mise en œuvre.

(358) La lésion, dont le taux, en ces cas, n'est pas fixé par la loi, est appréciée librement par le juge. Mais la lésion doit résulter de l'acte lui-même et non d'événements postérieurs. L'achat d'une automobile par un mineur, acte valable en la forme, est rescindable pour lésion si la lésion résulte de l'acte lui-même (prix excessif), mais non du fait des condamnations encourues par ce mineur à réparer les dommages causés par ce véhicule (Civ. 1re, 4 nov. 1970 : *J.C.P.* 71, II, 16631).

(359) Le domaine prévu par le Code civil n'est pas susceptible d'extension. V. pour un refus de l'admission de la lésion dans un bail, Paris, 12 juill. 1984 : *D.* 1984, I.R. 401.

(359-1) La vente doit être entendue *stricto sensu*; en conséquence un contrat d'entretien, bien qu'il comporte accessoirement la fourniture d'ingrédients, reste pour l'essentiel un contrat de prestation de services non rescindable pour lésion : Paris, 18 oct. 1984 : *Gaz. Pal.* 1985, 1, 221.

1° Domaine

a) Protection du seul vendeur

761. — Seul le vendeur est protégé et non l'acheteur (art. 1683). Le vendeur peut obtenir la rescision si le prix est insuffisant, s'il a vendu pour 40 000 F, par exemple, un immeuble qui vaut 120 000 F (la lésion doit donc être énorme, plus des sept douzièmes du prix normal). Au contraire, l'acheteur n'est pas protégé s'il paie l'immeuble acheté à un prix excessif : le double, le triple de sa valeur ou davantage.

b) Limitation aux ventes d'immeubles

762. — La lésion ne concerne que les ventes d'immeubles et non la vente de meubles. Le vendeur d'un meuble qui serait lésé de plus des sept douzièmes du prix ne peut demander la rescision pour lésion.

Ces deux dispositions, à première vue surprenantes (pourquoi ne protège-t-on que le *vendeur* et non l'acheteur, pourquoi la protection ne vise-t-elle que les vendeurs d'*immeubles* et non de meubles), ne s'expliquent que par l'histoire.

Au Bas-Empire, une crise agricole grave avait poussé les petits paysans — les *humiliores* — à vendre leurs terres à de riches propriétaires — les *potentiores* —, pour des prix dérisoires. Des dispositions furent prises en leur faveur, en cas de *laesio enormis* (plus de la moitié de la valeur du bien). Si le mot avait existé, on y aurait vu une « loi sociale ». Lors de la rédaction du Code civil, le souvenir de la crise foncière grave consécutive à la nationalisation des terres du clergé et à leur vente massive, entraînant une chute *générale* des prix des immeubles, a agi dans le même sens.

Ces raisons paraissent aujourd'hui anachroniques; ce serait l'acheteur d'immeuble, souvent contraint à payer un prix exorbitant, qui mériterait d'être protégé. Mais le législateur ne semble pas considérer qu'il est digne de la même sollicitude.

c) Exclusion des ventes par autorité de justice

763. — Selon l'article 1684, la lésion n'a pas lieu dans les ventes qui, d'après la loi, ne peuvent être faites que d'autorité de justice. Cette restriction vise les ventes de biens de mineurs ou de majeurs en tutelle et les ventes sur saisie; ces ventes procèdent de l'autorisation ou de l'ordre du tribunal; la publicité qui est organisée, la concurrence entre les acquéreurs, la possibilité de la surenchère conduisent normalement à la fixation d'un juste prix et éliminent le risque de lésion. Ces considérations expliquent la tendance de la jurisprudence à étendre le champ de l'article 1684 et à déclarer non rescindables des ventes pourtant effectuées sous l'autorité de justice. Ainsi, la Cour de cassation, tout en reconnaissant que l'article 1684 n'est pas applicable à une vente entre majeurs maîtres de leurs droits, a décidé que l'action en rescision était exclue lorsque la licitation d'un domaine avait été imposée par le désaccord persistant des colicitants, observant que la vente, ouverte aux étrangers, offrait les garanties légales entourant les ventes publiques (360). Mais il a été décidé, sans grande cohérence, que la vente des immeubles — accomplie pendant la période préparatoire du règlement judiciaire — par le débiteur avec l'assistance du syndic et l'autorisation du tribunal, était tout de même rescindable en dépit du principe, rappelé dans le texte de l'arrêt, que rentrent seules dans l'article 1684 les ventes publiques *obligatoires*, « ventes ne pouvant être effectuées autrement qu'en justice » (361).

d) Elimination des ventes contre rente viagère

764. — Au lieu de stipuler un capital, le vendeur convient avec l'acheteur que celui-ci lui servira une rente mensuelle d'un montant déterminé, sa vie durant. Peut-il y avoir lésion dans ce genre de ventes ?

La vente en viager est un contrat aléatoire, car la durée de la vie du vendeur, créancier de la rente — le crédirentier — ne peut être connue au moment du contrat. En principe, on l'a dit, un contrat aléatoire échappe à la rescision pour lésion. Cependant, il est des cas où le montant des arrérages est si bas, qu'en réalité l'acheteur ne court aucun risque. Il en est ainsi, par exemple, lorsque le montant des arrérages est inférieur aux loyers de l'immeuble vendu. En ce cas, l'acheteur paie avec les loyers le montant de la rente et, à la mort du vendeur, il conserve l'immeuble *sans avoir, en réalité, couru aucun risque,* à aucun moment.

Il en est de même si l'âge et l'état de santé du vendeur étaient tels qu'il était pratiquement certain qu'il ne pouvait vivre que très peu de temps après la vente. Un certain nombre de décision ont admis, en ces cas, la rescision pour lésion au motif que les ventes dont il s'agit n'étaient pas aléatoires (362). Mais une analyse plus correcte a conduit, par la suite, à déclarer des ventes nulles pour *absences totale d'aléa,* c'est-à-dire *pour absence totale de cause* (363).

2° Mise en œuvre

765. — La lésion dans les ventes d'immeubles obéit à un régime restrictif; elle semble admise comme à regret, ainsi que cela résulte des dispositions suivantes.

(360) Civ. 1re, 25 avril 1984 : *J.C.P.* 84, IV, 212.

(361) Com., 8 juill. 1980 : *Gaz. Pal.* 1980, 2, pan. 500; *D.* 1981, 24, note DERRIDA.

(362) Req., 10 mai 1933 : *D.H.* 1933, 329. — Civ., 28 fév. 1951 : *D.* 1951, 309.

(363) Lorsque l'aléa n'existe pas, la jurisprudence annule généralement le contrat pour absence de cause et non pour lésion : Civ. 3e, 6 mars 1973 : *J.C.P.* 73, éd. G, IV, 153.— Civ. 1re, 26 mars 1974 : *D.S.* 1974, somm. 75. — T.G.I. Nevers, 11 avril 1973 : *D.S.* 1973, somm. 90. — Mais elle se montre parfois très sévère pour admettre l'absence d'aléa : Civ. 3e, 7 déc. 1971 : *D.S.* 1972, 275.

a) Recevabilité de la demande

766. — Aux termes de l'article 1677 du Code civil, « la preuve de la lésion ne pourra être admise que par jugement et *dans le cas seulement où les faits articulés seraient assez vraisemblables et assez graves pour faire présumer la lésion* ». Il est donc nécessaire que le demandeur fasse d'abord état d'adminicules; un simple désaccord sur l'existence de la lésion (364) ne suffit point, pas plus que des allégations manquant de précision (365). Il a même été jugé qu'un rapport officieux, ne précisant pas l'importance de la lésion constatée par référence au prix du m^2, ne rendait ni vraisemblable ni assez grave la réclamation de la partie prétendument lésée et, qu'en conséquence, la preuve de la lésion était irrecevable (366).

767. — Quant à la démonstration de la lésion, elle doit être établie par un rapport de trois experts qui seront tenus de dresser un seul procès-verbal commun et de ne former qu'un seul avis à la pluralité des voix (C. civ., art. 1678). Cette consultation, si elle est obligatoire, ne lie pas le juge qui n'est pas tenu de la suivre si sa conviction s'y oppose (367).

b) Délai pour agir

768. — L'action en rescision doit être intentée dans un délai maximum de *deux ans* à partir de la vente (art. 1676). Ce délai court contre les mineurs, les femmes mariées, les interdits (majeurs protégés) et absents (art. 1676, al. 2), autrement dit, il n'est pas suspendu par les causes qui, en général, arrêtent le cours des prescriptions. La jurisprudence en déduit que le délai de deux ans est un *délai préfix*, et non un délai de prescription (368) et que l'expiration du délai entraîne la déchéance de toute demande, même par voie d'exception (368-1).

Le point de départ du délai biennal court à compter du jour de la vente (C. civ., art. 1676) (369). L'expression, claire en soi, soulève des difficultés d'application en cas de succession d'actes se rapportant à l'opération. Les solutions suivantes sont reçues en jurisprudence :

— en cas de contestation, le délai court, non à partir de la décision qui constate l'existence de la vente, mais à compter du jour du contrat (370);

— en cas d'unicité d'acte sous seing privé portant vente d'un ensemble de propriétés et pluralité d'actes authentiques ultérieurs, il faut s'en tenir à

(364) Civ. 3e, 20 fév. 1979 : *Gaz. Pal.* 1979, 1, somm. 249.

(365) Civ. 3e, 21 juin 1978 : *D.* 1979, I.R. 150, note D. Landraud; *Bull. civ.* III, 205.

(366) Civ. 3e, 16 avril 1980 : *Gaz. Pal.* 1980, 2, pan. 463.

(367) Civ. 3e, 11 janv. 1977 : *D.* 1977, I.R. 176.

(368) Civ., 29 mars 1950 : *D.* 1950, 396.

(368-1) Civ. 3e, 6 mai 1980 : *Bull. civ.* III, no 92, p. 67.

(369) Civ. 3e, 30 mai 1984 : *J.C.P.* 84, IV, 254.

(370) Civ. 3e, 6 mai 1980 : *Gaz. Pal.* 1980, 2, pan. 463; *Bull. civ.* III, 67.

l'acte privé d'origine, dès lors qu'il révèle que le vendeur avait entendu céder la totalité de son patrimoine en une seule fois (371);

— en cas de modification du contenu de la vente, c'est le dernier acte qui sert de point de départ. Ainsi lorsqu'un terrain est passé d'une zone non constructible à une zone constructible entre l'acte privé et l'acte authentique (372); ainsi lorsque l'acte final contient des stipulations nouvelles telles l'augmentation de la rente viagère initialement prévue et l'insertion d'un droit d'usage et d'habitation au profit du vendeur (373).

Dans tous les cas, l'exception d'irrecevabilité pour tardiveté ne peut pas être relevée d'office par le juge (374).

c) Appréciation du montant de la lésion

769. — Pour que l'action en rescision soit accueillie, il est demandé une *laesio enormis* représentant plus que les sept douzièmes de la valeur du bien vendu. Deux précisions sont nécessaires : quant à la date, quant aux éléments entrant dans le prix.

770. — La date d'appréciation du prix soulève une difficulté en cas de promesse unilatérale. C'est là une situation fréquente. Il s'agit d'un *contrat unilatéral* par lequel une personne consent à une autre une promesse de vente sur son immeuble, promesse qui peut être acceptée ou non pendant un délai donné. La vente sera formée au jour où le bénéficiaire de la promesse déclare vouloir acheter, le jour de la « levée de l'option ». Or, la valeur de l'immeuble a pu changer entre le jour où la promesse a été faite et le jour où la vente définitive a été réalisée. A quel moment faut-il se placer pour savoir si la vente est ou non lésionnaire ?

Le problème s'est posé, tout d'abord, en jurisprudence. Nous verrons ci-dessous qu'il a été résolu dans le sens de l'appréciation de la lésion au jour de la réalisation de la vente. Cette solution a été, depuis, consacrée par le législateur. Une loi du 28 novembre 1949 a ajouté un 2e alinéa à l'article 1675 du Code civil qui dispose :

« En cas de promesse de vente unilatérale, la lésion s'apprécie *au jour de la réalisation* » (375).

771. — Quant aux éléments constitutifs du prix, il faut tenir compte pour le déterminer de divers éléments susceptibles de le majorer ou de le minorer. Si le domaine agricole vendu n'est pas libre d'occupation, il y a lieu de prendre en considération la moins-value résultant de l'existence du

---

(371) Civ. 3e, 21 mai 1980 : *Gaz. Pal.* 1980, 2, pan. 580.

(372) Civ. 3e, 9 juill. 1984 : *J.C.P.* 84, IV, 305.

(373) Civ. 3e, 25 janv. 1978 : *Bull. civ.* III, 43.

(374) Civ. 3e, 6 mars 1979 : *Bull. civ.* III, 43.

(375) Civ. 3e, 23 mai 1978 : *Gaz. Pal.* 1978, 2, somm. 354; *Bull. civ.* III, 165.

bail (376). En revanche, on n'a pas à tenir compte de la somme versée par l'acquéreur au locataire de l'immeuble pour faciliter l'évacuation des lieux, car cette indemnité de départ n'a pas été perçue par le vendeur (377). Il en va de même de la commission de l'intermédiaire lorsqu'il apparaît qu'elle n'a été stipulée que fictivement pour majorer artificiellement le prix (378).

d) Calcul du prix de rachat de la lésion

772. — La disposition de l'article 1681 manifeste le désir du législateur de voir la nullité de la vente prononcée le moins souvent possible. En effet, ce texte permet à l'acheteur d'éviter la nullité en offrant au vendeur le complément du juste prix *moins un dixième du prix total.* Ainsi l'acquéreur conservera, malgré tout, un certain bénéfice, tout en évitant de rendre l'immeuble. C'est ce qu'on appelle le rachat de la lésion (379).

773. — La jurisprudence renchérit à ce sujet en précisant que la faculté pour l'acheteur d'éviter de rendre l'immeuble lui est acquise, alors même que la rescision de la vente est prononcée par une décision définitive, aussi longtemps que celle-ci n'a pas été exécutée (380) et, même après l'exécution, si l'acquéreur ne l'a pas connue (381).

774. — Reste à savoir comment est calculé le prix du rachat de la lésion. La question ne paraissait pas faire difficulté. Reprenons l'exemple ci-dessus. Un immeuble dont le juste prix serait de 120 000 F a été vendu pour 40 000 F. La vente est lésionnaire, le vendeur ayant reçu moins des cinq douzièmes du prix de son immeuble; en fait il n'en a reçu que le tiers. Si l'acheteur veut éviter la nullité, il le peut en versant au vendeur 68 000 F. Cette somme était calculée ainsi :

120 000 (valeur de l'immeuble) — 40 000 (prix payé) = 80 000;

80 000 — 12 000 (le dixième de la valeur) = 68 000 F.

775. — La hausse rapide des prix des immeubles à l'époque récente a suscité un problème insoupçonné. Supposons que l'immeuble valant 120 000 F au jour de la vente (consentie pour 40 000 F) vaut 240 000 F au jour où l'acquéreur, pour éviter de le restituer, se prévaut de la règle de l'article 1681 en offrant le supplément du juste prix. Quel est ce supplément ?

(376) Civ. 3e, 13 mars 1979 : *Bull. civ.* III, 48; *Gaz. Pal.* 1979, 2, somm. 348.

(377) Com., 8 juill. 1980 : *Gaz. Pal.* 1980, 2, pan. 580; *D.* 1980, I.R. 568, note AUDIT et LARROUMET; *D.* 1981, 24, note DERRIDA.

(378) Civ. 3e, 3 fév. 1981 : *Gaz. Pal.* 1981, 2, pan. 200.

(379) Lorsque le premier acquéreur a aliéné l'immeuble, l'action en rescision peut être intentée contre le sous-acquéreur; ce dernier dispose, bien entendu, de la même possibilité de « rachat de la lésion » (art. 1681, al. 2).

(380) Bordeaux, 7 mars 1951 : *D.* 1951, 461. — Civ. 3e, 20 mars 1978 : *Bull. civ.* III, 101.

(381) Civ. 1re, 15 déc. 1954 : *D.* 1955, 254. — Civ. 3e, 15 oct. 1970 : *J.C.P.* 70, IV, 287; *Bull. civ.* III, n° 521, p. 380.

Ce problème n'avait pas été aperçu par le législateur, le Code civil de 1804 paraissant considérer que les prix, comme le franc germinal, resteraient toujours stables. Pendant un siècle et demi, la jurisprudence n'a guère eu à connaître de litige concernant le mode d'évaluation du prix de rachat de la lésion. Lorsque l'acquéreur décidait, conformément à l'article 1681, de conserver l'immeuble, le supplément du juste prix était calculé comme il vient d'être dit, à partir de la valeur de l'immeuble au jour de la vente (382). C'était là, même si on ne le disait pas expressément, une conséquence du principe nominaliste de la monnaie... !

776. — Mais, nous avons essayé de montrer que le nominalisme monétaire n'a pas cette portée (V. *Introduction*, n° 1273 et s.), que, s'il gouverne les payements de dettes de sommes d'argent libellées en francs, il ne doit pas intervenir lorsque le franc est utilisé comme monnaie de compte, comme instrument de mesure des valeurs. Or, c'est bien comme tel qu'il intervient dans le problème que nous étudions. La vente étant, par hypothèse, rescindée, c'est-à-dire annulée, l'acquéreur (ou, le cas échéant, le tiers acquéreur) doit restituer l'immeuble. S'il préfère user de la faculté que lui donne l'article 1681, et conserver l'immeuble, il en doit la *valeur.*

Quelle valeur ? Il ne peut s'agit que de *valeur actuelle* et non celle du jour de la vente qui est souvent très inférieure (383). La valeur *actuelle* est celle qui est exprimée en francs au jour du payement du prix de rachat. C'est ce que, finalement, a décidé la jurisprudence.

777. — Par deux arrêts rendus le 27 juin 1966, la première Chambre civile de la Cour de cassation (384) décide que le supplément du juste prix :

« se substituant à la restitution du bien, doit être égal à la valeur réelle de celui-ci à l'époque où doit intervenir le paiement complémentaire ».

En reprenant l'exemple ci-dessus, le montant du prix de rachat de la lésion s'établit ainsi, d'après la thèse adoptée par ces décisions : 240 000 (valeur actuelle) — 40 000 (prix payé) = 200 000; de cette dernière somme on doit encore déduire 24 000 F (dixième de la valeur actuelle du bien), c'est donc 176 000 F que doit verser l'acheteur pour conserver l'immeuble et non 68 000 F comme dans le système antérieur.

---

(382) Bordeaux, 7 mars 1951 : *D.* 1951, 461.

(383) Bien que l'action en rescision doive être *intentée* dans les deux ans de la vente, compte tenu de la longueur des instances, le moment où l'acquéreur se décide à conserver l'immeuble, en vertu de l'article 1681, peut être de cinq ou dix ans postérieurs à la vente ou davantage : entre temps le prix de l'immeuble a pu décupler...

(384) V. *D.* 1966, 629, rapp. ANCEL; *J.C.P.* 67, II, 15049, note PLANCQUEEL. — Antérieurement certaines cours d'appel s'étaient déjà prononcées en ce sens : v. Aix, 20 janv. 1964 : *J.C.P.* 64, II, 13565, note R. SAVATIER. — Paris, 13 avril 1964 : *Gaz. Pal.* 1964, 2, 272. — Paris, 8 juin 1977 : *Quot. jur.* 8 juin 1977.

778. — Cette jurisprudence approuvée par certains auteurs (385) a été critiquée par d'autres (386). On lui a reproché, notamment, de ne pas tenir compte de l'utilisation que le vendeur a pu faire, dans l'intervalle, de la somme encaissée lors de la vente (387). Il est exceptionnel, en effet, que l'on conserve l'argent liquide, et rien ne permet d'exclure l'hypothèse selon laquelle le vendeur a, de son côté, investi les sommes reçues en acquisitions qui se sont elles-mêmes réévaluées. Déduire de la valeur *actuelle* de l'immeuble, la somme numérique payée lors de la vente, peut procurer un enrichissement au vendeur, enrichissement dont il serait difficile de trouver une autre justification que le principe nominaliste, au nom duquel tant de personnes se sont, soit enrichies (si elles étaient débitrices), soit appauvries (si elles étaient créancières).

779. — Or, le nominalisme ayant été écarté pour le calcul de la valeur actuelle de l'immeuble, il apparaît choquant de le maintenir au détriment de l'acheteur seulement. Aussi, la solution donnée en 1966 fut-elle sensiblement modifiée par un arrêt de la 3e Chambre civile de la Cour de cassation, rendu le 22 janvier 1970 (388). Ce dernier déclare que si le supplément du juste prix doit bien prendre pour base la valeur actuelle de l'immeuble vendu, il ne peut être calculé « que sur la *partie impayée* du juste prix ».

En raisonnant, une fois encore, sur l'exemple schématique pris ci-dessus, le prix de rachat de la lésion prenant pour base « la partie impayée du prix », c'est-à-dire les deux tiers de ce prix, s'établira comme suit :

Les deux tiers de 240 000 = 160 000, somme de laquelle on déduira le dixième de la valeur de l'immeuble, soit 24 000. C'est donc 136 000 F seulement que l'acquéreur aura à payer pour conserver l'immeuble (et non 176 000 comme dans le système des arrêts de 1966...) (389).

780. — Ce mode de calcul a été abandonné par un arrêt du 4 décembre 1973 (390). Selon la Cour de cassation, la soustraction du dixième du prix total doit être faite sur la somme résultant des deux versements — initial et complémentaire — de l'acquéreur. En raisonnant sur les mêmes chiffres, cette déduction est donc 40 000 + 160 000 : 10 = 20 000. L'acquéreur n'a donc qu'à débourser 140 000 s'il veut garder le bénéfice de l'opération.

781. — Des difficultés surgissent encore pour l'interprétation du premier alinéa de l'article 1682 qui dispose :

« Si l'acquéreur préfère garder la chose en fournissant le supplément réglé par l'article précédent, il doit *l'intérêt* du supplément, du jour de la demande en rescision ».

---

(385) R. SAVATIER, note préc. et sa chronique où, dès 1961, il préconisait cette solution, *Le rachat de la lésion et l'instabilité monétaire : D.* 1961, chron. 199 et s.

(386) MAZEAUD et DE JUGLART, II, vol. 1, n° 221, p. 185. — LE GRIEL, *La jurisprudence récente concernant la lésion dans la vente immobilière : D.* 1967, chron. 57.

(387) PLANCQUEEL, note préc.

(388) *J.C.P.* 70, II, 16743, note PLANCQUEEL : *D.* 1970, 753, rapp. CORNUEY.

(389) Dans le même sens, Paris 23 déc. 1970 : *D.* 1972, 158, note MALAURIE.

(390) Civ. 3e : *D.* 1974, somm. 20; *Gaz. Pal.* 1974, 1, 239, note PLANCQUEEL.

Quelle est la somme sur laquelle ces intérêts seront calculés ? Il a été soutenu qu'elle ne saurait être autre que le supplément du juste prix établi en fonction de la valeur actuelle de l'immeuble (391); mais la cour de Paris avait décidé en sens contraire : ces intérêts doivent être calculés sur le montant de la lésion au *jour de la vente*, car ils sont destinés à compenser la privation de la somme complémentaire du juste prix *qui aurait dû lui être versé lors de la conclusion du contrat* (392). La controverse est aujourd'hui éteinte; la jurisprudence parisienne a été censurée par la Cour de cassation (393), le 3 mai 1972, qui estime que le supplément du juste prix que doit payer l'acquéreur qui a préféré garder l'immeuble, étant variable puisqu'il s'agit d'une quotité de la valeur de l'immeuble sujette à variations, les intérêts moratoires doivent être calculés sur un capital variable et non pas sur un capital fixe (valeur de l'immeuble au jour de la vente : système de l'arrêt censuré; valeur de l'immeuble au jour du paiement du supplément : système adopté par d'autres juridictions) (394). Mais la Cour n'indique pas la façon de calculer les intérêts du capital variable (395).

782. — Les alinéas 2 et 3 de l'article 1682 règlent des problèmes concernant la restitution des *fruits* par l'acquéreur et des *intérêts* des sommes encaissées par le vendeur, au cas où l'acheteur n'utilise pas la faculté de rachat et préfère rendre l'immeuble. En principe, les fruits et intérêts sont dus du jour de la demande.

B. — Lésion dans le partage

783. — Elle est prévue à l'article 887 du Code civil. D'après ce texte, la rescision du partage (sa nullité, autrement dit), peut être demandée par tout copartageant qui a subi une lésion de plus du quart. La règle est plus sévère que celle qui concerne la vente d'immeuble, car le partage n'est pas une opération spéculative : « l'égalité est l'âme des partages », affirme un dicton qui remonte à l'ancien droit et qui inspire encore le droit moderne.

La plus grande sévérité de la sanction de la lésion dans les partages, comparée à celle que nous venons de voir au sujet de la vente d'immeuble, se manifeste à plusieurs points de vue.

(391) PLANCQUEEL, note au *J.C.P.* 71, II, 16743, sous Civ. 3e, 22 janv. 1970.

(392) Paris, 23 déc. 1970, préc.

(393) Civ. 3e : *J.C.P.* 72, II, 17143, rapp. FABRE; *D.S.* 1972, 598, note MALAURIE; *Gaz. Pal.* 1972, 2, 897, note PLANCQUEEL; *Rev. trim. dr. civ.* 1973, 139, obs. CORNU.

(394) Lyon, 26 oct. 1971 : *J.C.P.* 72, IV, 84.

(395) Cf. MALAURIE, note *D.S.* 1972, 599, et le système adopté sur renvoi par Orléans, 14 juin 1973 : *D.S.* 1974, 485, note MALAURIE; *Gaz. Pal.* 1974, 1, 421, note PLANCQUEEL.

1° Domaine

a) Quotité de la lésion

784. — D'après l'article 887 du Code civil, il peut y avoir lieu à rescision lorsque l'un des cohéritiers établit à son préjudice une lésion de plus du quart. Le partage étant un acte non spéculatif, une lésion énorme n'est pas exigée comme dans la vente. Il suffit que l'un des copartageants n'ait pas reçu, au moins, les trois quarts de la part qui, normalement, lui revient pour pouvoir attaquer le partage. En revanche, l'octroi à un héritier d'un lot excédant d'un quart ce à quoi il pouvait prétendre ne justifie pas la rescision, si cet excédent n'entame pas la part des autres pour la ramener au-dessous du seuil de lésion.

b) Assiette de la lésion

785. — La lésion dans les partages est calculée sur l'ensemble des biens attribués au copartageant, sans distinguer si ces biens sont meubles ou immeubles. Elle doit porter sur la totalité du lot reçu par l'héritier, y compris les biens prélevés et les rapports dont il est tenu. Il n'y a pas à s'attacher à tel ou tel bien particulier, car la perte subie par tel élément du lot peut être compensée par un profit sur un autre.

c) Actes susceptibles de rescision

786. — Tous les partages sont soumis à l'article 887, alinéa 2, du Code civil, qu'il s'agisse d'un partage de succession, de communauté ou de société, qu'il ait un caractère judiciaire ou amiable. Mais que faut-il entendre par partage ? L'article 888 du Code civil désigne sous ce terme

« tout acte qui a pour objet de faire cesser l'indivision entre cohéritiers, encore qu'il fût qualifié de vente, d'échange et de transaction, ou de toute autre manière ».

Le texte ne signifie pas seulement que la règle est applicable aux actes incorrectement qualifiés par les parties, mais que sont rescindables des actes qui ne présentent pas les caractères intrinsèques d'un partage, pourvu qu'ils aient contribué à la cessation de l'indivision (396), par diminution du nombre des indivisaires ou restriction de la masse partageable. Tel est le cas de la cession de droits successifs (397).

En revanche, échappent au domaine de la lésion les actes présentant un caractère aléatoire, c'est-à-dire ceux qui portent sur des droits indéterminés, comme l'acceptation dans son lot d'un bien dont la consistance est incertaine ou d'une créance douteuse pour un prix forfaitaire, ou l'acquisi-

---

(396) Civ. 1re, 6 juill. 1982 : *Gaz. Pal.* 1982, 2, pan. 356. — Cependant les juges du fond refusent, généralement, la rescision dans les partages de communauté consécutifs à un divorce sur requête conjointe : Caen, 30 oct. 1980 : *Gaz. Pal.* 1981, 1, 45, note BRAZIER. — Versailles, 19 nov. 1980, *ibid.* p. 49, note BRAZIER. — T.G.I. Aix, 1er oct. 1981 et Paris, 9 déc. 1982 : *Rép. Defrénois* 1983, 772, obs. MASSIP.

(397) Civ. 1re, 5 déc. 1978 : *Gaz. Pal.* 1979, 1, somm. 99.

tion par un cohéritier de droits successifs faite sans fraude et à ses risques et périls (398) ou encore la promesse faite par le cessionnaire de payer la portion du passif successoral incombant au cédant ainsi que les frais et taxes alors indéterminés (398-1). Par contre, il n'y a aucun aléa de nature à faire écarter la rescision quand le cédant connaissait les forces de la succession et l'absence de dettes de celle-ci, la charge du paiement des droits successoraux ne pouvant créer dans l'esprit du cessionnaire une incertitude sur la consistance et la nature des droits qu'il acquérait (398-2). Mais le placement dans un lot d'une rente viagère ou d'un droit de nue-propriété n'empêche pas la rescision, malgré l'existence d'un aléa.

2° Mise en œuvre

a) Délai

787. — L'action en rescision du partage se prescrit par le délai de droit commun prévu à l'article 1304 du Code civil et non par le délai de deux ans comme en matière de vente d'immeuble. Ce délai était de dix ans à compter du partage. Mais la loi du 3 janvier 1968 a modifié l'article 1304 en réduisant de dix à cinq ans les délais de prescription des actions en nullité relative et des actions en rescision. La prescription sera donc de cinq ans. Il s'agit d'un véritable *délai de prescription* et non d'un *délai préfix* comme en matière de vente lésionnaire d'immeuble, et l'on considère que, la nullité étant relative, l'action peut être paralysée par une confirmation expresse ou tacite (399).

b) Titulaire de l'action

788. — La demande en rescision du partage appartient, naturellement, au copartageant lésé ainsi qu'au cessionnaire de droits successifs. Mais les dispositions de l'article 1166 sont-elles applicables au créancier du copartageant et au créancier du cessionnaire ? La réponse est affirmative et la jurisprudence constante : la cession des droits successifs ne confère pas au cessionnaire la qualité d'héritier mais le fait bénéficier de tous les avantages patrimoniaux attachés à cette qualité et, notamment, du droit de prendre part au partage ; c'est donc à bon droit qu'une cour d'appel a admis le créancier du cessionnaire à exercer, par voie d'action oblique, l'action en rescision pour cause de lésion qui lui appartenait en tant que copartageant (400).

---

(398) Civ. 1re, 28 avril 1982 : *Gaz. Pal.* 1982, 2, pan. 298; *Bull. civ.* I, 134.

(398-1) Civ. 1re, 4 fév. 1981 : *J.C.P.* 81, II, 19694, note RÉMY.

(398-2) Civ. 1re, 13 avril 1988 : *D.* 1988, I.R. 120.

(399) Civ. 1re, 11 fév. 1981 : *Bull. civ.* I, 42 (la disposition de l'art. 892 qui institue une fin de non-recevoir à l'action en rescision à l'égard du copartageant qui a, en connaissance du vice affectant le partage, aliéné tout ou partie de son lot ne s'applique qu'en cas de dol ou de violence. Le texte créant une présomption légale de confirmation doit être interprété restrictivement et ne saurait être étendu à une action fondée sur la lésion de plus du quart).

(400) Civ. 1re, 17 mai 1977 : *Gaz. Pal.* 1977, 2, somm. 227.

c) Rachat de la lésion

789. — Les copartageants qui ont bénéficié de la lésion ne peuvent empêcher la nullité du partage qu'en versant à la victime de la lésion le *complément exact de sa part;* on ne les autorise pas, comme en matière de vente d'immeuble, à conserver un certain bénéfice (le dixième de la valeur). En matière de partage, l'égalité doit être parfaite. L'article 891 du Code civil précise que le supplément de portion héréditaire peut être effectué soit en numéraire, soit en nature.

790. — Si la valeur des biens attribués aux copartageants qui ont reçu plus que leur part a augmenté depuis le jour du partage, le calcul du complément qu'ils doivent verser pour éviter la rescision se fera en tenant compte de la nouvelle valeur des biens. A cet égard, la règle est la même que celle qui régit les immeubles.

Il en résulte que le mécanisme de la rescision pour lésion implique deux calculs successifs; l'un opéré à la date du partage pour déterminer l'existence et l'étendue de la lésion, l'autre au jour du paiement pour chiffrer le supplément (401).

791. — S'agissant des fruits perçus dans l'intervalle, l'héritier peut cependant les conserver, lorsqu'il est de bonne foi, jusqu'au jour de la demande en rescision. Lorsqu'il y a offre de complément de part, la règle d'équivalence des deux modes de libération prévue à l'article 891 conduit à décider que le copartageant avantagé doit les intérêts à compter de la même date, s'il remplit la même condition de bonne foi (402).

Tels sont les seuls cas de lésion prévus par le Code civil.

§ 2. — La lésion dans les lois postérieures

A partir du début du XXe siècle, de nouveaux cas de lésion sanctionnée apparaissent en législation :

792. — 1° Une loi du 8 juillet 1907, modifiée par une loi du 10 mars 1937, concerne la *vente d'engrais* et *diverses autres denrées destinées à l'agriculture.* Cette loi permet à l'*acheteur* lésé de plus du *quart* de demander la réduction du prix et même, le cas échéant, des dommages et intérêts.

(401) Paris, 26 sept. 1984 : *D.* 1984, I.R. 466. — C'est en matière de partage que la règle de l'évaluation du complément de part au jour du paiement avait d'abord été affirmée : Ass. plén. 9 mars 1961 : *D.* 1961, 505, note ANCEL; *J.C.P.* 61, II, 12091, note VOIRIN. — Civ. 1re, 12 mars 1963 : *D.* 1963, 567.

(402) Civ. 1re, 19 avril 1977 : *Gaz. Pal.* 1978, 1, 14, note PLANCQUEEL; *Rev. trim. dr. civ.* 1978, 396, obs. R. SAVATIER.

On remarquera que cette loi protège l'*acheteur* lésé et non le vendeur (c'est donc le système inverse de celui du Code civil relatif à la vente d'immeuble). Cela s'explique par le but que poursuit ici le législateur : protection des agriculteurs contre les marchands d'engrais et autres denrées visées par la loi, lesquels abusaient trop souvent de l'ignorance des acheteurs pour demander des prix exorbitants.

Cette loi se justifiait, peut-être au début de ce siècle, l'information des agriculteurs étant alors insuffisante, mais aujourd'hui, elle apparaît quelque peu anachronique. Elle n'est guère appliquée.

793. — 2° Rappelons, ici, la loi du 29 avril 1916 (reprise par l'art. 15, L. 7 juill. 1967) sur *l'assistance et le sauvetage maritime.* Lorsque les conditions convenues ne sont pas équitables, le contrat peut être annulé ou révisé. La lésion est sanctionnée, en ce cas, dans les deux sens : prime de sauvetage *excessive* ou prime de sauvetage *insuffisante.* On se rappelle que cette loi avait été précédée par la jurisprudence qui annulait la convention de sauvetage lorsqu'il apparaissait que le consentement n'avait pas été donné librement (on admettait la nullité pour consentement vicié par la *violence).* Elle est, on le sait, étendue à la navigation aérienne.

794. — 3° Citons, également, la loi du 11 mars 1957 sur *la propriété littéraire et artistique.* L'article 37 de cette loi prévoit le cas de la cession d'une œuvre de l'esprit moyennant un *prix forfaitaire.* Si ce prix apparaît être lésionnaire de *plus des sept douzièmes,* l'auteur pourra demander la révision du contrat de cession. Mais la loi précise que :

« La lésion sera appréciée en considération de l'ensemble de l'exploitation par le cessionnaire des œuvres de l'auteur qui se prétend lésé ».

795. — 4° La loi du 10 juillet 1965 fixant le *statut de la copropriété des immeubles bâtis* a introduit dans son article 12, sous le terme révision, un nouveau cas de lésion. Cet article dispose :

« Dans les cinq ans de la publication du règlement de copropriété au fichier immobilier, chaque propriétaire peut poursuivre en justice la révision de la répartition des charges si la part correspondant à son lot est supérieure de plus d'un quart, ou si la part correspondant à celle d'un autre copropriétaire est inférieure de plus d'un quart, dans l'une ou l'autre des catégories de charges, à celle qui résulterait d'une répartition conforme aux dispositions de l'article 10. Si l'action est reconnue fondée, le tribunal procède à la nouvelle répartition des charges.

Cette action peut également être exercée par le propriétaire d'un lot avant l'expiration d'un délai de deux ans à compter de la première mutation à titre onéreux de ce lot intervenue depuis la publication du règlement de copropriété au fichier immobilier ».

796. — 5° On peut considérer comme inspirés par l'idée de lutte contre la lésion, les textes qui imposent une limite au taux de *l'intérêt de l'argent.* Le dernier texte en ce sens est très important : c'est la loi n° 66-1010 du 28 décembre 1966. L'intérêt est jugé excessif lorsqu'il dépasse soit de plus de 25 % le taux pratiqué par les banques pour des opérations de risque similaire, soit de 100 % le rendement moyen des obligations ayant fait l'objet d'une émission à la même époque, étant précisé que le second des deux paramètres joue comme un maximum qui ne peut être dépassé en aucun cas. Au-dessus de ce maximum, les intérêts sont considérés comme *usuraires* (l'usure est d'ailleurs un *délit pénal*). Le débiteur peut donc faire réduire les intérêts supérieurs à ce maximum autorisé.

797. — 6° La loi du 16 juillet 1971 a institué, dans le cadre des *sociétés d'attribution* (constituées en vue de l'attribution d'immeubles aux associés), une action en remboursement lorsque la charge incombant à un associé excède de plus du quart la contribution qu'il doit supporter. Inversement, si les obligations d'un associé sont inférieures de plus du quart au montant de sa contribution, tout autre membre de la société est en droit de réclamer à l'associé avantagé les versements auxquels il a échappé.

798. — 7° Certaines lois ont pour but de *prévenir* la lésion en imposant, lors du contrat, une *obligation d'informer* l'acquéreur pour permettre à ce dernier de connaître la valeur du bien acquis. Il en est ainsi de la loi du 29 juin 1935 qui, dans son article 12, impose au vendeur d'un fonds de commerce de déclarer le chiffre d'affaires, les bénéfices des trois dernières années, etc. Depuis, un très grand nombre de textes ont prévu cette obligation de renseignement dans les domaines les plus variés : crédit différé, démarchage financier, vente de véhicules automobiles, contrats de location, etc.

799. — 8° On rappellera que certains *prix* sont *taxés* par voie réglementaire. En ce cas, le problème de la lésion ne peut plus se poser : du moment que le prix taxé n'a pas été respecté, le contrat est nul comme ayant un objet illicite. Le domaine de la rescision pour lésion est limité au secteur de l'activité économique où les prix peuvent être librement débattus.

800. — 9° On ajoutera, enfin, que diverses opérations sont interdites, par crainte, précisément, de leur caractère lésionnaire. Tel est le cas du pacte commissoire dans le gage qui autorise le créancier à conserver le bien gagé en règlement de la dette, en lui conférant d'avance et de plein droit la propriété en cas de non-paiement. Cette clause est prohibée par l'article 2078 du Code civil, la valeur du bien gagé étant toujours très supérieure à la dette garantie. Citons encore la loi du 14 décembre 1926 sur l'interdiction de la vente à tempérament des valeurs à lot et la loi du 5 novembre 1953 interdisant les ventes dites « à la boule de neige ».

Tel est, en s'en tenant à l'essentiel, le domaine de la lésion sanctionnée prévu par le Code civil et les lois postérieures au Code. Mais ce serait donner une vue incomplète du problème si on passait sous silence l'œuvre de la jurisprudence en cette matière.

SOUS-SECTION III

L'ŒUVRE JURISPRUDENTIELLE EN MATIÈRE DE LÉSION

801. — La jurisprudence a eu à résoudre de nombreux problèmes concernant la lésion. On se bornera à retenir, ici, son apport en ce qui concerne l'analyse du *fondement* de la lésion et ses tentatives d'*extension du domaine d'application* de la lésion.

§ 1. — Le fondement de la lésion en jurisprudence

802. — C'est là un problème classique qui divise la doctrine. Il s'agit de savoir *pourquoi* un contrat lésionnaire est annulable ou, du moins, révisable. Deux conceptions opposées s'affrontent sur la réponse qu'il convient d'apporter à cette question (402-1). Voyons en quoi consiste la controverse, avant d'exposer l'attitude de la jurisprudence.

A. — Éléments de discussion

1° La lésion, sanction d'un vice du consentement

803. — Selon une première conception, la lésion est un vice du consentement ou, plus exactement, la lésion n'est sanctionnée que parce qu'elle laisse entrevoir l'existence d'un vice du consentement : erreur, dol ou violence. Pourquoi, en effet, un des contractants aurait-il accepté des conditions si désavantageuses ? Cela ne peut s'expliquer, déclare-t-on, que par l'existence d'un consentement vicié. Le principal argument, en ce sens, est tiré de la place même qu'occupe l'article 1118 dans le Code civil. Cet article figure dans une section du Code intitulée : « Du consentement » (403).

Si la lésion était un vice du consentement, pourquoi le législateur ne l'a-t-il admise que dans des cas si rares ? L'erreur, le dol, la violence, sont des causes de nullité *dans tous les contrats,* et pas seulement dans les quelques rares contrats où la lésion a été sanctionnée. Il est impossible d'affirmer, d'une part, qu'un prix lésionnaire ne peut s'expliquer que par l'existence d'un consentement vicié, tout en admettant, d'autre part, que la

(402-1) VALMONT, *Fondement juridique de la lésion entre majeurs,* thèse Paris, 1948.

(403) On ajoute, au sujet de la vente d'immeuble, que l'on conçoit que l'on puisse, pressé par le besoin, être contraint de *vendre*, mais qu'on ne conçoit pas que l'on puisse être contraint d'acheter... Remarque totalement *irréaliste* qui ne mérite pas que l'on s'y arrête.

lésion n'est cause de nullité que dans des hypothèses exceptionnelles. Par ailleurs, à suivre cette conception, on imposerait au demandeur une double preuve : celle de l'altération du consentement et celle d'un déséquilibre entre les prestations réciproques, alors que, pour les autres vices du consentement, on se contente d'une démonstration unique, celle de l'erreur, celle du dol ou celle de la violence.

2° La lésion, sanction de l'iniquité contractuelle

804. — Selon une deuxième conception, la lésion est sanctionnée parce que le contrat lésionnaire est un *contrat injuste,* par conséquent un contrat reposant sur une *cause immorale.* Cette théorie se rattache à la conception du droit canonique selon laquelle, nous l'avons dit, un contrat n'est valable que s'il comporte un juste prix ou un juste salaire. Il n'y a pas lieu de se préoccuper de l'arrière-plan psychologique et des atteintes qui ont pu être portées à la volonté. Seul compte le déséquilibre mathématique relevé entre la prestation fournie et l'obligation assumée en retour. Puisque l'inéquivalence suffit, la lésion ne constitue qu'un cas particulier de la théorie de la cause : le contrat lésionnaire est annulé ou réduit pour défaut partiel de cause.

La première conception est dite *subjective* parce qu'elle analyse les qualités du consentement émis par le sujet de droit; la deuxième conception est dite *objective* parce qu'elle ne se préoccupe pas du consentement, et se borne à analyser objectivement la situation, en mesurant simplement l'étendue respective des prestations.

La même objection doit conduire à rejeter la deuxième conception. Si les contrats comportant un grave déséquilibre des prestations étaient nuls parce qu'ils reposent sur une cause immorale, pourquoi cette sorte d'immoralité serait-elle, en règle générale, indifférente ? On perd de vue que l'immoralité de la cause entraîne la nullité de *tous* les contrats (C. civ., art. 1131 et 1133), alors que la lésion n'est sanctionnée qu'*exceptionnellement...*

805. — Si l'on veut expliquer le système de la lésion, *tel qu'il est consacré par le droit français,* il ne faut pas perdre de vue que le principe adopté, la règle générale suivie, rejette la nullité pour lésion. Normalement, la lésion ne vicie pas les conventions (C. civ., art. 1118); ce n'est qu'exceptionnellement qu'une sanction a été prévue. Pour comprendre cette matière, il faut, donc, rendre compte, tout ensemble, et de la règle générale (absence de sanction de la lésion), et des exceptions — au reste rares — que le législateur a apportées à cette règle.

3° La lésion, défense d'un intérêt supérieur

806. — Ainsi présenté, le problème est facile à résoudre. La règle générale se justifie par le désir du législateur de maintenir la *stabilité des contrats.* A tort ou à raison, le législateur a estimé que la possibilité, trop largement accordée, d'attaquer un contrat sous prétexte de lésion, serait une cause de trouble profond dans les relations contractuelles dont la stabilité importe à l'équilibre de la vie des affaires.

Mais ce principe — quelle que soit sa valeur — peut être tenu en échec par un autre principe qui lui serait supérieur. Il y a des cas où des idées socialement plus importantes encore que le maintien du contrat militent en faveur de la sanction de la lésion. Mis en présence d'un choix à opérer entre deux solutions, le législateur opte pour celle qui lui paraît la plus impérieuse. Telle a été, nous semble-t-il, la méthode adoptée par le législateur.

807. — La lésion admise en matière de vente d'immeuble a été inspirée par le souci de protéger la valeur du sol contre un effondrement des prix (phénomène économique qui s'était justement produit pendant l'époque révolutionnaire). Lors des travaux préparatoires, cette idée a été exprimée par certains orateurs et par Bonaparte lui-même : il importe de protéger la valeur du sol de la patrie... Entre le désir de stabilité des contrats et celui de protection de la valeur de la terre, assise de la classe sociale dominante à l'époque (le Code civil, a-t-on remarqué, est un Code bourgeois et terrien), le législateur a donné la préférence à ce dernier. On comprend bien, alors, que seul le vendeur, et non l'acheteur, soit protégé. C'est la *baisse* des prix qui était redoutée sur le plan économique et social, non la hausse. Sur ce point, notre Code civil est très en retard sur les faits. C'est la hausse excessive du prix des immeubles qui est, aujourd'hui, le mal à combattre sur le plan social.

Quant au partage, c'est la vieille idée d'« égalité, âme des partages », gage de paix et de bonne entente entre les membres de la famille, qui explique l'admission de la rescision pour lésion.

La loi de 1907 sur la vente d'engrais est une loi dont l'objectif véritable était la protection de l'agriculture et de la classe des agriculteurs, objectif d'ordre social et économique, dépassant le simple souci de la protection de tel ou tel consentement vicié. Nous avons fait remarquer ci-dessus que, de nos jours, cette loi paraît, elle aussi, sans rapport avec la réalité.

808. — Il est inutile de reprendre un à un tous les cas de lésion admis par le législateur. Seule la méthode de raisonnement devait être montrée : celle-ci recherche non pas le fondement de *la lésion,* mais le fondement des *diverses lésions* admises, chacune d'elles pouvant obéir à des préoccupations particulières.

Il n'est donc pas exclu que, dans quelque hypothèse, l'idée qui a guidé le législateur soit l'existence présumée d'un vice de consentement. Il en sera ainsi pour la lésion admise « à l'égard de certaines personnes » inexpérimentées (mineurs), ou mal armées pour se défendre (diminués mentaux); il pourrait en être de même en ce qui concerne les conventions d'assistance et de sauvetage maritime, conclues sous la contrainte le plus souvent. Mais, dans d'autres hypothèses, ce sont des considérations plus générales, de portée économique et sociale, ayant donc un caractère *objectif,* qui sont les vrais fondements de la lésion. Ainsi, selon les cas, le fondement de la lésion n'est pas le même. Cette façon de voir les choses permet de concilier les divers aspects de la théorie de la lésion en droit positif français.

Reste à se demander quelle a été l'attitude de la jurisprudence en présence de cette controverse.

B. — Prise de position

809. — La Cour de cassation a rendu plusieurs décisions relatives au fondement de la lésion, mais toutes ces décisions — du moins parmi celles qui sont généralement citées — sont relatives à la lésion en matière de vente d'immeuble. On ne peut pas y trouver l'expression d'une conception sur l'ensemble des cas de lésion sanctionnée.

Si l'on reste sur le terrain de la lésion dans la vente d'immeuble, il ne fait pas de doute que la Cour de cassation a rejeté la théorie subjective qui rattache la lésion à un vice du consentement.

1° Promesse unilatérale

810. — De nombreux arrêts ont statué sur le cas des promesses de vente d'immeuble. Au moment de la promesse, le prix fixé correspondait bien à la valeur de l'immeuble, mais le bénéficiaire, qui dispose souvent de larges délais pour lever l'option, ne donne son consentement que plusieurs années après. Or, à ce moment, celui où la promesse de vente devient une vente parfaite, la valeur de l'immeuble a considérablement augmenté. Y a-t-il lésion ? L'acquéreur prétendait que celle-ci doit s'apprécier compte tenu de la valeur de l'immeuble au jour de la promesse, car c'est ce jour-là que le consentement du vendeur avait été exprimé. Mais la Cour de cassation a déclaré que la lésion s'apprécie au jour de la vente (404). On sait, d'ailleurs, que cette jurisprudence a été officiellement consacrée par la loi du 28 novembre 1949, qui a ajouté un deuxième alinéa à l'article 1675 du Code civil précisant nettement que la lésion s'apprécie, non au moment où le consentement du promettant a été exprimé, mais au moment de la réalisation de la vente. Si donc l'appréciation de la lésion est reportée à une date postérieure à l'expression de la volonté, c'est que le subjectivisme n'y a aucune part et que seul entre en compte le montant objectif de la prestation.

2° Vente d'immeuble

811. — L'analyse de la lésion en tant que vice objectif de la vente, et non en tant que vice du consentement, est clairement faite dans de nombreux arrêts. Ainsi, on peut lire dans une décision de la Chambre des requêtes du 28 décembre 1932 (405) que :

(404) Civ., 14 nov. 1916 : *D.* 1921, 1, 34. — Civ. 3e, 23 mai 1978 : *Bull. civ.* III, 165.

(405) *D.* 1933, 1, 87, rapp. DUMAS.

« La lésion légalement constatée est, par elle-même et par elle seule, une cause de rescision, *indépendamment des circonstances qui ont pu l'accompagner ou lui donner naissance* ».

et encore plus nettement dans un arrêt, rendu par la même Chambre de la Cour de cassation le 21 mars 1933 (406) :

« L'article 1674 ne subordonne l'action en rescision à aucune autre condition que celle de la lésion matérielle et pécuniaire dont il fixe l'importance par rapport à la valeur de l'immeuble vendu, sans exiger la preuve d'une contrainte morale ni d'un dol dont aurait souffert le vendeur ».

Les juridictions du fond déclarent qu'il est complètement inutile de rechercher dans quelles conditions les vendeurs ont signé l'acte litigieux et que seul importe le point de savoir quel était le prix de la chose vendue au jour de la vente (407).

On ne peut rejeter plus clairement l'idée selon laquelle la lésion serait un vice du consentement.

3° Autres espèces

812. — Cette même conception objective de la lésion a été adoptée par la jurisprudence dans d'autres espèces où les problèmes débattus intéressaient l'application des règles de procédure ou de droit international privé. S'agissant de la procédure, il a été jugé que le vendeur de l'immeuble, débouté en première instance d'une action en nullité pour vice du consentement, ne pouvait alléguer la lésion en appel : il y a là une demande nouvelle ayant une cause différente, ce qui marque bien qu'on ne saurait réduire la lésion à un vice du consentement (408). S'agissant du droit international privé, la jurisprudence décide que la rescision pour lésion ne relève pas de la loi compétente en matière de vice du consentement, mais dépend de la loi de situation de l'immeuble litigieux (409). Pareillement, il a été jugé que dans les partages, la lésion existe en dehors de toute fraude ou manœuvre (410).

L'œuvre de la jurisprudence n'a pas consisté seulement à préciser le fondement de la lésion; elle a porté, également, sur le *domaine de la lésion,* qu'elle a réussi à étendre quelque peu au-delà des limites trop étroites tracées par le législateur. C'est le dernier point qu'il nous faut exposer.

(406) *D.H.* 1933, p. 235. — Dans le même sens, Civ., 21 avril 1950 : *S.* 1951, 1, 57; *J.C.P.* 50, II, 5800, rapp. CAVARROC, parmi de nombreuses autres décisions.

(407) Par exemple Rouen, 28 sept. 1976 : *Gaz. Pal.* 1977, 1, 123, note G. RAYMOND.

(408) Civ., 3 janv. 1951 : *S.* 1952, 1, 58; *Rev. trim. dr. civ.* 1952, 235, obs. CARBONNIER. — Civ. 3e, 21 mai 1979 : *Bull. civ.* III, n° 110.

(409) Paris, 9 janv. 1931 : *S.* 1931, 2, 145, note AUDINET. — Req., 29 juin 1931 : *Rec. crit. dr. int. pr.* 1932, 295.

(410) Req., 25 juin 1935 : *D.H.* 1935, 474.

§ 2. — L'extension de la lésion en jurisprudence

813. — Malgré les termes restrictifs de l'article 1118 qui énonce clairement que la lésion ne vicie pas les conventions en dehors des cas prévus par la loi, on peut relever un certain nombre de matières où le contrat lésionnaire a conduit les tribunaux à un réajustement des prix paraissant excessifs.

A. — Réduction des honoraires

814. — On peut citer, en ce sens, le contrôle qu'exercent les tribunaux sur les *rémunérations exigées par certains professionnels, notamment par les agents d'affaires.* Les *rémunérations excessives* sont réduites par les tribunaux. Bien entendu, l'idée de lésion n'est pas invoquée, la loi n'ayant pas prévu cette hypothèse parmi les cas où la lésion est sanctionnée. Les tribunaux font plutôt appel à l'idée de gratuité du mandat (!), d'absence partielle de cause (disproportion entre le service rendu et la rémunération exigée) ou à l'idée d'abus de droit. En réalité, il s'agit là d'une *jurisprudence prétorienne* qui, sans véritable base légale, et souvent sans en indiquer les motifs, admet ce nouveau cas de lésion.

Bien que les agents d'affaires aient été visés plus spécialement (411), ce contrôle des rémunérations excessives a été admis à l'égard d'autres professions : honoraires des avoués, des avocats (412), des notaires et des banquiers.

Quelques décisions l'ont admis à l'égard des généalogistes (413), mais la Cour de cassation, considérant — à tort selon nous — que le contrat du généalogiste est aléatoire, refuse de réduire la rémunération stipulée (414). Mais il peut être annulé pour *absence totale de cause.*

B. — Révision du prix

815. — La jurisprudence contrôle également le *prix de cession des offices ministériels* (charges des notaires, avoués, etc.). Ce qui est remarquable, c'est que ce prix de cession est soumis, tout d'abord, à l'agrément de la

---

(411) Req., 28 mai 1913 : *S.* 1915, 1, 116. — Soc., 8 juill. 1942 : *Gaz. Pal.* 1942, 2, 177. — Civ. 1re, 14 janv. 1976 : *J.C.P.* 76, II, 18388. — Com., 23 mai 1978 : *Bull. civ.* IV, 146.

(412) Civ. 1re, 24 fév. 1981 : *Bull. civ.* I, n° 63 (la réduction par le juge des honoraires de l'avocat n'autorise pas le plaideur à répéter la somme versée en trop !).

(413) Toulouse, 13 mars 1968 : *D.* 1969, 155.

(414) Civ. 1re, 17 avril 1956 : *D.* 1956, 427; *Rev. trim. dr. civ.* 1956, 714, obs. H. et L. Mazeaud. — Paris, 7 oct. 1958 : *D.* 1958, 717.

Chancellerie, car il y a là un problème qui intéresse l'ordre public. Or, malgré l'agrément donné par la Chancellerie, l'acquéreur d'une charge d'officier ministériel pour un prix excessif, peut obtenir en justice la réduction du prix lorsqu'il ne correspond pas à la valeur réelle de l'office (415).

La nécessité d'un juste prix en ce domaine traduit un souci de protection des usagers de l'office. On redoute, le prix d'acquisition étant trop élevé, que le cessionnaire ne cherche à récupérer sur les clients l'excédent du prix qu'il a dû acquitter ou qu'il ne soit tenté, aux mêmes fins, d'augmenter les revenus de sa charge par des procédés déloyaux.

C. — Nullité pour vileté du prix

816. — Les tribunaux ont recouru au concept de vileté du prix pour étendre la lésion à des ventes que les textes ne permettaient pas de rescinder. Le prix vil doit être soigneusement distingué du prix dérisoire. Lorsque la somme versée est insignifiante (dérisoire), il y a en réalité défaut de prix, donc de cause, et l'on reste extérieur à la lésion. Il en va différemment en présence d'un prix vil; ici, le prix existe, il n'est pas minimum au point de considérer qu'il est inexistant; seulement il est trop inférieur pour avoir un rapport avec la valeur de la chose; autrement dit la vileté du prix n'est qu'un qualificatif hypocrite de la lésion.

Bien entendu, la nullité à ce titre est exclue en présence d'un contrat aléatoire, tel un bail à nourriture (415-1).

817. — La nullité pour vileté du prix se sépare de la rescision pour lésion à trois points de vue. D'abord son domaine est infiniment plus large puisqu'il couvre tous les contrats de vente, non pas seulement les ventes immobilières; ensuite la vileté suppose un préjudice considérable, une lésion énormissime, bien supérieure à celle des sept douzième; enfin ce quantum de lésion qui n'est pas, par hypothèse, fixé par le législateur, est abandonné à la sagesse du juge.

D. — Facilité probatoire

818. — Notons, enfin, que si la lésion n'est pas sanctionnée directement — en dehors des hypothèses exceptionnelles admises par la loi, auxquelles on peut ajouter les rares cas admis par la jurisprudence — elle peut l'être *indirectement.* Le contractant, victime d'un prix lésionnaire, peut soutenir et essayer de prouver que la cause de la lésion qui entache son contrat est

(415) Req., 13 juin 1910 : *D.* 1910, 1, 368; *S.* 1913, 1, 347. — Req., 19 oct. 1904 : *D.* 1905, 1, 13.

(415-1) Civ. 1re, 26 avril 1988 : *D.* 1988, I.R. 130.

l'existence d'un vice du consentement (erreur, dol ou violence). La lésion établie ne sera alors retenue qu'en tant qu'*élément de preuve d'un vice du consentement* qui suffit, à lui seul, à provoquer la nullité du contrat. La lésion n'est pas, en ce cas, le fondement de la nullité du contrat, mais elle contribue à *prouver* l'existence d'une autre cause de nullité : l'erreur, le dol ou la violence.

Si le contrat est lésionnaire, le juge admettra avec une certaine facilité l'existence d'un vice du consentement.

SOUS-SECTION IV

LE RÉGIME DE LA LÉSION

§ 1. — La preuve de la lésion

1° Application du droit commun

819. — En ce qui concerne *l'objet de la preuve*, rappelons qu'elle *est unique* : il n'est pas besoin de prouver que le consentement a été vicié par dol, erreur ou violence; il suffit d'établir le fait objectif de la lésion, c'est-à-dire, selon les cas, l'insuffisance du prix dans la vente, l'infériorité du lot dans le partage, l'excès de rémunération demandée dans le mandat, etc. Il y a là une conséquence de l'adoption par la jurisprudence du caractère objectif de la lésion.

Pour le reste, le régime probatoire est soumis aux règles du droit commun. La preuve doit être faite par le demandeur,c'est-à-dire par celui qui se prétend lésé; le déséquilibre peut être établi par tous les moyens puisque la lésion est un fait juridique. A cette règle, une exception remarquable est apportée par le législateur en matière de vente d'immeuble (C. Civ., art. 1678). Il est exigé du plaideur une démonstration préalable rendant vraisemblable l'injustice contractuelle; il doit, nécessairement, être recouru à une expertise contrairement à la règle de principe qui en fait une mesure d'instruction facultative pour le juge; il faut que l'établissement de la lésion résulte d'un rapport de trois techniciens, alors que d'ordinaire on se contente d'un seul expert pour limiter les frais.

La disposition de l'article 1678 étant dérogatoire au droit commun est insusceptible d'extension; par exemple, elle n'est pas applicable à la cession de droits litigieux (415-2).

(415-2) Civ. 1re, 13 avril 1988 : *Bull. civ.* I, n° 99, p. 67.

2° Preuve de l'intention libérale

820. — Cependant, le défendeur peut soulever une objection. Il peut prétendre que l'insuffisance du prix s'explique par *l'intention du cocontractant de lui faire une libéralité.* Le vendeur d'immeuble, par exemple, savait très bien que le prix stipulé était inférieur aux cinq douzièmes de sa valeur, mais il avait entendu faire don de cette différence à l'acheteur (hypothèse fréquente si le bien est vendu à son enfant, mais qui peut se présenter même en dehors de ce cas). Cette preuve n'est pas interdite (416). Cependant, l'article 1674 du Code civil déclare que la clause de l'acte de vente selon laquelle le vendeur « aurait déclaré donner la plus-value » n'empêche pas l'action en rescision. On a craint, en effet, que le vendeur ne souscrive à cette clause, lors de la vente uniquement sous la pression du besoin d'argent. Cette clause n'est donc pas une preuve de l'intention de faire don du surplus. L'acquéreur qui entend prouver que la portion de valeur excédant le prix lui a été donnée a l'obligation d'établir l'intention libérale par d'autres moyens que par l'affirmation du vendeur inscrite à l'acte. Mais c'est la seule règle restrictive de preuve. Tous les autres moyens tendant à prouver l'intention de donner le surplus sont recevables. Il en serait ainsi, notamment, d'une déclaration émanant du vendeur, *postérieurement* à l'acte de vente (on estime que cette déclaration n'est plus suspecte, puisque la vente est déjà conclue).

L'article 1674 concerne les ventes d'immeubles, mais la règle posée doit être généralisée. Elle serait appliquée, par analogie, à tous les cas de lésion.

§ 2. — La sanction de la lésion

Les développements antérieurs ont déjà montré qu'elle est, tantôt la rescision, tantôt la révision du prix.

1° La rescision

821. — C'est une sorte d'action en nullité. Elle s'apparente aux nullités relatives puisque seul le contractant lésé peut l'intenter. De ce caractère, on tire, également, que la confirmation est possible, que le moyen est d'intérêt privé et qu'il est interdit au juge de le relever d'office. Elle diffère de la sanction des contrats comportant un prix vil ou dérisoire, qui sont sanctionnés par une action en nullité absolue.

Le souci de ruiner le moins possible la force obligatoire du contrat ainsi que d'éviter les inconvénients de la rétroactivité expliquent les particulari-

(416) On se trouve alors en présence d'un acte complexe : à titre onéreux, en partie, à titre gratuit pour une autre partie : Civ. 1re, 16 juill. 1959 : *D.* 1960, 185, note SAVATIER. — Civ. 3e, 7 avril 1976 : *Bull. civ.* III, n° 144, p. 114.

tés de l'action en rescision, notamment la brièveté du délai — deux ans au lieu de cinq — et son caractère préfix interdisant tout allongement consécutif à l'interruption ou à la suspension. De plus, l'acquéreur ou les copartageants peuvent éviter l'annulation en offrant un supplément de prix ou de part, ce qui a l'avantage de maintenir l'opération en l'adaptant aux exigences de la justice.

2° La révision

822. — On entend par là le redressement du prix : sa réduction s'il est excessif, son augmentation s'il est insuffisant. Les lois qui ont admis la lésion, postérieurement au Code civil, édictent, généralement, ce genre de sanction. C'est le cas de la loi du 8 juillet 1907 sur la vente d'engrais qui n'accorde qu'une action en diminution du prix, de la loi du 11 mars 1957 qui envisage la révision du droit d'exploitation de l'auteur, de la loi du 28 décembre 1966 qui sanctionne la lésion dans le prêt à intérêt en ramenant le taux au maximum légal, de la loi du 7 juillet 1967 sur la convention d'assistance maritime qui ouvre à l'assisté une option entre l'annulation et la modification, de l'article L. 411-13 du Code rural qui permet au bailleur ou au preneur d'un bail rural ayant contracté à un prix supérieur ou inférieur d'au moins un dizième à la valeur locative, de demander au tribunal paritaire, au cours de la troisième année de jouissance, de fixer le prix normal du fermage (417).

La voie de la révision est la meilleure : elle assure la stabilité et la justice des contrats, ce qui est incontestablement une solution préférable à la destruction rétroactive de la convention lésionnaire.

(417) Civ. 3e, 21 déc. 1987 : *J.C.P.* 88, II, 21005.

CHAPITRE IV

LES SANCTIONS DES RÈGLES DE VALIDITÉ DU CONTRAT

823. — L'inobservation des règles de formation et de validité des contrats est sanctionnée de diverses façons. En général, la sanction est *la nullité de l'obligation et, par voie de conséquence, la nullité du contrat* (1). La nullité se reconnaît à un double critère : d'un côté, l'existence d'un vice contemporain de la formation du contrat, de l'autre la disparition rétroactive des engagements souscrits. Elle se distingue, d'abord, de la *caducité*, en ce qu'ici le contrat est parfaitement régulier à l'origine et que c'est un événement postérieur qui lui fait perdre son efficacité; elle se sépare, encore, de la *résolution* qui naît également de faits postérieurs à l'accord des volontés, à savoir l'inexécution totale ou partielle des prestations prévues, et qui entraîne, comme la nullité, l'anéantissement rétroactif de la convention (1-1).

La nullité n'est pas la seule sanction de l'inobservation des règles de validité du contrat.

L'étude de la lésion a permis de voir qu'en dehors de la nullité — appelée alors *rescision* — la sanction peut consister en un réajustement du prix. Et il en est de même dans l'hypothèse de l'absence partielle de cause (C. civ., art. 1601).

(1) Il importe, en effet, de préciser qu'alors même que l'irrégularité ne concerne qu'une *obligation* contractuelle, la nullité opère à l'égard du *contrat,* dans son ensemble. Cela est évident si le contrat est *unilatéral.* Mais il en est de même s'il est synallagmatique. Dans ces derniers contrats les obligations sont *interdépendantes.* Si l'une d'elles, affectée d'un vice, est annulée, l'autre ne saurait lui survivre, faute de cause. Malgré les critiques qui lui ont été faites, l'article 1108 est rédigé correctement lorsqu'il énonce que le consentement et la capacité de la *partie qui s'oblige,* l'objet et la cause licite de l'*obligation*, sont des conditions de validité des *conventions.* En pratique d'ailleurs, on demande la *nullité du contrat* en faisant valoir la *nullité de l'obligation.*

(1-1) Pour cette distinction, v. Civ. 1re, 12 fév. 1975, et Com., 3 mars 1975 : *J.C.P.* 76, II, 18463, note LARROUMET.

L'étude du dol et de la violence a montré que des *dommages et intérêts* peuvent être prononcés, en plus de la nullité, ou à la place de la nullité (en cas de dol incident, notamment).

L'étude des clauses abusives a mis en lumière le mécanisme du « *réputé non écrit* ». Si, dans la théorie classique, le concept se ramenait à la nullité de la seule clause vicieuse, il en va autrement dans la législation sur la protection du consommateur; la faculté de faire tomber la clause abusive redonne au demandeur lésé les avantages qu'elle avait pour but d'écarter (retour au droit commun de la responsabilité, par exemple); le droit d'agir des associations de consommateurs élargit l'impact de la nullité en atteignant, non pas un contrat isolé, mais un modèle de contrat.

824. — La nullité elle-même n'est pas toujours possible ou n'est pas toujours efficace.

Certes, si le contrat n'a pas encore été exécuté, sa nullité sera facile à mettre en œuvre. Il suffira à la partie, à qui on demande l'exécution, d'opposer la nullité de son obligation; elle le fera en invoquant *l'exception de nullité,* position purement défensive.

Les choses sont plus complexes si le contrat a été exécuté. Pour en obtenir la nullité, il faut intenter *l'action en nullité* : c'est là une position d'attaque, une position offensive.

825. — Si la nullité est prononcée, les choses doivent être remises en l'état antérieur, chaque partie devant restituer à l'autre la prestation reçue. Mais cela n'est pas toujours possible. Si l'une des prestations consistait en la jouissance d'une chose ou dans un travail déjà fourni, la nullité du contrat ne pourrait pas conduire à l'effacement rétroactif de ce qui a été irrémédiablement accompli. D'autres obstacles encore peuvent empêcher la remise des choses dans l'état antérieur, ainsi que nous le verrons. La nullité sera alors remplacée, en tant que sanction, par l'allocation de dommages et intérêts.

826. — Enfin, il faut se rappeler que certaines règles de formation des contrats — notamment des *règles de forme* — n'intéressent pas seulement les parties contractantes, mais encore les tiers. La non-observation des règles prescrites dans le seul intérêt des tiers est sanctionnée, non par la nullité du contrat, mais par son *inopposabilité* à ceux que la loi veut protéger (2). L'inopposabilité s'oppose à la nullité sous le rapport de l'étendue de ses effets; le contrat demeure valable entre les parties et les obligent normalement, mais les tiers peuvent le tenir pour inexistant. Si une vente d'immeuble n'a pas été publiée à la conservation des hypothèques, les tiers peuvent juridiquement l'ignorer; par contre, les parties sont pleinement engagées : l'acheteur doit délivrer le bien et le vendeur le payer.

---

(2) BASTIAN, *Essai d'une théorie générale de l'inopposabilité*, thèse Paris, 1929. — DUCLOS, *L'opposabilité,* L.G.D.J., 1984, préface MARTIN.

827. — L'éventail des sanctions des règles de formation et de validité des contrats est donc très large. Dans ce chapitre, on ne retiendra, cependant, que deux questions : celle de la *nullité,* à laquelle sera consacrée la 1re section; dans une 2e section, nous examinerons la sanction qui s'attache à la *simulation.* La simulation est le fait de cacher ses véritables intentions : un contrat apparent est conclu, mais, d'un commun accord, les parties conviennent que leur véritable convention est différente. Il va falloir se demander si cette simulation est licite ou non, et quel est, le cas échéant, l'effet de la simulation à l'égard des parties et à l'égard des tiers.

SECTION I

NULLITÉ DU CONTRAT

828. — Tout au long des développements consacrés à la formation et à la validité des contrats, nous avons fait de nombreuses allusions à cette sanction. Cela nous permettra d'être maintenant assez bref à son sujet. On se bornera à rassembler un certain nombre de notions déjà aperçues et à apporter à leur sujet des explications complémentaires, afin de donner une vue d'ensemble de la question des nullités (3).

Nous examinerons successivement, en deux sous-sections, le régime de la nullité et les conséquences de la nullité.

SOUS-SECTION I

LE RÉGIME DE LA NULLITÉ

829. — Une question préliminaire domine le système de la nullité, celle de la distinction des nullités relatives et des nullités absolues (§ 1). Ce problème exposé, il y a lieu d'envisager la procédure de la nullité (§ 2) et de déterminer si l'acte nul peut être validé et, dans l'affirmation, de quelle manière, par confirmation (§ 3) ou par régularisation (§ 4).

(3) R. JAPIOT, *Des nullités en matière d'actes juridiques*, thèse Paris, 1909. — PIEDELIÈVRE, *Des effets produits par les actes nuls*, thèse Paris, 1911. — LUTRESCO, *Essai sur les nullités des actes juridiques à caractère patrimonial*, thèse Paris, 1938. — KAYSER, *Les nullités d'ordre public: Rev. trim. dr. civ.* 1939, 1115. — *Inexistence, nullité et annulabilité en droit civil: Travaux Association Capitant*, t. XIV, 1962, J. CHEVALIER, p. 513 et G. DURRY, p. 611. — R. OTTENHOF, *Le droit pénal et la formation du contrat civil*, thèse Rennes, 1970. — V. aussi WEILL et TERRÉ, *op. cit.*, n° 285 et s. — FLOUR et AUBERT, *op. cit.*, n° 319 et s. — GHESTIN, *op. cit.*, n° 731. — MALAURIE et AYNÈS, n° 350 et s. — LARROUMET, n° 524 et s. — MAZEAUD et CHABAS, *op. cit.*, n° 292 et s.

§ 1. — La dualité des nullités

A. — Principe de la distinction

830. — On classe traditionnellement les nullités en deux catégories distinctes, les unes appelées nullités *relatives*, les autres nullités *absolues*. Qu'est-ce qui distingue ces deux sortes de nullité ? Quel est le *critère* qui permet de qualifier une nullité de « relative » ou d'« absolue » ?

831. — D'après une théorie dite classique, la nullité est relative lorsque l'un des éléments de formation du contrat est entaché d'un *vice*, tandis que la nullité serait absolue si l'un des éléments de formation du contrat est *totalement absent*. On illustre cette opposition en donnant l'exemple suivant : un consentement vicié par l'erreur, le dol, la violence, entraîne la nullité relative du contrat; en cas d'erreur sur la cause ou la nature de l'obligation, le consentement serait non pas vicié, mais *inexistant*, ce qui conduirait à proclamer la nullité absolue du contrat.

832. — Cette théorie n'a aucune base légale et aucune justification; elle n'a guère été admise en jurisprudence. Le critère de distinction des deux sortes de nullités se trouve dans la nature des intérêts qui sont en jeu.

Si la règle légale violée avait pour but la protection d'un *intérêt particulier* (3-1), la sanction sera une nullité relative. Si la règle légale qui n'a pas été observée avait été prescrite dans un *intérêt général* ou, à plus forte raison, si elle intéressait l'*ordre public* ou les *bonnes mœurs*, la sanction sera une nullité absolue.

833. — Doit-on admettre une troisième sanction, en plus de ces deux sortes de nullité, cette troisième sanction étant ce qu'on a appelé l'*inexistence* de l'acte ? Nous aurons à revenir sur cette question dans un moment, lorsqu'on se demandera si la nullité d'un acte juridique, d'un contrat, notamment, nécessite toujours une proclamation judiciaire, à la suite d'une action en nullité. Disons, dès maintenant, que l'*inexistence* n'est pas, à proprement parler, une troisième sanction de l'irrégularité des actes juridiques. *L'inexistence est une situation de fait.* On ne peut parler d'inexistence que si l'acte n'a pas la moindre apparence formelle. En ce cas, point n'est besoin d'une action en justice pour le faire admettre. En revanche, si un acte existe, quelque grave que soit l'irrégularité qui l'entache, sa nullité doit être constatée en justice, en cas de litige (4).

(3-1) Com., 17 janv. 1989 : *D.* 1989, I.R. 39 : réaffirmation du principe à propos de la nullité des actes ou délibérations en matière de société.

(4) Sur la notion d'inexistence, v. WEILL et TERRÉ, n° 291. — CARBONNIER, t. I, n° 43.

B. — Domaine respectif des deux nullités

834. — Par application du critère de l'intérêt en jeu, les nullités relatives sont celles qui sanctionnent la non-observation des règles relatives à la capacité d'exercice (celle des *mineurs* et des *majeurs protégés* à cause de leur état mental ou de leurs infirmités graves), celles qui sont relatives au consentement (aussi bien les *vices du consentement* que *l'absence de consentement)*, à *l'absence de cause* ou *d'objet*, et à la *lésion*. Dans toutes ces hypothèses, ce sont exclusivement des intérêts privés qui sont en cause, la nullité sera donc relative.

835. — La nullité sera absolue lorsque la règle non observée intéresse, non seulement les parties à l'acte, mais des tiers, et, à plus forte raison, l'ordre public ou les bonnes mœurs (5). Seront donc frappés de nullité absolue les contrats qui engendrent des obligations dont l'objet ou la cause sont illicites ou immoraux. Les règles concernant les *incapacités de jouissance* sont également justifiées par des intérêts généraux. Il est très grave, en effet, de priver une personne de tel ou tel droit (par exemple de celui de faire ou de recevoir des libéralités); le législateur n'institue ce genre d'incapacité que si l'ordre public ou les bonnes mœurs le commande.

L'inobservation des formes prescrites *ad solemnitatem* est également, en règle générale, une cause de nullité absolue (6). En effet, lorsque le législateur, abandonnant la règle du consensualisme, impose des formes pour donner l'existence juridique à un acte (par exemple la forme notariée pour un contrat de mariage, pour un contrat d'hypothèque, etc.), il le fait pour des considérations d'intérêt général. L'inobservation de ces règles de forme est sanctionnée par la nullité absolue. A vrai dire, la jurisprudence est parfois plus nuancée et recherche, lorsque les intérêts généraux et particuliers sont imbriqués, quels sont ceux que le législateur a eu principalement en vue. Ainsi, l'interdiction de la vente entre époux assurait en même temps la défense d'objectifs généraux (statut du mariage, famille...) et la défense des époux l'un contre l'autre (éviter que la vente ne dissimule une donation qui, de ce fait, serait irrévocable). En l'espèce, les tribunaux considéraient que l'intérêt privé l'emportait et qu'en conséquence la nullité était seulement relative (7).

---

(5) Com., 30 oct. 1972 : *D.* 1974, 239, note GHESTIN (vente non conforme à la réglementation du crédit : cf. SAYAG, *La nullité des ventes non conformes à la réglementation du crédit : J.C.P.* 72, I, 2451.

(6) Civ. 1re, 28 nov. 1972 : *J.C.P.* 73, II, 17461, note DAGOT; *Rép. Defrénois* 1973, art. 30403, note MORIN (nullité absolue, pour vice de forme, d'une donation par acte authentique ne portant pas la signature du donataire, prononcée à la demande de la donatrice).

(7) V. MAZEAUD et CHABAS, n° 303. — WEILL et TERRÉ, n° 297 et les références en note. La loi du 23 déc. 1985 a supprimé l'art. 1595, C. civ.

§ 2. — La procédure de la nullité

836. — A l'opposé de la nullité des actes de procédure qui est en principe textuelle, *pas de nullité sans texte* (7-1), la nullité des actes juridiques est, au contraire, le plus souvent virtuelle (7-2) : il n'est pas demandé que la prescription ou la prohibition soit édictée au texte « à peine de nullité »; la sanction est automatiquement attachée à la violation de la norme, même si le législateur ne l'a pas spécifié. Toujours en constraste avec les règles du droit judiciaire, l'adage pas de « nullité sans griefs » ne régit pas le contrat; le demandeur n'a pas à rapporter la preuve d'un quelconque préjudice que lui causerait l'irrégularité : la seule constatation du vice suffit pour obtenir la nullité (7-3).

Le classement bi-partite des nullités n'intéresse pas l'ensemble du régime procédural. Ainsi que nous allons le voir, le recours au juge est toujours nécessaire dans les deux cas. La dualité se retrouve, par contre, lorsqu'il s'agit de déterminer quels sont les titulaires de l'action et dans quel délai elle s'éteint.

A. — Nécessité du recours à la justice

837. — Ecartons, tout d'abord, le cas où l'acte n'a pas la moindre apparence formelle : ces actes sont *en fait* inexistants juridiquement, et il n'est pas nécessaire de faire constater cette inexistence en justice. Il est évident, par exemple, qu'un contrat de mariage ou une hypothèque fait verbalement ou sous seings privés doit être tenu pour inexistant sans aucune procédure judiciaire préalable. Au contraire, dès l'instant que le contrat, quoique vicié *in ovo,* revêt extérieurement l'aspect d'un acte juridique, il y a là une apparence qu'il est nécessaire de détruire. Cette exigence de l'intervention du juge est particulièrement sensible dans les contrats d'adhésion qui se présentent avec toutes les formes extérieures de la régularité et dans lesquels se glissent souvent des clauses abusives. Ces clauses ont beau être réputées non écrites par le législateur, il ne suffit pas à l'adhérent d'en proclamer la vanité pour convaincre son partenaire, professionnel puissant; il y faut le poids de l'autorité de justice. Le législateur l'a bien compris qui a créé une action en suppression des clauses abusives qui donne au juge le pouvoir de les faire disparaître *matériellement* du document contractuel.

(7-1) ROLAND et BOYER, *Adages*, p. 739.

(7-2) V. GHESTIN, n° 728.

(7-3) Civ. 3e, 22 fév. 1989 : *D.* 1989, I.R. 87 : tenue irrégulière d'une assemblée de copropriétaires faute d'avoir pris en compte le pouvoir de l'un d'eux; bien qu'il n'y ait aucune incidence sur la majorité, il y a lieu à annulation.

838. — Pour autant, la situation ne se présente pas de la même manière selon que le contrat a déjà été réalisé ou qu'il n'a pas encore reçu un commencement d'exécution.

839. — *Le contrat a été exécuté* (en tout ou en partie). — En ce cas, celui qui prétend qu'il est nul doit l'attaquer par une *action en nullité.* La nullité — qu'elle soit relative ou absolue — n'est jamais automatique; elle doit être prononcée par le tribunal à la demande de la partie qui a *qualité pour intenter l'action,* ou d'office dans les seuls cas où l'ordre public est intéressé. Nous avons déjà eu l'occasion de dire que l'expression « nul de droit », que le législateur emploie quelquefois, ne signifie pas nullité automatique, mais que, dans ces cas, le tribunal n'a pas de pouvoir d'appréciation : si la nullité est demandée, il doit la prononcer dès lors que la cause de la nullité est établie.

840. — La situation est différente si *le contrat nul n'a pas été exécuté.* En ce cas, il suffit d'attendre que l'exécution en soit exigée pour soulever la nullité. On est alors sur la défensive. Le contractant, qui a la qualité voulue pour invoquer la nullité, se bornera donc, lorsqu'on lui demandera l'exécution de sa promesse, à invoquer l'*exception de nullité.*

Cependant, ce contractant n'est pas obligé d'adopter cette attitude purement défensive. Il peut vouloir prendre les devants et, avant même que l'exécution du contrat ne soit exigée, il peut l'attaquer par une *action en nullité.* En d'autres termes, si le contrat n'a pas été exécuté, sa nullité peut être obtenue, soit par le jeu de l'action en nullité, soit par celui de l'exception de nullité.

B. — Titulaires du recours à la justice

On distinguera les nullités relatives et les nullités absolues.

1° Les nullités relatives

841. — Elles ne peuvent être invoquées que par les personnes dont les intérêts étaient protégés par la règle de droit violée, celles dans l'intérêt desquelles cette règle avait été instituée (8). Seul le mineur ou son représentant peut invoquer une nullité relative fondée sur l'inobservation d'une règle concernant sa capacité. Seule la victime du dol, de l'erreur ou de la violence peut invoquer la nullité pour vice du consentement, etc. C'est précisément pour cela que ces nullités sont dénommées *relatives* : elles n'existent que *relativement aux personnes* dont les intérêts sont protégés.

---

(8) Civ. 3e, 1er avril 1971 : *J.C.P.* 72, II, 16998, note GHESTIN (seul le fermier, bénéficiaire du droit de préemption, peut faire annuler la vente, conclue au mépris de ce droit, mais qui reste parfaitement valable dans les rapports entre les parties). — Civ. 1re, 30 nov. 1983 : *J.C.P.* 84, IV, 45 (seuls les héritiers réservataires peuvent intenter l'action en nullité d'une donation déguisée entre époux).

Il en résulte, par exemple, que le contrat fait irrégulièrement par un mineur ne pourra pas être attaqué par son cocontractant : celui-ci ne saurait se prévaloir d'une irrégularité qui, par hypothèse, ne le concerne pas. Il en serait de même des contrats entachés d'erreur, de dol, de violence, de lésion ou d'absence de cause ou d'objet. Ce qui conduit à remettre entièrement entre les mains du titulaire de l'action en nullité, incapable ou contractant au consentement vicié, le sort de l'acte, sans qu'il y ait aucune possibilité pour l'obliger à prendre parti.

Bien entendu, en cas de mort de celui qui aurait pu demander la nullité, celle-ci peut être demandée par ses héritiers ou légataires qui recueillent son patrimoine : l'action en nullité se trouve parmi les éléments de ce patrimoine (9).

842. — Du vivant de l'intéressé, l'action en nullité relative peut être *cédée* en même temps que le bien au sujet duquel le contrat nul a été conclu. Supposons un mineur ayant vendu son immeuble; la vente est nulle car, normalement, elle aurait dû être faite par son représentant, autorisé par le conseil de famille et, le cas échéant, par le juge des tutelles. Devenu majeur, il peut revendre l'immeuble une deuxième fois à une autre personne, vente cette fois valable. En concluant cette deuxième vente, le vendeur a nécessairement transféré à son deuxième cocontractant le droit de se prévaloir de la nullité de la vente précédente. En cas de litige entre le premier et le second acquéreur, ce dernier pourra donc opposer la nullité de la première vente, que son vendeur lui a cédée en même temps que le bien.

843. — Ajoutons, enfin, que les créanciers d'une personne insolvable peuvent, en vertu de l'article 1166 du Code civil, exercer les droits et actions que leur débiteur néglige d'exercer lui-même. Bien que la question ait suscité la controverse, on admet, en général, que les créanciers peuvent, à ce titre, intenter les actions en nullité relative appartenant à leur débiteur (10).

844. — *En résumé,* l'action en nullité relative ne peut être exercée que par la personne dont les intérêts sont protégés par la règle de droit violée, et par tous ceux qui agissent *de son chef,* représentants, héritiers, acquéreurs des biens au sujet duquel la nullité existe, créanciers exerçant l'action oblique...

845. — Encore convient-il de réserver le cas de la fraude qui peut conduire à une ouverture plus large de l'action en nullité. Voici une copropriété ne comportant que deux personnes : l'un des copropriétaires souhaite procéder à une surélévation, l'autre veut s'y opposer; du fait de la règle posée à l'article 22 de la loi du 10 juillet 1965 (réduction à la somme

---

(9) Il existe des dérogations à ce principe. Par exemple, la nullité pour défaut de consentement dû à un trouble mental ne peut être invoqué par les ayants cause universels de l'incapable que dans les trois cas énumérés à l'art. 489-1, C. civ.

(10) Civ., 6 juill. 1909 : *D.* 1911, 1, 81, note de LOYNES; cf. *Rép. dr. civ. Dalloz, V[is] Action oblique*, n° 38. — J.-L. AUBERT, *Le droit pour le créancier d'agir en nullité des actes passés par son débiteur : Rev. trim. dr. civ.* 1969, n° 692 et s.

des voix des autres copropriétaires des voix dont dispose le copropriétaire possédant une quote-part des parties communes supérieures à la moitié), le copropriétaire, sachant qu'il ne pourrait seul faire obstacle au projet de l'autre, fait appel à un comparse à qui il vend une cave, ce qui permet de compter ce dernier comme troisième copropriétaire et de dégager à son profit une majorité d'opposition. Les juges du fond décident que le copropriétaire victime de cette fraude est recevable et fondé à demander l'annulation de la vente bien qu'il n'y ait pas été partie (11).

2° Les nullités absolues

846. — Elles peuvent être invoquées par tous ceux qui ont intérêt à voir déclarer la nullité du contrat. C'est d'ailleurs là la raison de la dénomination de ces nullités : « absolues », cela doit s'entendre en ce sens que tout intéressé peut agir; la nullité existe au profit de toute personne qui entend s'en prévaloir, dès lors que celle-ci peut faire état d'un intérêt. Selon les cas, cet intérêt peut être d'ordre matériel (pécuniaire) ou simplement moral.

Mais si un intérêt est suffisant, un intérêt est cependant nécessaire. On doit se garder d'affirmer, comme on le fait quelquefois, que les nullités absolues peuvent être invoquées par *tous*, sans autre condition. L'expression exacte est « *par tout intéressé* ». C'est là une règle générale de *procédure.* L'accès aux tribunaux est réservé à ceux qui y ont intérêt, « pas d'intérêt, pas d'action » (11-1). Cette règle s'applique même aux nullités absolues.

Ces précisions apportées, la nullité absolue peut être invoquée par l'un ou l'autre des contractants, ainsi que par leurs héritiers, leurs créanciers, et tous ceux à qui le contrat nul peut nuire, matériellement ou moralement. Il faut, cependant, qu'un rapport étroit existe entre l'intérêt invoqué et la cause de la nullité (12). Ainsi le tiers qui n'a aucune relation juridique antérieure avec les parties, le *penitus extraneus,* ne peut-il, en principe, agir en nullité; le voisin n'est pas admis à poursuivre la nullité de la vente d'un immeuble contigu au motif que l'acheteur en fait un usage qui le dérange. La loi écarte dans certains cas, pour des raisons d'opportunité, certaines personnes du nombre de celles qui sont autorisées à demander la nullité absolue (13).

847. — Parmi les titulaires de l'action, on doit faire une mention spéciale des représentants de l'autorité publique. D'abord, le parquet, chargé de veiller à l'exécution des lois, peut se manifester comme partie principale en

(11) T.G.I. Grasse, 15 déc. 1978 : *J.C.P.* 79, II, 19246, note E.-J. GUILLOT. — Civ. 3e, 6 juill. 1982 : *Rép. Defrénois*, 1983, art. 33027, note SOULEAU.

(11-1) ROLAND et BOYER, *Adages*, p. 724.

(12) V. not. Req., 3 nov. 1932 : *D.* 1932, 1, 181, rapp. cons. DUMAS. — Paris, 5 juill. 1954 : *D.* 1954, 706.

(13) V. par exemple, C. ass., art. L. 326-10 permettant à l'assuré seul de demander l'annulation des clauses de déchéance contraires à l'ordre public figurant dans le contrat d'assurance.

introduisant lui-même l'action en nullité, au cas où les parties s'abstiendraient de le faire. Le Code de procédure civile contient deux dispositions à cet égard; l'article 422 d'après lequel le ministère public agit d'office dans les cas spécifiés par la loi, l'article 423 aux termes duquel « en dehors de ces cas, il peut agir pour la défense de l'ordre public à l'occasion des faits qui portent atteinte à celui-ci ».

Autrement dit, le ministère public a l'obligation de faire valoir les nullités absolues lorsque la loi l'a spécialement prévu; il est juge de l'opportunité de le faire lorsque l'incorrection du contrat relève de l'ordre public.

Quant au tribunal, il est habilité à relever d'office les moyens de pur droit, à condition de provoquer les explications contradictoires des parties (14); en outre, selon l'article 125 du Nouveau Code de procédure civile, il est tenu de relever d'office les fins de non-recevoir qui ont un caractère d'ordre public, mais a toute latitude pour celle tirée du défaut d'intérêt.

C. — Extinction du recours à la justice

848. — Il s'agit de la prescription extinctive résultant de l'écoulement d'un délai, plus ou moins long. Un texte général, l'article 2262 du Code civil, énonce :

« Toutes les actions, tant réelles que personnelles, sont prescrites par 30 ans ».

Le texte gouverne-t-il l'action en nullité, que celle-ci ait un caractère absolu (1°) ou relatif (2°) ? S'applique-t-il, aussi, à la nullité opposée par voie de défense, c'est-à-dire à l'exception de nullité (3°) ?

1° Prescription trentenaire de la nullité absolue

a) Action en nullité et action en restitution

849. — En ce qui concerne les actions en nullité absolue, on déclare, en général, que l'article 2262 leur est applicable : après trente années d'inaction, le contrat ne pourrait plus être annulé (14-1).

850. — Sous cette forme, l'affirmation n'est pas exacte. Il est évident que le contrat dont l'objet ou la cause est illicite ou immoral ne deviendra pas valable au bout de trente ans. Un bail, par exemple, destiné au fonctionnement d'une maison de jeu pourra toujours être annulé, quel que soit le délai

(14) Art. 16, al. 3, N.C.P.C. dans sa rédaction issue du décret du 12 mai 1981. La divergence existant entre diverses Chambres de la Cour de cassation a été levée par un arrêt rendu en Chambre mixte d'après lequel le principe du contradictoire doit être respecté même pour les moyens d'ordre public : 10 juill. 1981 : *D.* 1981, 637, concl. CABANNES; *Rev. trim. dr. civ.* 1981, 677, obs. NORMAND et 805, obs. PERROT. — *Adde*, Civ. 3e, 27 avril 1983 : *J.C.P.* 83, IV, 208.

(14-1) M. BANDRAC, *La nature juridique de la prescription extinctive en matière civile*, Économica, 1986, préface P. RAYNAUD, p. 152.

qui s'est écoulé depuis sa conclusion. Le temps ne saurait avoir raison de la transgression d'une règle tendant à la protection des intérêts de la communauté juridique. *Quod nullum est nullo lapsu temporis convalescere potest* : ce qui est nul ne peut être validé par aucun laps de temps (14-2). La jurisprudence a pris parti pour l'imprescriptibilité de l'action en nullité absolue à propos, notamment, d'une vente nulle pour défaut de prix sérieux (14-3); cette position a été réaffirmée par la suite pour cette raison que les actes nuls de nullité absolue sont dépourvus d'existence légale (14-4).

851. — La situation serait différente si la nullité tendait à la restitution des prestations effectuées en vertu d'un contrat immoral ou illicite. *L'action en restitution se prescrit par trente ans.* Si, donc, la demande en nullité a pour but la restitution de la chose remise en vertu d'un contrat nul il y a plus de trente ans, la prescription de trente ans pourra être opposée : la nullité serait sans intérêt dès lors qu'elle ne peut aboutir à la restitution. C'est dans cette mesure seulement qu'il est exact de dire que la nullité absolue se prescrit par trente ans (15).

Le point de départ de cette nullité trentenaire est le jour où le contrat a été formé.

b) Dépassement de la prescription trentenaire

852. — Faut-il considérer que la prescription trentenaire constitue la durée maximale de l'action quel qu'en soit le fondement ? La question peut se poser du fait que les deux prescriptions (absolue et relative) n'ont pas le même point de départ, si bien que la prescription trentenaire risque d'être acquise avant que ne soit achevée la prescription abrégée de l'action en nullité relative. Imaginons la victime d'une erreur, ne la découvrant qu'au bout de 29 ans; elle a, nous allons le voir, cinq ans pour agir, ce qui porte le délai à 34 ans. L'action en nullité reste-t-elle recevable nonobstant l'achèvement de la prescription de droit commun ? La réponse est affirmative pour ceux qui font prévaloir la protection du titulaire de l'action; elle est négative pour ceux qui donnent la préférence à la sécurité juridique. Le seul arrêt rendu en la matière a pris parti pour la première opinion (16).

2° Prescription quinquennale de la nullité relative

853. — Les actions en nullité relative sont soumises à un texte spécial : l'article 1304 du Code civil. Ce texte institue, en ce qui les concerne, une

---

(14-2) ROLAND et BOYER, *Adages*, p. 880 et s.

(14-3) Civ., 16 nov. 1932 : *S.* 1934, I, 1, note P. ESMEIN.

(14-4) Civ., 1re, 10 juin 1986 : *Bull. civ.* I, n° 159, p. 159. — Com., 28 avril 1987 : *D.* 1987, I.R. 119; *Rev. trim. dr. civ.* 1987, 746, obs. MESTRE.

(15) Req., 5 mars 1879 : *D.* 1880, 1, 145, note BEUDANT. — Civ., 6 nov. 1895 : *D.* 1897, 1, 25; *S.* 1896, 1, 5, note Ch. LYON-CAEN. — Civ. 1re, 25 juin 1983 : *Bull. civ.* I, n° 39; *D.* 1983, 317, note BRETON; *Rev. trim. dr. civ.* 1983, 749, obs. CHABAS.

(16) Paris, 22 juill. 1853 : *D.* 1855, 2, 155. — V. FLOUR et AUBERT, n° 353.

prescription qui était de *dix ans* lors de la rédaction du Code et que la loi n° 68-5 du 3 janvier 1968 a ramené à *cinq ans.*

a) Fondement

854. — On justifie, en général, cette prescription plus rapide par l'idée de *confirmation tacite.* Celui qui, pouvant agir en nullité, ne l'a pas fait pendant cinq ans, renonce tacitement à demander la nullité de l'acte. La majorité des auteurs jugent cette analyse artificielle et considèrent que c'est l'intérêt général qui justifie le raccourcissement du délai, à savoir le besoin de sécurité juridique, fondement de toute prescription. La nullité relative faisant dépendre le sort du contrat de la seule décision de la personne protégée, il n'est que légitime que les autres intéressés, spécialement le cocontractant, ne restent pas trop longtemps dans l'incertitude :

« la faveur faite aux attributaires ou à l'attributaire unique de l'action doit être équilibrée par un contre-poids, l'obligation de l'exercer sans trop tarder, sous peine d'en perdre le bénéfice » (17).

b) Point de départ

855. — L'idée de confirmation tacite explique, pour ses partisans, le report du point de départ de la prescription; il n'est pas fixé au jour de la conclusion du contrat, mais au jour où celui-ci aurait pu être confirmé (17-1) : découverte de l'erreur (18) ou du dol, cessation de la violence, majorité ou émancipation pour l'incapable mineur, connaissance de l'acte annulable pour le majeur protégé lorsqu'il se trouve en situation de le refaire valablement. De plus, dans tous les cas d'incapacité, le délai ne commence à courir contre les héritiers de l'incapable que du jour du décès.

856. — Les alinéas 2 et suivants de l'article 1304 ne prévoient pas toutes les causes de nullité relative. Que décider, dans le silence des textes, s'agissant du défaut de consentement dû à un trouble mental, de l'inobservation des règles de forme des donations, de la violation d'une règle d'ordre public de protection ? Une première manière de voir consiste à soutenir que l'article 1304 est d'interprétation étroite et, qu'en dehors des prévisions textuelles, la prescription court, comme pour les nullités absolues, à compter du contrat. Un second raisonnement, se fondant sur l'identité de motifs, préconise la généralisation de l'article 1304 et soutient que la prescription ne peut courir tant que la personne protégée n'a pas été en mesure de faire valoir la nullité. Il semble que la jurisprudence penche pour l'application de la règle *contra non valentem agere non currit praescriptio* (19).

---

(17) FLOUR et AUBERT, n° 350 et les auteurs cités en note.

(17-1) Civ. 1re, 29 nov. 1988 : *J.C.P.* 89, IV, 42.

(18) Civ. 1re, 31 mai 1972 : *J.C.P.* 72, éd. G, IV, 184 (la prescription de l'action en nullité, pour erreur sur l'authenticité d'un tableau, a pour point de départ le jour où l'erreur a été découverte et pas seulement soupçonnée). — Civ. 3e, 18 fév. 1987 : *J.C.P.* 87, IV, 144.

(19) Ass. plén. 28 mai 1982 : *Gaz. Pal.* 1982, 2, pan. 304; *D.* 1983, 117, note CABANNES et 349, note GAILLARD (formalités protectrices des intérêts des mineurs). — Paris, 13 déc. 1979 : *Gaz. Pal.* 1980, 1, 107, note VIATTE. — Sur l'adage, v. ROLAND et BOYER, *Adages* p. 180 et s.

c) Domaine

857. — L'article 1304 du Code civil ne concerne que l'action en nullité relative d'une convention introduite par les parties contractantes (19-1), le terme action en nullité étant entendu dans son sens technique. Y échappent, donc, quoique tendant également à l'anéantissement du contrat, l'action en résolution pour inexécution, l'action en révocation des donations, l'action paulienne en dénonciation de la fraude, l'action par le copropriétaire d'un bien indivis en déclaration d'inopposabilité de l'aliénation consentie par une personne qui n'avait pas qualité (20). Par ailleurs, il existe des actions en nullité relative pour lesquelles la loi prévoit des délais plus brefs, telle l'action en rescision pour lésion d'une vente d'immeuble (deux ans), telle l'action sanctionnant l'indisponibilité de la résidence familiale (un an)... En revanche, la prescription quinquennale gouverne les actes unilatéraux, bien qu'on en ait discuté à raison du libellé de l'article 1304 qui ne vise que les conventions; la jurisprudence, en effet, estime que ce texte constitue la règle de droit commun, en se fondant sur la teneur générale du même article qui englobe tous les cas où l'action n'est pas limitée à un moindre temps par une loi particulière.

3° Perpétuité de l'exception de nullité

858. — Une *remarque commune* aux nullités, tant absolues que relatives, doit être notée. Lorsque le contrat nul n'a pas été exécuté, sa nullité peut être invoquée *perpétuellement*. Le débiteur peut donc refuser l'exécution du contrat nul, quel que soit le moment où l'exécution lui est demandée (20-1). Une règle traditionnelle déclare que *l'exception en nullité est perpétuelle* (20-2). La prescription ne concerne donc que l'action en nullité proprement dite, et non l'exception de nullité : *Quae temporalia sunt ad agendum perpetua sunt ad excipiendum* (21).

859. — Comment justifier cette règle ? On a invoqué un argument textuel, observant que les articles 1304 et 2262 ne soumettent à prescription que *l'action* ou *toutes les actions*. L'exception ne se confondant pas avec l'action resterait donc étrangère au texte. Ce point de vue exégétique n'est

(19-1) V. à propos d'une demande d'annulation d'une adjudication; Civ. 2e, 18 nov. 1987 : *Bull. civ.* II, n° 232, p. 129.

(20) Civ. 1re, 23 nov. 1976 : *Gaz. Pal.* 1977, 1, somm. 4; *Bull. civ.* I, 284 et sur second pourvoi, Ass. plén. 28 mai 1982 : *D.* 1983, 117, concl. CABANNES.

(20-1) Jurisprudence constante, Civ. 3e, 19 juill. 1984 : *Bull. civ.* III, n° 145. — Civ. 1re, 21 déc. 1982 : *Bull. civ.* I, n° 371. — Civ. 3e, 1er fév. 1978 : *D.* 1979, I.R. 509, obs. P. JULLIEN.

(20-2) M. STORCK, *L'exception de nullité en droit privé : D.* 1987, chron. 67.

(21) V. ROLAND et BOYER, *Adages*, p. 850 et s. — Sur la règle « *quae temporalia...* », Civ. 3e, 16 mai 1973 : *D.S.* 1973, I.R. 163 (la nullité de la clause d'un bail aboutissant à une majoration illicite d'un loyer taxé peut être invoquée par voie d'exception, alors qu'elle ne pourrait plus l'être par voie d'action).

guère pertinent, car rien n'interdit de penser que le mot action est entendu au sens large comme désignant toute prétention invoquée devant le juge, en demande ou en défense. L'article 30 du Nouveau Code de procédure civile va dans ce sens :

« L'action est le droit, pour l'auteur d'une prétention, d'être entendu sur le fond de celle-ci afin que le juge la dise bien ou mal fondée. *Pour l'adversaire, l'action est le droit de discuter le bien-fondé de cette prétention* ».

On a fait valoir avec la jurisprudence, au plan des concepts, qu'il est incorrect de confondre l'action en nullité et la nullité elle-même. La prescription n'atteint que le moyen procédural qu'est la demande en justice, laissant subsister le vice constitutif de la nullité; rien ne s'oppose donc à ce que l'action disparue — mais le défaut de l'acte subsistant — la nullité puisse être invoquée par voie d'exception.

L'équité a également été mise en avant. Si on rendait prescriptible l'exception, on serait conduit à imposer l'exécution du contrat à une personne qui peut en ignorer l'existence même. Ce serait le cas, notamment, des héritiers du débiteur pour lesquels il n'existe aucun indice permettant de penser qu'ils connaissent tous les actes passés par leur auteur (22).

860. — La vraie raison est ailleurs et réside dans la nécessaire consolidation des situations de fait : *quieta non movere* (22-1). Elle répond aux besoins de stabilité des situations. Si un contrat, même nul, n'a pas été exécuté, la situation antérieure au contrat n'a pas été modifiée. La chose vendue, par exemple, n'a jamais été livrée. La réclamer quarante, cinquante ou cent ans après (la chose, entre temps, a pu changer plusieurs fois de propriétaire) troublerait un ordre qui paraissait acquis. D'ailleurs, l'attitude de celui qui attend un très long délai pour exiger l'exécution d'une obligation est suspecte; mieux vaut maintenir le *statu quo* en opposant l'exception de nullité.

861. — Quoiqu'il en soit des raisons d'être de la pérennité de l'exception de nullité, son domaine d'application n'est pas illimité. La maxime *Quae temporalia...* est inapplicable toutes les fois que la loi a édicté un délai préfix pour agir en nullité : l'expiration d'un tel délai fait perdre la faculté d'exciper en même temps que le droit d'agir en justice (22-2). En revanche, l'exécution partielle de l'acte, par exemple l'accomplissement des obligations pendant un certain temps dans un contrat à exécution successive, n'empêche pas le jeu de l'exception pour la période à venir; le défendeur garde le droit de s'opposer à la continuation de l'opération illicite (22-3).

---

(22) V. Civ. 1re, 19 janv. 1982 : *D.* 1982, 589, note PRÉVAULT.

(22-1) ROLAND et BOYER, *Adages*, p. 838.

(22-2) Civ. 2e, 27 mai 1974 : *J.C.P.* 74, II, 17836, note GUILLOT. — Civ., 29 mars 1950 : *D.* 1950, 396; *Rev. trim. dr. civ.* 1950, 514, obs. CARBONNIER. — *Adde*, Civ. 3e, 6 mai 1980 : *Bull. civ.* III, n° 92.

(22-3) Civ. 1re, 14 mars 1979 : *Rev. Sociétés* 1980, 304, note I. BALENSI.

§ 3. — La confirmation de l'acte nul

862. — La confirmation est l'acte par lequel celui qui a qualité pour demander la nullité y renonce (23). Il s'agit donc d'un acte unilatéral qui dépend, en principe, de la seule volonté du renonçant. Il en va différemment, toutefois, lorsque la confirmation se produit en cours de procédure et prend la forme d'un désistement d'instance. Ce désistement n'est parfait que par l'acceptation du défendeur (N.C.P.C., art. 395), sauf au juge à écarter le refus du défendeur s'il n'est pas justifié par un motif légitime (N.C.P.C., art. 396). Le caractère bilatéral disparaît si le désistement ne s'applique pas seulement à l'instance pendante, mais porte sur *l'action* elle-même. Le désistement d'action éteignant le droit d'agir est, naturellement, tout profit pour la partie adverse qui n'a pas à donner un quelconque consentement.

A. — Domaine de la confirmation

1° Nullités relatives

863. — Seuls les actes entachés de nullité relative peuvent faire l'objet d'une confirmation. Cela se comprend facilement : la nullité relative étant une sanction instituée pour la protection d'un intérêt particulier, il dépend de celui dont l'intérêt est en jeu de renoncer à demander la mise en œuvre de la sanction. Une difficulté se présente lorsque la nullité, en dépit de son caractère relatif, est à la disposition de plusieurs personnes. Il n'est pas douteux que chaque titulaire est habilité à renoncer à son droit d'agir; mais cette confirmation lui est-elle personnelle ou présente-t-elle un caractère indivisible, conduisant à faire perdre aux autres le droit d'attaquer l'acte ? Il est admis que la confirmation de tous est nécessaire pour rendre l'acte inattaquable.

Quel que soit le motif de la nullité relative, la confirmation est illicite lorsqu'elle est insérée dans l'acte lui-même; le Code civil (art. 1674) interdit au vendeur d'immeuble de renoncer *dans le contrat* à la faculté d'en demander la rescision pour lésion. Selon une opinion unanime, cette règle doit être généralisée; on ne saurait être admis à confirmer un contrat nul au moment même où on le conclut; à défaut, la protection voulue par la loi deviendrait illusoire (24).

---

(23) COUTURIER, *La confirmation des actes nuls*, thèse Paris, L.G.D.J., préface FLOUR; *Rép. dr. civ. Dalloz, V° Confirmation* par A. BRETON.

(24) Pour une renonciation pendant la procédure « en l'état de la jurisprudence », v. Civ. 1re, 10 fév. 1981 : *Gaz. Pal.* 1981. 2. pan. 211.

2° Nullités absolues

864. — Quand le contrat est nul de nullité absolue, la confirmation n'est pas concevable car, par hypothèse, ce contrat est contraire à l'ordre public ou aux bonnes mœurs. La confirmation, dans ce cas, irait elle-même à l'encontre de l'ordre public ou des bonnes mœurs (25). On peut observer d'ailleurs que, si la dénonciation de la nullité absolue est ouverte à tout intéressé, c'est afin de multiplier les occasions d'une annulation effective; en permettant la confirmation, on contrarierait grandement le résultat recherché.

865. — On peut, cependant, imaginer l'hypothèse où la situation initiale s'est modifiée au point que ce qui était un obstacle à la conclusion d'un contrat valable a disparu. Par exemple, on se rappelle que les pactes sur succession future sont nuls, de nullité absolue. Mais, après la mort de celui de la succession duquel il s'agit — que l'on désigne par les termes latins *de cujus* — il n'est pas interdit de céder sa part successorale; alors, ne pourrait-on pas, *après* la mort du *de cujus*, confirmer le pacte nul fait *avant* sa mort ? La réponse est encore négative. Après la mort du *de cujus* on peut, certes, céder ses droits successoraux. Mais il s'agit alors d'un *contrat nouveau* et *non de la confirmation du contrat précédent.* Les effets de la confirmation remontent, on le verra, au jour du contrat annulable; en cas de contrat nouveau, les effets ne commencent à se produire que du jour du contrat dont il s'agit (26).

La même solution est admise pour les conventions sous seing privé prévoyant les conditions de liquidation de la communauté dissoute par le divorce, passées en contravention à l'article 1450, alinéa 2, du Code civil (27).

866. — Toutefois, le principe de l'interdiction de la confirmation pour la nullité absolue ne va pas sans tempérament. Lorsque le manquement générateur de nullité cesse d'être reprochable, la défense de l'intérêt général ne commande plus le maintien indéfini de l'action en nullité. L'exemple type est celui d'une réforme législative qui vient autoriser ce qui était précédem-

---

(25) Com., 30 nov. 1983 : *J.C.P.* 84, IV, 45 et 22 nov. 1988 : *J.C.P.* 89, IV, 32 : une vente nulle pour défaut de prix, acte dépourvu d'existence légale, est insusceptible de confirmation; — Sur l'impossibilité de confirmer une vente atteinte de nullité absolue : Com., 13 mars 1972 : *J.C.P.* 72, II, 17196, note BORÉ (nullité absolue d'un contrat de concession exclusive d'approvisionnement en carburant, pour indétermination de prix de vente du carburant, sans que son exécution puisse y faire obstacle, même lorsque la cause de nullité a disparu en raison de l'effet rétroactif de la confirmation). — Cf. GHESTIN note sous Com., 3 oct. 1972 : *D.S.* 1974, 239. — Com., 3 nov. 1988 : *D.* 1988, I.R. 271.

(26) Civ. 1re, 4 mai 1966 : *D.* 1966, 553, note MALAURIE. — Rien n'interdit aux parties, lorsque la cause de la nullité a disparu, de réitérer leur accord, lequel est alors doté d'efficacité, mais sans rétroactivité : Civ. 1re, 29 nov. 1983 : *Bull. civ.* I, n° 281. — Civ. 1re, 8 janv. 1985 : *Bull. civ.* I, n° 6.

(27) Civ. 1re, 29 nov. 1983 : *J.C.P.* 84, IV, 44.

ment prohibé, comme une vente conclue au-dessus du prix de la taxe et que valide indirectement l'instauration ultérieure de la liberté des prix. Dans de telles circonstances, la logique impose que la confirmation soit autorisée.

Le principe est donc simple : seuls les actes entachés de nullité relative sont confirmables (28).

Indiquons brièvement les conditions et les effets de la confirmation.

B. — Conditions de la confirmation

1° Condition de fond

867. — La confirmation ne peut émaner évidemment que de la personne dans l'intérêt de laquelle la règle violée avait été instituée. Pour être valable, la confirmation doit intervenir *après la disparition de la cause de la nullité.* L'acte fait par un incapable (mineur, aliéné, etc.) ne peut être confirmé qu'une fois l'intéressé devenu capable (v. art. 1311). L'acte fait sous l'empire d'un vice du consentement ne peut être confirmé qu'après la disparition de ce vice : découverte de l'erreur, cessation de la violence (v. art. 1115). Cela se comprend facilement : si l'incapacité ou le vice du consentement subsistait, la confirmation elle-même serait dépourvue de validité.

2° Conditions de forme

868. — Quant à la forme de la confirmation, on distingue la confirmation expresse et la confirmation tacite.

La *confirmation expresse* est celle qui résulte d'un *acte écrit.* L'article 1338 du Code civil déclare que cet acte

« n'est valable que lorsqu'on y trouve la substance de cette obligation, la mention du motif de l'action en rescision, et l'intention de réparer le vice sur lequel cette action est fondée » (28-1).

La loi veut qu'aucun doute ne puisse exister quant à la volonté de confirmation (29). Mais l'acte écrit n'est qu'un moyen de preuve de la confirmation, et il n'est pas absolument nécessaire, car la confirmation peut aussi être *tacite.*

---

(28) Des règles dérogatoires existent en matière de nullité des sociétés (v. L. 24 juill. 1966, art. 362 à 368), et en matière de donation (v. C. civ., art. 1340). — V. Riom, 11 fév. 1988 : *J.C.P.* 88, IV, 366 : les donataires, pour opposer utilement l'exception de ratification des donations nulles pour vice de forme, doivent prouver que les héritiers ont connu les vices affectant les libéralités et qu'ils avaient la volonté de les exécuter néanmoins.

(28-1) La Cour de cassation contrôle la réalisation des deux conditions que demande la confirmation, à savoir la connaissance du vice et l'intention de le réparer : Civ. 1re, 11 fév. 1981 : *Bull. civ.* I, n° 53.

(29) V. l'application rigoureuse de cette règle par l'arrêt de la cour de Paris du 13 mai 1969 : *Gaz. Pal.* 1969, 2, somm. 9. — Cf. Civ. 3e, 29 oct. 1968 : *Bull. civ.* III, p. 326, n° 430. — Civ. 3e, 26 janv. 1972 : *J.C.P.* 72, II, 17104, note G.G.

869. — La confirmation *tacite* est celle qui résulte d'autres faits qui expriment sans équivoque possible la volonté de renoncer à la nullité (30). Il en est ainsi, notamment, si l'intéressé a exécuté le contrat nul (v. art. 1338, al. 2). Cette exécution est une déclaration implicite de la volonté de confirmer; il va de soi que la confirmation tacite suppose que les causes de la nullité (incapacité ou vice du consentement) ont disparu au moment de l'acte d'où l'on déduit la volonté de renoncer à la nullité. L'exécution n'est pas le seul signe de la volonté de confirmer : tout autre acte manifestant cette volonté vaut confirmation tacite : la ratification d'un acte de partage peut, par exemple, s'induire du fait que le copartageant, qui était mineur, prolonge sa possession au-delà de sa majorité (31).

C. — Effets de la confirmation

1° Rétroactivité de la confirmation

870. — La confirmation valide l'acte rétroactivement. Tout se passe, en effet, comme si l'acte initial avait été valable dès le début. C'est donc du jour de sa conclusion que l'acte annulable, mais qui a été confirmé, produit ses effets. Le caractère rétroactif oppose la confirmation à la réfection de l'acte qui consiste à renouveler le consentement primitif, mais dans des conditions cette fois-ci régulières. L'acte refait ne produit ses effets que pour l'avenir, sans incidence sur le passé. C'est le sens de l'adage *Confirmatio nihil dat novi* (31-1).

2° Réserve du droit des tiers

871. — Cette règle comporte, cependant, une réserve. La rétroactivité de la confirmation *ne peut pas porter atteinte aux droits des tiers* acquis dans l'intervalle. Prenons un exemple pour faire comprendre le sens de cette règle. Supposons qu'un mineur ait vendu son immeuble : la vente est nulle, faute d'avoir été faite selon les règles protectrices des incapables. Devenu majeur, il revend ce même immeuble à un second acquéreur, la vente étant cette fois valable. Nous avons dit ci-dessus que le second acheteur acquiert non seulement l'immeuble, mais aussi le droit de faire constater la nullité de

---

(30) La confirmation tacite suppose, en plus de la connaissance du vice, l'intention de réparer : Civ. 3e, 26 janv. 1972 : *J.C.P.* 72, II, 17104, obs. G.G.; *Rép. Defrénois* 1972, art. 30178, obs. J.-L. AUBERT (refus d'admettre la confirmation tacite, par le nu-propriétaire, d'un bail commercial conclu par l'usufruitier seul). — T.G.I. Nîmes, 27 mars 1973 : *D.S.* 1974, 209, note R. SAVATIER (dans le même sens, pour un bail rural conclu par l'usufruitier) mais la preuve de la renonciation à invoquer la nullité n'est assujettie à aucune forme particulière bien qu'elle ne se présume pas : Civ. 3e, 16 mai 1972 : *D.S.* 1973, somm. 14.

(31) Poitiers, 9 mars 1893 : *D.P.* 95, 2, 121, note PLANIOL. — V. aussi Montpellier, 1er avril 1952 : *D.* 1952, 619, note RIPERT.

(31-1) ROLAND et BOYER, *Adages*, p. 173 et s.

la première vente, droit qui lui permettrait de repousser les prétentions du premier acheteur. Supposons, maintenant, que le mineur devenu majeur, et après avoir vendu une seconde fois l'immeuble, se décide à confirmer la première vente. La confirmation, bien qu'agissant rétroactivement en validant la première vente, ne pourrait pas nuire au second acquéreur dont les droits sur l'immeuble sont définitivement acquis. Si le premier acquéreur revendiquait l'immeuble, le deuxième acquéreur pourrait faire échouer cette revendication en se prévalant de l'exception de nullité.

872. — Mais on notera que les héritiers et légataires ne sont pas protégés en tant que tiers. En droit, ces ayants cause universels se trouvent dans la même situation juridique que leur auteur (celui auquel ils succèdent). La confirmation leur est, donc, opposable.

873. — Elle l'est également aux créanciers chirographaires, sauf si la confirmation est le fait d'un *insolvable* qui agit en *fraude* de ses créanciers. On verra, en effet, que les actes faits pour nuire à ses créanciers peuvent, sous certaines conditions, être déclarés inopposables à ces derniers.

§ 4. — La régularisation de l'acte nul

873-1. — La question de la consolidation de l'acte nul a été renouvelée par la doctrine contemporaine (31-2). Se référant, semble-t-il, à la dualité droit procédural et droit substantiel, elle ne voit dans la confirmation qu'un acte abdicatif, la renonciation à invoquer la nullité en justice, laissant place à la régularisation qui tombe, quant à elle, sur un défaut substantiel de l'acte, requérant pour sa validation un acte réparateur (31-3). La terminologie employée est des plus flottantes, reflétant l'inachèvement de la construction : on oppose, par exemple, confirmation-renonciation à confirmation-réparation, validation subjective à validation objective... On laissera de côté ses subtilités conceptuelles pour se borner à un exposé purement descriptif du domaine et des effets de la régularisation.

A. — Domaine de la régularisation

873-2. — *A priori*, on serait tenté d'accorder à la régularisation un champ illimité, puisqu'il s'agit de mettre un acte en harmonie avec les prescriptions de la loi. Or, il n'en est rien et la régularisation ne doit pas être regardée comme un principe général. Deux raisons expliquent cette limitation. La

(31-2) DUPEYRON, *La régularisation des actes nuls*, thèse Paris, 1973, préface HÉBRAUD.

(31-3) V. GHESTIN, n° 790 et s. — MARTY et RAYNAUD, n° 224 et s.

première est tirée de la nature des choses; il est des incorrections juridiques qui sont irréparables, tel un vice du consentement; rien ne peut effacer, en effet, l'altération de la volonté par le dol, l'erreur ou la violence; ce qui peut se produire après coup, c'est soit une nouvelle manifestation de volonté (il y a réfaction du contrat), soit la renonciation à se prévaloir des conséquences du consentement vicié (il y a confirmation du contrat). Le second motif tient à des considérations d'opportunité : d'une part, la régularisation est génératrice d'inattention dans la confection de l'acte juridique puisque l'illégalité n'est pas irrémédiable, d'autre part, la possibilité de valider tardivement l'acte nul est source d'insécurité pour les tiers.

873-3. — Il existe deux grandes séries de régularisation, l'une volontaire, l'autre forcée.

1° Régularisation volontaire

La lésion est certainement l'exemple le plus classique. En matière de propriété littéraire et artistique, le contrat lésionnaire est réparé par la révision du prix; ce même moyen est offert, concurremment avec la nullité, dans la convention d'assistance et de sauvetage maritimes; s'agissant de la vente d'immeuble et du partage, la rescision peut être évitée par le versement d'un supplément de prix, rééquilibrant les prestations, et, donc, régularisant le contrat.

Le souci d'éviter la destruction de la société qui a déjà fonctionné et noué des relations avec les tiers, a conduit le législateur à faire de la régularisation un procédé de principe en la matière. L'article 1844-11 du Code civil, applicable à toute société quelle qu'en soit la nature, dispose à cette fin : « L'action en nullité est éteinte lorsque la cause de la nullité a cessé d'exister le jour où le tribunal statue sur le fond en première instance, sauf si cette nullité est fondée sur l'illicéité de l'objet social ».

Les omissions relevées dans une *lettre de change* n'entraînent pas fatalement annulation du titre, la jurisprudence admettant qu'on puisse procéder aux additions qui s'imposent, pourvu qu'elles interviennent avant la mise en recouvrement de la traite (31-4); il en va ainsi du nom, de la date, de la signature...

En procédure, le jeu de l'exception de nullité laisse la place à une possibilité de régularisation, que l'irrégularité soit de forme ou de fond; s'agissant des vices de forme, l'article 115 du Nouveau Code de procédure civile porte qu'ils sont couverts par la régularisation ultérieure, à condition qu'aucune forclusion ne soit intervenue et que la mise en règle ne laisse subsister aucun grief; s'agissant des nullités de fond, l'article 121 du Nouveau Code de procédure civile déclare qu'elles ne seront pas prononcées si leur cause a disparu au moment où le juge statue.

(31-4) Com., 13 mai 1986 : *Bull. civ.* IV, n° 89, p. 77.

2° Régularisation forcée

873-4. — La loi, parfois, écarte — provisoirement — l'action en nullité en imposant une sorte de préalable : l'action aux fins de régularisation. La terre d'élection de ce dispositif se trouve dans le droit des sociétés. L'article 1839 du Code civil pose, qu'en cas d'omission ou d'irrégularité dans la constitution d'une société, tout intéressé est recevable à demander en justice que soient ordonnées, sous astreinte, les mesures de régularisation adéquate; l'article 1844-12 décide de même en ce qui concerne la nullité des actes ou délibérations postérieurs à la constitution de la société, sous réserve qu'une option est offerte entre l'instance en régularisation et l'action en nullité dans un délai de six mois à peine de forclusion. Notons enfin que, selon l'article 1844-13, le tribunal saisi d'une demande en annulation peut, d'office, fixer un délai pour permettre de couvrir la nullité, qu'en tout état de cause il ne peut prononcer moins de deux mois après l'assignation.

Quel que soit le mode utilisé, volontaire ou forcé, la régularisation est possible *tant pour les nullités absolues que pour les nullités relatives.*

B. — Effets de la régularisation

873-5. — En expurgeant l'acte de son vice, la régularisation conduit à sa validation, qui est tout à la fois rétroactive et absolue.

1° Effet rétroactif

La rétroactivité a pour conséquence que l'acte devient valide *ab initio*, à la mesure de ce que l'on observe dans la confirmation et à l'opposé de ce qui se produit en cas de réfaction, qui n'opère qu'à présent, *hic et nunc.*

Toutefois, cette rétroactivité est parfois tempérée dans certains cas par la nécessité de prendre en compte la situation actuelle : par exemple, en matière de lésion, où la régularisation suppose que le supplément de prix soit évalué à la date où il est offert. Par ailleurs, l'effet rétroactif ne s'applique qu'à la couverture du vice dans la limite où il affectait l'acte, sans effacer pour autant les autres sanctions possibles de l'irrégularité, pénale ou disciplinaire.

2° Effet absolu

La régularisation opère validation de l'acte à l'égard de tous : le vice couvert qui servait de support à l'action en nullité ayant disparu, disparaît *ipso facto* toute demande à cette fin. Cette opposabilité distingue la régularisation de la confirmation qui, en cas de pluralité de titulaires de l'action, suppose, pour sa validation, l'accord de tous.

Cependant, cette différence entre les deux mécanismes s'évanouit lorsque l'action en nullité n'appartient qu'à une seule personne : à supposer un consentement vicié, l'action en nullité relative étant réservée au seul cocontractant, s'il renonce à agir en nullité, il confirme l'acte qui devient désormais opposable *erga omnes*.

SOUS-SECTION II

LES CONSÉQUENCES DE LA NULLITÉ

874. — Il importe de noter, dès l'abord, que les effets de la nullité sont les mêmes, que la nullité soit absolue ou qu'elle soit relative. Ce qui oppose ces deux sortes de nullités, ce sont leurs conditions d'exercice ci-dessus exposées, non leurs effets.

875. — Lorsque le contrat est annulé, tout doit, théoriquement, être remis dans le même état que s'il n'avait jamais été conclu. S'il n'a pas encore été exécuté, chaque contractant est définitivement libéré; si le contrat a été exécuté, en tout ou en partie, les prestations doivent être restituées. Par exemple, en cas de nullité d'une vente, l'acheteur doit rendre la chose, le vendeur doit rendre le prix perçu. *Quod nullum est nullum producit effectum* (31-5).

L'annulation doit conduire à une remise des choses dans le *statu quo ante* (32), le contrat étant réputé n'avoir jamais été conclu. C'est là un fait grave tant à l'égard des tiers, exposés à en subir les conséquences, par répercussion, qu'en ce qui concerne les parties elles-mêmes, tenues à restituer les prestations reçues, du moins lorsque le contrat nul avait été exécuté, en tout ou en partie, avant son annulation par le juge. Aussi, cette remise des choses en l'état est-elle une vue théorique qui se trouve, en grande partie, modifiée par de nombreuses autres règles qu'il nous faut brièvement exposer.

§ 1. — L'opposabilité aux tiers

876. — En principe, la nullité du contrat est opposable aux tiers. Les tiers exposés à subir le contre-coup de la nullité ne sont pas les *penitus extranei*; sont uniquement concernés les ayants cause à titre particulier de la partie qui avait elle-même acquis ses droits d'un contrat nul. Le cas pratique étant la vente, les tiers sont les sous-acquéreurs.

(31-5) ROLAND et BOYER, *Adages*, p. 882.

(32) Soc., 8 avril 1957 : *Gaz. Pal.* 1957, 1, 143. — 3 oct. 1980 : *D.* 1982, 68, note AGOSTINI; *Rev. trim. dr. civ.* 1982, 419, obs. CHABAS. — Rappr. Com., 20 juill. 1983 : *D.* 1984, 422, note AUBERT (sol. impl.).

L'opposabilité est, d'abord, la suite logique du caractère rétroactif de l'annulation : le contrat d'origine étant ruiné, tout ce qui s'est construit à sa suite s'effondre par répercussion. C'est aussi l'application d'une règle de bon sens : *nemo dat quod non habet* (on ne transfère pas un droit qu'on n'a pas) ou encore *Nemo plus juris ad alium transferre potest quam ipse habet* (32-1). Si donc l'acquéreur d'un bien voit la vente annulée et que, dans l'intervalle, ce bien avait été hypothéqué ou revendu, l'hypothèque ou la deuxième vente tombe elle aussi et, éventuellement, la troisième vente, etc. La première nullité entraîne une cascade de nullités, ainsi que l'exprime l'adage *Resoluto jure dantis resolvitur jus accipientis* (33).

Mais, en réalité, la rigueur de cette règle est écartée ou tempérée pour des raisons qui tiennent, parfois, à l'existence d'une obligation de garantie, le plus souvent, à des impératifs de sécurité.

A. — Exception tenant à l'obligation de garantie

877. — Le cas de figure est le suivant. Le propriétaire d'un immeuble vend son bien à un acheteur dans des conditions irrégulières. Cet acheteur revend le même bien à un sous-acquéreur. En principe, l'annulation de la première vente entraîne la seconde dans sa chute, parce qu'elle a été consentie *a non domino.* Encore faut-il que l'action en nullité oppose le vendeur primitif et le tiers sous-acquéreur. Si, au contraire, la nullité est demandée dans les rapports entre le propriétaire d'origine et le revendeur, l'annulation ne vaut qu'entre eux et ne fait pas perdre ses droits au sous-acquéreur. Le revendeur est, en effet, tenu d'une obligation de garantie et *qui doit garantie ne peut évincer* (33-1).

878. — Comment dénouer la situation et donner quelque effet à l'annulation ? La logique voudrait qu'il soit procédé entre parties à une restitution en espèces : l'acquéreur primitif, faute de pouvoir rendre le bien qui ne peut pas être recherché dans le patrimoine du sous-acquéreur, doit rembourser à son vendeur la valeur de ce bien et, comme ce même vendeur doit lui restituer le prix, il s'opère une compensation entre les deux créances de restitution. Pourtant, un arrêt (34) s'est prononcé pour l'irrecevabilité de l'action en nullité en pareil cas; le contractant qui a revendu le bien mal acquis perd, du seul fait de la revente, le droit de provoquer l'annulation de

---

(32-1) ROLAND et BOYER, *Adages*, p. 606 et s.

(33) Civ. 1re, 23 avril 1958 : *Gaz. Pal.* 1958, 1, 416. — Civ. 3e, 7 déc. 1988 : *J.C.P.* 89, IV, 49 : nullité d'une assemblée générale de co-propriétaires ayant élu le syndic, d'où nullité d'une assemblée subséquente convoquée par le même syndic dépourvu de qualité. — ROLAND et BOYER, *Adages*, p. 935 et s.

(33-1) ROLAND et BOYER, *Adages*, p. 836 et s.

(34) Civ., 17 déc. 1928 : *D.H.* 1929, 52. — Sur cette question, v. FLOUR et AUBERT, *op. cit.*, n° 361. — WEILL et TERRÉ, *op. cit.*, n° 338.

son acquisition. La revente, en le plaçant dans l'impossibilité de restituer le bien à son vendeur, crée une fin de non-recevoir qui paralyse la demande.

Cette solution est difficilement acceptable. Elle aboutit, en présence d'une nullité absolue, à empêcher une annulation qu'exigeait l'intérêt général et, en présence d'une nullité relative, à priver l'intéressé de la protection voulue par le législateur. Et, surtout, elle ne s'impose pas techniquement, car, si l'on juge impossible la restitution du bien lui-même, rien ne s'oppose à une restitution en valeur. C'est ce qu'admet la Cour de cassation en cas de perte ou de détérioration; pourquoi ne pas suivre la même règle en cas d'aliénation du bien ayant fait l'objet du contrat vicié ?

B. — Exceptions tenant aux impératifs de sécurité

1° En matière mobilière

879. — Si la chose, objet du contrat, est un meuble corporel, le tiers, sous-acquéreur de bonne foi, est protégé par la règle : « En fait de meubles, la possession vaut titre ».

Cette règle permet à tout acquéreur *a non domino* de se soustraire à la revendication du véritable propriétaire, à la double condition qu'il ait été de bonne foi lors de l'acquisition du meuble et qu'il soit entré en possession. Il en résulte qu'en cas de revente du même bien mobilier, le vendeur initial ne peut pas inquiéter le sous-acquéreur. Mais cette règle ne joue pas à l'égard des meubles incorporels, tel un fonds de commerce.

2° En matière immobilière

880. — Si l'objet du contrat est un immeuble, la protection des tiers est moins efficace. Les opérations immobilières sont, certes, publiées sur des registres fonciers, ce qui permet aux tiers *d'être informés de l'existence* de *certaines causes de nullité* (la lésion, par exemple). Mais rien ne saurait les avertir, de cette façon, de l'existence d'un vice du consentement, ou même de bien d'autres causes de nullités (causes immorales, fraude) qui n'apparaissent pas à la seule lecture des actes publiés. Dans notre système, la publicité foncière consolide des droits réellement acquis, elle ne confère pas de droits à ceux qui n'en ont pas pu acquérir.

881. — Malgré tout, deux mécanismes généraux du droit jouent un rôle protecteur. Le premier est *l'usucapion*, en vertu de laquelle la propriété est acquise à toute personne qui est demeurée en possession d'un immeuble durant un certain temps (30 ans, 10 à 20 ans), en dépit de l'absence ou de l'irrégularité de son titre.

Le second trouve son origine dans la théorie de l'*apparence*. Les actes accomplis par un individu qui passe pour être propriétaire aux yeux de tous sont valables, dès lors que l'erreur sur la qualité de propriétaire était commune et invincible. Il en découle que le sous-acquéreur ne subira pas les effets de la nullité du titre de son auteur. *Error communis facit jus* (34-1).

3° En matière d'actes d'administration

882. — En vertu d'une jurisprudence purement prétorienne, les actes d'administration (vente de récoltes, baux de courte durée) ne sont pas anéantis; ils survivent à la nullité. Pratiquement cette règle s'impose. Juridiquement, on invoque l'idée de gestion d'affaires; l'acquéreur a agi dans l'intérêt du propriétaire, si l'acte entre dans la catégorie de ceux qui sont utiles ou nécessaires (35).

§ 2. — Les restitutions entre parties

883. — Si le contrat n'avait pas encore été exécuté, la nullité une fois prononcée, le ou les contractants sont libérés. Il n'y a pas de restitution à effectuer, la situation se dénoue facilement.

Il en va différemment si le contrat a été déjà exécuté, en tout ou en partie. La règle — on l'a dit — commande la remise des choses en l'état antérieur au contrat (35-1). Mais cette règle ne peut pas toujours s'appliquer, soit pour des raisons de fait (A), soit pour des raisons de droit (B); d'autre part, lorsqu'elle s'applique, la restitution des prestations suscite elle-même divers autres problèmes (C).

A. — Obstacles de fait

1° Dans les contrats successifs

884. — Lorsque l'exécution du contrat suppose une certaine durée, il est matériellement impossible de restituer ce qui a été irrémédiablement accompli. Si un contrat de bail ou un contrat de travail est annulé, le locataire ne pourra pas rendre la jouissance du local, le travailleur ne pourra pas reprendre son travail. La nullité ne jouera réellement que pour l'avenir. Il en est de même si on annule une société qui a fonctionné quelque temps et, par conséquent, a réalisé des bénéfices ou des pertes dont le sort doit être réglé entre associés. Il est plus exact de parler dans ce cas de résiliation, ce qui marque bien que la rétroactivité est tenue en échec, *ex natura rerum*.

Dans tous ces cas, et dans d'autres semblables, il faudra bien tenir compte de faits que l'on ne peut supprimer. Pour en régler les consé-

(34-1) ROLAND et BOYER, *Adages*, p. 299 et s.

(35) V. Civ., 7 nov. 1928 : *Gaz. Pal.* 1929, 1, 312. — Dans le même sens déjà, Req., 11 avril 1821 (*S.* chron.) qui invoque la règle admise à Rome (DIGESTE, L. 85, *De reg. jur.*).

(35-1) A. BOUZIGES, *Les restitutions après annulation ou résolution d'un contrat*, thèse Poitiers, 1982. — E. POISSON-DROCOURT, *Les restitutions entre les parties consécutives à l'annulation d'un contrat : D.* 1983, chron. 85. — GHESTIN, n° 918 et s.

quences, le juge ne tiendra, cependant, pas compte d'un contrat nul par hypothèse. Le locataire n'aura pas à payer les loyers stipulés, mais une *indemnité d'occupation*, dont le montant peut être différent (35-2); l'employé ne pourra pas réclamer ou conserver son salaire, mais une *rémunération* lui sera néanmoins accordée pour le travail fourni (35-3); *les bénéfices et les pertes* seront répartis entre associés, non sur la base du pacte social (les statuts) annulé, mais selon la décision du juge, *proportionnellement aux apports,* en général.

Le principe selon lequel la période écoulée donne lieu à un règlement de compte en fonction de la valeur des prestations de chacune des parties et de l'avantage que l'autre en a retiré, se rencontre également dans le contrat d'intégration agricole. Lorsqu'un tel contrat est annulé après avoir été exécuté, il est évident qu'un retour en nature à l'état antérieur est impossible, puisque les aliments ont été consommés et le bétail abattu. Les restitutions ont lieu par équivalent et, pour en apprécier le montant, il ne faut pas se référer au prix, sinon on aboutirait à l'exécution d'une convention nulle. Le fournisseur des aliments n'a droit qu'à leur valeur réelle au moment de la livraison, c'est-à-dire à une somme qui déduit le bénéfice qu'il aurait retiré de leur vente (35-4). Inversement, l'éleveur peut prétendre, en plus de la valeur des animaux livrés, au dédommagement de son travail (35-5).

2° Perte de la chose

885. — Si la chose a péri par la *faute* ou même par le fait non fautif de celui qui devrait la rendre, il y a également impossibilité de satisfaire à l'obligation de restitution. La tendance de la jurisprudence était, en ce cas, de déclarer l'action en nullité irrecevable (36).

Mais cette solution a été abandonnée, d'abord par la Chambre commerciale (36-1), puis par la Chambre civile (36-2), qui admettent la restitution en valeur lorqu'elle n'est pas possible en nature.

(35-2) Il en va ainsi en cas de plafonnement des loyers; le locataire doit une indemnité correspondant à la valeur locative réelle, non au loyer contractuel plafonné.

(35-3) Soc., 8 avril 1957 : *D.* 1958, 221, note MALAURIE : l'employeur ne peut pas être condamné, après annulation d'un contrat d'apprentissage, à verser à une apprentie le salaire d'une ouvrière, sans rechercher quel travail elle avait effectivement fourni, ni quelle formation professionnelle elle avait reçue de son employeur. — V. aussi Soc., 30 oct. 1980 (*D.* 1982, 58, note AGOSTINI) qui déclare : « Lorsqu'en cas de nullité de contrat à exécution successive, les parties ne peuvent être replacées dans leur situation antérieure, elles doivent être *indemnisées des prestations* fournies ainsi que des conséquences des fautes commises par l'une au préjudice de l'autre ».

(35-4) Civ., 1re, 12 déc. 1979 : *J.C.P.* 80, II, 464, obs. PRÉVAULT. — Civ. 1re, 3 fév. 1987 : *Bull. civ.* I, n° 37, p. 27.

(35-5) Civ. 1re, 25 nov. 1981 : *D.* 1982, chron. 219.

(36) Civ. 1re, 23 déc. 1970 : *D.* 1970, 604, note ETESSE (sol. impl. : l'action reste recevable tant que la chose n'a pas subi une détérioration lui faisant perdre son individualité et ses qualités spécifiques).

(36-1) 11 mai 1976 : *Bull. civ.* IV, n° 162, p. 137.

(36-2) Civ. 1re, 26 avril 1988 : *D.* 1988, I.R. 134.

En cas de perte par *force majeure*, on décidait précédemment (36-3) que, la nullité agissant rétroactivement, le vendeur était censé n'avoir jamais perdu la propriété de la chose et qu'il devait en supporter les risques : *Res perit domino*; l'acquéreur obtenait la restitution du prix sans avoir rendu la chose, par hypothèse détruite. La solution choquait l'équité, négligeant le fait que la chose était restée, jusqu'au prononcé de la nullité, en la maîtrise de celui à qui elle n'appartenait pas; elle opérait une confusion entre les risques de la chose et les risques du contrat; et elle était devenue incompatible avec la position adoptée, en cas de simples détériorations de la chose, par la Chambre commerciale qui avait condamné l'application de la maxime *Res perit domino* (36-4), Il semble bien, aujourd'hui, qu'il n'y ait plus à distinguer suivant que la chose a péri fautivement ou fortuitement. C'est ce qui résulte d'un arrêt de la première Chambre civile du 2 juin 1987 (37) rendu au sujet de la vente d'une machine agricole annulée pour infraction à la réglementation des ventes à crédit; l'acquéreur, qui avait été condamné à payer le coût des réparations effectuées pour remettre la machine en état, soutenait que, sauf faute à établir contre lui, il s'agissait d'une charge incombant au vendeur resté propriétaire de l'engin par l'effet de l'annulation. La Cour suprême approuve les juges du fond, car ils n'avaient pas à relever l'existence d'une faute à l'encontre de l'acquéreur.

B. — Obstacles de droit

1° Refus pour turpitude

886. — Lorsque la nullité est prononcée pour immoralité du contrat, l'action en restitution peut se heurter à la règle selon laquelle on ne peut pas se prévaloir en justice de sa propre immoralité : *Nemo auditur propriam turpitudinem allegans.* En ce cas, le contractant conservera le bénéfice d'un contrat immoral, parce que le cocontractant n'est pas admis à invoquer sa propre turpitude pour en réclamer la restitution (38). Mais, chose singulière, la jurisprudence n'applique pas, en principe, la règle *Nemo auditur...* si la nullité est prononcée pour *illicéité* et non pour immoralité (39).

(36-3) Cette solution résulte implicitement de l'arrêt de la Cour de cassation (1re Ch. civ.), du 6 déc. 1967 : *Bull. civ.* I, n° 358, p. 269. — V. obs. J. CHEVALLIER : *Rev. trim. dr. civ.* 1968, 708.

(36-4) Com., 21 juill. 1975 : *D.* 1976, 582, note AGOSTINI et DIENER.

(37) *Bull. civ.* I, n° 183, p. 137.

(38) Civ., 27 déc. 1946 : *Gaz. Pal.* 1946, 1, 88. — Req., 17 juill. 1905 : *D.* 1906, 1, 72. — Civ., 15 nov. 1938 : *Gaz. Pal.* 1938, 1, 194. — Crim., 19 nov. 1932 : *D.* 1933, 1, 26, note CAPITANT, parmi de très nombreuses décisions concernant les contrats relatifs à des maisons de tolérance, ou de jeux. — V. aussi Paris, 12 mai 1949 : *Gaz. Pal.* 1949, 1, 228, contrat de location avec un établissement travaillant pour l'ennemi.

(39) Civ. 1re, 19 déc. 1950 : *Bull. civ.* I, n° 548. — Colmar, 4 janv. 1961 : *Gaz. Pal.* 1961, 1, 304. — Civ. 1re, 15 juin 1967 : *J.C.P.* 67, II, 15238. — La jurisprudence écarte l'adage « *nemo auditur...* » en matière de libéralité : Civ. 1re, 25 janv. 1972 : *D.S.* 1972, 413, note LE TOURNEAU. — Rouen, 2 oct. 1973 : *D.S.* 1974, 378, note LE TOURNEAU. En conséquence, la restitution est admise après annulation.

Telles sont, du moins, les règles générales. En fait, la jurisprudence est bien plus nuancée. Certaines actions en restitution ont été admises malgré l'immoralité dont se prévalait le demandeur, parce que l'immoralité du défendeur était encore plus grande (40), et, dans certains cas l'action en restitution a été rejetée, non pour immoralité, mais pour illicéité (41).

887. — En réalité, on comprend mal cette distinction entre *l'illicite* et *l'immoral :* conclure un contrat défendu par la loi n'est-ce pas immoral ? D'autre part, l'interdiction légale de conclure, donc l'illicéité, peut s'expliquer précisément par l'immoralité du contrat !

888. — En fait, la jurisprudence est difficile à synthétiser, à cet égard. Le rejet ou l'accueil de l'action en restitution pour immoralité ou illicéité procède d'une méthode purement empirique, les tribunaux appréciant, dans chaque espèce, l'opportunité de la mise en œuvre de l'adage : *nemo auditur...* Il a été soutenu que cette absence de système rigide est voulue par les tribunaux : l'incertitude qui plane sur l'obligation de restituer en cas de nullité pour immoralité ou illicéité serait de nature à dissuader les parties de conclure des contrats contraires à la loi ou à la morale (42). En tout cas, le refus de la répétition pour indignité paraît lié, en jurisprudence, à l'existence d'une turpitude *commune* et *équivalente* (42-1), ce que traduit très bien cette autre maxime : *In pari causa turpitudinis cessat repetitio* (42-2).

2° Limitation pour incapacité

889. — Notons, également, que la nullité des contrats faits par une *personne incapable* n'oblige pas cette dernière à restituer l'intégralité de la prestation. Elle est dispensée de restituer tout ce qu'elle a dépensé et ne doit rendre que ce qu'elle a conservé : son obligation n'existe que dans les limites de ce dont elle s'est enrichie, dans la mesure où ce qui lui a été payé a tourné à son profit, selon les expressions utilisées par les articles 1241 et 1312 du Code civil (43).

Cette règle s'explique, en fait, par la nécessité d'une protection efficace de l'incapable. Si celui-ci devait restituer tout ce qu'il a reçu, il s'abstien-

---

(40) Crim., 7 juin 1945 : *D.* 1946, 149, note SAVATIER; *J.C.P.* 46, II, 2955, note HÉMARD (demande de dommages et intérêts d'une prostituée contre son souteneur admise), mais *contra*, Paris, 17 oct. 1951 : *J.C.P.* 52, II, 6948.

(41) Req., 6 janv. 1913 : *D.* 1914, 1, 13. — Civ. 1re, 16 juill. 1959 : *Bull. civ.* I, n° 298. — Paris, 29 mai 1986 : *D.* 1986, *Flash*, n° 25. — Com., 20 janv. 1987 : *J.C.P.* 88, II, 20987, note GOUBEAUX : « La règle *Nemo auditur...* ne fait point obstacle à ce que chacune des parties puisse, pour en écarter les effets, se prévaloir du caractère illicite d'une convention lorsque celle-ci n'est pas fondée sur une cause immorale ».

(42) WEILL et TERRÉ, n° 336. — V. sur cette question, LE TOURNEAU, *La règle nemo auditur...,* thèse Paris, 1969, préface P. RAYNAUD.

(42-1) V. Com., 27 avril 1981 : *D.* 1982, 51, note Ph. LE TOURNEAU, qui vise formellement les turpitudes réciproques des parties.

(42-2) ROLAND et BOYER, *Adages*, p. 419 et s.

(43) Civ. 1re, 5 avril 1978 : *Bull. civ.* I, n° 147.

drait probablement d'agir en nullité. Il n'en est pas moins choquant de voir un incapable, peut-être un jeune près de la majorité, se hâter de dépenser le produit d'une vente, par exemple, et demander ensuite la nullité du contrat afin de reprendre la chose vendue !...

890. — Aussi, la jurisprudence interprète-t-elle largement la notion d'enrichissement de l'incapable. Ainsi, le fait d'acquitter une dette est un enrichissement (44) obligeant le mineur à restituer le montant de la dette acquittée. D'autre part, la restitution devra être faite si la chose acquise avec les deniers provenant du contrat nul a péri par la suite, par un événement de force majeure; il y avait eu, tout d'abord, enrichissement (45).

Mais, il appartient au cocontractant qui réclame à l'incapable la restitution consécutive à la nullité du contrat, de prouver l'enrichissement de ce dernier (46) et il incombe aux juges du fond de rechercher, avant d'ordonner un remboursement, si la prestation reçue par l'incapable a tourné à son profit (46-1).

C. — Calcul des restitutions

891. — La nullité de l'acte intervenant après un délai plus ou moins long après la conclusion du contrat, une parfaite *restitutio in integrum* serait impossible, et, de plus, contraire aux principes. Raisonnons sur une vente annulée : le vendeur doit restituer le prix à l'acheteur, c'est-à-dire la somme prévue au contrat; le nominalisme monétaire interdit toute revalorisation, ce qui conduit, en période d'inflation, à rendre à l'acheteur, en francs constants, moins qu'il n'avait déboursé. L'acheteur, de son côté, doit remettre la chose au vendeur abstraction faite de l'évolution de sa valeur dans l'intervalle; si on prenait en compte la plus value ou la moins value de l'objet, on favoriserait le vendeur, ce qui serait inéquitable, puisque le droit de l'acheteur est immuablement fixé au prix convenu au jour du contrat (47).

Pour autant, le législateur et la jurisprudence ne s'en efforcent pas moins de considérer la situation née de la nullité au jour où elle se dénoue. Un compte est établi entre les parties qui règle la question des fruits perçus et des intérêts courus depuis la passation du contrat, l'incidence des constructions et impenses faites par l'acquéreur sur la chose, ainsi que les conséquences d'une éventuelle détérioration. En outre, se pose le problème du préjudice subi, le cas échéant, par la partie victime de la nullité.

(44) Civ., 23 fév. 1891 : *D.* 1892, 1, 29.

(45) Req., 26 avril 1900 : *D.* 1900, 1, 455; *S.* 1901, 1, 93, note FERRON.

(46) Même arrêt que celui cité à la note précédente.

(46-1) Civ. 1re, 5 avril 1978 : *Bull. civ.* I, n° 147.

(47) MARTY et RAYNAUD, n° 236.

1° Fruits et intérêts

892. — Logiquement, les fruits de la chose (récoltes, loyers d'un immeuble...) devraient être restitués avec la chose elle-même; d'une part, ils n'en constituent que l'accessoire et l'accessoire suit le principal, d'autre part, leur perception est devenue sans cause du fait de l'annulation. Cependant, eu égard au fait que les revenus sont destinés à être consommés et que leur accumulation pendant de nombreuses années risquerait de ruiner le débiteur de la restitution, il est admis que le possesseur fait les fruits siens, à la condition d'être de bonne foi, c'est-à-dire d'avoir ignoré le vice qui entachait le contrat de nullité (C. civ., art. 549 et 550).

En revanche, le possesseur de mauvaise foi — et il l'est dès qu'il a connu la situation et, au plus tard, du jour de la demande en restitution — est comptable des fruits, qu'il doit rendre en nature s'ils ont été conservés, selon leur valeur, estimée à la date du remboursement, dans l'hypothèse inverse. Mais, le créancier ne peut exiger que la restitution des fruits nets, autrement dit des fruits dont on a déduit les frais exposés pour leur perception (labours, semences, etc.) (48) et ne peut prétendre qu'aux fruits qu'aurait produits la chose dans l'état qu'elle avait lors de la conclusion du contrat (48-1).

Un régime voisin s'applique aux intérêts des sommes d'argent sujettes à restitution. Par exemple, le vendeur qui retrouve son bien à la suite de l'annulation est tenu d'en rembourser le prix majoré des intérêts moratoires légaux. Ces intérêts ont pour point de départ le jour de la sommation de payer, sauf si le débiteur est de mauvaise foi, auquel cas ils courent de pleint droit (48-2).

De la jouissance de la chose et du prix, on droit rapprocher l'utilisation du bien rétrocédé, pendant l'intervalle entre la conclusion du contrat et son annulation. Cet usage ne réprésente-t-il pas une valeur qui, en l'absence d'indemnisation correspondante, créé un enrichissement sans cause au profit de l'utilisateur ? Un arrêt l'a admis (48-3). Mais d'autres décisions, au contraire, ont repoussé la demande en paiement d'un loyer, considérant « qu'en raison de la nullité dont la vente est entachée dès l'origine, le vendeur n'est pas fondé à obtenir une indemnité correspondant au profit qu'à retiré l'acquéreur de l'utilisation de la machine » (48-4).

---

(48) Civ. 3e, 5 juill. 1978 : *Bull. civ.* III, n° 281.

(48-1) Civ. 1re, 20 juin 1967 : *J.C.P.* 67, II, 15262, note J.-A.; *Rev. trim. dr. civ.*, obs. BREDIN. — Paris, 22 nov. 1972 : *D.* 1974, 92, note MALAURIE.

(48-2) Civ. 3e, 4 mai 1982 : *Bull. civ.* III, n° 154, p. 137; *Rép. Defrénois* 1983, art. 33082, obs. AUBERT; *D.* 1982, I.R. 353.

(48-3) Com., 16 déc. 1975 : *Bull. civ.* IV, n° 308, p. 256.

(48-4) Civ. 1re, 2 juin 1987 : *Bull. civ.* I, n° 183, p. 137. — Même solution dans Com., 11 mai 1976 : *Bull. civ.* IV, n° 162, p. 137.

2° Constructions, plantations, impenses

893. — Si l'acquéreur, obligé de restituer, a effectué des constructions ou des plantations sur le fonds, on appliquera les règles prévues à l'article 555 du Code civil, lesquelles sont différentes selon qu'il était de bonne ou de mauvaise foi. En cas de bonne foi du possesseur évincé, le propriétaire du fonds ne peut pas exiger la suppression desdits ouvrages; il doit verser une indemnité égale, à son choix, à la somme correspondant à l'augmentation de valeur procurée au fonds ou au coût des matériaux et au prix de la main-d'œuvre estimés à la date du remboursement.

894. — Il en est de même des divers travaux qualifiés d'impenses (48-5). On en distingue trois catégories. 1°) les impenses *nécessaires*, qui ont eu pour objet la conservation de la chose, sont remboursées intégralement car, faute d'avoir engagé les travaux, l'immeuble eût péri; 2°) les impenses *utiles* visent les travaux qui ont eu pour conséquence d'améliorer l'immeuble, donc d'en augmenter la valeur; elles donnent lieu à dédommagement jusqu'à concurrence de la plus-value procurée au bien ou du montant effectif des dépenses si elles lui sont inférieures (48-6); elles sont dues même au possesseur de mauvaise foi (49); 3°) les impenses *voluptuaires* se rapportent à des travaux de luxe ou même de simple agrément; elles ne sont jamais remboursées, mais celui qui les a exposées peut les retirer à condition qu'il n'en résulte aucune dégradation.

3° Détériorations

895. — Si la chose a été détériorée par la faute de celui qui doit la restituer, il sera tenu d'indemniser le cocontractant à qui elle est restituée. En toute orthodoxie, on devrait refuser tout dédommagement quand la dégradation a été provoquée par la force majeure ou a sa source dans la vétusté : la partie qui récupère son bien est, du fait de la rétroactivité, réputée n'avoir jamais perdu la propriété; en application de la règle *Res perit domino*, le risque de moins-value lui incombe entièrement. La Cour de cassation avait, d'abord, adopté ce raisonnement et jugé que la chose devait être rendue dans son état, sans indemnité. Cette position a été abandonnée : les parties devant être remises dans l'état où elles étaient auparavant, on ne peut « laisser à la charge du *vendeur* les dommages affectant la chose vendue entre sa livraison et sa restitution » (49-1), et on peut mettre à la charge de *l'acheteur* « le coût de la remise en état de la machine sans avoir à relever l'existence d'une faute à son encontre » (49-2).

(48-5) M.-Cl. FAYARD, *Les impenses*, thèse Lyon, 1969, préface NERSON.

(48-6) Sur le principe que c'est la moindre de deux sommes qui est due, v. Civ. 3e, 18 mai 1982 : *D.* 1983, I.R. 14, obs. A. ROBERT.

(49) Civ. 3e, 12 mars 1985 : *Bull. civ.* III, n° 50.

(49-1) Com., 21 juill. 1975 : *D.* 1976, 582, note DIENER et AGOSTINI.

(49-2) Civ. 1re, 2 juin 1987 : *D.* 1987, I.R. 152; *Rép. Defrénois* 1988, art. 34202, obs. AUBERT.

4° Préjudice né de la nullité

896. — La nullité du contrat peut s'avérer préjudiciable au contractant, malgré les restitutions dont il s'agit (il a pu manquer l'occasion d'une opération plus rentable, par exemple). Un problème de responsabilité va naître de ce fait. La question de savoir si cette responsabilité est *contractuelle* ou *délictuelle* a donné lieu à de très nombreuses études doctrinales (50). On ne saurait rendre compte, ici, de cette controverse, en grande partie académique, les tribunaux s'étant rarement prononcés sur la question. A notre avis, la nullité du contrat ne fait pas disparaître le fait que, les contractants s'étant mis en rapport, une situation a été créée, dont le juge ne peut pas faire entièrement abstraction. Si la responsabilité ne saurait être contractuelle, par suite de la nullité du contrat, les règles de la responsabilité contractuelle — ou certaines d'entre elles — devraient être appliquées *par analogie* (51).

897. — Quel que soit le système suivi, il ne saurait être question que d'une responsabilité pour *faute* (51-1). Cela est évident si l'on adhère au système de la responsabilité délictuelle, seul l'article 1382 étant de nature à être invoqué. (On ne voit pas, comment, en effet, on pourrait faire appel à l'art. 1384, al. 1er; où serait le fait de la chose ?). C'est la même solution qui serait commandée par la théorie de la garantie, le dommage découlant de la nullité du contrat étant « purement économique » ou « purement moral » et se trouvant, par conséquent, dans le domaine de la responsabilité pour faute. La preuve de la faute du responsable de la nullité serait exigée alors même que l'on appliquerait en la matière les règles de la responsabilité contractuelle : pour les partisans de cette thèse, les contractants assument, implicitement, l'engagement « de faire ce qui dépend d'eux pour qu'aucune cause de nullité n'existe » (52). C'est donc là, une obligation de moyens.

---

(50) En faveur de la responsabilité contractuelle : IHERING, *De la culpa in contrahendo*, Œuvres choisies, trad. DEMEULENAERE.

(51) BAUDRY-LACANTINERIE et BARDE, *Obligations*, t. I, n° 362. — Ph. MALINVAUD, *La responsabilité des incapables et de la femme dotale à l'occasion d'un contrat*, thèse Paris, 1965, préface H. MAZEAUD. — En faveur de la responsabilité délictuelle : MAZEAUD et TUNC, *Tr. resp.*, 6e éd., t. I, n° 123 et s. — WEILL et TERRÉ, p 384. — FLOUR et AUBERT, n° 370 et s. — En faveur d'une responsabilité contractuelle, J. HUET, *Responsabilité contractuelle et responsabilité dlictuelle*, thèse Paris II, 1978, n° 258 et s.

(51-1) Paris, 14 mai 1970 : *J.C.P.* 71, II, 16751. — Paris, 5 janv. 1988 : *D.* 1988, I.R. 33; la nullité du mandat conféré à un agent immobilier entraîne l'absence de droit à rémunération, mais la perte de ce droit ne peut empêcher l'agent de prétendre à des dommages intérêts, *s'il prouve l'existence d'une collusion entre vendeur et acquéreur*, qui ont utilisé abusivement ses services.

(52) Telle est notamment l'argumentation développée par IHERING, *op. cit.* — *Adde*, LEGROS, *Essai d'une théorie générale de la responsabilité en cas de nullité du contrat*, thèse Dijon 1901. — *Contra* pour une responsabilité quasi délictuelle, Paris, 14 mai 1970 : *J.C.P.* 71, II, 16751; *Rép. dr. civ. Dalloz, V° Nullité* par PONSARD et BLONDEL.

898. — La question est aujourd'hui tranchée. Par un arrêt du 4 février 1975 (52-1), la première Chambre civile, rappelant que « le droit de demander la nullité d'un contrat par application des articles 1116 et 1117 du Code civil n'exclut pas l'exercice par la victime des manœuvres dolosives d'une action en *responsabilité délictuelle* pour obtenir de leur auteur réparation du préjudice qu'elle a subi », a précisé que cette action était *fondée sur l'article 1382*, d'où il résultait qu'elle se prescrivait par trente ans. La même Chambre a confirmé cette solution par la suite (52-2), soulignant que les manœuvres dolosives avaient eu lieu « lors des actes préparatoires à la conclusion du contrat » et, qu'en conséquence, il ne s'agissait pas d'une faute commise dans l'exécution d'une obligation contractuelle. De son côté, la Chambre commerciale (52-3) a approuvé l'octroi de dommages et intérêts aux acquéreurs d'un fonds de commerce — volontairement mal informé par la venderesse — sur le seul fondement de l'article 1116; mais, comme on l'a noté, l'absence de référence à l'article 1382 du Code civil ne contredit pas la jurisprudence de la première Chambre civile, étant donné que « les éléments de la responsabilité civile sont intégrés dans la notion même de dol, en tant que délit civil ». On est toujours en présence d'une responsabilité précontractuelle, impliquant la démonstration d'une faute et échappant à la prescription quinquennale réservée à l'annulation du contrat.

SOUS-SECTION III

L'ÉTENDUE DE LA NULLITÉ

899. — Il est fréquent que, dans un contrat qui comporte de nombreuses clauses, une seule d'entre elles, ou quelques-unes seulement, soient frappées de nullité. Doit-on, en ce cas, annuler le contrat tout entier ou, simplement, la clause irrégulière ? Nous avons déjà rencontré cette question en étudiant les clauses d'indexation prohibées, mais elle se pose pour toute autre clause qui serait nulle. Rationnellement, l'annulation devrait être restreinte à la seule clause infectée, le contrat subsistant pour tout le reste. En droit positif, la solution est beaucoup plus nuancée et il existe, à côté des cas de nullité partielle, des cas de nullité totale.

(52-1) Civ. 1re, 4 fév. 1975 : *J.C.P.* 75, II, 18100, note LARROUMET; *D.* 1975, 405, note GAURY; *Rev. trim. dr. civ.* 1975, 537, obs. DURRY; *Rép. Defrénois* 1975, art. 31030, obs. AUBERT.

(52-2) Civ. 1re, 14 nov. 1979 : *Bull. civ.* I, n° 279, p. 226; *Rev. trim. dr. civ.* 1980, 763, obs. CHABAS; *D.* 1980, I.R. 264, obs. GHESTIN.

(52-3) 13 oct. 1980 : *D.* 1981, I.R. 309, obs. GHESTIN.

§ 1. — La nullité totale

900. — L'article 1172 du Code civil déclare :

« Toute condition d'une chose impossible ou contraire aux bonnes mœurs ou prohibée par la loi est nulle et rend nulle la convention qui en dépend ».

A première vue, le système de la nullité totale est commandé par la logique contractuelle : le contrat, parce qu'il intègre de multiples clauses liées les unes aux autres de façon quasi indissociable par un acte de volonté unique, forme un tout qui doit être exécuté tel que les parties l'ont conçu, ou à défaut être anéanti en totalité (53).

Néanmoins, la jurisprudence n'applique pas ce texte sans nuance. Elle considère que l'article 1172 fournit, *expressis verbis,* le moyen de tempérer la règle qu'il pose, puisqu'aussi bien la condition d'une chose impossible, immorale ou illicite, si elle est nulle, ne rend nulle la convention que si celle-ci « en dépend ». La nullité d'une clause du contrat ne provoque la nullité du contrat lui-même que si la clause a été déterminante dans l'esprit des parties et que sa suppression bouleverserait l'économie de l'opération : alors, toutes les stipulations forment un complexe indivisible et la nullité de l'une d'entre elles entraîne toutes les autres dans sa chute. A l'opposé, s'il apparaît — par interprétation de la volonté des parties — que la condition n'a joué qu'un rôle accessoire, on se contente d'une annulation partielle : la clause disparaît seule; la convention demeure pour le surplus. C'est en ce sens que se prononce la jurisprudence au sujet de la clause de célibat insérée dans le contrat de travail; la clause est jugée nulle comme portant atteinte à une liberté individuelle fondamentale (celle de se marier), mais le contrat, pour tout le reste, est maintenu. La même solution s'applique au prêt à intérêt qui pêche par défaut d'indication du taux effectif global; une telle omission n'affecte que la validité de la stipulation d'intérêt et entraîne la substitution du taux légal au taux conventionnel (53-1).

L'intention des parties est, à cet égard, une *question de fait* qui échappe donc au contrôle de la Cour de cassation (54).

901. — Cependant, s'il apparaît que la nullité de la clause avait un caractère de sanction intéressant l'ordre public, on ne saurait étendre la nullité à l'acte tout entier, alors même que les parties avaient expressément stipulé « qu'elles faisaient de la clause illicite une condition essentielle de la

---

(53) Toutes les obligations sont effacées, même les obligations accessoires, Com., 20 juill. 1983 : *D.* 1984, 422, note AUBERT; *Rev. trim. dr. civ.* 1984, 710, obs. MESTRE (clause pénale).

(53-1) Civ. 1re, 9 fév. 1988 : *J.C.P.* 88, IV, 143.

(54) Com., 22 fév. 1967 : *Bull. civ.* III, n° 87, p. 83.

convention » (55). C'est en ce sens que se prononce très généralement la jurisprudence lorsque la nullité concerne les contre-lettres qui augmentent le prix de certaines ventes pour des raisons de fraude fiscale.

§ 2. — La nullité partielle

902. — Le législation a expressément consacré plusieurs cas particuliers de nullité partielle (56).

903. — L'article 900 du Code civil déclare :

« Dans toute disposition entre vifs ou testamentaires, les conditions impossibles, celles qui seront contraires aux lois ou aux bonnes mœurs, seront réputées non écrites ».

Alors que, dans les actes à titre onéreux, la condition impossible, illicite (clause de non-mariage ou de viduité) ou immorale (clause de concubinage, de divorce) entraîne la nullité de l'acte tout entier (C. civ., art. 1172), dans les donations et dans les legs, la nullité d'une condition ou d'une charge laisse subsister la libéralité qui s'exécute comme si elle avait été faite sans charge ni condition (56-1). La stipulation de la charge ou de la condition est nulle, mais sa nullité ne contamine pas la libéralité qui en dépend : *Vitiantur nec vitiant* (56-2). Cette règle est à l'opposé de celle observée pour les actes à titre onéreux. Toutefois, la jurisprudence a comblé l'écart entre ces deux solutions contraires et recourt fréquemment à la notion de cause pour limiter l'application de l'article 900. S'il est établi que le disposant n'a consenti à la libéralité que pour que soit réalisée la condition illicite ou immorale, les juges en déduisent logiquement que la condition prescrite a été la cause impulsive et déterminante de l'acte libéral et qu'il faut annuler globalement la libéralité, qui est toute entière immorale ou illicite (56-3).

Compte tenu de l'interprétation des articles 1172 et 900 par la jurisprudence avec le même appel à la théorie de la cause, les régimes de l'acte à titre gratuit et de l'acte à titre onéreux se sont pratiquement unifiés : dès

---

(55) Paris, 13 mai 1929 : *Gaz. Pal.* 1929, 2, 271. — Soc., 22 juin 1945 : *Gaz. Pal.* 1945, 2, 75. — Civ. 3e, 6 juin 1972 : *D.S.* 1973, 151, note MALAURIE; *J.C.P.* 72, II, 17255; *Rép. Defrénois* 1973, art. 30293, obs. AUBERT. — 9 juill. 1973 : *D.S.* 1974, 24, note Ph. M. (nullité de la seule clause d'un contrat de bail faisant échec à la loi sur la propriété commerciale, en dépit de l'indivisibilité stipulée entre cette clause et le bail). Il a été jugé que la nullité d'une clause d'un contrat de vente contraire à la réglementation, d'ordre public, du crédit s'étendait au contrat tout entier : Com., 4 mai 1970 : *J.C.P.* 70, éd. G, IV, 169. — Versailles, 3 fév. 1989 : *D.* 1989, I.R. 86 : les dispositions impératives du Code de la construction relatives à la fixation du prix sont des formalités essentielles qui touchent à la substance même de l'objet du contrat; leur violation entraîne nécessairement la nullité du contrat en son entier. — V. aussi SAYAG : *J.C.P.* 72, I, 2451, note 15.

(56) V. Ph. SIMLER, *La nullité partielle des actes juridiques,* thèse Strasbourg, 1968. — TEYSSIÉ, *Réflexions sur les conséquences de la nullité d'une clause d'un contrat : D.* 1976, chron. 281.

(56-1) BÉNABENT, *Conditions mettant en jeu la liberté du mariage : Rev. trim. dr. civ.* 1973, 440. — N. COIRET, *La liberté du mariage au risque des pressions matérielles, ibid.*, 1985, 63.

(56-2) ROLAND et BOYER, *Adages*, p. 1078.

(56-3) Civ., 19 oct. 1910 : *D. P.* 1911, I, 483.

l'instant que la clause illicite est jugée déterminante, la nullité embrasse tout le contrat qu'il soit intéressé ou désintéressé : dans le cas contraire, la nullité est confinée à la seule clause vicieuse.

904. — L'article L. 415-12 du Code rural dispose :

« Toute disposition des baux restrictive des droits stipulés par le présent titre est réputée non écrite ».

Ce qui signifie que l'ensemble du statut du fermage étant d'ordre public, toute clause dérogatoire est nulle sans emporter pour autant la nullité du contrat de bail à ferme. Il est donc indifférent au maintien du contrat que bailleur et preneur aient modifié les règles du droit de préemption, celles du renouvellement du bail, celles relatives à la durée ou à la détermination du fermage; le rapport contractuel est conservé, amputé de ses dispositions vicieuses.

905. — L'article 1844-10 du Code civil en matière de société, porte qu'à l'exception des dispositions des articles 1832, 1832-1, alinéa 1er et 1833, toute clause statutaire contraire à une disposition impérative du présent titre (titre IX : de la société), dont la violation n'est pas sanctionnée par la nullité de la société, est réputée non écrite.

906. — Outre ces hypothèses spéciales, la loi du 10 janvier 1978 sur la protection des consommateurs a créé une catégorie nouvelle de clauses abusives en matière de contrats de consommation. Ses dispositions qui vont à l'encontre de la loi ou du décret d'application du 24 mars 1978 sont réputées non écrites, c'est-à-dire effacées de l'ensemble de la convention qu'elles laissent intacte pour le surplus. La nullité de la seule clause est tout à fait appropriée à la situation, puisqu'elle laisse au consommateur le bénéfice du contrat qu'il a conclu et en chasse, seulement, les conditions iniques que le législateur voulait proscrire.

SECTION II

SIMULATION DANS LES CONTRATS

907. — Le droit des contrats est — on le sait — régi par le principe consensualiste. La volonté des parties s'exprime librement, sans formalisme (sauf les exceptions que nous avons indiquées ci-dessus).

Cette entière liberté les conduit assez fréquemment à dissimuler leur véritable intention, en passant *simultanément* deux contrats (56-4) : un

---

(56-4) Civ. 1re, 13 janv. 1953 : *Bull. civ.* I, n° 15.

contrat apparent, appelé aussi *contrat ostensible* (celui que l'on montre) et un *contrat secret,* appelé *contre-lettre* (parce qu'il est, en général, fait par écrit). Le premier, destiné à être connu des tiers, est mensonger; l'autre, réservé aux parties, rétablit la vérité et demeure secret. Pour autant, la simulation n'est pas illicite par principe; elle ne le devient que dans des cas particuliers.

La simulation fait l'objet d'une théorie générale qui déborde le cadre du contrat, pouvant affecter des institutions comme le mariage ou la société ou de simples actes unilatéraux comme le testament.

On étudiera successivement la notion de simulation (sous-section I), ses effets entre les parties (sous-section II), ses effets à l'égard des tiers (sous-section III).

SOUS-SECTION I

LA NOTION DE SIMULATION

908. — La doctrine distingue la simulation, qui se traduit dans un comportement actif, créant volontairement une apparence trompeuse, de la dissimulation qui ne consiste qu'à cacher plus ou moins passivement la vérité (57).Pour se faire une idée de la simulation, il faut, d'une part, dégager les caractères de la contre-lettre, d'autre part, envisager ses modes de réalisation (57-1).

§ 1. — Les caractères de la contre-lettre

909. — On n'insistera pas sur le caractère bilatéral de la simulation qui est un mensonge voulu par les deux parties, à l'opposé du dol qui, loin d'être concerté entre les partenaires, est une tromperie unilatérale dirigée par l'un contre l'autre. Ce qui fait l'essence de la contre-lettre, c'est la réunion de trois qualités : la contre-lettre doit être secrète, contemporaine de l'acte ostensible, prendre la forme d'un écrit.

1° Caractère secret

910. — Le caractère secret de la contre-lettre est une question de pur fait. L'enregistrement, formalité fiscale, ne supprime pas le caractère secret de

(57) V. RAYNAUD, n° 300.

(57-1) FLAVIAN, *Des contre-lettres*, thèse Paris, 1929. — J. ROUSSEAU, *Essai sur la nature juridique de la simulation*, thèse Paris, 1936. — M. DAGOT, *La simulation en droit privé*, thèse Toulouse, 1967, préface HÉBRAUD. — J.-D. BREDIN, *Remarques sur la conception juridique de l'acte simulé: Rev. trim. dr. civ.* 1956, p. 261 et s.; *Rép. dr. civ. Dalloz, V° Simulations*, par J. GHESTIN. — HINFRAY, *Du paradoxe juridique de la simulation : Administrer* nov. 1982, 11.

l'acte enregistré, l'administration fiscale n'étant pas un organisme de publicité. En revanche, la publicité effectuée sur des registres destinés à porter l'acte à la connaissance des tiers supprime le caractère secret, donc, celui de contre-lettre. Par ailleurs, l'acte apparent ne doit pas faire mention de l'existence de la contre-lettre. Ainsi la déclaration de command, qui permet à une personne d'acheter pour une autre sans révéler immédiatement l'identité de cette dernière, ne s'analyse pas en une véritable simulation.

Le caractère clandestin s'oppose au caractère ostensible de l'acte apparent, qu'il doit contredire en tout ou en partie. Observons qu'« ostensible » ne doit pas être confondu avec « publié »; même s'il s'agit d'actes assujettis à la publicité pour être opposables aux tiers, l'absence de publicité n'enlève pas le caractère ostensible à l'acte, dès lors qu'en fait il est exhibé.

2° Caractère contemporain

911. — La simultanéité des deux actes est nécessaire pour constituer une simulation et doit être comprise en fonction de l'intention des parties. En pratique, l'acte ostensible n'est pas rédigé toujours au même moment que la contre-lettre. Un ou plusieurs jours peuvent les séparer, l'acte secret précédant, par exemple, l'acte apparent (57-2). Il y a contre-lettre si les parties sont convenues de leur application simultanée. Dans le cas contraire, le deuxième contrat n'est pas une contre-lettre, mais une *modification* du contrat initial (58) ou une révocation, auquel cas les deux actes qui se suivent expriment tous deux la véritable volonté des parties, à l'opposé de la simulation où seule la contre-lettre contient l'authentique intention des contractants.

La nécessité de la concomitance est relevée par la jurisprudence; un arrêt dénie la qualité de contre-lettre à l'écrit sous seing privé portant reconnaissance de dette et mentionnant qu'il est rédigé à la suite du partage des biens de famille; l'acte ostensible de partage ayant déjà reçu exécution et la reconnaissance de dette ayant été signée postérieurement, celle-ci ne saurait être assimilée à une contre-lettre (59).

3° Caractère écrit

912. — Le terme contre-lettre révèle assez que la simulation a besoin de l'écrit; il désigne l'*instrumentum* contredisant l'acte ostensible.

(57-2) Civ. 1re, 2 juin 1970 : *Bull. civ.* I, n° 186.

(58) Paris, 19 mai 1982 : *J.C.P.* 83, IV, 210. — Le terme « contre-lettre » est employé dans l'art. 1396 du Code civil avec ce sens différent : *modification d'un contrat de mariage* n'ayant pas le caractère secret (v. ce texte).

(59) Toulouse, 27 avril 1981 : *Gaz. Pal.* 1982, 1, somm. 214. — *Contra*, Reims, 15 mai 1973 : *Gaz. Pal.* 1973, 2, 572 (il n'y a pas contrat nouveau si l'intention des parties résulte clairement des termes de la contre-lettre postérieure).

De ce caractère scriptural se déduit le régime de preuve applicable. D'après la Cour de cassation (60) et conformément aux principes, il résulte de l'article 1341 du Code civil que, sauf les exceptions prévues aux articles 1347 et 1348 du même code ou résultant des lois relatives au commerce, il ne peut être prouvé par témoins, indices ou présomptions contre le contenu d'un acte passé devant notaire ou sous signature privée et que cette règle s'applique à la preuve, *entre parties à l'acte* (60-1), de la simulation alléguée par l'une d'elles. Cette exigence d'un écrit gouverne même l'hypothèse où l'acte ostensible est d'une valeur inférieure à 5 000 F.

913. — Mais l'existence d'un commencement de preuve par écrit, par exemple des conclusions en justice émanant de la partie à laquelle la simulation était opposée (61) ou la démonstration d'une impossibilité morale (62) ou matérielle d'établir un écrit, rendrait recevable la preuve par témoins ou par présomptions (63). Les juges du fond disposent d'un pouvoir souverain en vue de déterminer la valeur probante des indices ou présomptions invoqués pour démontrer l'existence d'une simulation (64).

914. — On retrouve la liberté des preuves lorsque la simulation a eu pour but de réaliser une fraude à la loi ou de tenir en échec une disposition d'ordre public (65), le conflit opposerait-il les parties à l'acte ou leurs héritiers (65-1). Tel est le cas de l'acte qui porte atteinte à la réserve successorale : tous éléments de preuve sont admissibles pour dévoiler qu'un acte apparent de vente d'immeubles constituait en réalité une donation déguisée (66).

915. — La loi pose, dans certains cas, des présomptions de simulation. Citons les plus connues. L'article 911, alinéa 2, répute, s'agissant d'une donation adressée à un incapable, personnes interposées, les père et mère, les enfants et descendants et l'époux de la personne incapable. L'article 1100 relatif aux donations entre époux tient pour personnes interposées les enfants de l'autre époux issus d'un autre mariage et les parents dont l'autre époux est héritier présomptif. De telles présomptions sont irréfragables.

---

(60) Civ. 3e, 3 mai 1978 : *Gaz. Pal.* 1978, 2, somm. 270; *Bull. civ.* III, 145. — Civ. 3e, 23 mars 1982 : *Gaz. Pal.* 1982, 2, pan. 268.

(60-1) Com., 30 juin 1980 : *Bull. civ.* IV, n° 279.

(61) Civ. 1re, 12 janv. 1977 : *Gaz. Pal.* 1977, 1, somm. 73.

(62) Civ. 3e, 24 juin 1980 : *Gaz. Pal.* 1980, 2, pan. 530.

(63) V. une application intéressante, Civ. 1re, 1er déc. 1965 : *Bull. civ.* I, n° 670, p. 511. — V. aussi, Civ. 1re, 16 juill. 1970 : *J.C.P.* 70, IV, 240.

(64) Civ. 3e, 13 oct. 1976 : *Bull. civ.* III, 267. — Civ. 1re, 22 mars 1983 : *D.* 1985, I.R. 483, note J. Mouly.

(65) Paris, 17 janv. 1978 : *Gaz. Pal.* 1978, 2, somm. 388.

(65-1) Civ. 1re, 19 avril 1977 : *Bull. civ.* I, n° 172.

(66) Civ. 1re, 21 juill. 1980 : *Gaz. Pal.* 1981, pan. 26; *Bull. civ.* I, 186. — Civ. 1re, 24 nov. 1987 : *Bull. civ.* I, n° 309, p. 221.

§ 2. — Les modes de simulation

1° Fiction

916. — La simulation peut avoir pour objet l'anéantissement de l'acte apparent. Par exemple, dans l'acte ostensible, Pierre vend son immeuble à Jacques. Mais les parties conviennent, par un acte secret, qu'en réalité, il n'y a pas de vente. La vente ostensible était donc un acte purement fictif; les parties n'ont pas voulu transférer la propriété de l'immeuble. Il arrive aussi que l'on simule la constitution d'une société, afin de ne pas exposer la totalité de son patrimoine à l'action des créanciers professionnels; s'il est établi que les prétendus associés ne sont que des compères — ce que prouve souvent la cession en blanc de leurs parts remise par avance au maître de l'affaire — on estime que l'activité est exercée sous forme individuelle, non sous forme sociale (66-1).

2° Déguisement

917. — La simulation peut porter sur la nature de l'acte. Par exemple, l'acte apparent est une vente, mais il est convenu, par contre-lettre, que le prix ne sera jamais exigé, si bien que le contrat est, en réalité, une donation. C'est une *donation déguisée* sous l'apparence d'une vente (66-2).

918. — La simulation peut porter sur l'une des clauses de l'acte. L'exemple le plus fréquent est celui d'une *modification portant sur le prix.* L'acte apparent déclare que le prix est de 1 000, alors qu'il est convenu qu'en réalité, il est de 2 000. La modification peut porter sur les diverses conditions d'exécution de l'acte (clause d'indexation; délais d'exécution, etc.). Dans ces deux espèces, on parle, à juste titre, de déguisement. La contre-lettre a seulement pour but de modifier les effets de l'acte apparent; contrairement à ce qui se passe lorsque l'acte est fictif, il y a création d'une situation juridique nouvelle et non destruction sans remplacement de l'acte apparent (67).

(66-1) Com., 19 janv. 1970 : *D.* 1970, 479, note POULAIN. — Rappr. Civ. 1re, 4 janv. 1984 : *D.* 1985, I.R. 483, note J. MOULY.

(66-2) Com., 30 juin 1987 : *Bull. civ.* IV, n° 168, p. 126. — Sur la question H. MEAU-LATOUR, *La donation déguisée en droit civil français*, thèse Paris II, 1983.

(67) Pour des illustrations de simulation : Com., 4 janv. 1971 : *Bull. civ.* IV, n° 4, p. 5 (vente de fonds de commerce dissimulée sous une cession de la quasi-totalité des partes sociales de la société exploitant le fonds). — Civ. 1re, 16 juill. 1971 : *Bull. civ.* I, n° 242, p. 202 (reconnaissance de dette de l'acquéreur d'un immeuble relative à un prêt fictif, servant à dissimuler une partie du prix de vente de cet immeuble). — Civ. 1re, 6 déc. 1972 : *D.S.* 1973, I.R. 23 (prêt usuraire à un promoteur dissimulé derrière la souscription, par les prêteurs, de parts de sociétés civiles immobilières).

3° Interposition de personnes

919. — La simulation peut, enfin, porter sur la personne même du contractant. Une donation, par exemple, est faite ostensiblement à Jean, mais il est convenu, par contre-lettre, que Jean remettra la chose ou la somme donnée à Marie, son épouse. On est alors en présence de ce qu'on appelle une *interposition de personnes* (67-1).

4° Motifs de la simulation

920. — Quelles sont les raisons qui poussent ainsi les parties à dissimuler leurs véritables intentions ? En fait, elles sont de nature fort diverse. Très fréquemment, ce qui détermine la simulation, est une pensée de *fraude.*

On entend dissimuler une partie du prix pour faire fraude au fisc, en évitant le paiement de droits sur la partie non déclarée. ou bien on fait croire à une vente pour éluder le paiement des droits de mutation à titre gratuit, beaucoup plus élevés (67-2). On peut vouloir faire fraude à ses créanciers, en dissimulant des biens que l'on veut faire échapper à la saisie. On peut vouloir priver ses héritiers de ce qui normalement doit leur revenir. On peut, aussi, vouloir faire *fraude à la loi* en évitant des formalités (par exemple, l'acte authentique) ou en échappant à des conditions qui sont exigées à l'égard de l'acte secret (une donation, par exemple), alors qu'elles ne le sont pas à l'égard de l'acte apparent (une vente, une reconnaissance de dette, etc.).

921. — Cependant, la simulation n'est pas nécessairement inspirée par l'idée de fraude. Elle peut obéir à des mobiles qui n'ont rien de moralement blâmable : quelque scrupule de conscience, un certain désir de discrétion (secret des affaires), le souhait pour un père de famille qui avantage un de ses enfants de ne pas susciter de jalousie entre frères et sœurs.

De toute façon, une règle générale du droit proclame que la *fraude ne se présume pas* (67-3). On ne peut pas poser en principe que toute simulation est frauduleuse. C'est précisément ce qui ressortira de l'étude de ses effets, dans les rapports des parties, tout d'abord, à l'égard des tiers, ensuite.

(67-1) Civ. 1re, 19 juin 1984 : *Gaz. Pal.* 1985, 1, pan. 87, note A. PIEDELIÈVRE; *Bull. civ.* I, n° 205.

(67-2) Com., 22 mars 1988 : *Bull. civ.* IV, n° 120, p. 83.

(67-3) ROLAND et BOYER, *Adages*, p. 1115 et s.

SOUS-SECTION II

LA SIMULATION ENTRE LES PARTIES

922. — C'est l'article 1321 du Code civil qui répond à la question : « Les contre-lettres ne peuvent avoir leur effet qu'entre les parties contractantes... ».

Ce texte figure parmi les dispositions consacrées à la *preuve* des obligations. En réalité, le principe qu'il exprime est une *règle de fond.* Cette règle résulte du consensualisme et de la disposition consacrée par l'article 1156 du Code civil qui recommande au juge de rechercher la commune intention des parties, plutôt que de s'arrêter au sens littéral des termes. La jurisprudence a interprété la disposition de l'article 1321 comme consacrant le principe de l'efficacité de l'acte apparent. Elle rappelle, à chaque occasion, que la simulation n'est pas en soi une cause de nullité de l'acte qui en est l'objet (68). On en conclurait à tort que la validité a lieu sans conditions et ne comporte pas d'exceptions (68-1).

§ 1. — La validité des contre-lettres en général

923. — La simulation étant en principe indifférente, la contre-lettre doit réunir l'ensemble des conditions requises pour la validité de tout acte juridique, c'est-à-dire respecter les règles de *forme* de l'acte *simulé* et les règles de *fond* de l'acte *dissimulé.*

1° Conditions de forme

924. — Les prescriptions applicables à l'acte secret sont celles qui gouvernent l'acte apparent. En effet, ce qui a une existence juridique entre les parties, c'est la contre-lettre; c'est donc elle qui doit réunir les conditions formelles de validité des contrats. Il faudra donc que figurent à la contre-lettre les mentions habituellement exigibles, tel que le *bon pour* ou le *lu et approuvé,* que soit respectée la formalité du double pour les contrats synallagmatiques, etc.

La soumission de la contre-lettre aux formes de l'acte apparent aboutit, souvent, à favoriser les parties en leur permettant d'éluder une formalité complexe ou onéreuse. La donation, par exemple, relève de la solennité,

---

(68) Civ. 1re, 11 juill. 1979 : *Gaz. Pal.* 1979, 2, somm. 489; *Bull. civ.* I, 168. — La Cour de cassation a jugé que la contre-lettre émanant d'un représentant lie le représenté : Civ. 1re, 22 fév. 1983 : *J.C.P.* 85, II, 20359, note VERSCHAVE.

(68-1) NAUT, *Effet des actes juridiques simulés*, thèse Paris, 1951.

elle doit être faite par acte notarié à peine de nullité (C. civ., art. 931); or, si l'on dissimule la donation sous un acte ostensible à titre onéreux (vente ou reconnaissance de dette), elle pourra être faite par un simple acte sous seing privé, parce qu'extérieurement elle se présente comme une vente.

2° Conditions de fond

925. — En revanche, la contre-lettre obéit aux conditions de fond qui lui sont propres. Elle ne saurait relever des conditions — par hypothèse plus indulgentes — de l'acte apparent, sinon on échapperait par le biais de la simulation aux exigences de la règle de droit.

Par exemple, une donation déguisée n'échappe pas pour autant au régime spécifique des libéralités : bien qu'elle se présente comme une vente, elle reste assujettie au rapport à succession, à la réduction pour atteinte à la réserve, à la révocation pour survenance d'enfant, etc.

926. — C'est pourquoi dans le cas où la loi frappe de nullité *toute* libéralité déguisée, soit parce qu'elle est faite entre époux, soit parce qu'elle est réalisée par interposition de personnes au profit d'un incapable, la simulation ne saurait produire aucune conséquence. Dans le premier cas, elle irait à l'encontre du principe de libre révocabilité (69) des donations entre époux (la vente est irrévocable); dans le second, elle méconnaîtrait les règles d'incapacité de recevoir à titre gratuit. Aussi bien l'ensemble de l'opération est-il frappé de nullité : l'acte secret est inopérant, parce que contraire à la loi; l'acte apparent parce que contraire à la volonté des parties.

En conséquence, c'est à tort que l'on présente ces hypothèses comme des exceptions au principe de la validité de la simulation. La nullité n'a pas sa source dans la simulation, étant donné que la sanction aurait pareillement frappé l'opération si elle avait été faite au grand jour.

927. — L'important est de se souvenir de la neutralité de la simulation : elle n'est pas une cause de nullité, en ce sens qu'elle n'annule pas une convention valable au motif qu'elle a été passée secrètement; et elle ne saurait valider une convention qui aurait été invalide faite au grand jour. Il est donc logique que chaque partie puisse se targuer de la contre-lettre pour bénéficier de ses dispositions. C'est pourquoi chacun dispose de l'action en déclaration de simulation.

---

(69) L'intérêt de la règle se manifeste surtout au décès de l'époux donateur. En effet, de son vivant, s'agissant, par hypothèse, d'une donation *post nuptias*, elle aurait pu, même valable, être révoquée au gré du donateur *(ad nutum)*; il lui aurait fallu, certes, faire la preuve de la dissimulation de la donation, mais très généralement l'intéressé s'est ménagé ce moyen de preuve. S'il meurt sans avoir révoqué la donation c'est qu'il entendait la maintenir; le droit de révocation est personnel, il ne passe pas aux héritiers. Mais, ceux-ci peuvent faire *annuler* la donation en prouvant le déguisement ou l'interposition de personnes. Le législateur compte sur cette menace éventuelle de nullité pour empêcher la simulation dans les donations entre époux. Civ. 1re, 8 mars 1972 : *Bull. civ.* I, n° 27, p. 70 (nullité d'une donation déguisée faite avant le mariage, mais en prévision de celui-ci).

§ 2. — La nullité des contre-lettres stipulant un prix occulte

928. — Dans certains cas, la contre-lettre est frappée de nullité. Il faut bien comprendre le sens de cette proposition : le contrat secret en lui-même, n'a rien d'illicite ou d'immoral; il aurait été parfaitement valable s'il avait été fait ouvertement, ostensiblement; c'est le fait de sa dissimulation qui entraîne sa nullité.

A. — Domaine de la nullité

929. — La seule disposition de portée générale, sanctionnant la simulation par la nullité, est un texte destiné à réprimer la fraude dans les mutations à titre onéreux : ce texte, l'article 1840 du Code général des impôts, est ainsi libellé :

> « Est nulle et de nul effet toute contre-lettre ayant pour objet une augmentation du prix stipulé dans le traité de cession d'un office ministériel et toute convention ayant pour but de dissimuler partie du prix d'une vente d'immeubles ou d'une cession de fonds de commerce ou de clientèle ou d'une cession d'un droit à un bail ou du bénéfice d'une promesse de bail portant sur tout ou partie d'un immeuble et tout ou partie de la soulte d'un échange ou d'un partage comprenant des biens immeubles, un fonds de commerce ou une clientèle » (69-1).

930. — Cette disposition a une portée bien précise. Elle ne sanctionne pas la convention qui réalise une simulation de son véritable caractère, mais uniquement celle qui porte *dissimulation d'une partie du prix* (69-2). Et encore cette sanction ne s'applique-t-elle qu'aux seules opérations visées au texte. Ainsi, lorsque la vente porte sur un *meuble* quelconque, même de grande valeur, la stipulation d'un prix occulte n'encourt que des sanctions fiscales; civilement, l'opération est valable. Ce n'est donc qu'en matière de vente d'immeuble et de fonds de commerce et pour diverses autres opérations prévues à l'article 1840 du Code général des impôts que la contre-lettre est frappée de nullité.

931. — La fraude fiscale entraîne, tout d'abord, des sanctions fiscales (« doubles droits » et amendes). Mais le législateur est allé plus loin, il a déclaré *nulle* la contre-lettre dans laquelle figure un prix supérieur au prix déclaré. Les contre-lettres dont il s'agit sont donc doublement sanctionnées : sur le plan fiscal, d'une part, sur le plan civil, d'autre part. C'est là un des rares cas où une irrégularité purement fiscale a une conséquence d'ordre civil : la nullité de la contre-lettre n'entache pas, en principe, d'irrégularité l'acte apparent.

(69-1) FROGER, *Insuffisance et dissimulation du prix dans les ventes d'immeubles*, thèse Paris, 1932. — CHAPEAU, *Les dissimulations du prix devant la législation civile*, thèse Paris, 1934.

(69-2) Com., 19 fév. 1979 : *J.C.P.* 79, éd. N, II, 314, concl. ROBIN, note D.F.

B. — Inefficacité de la contre-lettre

1° Nature de l'inefficacité

932. — Quelle est la nature juridique de cette *nullité ?* Il avait été soutenu que l'inefficacité de la contre-lettre est, au fond, une mesure d'ordre pénal (70). Mais la jurisprudence n'a pas adopté ce point de vue. Il arrive, en effet, que le législateur décide d'*amnistier* certaines fraudes fiscales. Or, on a jugé que, si ces lois d'amnistie suppriment l'application des peines proprement dites (amendes notamment), elles ne valident pas, par là même, les contre-lettres nulles. Cette nullité provient de ce que la fraude fiscale entache la cause de la contre-lettre d'illicéité : l'amnistie supprime la peine, mais ne moralise pas, pour autant, la contre-lettre (71). Bien que poursuivant un but sanctionnateur, l'inefficacité de la contre-lettre n'est pas, techniquement parlant, une peine pénale effacée par l'amnistie. Il s'agit au demeurant, d'une nullité absolue (en effet, la règle violée est d'ordre public).

2° Sort du prix

933. — La conséquence essentielle de la nullité de la contre-lettre, c'est que le vendeur ou le cessionnaire ne peut pas exiger le paiement du prix ou de la soulte stipulée dans la contre-lettre frappée de nullité (72).

Si, comme il arrive le plus souvent, l'acquéreur a payé la somme convenue secrètement, *il peut en demander le remboursement.* Bien que complice de la fraude, son action ne sera pas déclarée irrecevable en vertu de l'adage *Nemo auditur propriam turpitudinem allegans* (73). On a voulu inciter ainsi l'acheteur à dénoncer la fraude fiscale : le remboursement du supplément du prix occulte déjà versé est la prime de cette dénonciation (74).

934. — En fait, cette action est rarement intentée, car l'acheteur, complice de la fraude fiscale, encourt, lui-même, des sanctions fiscales. Certes, la part d'amende fiscale qui lui incombe est, généralement, bien inférieure

---

(70) R. SAVATIER, *Rép. gén. not.* 1927, p. 137.

(71) Civ., 25 juin 1928 : *S.* 1928, 1, 350. — Paris, 4 mai 1955, 2e espèce : *D.* 1956, 19, note MALAURIE. — Com., 19 mars 1963 : *Gaz. Pal.* 1963, 2, 110.

(72) Civ. 3e, 14 janv. 1971 : *Bull. civ.* III, n° 34. — Com., 26 fév. 1973 : *Bull. civ.* 1973, IV, n° 99. — Com., 8 mai 1979 et 6 nov. 1979 : *D.* 1981, 283, note GHESTIN. — Ch. mixte, 12 juin 1981 : *D.* 1981, 413, concl. CABANNES; *Rev. trim. dr. civ.* 1982, 141, obs. CHABAS. — V. aussi Civ. 1re, 4 juill. 1955 : *D.* 1956, 19, note Ph. MALAURIE (l'intéressé n'ayant pas la qualité de créancier, il lui est interdit d'agir par l'action paulienne).

(73) Civ. 3e, 25 juin 1985 : *D.* 1986, 212, note AGOSTINI. — Sur cet adage, v. H. ROLAND et L. BOYER, *Adages*, p. 579 et s.

(74) Civ., 17 sept. 1941 : *D.A.* 1941, 337.

au montant du supplément de prix occulte; malgré cela, les acheteurs n'agissent guère, car, psychologiquement, ils n'aiment pas attirer l'attention du fisc sur leurs agissements frauduleux.

935. — A supposer que l'action soit intentée, elle ne peut réussir que si la *preuve* du paiement du supplément de prix occulte peut être administrée. S'agissant de faire apparaître une fraude, cette preuve peut être faite par *tous les moyens* (75). Mais, le plus souvent, l'acheteur ne dispose d'aucun moyen de preuve : le paiement s'est fait discrètement, sans témoin (d'où l'expression « dessous de table »).

3° Incidence sur la lésion

936. — Une autre conséquence de la nullité de la contre-lettre, c'est que le supplément occulte du prix n'est pas compté pour apprécier l'existence de la lésion, dans les contrats où celle-ci est sanctionnée (notamment, en cas de vente d'immeubles). L'hypothèse est la suivante : soit, par exemple, un immeuble vendu, en fait pour 120 000 F (sa valeur réelle); l'acte apparent ne porte qu'un prix de 40 000 F; mais une soulte de 80 000 F avait été payée de la main à la main. Regrettant la vente, le vendeur intente l'action en rescision pour lésion en affirmant que la vente a été faite moyennant 40 000 F. L'acheteur ne pourrait pas, pour éviter la rescision, prouver avoir payé la soulte occulte (76). Bien entendu, la vente étant rescindée, l'acheteur reprendra l'intégralité du prix versé, soit 120 000 F, puisque la restitution de la soulte occulte est autorisée.

C. — Survie de l'acte apparent

937. — *Quelle est l'influence de la nullité de la contre-lettre sur le contrat ostensible ?* En général, on décide que seule la contre-lettre est frappée de nullité, l'acte ostensible devra être exécuté; sans cela, le but sanctionnateur poursuivi par le législateur ne serait pas atteint (77).

938. — Mais, cette règle n'est pas toujours appliquée et on trouve des cas où la nullité de la contre-lettre provoque la nullité de l'acte tout entier (78). L'argument invoqué est que la soulte occulte était dans l'esprit des parties la cause même de leur obligation (il s'agissait d'une donation partage). Cela est exact, mais ne pourrait-on pas en dire autant de tous les cas où l'on stipule une contre-lettre augmentant le prix qui figure dans l'acte

---

(75) Civ. 3e, 14 janv. 1971 : *J.C.P.* 71, IV, 45 : la preuve résulte de la comparaison du prix figurant dans le compromis de vente avec celui, inférieur, de l'acte authentique, plus une reconnaissance de dette de la différence...

(76) Req., 10 déc. 1930 : *S.* 1931, 1, 103; *Gaz. Pal.* 1931, 1, 113.

(77) Civ., 25 mars 1931 : *D.* 1931, 1, 62. — Civ. 1re, 26 fév. 1973 : *Bull. civ.* I, n° 99.

(78) Civ., 28 juin 1956 : *J.C.P.* 56, II, 9636, note PONSARD. — Paris, 4 mai 1955 : *D.* 1956, 19, 2e arrêt.

apparent ? Le vendeur aurait-il vendu pour le prix ostensible s'il ne comptait pas sur le supplément occulte ? On peut en douter.

939. — Dans le même sens, d'autres décisions annulent à la fois la contre-lettre et l'acte ostensible en considérant que les deux opérations sont *indivisibles* et que la cause illicite de l'une entraîne nécessairement l'illicéité de la cause de l'autre (79).

940. — Un arrêt d'une Chambre mixte (80) a mis fin à ces solutions dont le résultat indiscutable était de laisser les parties indemnes au sortir de l'opération. La nullité ne frappe que l'acte secret; les parties restent tenues d'exécuter l'acte apparent qui ne constituait qu'une façade; l'acquéreur devient ainsi propriétaire du bien au prix fixé par un contrat qui n'a pas été voulu et dont le montant est toujours inférieur à la valeur réelle. Un tel régime n'est, évidemment, applicable que si l'acte apparent a été passé; si l'une des parties refuse de le signer, la contre-lettre, malgré sa nullité, garde son efficacité, puisque c'est la seule convention intervenue (81).

941. — Mieux encore, il suffit qu'un acte envisage l'établissement d'une contre-lettre interdite pour que l'acte lui-même soit nul. On a jugé que la promesse de cession d'office ministériel dont l'une des clauses prévoyait la dissimulation d'une partie du prix est frappée de nullité. Le promettant qui, par la suite, se refuse à conclure l'acte de cession ne peut être condamné à des dommages et intérêts; sa promesse était nulle, donc sans portée (82).

942. — La difficulté de prouver la dissimulation rend souvent illusoire la sanction de la nullité de la contre-lettre. Pour lutter contre la fraude fiscale, l'article L 18 du Livre des procédures fiscales (83) accorde à l'Etat un droit de *préemption* lorsque la vente d'un immeuble ou d'un fonds de commerce (et diverses autres opérations voisines) lui semble comporter un prix insuffisant. L'administration des impôts a la faculté de se rendre acquéreur au prix déclaré, majoré de 10 %, c'est-à-dire de s'approprier la vente à des conditions avantageuses, en se substituant à l'acheteur choisi par le ven-

(79) Rouen, 14 oct. 1966 : *D.* 1967, 135.

(80) 12 juin 1981 : *D.* 1981, 413, concl. CABANNES préc.; *Rev. trim. dr. civ.* 1982, 141, obs. CHABAS.

(81) Civ. 1re, 30 nov. 1955 : *Gaz. Pal.* 1955, 1, 411.

(82) Bordeaux, 18 nov. 1940 : *D.H.* 1940, 217.

(83) Ce texte déclare : « Sans préjudice des dispositions de l'article 1649 *quinquies* A et pendant un délai de six mois à compter du jour de l'accomplissement de la formalité d'enregistrement ou de la formalité fusionnée, le service des impôts peut exercer au profit du Trésor un droit de préemption sur les immeubles, droits immobiliers, fonds de commerce ou clientèles, droit à un bail ou au bénéfice d'une promesse de bail portant sur tout ou partie d'un immeuble, dont il estime le prix de vente insuffisant, en offrant de verser aux ayants droit le montant de ce prix majoré d'un dixième.

Le délai de six mois est ramené à trois mois lorsque la formalité a eu lieu au bureau de la situation des biens.

La décision d'exercer le droit de préemption est notifiée par exploit d'huissier ».

deur. L'exercice de ce droit a, longtemps, été déclaré discrétionnaire, le fisc n'ayant pas à faire connaître les raisons de sa décision.

Cette doctrine paraît périmée. En premier lieu, il a été jugé que l'Administration, en se bornant à porter dans l'acte de signification la mention « estimant insuffisant le prix de vente », contrevenait à la loi du 11 juillet 1979 relative à la motivation des actes administratifs, laquelle lui fait obligation d'énoncer les considérations de droit et de fait constituant le fondement de sa décision (84). En second lieu, le juge judiciaire se reconnaît le droit de vérifier si l'Administration a commis un détournement de pouvoir en ce qui concerne les mobiles l'ayant incitée à opter pour la préemption (84-1); et il en va ainsi dès que le but est extra-fiscal. Enfin, depuis la loi de finances du 30 décembre 1986, la charge de prouver l'insuffisance de prix ou d'évaluation pesant sur l'Administration, l'intéressé est admis à contester l'appréciation du fisc et à démontrer que le prix stipulé correspond bien à la valeur réelle, contrairement à la jurisprudence antérieure (84-2).

943. — Pour faire échec à ce droit de préemption, le vendeur (généralement d'accord avec l'acheteur), peut intenter contre l'État, substitué à l'acquéreur, l'*action en rescision pour lésion* afin de reprendre l'immeuble vendu... Cette action a été déclarée recevable, sauf à l'Etat à prouver que son exercice avait pour but la fraude fiscale (85), mais ce moyen ne peut être utilisé qu'à l'égard des ventes d'immeubles et non des autres opérations, notamment des cessions de fonds de commerce à l'égard desquelles peut jouer le droit de préemption.

SOUS-SECTION III

LA SIMULATION A L'ÉGARD DES TIERS

944. — L'article 1321 du Code civil, après avoir énoncé que les contre-lettres n'ont d'effet qu'entre les parties contractantes, ajoute : « elles n'ont point d'effet contre les tiers ». L'expression doit être lue attentivement; il n'est pas dit *à l'égard des tiers*; il en découle que, si les tiers ne peuvent souffrir de la contre-lettre, ils peuvent en profiter lorsqu'elle leur est favo-

(84) T.G.I. Albertville, 31 janv. 1984 : *Gaz. Pal.*, 2-3 janv. 1985, p. 2, note LINOTTE, confirmé par Com., 16 juin 1987, cité par *Lamy fiscal* 1988, n° 8358.

(84-1) Civ. 1re, 21 fév. 1978 : *Gaz. Pal.* 1979, 1, 22, note M.M.

(84-2) Com., 7 déc. 1970 : *D.* 1971, somm. 68.

(85) Com., 18 juill. 1950, 2 arrêts : *J.C.P.* 50, II, 5753. — V. sur cette question B. STARCK, *Droit de préemption de l'Enregistrement et action en rescision pour lésion : Rép. gén. not.* 1951, p. 121 et s. — V. Paris, 11 fév. 1955 : *D.* 1956, somm. 39, l'action en rescision est rejetée parce qu'elle faisait apparaître le dessein d'échapper aux conséquences de la fraude fiscale commune.

rable (86). Ce qui ne manque pas de soulever un problème, lorsque plusieurs tiers exercent l'option dans un sens différent, les uns préférant se prévaloir de l'acte ostensible, les autres de l'acte secret.

§ 1. — L'inopposabilité de la contre-lettre

945. — L'inopposabilité est une règle d'évidence. Les tiers ne peuvent pas se voir opposer l'existence d'une contre-lettre qui, par hypothèse, leur était inconnue. Si, par exemple, par un acte apparent, Pierre vend son immeuble à Jacques, celui-ci est devenu désormais propriétaire de ce bien aux yeux des tiers. Les créanciers de Jacques pourront saisir cet immeuble si leur débiteur ne paie pas ses dettes. Si, au moment de la saisie, Pierre veut s'y opposer en produisant une contre-lettre aux termes de laquelle la vente apparente n'était que fictive et qu'il était convenu qu'en réalité Pierre restait propriétaire de l'immeuble dont il s'agit, cette contre-lettre est inopérante à l'égard des créanciers de Jacques qui sont des tiers (87).

Il en serait de même si l'acheteur purement apparent avait revendu le bien. Cette vente est valable, elle ne pourrait pas être annulée au motif que Jacques avait vendu une chose dont il n'était que propriétaire fictif (88). La contre-lettre n'est donc pas opposable à un sous-acquéreur. A son égard, la situation est celle qui résulte de l'acte apparent. Cette solution serait identique vis-à-vis d'un créancier hypothécaire de l'acquéreur apparent.

946. — Il est intéressant de souligner que le terme tiers désigne, lorsqu'il s'agit de l'application de l'article 1321, non seulement des ayants cause à titre particulier (acheteurs, donataires, créanciers hypothécaires, notamment), mais encore les *créanciers chirographaires* des contractants (88-1). Bien entendu, on ne fait pas entrer dans la catégorie des tiers, les héritiers des parties contractantes. Les héritiers ont la même situation juridique que leur auteur, ils sont donc assimilés aux contractants eux-mêmes ainsi que les légataires universels ou à titre universel (89). Pareillement, le créancier

---

(86) La règle de l'art. 1321 étant édictée en leur faveur, les tiers disposent d'une option : soit rejeter la contre-lettre, soit s'en prévaloir : Civ. 1re, 19 juin 1984 : *Gaz. Pal.* 1985, pan. 87, obs. PIÉDELIÈVRE.

(87) Civ. 3e, 8 janv. 1974 : *J.C.P.* 74, éd. G, IV, 68 (réintégration dans le patrimoine du vendeur, à la demande de ses créanciers, d'un immeuble aliéné fictivement et radiation de la publication de la vente). — Civ. 1re, 20 oct. 1971 : *Bull. civ.* I, n° 870, p. 220 (réintégration dans le patrimoine d'un débiteur d'un bien acquis sous le couvert d'une société fictive).

(88) Civ. 1re, 14 juin 1966 : *Bull. civ.* I, n° 326, p. 278.

(88-1) Si le créancier agit par l'action oblique, il exerce les droits et actions de son débiteur et la contre-lettre lui est opposable : Civ. 1re, 12 oct. 1982, *Gaz. Pal.* 1983, 1, pan. 88, note J. DUPICHOT; *D.* 1983, I.R. 32.

(89) Civ. 3e, 21 mai 1979 : *Bull. civ.* III, n° 112. — Les circonstances de l'espèce rendent parfois difficile la distinction des parties et des tiers : Civ. 1re, 14 oct. 1981 : *Gaz. Pal.* 1982, 1, pan. 89.

subrogé est en droit d'ignorer la contre-lettre comme l'avait fait son auteur dont il prend la place (89-1).

§ 2. — L'invocation de la contre-lettre

947. — La formule de l'article 1321, rappelons-le, signifie que les tiers ne peuvent pas *souffrir* de l'existence d'une contre-lettre, elle ne signifie pas qu'ils ne puissent pas *en profiter,* si tel est leur intérêt (89-2). En effet, c'est la contre-lettre qui établit la situation juridique réelle. Modifions l'exemple pris ci-dessus. Pierre a vendu son immeuble à Jacques par un acte apparent, mais cette vente est déclarée purement fictive par une contre-lettre. La réalité juridique est donc que l'immeuble est resté la propriété de Pierre. Supposons que Pierre ait des créanciers qu'il ne paie pas. Ceux-ci pourront saisir cet immeuble, à la seule condition de prouver l'existence de la contre-lettre, c'est-à-dire le fait que la vente apparente n'était que simulée. Cette preuve, ils peuvent la faire par tous les moyens, notamment par témoins ou présomptions; on ne saurait évidemment exiger des tiers une preuve écrite de la simulation qu'ils n'ont aucun moyen de se procurer (90). La preuve par tous les moyens est admise, même si l'acte ostensible est authentique; point n'est besoin de recourir à la procédure d'inscription en faux du moment que la contestation ne porte pas sur des faits constatés par l'officier public (91). Les tiers pourront invoquer, évidemment, *les présomptions légales de simulation* (C. civ., art. 911 et 1100 cités); il existe aussi des présomptions spécialement *fiscales.*

948. — Les tiers qui veulent invoquer l'existence d'une simulation doivent, en cas de contestation, intenter une action en justice pour faire admettre l'existence de la simulation : c'est l'*action en déclaration de simulation* (92). Cette action se prescrit par 30 ans, à compter du jour de l'acte incriminé, même si elle est intentée par l'une des parties (93). Ce point de départ est reporté dans le cas où ce sont des héritiers réservataires qui font valoir la simulation d'une vente consentie par leur auteur, en vue d'obtenir la réduction de ce qui est, en réalité, une donation; ces héritiers exerçant un droit propre, la prescription trentenaire court à partir du décès (93-1).

(89-1) Civ. 1re, 31 janv. 1989 : *D.* 1989, I.R. 46.

(89-2) Com., 14 mai 1985 : *Bull. civ.* IV, n° 153.

(90) Com., 30 juin 1980 : *Gaz. Pal.* 1980, 2, pan. 530; *Bull. civ.* IV, 226.

(91) T.G.I. Seine, 26 mai 1965 : *Gaz. Pal.* 1965, 2, 390. — Civ. 1re, 4 mars 1981 : *Bull. civ.* I, 65.

(92) DAVID, *De l'action en déclaration de simulation*, thèse Poitiers, 1921.

(93) Civ. 1re, 9 nov. 1971 : *D.* 1972, 302; *Rev. trim. dr. civ.* 1972, p. 778, obs. LOUSSOUARN. — Civ. 1re, 3 juin 1975 : *Bull. civ.* I, n° 191; *D.* 1975, I.R. 186. — Com., 9 mars 1981 : *Bull. civ.* IV, n° 97. — D'après la cour de Reims (15 nov. 1973 : *Gaz. Pal.* 1974, 2, 572), la prescription est suspendue entre époux jusqu'à la dissolution du mariage.

(93-1) Civ. 1re, 24 nov. 1987 : *Bull. civ.* I, n° 309, p. 221.

Toute personne ayant intérêt à faire apparaître la simulation (créanciers, sous-acquéreurs, etc.) peut intenter l'action en déclaration de simulation; il n'est pas nécessaire de prouver que la simulation avait un but frauduleux (94), ou d'avoir une créance antérieure à l'acte simulé (95); il appartient au juge de faire application de l'article 1321, quand bien même ce texte n'aurait pas été expressément invoqué, par exemple de décider que l'adjudicataire d'un immeuble commun avait servi de prête-nom au mari et que l'immeuble litigieux devait être réintégré dans la masse à partager (95-1).

L'action en déclaration de simulation fait partie du dispositif de défense des droits des créanciers; à ce titre, on l'a rapprochée de l'action paulienne et de l'action oblique, dont elle diffère cependant et dans ses conditions (la fraude n'est pas exigée) et dans ses effets (le profit n'en revient qu'au seul tiers agissant).

949. — Il va de soi, mais il est préférable de le préciser puisque la question a donné lieu à un litige, que le tiers ne peut se prévaloir que d'une contre-lettre *valable.* Si elle est nulle, notamment pour les raisons fiscales ci-dessus indiquées, les créanciers, *même de bonne foi,* ne sauraient en réclamer le bénéfice (96).

§ 3. — Le conflit entre les tiers

950. — Il faut signaler, enfin, une situation curieuse qui peut découler des principes ci-dessus énoncés. On peut imaginer que certains tiers ont intérêt à se prévaloir de l'acte apparent et à repousser la contre-lettre, tandis que d'autres tiers ont intérêt à invoquer la contre-lettre. Reprenons encore une fois l'exemple de la vente fictive : les créanciers de Jacques ont intérêt à repousser la contre-lettre; pour eux, la vente apparente a transféré la propriété de l'immeuble au profit de leur débiteur et ils s'apprêtent à le saisir. Mais les créanciers du vendeur, Pierre, ont, eux, intérêt à faire déclarer la simulation, à se prévaloir de la contre-lettre en vertu de laquelle l'immeuble n'a jamais été vendu. Et ces créanciers voudraient, eux aussi, saisir l'immeuble.

951. — Le conflit n'a pas été prévu par le législateur. La jurisprudence a été longtemps divisée, plusieurs décisions reconnaissant la prévalence de la

---

(94) Civ., 1re, 7 fév. 1967 : *D.* 1967, 278. — Civ. 2e, 14 déc. 1983 : *Rev. trim. dr. civ.* 1985, 369, obs. MESTRE affirme nettement que « la recherche de l'acte réel sous l'acte simulé *n'implique pas la considération d'une intention de nuire aux créanciers* ».

(95) Sur tous ces points l'action en déclaration de simulation se distingue de l'action paulienne, ainsi qu'on le verra.

(95-1) Civ. 1re, 19 juin 1984 : *Gaz. Pal.* 1985, 1, pan. 87, note A. PIEDELIÈVRE.

(96) Alger, 6 déc. 1955 : *J.C.P.* 56, II, 9113, note DERRIDA; dans cette espèce le vendeur d'un fonds de commerce était tombé en faillite; ses créanciers réclamaient le supplément occulte du prix de vente du fonds; leur action est, à juste titre, rejetée.

contre-lettre (97), d'autres donnant le pas à l'acte apparent (98). La Cour de cassation, en 1939 (99), à propos d'une donation déguisée sous forme de vente, tout en laissant entendre qu'il appartenait aux juges du fond de régler le conflit, avait néanmoins, semble-t-il, posé en principe que la contre-lettre devait être écartée en se fondant sur la maxime *error communis facit jus* (99-1); mais, ultérieurement, elle avait admis que la déclaration de simulation faisait tomber les droits des sous-acquéreurs, dans une espèce où, il est vrai, il y avait fraude (100); puis, par un arrêt du 9 mai 1955, elle paraissait être revenue à sa jurisprudence initiale (101).

952. — La controverse paraît aujourd'hui close par un arrêt de la 1re Chambre civile du 22 février 1983 (102). En l'espèce, un frère avait acquis un domaine forestier par acte de vente signé en avril 1967 par lequel il avait associé, en apparence, sa mère et un ami, chacun pour un cinquième; au décès du père, les sœurs de l'acquéreur faisant valoir que le cinquième du domaine, ayant été acheté par leur mère pour le compte de la communauté, devait être compris dans les biens à partager; mais le frère produisait alors une lettre écrite par la mère à l'époque de l'acquisition par laquelle elle autorisait son fils à la faire figurer dans l'acte d'achat, mais précisait ne pas vouloir répondre des conséquences de cet acte, pas plus que son mari. Cette lettre (contre-lettre) était rejetée par les sœurs de l'acquéreur. La Cour de cassation prend nettement parti pour l'apparence dans un considérant qu'il est intéressant de rappeler :

> Attendu, ensuite, que non seulement il n'y avait pas désaccord entre les cohéritiers de M. Henri Borde quant à l'acte qui devait recevoir application puisque tous ont conclu à l'inopposabilité de la contre-lettre, mais encore que, même au cas de conflit sur ce point, l'article 1321 du Code civil ne permettrait pas à certains des héritiers de l'opposer aux autres, — *ce qui serait leur nuire* —, dès lors, du moins, que ceux-ci sont de bonne foi.

Cet attendu marque un changement de motifs par rapport à l'arrêt de 1939; si la préférence est toujours donnée au tiers qui invoque l'acte apparent, il n'est plus nécessaire que celui-ci ait été trompé par la force invincible des apparences; sa bonne foi, c'est-à-dire son ignorance personnelle, suffit.

Ayant vu successivement les règles de formation et de validité des contrats, ainsi que la sanction de ces règles, il nous faut maintenant aborder l'étude des *effets des contrats*. Ces effets doivent être envisagés, tout d'abord, dans les rapports des parties contractantes elles-mêmes. Puis, il faudra se demander si le contrat a, également, des effets à l'égard des tiers. Ces deux aspects du problème des effets du contrat seront examinés, tour à tour, dans les deux prochains chapitres.

---

(97) Req., 25 janv. 1847 : *D.P.* 47, 4, 342. — Paris, 3 juin 1905 : *D.* 1908, 2, 129.

(98) Civ., 2 fév. 1852 : *D.* 52, 1, 49. — Nîmes, 16 mai 1927 : *D.* 1929, 2, 68, note GABOLDE.

(99) Civ., 25 avril 1939 : *D.* 1940, 1, 12.

(99-1) ROLAND et BOYER, *Adages*, p. 299 et s.

(100) Civ., 10 mai 1949 : *D.* 1949, 277, note LENOAN.

(101) Civ. 1re, 9 mai 1955 : *D.* 1955, 467.

(102) *J.C.P.* 85, II, 20359, note J.-P. VERSCHAVE.

CHAPITRE V

LES EFFETS DES CONTRATS ENTRE LES PARTIES

Le rôle principal du contrat, c'est d'engendrer des obligations à la charge ou au profit des parties contractantes.

Mais, de plus, le contrat est également le moyen juridique du *transfert des droits,* réels ou personnels : c'est le contrat de vente qui, par exemple, opère le transfert de la propriété, laquelle passe du patrimoine du vendeur au patrimoine de l'acheteur (C. civ., art. 1583). De même, une créance peut faire l'objet d'un transfert par voie contractuelle : c'est le contrat de *cession de créance* (C. civ., art. 1689 et s.).

Le contrat peut, également, opérer un *démembrement du droit de propriété.* Par exemple, une personne peut céder (vendre ou donner) l'usufruit de tel ou tel bien lui appartenant, ou bien consentir à l'établissement d'une servitude sur son fonds. Ce contrat a donc opéré le démembrement de la propriété en créant des drois réels : l'*usufruit* ou la *servitude.* Inversement, on peut par contrat reconstituer la pleine propriété en supprimant une servitude ou en renonçant à un usufruit, par exemple.

Dans ce chapitre, nous laisserons de côté le rôle du contrat en tant qu'il permet le transfert des droits, réels ou personnels, ou bien en tant qu'il permet d'opérer le démembrement du droit de propriété, ou sa reconstitution, questions que l'on retrouvera ultérieurement. Seul sera étudié, ici, le contrat en tant qu'il donne naissance à des obligations, c'est-à-dire à des créances et à des dettes corrélatives.

Ainsi délimitée, la question doit être envisagée à deux points de vue : il faut, tout d'abord, examiner de façon concrète quel peut être *le contenu de l'obligation,* répondre à la question *quid debetur ?* (qu'est-ce qui est dû ?). Il faut, ensuite, se demander quelle est la *portée de l'obligation* ainsi créée, autrement dit, ce qu'il faut entendre par force obligatoire des conventions. Chacune de ces questions fera l'objet d'une section de ce chapitre.

SECTION I

CONTENU DE L'OBLIGATION

953. — Les parties disposent de la plus grande liberté pour contracter; elles ont la possibilité de créer des obligations ayant les objets les plus divers. Toute obligation a pour objet une *prestation* que le débiteur doit au créancier, mais ce terme *prestation* est très large et très vague; il peut recouvrir des réalités fort diverses. Il n'est pas possible de donner une énumération complète des différentes prestations que l'on peut assumer en contractant, mais il est possible, et nécessaire, d'essayer de classer ces prestations selon divers critères, afin de mieux saisir les particularités qui sont propres à chacune des catégories ainsi délimitées.

Nous allons analyser les obligations selon trois critères :

— la nature de leur objet;

— leur garantie d'exécution;

— leurs modalités de conclusion ou d'exécution.

SOUS-SECTION I

LES CLASSIFICATIONS SELON LA NATURE DE L'OBJET

§ 1. — La classification traditionnelle

954. — La classification traditionnelle (elle remonte au droit romain) est celle qui a été retenue par le Code civil où elle figure à l'article 1126 :

« Tout contrat a pour objet une chose qu'une partie s'oblige à donner, ou qu'une partie s'oblige à faire ou à ne pas faire ».

Donner, faire, ne pas faire, telle serait la classification embrassant la totalité des obligations possibles. Sans être inexacte, cette classification n'est pas d'une grande utilité.

955. — On observera d'abord que le terme « donner » n'est pas employé dans son sens actuel qui évoquerait l'idée de donation (acte à titre gratuit); donner est pris dans son sens latin : *dare*, ce qui signifie transférer la propriété. Certes, le transfert de propriété (ou d'un autre droit patrimonial) peut résulter d'une donation; mais il peut résulter également d'une vente, d'un échange ou d'un apport en société; tous ces contrats sont *translatifs de propriété.*

956. — Dire que l'un des objets possibles du contrat, c'est de créer une *obligation de donner, donc de transférer la propriété,* ne conduit guère à des conséquences pratiques. Le transfert se produit *automatiquement* dans les contrats translatifs de propriété. Ainsi, l'article 1583 déclare que l'acheteur devient propriétaire de la chose vendue dès la formation du contrat par la simple convention des parties et avant même la livraison de la chose. Il en était autrement à Rome — et encore aujourd'hui dans certaines législations étrangères — où la vente, par elle-même, n'est pas translative de propriété, mais nécessite l'accomplissement de certaines formalités, même *inter partes.* Le vendeur est obligé de procéder à des formalités d'où découle le transfert de propriété. En droit français moderne, ces règles n'existent pas.

957.— Assurément, dans certains cas, la vente (ou autres contrats tendant au transfert de propriété, tels l'échange, l'apport en société, etc.) n'opère pas *immédiatement* le transfert de propriété. Celui-ci est impossible si la chose vendue n'est pas encore individualisée, lorsqu'il s'agit d'une *chose de genre* (vendre tant de kilogrammes de blé ne rend pas propriétaire l'acheteur immédiatement); des clauses du contrat peuvent, également, retarder le moment du transfert, par exemple, jusqu'au jour de la livraison. Mais, là encore, le contractant n'assume pas, à vrai dire, une obligation de donner *(dare)*; il lui faut procéder aux opérations d'individualisation (la mise en sacs par exemple, au nom de l'acheteur) et c'est là une *obligation de faire;* il en est de même de la *livraison,* également obligation de faire.

958. — Par conséquent, la classification traditionnelle se réduit en fait à la distinction des obligations de faire ou de ne pas faire. Or, les obligations de ne pas faire sont assez rares (par exemple, l'engagement que prend le vendeur d'un fonds de commerce de ne pas se rétablir dans un certain rayon : clause de non concurrence, etc.), si bien que la plupart des obligations se classent parmi les obligations de faire.

959. — La classification traditionnelle n'est donc pas très utile : c'est une classification à trois branches, dont l'une : « donner » n'a pratiquement aucune portée, et dont l'autre : « ne pas faire » ne comprend que très peu d'obligations. C'est pourquoi il est préférable de rechercher une autre classification donnant une vue plus concrète et plus précise de la diversité des objets de l'obligation.

§ 2. — La classification proposée

960. — En faisant abstraction du transfert de propriété (ou d'un autre droit patrimonial) qui est un *effet des contrats translatifs* et non, à proprement parler, l'objet d'une obligation, on peut distinguer — pensons-nous

— quatre catégories d'obligations, en tenant compte de l'objet de la prestation (1).

961. — Certaines obligations ont pour objet le *paiement d'une somme d'argent* ou *la livraison d'une certaine quantité de choses de genre.* Ces choses ont pour trait commun la fongibilité; elles sont considérées par rapport à leur appartenance à la même espèce; elles peuvent faire fonction les unes pour les autres.

962. — D'autres obligations ont pour objet un *corps certain* (obligation du vendeur d'une chose certaine, par exemple, ou celle du bailleur d'un local ou du transporteur d'un colis, etc.). La *certa res* est considérée dans son individualité; elle exclut toute référence à la quantité, ne portant pas, par définition, sur des biens qui se déterminent au poids, au nombre ou à la mesure. Ce qui signifie, en définitive, qu'elle n'a pas d'équivalent sur le marché.

963. — Une troisième catégorie d'obligations a pour objet la *prestation de services* (par exemple l'obligation de l'employé ou de l'ouvrier de fournir son travail; l'obligation de soins contractée par le médecin envers son malade; l'obligation du transporteur de personnes envers les voyageurs, etc.).

Cette sorte d'obligation se distingue des deux précédentes en ce que, au lieu de porter sur un bien, elle met en cause l'activité propre de l'individu.

964. — Les *obligations de ne pas faire* (obligation de non-concurrence, par exemple, ou de ne pas bâtir, ou obligation de l'acquéreur d'un fonds de commerce de ne pas changer la nature du commerce qui y est exercé, etc.) constituent, enfin, une quatrième catégorie. Il s'agit d'obligations dont l'objet est un fait négatif : le débiteur doit s'abstenir de réaliser une chose qu'il serait en pouvoir de faire si l'obligation de *non faciendo* n'existait pas. Ce qui est dû par le débiteur, c'est seulement son abstention.

965. — Cette distinction (1-1) a non seulement comme intérêt de faire voir de façon plus nette la variété de l'objet des obligations; elle joue, en outre, un rôle important pour permettre de mieux comprendre l'étendue de la garantie d'exécution assumée par le débiteur envers son créancier. Elle se combine ainsi avec cette autre classification.

---

(1) V. B. STARCK, *Essai d'une théorie générale de la responsabilité,* préc., p. 311 et s.

(1-1) Il existe d'autres classifications. — V. par exemple, FLOUR et AUBERT, n° 46 qui propose une division tripartite : obligation pécuniaire, obligation en nature et dette de valeur, celle-ci s'entendant d'une dette de somme d'argent dont le montant n'est fixé qu'à l'échéance (obligation alimentaire, rapport à succession, par exemple).

SOUS-SECTION II

LES CLASSIFICATIONS SELON LA GARANTIE D'EXÉCUTION

966. — Selon les contrats, le débiteur s'engage de façon plus ou moins stricte envers le créancier (1-2); celui-ci bénéficie donc d'une garantie d'exécution plus ou moins étendue. Pour rendre compte de ces différences, il a été proposé de classer les obligations en *obligations de moyens* et *obligations de résultat*, dénommées par une certaine doctrine obligations de prudence et diligence et obligations déterminées (1-3).

Cette distinction ne trouve pas sa base dans le Code civil. Elle a été proposée par la doctrine, tout d'abord (2), et la jurisprudence l'a presqu'aussitôt adoptée. Actuellement, elle est quotidiennement utilisée, les tribunaux y font constamment appel. La distinction dont il s'agit fait partie, sans conteste, de notre droit positif (3). Il nous faut, tout d'abord, exposer cette distinction, puis en apprécier la valeur et voir, enfin, quelles sont ses principales applications pratiques.

§ 1. — L'exposé de la distinction des obligations de moyens et des obligations de résultat

A. — Obligations de résultat

967. — Certains contrats mettent à la charge du débiteur un résultat précis. L'exemple type — inspiré par un arrêt de la Cour de cassation — est celui du contrat de transport de personnes. Par ce contrat, le transporteur promet au voyageur de l'emmener d'un lieu à un autre et *de l'y emmener*

(1-2) Bien entendu les parties gardent le pouvoir de moduler le caractère d'obligation déterminée ou d'obligation de diligence par des stipulations expresses. Ainsi une entreprise chargée de déboucher une canalisation est-elle normalement tenue d'une obligation de moyens à moins qu'elle n'ait pris l'engagement de parvenir au résultat attendu.

(1-3) MAZEAUD et TUNC, *Traité*, 6e éd., t. I, n° 103-10.

(2) L'auteur qui l'a soutenue pour la première fois en France est DEMOGUE : *Traité des obligations,* V, n° 1237, VI, n° 599.

(3) V. J. FROSSARD, *De la distinction des obligations de moyens et des obligations de résultat,* thèse Lyon, préface NERSON, 1965. — H. MAZEAUD, *L'obligation générale de prudence et diligence et les obligations déterminées : Rev. trim. dr. civ.* 1936, p. 1 et s. — TUNC, *La distinction des obligations de résultat et des obligations de diligence : J.C.P.* 45, I, 449. — PLANCQUEEL, *Obligation de moyens, obligation de résultat : Rev. trim. dr. civ.* 1972, 334. — P. ESMEIN, *Remarques sur de nouvelles classifications des obligations : Mélanges Capitant*, 1939, p. 235 et s. — G. VINEY, *Les obligations. La responsabilité : Conditions*, 1982. — *Rép. dr. civ. Dalloz, V° Responsabilité contractuelle*, par R. RODIÈRE.

sain et sauf. Il promet donc un résultat. Si un accident survient, et que le voyageur soit blessé, le résultat promis n'a pas été fourni, l'obligation n'a pas été exécutée, ce qui met en jeu la *responsabilité contractuelle* du débiteur.

968. — Ayant promis un résultat, la seule preuve à faire par le voyageur, créancier de cette obligation de transport, est que le résultat n'a pas été atteint, il n'a pas à prouver quelles sont les causes de l'accident, surtout il n'a pas à établir la faute du débiteur. Ce dernier ne peut éviter la condamnation qu'en prouvant que l'inexécution du contrat est due à une *cause étrangère* (cas fortuit ou force majeure, fait d'un tiers ou de la victime ayant les caractères de la force majeure).

969.— On notera, donc, la manière dont est répartie la *charge de la preuve* lorsque l'obligation est de résultat : le créancier doit prouver simplement l'existence de l'obligation dont il est le bénéficiaire, ainsi que son inexécution, ce qu'il établira facilement. Il appartient alors au débiteur — s'il entend échapper à la responsabilité contractuelle — d'établir que la cause réelle de l'accident a les caractères du cas fortuit ou de la force majeure.

970. — Les obligations de résultat créent ainsi une véritable *garantie d'exécution* que le débiteur assume à l'égard de son créancier : celui-ci obtiendra, soit la prestation promise, soit une réparation si elle n'est pas fournie. Seule la force majeure ferait échec à cette garantie.

B. — Obligations de moyens

971. — Toute autre est la situation lorsque l'obligation n'est que de *moyens.* Pour illustrer ce genre d'obligation, l'exemple que l'on cite en premier lieu est le contrat que passe le médecin avec son client. Quel est *l'objet* de ce contrat ? Le médecin promet des soins diligents, il promet de faire son possible pour guérir son malade : il ne promet pas la guérison, *il ne garantit donc pas le résultat.* Somme toute, le médecin promet de mettre à la disposition de son malade *tous les moyens* dont il dispose, compte tenu des données acquises de la médecine, afin d'obtenir sa guérison, mais ne saurait garantir la guérison. Son obligation porte donc seulement sur les *moyens* qu'il doit utiliser, d'où le nom : obligation de moyens.

972. — Quand dira-t-on que le médecin n'a pas exécuté son obligation ? Est-ce en cas de non-guérison ? Non, car il n'avait pas promis cela. Ce n'est que si la preuve peut être apportée d'un défaut de diligence dans les soins, d'une erreur de jugement dans le diagnostic, qu'il n'aurait pas dû commettre, ou d'une erreur de traitement qu'il n'aurait pas dû faire.

973. — Il faut bien s'entendre sur la portée de ce qui vient d'être dit. Toute erreur de diagnostic ou de thérapeutique n'engage pas la responsabilité du médecin. Il n'a pas promis un diagnostic exact, il a promis de faire ce qu'il est possible de faire pour découvrir la maladie; mais les moyens de la science médicale ne permettent pas, à coup sûr, de déceler toujours la vraie maladie, et les médicaments connus ne permettent pas, à coup sûr, de guérir. Pour pouvoir imputer au médecin l'inexécution de son contrat médical, son client — le créancier des soins promis — doit établir la *faute médicale,* c'est-à-dire, selon la définition de toute faute, une erreur de conduite, de comportement, que n'aurait pas commise le médecin avisé et diligent qui se serait trouvé dans la même situation de fait.

974. — On voit, tout de suite, la différence radicale qui sépare, sur le terrain de la preuve, les obligations de moyens des obligations de résultat. Dans le cadre de ces dernières, la responsabilité contractuelle est engagée même si le créancier n'a pas prouvé la faute du débiteur, il suffit qu'il prouve que le résultat promis n'a pas été obtenu; le débiteur s'exonère en prouvant la force majeure. Si l'obligation est de moyens, le créancier ne peut mettre en jeu la responsabilité du débiteur qu'en prouvant que les moyens promis n'ont pas été utilisés, autrement dit, qu'*en prouvant la faute du débiteur* (3-1). La garantie dont bénéficie le créancier est, donc, bien plus limitée dans les obligations de moyens que dans les obligations de résultat.

§ 2. — L'appréciation de la distinction des obligations de moyens et des obligations de résultat

Que penser de cette distinction ? (4). Elle repose sur une observation exacte, mais elle est insuffisamment précise (A). On peut donc la prendre comme point de départ, quitte à l'approfondir et à la compléter (B).

A. — Insuffisance de la distinction

Dire que toute obligation est de moyens ou de résultat est insuffisant. En réalité, les distinctions sont plus nombreuses.

1° Diversité des obligations de résultat

975. — On peut concevoir au moins deux catégories :

— dans certains cas, le débiteur assume une obligation de résultat qui *cesse en présence d'un événement de force majeure* (c'est l'exemple du contrat de transport cité ci-dessus); mais, dans d'autres, l'obligation du débiteur est encore plus stricte : *il assume l'obligation, quels que soient les événements, fussent-ils de force majeure.* En ce cas, le créancier bénéficie

(3-1) Civ. 1re, 19 juill. 1988 : *Bull. civ.* I, n° 251, p. 174; *J.C.P.* 88, IV, 349.

(4) Critiques dans P. Esmein, *L'obligation et la responsabilité contractuelle : Mélanges Ripert,* t. II, p. 101 et s. — Ph. Rémy : obs. : *Rev. trim. dr. civ.* 1984, p. 119.

d'une *garantie absolue,* que rien ne peut venir supprimer. On verra ci-dessous que de nombreuses obligations se classent dans cette catégorie. Signalons pour l'instant que l'hypothèse type est la dette de somme d'argent qui survit à toute destruction fortuite des espèces. Il y a donc deux sortes d'obligations de résultat : les unes qui cèdent à la preuve de la force majeure, obligations de résultat ordinaires; les autres qui ne cèdent pas à la force majeure : obligations de résultat absolues;

— on peut même concevoir des degrés intermédiaires où en vertu du contrat ou de la loi, *certains événements de force majeure,* mais non pas tous ces événements, sont pris en charge par le débiteur. Ainsi, dans les baux à ferme et selon les articles 1772 et 1773 du Code civil, le preneur peut être chargé des cas fortuits par une stipulation expresse, laquelle, à défaut de précision contraire, ne s'entend que des cas fortuits ordinaires : « tels que grêle, feu du ciel, gelée ou coulure », à l'exclusion « des ravages de la guerre ou d'une inondation auxquels le pays n'est pas ordinairement sujet » (v. aussi C. civ., art. 1953).

2° Diversité des obligations de moyens

976. — Ces obligations sont susceptibles d'innombrables degrés. Pour reprendre l'exemple du médecin, il est évident que les soins promis ne sont pas les mêmes selon qu'il s'agit du grand spécialiste, médecin des hôpitaux, ou du médecin de campagne. Les moyens dont dispose *normalement* le premier, et qu'il promet, implicitement, à son client de mettre en œuvre, sont tout différents de ceux que promet le second. Il en résulte qu'une erreur de diagnostic pourrait être considérée comme une faute contractuelle pour l'un et non pour l'autre. L'obligation de moyens suppose donc une *analyse concrète de la situation,* ce qui n'est pas pareillement nécessaire s'il s'agit d'obligation de résultat.

B. — Défaut de critère de distinction

977. — Exposant la distinction des obligations de moyens et des obligations de résultat, on n'indique, en général, aucun critère de distinction. L'existence de ces deux sortes d'obligations est *constatée;* elle n'est pas *expliquée.* Aucune directive de classement dans l'une ou l'autre catégorie n'est fournie.

1° Aléa de l'exécution

978. — Certains auteurs ont, cependant, proposé un critère : il résiderait dans la notion d'aléa, de risque (5). Lorsque l'exécution de l'obligation

---

(5) La notion d'aléa n'est pas prise ici dans le sens qui lui est donné lorsqu'il s'agit de contrat aléatoire. Pour ces derniers, l'aléa est la substance même de l'obligation qui, de ce fait, s'apparente aux jeux de hasard.

comporte une grande part de risque, le débiteur ne peut promettre, ne peut garantir un résultat. C'est précisément le cas du médecin : la guérison ne dépend pas seulement des soins diligents du médecin, elle est déterminée, en grande partie, par des facteurs qui échappent à son action. Cette grande part d'aléa expliquerait que ces obligations ne soient que de moyens (6).

Au contraire, lorsque l'exécution de l'obligation est très généralement obtenue, sans qu'intervienne cette notion d'aléa, on se trouverait en présence d'obligations de résultat.

979. — Ce critère ne peut pas être retenu, car il ne correspond pas à la réalité. En fait, la répartition des obligations en obligations de moyens et de résultat est faite par les tribunaux en fonction de nombreux critères. L'*aléa* peut entrer en ligne de compte, dans certains cas, mais bien d'autres facteurs interviennent. L'examen de la jurisprudence fait voir que l'*intention des parties* et *l'économie générale du contrat* jouent souvent un rôle déterminant. On le verra en examinant les applications pratiques de cette distinction. Mais on peut, dès maintenant,indiquer quelques-uns de ces facteurs.

2° Autres considérations

980. — La *rémunération* ou la *gratuité* joue un rôle important. On conçoit facilement que celui qui rend un service gratuit n'assume qu'une obligation de moyens — c'est le cas du dépôt gratuit — tandis que celui qui reçoit, en contrepartie, une rémunération, assume une obligation de résultat — c'est le cas du dépôt à titre onéreux.

981. — La nature de l'intérêt en jeu influe, également, en cette matière. Si le contrat intéresse l'*intégrité corporelle* et *la vie du créancier*, les tribunaux tendent à faire de l'obligation du débiteur une obligation de résultat. Ils rejoignent, ainsi, la même préoccupation que celle qui a orienté la jurisprudence en matière délictuelle : la garantie de la sécurité de l'homme. La plupart des contrats intéressant cette sécurité (mais non tous ces contrats), comportent des obligations de résultat.

982. — Lorsque *l'activité du créancier* intervient dans l'exécution du contrat, lorsqu'elle peut être l'une des causes fréquentes de la non-exécution, les tribunaux tendent à considérer l'obligation comme de simple moyen. Si le rôle du créancier est passif, l'obligation est le plus souvent de résultat, comme on le verra bientôt.

983. — Un autre facteur qui intervient dans notre problème est *l'existence d'une assurance.* Le juge tient incontestablement compte de l'existence de l'assurance. Lorsque le débiteur est assuré — ou lorsqu'il devrait l'être selon les usages — son obligation sera plus facilement qualifiée d'obligation de résultat, que lorsque l'assurance n'existe pas.

---

(6) TUNC, *La distinction des obligations de résultat et des obligations de diligence : J.C.P.* 45, I, 449. — WEILL, note *J.C.P.* 52, II, 6909. — MAZEAUD et TUNC, t. I, 6e éd., n° 103-4.

984. — On voit donc la complexité des considérations. La distinction des obligations en obligations de moyens et en obligations de résultat ne peut pas être rattachée à un critère unique, comme l'aléa; il dépend d'une foule de facteurs que la jurisprudence est appelée à apprécier *empiriquement,* en vue de déterminer l'étendue de la garantie dont bénéficie le créancier (7). Voyons maintenant comment, pratiquement, cette distinction est appliquée.

§ 3. — Les applications pratiques de la distinction des obligations de moyens et des obligations de résultat

Reprenons la classification des obligations selon leur objet proposée ci-dessus, et voyons comment elle se combine avec la distinction des obligations selon qu'elles sont de moyens ou de résultat.

A. — Obligation portant sur une chose de genre

985. — Ces obligations sont, toutes, des obligations de résultat. Il s'agit même de l'obligation de résultat absolu où rien ne vient libérer le débiteur, pas même la force majeure. S'agissant de choses de genre, on applique ici l'adage *genera non pereunt* : les genres ne périssent pas (7-1).

Le débiteur d'une somme d'argent ne sera pas libéré si les billets de banque qu'il avait rassemblés pour payer sa dette sont détruits par un événement de force majeure. Il ne sera pas libéré si la maladie l'empêche de travailler et de gagner ainsi ce qui est nécessaire pour payer ses dettes; il ne sera pas libéré si la banque où son argent est déposé fait faillite. L'argent est une chose de genre et... les genres ne périssent pas.

Une application significative de cette règle a concerné les dettes des rapatriés d'Algérie. On sait que l'État algérien a nationalisé — c'est-à-dire exproprié — les entreprises commerciales, industrielles et agricoles des Français d'Algérie. Les indemnités prévues aux accords d'Évian n'ont pas été versées. Poursuivis par leurs propres créanciers, les rapatriés ont invoqué, entre autres idées, celle de *force majeure* afin d'obtenir leur libération. Leur prétention a été repoussée nettement (8) : la Cour de cassation a

(7) DURRY, *Quelques exemples d'application de la distinction des obligations de moyens et des obligations de résultat : Rev. trim. dr. civ.* 1974, 616.

(7-1) ROLAND et BOYER, *Adages*, p. 378.

(8) V. les neuf arrêts de la Cour de cassation, 1re Ch. civ., rendus le 23 avril 1969 : *Bull. civ.* I, n° 138 à 144, p. 109 à 111; *D.* 1969, 341, concl. av. gén. BLONDEAU. — Cf. pourtant Civ. 3e, 19 avril 1972 : *D.S.* 1973, 205, note SOULEAU; *Rev. trim. dr. civ.* 1973, 581, obs. crit. DURRY (cassation d'un arrêt ayant refusé de tenir compte de l'état de chômage invoqué par le débiteur).

affirmé que, s'agissant de dettes de sommes d'argent, il ne saurait être fait état de la notion d'impossibilité absolue de payer (9)...

Il en est de même de celui qui doit une denrée : du blé, du vin, du café, etc. Peu importe la destruction de ces denrées par un événement quelconque : le débiteur doit s'en procurer d'autres : *genera non pereunt.* Rien donc ne le libère. Cette règle s'explique par les nécessités du crédit.

Etant donné le très grand nombre d'obligations — en fait, sans doute, la majorité — qui ont pour objet des choses de genre (argent ou denrées), le champ d'application des obligations de résultat, dans le sens le plus absolu du terme, est extrêmement étendu.

B. — Obligation portant sur un corps certain

1° La contrariété des textes

986. — Les cas sont nombreux : obligation du vendeur d'une chose certaine, du bailleur et du locataire, du transporteur de marchandises, du dépositaire, etc. Ces obligations sont-elles de résultat ou de moyens ? Sur ce point, le Code civil contient des textes contradictoires :

987. — *a) L'article 1137 déclare :*

« L'obligation de veiller à la conservation de la chose... soumet celui qui en est chargé à y apporter *tous les soins d'un bon père de famille* ».

Cela semble dire clairement que le débiteur de la chose n'est tenu que d'une obligation de moyens. L'alinéa 2 de l'article 1137 renforce cette impression en disposant :

« Cette obligation est *plus ou moins étendue* relativement à certains contrats, dont les effets, à cet égard, sont expliqués sous les titres qui les concernent ».

On trouve là une confirmation de ce qui a été dit ci-dessus : une obligation de moyens peut être plus ou moins étendue.

988. — Si ce texte était applicable aux obligations ayant pour objet un corps certain, le créancier ne pourrait obtenir la condamnation du débiteur qu'en prouvant qu'il n'a pas fourni les soins auxquels il était tenu, autrement dit, qu'en prouvant sa faute. Or, en fait, il n'en est pas ainsi, *en général,* car la jurisprudence applique à ce genre d'obligations l'article 1147, dont le sens est directement contraire à celui de l'article 1137.

989. — *b) Aux termes de l'article 1147 du Code civil,*

« Le débiteur est condamné, s'il y a lieu, au paiement de dommages et intérêts, soit à raison de l'inexécution de l'obligation, soit à raison du retard dans l'exécution, *toutes les fois qu'il ne justifie pas que l'inexécution provient d'une cause étrangère qui ne peut lui être imputée,* encore qu'il n'y ait aucune mauvaise foi de sa part ».

---

(9) Possibilité a été donnée au juge d'octroyer des délais pour le paiement, selon un système complexe dans les détails duquel on ne peut entrer ici.

La solution donnée par cet article est tout autre que celle de l'article 1137. Le débiteur qui n'exécute pas est condamné, sauf à prouver que l'inexécution est imputable à une cause étrangère. Or, c'est là, précisément, la situation dans laquelle se trouvent les débiteurs d'une obligation de résultat (du type courant, celle qui disparaît en présence de la force majeure).

990. — En présence de ces deux textes contradictoires, quel est celui que la jurisprudence applique aux obligations ayant pour objet un corps certain ? Sans pouvoir donner une réponse absolument générale, s'appliquant à tous les contrats appartenant à cette catégorie, il est permis d'affirmer que c'est l'article 1147 qui est, *le plus souvent,* utilisé. Il en résulte que, généralement, ce genre d'obligations sont traitées comme des obligations de résultat. Si la chose *certaine* qui devait être livrée ne l'a pas été, le débiteur est responsable, à moins de prouver la force majeure.

2° Le principe : obligation de résultat

991. — On raisonnera sur quelques uns des principaux contrats se rapportant à un corps certain pour démontrer que le débiteur doit prouver la force majeure, s'il veut s'exonérer, et que le créancier n'a d'autre démonstration à faire que celle de l'inexécution de l'obligation.

a) Louage de choses

992. — Le bailleur, pour les divers devoirs qui lui incombent à la suite du bail, est, dans la quasi-totalité des cas, tenu d'une obligation de résultat. Il en va ainsi de l'obligation de délivrance (10), de l'obligation d'assurer le clos et le couvert dont ne saurait l'affranchir la disproportion des dépenses d'entretien par rapport au loyer perçu (11), de l'obligation de procurer la jouissance paisible des lieux loués, le propriétaire répondant des faits accomplis par les colocataires lorsqu'ils ont été rendus possibles par l'existence du bail (12). On ajoutera à cette liste l'obligation contractuelle de sécurité que la jurisprudence a parfois sous-entendue pour prendre le relais de la garantie des vices cachés, lorsque celle-ci ne peut pas être invoquée : accident d'ascenseur, chute dans les escaliers, effondrement d'un plafond (13). Mais la jurisprudence est revenue, semble-t-il, à une conception plus classique, décidant que la responsabilité contractuelle du bailleur procède, non du manquement à une obligation autonome de sécurité, mais du défaut d'entretien ou du vice caché de la chose (13-1).

---

(10) Civ. 3e, 6 juill. 1977 : *Bull. civ.* III, n° 304.

(11) Soc., 5 janv. 1956 : *D.* 1956, 385, note DÉSIRY.

(12) T.G.I. Strasbourg, 19 mai 1964 : *Rev. Loyers* 1966, 98 (explosion due à la tentative de suicide d'un locataire voisin ayant ouvert le robinet de gaz). — V. aussi Civ. 3e, 19 janv. 1977 : *Bull. civ.* III, n° 30.

(13) Civ., 24 mars 1965 : *Rev. loyers* 1965, 415.

(13-1) Civ. 3e, 29 avril 1987 : *Bull. civ.* III, n° 90, p. 54; *Rev. trim. dr. civ.* 1987, 149, obs. RÉMY.

Quant au preneur, outre l'obligation générale de restitution de la chose dans l'état où il l'a reçue (C. civ., art. 1730), il répond encore de l'incendie comme d'une autre obligation de résultat, puisqu'il ne peut s'exonérer que par l'un des trois moyens visés par l'article 1733 du Code civil : force majeure, vice de construction, communication par une maison voisine. Il lui serait totalement inutile de prouver que l'incendie n'a pas pu être allumé par lui (14) ou que sa cause est demeurée inconnue (15).

b) Dépôt

993. — La question n'est envisagée ici que sous l'angle de la restitution (15-1). L'obligation de restitution elle-même est reconnue à juste titre par la doctrine comme une obligation de résultat. Ne pas pouvoir rendre la chose déposée est en telle contradiction avec le but du contrat, que le dépositaire ne peut se délier que par la preuve d'un cas de force majeure (16). Les tribunaux ont eu l'occasion de statuer en ce sens à l'occasion du contrat de garage (17); l'obligation de restituer le véhicule et de le restituer en bon état constitue pour le garagiste une obligation de résultat (18). En conséquence, il répond du vol survenu dans son atelier, sauf cas de force majeure (19), aussi bien du véhicule que des accessoires qui lui sont incorporés (20), voire des objets laissés à l'intérieur (21). Il est également responsable, dans les mêmes conditions, de l'incendie du véhicule (22).

S'agissant des travaux de réparation, le garagiste est également tenu d'une obligation de résultat (22-1). La Cour de cassation, à ce propos, pose que l'obligation de résultat emporte à la fois présomption de *faute* et présomption de *causalité* entre la prestation fournie et le dommage invoqué (22-2).

---

(14) Civ., 10 fév. 1919 et Req., 8 juin 1920 : *D.P.* 1921, 1, 193, note LALOU.

(15) Civ., 17 fév. 1930 : *D.H.* 1930, 194.

(15-1) La question ne se pose que s'il n'y a pas de doute sur l'existence du dépôt : Civ. 1re, 1er mars 1988 : *Bull. civ.* I, n° 57, p. 38 (il n'y a pas de contrat de dépôt lorsque la cliente d'un cabaret place un vêtement sur le porte-manteaux alors que l'établissement a apposé un panneau indiquant qu'il n'accepte pas d'être dépositaire).

(16) Comp. Civ. 1re, 24 juin 1981 : *Bull. civ.* I, 232.

(17) Le contrat de garage suppose que la garde ait été confiée au dépositaire, ce qui le sépare du contrat de parking qui n'est qu'un stationnement payant, qu'il s'agisse de véhicules terrestres (Civ. 1re, 30 mars 1981 : *D.* 1981, 395) ou de véhicules nautiques (Civ. 1re, 21 juill. 1980 : *Bull. civ.* I, 228 et, sur renvoi, Montpellier, 21 oct. 1981 : *J.C.P.* 82, II, 19751).

(18) Civ. 1re, 27 avril 1978 : *D.* 1978, I.R. 409, obs. LARROUMET. — *Contra* (obligation de moyens), Paris, 23 sept. 1987 : *D.* 1987, I.R. 221.

(19) Civ. 1re, 23 déc. 1958 : *D.* 1959, 53; *Rev. trim. dr. civ.* 1959, 322, obs. MAZEAUD et 343, obs. CARBONNIER.

(20) Paris, 21 juin 1945 : *Gaz. Pal.* 1945, 2, 65.

(21) Com., 25 mars 1963 : *D.* 1964, 17, note RODIÈRE. — Paris, 25 avril 1967 : *J.C.P.* 68, II, 15324, note GUYON.

(22) Civ. 1re, 24 juin 1981 : *Bull. civ.* I, 232.

(22-1) Civ. 1re, 19 juill. 1988 : *D.* 1988, I.R., 232. — Versailles, 15 avril 1988 : *D.* 1988, I.R. 152.

(22-2) Civ. 1re, 16 fév. 1988 : *Bull. civ.* I, n° 42, p. 27.

c) Prêt

994. — L'obligation de l'emprunteur de restituer la chose est de résultat, seule l'existence d'un cas fortuit étant de nature à le libérer (23). Certains termes du Code civil vont même plus loin et mettent à sa charge la responsabilité d'événements de force majeure. Il en va ainsi, d'après l'article 1883, si la chose prêtée a fait l'objet d'une estimation au moment du contrat : « La perte qui arrive, même par cas fortuit, est pour l'emprunteur ». Le Code civil contient deux autres dispositions qui empêchent l'emprun-teur de s'exonérer moyennant la preuve d'une cause étrangère : lorsqu'il s'est servi de la chose pour un autre usage ou pour un temps plus long que ceux prévus au contrat (art. 1881), lorsqu'il aurait pu « garantir » la chose prêtée en employant la sienne propre (art. 1883). Dans ces deux dernières hypothèses, on relèvera que le comportement de l'intéressé n'est pas irréprochable.

d) Vente

995. — Le vendeur est tenu de garantir l'acheteur contre l'éviction (art. 1626 à 1640) et contre les vices mêmes cachés, donc inconnus par lui-même (art. 1645 et 1646) (24). Par exemple, une conserverie ayant fourni des semences infectées, contrairement aux engagements d'un contrat de culture, répond d'une obligation de résultat (25).

La question a été renouvelée par la loi du 23 juillet 1983 qui a posé, s'agissant des produits (et des services) fabriqués sur le territoire national ou importés, une obligation générale de garantie de la santé, de l'hygiène, de la salubrité et de la sécurité auxquelles ont droit les consommateurs. Si la nouvelle loi se préoccupe de prévention et de répression à l'égard des professionnels en prévoyant des mesures d'interdiction, de réglementation ou de suspension, elle n'en est pas moins intéressante au plan de l'analyse des obligations du fabricant : s'il doit la sécurité, ce ne peut être qu'une sécurité de résultat. Signalons, aussi, la directive des communautés européennes du 25 juillet 1985 relative à la responsabilité du fait des produits qui prévoit une *responsabilité objective* à la charge du producteur ou importateur, lorsque le produit qu'ils mettent en circulation « n'offre pas la sécurité à laquelle on peut légitimement s'attendre » (25-1).

---

(23) Rouen, 2 mai 1947 : *J.C.P.* 47, IV, 175. — Civ. 1re, 29 avril 1985 : *Bull. civ.* I, n° 133.

(24) V. l'étude du problème de la garantie d'éviction et de la garantie des vices, dans la thèse préc. de B. STARCK, p. 334 et s. — Sur une application rigoureuse de la garantie des vices dans la vente consentie par un fabricant à un concessionnaire lui-même vendeur, v. Com., 27 oct. 1970 : *J.C.P.* 71, II, 16655, note P.L. — V. aussi MALINVAUD, *La responsabilité civile du vendeur à raison des vices de la chose vendue : J.C.P.* 68, I, 2153. — J. HUET, *Responsabilité du vendeur et garantie contre les vices cachés*, notamment n° 88 et s.

(25) Civ. 1re, 6 nov. 1974 : *J.C.P.* 74, IV, 417. — Versailles, 16 déc. 1987 : *D.* 1988, I.R. 44 (vente d'un photocopieur).

(25-1) HUET, *op. cit.*, n° 102 et s.

3° Les cas exceptionnels d'obligations de moyens

996. — Ce n'est que dans de rares cas que l'obligation portant sur un corps certain apparaît comme une obligation de moyens. En ce sens, on citera :

— l'obligation du dépositaire, lorsque le dépôt est gratuit. L'article 1927 du Code civil déclare que le dépositaire doit apporter, dans la garde des choses déposées, les mêmes soins qu'il apporte dans la garde des choses qui lui appartiennent. Il s'agit là d'obligation de moyens (25-2);

— la restitution de la chose empruntée dans son état actuel. Si la chose a subi des détériorations dues au seul usage, sans qu'on puisse les imputer à faute à l'emprunteur, celui-ci n'en est pas tenu (C. civ., art. 1884). Mais, comme il lui appartient d'établir que le dommage ne résulte pas de sa faute, il supporte les dommages dont l'origine est demeurée inconnue (26);

— la disposition relative aux baux ruraux (C. rur., art. L. 415-3), aux termes de laquelle la responsabilité du fermier, en cas d'incendie de la ferme, ne peut être mise en cause que si sa faute grave est établie par le bailleur. Il en résulte que son obligation de restitution, en cas d'incendie, n'est qu'une simple obligation de moyens;

— l'obligation de conservation est généralement regardée comme étant de moyens. La Cour de cassation est en ce sens (27) : un vendeur de matériel, bien que l'ayant transféré dans les locaux de l'acquéreur, s'en était réservé la propriété jusqu'à complet paiement; le matériel vient à périr par suite d'incendie; la Cour suprême déclare que la société acheteuse

« débitrice d'une obligation de restitution du matériel en cas de non-paiement, était tenue à une obligation de moyens (conservation) et non de résultat ».

C. — Obligation portant sur une prestation de services

997. — On enseigne, généralement, que les obligations relatives à un service à effectuer ou à un travail à fournir sont ordinairement des obligations de moyens. On en donne pour illustration : le contrat de travail où les ouvriers et les employés ne sont tenus que de prester leur activité, ne répondant que de leurs fautes lourdes (28), la situation de l'entreprise de travail temporaire qui n'est tenue que d'une obligation de moyens (29), le

(25-2) Civ. 1re, 28 mai 1984 : *Bull. civ.* I, n° 173.

(26) Civ. 1re, 4 janv. 1977 : *Gaz. Pal.* 1977, 1, somm. 76 (emprunteur d'un pavillon). — Com., 5 juill. 1977 : *D.* 1978, I.R. 43 (chute dans un ravin d'un engin de travaux publics).

(27) Com., 19 oct. 1982 : *Bull. civ.* IV, n° 321; *Rev. trim. dr. civ.* 1984, 515, obs. HUET.

(28) Soc., 19 mai 1958 : *D.* 1959, 20, note R. LINDON. — 27 mai 1964 : *J.C.P.* 65, II, 14056, note G.H.C.

(29) Com., 28 oct. 1974 : *D.S.* 1975, somm. 8; *Bull. civ.* IV, n° 267. — Sauf convention contraire : Civ. 1re, 4 janv. 1974 : *D.S.* 1974, 461. — Cf. obs. DURRY : *Rev. trim. dr. civ.* 1974, 419 et 823. — Civ. 1re, 28 mai 1980 : *D.* 1981, I.R. 136, note LANGLOIS. — Reims, 2 mars 1987 : *D.* 1988, 251, note D. ROUX.

cas de l'entrepreneur de promenades équestres (30), le contrat passé avec une société d'assistance (31), l'organisation d'une compétition sportive (32), le contrat d'ingénierie (33), la gestion d'un portefeuille de valeurs par un agent de change (33-1), le travail de teinturerie accompli par un façonnier (33-2), le contrat de dressage (33-3), le contrat de gardiennage (33-4), la situation du conseil en recrutement (33-5), celle de l'assureur vie (33-6), celle du vétérinaire (33-7). Mais, on découvre aussi un grand nombre d'hypothèses où l'obligation est de résultat, alors que c'est toujours une prestation de services qui est en cause : tel est le cas du réparateur du moteur d'un bateau (34), de l'entreprise de déménagement (35), du locateur de l'ouvrage pour son obligation de conformité (36), du banquier tenu de prémunir le client locataire d'un coffre contre les détériorations et contre les vols (37), du contrat de maintenance (38), d'E.D.F. en ce qui concerne la sécurité des installations qu'elle effectue chez les usagers (38-1), de l'installateur d'alarme (38-2), du garagiste (38-3).

998. — Faut-il croire à des divergences jurisprudentielles ? La réalité est plus complexe du fait qu'un contrat, s'il engendre une obligation princi-

---

(30) Civ., 27 mars 1985 : *J.C.P.* 85, IV, 208. — Civ. 1re, 18 nov. 1986 : *J.C.P.* 87, IV, 37. — La jurisprudence distingue entre l'entrepreneur de promenades équestres, qui s'adresse à des clients ignorants de l'équitation (obligation de moyens), et le loueur de chevaux dont la clientèle est faite de véritables cavaliers (obligation de résultat) : Civ. 1re, 11 mars 1986 : *D.* 1986, I.R. 210. — Civ. 1re, 3 mai 1988 : *Bull. civ.* I, n° 126, p. 87. — Versailles, 10 nov. 1988 : *D.* 1989, I.R. 24.

(31) Civ. 1re, 27 fév. 1985 : *J.C.P.* 85, IV, 173.

(32) Poitiers, 29 juin 1983 : *D.* 1984, 61, note DAVERAT.

(33) V. LE TOURNEAU, *La responsabilité civile,* 3e éd., 1982, n° 1261 et les renvois.

(33-1) Paris, 25 nov. 1988, *D.* 1989, I.R. 1.

(33-2) Civ. 1re, 24 mars 1987 : *D.* 1987, I.R. 83.

(33-3) Civ. 1re, 15 avril 1980 : *J.C.P.* 80, II, 19402, obs. BÉNABENT.

(33-4) Paris, 25 mars 1987 : D. 1987, I.R. 114.

(33-5) Paris, 22 fév. 1989 : *D.* 1989, I.R. 92.

(33-6) Civ. 1re, 7 mars 1989 : *D.* 1989, I.R. 94.

(33-7) Civ. 1re, 31 janv. 1989 : *D.* 1989, I.R. 45.

(34) Com., 20 mars 1985 : *J.C.P.* 85, IV, 198; *Rev. trim. dr. civ.* 1986, 362, obs. HUET.

(35) Com., 19 mars 1985 : *J.C.P.* 85, IV, 198.

(36) Paris, 18 oct. 1979 : *D.* 1980, I.R. 109.

(37) Civ. 1re, 21 mai 1957 : *Gaz. Pal.* 1957, 2, 164; *Rev. trim. dr. civ.* 1957, 707, obs. CARBONNIER; *Rev. trim. dr. com.* 1957, 690, obs. BECQUÉ et CABRILLAC. — Com., 15 janv. 1985 : *D.* 1985, I.R. 253.

(38) Civ., 11 nov. 1941 : *D.C.* 1942, 153 (entretien d'un ascenseur). — Civ. 1re, 22 nov. 1978 : *J.C.P.* 79, IV, 41 (entretien d'un système d'alarme contre le vol). — *Contra*, Paris, 15 avril 1988 : *D.* 1988, I.R. 123.

(38-1) Civ. 1re, 17 nov. 1987 : *Bull. civ.* I, n° 298, p. 214.

(38-2) Versailles, 9 juin 1988 : *D.* 1988, I.R. 244. — Comp. Paris, 21 déc. 1988 : *D.* 1988, I.R. 38.

(38-3) Civ. 1re, 19 juill. 1988 : *D.* 1988, I.R. 232. — Paris, 11 janv. 1989 : *D.* 1989, I.R. 58. Le garagiste doit établir un devis précis des travaux et indiquer leur coût et leur durée.

pale, fait naître aussi des obligations accessoires qui, toutes, n'obéissent pas au même régime. On tentera de montrer les nuances avec lesquelles il faut accueillir cette classification communément reçue en envisageant deux catégories d'obligations : la première *à partir des personnes* qui les doivent, en prenant le cas des professions libérales où se rencontre l'archétype de l'obligation de moyens; la seconde *à partir de l'objet du contrat* en raisonnant sur l'obligation de sécurité qui constitue l'archétype de l'obligation de résultat.

1° Professions libérales

999. — Le médecin ne garantit pas la guérison (39), l'avocat ne garantit pas le gain du procès, le professeur donnant des leçons particulières ne garantit pas le succès à l'examen de son élève, le conseil en organisation ne garantit pas les résultats escomptés par l'entreprise (40). Tout ce à quoi ces débiteurs sont tenus, c'est de fournir des services diligents, de mettre en œuvre des moyens normaux, compte tenu de la situation de fait et de leur qualification professionnelle.

1000. — Le contentieux le plus abondant en la matière concerne la responsabilité médicale (40-1). Une jurisprudence absolument constante n'impose aux médecins et chirurgiens qu'une obligation de moyens consistant à faire bénéficier le patient de soins consciencieux, attentifs et conformes aux données acquises de la science (41), étant bien précisé que cette diligence est très large, qu'elle englobe tout le traitement du commencement à la fin (42), qu'elle comprend en toutes circonstances un devoir impératif d'information (43) et de conseil (44), qu'elle exige le consentement libre et éclairé du patient (44-1).

---

(39) De très nombreuses décisions précisent que l'obligation des médecins, des chirurgiens, des cliniques n'est que de moyens. V. Civ. 1re, 27 janv. 1970 : *J.C.P.* 70, II, 16422, note RABUT. — Civ. 1re, 18 juill. 1983 : *J.C.P.* 84, II, 20248, note CHABAS. — Civ., 9 oct. 1985 : *D.* 1987, somm. comm. 23, obs. PENNEAU. — Civ. 1re, 8 déc. 1987 : *D.* 1988, I.R. 5.

(40) Lyon, 23 déc. 1969 : *J.C.P.* 70, II, 16557, note P.L.

(40-1) A. DORSNER-DOLIVET, *Contribution à la restauration de la faute, condition des responsabilités civiles et pénales dans l'homicide et les blessures par imprudence. A propos de la chirurgie*, thèse Paris, 1986, préface P. RAYNAUD.

(41) Civ. 1re, 12 nov. 1985 : *Bull. civ.* I, n° 299; *Rev. trim. dr. civ.* 1986, 764, obs. HUET. — M. HARICHAUX, *L'obligation du médecin de respecter les données de la science : J.C.P.* 87, I, 3306.

(42) Civ. 1re, 18 juin 1970 : *D.* 1970, somm. 193. — Ass. plén. 30 mai 1986 : *D., Flash*, n° 25.

(43) Paris, 17 nov. 1983 : *J.C.P.* 85, II, 20406, note DORSNER-DOLLIVET. — Civ. 1re, 20 janv. 1987 : *Bull. civ.* I, n° 19, p. 14; *D.* 1987, I.R. 24; Il y a lieu de distinguer entre les risques qui sont inhérents à une intervention chirurgicale ou à une anesthésie — que le praticien n'est pas obligé de révéler s'ils sont de ceux qui se produisent exceptionnellement — et les risques qui sont courus du fait de l'affection elle-même, risques qu'il importe, au contraire, de signaler.

(44) Pour une illustration, Civ. 1re, 9 mai 1984 : *J.C.P.* 84, II, 20262, note DORSNER-DOLLIVET.

(44-1) Civ. 1re, 11 oct. 1988 : *D.* 1988, I.R. 247. — Cons. d'État, 29 janv. 1988 : *J.C.P.* 88, IV, 146.

1001. — Cependant, les situations sont quelquefois plus complexes (44-2). Ainsi, l'exercice de la médecine et surtout de la chirurgie nécessitent, de plus en plus, l'emploi de divers appareils : bistouris électriques, appareils émetteurs de rayons, bombes au cobalt, etc., sans oublier la modeste et ancienne seringue. Le médecin ou le chirurgien a-t-il, quant au maniement de ces appareils, une obligation de moyens ou une obligation de résultat ? La réponse vient aussitôt à l'esprit : il ne peut, assurément, s'agir que d'obligation de moyens. Si le malade ou le patient est brûlé ou décède, par suite de l'utilisation de ces appareils employés dans le traitement ou l'intervention chirurgicale, il ne saurait prétendre que le médecin ou le chirurgien n'a pas exécuté son obligation si leur utilisation a été faite correctement, c'est-à-dire conformément aux données acquises de la science. *L'emploi de l'appareil fait partie de l'acte médical.* Celui-ci, pour s'exercer, doit disposer d'une certaine liberté sans la crainte et la contrainte qui découleraient d'une obligation de résultat, inconcevable en ces matières (45).

1002. — Le malade ou le patient ne pourrait pas davantage poursuivre le praticien en vertu de l'article 1384, alinéa 1er, en se prétendant victime du fait des choses. Ce texte, en effet, concerne la responsabilité délictuelle : on ne saurait l'invoquer à l'encontre d'un cocontractant (règle du non-cumul de la responsabilité délictuelle et contractuelle) (46) : or, le médecin ou le chirurgien sont liés au malade par un contrat médical (47).

1003. — Mais que décider si l'appareil se brise ou explose, par exemple, à la suite d'un vice de fabrication non imputable à l'utilisateur, peut-être même non imputable au fabricant (paille dans le métal, défaut indécelable lors du contrôle de l'appareil) ? La question s'est posée plusieurs fois déjà. Dans une espèce ayant donné lieu à un arrêt (48), l'appareil d'anesthésie a explosé et le patient fut tué. Les ayants cause de la victime ont demandé des dommages et intérêts à l'anesthésiste. Se présentant comme victimes par ricochet, ils ont prétendu agir, non sur le terrain contractuel (ils n'avaient, personnellement, passé aucun contrat médical), mais sur le terrain délictuel, comme de simples tiers, en vertu de l'article 1384, alinéa 1er. Leur prétention fut accueillie par les juges du fond, approuvés par la Cour de cassation. Bien que n'ayant commis aucune faute, bien que sur le plan des

---

(44-2) Paris, 21 nov. 1986 : *D.* 1987, somm. 421 : l'obligation d'accomplir *personnellement* l'acte médical est une obligation de résultat.

(45) La jurisprudence reconnaît parfois une obligation de résultat : T.G.I. Marseille, 3 mars 1959 : *J.C.P.* 59, II, 11118, note R. SAVATIER; *Rev. trim. dr. civ.* 1959, 536, obs. MAZEAUD (brûlure provoquée par un bistouri électrique). — Civ., 28 juin 1960 : *J.C.P.* 60, II, 11787, note R. SAVATIER (défaillance de l'appareil à rayons X). — Paris, 4 mai 1963 : *J.C.P.* 63, II, 13291 (dérapage de la meulette d'un dentiste).

(46) Sur le non-cumul des responsabilités délictuelle et contractuelle, V. *Infra*, n° 1746 et s.

(47) V. bien nettement en ce sens, Civ., 27 mai 1940 : *D.* 1941, 53, note NAST. — Civ. 1re, 30 oct. 1962 : *J.C.P.* 62, II, 12924, note R. SAVATIER (chute du patient du marche-pied de la table d'examen). — Civ., 16 nov. 1965 : *D.* 1966, 61; *Rev. trim. dr. civ.* 1966, 308, obs. RODIÈRE (rupture d'une seringue). — Civ. 1re, 15 mai 1971 : *D.* 1972, 534 (injection d'un produit banal).

(48) Civ. 1re, 1er avril 1968 : *D.* 1968, 653, note R. SAVATIER.

obligations de moyens aucun reproche n'ait pu être adressé au chirurgien, celui-ci fut condamné à réparer le dommage subi par ces victimes par ricochet.

1004. — Que penser de cette décision ? La solution qu'elle donne est justifiée, mais sa motivation est critiquable.

En étudiant le dommage par ricochet, nous avons vu qu'il est contraire au simple bon sens de faire aux ayants droit une situation meilleure qu'à la victime directe elle-même. Si l'on adoptait la motivation de l'arrêt précité, on serait conduit à une solution paradoxale : en cas de survie de la victime de l'explosion, celle-ci, liée par le contrat médical, n'obtiendrait réparation qu'en prouvant que les moyens normaux n'ont pas été mis en œuvre; autrement dit qu'en prouvant la faute du chirurgien, preuve que ses ayants cause n'ont pas à faire si l'explosion cause le décès du patient, car ils agissent, eux, en vertu de l'article 1384, alinéa 1er...

1005. — Une fois de plus, on se heurte à la difficulté propre aux actions des victimes par ricochet prétendant agir par une action totalement indépendante de celle de la victime directe. Mais, on sait que cette prétention a été repoussée dans divers autres cas : ainsi, lorsque le *transporté bénévole* ne pouvait agir qu'en vertu de l'article 1382, l'action des victimes par ricochet, bien que n'ayant pas été transportées bénévolement elles-mêmes, ne pouvait pas être basée sur l'article 1384, alinéa 1er; de même, la *faute* de la victime directe entraîne une réduction de l'indemnité à l'égard des victimes par ricochet qui, cependant, n'avaient commis aucune faute. Une idée générale — dont la formulation juridique reste à trouver — commande de ne pas accorder aux victimes par ricochet l'indemnité qu'elles réclament à titre personnel tout en faisant abstraction des circonstances de fait et de droit qui ont présidé à la survenance de l'accident.

1006. — Est-ce à dire que la décision qui, dans l'espèce ci-dessus, a condamné l'anesthésiste, soit critiquable ? Nous ne le pensons pas. On a observé avec raison que le régime de faveur — obligation de moyens — dont bénéficient les médecins, ne concerne que les actes médicaux ou chirurgicaux proprement dits. L'explosion de l'appareil d'anesthésie ne s'insère pas dans l'acte médical. Au regard du non-fonctionnement d'un appareil, « il s'agit de mécanique et non de médecine » : l'obligation de l'utilisateur est alors de résultat. Si le patient ne peut exiger une guérison certaine, du moins est-il en droit d'attendre que les appareils et instruments qu'on emploie pour le soigner ne se brisent pas, n'explosent pas, etc. Il en résulte que le patient lui-même, s'il survit, pourrait faire jouer cette obligation de résultat, dont la garantie est pratiquement analogue à celle que lui offrait l'article 1384, alinéa 1er, lequel, on le répète, ne peut être invoqué entre contractants. En l'espèce, il était, donc, sans réel intérêt pratique de motiver la décision en invoquant l'article 1384, alinéa 1er, plutôt qu'une obligation de résultat pesant sur le médecin du fait d'un accident mécanique et non, à vrai dire, médical.

1007. — Ce point de vue a été confirmé par une décision rendue le 25 mai 1971 par la première Chambre civile de la Cour de cassation (49). Un patient étant mort à la suite d'une injection de méthiodal nécessaire pour préparer sa radiographie, la médecin radiologue fut attaqué par les victimes par ricochet en vertu de l'article 1384, alinéa 1er. Les juges du fond, approuvés par la Cour de cassation, rejettent leur action en relevant que le méthiodal ne présentait aucun vice propre, et que son injection constituait un *acte médical* à l'occasion duquel *aucune faute n'avait été commise.*

1008. — L'étude de ces décisions nous montre déjà — et on verra qu'il en est souvent ainsi — que l'on ne peut pas déclarer que tel ou tel contrat engendre exclusivement, soit des obligations de résultat, soit des obligations de moyens. Le même contrat (49-1) peut, tel le contrat médical, comporter à la fois des obligations de moyens et des obligations de résultat (50), selon les circonstances.

1009. — Il est donc permis de penser que cette coexistence des deux sortes d'obligations, dans le cadre d'un même contrat, n'a rien de particulier au contrat médical. Avec la mécanisation galopante des activités les plus diverses, des problèmes de même nature pourraient se poser — se poseront sans doute — à l'occasion de l'exercice de toute autre profession libérale. Certes, l'avocat (51), le notaire (51-1), le comptable (51-2), le

(49) *Gaz. Pal.* 4 nov. 1971, 3, p. 2.

(49-1) Civ. 1re, 29 oct. 1985 : *D.* 1986, 417, note Penneau; *Rev. trim. dr. civ.* 1986, 762, obs. Huet : le chirurgien-dentiste est tenu d'une obligation de moyens quant aux soins qu'il prodigue et d'une obligation de résultat comme fournisseur d'une prothèse. — Dans le même sens, Civ. 1re, 15 nov. 1988 : *J.C.P.* 89, IV, 21.

(50) Pour d'autres cas d'obligation de résultat : injection de sérum à la responsabilité de la clinique, Civ. 1re, 4 fév. 1959 : *D.* 1959, 153, note P. Esmein; *J.C.P.* 59, II, 11046, note R. Savatier; *Rev. trim. dr. civ.* 1959, 317, obs. H. et L. Mazeaud. — Injection de sérum à la responsabilité de l'infirmier : Civ. 1re, 17 juin 1980 : *Bull. civ.* I, n° 187, sol. impl. — Obligation déterminée de fournir des médicaments sans danger (Angers, 11 avril 1946 : *J.C.P.* 46, II, 3163) ou dont la date limite d'utilisation n'est pas expirée (Civ. 2e, 30 juin 1976 : *Bull. civ.* II, n° 220). — Analyses médicales : les laboratoires répondent en principe de l'exactitude des résultats de leurs examens : Toulouse, 14 déc. 1959 : *J.C.P.* 60, II, 11402, note Savatier. — V. Durry : *Rev. trim. dr. civ.* 1974, 822. Un commentateur, s'interrogeant pour savoir s'il y a place pour une obligation de résultat en matière médicale, conclut « qu'il y aurait des actes médicaux qui, parce qu'ils ne comportent aucun aléa, engendreraient des obligations de résultat » (Durry : *Rev. trim. dr. civ.* 1984, p. 116).

(51) Civ. 1re, 15 oct. 1985 : *Bull. civ.* I, n° 257; *Rev. trim. dr. civ.* 1986, 759, obs. Huet. — Lyon, 10 mars 1988 : *D.* 1989, 9, note Montagnier. — Paris, 9 nov. 1988 : *D.* 1988, I.R. 290. — Paris, 1er fév. 1989 : *D.* 1989, I.R. 62. — Néanmoins l'avocat est tenu d'une obligation de résultat pour certaines de ses activités. Il est responsable de son absence à l'audience (T.I. Nice, 22 déc. 1959 : *D.* 1960, 440, note Mimin), du retard dans la transmission des pièces (Paris, 16 mai 1963 : *D.* 1963, 692), de la tardiveté d'un appel (Civ. 1re, 11 mai 1964 : *Bull. civ.* II, n° 245).

(51-1) Civ. 1re, 10 fév. 1987 : *D.* 1987, I.R. 40. — V. Th. Sanséan, *Jurisprudence en matière de responsabilité civile professionnelle des notaires : J.C.P.*, éd. N, 88, II, 18. — *Adde*, Civ. 1re, 25 janv. 1989 : *J.C.P.* 89, IV, 112 et 28 fév. 1989 : *D.* 1989, I.R. 99.

(51-2) Com., 2 juin 1987 : *D.* 1987, 500, note A. Viandier. — Rappr. Paris, 13 fév. 1989 : *D.* 1989, I.R. 85.

conseil (52), l'expert immobilier (52-1), l'huissier (52-2), l'avoué (52-3), ne sont tenus, essentiellement, qu'à l'exercice correct de leur profession, par conséquent, à des obligations de moyens. Mais beaucoup utilisent des machines, l'ordinateur se répand de plus en plus. Si un dommage survient par suite d'un vice de l'appareil, l'obligation de l'utilisateur est considérée comme étant de résultat; mais celui-ci dispose d'un recours contre le loueur de l'appareil informatique, qui est tenu, quant au bon fonctionnement du matériel, d'une obligation de résultat, quant à l'efficacité dudit matériel sur le plan de la gestion, d'une simple obligation de moyens (53).

2° Obligations de sécurité

1010. — La difficulté se pose, ici, sous sa forme la plus complexe. Il s'agit de contrats très variés qui ont comme élément commun l'existence d'une obligation de sécurité, destinée à protéger la vie et l'intégrité corporelle d'un contractant. Cette obligation de sécurité n'est pas l'objet principal du contrat, mais cela importe peu : principale ou accessoire (53-1), l'existence d'une obligation de sécurité soulève les mêmes problèmes.

a) Naissance de l'obligation de sécurité

1011. — A la fin du siècle dernier, l'industrialisation a fait augmenter considérablement le nombre des accidents du travail. Les habitudes de raisonnement de l'époque conduisaient à poser le problème de l'indemnisation des victimes en termes de responsabilité délictuelle. L'article 1384, alinéa 1er, n'ayant pas encore été découvert, l'ouvrier victime (ou ses ayants droit) ne pouvait poursuivre l'employeur qu'en vertu de l'article 1382; il devait donc prouver sa faute. N'y parvenant pas, le plus souvent, il restait voué à la misère.

Pour venir à son aide, certains auteurs avaient proposé une nouvelle analyse du contenu du contrat de travail (54). L'employeur était, certes,

---

(52) Civ. 1re, 2 oct. 1984 : *J.C.P.* 84, IV, 335 : en l'espèce, le conseil, prétendument tenu d'une obligation de prudence et de diligence, est déclaré responsable comme s'il était débiteur d'une obligation de résultat, puisqu'on lui fait supporter les conséquences d'une erreur de l'administration des postes. — Versailles, 3 avril 1987 : *D.* 1987, I.R. 119. — Versailles, 19 janv. 1989 : *D.* 1989, I.R. 62.

(52-1) Civ. 1re, 12 janv. 1988 : *Bull. civ.* I, n° 2, p. 2.

(52-2) Civ. 1re, 22 nov. 1988 : *J.C.P.* 89, IV, 29.

(52-3) Paris, 25 janv. 1989 : *D.* 1989, I.R. 62.

(53) V. LE TOURNEAU, *op. cit. passim.* — C. DE GUARDIA, *La responsabilité du vendeur et du bailleur d'ordinateurs : Gaz. Pal.* 1974, 2, doctr. 749. — Sur la question, Versailles, 17 mars 1988 : *D.* 1988, I.R. 117. — Paris, 15 nov. 1988 : *D.* 1989, I.R. 5; *Rev. trim. dr. civ.* 1986, 765, obs. HUET.

(53-1) Versailles, 12 nov. 1987 : *D.* 1988, I.R. 14 : un hypermarché doit mettre à la disposition de ses clients un matériel en bon état (caddies) ainsi que des installations présentant toutes garanties de sécurité (aire de stationnement), et, ce, dans le cadre du contrat de vente dont il constitue l'accessoire.

(54) V. SAINCTELETTE, *Responsabilité et garantie* (1884) et SALEILLES, *Les accidents du travail et la responsabilité civile* (1897).

débiteur du salaire, mais, en outre, il devait, prétendit-on, assurer *contractuellement* la sécurité de ses ouvriers. En cas d'accident, il serait responsable du seul fait de l'inexécution de son obligation de sécurité : l'ouvrier pourrait se faire indemniser sur le plan contractuel, sans avoir à prouver la faute de l'employeur.

1012. — Cette thèse, parfaitement soutenable, n'a cependant pas été admise par la jurisprudence, encore trop attachée aux vieilles théories, liant toute responsabilité à la faute de celui qui devait réparer. La situation des ouvriers devenant intolérable, c'est le législateur qui intervint : la loi du 9 avril 1898 institua, on le sait, un régime de responsabilité sans faute en matière d'accidents du travail. L'obligation *contractuelle* de sécurité dans le contrat de travail perdait, de ce fait, son principal intérêt.

1013. — C'est dans une autre matière qu'elle s'affirma. Par l'un de ses arrêts les plus connus, la Cour de cassation déclarait, en 1911, que le contrat de transport met à la charge du voiturier (le transporteur) l'obligation d'emmener les voyageurs sains et saufs à destination (55). Transporter, ce n'est donc pas seulement emmener une personne d'un lieu à un autre, mais la conduire en bon état jusqu'à l'arrivée, si l'on peut ainsi dire. C'est ce qu'on appela rapidement l'*obligation de sécurité* incluse dans le contrat de transport. En 1913, la Cour de cassation confirma ce même point de vue (55-1).

1014. — Bien que les termes obligation de résultat n'existassent pas encore dans le vocabulaire juridique de l'époque, l'obligation de sécurité dont il s'agit a été comprise, dès l'abord, comme une obligation de résultat... Quand, un peu plus tard, Demogue proposait la distinction des obligations de moyens et des obligations de résultat, c'est l'obligation de sécurité pesant sur le transporteur qu'il invoqua pour illustrer cette dernière catégorie d'obligations.

1015. — L'intérêt de cette découverte de l'obligation de sécurité dans le contrat de transport était considérable. En cas d'accident, notamment de déraillement ou de collision, le voyageur blessé pouvait réclamer l'indemnité réparatrice sans avoir à prouver les circonstances de l'accident, sans avoir à prouver, notamment, la faute du voiturier que, dans la grande majorité des cas, il eût été dans l'impossibilité de fournir. Il lui suffisait de prouver ses blessures, celles-ci prouvaient par elles-mêmes que l'obligation de sécurité n'avait pas été exécutée. Le transporteur ne pouvait s'exonérer qu'en établissant que l'accident était dû à un événement de force majeure (auquel, bien sûr, on assimile le fait d'un tiers ou de la victime elle-même s'il a été imprévisible et inévitable).

---

(55) 21 nov. 1911 : *S.* 1912, 1, 75, note LYON-CAEN; *D.P.* 1913, 1, 249, note SARRUT. — Ce n'est pas, à vrai dire, par interprétation de la volonté probable des parties que l'on déclara l'existence de cette obligation de sécurité; il s'agit en réalité d'une obligation introduite dans le contrat par voie prétorienne.

(55-1) 27 janv. 1913 : *S.* 1913, 1, 177, note LYON-CAEN; *D.* 1913, 1, 149.

1016. — L'obligation de sécurité, ainsi comprise, eut un retentissement extraordinaire. La jurisprudence y fit appel de plus en plus fréquemment, et on assista en quelques années à une extension inattendue de son champ d'application. Puis vint une réaction. On finit par s'apercevoir que cette extension ne pouvait pas être indéfinie et que l'introduction, dans divers contrats, de l'obligation de sécurité du premier type — obligation de résultat — conduisait à des solutions inacceptables, voire absurdes. Cela provoqua un mouvement de recul. Enfin, depuis quelque temps, une orientation nouvelle se dessine. Il n'est pas sûr qu'elle apporte la solution définitive à ce difficile problème. Décrivons, schématiquement, ces étapes de la jurisprudence.

b) Extension de l'obligation de sécurité

1017. — Imaginée, tout d'abord, pour le transport de chemin de fer, cette même obligation de sécurité a été considérée comme existant en principe dans *tous les autres modes de transport :* par route, maritime ou aérien (56).

1018. — L'extension se manifesta, encore, par la conception que la jurisprudence se fit du transport. Contrairement à ce que suggère le terme usuel, on considéra, pendant plusieurs décennies, que le transport commençait dès que le voyageur pénétrait dans l'enceinte de la gare et jusqu'au moment où il la quittait. Ce n'était donc pas seulement les accidents tels que les collisions, les déraillements, qui étaient couverts par l'obligation de sécurité, mais aussi divers accidents pouvant survenir sur les quais d'une gare, à la buvette ou au restaurant de celle-ci.

Un arrêt (57) donna une solution qui a paru aussitôt excessive au sujet de la chute d'un voyageur sur les marches du passage de la gare Saint-Lazare qui donne accès à la voie publique. N'importe qui peut emprunter ce passage. Certes, il fait partie de l'enceinte de la gare, mais il n'est pas accessible aux seuls voyageurs. Faire bénéficier le voyageur qui a fait une chute dans ces escaliers — pour des raisons non établies — de l'obligation de sécurité était excessif. L'arrêt a été, en général, fortement critiqué (58).

Mais, sans aller aussi loin, toute la jurisprudence donnait du transport une définition large, de manière à faire bénéficier les voyageurs de cette règle protectrice de leur sécurité corporelle (en général le transport commençait dès que le billet était délivré et poinçonné, et durait jusqu'au franchissement du portillon de sortie).

1019. — L'extension de l'obligation de sécurité se fit également dans une troisième direction. Jusqu'ici, on ne l'a vu proclamée que dans le contrat de

---

(56) Cependant, l'obligation de sécurité dans les transports maritimes et aériens, admise en principe, était, à l'époque, neutralisée par l'existence de clauses de non-responsabilité que la jurisprudence considérait comme valables (v. *infra,* l'étude des clauses de non-responsabilité).

(57) Civ. 1re, 17 mai 1961 : *D.* 1961, 532.

(58) P. Esmein : *D.* 1964, 359; v. aussi sa chronique : *Transporteurs, veillez sur nous : D.* 1962, 1. — Rodière, *Droit des transports,* n° 1213, A.

transport, mais elle allait très vite s'introduire dans d'autres contrats. Des accidents surviennent souvent au cours du fonctionnement des manèges forains (chevaux de bois, auto-tamponneuses ou autres jeux). Des arrêts ont déclaré que ces manèges exécutaient une opération de transport (59), ce qui soumettait l'exploitant à une obligation de sécurité. Il en fut de même des exploitants de remonte-pente dans les stations de sports d'hiver : là encore, on vit une sorte de transport comportant une obligation de sécurité (60).

1020. — Cependant, on ne tarda guère à s'apercevoir de ce qu'il y avait d'artificiel à qualifier de transport les tours que l'on fait sur des manèges forains ou l'escalade d'une pente enneigée à l'aide d'un remonte-pente. Cela conduisit les tribunaux à abandonner la qualification de transport dans ces divers cas. Ce sont des contrats *sui generis,* des contrats innomés, mais cette qualification ne devait pas conduire à déclarer qu'ils ne comportaient pas, eux aussi, une obligation de sécurité. Née à l'occasion du transport, l'obligation de sécurité n'était pas liée au transport. On pouvait la trouver dans tous les contrats où la sécurité de la personne doit être assurée par le cocontractant.

1021. — Ayant acquis son autonomie, l'idée d'obligation de sécurité, animée d'un dynamisme étonnant, faisant preuve d'une tendance de plus en plus « impérialiste », s'introduisit dans les contrats les plus divers : les tenanciers d'un établissement de bains, d'une piscine, de clubs d'équitation, d'établissements hôteliers, de restaurants, apprirent, successivement, qu'ils devaient à leurs clients, outre la prestation principale qui était l'objet propre du contrat, la sécurité de leur personne. En cas d'accident : glissades, chutes diverses, etc., ils étaient censés n'avoir pas exécuté leur obligation de sécurité envers les victimes, leurs clients, créanciers de sécurité.

Mais n'allait-on pas, dans certains cas, trop loin ? Certaines espèces ont montré qu'il fallait arrêter cette extension de l'obligation de sécurité. Un mouvement de recul va se manifester.

c) Changement de nature de l'obligation de sécurité

1022. — Il semble bien que ce fut à l'occasion du contrat de remonte-pente, que la jurisprudence manifesta, tout d'abord, sa volonté de ne pas dépasser les limites du raisonnable. Dans une espèce, l'accident était arrivé au skieur qui, portant un sac-à-dos, ne s'était pas dégagé assez vite une fois arrivé au but, si bien que l'archet du remonte-pente accrochant une courroie de son sac, souleva celui qui se croyait arrivé à bon port, le traîna encore pendant quelques mètres, ce qui provoqua sa chute brutale et la fracture de sa jambe. La cour d'appel (61) accorda l'indemnité réclamée au

(59) Nancy, 25 juin 1925 : *D.* 1927, 2, 25, note LALOU.

(60) Grenoble, 11 mars 1941 : *D.C.* 1943, 143, note H. DESBOIS.

(61) Grenoble, 11 mars 1941, préc.

motif que l'obligation de sécurité de l'exploitant découlant du contrat de transport n'avait pas été exécutée. Mais l'arrêt fut cassé (62).

La Cour de cassation ne nie pas l'existence d'une obligation de sécurité dans le contrat innomé de remonte-pente (l'assimilation au transport est condamnée), *mais cette obligation de sécurité n'est plus une obligation de résultat, ce n'est qu'une obligation de moyens.*

1023. — Une idée nouvelle apparaît. Lorsque la victime joue un rôle actif, lorsqu'elle participe, par ses propres gestes, par son attitude, son habileté ou sa maladresse, au déroulement de l'opération dont elle a été victime, elle ne saurait se prétendre couverte par une obligation de sécurité définie comme obligation de résultat (62-1). Tout ce à quoi elle peut prétendre, c'est que l'entreprise fonctionne normalement, correctement. En cas d'accident, il ne lui est dû réparation que si la preuve est apportée que les *moyens* sur lesquels tout utilisateur est en droit de compter n'ont pas été mis en œuvre. Il s'agit donc, conclut-on, d'une obligation de sécurité du type obligation de moyens.

1024. — Cette nouvelle idée va, à son tour, s'étendre à divers contrats où l'initiative de la victime, sa liberté d'action, sont suffisamment grandes pour que l'on considère qu'il serait inopportun de la faire bénéficier de la garantie d'une obligation de résultat. Parmi des milliers de décisions, citons, au hasard, celles qui déclarent que l'obligation de sécurité n'est que de moyens lorsqu'il s'agit d'accidents survenus dans un restaurant (63), dans un hôtel (63-1), dans une piscine (63-2), dans un établissement psychiatrique ou hospitalier (64), sur le podium d'un jeu forain (65), dans un laboratoire d'analyses médicales (66), en mer à l'occasion d'une plongée sous-marine (67), dans une colonie de vacances (68), dans un magasin (69),

---

(62) Com., 7 fév. 1949 : *D.* 1949, 377, note DERRIDA.

(62-1) Versailles, 30 janv. 1986 : *D.* 1986, I.R. 234 : l'obligation de sécurité d'un hypermarché à l'égard de ses clients pénétrant dans l'aire de ses magasins n'est qu'une obligation de moyens en raison de *l'autonomie d'initiative et d'action* des clients.

(63) Paris, 20 mars 1987 : *D.* 1987, I.R. 115. — Civ. 1re, 18 nov. 1975 : *D.* 1976, I.R. 52.

(63-1) Amiens, 23 mars 1960 : *D.* 1960, 458. — Paris, 15 déc. 1982 : *Gaz. Pal.* 8 sept. 1983.

(63-2) Civ. 1re, 12 juin 1985 : *Bull. civ.* I, n° 186.

(64) Civ. 1re, 3 oct. 1973 : *Gaz. Pal.* 1974, 1, 118, note DOLL; *Rev. trim. dr. civ.* 1974, 429, obs. DURRY. — Paris, 11 fév. 1987 : *D.* 1987, I.R. 50.

(65) Civ., 6 janv. 1959 : *D.* 1959, 106.

(66) Civ. 1re, 6 déc. 1972 : *D.* 1973, somm. 31; *Rev. trim. dr. civ.* 1973, 783, obs. DURRY (les laboratoires sont tenus d'une obligation de sécurité-moyens envers leurs clients, mais ils répondent de l'exactitude des résultats de leurs examens). — Toulouse, 14 déc. 1959 : *J.C.P.* 60, II, 11402, note SAVATIER.

(67) Poitiers, 18 juin 1980 : *Quot. jur.* 25 mars 1982.

(68) Civ. 1re, 27 janv. 1982 : *Gaz. Pal.* 1982, 2, pan. 263, note CHABAS; *D.* 1982, I.R. 362, note LARROUMET. — Civ. 1re, 1er fév. 1983 : *J.C.P.* 84, II, 20129, note CHABAS. — J. BONNARD, *Les problèmes juridiques posés par les centres de vacances et de loisirs,* thèse Paris, 1985.

(69) Paris, 18 fév. 1982 : *Gaz. Pal.* 1982, 2, somm. 316.

dans un port de plaisance (70), dans une salle de spectacles (70-1), sur une piste de patinage (70-2) ou de danse (70-3)...

On avait donc, désormais, deux sortes de contrats, les uns comportant une obligation de sécurité du type résultat, les autres du type moyens.

Malheureusement, des incohérences vont apparaître et des illogismes.

1025. — La situation la plus paradoxale était celle qui résultait du contrat de transport, compris largement, lorsqu'on se livrait à une comparaison avec des situations analogues. Ainsi, celui qui faisait une chute dans la buvette de la gare était garanti par l'obligation de « sécurité-résultat », tandis que l'individu qui glissait à l'intérieur d'un restaurant extérieur à la gare ne bénéficiait que d'une obligation de moyens ! Pourquoi cette différence, alors que la liberté d'action de la victime était identique ici et là ?

Inversement, était-il logique d'affirmer que l'exploitant d'un remonte-pente n'est tenu que d'une obligation de moyens sans distinguer entre les causes de l'accident ? Si le cable de traction se rompt, par exemple, est-il conforme au courant général tendant à la garantie des victimes contre les accidents de nature mécanique, de réduire ses possibilités d'indemnisation, en l'obligeant à faire la preuve de la faute de l'exploitant ? Cette preuve, il ne peut pas toujours la faire, et souvent il n'y a aucune faute; nous savons que de nombreux accidents sont dus à des imperfections techniques que nul ne pouvait prévoir. D'ailleurs, si la raison, qui a fait écarter l'obligation de résultat, est la participation active de la victime à l'opération qui a produit l'accident, comment ne pas voir que cette victime n'a en rien participé à la rupture du cable (71) ?

Ces contradictions, ces solutions inconciliables montrent qu'il était simpliste de classer les contrats comportant une obligation de sécurité en deux catégories tranchées, les uns engendrant des obligations de résultat, les autres des obligations de moyens. Les solutions devraient être plus nuancées.

d) Domaine respectif de l'obligation de sécurité-résultat et de l'obligation de sécurité-moyens

1026. — L'atténuation de la portée de l'obligation de sécurité, devenue souvent simple obligation de prudence et de diligence, s'est accompagnée d'une tendance de la jurisprudence à restreindre le champ d'action de

(70) Montpellier, 21 oct. 1981 : *J.C.P.* 82, II, 19751, note DE JUGLART. — Civ. 1re, 31 janv. 1984 : *J.C.P.* 84, IV, 114.

(70-1) Civ. 1re, 11 fév. 1975 : *D.* 1975, 533, obs. LE TOURNEAU. — Peu importe le genre de spectacles : Civ. 1re, 9 oct. 1979 : *D.* 1980, I.R. 260 (patronage). — Paris, 29 janv. 1987 : *D.* 1987, I.R. 52 (concert gratuit).

(70-2) Paris, 24 mai 1983 : *D.* 1984, I.R. 486.

(70-3) Civ. 1re, 10 juin 1986 : *Gaz. Pal.* 1986, 2, pan. 206.

(71) En ce sens, Aix, 9 nov. 1955 : *J.C.P.* 55, II, 8972.

l'obligation de sécurité-résultat, en distinguant *à l'intérieur du même contrat.* Envisageons plus spécialement le contrat de transport avant de dire quelques mots d'autres situations exemplaires.

• Contrat de transport

1027. — Un arrêt de la première Chambre civile du 1er juillet 1969 (72) abandonne la définition trop large de ce contrat. Il y est dit que le transport ne commence qu'« à partir du moment où le voyageur commence à monter dans le véhicule et jusqu'au moment où il achève d'en descendre », et l'arrêt précise que l'obligation de conduire le voyageur sain et sauf à destination n'existe que dans ces limites (72-1). En l'espèce, la responsabilité de la S.N.C.F., à l'égard d'un voyageur ayant fait une chute dans le souterrain conduisant aux quais, n'a pas été admise.

1028. — Cette nouvelle définition du transport, limité dans le temps, entre le moment de la montée dans le véhicule et celui où le voyageur achève d'en descendre, a été suivie par d'autres décisions (72-2). Un arrêt de la cour de Paris du 14 décembre 1970 (73), tout en adoptant la définition étroite du transport, retient la responsabilité d'une compagnie de taxis en constatant que, malgré la fin de la course, le *vêtement de la victime* avait été pris dans la portière du taxi : somme toute, achever de descendre du véhicule doit s'entendre non seulement du corps du voyageur, mais aussi des vêtements qu'il porte. Il en va de même du voyageur descendu du véhicule en train de décharger ses bagages. Utile précision (74) !

1029. — De même, un arrêt de la première Chambre civile de la Cour de cassation du 12 novembre 1969 (75) retient la responsabilité du transporteur (par autobus) envers une voyageuse ayant fait une chute à *l'intérieur du véhicule,* alors que celui-ci était arrivé au terminus et se trouvait arrêté lors de cette chute, dont les causes n'ont pas pu être déterminées. Une solution contraire, mais se rattachant à la même conception du transport, est donnée par l'arrêt de la même Chambre, rendu le 23 février 1971 (76) où l'on voit que le transporteur (par autocar) n'est pas tenu pour responsable de la chute d'une dame âgée de 75 ans, survenue, *après la fin du transport,* dans l'escalier menant au terre-plein, qui ne présentait « aucun danger particulier ».

---

(72) *D.* 1969, 641, note G.C.-M. et *J.C.P.* 69, II, 16091, concl. LINDON. — Jurisprudence aujourd'hui indiscutable : Civ. 1re, 22 avril 1981 : *Gaz. Pal.* 1981, 2, 782.

(72-1) Encore faut-il que le voyageur soit muni d'un titre régulier : Paris, 26 mars 1987 : *D.* 1987, I.R. 115.

(72-2) Paris, 29 janv. 1987 : *D.* 1987, I.R. 51.

(73) *J.C.P.* 71, IV, 153.

(74) Civ. 1re, 2 mars 1983 : *Rev. trim. dr. civ.* 1983, p. 350, obs. DURRY.

(75) *J.C.P.* 70, II, 16190, 1er arrêt note R.L.

(76) *J.C.P.* 71, IV, 88.

1030. — Cependant, une question ne pouvait manquer de se poser : quelle est la situation juridique de ces voyageurs dans la période non couverte par le contrat de transport proprement dit, alors que, munis du titre de transport, ils se trouvent *déjà* ou se trouvent *encore* dans l'enceinte de la gare du chemin de fer, ou de la gare routière ? Leur qualité, vis-à-vis du transporteur est-elle, en ce cas, celle d'un tiers ordinaire ? Cela pourrait avoir des avantages, s'ils étaient victimes d'un accident dû au fait d'une chose — par exemple, s'ils étaient heurtés par un wagonnet transportant les bagages — le recours à l'article 1384, alinéa 1er, leur donnant des garanties équivalentes à celles qui, naguère, découlaient du contrat de transport largement compris. Victimes de quelque manœuvre fautive d'un employé du transporteur, l'article 1384, alinéa 5 leur serait également presque aussi secourable, alors même que, selon la thèse dominante que nous avons critiquée, ils devraient prouver la faute du préposé.

1031. — Mais, que décider si l'accident est dû à une *bousculade* causée par d'autres voyageurs, trop pressés ou distraits ?... Sur le terrain délictuel, la victime n'aurait pas d'action contre le transporteur; celui-ci n'est pas responsable du fait des autres voyageurs qui, n'étant pas des choses mais de simples personnes, ne permettraient pas la mise en jeu d'une responsabilité objective en faveur de la victime. Et c'est bien ce que la première Chambre civile a décidé dans son arrêt du 12 novembre 1969 (77), dans une espèce où un jeune homme, accompagné de ses camarades, se précipita à l'annonce de l'arrivée d'un train et tomba, dans des circonstances demeurées inconnues, entre le quai et les wagons d'un convoi de la S.N.C.F. entrant en gare.

L'arrêt d'appel, qui avait retenu l'entière responsabilité de la S.N.C.F., au motif que la « faute imprévisible et inévitable de la victime n'était pas établie » — ce qui présupposait l'existence d'une obligation de sécurité envers la victime — est cassé. La première Chambre civile déclare, pour justifier cette cassation, que le « transport n'était pas encore en cours d'exécution au moment de l'accident ».

1032. — Cependant, une décision postérieure est venue préciser que les voyageurs ne sont pas des tiers à l'égard du transporteur dans la période précédant ou suivant immédiatement le transport proprement dit. *Un contrat existe déjà* ou *existe encore* entre eux, contrat comportant une *obligation de sécurité* cependant moins stricte que celle découlant du transport, simple obligation de prudence et de diligence, autrement dit une obligation de moyens. C'est ce que décida la première Chambre civile le 21 juillet 1970 (78).

(77) *J.C.P.* 70, II, 16190, 2e arrêt.

(78) *J.C.P.* 70, II, 16488; *D.* 1970, 767, note R. ABADIR. — V. aussi obs. DURRY : *Rev. trim. dr. civ.* 1971, p. 163 et 164. — Ce point de vue est suivi par la cour de Paris, 2 fév. 1989 : *D.* 1989, I.R. 86 : usager de la R.A.T.P. glissant sur le quai dans la colle répandue par des colleurs d'affiches; la R.A.T.P. est condamnée pour avoir manqué à son obligation d'entretien (obligation de moyens).

En l'espèce, une dame âgée de 87 ans est bousculée par des voyageurs, tandis qu'elle s'était arrêtée au portillon de sortie pour chercher son billet; cette vieille personne tomba et se fractura le col du fémur. La S.N.C.F. fut considérée comme entièrement responsable de cet accident, cette décision précisant qu'après l'achèvement du transport, *le transporteur reste encore tenu (...) d'« une obligation de prudence et de diligence »*. Or, les juges du fond, approuvés par la Cour de cassation, estimèrent que la S.N.C.F. n'avait pas pris « toutes les mesures appropriées pour assurer l'évacuation normale et paisible des voyageurs »... Bref, tenu d'une obligation de moyens le transporteur est responsable de ses fautes en vertu du contrat innomé pour la période de temps dont il s'agit. Or, la bousculade ayant provoqué la chute établissait cette faute !

1033. — Cet arrêt suscite la réflexion ! Peut-on vraiment parler de faute en l'espèce ? Ce serait mettre à la charge de la S.N.C.F. une obligation irréalisable, celle de disposer « une armée de contrôleurs à la sortie des trains » (79). Il est difficile de ne pas voir que la situation de la S.N.C.F. n'aurait pas été différente, en l'espèce, si on l'avait considérée, comme avant le revirement du 1er juillet 1969, tenue d'une obligation de résultat.

1034. — Or, l'affirmation de l'existence d'un contrat comportant une simple obligation de moyens dans la période précédant ou suivant le transport peut conduire, dans d'autres circonstances, à des résultats singuliers et inacceptables. Heurté par un wagonnet sur les quais, le voyageur ne pourrait pas mettre en jeu l'article 1384, alinéa 1er, lequel est inapplicable entre contractants ! Si la verrière de la station s'effondre, il ne pourrait, pour les mêmes raisons, faire appel à l'article 1386. Singulier renversement de la situation antérieure au revirement de 1969 : la victime serait moins bien protégée dans l'enceinte de la gare qu'à l'extérieur.

1035. — On peut craindre que ce revirement n'ait pas résolu le problème (80). Le découpage dans le temps entre le moment où l'on monte dans le véhicule et celui où on achève d'en descendre peut, à la rigueur, être accepté pour déterminer le commencement et la fin du contrat de transport, mais cela n'indique pas, nécessairement, si tous les accidents survenus pendant cette période sont gouvernés par l'obligation de sécurité du type obligation de résultat, alors que tous ceux qui surviendraient avant ou après le transport proprement dit seraient soumis au régime des obligations de moyens.

Pour notre part, nous doutons qu'un voyageur qui fait une chute à l'intérieur du wagon, dans les couloirs ou dans le compartiment, *le train étant à l'arrêt,* mérite un sort différent de celui qui fait une chute analogue sur les quais de la gare ou, tout simplement, dans la rue, ou ailleurs. Il n'y a

(79) Cf. DURRY, obs. préc.

(80) On a vu, d'ailleurs, que l'arrêt préc. du 23 fév. 1971 n'a pas retenu de faute à la charge du transporteur, en cas de chute d'un voyageur de 75 ans...

pas, dans ce cas, de lien de causalité avec le transport proprement dit, ou mieux dit, *ce n'est pas là un accident de transport.* L'arrêt précité du 12 novembre 1969 nous paraît donc non fondé.

1036. — En revanche, l'obligation de sécurité de type obligation de résultat devrait couvrir les relations contractuelles entre voyageur et transporteur, qu'il s'agisse du transport lui-même ou des phases antérieures et postérieures, dès lors que l'accident est imputable au fonctionnement de l'entreprise, de son outillage et de son personnel. Les autres voyageurs eux-mêmes, et les bousculades qu'ils provoquent, font partie des incidents propres *aux transports en commun* dont le voiturier devrait répondre (quitte à lui permettre de recourir contre eux). Mais une chute non provoquée par une bousculade, qu'elle se produise sur les quais, ou dans un véhicule à l'arrêt (peut-être même en mouvement si celui-ci est très lent, lors du départ du train ou immédiatement avant l'arrivée) est un accident où *l'initiative de la victime joue le rôle prépondérant.* Il est conforme à la règle, de plus en plus souvent énoncée, selon laquelle chacun doit veiller à sa propre sécurité, de ne pas faire bénéficier la victime d'une garantie objective s'il s'agit des accidents de ce genre. La faute du cocontractant est, en ce cas, mais en ce cas seulement, une condition de sa responsabilité.

1037. — La Cour de cassation a pris nettement parti dans un arrêt du 7 mars 1989 (80-1), dans une espèce où le voyageur avait glissé sur une plaque de verglas, après être descendu du train, au moment où le convoi redémarrait. La première Chambre civile censure les juges du fond pour n'avoir pas fait application de l'article 1384, alinéa 1er (garde du train). Elle rappelle que l'obligation de sécurité résultant de l'article 1147 du Code civil n'existe que pendant l'exécution du contrat de transport, c'est-à-dire à partir du moment où le voyageur commence à monter dans le véhicule et jusqu'au moment où il achève d'en descendre; en dehors de cette période, la responsabilité du transporteur à l'égard du voyageur est soumise à la responsabilité *délictuelle.*

• Autres contrats

1038. — Il en est ainsi en ce qui concerne les accidents de *remonte-pente.* Par un arrêt du 8 octobre 1968 (81), la première Chambre civile de la Cour de cassation déclare que l'exploitant est tenu d'une obligation de sécurité déterminée (c'est-à-dire de résultat). C'est une condamnation excessive, parce que sans nuances, de la jurisprudence antérieure qui tendait à distinguer entre les accidents selon qu'ils étaient dus au mauvais fonctionnement de l'installation ou, en partie du moins, à l'activité du skieur. En tous cas, la cour de Grenoble, le 15 octobre 1969 — un an après l'arrêt précité de la

(80-1) Civ. 1re, 7 mars 1989 : *D.* 1989, I.R. 96.

(81) *D.* 1969, 157, note J. MAZEAUD.

Cour de cassation — revient à l'idée d'obligation de moyens en matière de remonte-pente (82).

Tout dépend, à notre avis, du genre d'accident. Imputable au matériel, on doit considérer l'exploitant comme tenu d'un résultat (83); se rattachant, au moins en partie, à l'activité de la victime, on peut admettre que l'obligation n'est que de moyens (84). Telle est bien l'opinion de la Cour suprême pour laquelle l'exploitant d'un télésiège est tenu d'une simple obligation de moyens pour les opérations d'embarquement et de débarquement dans lesquelles le skieur a un rôle actif à jouer (84-1).

1039. — Citons, aussi, des arrêts rendus en matière d'accidents survenus dans une exploitation *d'auto-tamponneuses*. Dans le premier, le client n'avait pas encore pris place dans le véhicule. Le tenancier est condamné par les juges du fond sur la base de l'article 1384, alinéa 1er. L'arrêt est cassé : le contrat était formé (le billet d'entrée sur la piste était délivré), l'article 1384, alinéa 1er était donc inapplicable; les juges, déclare la Cour de cassation, auraient dû rechercher la faute de l'exploitant. C'est donc que la Haute juridiction considère ce dernier comme tenu d'une simple obligation de moyens tant que le client n'est pas monté dans la voiture-tamponneuse (85).

Dans le deuxième arrêt, la victime se trouvait *dans le véhicule*. Blessée à l'œil par un objet qui n'a pas pu être déterminé, l'obligation de l'exploitant est retenue, au motif qu'il assumait envers ses clients une obligation déterminée de sécurité, c'est-à-dire une obligation de résultat (86). C'est, semble-t-il, cette position que retient la jurisprudence. Pendant le jeu, l'exploitant de jeux forains est tenu d'une obligation de résultat (86-1); encore faut-il que la victime ne descende pas de l'auto-tamponneuse avant l'arrêt des véhicules, sinon le tenancier est exonéré (86-2). Au contraire, avant et après l'entrée sur la piste, l'obligation de sécurité n'est que de moyens (86-3).

---

(82) *J.C.P.* 70, II, 16164, note W.R.

(83) Civ. 1re, 16 juill. 1980 : *Bull. civ.* I, 177 : la faute d'une skieuse ne se plaçant pas convenablement sur le télé-siège ne justifie pas nécessairement un partage de responsabilité, l'accident pouvant s'expliquer par une vitesse excessive de l'appareil. — V. aussi T.G.I. Albertville, 30 nov. 1973 : *J.C.P.* 74, II, 17828, note RABINOVITCH (obligation de résultat quant au fonctionnement normal de l'appareil).

(84) T.G.I. Thonon-les-Bains, 16 oct. 1972 : *Gaz. Pal.* 1972, 1, 201, note RABINOVITCH; *Rev. trim. dr. civ.* 1973, 363, obs. DURRY.

(84-1) Civ. 1re, 11 mars 1986 : *D.* 1986, I.R. 210; *Bull. civ.* I, n° 65; *Rev. trim. dr. civ.* 1986, 767, obs. HUET. — Pour une solution plus nuancée, Civ. 1re, 17 fév. 1987 : *J.C.P.* 88, II, 21082, note M.M. (partage de responsabilité en cas d'accident survenu en cours de trajet, parce que la victime, en prévision du débarquement, avait prématurément décroché la chaîne de sécurité de la télébenne).

(85) Civ. 1re, 30 oct. 1968 : *D.* 1969, 650, note G.C.-M.

(86) Civ. 1re, 28 avril 1969 : *D.* 1969, 650, préc.

(86-1) Civ. 1re, 12 fév. 1975, 512, note LE TOURNEAU. — Civ. 1re, 18 fév. 1986 : *D.* 1986, I.R. 235; *Bull. civ.* I, n° 32 (manège de balançoires).

(86-2) Paris, 8 avril 1976 : *Gaz. Pal.* 1976, 2, somm. 323.

(86-3) Civ. 1re, 12 janv. 1970 : *D.* 1970, somm. 55 et 2 nov. 1972 : *D.* 1972, 713; *Rev. trim. dr. civ.* 1973, 362, obs. DURRY.

Cette jurisprudence n'est pas à l'abri de la critique. Les accidents qui surviennent au cours des évolutions des auto-tamponneuses sont dus, en grande partie, à l'activité des clients. Les chocs sont recherchés, ils constituent l'essence, l'agrément (?) de ce jeu. Des accidents inhérents à ces chocs ne sauraient être mis à la charge de l'exploitant. Nous pensons, donc, que l'arrêt de 1969, dans sa motivation, appelle des réserves. Ce qu'il faut préciser c'est, non si le client était sur la piste ou dans l'auto, mais si les risques assumés — recherchés, même — dans ce genre de distractions comprennent l'éventualité de recevoir un objet dans l'œil.

1040. — Qu'en est-il de l'obligation de sécurité quant à *l'aménagement des locaux*? Un grand nombre de décisions ont qualifié l'obligation de sécurité de l'hôtelier ou du restaurateur d'obligation de moyens; le principe est rappelé par la première Chambre civile le 19 juillet 1983 à propos de l'explosion d'un appareil à gaz blessant un client (87). Toutefois, on peut lire dans un arrêt de la même Chambre civile que « si le tenancier d'un bar ou d'un café n'est tenu en principe... que d'une obligation de moyens, la cour d'appel a pu estimer qu'il contracte l'obligation de mettre à la disposition des clients des sièges suffisamment solides pour ne pas s'effondrer sous leur poids » (88); d'où il est raisonnable de déduire une obligation de résultat. Il n'y a pas nécessairement contradiction entre ces deux jurisprudences, car on peut bien, en même temps, se contenter de la simple diligence pour l'organisation et le fonctionnement général de l'établissement (89) et exiger un résultat précis, en l'espèce la solidité, s'agissant du mobilier d'équipement.

1041. — Les décisions qui précèdent en matière d'hôtellerie montrent bien la nécessité de distinguer, *à l'intérieur d'un même contrat,* la nature de l'accident pour savoir s'il se rattache à l'inexécution d'une obligation de moyens ou d'une obligation de résultat. Toute solution contenant des affirmations sans nuances, dans un sens ou dans l'autre, risque d'être démentie par des décisions statuant sur des espèces différentes, bien qu'intéressant le même contrat. *Il ne faut pas confondre contrat et obligation.* Un même contrat peut engendrer des obligations nombreuses et de nature diverse.

1042. — Indiquons, pour finir, cette décision de la cour de Poitiers (90) qui déclare que, si un restaurateur n'est tenu que d'une obligation de *moyens* quant à la *qualité* des mets qu'il sert à ses clients, il est, en revanche, tenu d'une *obligation de résultat* quant à *l'innocuité* de ces mets. Un client auquel avait été servi un turbot sauce hollandaise ayant été victime d'une intoxication due au « bacille botulinique », le restaurateur est déclaré responsable comme n'ayant pas rempli son obligation de résultat : rendre ses clients « sains et saufs » à la sortie du repas.

(87) *Bull. civ.* I, 211, préc; *Rev. trim.* 1984, 729, obs. HUET.

(88) 2 juin 1981 : *Gaz. Pal.* 1982, 1, pan. 10, note CHABAS; *J.C.P.* 82, II, 19912, note DEJEAN DE LA BATIE.

(89) Versailles, 21 janv. 1986 : *D.* 1986, I.R. 235.

(90) Poitiers, 16 déc. 1970 : *Gaz. Pal.* 1971, 1, 264.

L'argument selon lequel le restaurateur n'a pas commis de faute (le restaurateur poursuivi en correctionnelle avait été relaxé) n'est pas de nature à l'exonérer; c'est là le propre des obligations de résultat (91). On citera dans le même sens un jugement du tribunal civil de la Seine (92), qui a eu à statuer sur plusieurs dents cassées par la présence d'un silex dans un plat d'épinards; et plus récemment une décision du tribunal d'instance de Saumur (93) appelé à se prononcer sur la responsabilité du cafetier ayant servi de la soude caustique à la place de vin.

En résumé, lorsqu'on s'interroge sur la nature des devoirs du restaurateur pour les boissons ou aliments servis, la réponse n'est pas la même selon que le client se plaint de la saveur ou, plutôt, de l'absence de saveur des plats servis (c'est une simple obligation de moyens qui est en cause) ou, au contraire, est empoisonné par les aliments fournis (on se trouve alors dans le cadre des obligations de résultat).

1043. — Cette gradation de l'obligation de sécurité d'après la nature de la prestation en cause se rencontre dans bien d'autres situations. Le kinésithérapeute est débiteur d'une obligaton de moyens en ce qui concerne les soins à dispenser, mais doit une sécurité-résultat s'agissant des instruments utilisés dans l'acte para-médical (94). L'agence de voyage, en tant qu'organisateur de séjour, est soumise à la diligence moyenne de tout entrepreneur (95); en revanche, lorsqu'elle se charge de fournir un titre de transport, elle contracte l'obligation de résultat d'en assurer l'efficacité, par exemple, elle doit faire confirmer les billets d'avion (95-1). On ne prétend pas donner un tableau complet de la jurisprudence en cette matière. Ce qu'il fallait, c'est mettre en évidence les données du problème et dégager quelques principes de solution. La ligne de clivage qui sépare les obligations de moyens des obligations de résultat dans les contrats comportant une obligation de sécurité est fournie, nous semble-t-il, par la *participation active de la victime* parmi les circonstances de l'accident.

D. — Obligation de ne pas faire

1044. — Cette obligation ne pose pas de problèmes particuliers. Celui qui s'oblige à ne pas faire quelque chose est nécessairement responsable s'il

(91) Pas davantage n'est retenu l'argument selon lequel le bacille dont il s'agit est un agent imprévisible, insurmontable et *externe*, par conséquent un événement de *force majeure*. Cet argument avait convaincu les premiers juges (Trib. Poitiers, 7 janv. 1969 : *D.* 1969, 124, note PRADEL), mais, avec raison, la cour d'appel infirme le jugement de ce chef en déniant le caractère d'*extériorité* au bacille qui s'était introduit dans le poisson.

(92) 17 juin 1959 : *J.C.P.* 59, II, 11276.

(93) 2 mars 1978 : *J.C.P.* 79, IV, 348.

(94) Rouen, 7 fév. 1984 : *D.* 1985, I.R. 405.

(95) Civ. 1re, 23 fév. 1983 : *J.C.P.* 83, II, 19967; *D.* 1983, 481, note COUVRAT (surveiller le transporteur local). — Civ. 1re, 3 nov. 1983 : *J.C.P.* 84, II, 20147, concl. GULPHE (s'assurer si l'hôtelier ne l'est pas). — Civ. 1re, 25 mai 1987 : *D.* 1987, I.R. 144 (réaffirmation du principe).

(95-1) Civ. 1re, 31 mai 1978 : *D.* 1979, I.R. 62, obs. LARROUMET.

contrevient à sa promesse. Ces obligations sont donc du type des obligations de résultat. Ainsi en va-t-il de la clause de non-concurrence par laquelle on promet de ne pas s'établir à son compte (salarié) ou de ne pas se rétablir dans un rayon donné et pendant un certain temps, ou de l'engagement de ne pas surélever ou de ne pas construire.

Le résultat est partie intégrante du *non facere;* il serait absurde, en effet, de promettre de faire tout son possible pour ne pas concurrencer ou ne pas surélever la maison; cela ne correspond pas à l'objet de l'obligation. Ce qui est dû, c'est l'abstention et nullement un effort d'abstention. Au demeurant, l'article 1145 du Code civil donne indirectement, mais sans discussion possible, cette solution : « Si l'obligation est de ne pas faire, celui qui y contrevient doit des dommages et intérêts *par le seul fait de la contravention* ».

SOUS-SECTION III

LES CLASSIFICATIONS SELON LES MODALITÉS DE L'OBLIGATION

1045. — Cette classification trouve son cadre dans le Code civil (Livre III, Titre IV, chap. IV, art. 1168 à 1233) qui, d'ailleurs, n'emploie par le terme « modalités ». Ce terme est difficile à définir (la doctrine évite de le faire).

La modalité se distingue des conditions de formation ou de validité (consentement, capacité, objet, cause), en ce qu'elle n'est pas de l'essence même de l'obligation. Elle pourrait manquer sans affecter l'existence ou la valeur de l'obligation qui est alors une obligation *pure et simple.* La modalité, elle, altère cette pureté et cette simplicité. Comment cette altération se produit-elle ? En quoi ces modifications consistent-elles ? Les modalités sont diverses et obéissent à des préoccupations variées. On retiendra, ici, les modalités suivantes : *la condition; le terme; les obligations à objets multiples; les obligations à sujets multiples* (pluralité de débiteurs ou de créanciers). Ce sont celles qui figurent dans le chapitre IV du Code civil, précité, sauf les obligations facultatives dont le Code ne parle pas, mais qu'il est usuel de comparer aux obligations alternatives; on laissera de côté les obligations comportant des clauses pénales qui, bien que figurant dans ce même chapitre du Code, trouveront mieux leur place lorsqu'on examinera l'exécution des obligations.

§ 1. — L'obligation sous condition

1046. — La condition se définit comme l'événement susceptible ou non de se produire, dont les parties font dépendre la naissance ou l'extinction de leur engagement. Elle ne doit pas être confondue avec la *charge* grevant une libéralité : la charge n'affecte pas l'existence de la gratification qui existe en dehors d'elle, et son accomplissement n'est pas tributaire du hasard (96). Aux termes de l'article 1168 du Code civil :

« L'obligation est conditionnelle lorsqu'on la fait dépendre d'un événement futur et incertain, soit en la suspendant jusqu'à ce que l'événement arrive, soit en la résiliant selon que l'événement arrivera ou n'arrivera pas » (96-1).

Il existe donc deux sortes de conditions : la condition suspensive et la condition résolutoire.

Condition suspensive

1047. — La condition suspensive (96-2) est celle qui affecte la naissance de l'obligation; aussi longtemps que l'incertitude pèse sur l'événement-condition, on ignore si les parties deviendront respectivement créancier et débiteur. Par exemple : je vous promets la vente de mes livres de droit si je suis reçu à mon examen à la prochaine session. On est alors en présence d'une vente conditionnelle. L'existence même de la vente dépend d'un événement futur et, hélas ! incertain...

Ce n'est là qu'un premier type de condition que l'on appelle *suspensive*. En effet, dans l'exemple pris ci-dessus, l'*existence* même de la vente est *suspendue* jusqu'à ce que le résultat de l'examen soit connu. Ce n'est pas le seul cas envisagé par le législateur qui déclare à l'article 1181 que l'obligation est conditionnelle lorsqu'elle dépend « d'un événement actuellement arrivé, mais encore inconnu des parties »; le même texte ajoute que dans cette hypothèse, l'obligation reçoit son effet du jour où elle a été contractée.

Condition résolutoire

1048. — A l'opposé de ce qui se passe dans la condition suspensive, l'obligation sous condition résolutoire (96-3) est d'ores et déjà pleinement formée; ce qui est conditionnel, c'est son maintien; la cessation du rapport de droit dépend d'un événement dont la réalisation est inconnue.

En voici un exemple : Pierre fait donation de 10 000 F à André, mais ajoute la clause suivante : cette donation sera *résolue* si André meurt avant Pierre. En cas de prédécès du donataire, André, ce bien n'ira donc pas à ses héritiers, il retournera dans le patrimoine du donateur (d'où son nom : clause de retour). On est, là aussi, en présence d'une condition : événement futur et incertain (lors de la donation on ne peut pas savoir qui survivra). Mais cette

(96) Il faut la distinguer également des *réserves* (par exemple, Paris, 5 juill. 1972 : *Gaz. Pal.* 1973, 2, 535. — Comp. Com., 9 déc. 1980 : *Bull. civ.* IV, n° 241; *D.* 1981, I.R. 441, obs. AUDIT) et, des *modalités d'exécution* de l'engagement contracté (Civ. 3ᵉ, 9 juill. 1984 : *Bull. civ.* III, n° 135). — M. et L. MAZEAUD, *Modalités des obligations : Rev. trim. dr. civ.* 1955, 516.

(96-1) VERDIER, *Les droits éventuels*, thèse Paris, 1955. — BÉNABENT, *La chance et le droit*, 1973. — TAISNE, *La notion de condition dans les actes juridiques*, thèse Lille, 1977. — *Rép. dr. civ. Dalloz, V° Condition* par Y. BUFFELAN-LANORE.

(96-2) TROTZIER, *Essai sur la condition suspensive et ses applications récentes*, thèse Paris, 1945. — G. GOUBEAUX, *Remarques sur la condition suspensive stipulée dans l'intérêt exclusif de l'une des parties : Rép. Defrénois* 1979, art. 31987.

(96-3) Sur la distinction entre *condition* résolutoire et *clause* résolutoire, Civ. 3ᵉ, 10 juin 1971 : *Bull. civ.* III, n° 375, p. 267.

donation ne suspend pas l'obligation. Celle-ci, en attendant la mort de l'un des deux contractants, s'exécute. Dans notre exemple, les 10 000 F seront versés aussitôt. Mais, si la condition se réalise, Pierre les reprendra, le contrat de donation étant résolu.

1049. — Selon qu'il s'agit de condition suspensive ou résolutoire, c'est la *formation définitive* ou la *disparition* du lien de droit entre créancier et débiteur qui dépend d'un événement aléatoire (futur et incertain). Si le contrat est, de sa nature, *translatif de propriété* — telle la vente — la propriété acquise par l'acquéreur se trouve elle-même affectée par la condition : l'acquéreur aura un droit de propriété *conditionnel* : suspendu à l'arrivée de la condition ou résolu si la condition se réalise.

1050. — L'intérêt de contracter sous condition suspensive ou résolutoire est de permettre aux parties de faire certaines prévisions, d'assumer certains risques et d'adapter leur convention aux circonstances, telle la condition suspensive de l'obtention d'un prêt pour acheter une maison. Mais, la loi n'autorise pas l'insertion de n'importe quelle condition dans un contrat, ce qui nous conduit à exposer, d'abord, la question de la validité des conditions (A). Après quoi, il nous faudra indiquer leurs effets (B).

A. — Validité de la condition

1051. — L'événement servant de condition doit réunir deux séries de caractères. D'une part, être dans un certain état d'*extériorité* par rapport à la volonté; de ce point de vue, on distingue les conditions casuelles, potestatives et mixtes. D'autre part, être *réalisable* tant en droit qu'en fait, ce qui évoque la distinction des conditions impossibles, illicites ou immorales.

1° Conditions casuelles, potestatives et mixtes

a) Conditions casuelles

1052. — La *condition casuelle* est celle qui dépend du seul hasard, qui n'est donc nullement au pouvoir du créancier ou du débiteur (C. civ., art. 1169). Exemples : si un tel meurt avant tel autre; si je gagne le gros lot du prochain tirage de la loterie nationale, etc. La condition casuelle est valable en principe, qu'il s'agisse de condition résolutoire ou suspensive (il ne faut pas, bien entendu, que l'événement envisagé ait un caractère illicite, impossible ou immoral) (97).

La loi pose, parfois, que l'obligation est consentie sous condition résolutoire : ainsi pour les donations faites par des personnes sans enfant au moment de l'acte; la naissance ultérieure d'un descendant entraîne de plein

(97) V. sur une espèce de vol de billets de loto où il était invoqué à tort le caractère potestatif de la clause exonératoire de responsabilité, au caractère, en réalité, casuel : Civ. 1re, 19 janv. 1982 : *J.C.P.* 84, II, 20215, note CHABAS.

droit révocation de la libéralité, car on présume que le disposant n'aurait pas gratifié s'il avait su qu'un jour il laisserait une postérité.

b) Conditions potestatives

1053. — La *condition est potestative* (97-1) lorsque sa réalisation dépend de la volonté du créancier ou de celle du débiteur (v. C. civ., art. 1170). La validité de ces conditions dépend de la manière dont elles sont envisagées : on distingue les conditions *purement* potestatives et les conditions *simplement* potestatives.

1054. — La *condition purement potestative* est celle qui s'exprime par la formule « si je veux » ou toute formule équivalente (« quant il me plaira », « si je le désire », etc.). L'obligation contractée sous une condition suspensive purement potestative est nulle si elle dépend de la *volonté du débiteur* (C. civ., art. 1174). En effet, dire : je vous paierai si je veux... ou je vous vendrai si cela me plaît... n'a aucun sens ou, plus exactement, a ce sens que je n'assume aucune obligation. La condition purement potestative de la part du débiteur détruit l'idée même d'obligation : il y a contradiction entre : « je m'engage » et « si je veux ». En ce cas, on ne s'est pas engagé du tout (98).

Une personne avait loué un emplacement en vue de l'affichage publicitaire. Selon le contrat de location, il était prévu qu'à l'expiration d'un délai de deux ans après mise en demeure, la société d'affichage pouvait soit accepter la résiliation pure et simple, soit commencer à exécuter les ordres reçus. Par l'effet de cette clause, le preneur avait pouvoir d'exiger pendant deux ans que ladite société immobilisât l'emplacement loué, tout en empêchant que ne devienne exigible sa propre obligation. Les juges du fond déduisent à bon droit de cette stipulation que le contrat était affecté d'une condition potestative qui devait être déclarée nulle comme telle (99).

(97-1) Théodoresco, *Théroie de la condition potestative dans les contrats à titre onéreux*, thèse Paris, 1923. — Kauffmann, *De l'utilité et des effets d'une clause potestative. La clause de retour à meilleure fortune dans les abandons de créances amiables et concordataires : D.* 1982, chron. 129. — Ghestin, *La notion de condition potestative : Mélanges Weil*, 1983, p. 243 et s.

(98) Cependant, il y a lieu de tenir compte de la règle posée à l'article 1901, C. civ., relatif au prêt. Ce texte permet au juge d'interpréter la clause par laquelle l'emprunteur s'engage à rembourser « quand il pourrait » ou « quand il aura les moyens », comme étant, non une condition potestative, mais, un terme incertain valable : le juge fixera alors un terme pour le paiement, selon les circonstances.

De même, en matière de vente, la condition potestative peut aboutir à une disqualification de l'acte. Si, par exemple, le contrat porte que l'immeuble est vendu, sous la condition suspensive que « l'acquéreur confirmera dans un délai d'un mois son intention définitive d'acquérir », il n'y a pas de vente, même conditionnelle, car le consentement de l'acheteur fait complètement défaut. On est en présence d'une promesse unilatérale de vente : Civ. 3e, 21 nov. 1984 : *Bull. civ.* III, n° 198; *Rev. trim. dr. civ.* 1985, p. 591, obs. Rémy.

(99) Civ. 3e, 13 nov. 1980 : *Gaz. Pal.* 1981, 1, pan. 93. — Civ. 1re, 20 oct. 1982 : *D.* 1983, I.R. 408, note Vasseur; *Gaz. Pal.* 1983, 1, pan. 75 (la modification du taux d'intérêt dans un prêt en cours d'exécution consenti par une caisse régionale dans le cas où la caisse centrale en déciderait ainsi n'est pas purement potestative). — Civ. 3e, 1er fév. 1984 : *Bull. civ.* III, n° 26 (est *purement* potestative l'obligation de proposer de vendre un immeuble à des bénéficiaires déterminés sans qu'aucun prix ne soit prévu).

1055. — En revanche, l'engagement est *valable si la condition potestative dépend de la volonté du créancier* (100). Exemple : Pierre promet de vendre son immeuble à Jacques si celui-ci désire l'acheter avant telle date. Jacques est le créancier : il dépend de lui d'acheter ou de ne pas acheter. Cette clause est valable et, en pratique, on la rencontre fréquemment dans toutes les promesses de vente unilatérales : le bénéficiaire de la promesse acquiert une option. Il en est de même des promesses d'achat ou des pactes de préférence. La validité de la condition purement potestative n'est pas douteuse non plus en ce qui concerne le testament, acte révocable et provisoire (100-1).

1056. — La condition est dite *simplement potestative* lorsqu'elle dépend de la volonté de l'une ou de l'autre partie, mais d'une volonté s'exprimant par l'accomplissement d'un fait ou d'un acte déterminé. Par exemple : si je quitte Paris, si je m'engage dans l'armée, si je démissionne de mon emploi actuel, si je me marie. Ce n'est donc plus une volonté arbitraire, un caprice (si je veux), car il faut avoir des raisons sérieuses pour faire l'un des actes ci-dessus indiqués. La ligne de démarcation n'est pas toujours aisée à tracer entre les conditions qui font dépendre, exclusivement ou non, le contrat de la volonté de l'une des parties. La jurisprudence témoigne souvent de cette difficulté. Par exemple, à l'occasion de l'installation d'appareils de distribution automatique de boissons et d'aliments. Si le contrat de location desdits appareils réserve au bailleur la faculté de les retirer « au cas où leur exploitation serait déficitaire », la survenance de cette condition ne revêt pas un caractère purement potestatif, car il est loisible au partenaire de faire vérifier en justice la réalité du déficit (101). Si, au contraire, le propriétaire des appareils a stipulé le pouvoir de les retirer « pour des raisons jugées par lui impératives », la continuation du contrat dépend d'une condition jugée purement potestative (102).

---

(100) Civ. 3e, 24 avril 1981 : *Gaz. Pal.* 1981, 2, pan. 336.

(100-1) Paris, 16 mars 1987 : *D.* 1987, I.R. 98.

(101) Com., 12 mai 1980 : *Gaz. Pal.* 1980, 2, pan. 430; *Bull. civ.* IV, 151.

(102) Com., 17 mai 1976 : *Bull. civ.* IV, 141. — V. encore sur l'appréciation : Com., 18 déc. 1972 : *D.* 1973, 662 *(ne constitue pas une condition purement potestative* de la part du débiteur, la clause d'un acte de cession de matériel de fabrication accordant au cédant, en complément du prix de vente, un pourcentage de 5 % sur le produit des ventes à l'exclusion de celles dont la rentabilité serait manifestement insuffisante). — Com., 15 juin 1982 : *J.C.P.* 84, II, 20141, note D. GRILLET-PONTON (*ne constitue pas une condition purement potestative* la clause d'une vente d'actions qui fait dépendre le prix de cession du chiffre d'affaires réalisé). — Civ. 1re, 28 mai 1974 : *J.C.P.* 75, II, 17911, note H. THUILLIER (*pas de condition purement potestative* dans la donation portant sur le revenu des actions d'une société dans laquelle le donateur étant majoritaire pouvait, en demandant la dissolution, priver le donataire des avantages concédés. En revanche, tomberait sous le coup de l'art. 1174 la clause d'un prêt subordonnant le remboursement à la vente par l'emprunteur d'un de ses immeubles : Paris, 15 mars 1974 : *J.C.P.* 74, II, 17786, note GOUBEAUX; *Rev. trim. dr. civ.* 1974, p. 807, obs. LOUSSOUARN. — V. encore, Soc., 5 nov. 1984 : *J.C.P.* 85, II, 20510, note N.S. : le fait de promettre d'apporter son concours à une société « dans la mesure de ses possibilités » ne rend pas l'obligation du débiteur purement potestative, lorsque s'y joint l'engagement de donner son avis à ladite société quand elle le demanderait.

1057. — Une espèce témoigne, pareillement, des hésitations auxquelles donne lieu la qualification de la condition. Une société de crédit avait consenti à l'un de ses collaborateurs un prêt remboursable en quinze ans, mais exigible immédiatement, « si bon lui semblait », au cas où l'emprunteur cesserait de se trouver en position d'activité et si l'agent de la société prêteuse n'exerçait plus effectivement ses fonctions dans ladite société. L'emprunteur ayant été licencié pour cause économique, la société prêteuse réclamait donc le paiement, sans délai, de la somme restant due. Le débiteur faisait valoir la nullité de la condition dont la réalisation engendrait la déchéance du terme, en dénonçant son caractère purement potestatif. La Cour de cassation (103) approuve les juges du fond d'avoir écarté une telle argumentation :

« attendu que la cour d'appel, qui a constaté que le licenciement de M. Nedjar (l'emprunteur) n'avait pas dépendu de la volonté de la société Sogequip (prêteur), qui avait été contrainte de recourir à cette mesure en raison de sa situation économique, a justement estimé que la condition litigieuse n'était pas purement potestative et qu'elle a ainsi légalement justifié sa décision ».

L'arrêt ne peut qu'être approuvé : la décision de licenciement n'était pas abandonnée au pouvoir discrétionnaire de la volonté et dépendait aussi de circonstances extérieures, la situation de l'entreprise. La solution eût été différente si le renvoi du collaborateur avait eu lieu sans motif imposé par la conjoncture, comme l'aurait, d'ailleurs, permis la clause du prêt qui prévoyait, sans autre précision, la cessation d'activité du salarié. Il apparaît ainsi qu'une même condition peut ou non tomber sous le coup de l'article 1174, selon la manière dont elle se réalise ultérieurement.

1058. — Jusqu'à ces dernières années, on jugeait que la condition potestative était toujours valable lorsqu'elle était insérée dans un contrat synallagmatique (104); on en donnait pour raison que la condition, de quelque côté qu'elle soit stipulée, ne subordonnait pas la convention au bon vouloir du débiteur : le débiteur ayant nécessairement dans ce type de contrats la qualité de créancier, ne pouvait échapper à sa dette sans renoncer en même temps à sa créance; l'accord n'était donc jamais livré à l'entière discrétion de celui qui s'oblige, comme l'exige l'article 1174 du Code civil. Mais, à la suite d'une analyse renouvelée de cette situation par la doctrine (105), la jurisprudence a progressivement écarté cette solution (106) et, finalement, un arrêt de la troisième Chambre civile du 7 juin 1983 (107) a nettement

---

(103) Civ. 1re, 21 mars 1984 : *Bull. civ.* I, n° 112; *Rev. trim. dr. civ.* 1985, 381, obs. MESTRE.

(104) En dernier lieu, Civ. 3e, 21 janv. 1971 : *D.* 1971, 323; *Rev. trim. dr. civ.* 1971, 632, note LOUSSOUARN.

(105) GHESTIN, *L'indétermination du prix de vente et la condition potestative : D.* 1973, chron. 293 et s. — GOUBEAUX, note au *J.C.P.* 74, II, 17786.

(106) Com., 9 déc. 1980 : *Bull. civ.* IV, 421. — 15 juin 1982 : *J.C.P.* 84, II, 20141, note GRILLET-PONTON.

(107) *Bull. civ.* III, n° 132; *Rev. trim. dr. civ.* 1984, 713, obs. MESTRE.

pris parti, cassant une décision des juges du fond qui, tout en admettant l'existence d'une condition potestative, avaient écarté la nullité de la convention en raison de la réciprocité des obligations.

1059. — Les conditions potestatives, lorsqu'elles sont admises, sont valables, qu'elles soient suspensives ou résolutoires (108); mais cette règle comporte une exception. Dans la donation, toute condition potestative, même simplement potestative, est interdite si sa réalisation dépend de la volonté du donateur (C. civ., art. 944). Son insertion dans une donation entraînerait la nullité de l'acte de donation tout entier. On n'a pas voulu permettre au donateur d'insérer une clause l'autorisant à anéantir, à son gré, la donation : *Donner et retenir ne vaut* (108-1).

c) Conditions mixtes

1060. — La condition *mixte* dépend, à la fois, de la volonté de l'un des contractants et de celle d'un tiers (art. 1171). Exemple : Je vous donne telle somme si vous épousez telle personne. Une hypothèse classique concerne les contrats conclus sous la condition de l'obtention d'un prêt bancaire. Il n'y a pas condition potestative puisque la partie, dans l'intérêt de laquelle la condition est stipulée, a l'obligation de solliciter le prêt et que l'octroi de celui-ci suppose une décision de l'organisme de crédit (109).

1061. — Ces sortes de conditions sont valables, qu'elles soient résolutoires ou suspensives sous la réserve — concernant, d'ailleurs, toutes les conditions — qu'elles ne présentent pas un caractère illicite, immoral ou impossible.

2° Conditions impossibles, illicites ou immorales

1062. — Ces conditions (109-1) sont nulles et rendent nulle la convention qui en dépend, déclare l'article 1172 du Code civil. C'est là le principe qui, on le verra, comporte une exception importante lorsque ce genre de conditions figure dans une libéralité (donation ou testament).

1063. — Le principe est évident et n'a pas besoin d'être justifié. Si la condition est *impossible,* l'obligation n'est pas assumée sérieusement; si tu touches le ciel du doigt, disaient les Romains. L'impossibilité doit être appréciée *en fait,* compte tenu des possibilités de celui qui est concerné. Cette condamanation ne concerne que les obligations de donner ou de

---

(108) Soc., 9 mai 1961 : *D.* 1962, somm. 84.

(108-1) ROLAND et BOYER, *Adages,* p. 251.

(109) Com., 22 nov. 1976 : *Gaz. Pal.* 1977, 1, somm. 40; *J.C.P.* 78, II, 18903, note B. STEMMER.

(109-1) BARTIN, *Théorie des conditions impossibles, illicites ou contraires aux bonnes mœurs,* 1887.

faire, non pas celles qui établissent une abstention comme le prévoit l'article 1173 du Code civil : « La condition de ne pas faire une chose impossible ne rend pas nulle l'obligation contractée sous cette condition ». Si l'impossibilité résulte d'une défense du législateur, il s'agit d'une condition illicite.

1064. — Quant aux conditions *illicites* ou *immorales*, il va de soi qu'elles ne sauraient être validées, par exemple : si tu commets tel crime, si je divorce. Il a été jugé que le versement d'une somme d'argent par le futur mari au futur beau-père sous la condition résolutoire de la non-célébration ne contrevenait pas à l'ordre public ou aux bonnes mœurs, au motif qu'il n'était allégué aucune atteinte à la liberté de donner ou de refuser son consentement au mariage projeté (110). En revanche, doit être considérée comme illicite, pour atteinte à la liberté du travail, la clause qui, subordonnant la rupture d'un contrat par un médecin-anesthésiste à la présentation d'un remplaçant agréé par des chirurgiens, risque de le maintenir indéfiniment dans les liens contractuels (111).

1065. — Dans certains cas, il peut y avoir hésitation; ainsi la condition de non-mariage. Un contrat fait sous la condition de non-mariage ou de non-remariage de l'un des contractants ou d'un tiers est nul en principe, car il porte atteinte à une liberté individuelle fondamentale. Cependant, dans certains cas, on a pu soutenir que ces clauses sont justifiées (par exemple, si elles visent une personne d'un certain âge que l'on veut soustraire à des entraînements dangereux). On a beaucoup discuté sur la validité de la clause de célibat, naguère imposée aux hôtesses de l'air. La cour de Paris a prononcé la nullité de cette clause (112).

1066. — La nullité de ces conditions est soumise à un régime différent si elles figurent dans une libéralité. En ce cas, aux termes de l'article 900 du Code civil, les conditions impossibles, illicites ou immorales « sont réputées non écrites ». Cela signifie que la libéralité (donation ou testament) n'est pas annulée, seule la condition l'est. Le gratifié (donataire ou légataire) pourra demander l'exécution de la libéralité et sera dispensé d'observer la condition.

Cette règle de l'article 900 repose sur des considérations historiques (113). Mais, ce qui est intéressant, c'est de noter que la jurisprudence a

---

(110) Civ. 1re, 4 avril 1978 : *Bull. civ.* I, 110.

(111) Angers, 8 mai 1974 : *D.* 1975, somm. 82.

(112) Paris, 30 avril 1963 : *J.C.P.* 63, II, 13205 *bis.*

(113) L'origine de la règle remonte au droit romain ancien. Mourir sans testament était, à Rome, un suprême malheur (comme en témoigne l'injure « que tu meures sans testament ») pour des raisons religieuses. Si un testament contenait une condition illicite, il paraissait trop sévère de l'annuler. Réputer, simplement, la clause non écrite en laissant subsister le testament était conforme, disait-on, à l'intention probable du *de cujus* : celui-ci, s'il avait su que la condition est illicite, l'aurait supprimée !...; par la suite, la règle fut étendue aux donations, ce qui n'avait plus la même raison d'être.

interprété de telle façon l'article 900 que, très souvent, la libéralité tout entière est annulée. Pour y arriver, les tribunaux raisonnent de la façon suivante.

1067. — Si la condition illicite, impossible ou immorale était *déterminante* dans l'intention du donateur ou du testateur, si, sans elle, il n'aurait pas fait cette libéralité, alors cette condition a joué le rôle de *cause impulsive et déterminante.* L'obligation est alors non seulement affectée d'une condition illicite, elle repose, en outre, sur une cause illicite. Elle sera donc nulle, non en vertu de l'article 900, mais en vertu de l'article 1131 relatif à la cause des obligations.

1068. — Ce qui est remarquable, c'est qu'une interprétation en sens inverse est donnée pour les conditions insérées dans les actes à titre onéreux. Aux termes de l'article 1172 précité, la condition nulle entraîne la nullité de l'obligation. Or, les tribunaux n'annulent l'obligation que si la condition leur apparaît comme ayant été déterminante, c'est-à-dire comme ayant été la cause même de l'obligation. Sinon, on se borne à annuler la condition et non l'obligation elle-même; c'est ce qui a été décidé au sujet de la clause de célibat, insérée dans le contrat de travail; la clause a été considérée comme nulle, mais le contrat a été maintenu (113-1).

1069. — Bien que posant des règles opposées, les articles 900 et 1172 conduisent, par suite de leur interprétation en jurisprudence, à des solutions identiques lorsque la condition illicite, immorale ou impossible joue le rôle de cause impulsive et déterminante (114).

B. — Effets de la condition

1070. — Il s'agit, bien entendu, de conditions valables. Quel est l'effet de cette modalité de l'obligation ? On distinguera suivant que l'on se trouve pendant la période d'incertitude — *pendente conditione* — ou lorsque l'incertitude a pris fin.

1° Pendant l'incertitude

1071. — L'obligation affectée d'une *condition résolutoire* doit être immédiatement exécutée. Pour le moment, tout se passe comme si l'obligation était pure et simple. Si le contrat est translatif de propriété, l'acquéreur devient immédiatement propriétaire. Mais ces situations de créancier ou de propriétaire sous condition résolutoire sont fragiles, elles seront anéanties si la condition se réalise.

(113-1) B. TEYSSIÉ, *Réflexions sur les conséquences de la nullité d'une clause d'un contrat : D.* 1976, chron. 281.

(114) V. aussi l'art. 900-1, C. civ. (L. n° 71-526 du 3 juill. 1971). — *Adde*, Ph. SIMLER, *Les clauses d'inaliénabilité : D.* 1971, législation p. 416-1 et s., n° 33.

1072. — Si l'obligation est affectée d'une *condition suspensive,* le créancier ne peut pas en demander l'exécution et, par voie de conséquence, la prescription extinctive ne commence pas à courir à son égard (C. civ., art. 2257, al. 2).

Si le débiteur a payé, il peut demander la restitution de la somme versée : il y a *paiement indu.* Si le contrat est *translatif de propriété,* le propriétaire sous condition suspensive ne peut pas appréhender le bien. Pothier disait que, dans ces cas, il n'y a pas de droit, mais seulement un espoir... Cela n'est pas tout à fait exact. Un certain droit existe, mais les prérogatives qui en découlent sont limitées. Celui qui n'a qu'un droit sous condition suspensive peut d'ores et déjà prendre des *mesures conservatoires* de son droit (inscrire une hypothèque; agir en vérification d'écriture, etc.), et s'il vient à mourir, ce droit conditionnel est transmis à ses héritiers. Quant aux risques, l'article 1182 du Code civil en règle minutieusement l'incidence dans les termes ci-après :

« Lorsque l'obligation a été contractée sous une condition suspensive, la chose qui fait la matière de la convention demeure aux risques du débiteur qui ne s'est obligé de la livrer que dans le cas de l'événement de la condition.

Si la chose est entièrement périe sans la faute du débiteur, l'obligation est éteinte.

Si la chose s'est détériorée sans la faute du débiteur, le créancier a le choix ou de résoudre l'obligation, ou d'exiger la chose dans l'état où elle se trouve, sans diminution du prix.

Si la chose s'est détériorée par la faute du débiteur, le créancier a le droit ou de résoudre l'obligation, ou d'exiger la chose dans l'état où elle se trouve, avec des dommages et intérêts ».

Ces solutions étant acquises, reste le point de savoir de quelle manière l'incertitude prend fin. Le Code civil, après s'être référé à l'intention des parties (art. 1175), a posé deux types de règles dans les articles 1176 et 1177 qu'il suffit de rapporter :

Art. 1176. — Lorsqu'une obligation est contractée sous la condition qu'un événement arrivera dans un temps fixe, cette condition est censée défaillie lorsque le temps est expiré sans que l'événement soit arrivé. S'il n'y a point de temps fixe, la condition peut toujours être accomplie; et elle n'est censée défaillie que lorsqu'il est devenu certain que l'événement n'arrivera pas (115).

Art. 1177. — Lorsqu'une obligation est contractée sous la condition qu'un événement n'arrivera pas dans un temps fixe, cette condition est accomplie lorsque ce temps est expiré sans que l'événement soit arrivé : elle l'est également, si avant le terme il est certain que l'événement n'arrivera pas; et s'il n'y a pas de temps déterminé, elle n'est accomplie que lorsqu'il est certain que l'événement n'arrivera pas.

2° Après la certitude

a) Défaillance ou survenance de la condition

1073. — L'incertitude a pris fin. Cela peut venir de ce que la *condition est défaillie* : l'événement escompté ne se produira pas. Les choses sont alors

(115) Cependant la Cour de cassation considère qu'avec l'écoulement du temps, une condition, pourtant stipulée sans terme, peut devenir caduque : Civ. 3e, 3 fév. 1982 : *Rev. trim. dr. civ.* 1983, 131, obs. CHABAS.

simples : les droits qui étaient affectés d'une condition résolutoire sont définitivement consolidés; ceux qui dépendaient d'une condition suspensive sont définitivement évanouis, tout se passe comme s'ils n'avaient jamais existé. Par exemple, la commission n'est pas due à un agent immobilier, quand n'est pas réalisée la condition suspensive subordonnant la vente à la consignation par l'acquéreur du prix et des frais d'acte authentique (115-1).

1074. — L'incertitude peut être levée, au contraire, par la *réalisation de la condition* : l'événement futur et incertain se produit. Aux termes de l'article 1178 du Code civil :

« La condition est réputée accomplie lorsque c'est le débiteur, obligé sous cette condition, qui en a empêché l'accomplissement ».

La raison de ce texte est que l'accomplissement de la condition doit être abandonnée au cours naturel des choses et que ce ne doit pas être la volonté qui décide du sort de la convention. Aider le hasard constitue une tricherie. Un arrêt du 23 novembre 1983 (116) fait une application intéressante de cette disposition : par acte sous seing privé, des époux avaient acquis un domaine rural sous la condition suspensive d'obtenir un prêt du Crédit agricole. L'établissement bancaire avait exigé que le père de l'épouse se portât caution solidaire du prêt et celui-ci avait été refusé faute d'engagement de caution. La cour d'appel avait, néanmoins, estimé que la condition était accomplie en vertu de l'article 1178. Cette solution est censurée par la Cour suprême au motif que « la condition n'est réputée accomplie que lorsque la personne qui en a empêché la réalisation est *le débiteur obligé sous cette condition* ». Cette manière de comprendre le texte est tout à fait légitime : on veut frapper la manœuvre du débiteur malhonnête, nullement le rendre responsable de la conduite d'autrui.

La jurisprudence réputant la condition survenue du fait du débiteur est assez abondante. Ainsi, le bénéficiaire d'une promesse de vente sous condition d'obtenir le permis de construire, est responsable de la défaillance de la condition pour n'avoir pas respecté le Code de l'urbanisme s'agissant des places de stationnement (116-1). Ainsi, dans le cas où un particulier a conclu un contrat de construction sous la condition suspensive d'obtention d'un prêt, la condition est réputée accomplie lorsque le maître de l'ouvrage a mis personnellement obstacle à l'octroi dudit prêt (116-2).

(115-1) Civ. 1re, 11 juill. 1988 : *Bull. civ.* I, n° 232, p. 162. — Dans le même sens, Com., 15 déc. 1987 : *Bull. civ.* IV, n° 271, p. 203.

(116) *Rev. trim. dr. civ.* 1984, 715, obs. MESTRE. — V. aussi Civ. 3e, 2 mai 1979 : *J.C.P.* 79, IV, 221 : le débiteur sous condition n'est tenu que d'une obligation de moyens pour obtenir un crédit.

(116-1) Civ. 3e, 16 avril 1986 : *J.C.P.* 88, II, 21033, note G. LIET-VEAUX.

(116-2) Civ. 3e, 4 fév. 1987 : *Rép. Defrénois*, 1988, art. 34202, n° 23, obs. H. SOULEAU. — Dans le même sens, à propos d'un contrat d'intervention pour découvrir un candidat à un poste de directeur, Versailles, 3 mars 1988 : *J.C.P.* 88, II, 21132, note P. ESTOUP. — Autres espèces : Civ. 3e, 10 déc. 1986 : *D.* 1987, somm. 458, obs. AUBERT; Civ. 3e, 4 fév. 1987 : *D.* 1987, I.R. 34.

b) Rétroactivité des effets

1075. — Lorsque l'incertitude a pris fin par la survenance de la condition, il se produit une conséquence remarquable, la rétroactivité des effets de l'obligation ou du droit affecté par la condition (116-3).

1076. — S'il s'agit de *condition résolutoire*, tout va se passer comme si le titulaire du droit ne l'avait jamais été; créancier, il doit rendre ce qu'il avait reçu; propriétaire, il doit restituer la chose qu'il n'avait eue que sous condition résolutoire.

Cette conséquence est grave, non seulement pour lui, mais pour les tiers qui ont traité avec lui. Si le propriétaire sous condition résolutoire avait grevé le bien d'hypothèque ou d'un autre droit ou s'il l'a revendu, tous ces actes sont, à leur tour, résolus. On retrouve ici ce que l'on a déjà observé en cas de nullité. Une résolution entraîne une cascade de résolutions. *Resoluto jure dantis resolvitur jus accipientis.* Divers procédés de protection des tiers existent, ce sont ceux qui ont été exposés au sujet de la nullité. Mais ces remèdes ne sont pas toujours efficaces, ainsi que nous l'avons vu (117).

1077. — S'il s'agit de *condition suspensive,* lorsque la condition se réalise, les effets du contrat remontent au jour de sa conclusion. Tout se passe comme si le contrat avait été pur et simple dès sa conclusion (117-1). Il a été jugé qu'en cas de vente d'immeuble sous condition suspensive, la valeur de l'immeuble doit être appréciée au jour de la vente, et non de la réalisation de la condition, pour savoir si la vente est rescindable pour cause de lésion (118). Pareillement, pour juger de la validité d'une promesse unilatérale de vente faite sous condition suspensive, il faut se placer à la date de son acceptation et non à celle de la réalisation de la condition (118-1).

1078. — On notera, enfin, que la règle de la rétroactivité des conditions est purement supplétive. Les contractants peuvent donc y déroger. Ainsi, une *promesse de vente sous condition suspensive* peut contenir une clause précisant que le transfert de propriété aura lieu, non au jour de la promesse — si la condition se réalise — mais au jour de la rédaction de l'acte authentique de vente (119).

(116-3) FILDERMAN, *De la rétroactivité de la condition dans les conventions*, thèse 1935. — JAMBU-MERLIN, *Essai sur la rétroactivité dans les actes juridiques : Rev. trim. dr. civ.* 1948, 271. — DEPREZ, *La rétroactivité de la condition*, thèse Rennes, 1953. — BUFFELAN-LANORE, *Essai sur la notion de caducité des actes juridiques,* L.G.D.J., 1963.

(117) La meilleure protection est celle qui résulte de la règle : « en fait de meubles, la possession vaut titre » et de celle du maintien des actes d'administration courante. En matière immobilière, la publicité est une protection incomplète.

(117-1) Soc., 1er juin 1988 : *Bull. civ.* V, n° 333, p. 218 (changement conditionnel de convention collective).

(118) V. Civ., 17 oct. 1967 : *J.C.P.* 67, II, 15307.

(118-1) Com., 15 déc. 1987 : *Bull. civ.* IV, n° 274, p. 205.

(119) V. Civ. 1re, 30 avril 1970 : *J.C.P.* 71, II, 16674, note MOURGEON.

§ 2. — L'obligation à terme

1079. — Le terme est une modalité qui affecte l'exigibilité ou l'extinction des obligations (119-1). Le Code civil ne le définit pas. L'article 1185 se borne à déclarer :

« Le terme diffère de la condition, en ce qu'il ne suspend point l'engagement, dont il retarde seulement l'exécution ».

Il y a une différence radicale entre le terme et la condition. Cette dernière dépend d'un événement *futur et incertain,* et rend donc l'obligation incertaine dans son existence même. Le terme est un événement futur, mais *dont l'arrivée est certaine,* le terme n'affectant pas l'existence de la dette, mais son exigibilité ou sa durée.

En revanche, le terme et la condition ont en commun qu'ils inscrivent l'obligation dans le temps, car ils impliquent des événements futurs liés à la durée.

A. — Diversité du terme

1° Terme extinctif et terme suspensif

1080. — On distingue le terme extinctif et le terme suspensif :

— le terme *extinctif* concerne les obligations successives et fixe le moment où l'obligation cesse d'être due. Un contrat de bail fait pour neuf ans, par exemple, comporte un terme extinctif : l'expiration du délai de neuf ans. Il en est de même du contrat de rente viagère; le débirentier doit payer pendant toute la vie du crédirentier; il est libéré, sa dette est éteinte, à la mort de ce dernier;

— le *terme est suspensif* lorsque l'exécution de l'obligation ne peut être exigée avant l'arrivée du terme, c'est-à-dire du jour fixé pour cette exécution, jour communément appelé l'*échéance.* La vente à crédit est un contrat comportant un terme suspensif au profit de l'acheteur. Le prêt comporte nécessairement un terme en faveur de l'emprunteur. Le locataire doit des loyers payables, selon les cas, tous les mois, ou tous les trois mois, etc. (dans le langage usuel, le locataire doit son « terme »).

2° Terme certain et terme incertain

1081. — En général, la date d'arrivée du terme est connue dès la conclusion du contrat : on parle alors de *terme certain :* par exemple : je paierai le 1er juillet 1989, ou je paierai tous les mois ou tous les six mois à telle date, etc.

(119-1) BÉNABENT, n° 226 et s. — CARBONNIER, n° 61. — MALAURIE et AYNÈS, p. 496 et s. — MAZEAUD et CHABAS, n° 1014 et s. — WEILL et TERRÉ, n° 903 et s. — *Rép. dr. civ. Dalloz, V° Terme,* par F. DERRIDA.

1082. — Mais le terme peut être *incertain,* en ce sens que l'on ne connaît pas, lors de la naissance de l'obligation, le jour exact où il arrivera, tel que dans l'exemple précité de la rente viagère : le débiteur sera libéré à la mort du crédirentier, mais le jour de sa mort n'est pas connu. Ce jour arrivera *certainement* — c'est la différence entre le terme incertain et la condition — mais *on ignore quand* (120). On peut, aussi, considérer comme incertain le terme dont il est question dans l'article 1901 au sujet du prêt : l'emprunteur s'est obligé à rembourser « quand il le pourrait » ou « quand il en aurait les moyens ». Ce n'est pas là une condition purement potestative, comme on pourrait le croire à première vue, ce qui rendrait nul l'engagement. L'article 1901 déclare que, dans ce cas,

« le juge fixera un terme de paiement selon les circonstances » (121).

Une solution indentique est admise en matière de vente lorsque le contrat ne prévoit aucune date limite pour le paiement du prix; on est en présence d'un terme à échéance incertaine ne pouvant être fixée par le juge (121-1).

L'incertitude du terme pose des problèmes en matière de testament où le legs sous terme incertain se confond avec le legs sous condition suspensive. Je lègue ma maison à Primus au décès de Secundus; s'il s'agit d'un terme, le legs est acquis dès le décès du testateur et par conséquent transmissible aux héritiers du légataire; s'il s'agit d'une condition, le legs ne prend naissance que si Primus survit à Secundus, à défaut le legs ne se transmet pas et devient caduc. On admet, à défaut de stipulation contraire, qu'en l'espèce le terme vaut condition : *Dies incertus conditionem in testamento facit* (121-2).

3° Terme conventionnel, terme légal, terme judiciaire

1083. — Le terme est généralement introduit dans l'obligation par les contractants eux-mêmes : le vendeur accorde un terme pour le paiement; le prêteur accorde un terme pour le remboursement. On parle de *terme de droit.* L'importance pratique du *terme contractuel* est considérable, car le terme est la forme juridique que revêt l'idée économique de *crédit.* Faire crédit, c'est accorder un terme pour le paiement.

---

(120) Le terme incertain peut se confondre avec l'indétermination de la durée d'un contrat : Com., 25 mai 1981 : *Gaz. Pal.* 1982, 1, pan. 3. — V. H. ROLAND, *Regards sur l'absence de terme extinctif dans les contrats successifs : Mélanges Voirin*, p. 737 et s.

(121) Civ. 1re, 6 nov. 1973 : *D.S.* 1974, 91 (remboursement d'un prêt « dès que les possibilités des débiteurs le leur permettraient » : appréciation souveraine des juges estimant que le terme, compte tenu des facultés des débiteurs, était échu). — Civ., 28 janv. 1976 : *D.* 1976, somm. 34 (remboursement lié à la vente de certains biens du débiteur; le créancier n'est tenu de patienter que pendant un délai raisonnable; après 6 semaines, il y a lieu de faire droit à sa réclamation). — V. lorsqu'aucun terme n'a été fixé (C. civ., art. 1900), Civ. 1re, 18 janv. 1983 : *Rev. trim. dr. civ.* 1983, 746, obs. CHABAS : le terme que le juge peut accorder selon les circonstances ne peut être fixé que postérieurement à la demande. Paris, 13 oct. 1986 : *D.* 1987, 618, note J. MOUZY.

(121-1) Civ. 3e, 4 déc. 1985 : *Bull. civ.* III, n° 162; *Rép. Defrénois* 1986, art. 33795, obs. AUBERT et art. 33801, obs. VERMELLE : *Rép. trim. dr. civ.* 1987, 98, obs. MESTRE.

(121-2) ROLAND et BOYER, *Adages*, p. 230.

La vie des affaires serait inconcevable sans l'existence du crédit, par conséquent sans l'existence du terme. Il arrive, d'ailleurs, que le terme soit de l'essence de certains mécanismes, ce qui se produit, par exemple, pour le bail d'un immeuble en construction dont l'exécution est tacitement reportée au jour où l'immeuble sera habitable. Il en va de même de la location-accession à la propriété. Certaines procédures ont, même, spécifiquement pour objet le report d'exigibilité des dettes de l'entreprise. La loi n° 84-148 du 1er mars 1984, relative à la prévention et au règlement amiable des difficultés des entreprises, permet aux dirigeants de solliciter la nomination d'un conciliateur dont la mission est de favoriser la conclusion d'un accord entre le débiteur et ses principaux créanciers sur des délais de paiement (art. 35).

1084. — Dans certains cas, c'est le *législateur* lui-même qui indique dans quel délai, telle ou telle obligation doit être exécutée (le terme est dit *terme de grâce*). Il dispose, par exemple, que l'héritier doit faire l'inventaire des biens de la succession dans les trois mois du décès, s'il veut accepter sous bénéfice d'inventaire. On laissera de côté, ici, ces termes d'origine légale qui n'intéressent pas l'idée de crédit.

Le législateur intervient quelquefois pour accorder des *délais de paiement* au-delà de ceux qu'avaient prévus les contractants (en faveur des mobilisés par exemple; ou des locataires, afin d'éviter leur expulsion...). C'est ce qu'on appelle un *moratoire*, problème que l'on laissera également de côté.

1085. — Citons, enfin, le *terme judiciaire,* c'est-à-dire celui qui est accordé par le tribunal dans certains cas : il s'agit du « délai de grâce » que le juge peut accorder aux débiteurs en difficulté, « compte tenu de la situation économique ». Ce délai qui, d'après l'article 1244, alinéa 2 du Code civil, emprunte sa mesure aux circonstances, ne saurait toutefois dépasser deux ans depuis la loi du 11 octobre 1985 (auparavant le maximum était d'un an). L'octroi de cette mesure de faveur est à la disposition, non seulement des juges du fond, mais des juges de référé, en tout état de cause et en cas d'urgence. Par ailleurs, l'effet de la décision de justice étant le sursis à l'exécution des poursuites et « toutes choses demeurant en l'état », le terme de grâce s'oppose au terme conventionnel, notamment en ce qu'il ne fait pas obstacle à la compensation (C. civ., art. 1292).

Outre le délai de grâce en matière civile, le terme judiciaire se retrouve en matière commerciale, dans l'hypothèse de la « faillite ». La loi n° 85-98 du 25 janvier 1985 sur le redressement et la liquidation judiciaires prévoit, à l'article 74, que le tribunal impose aux créanciers qui ont repoussé les propositions de l'administrateur chargé d'élaborer le plan de redressement, « des délais uniformes de paiement » dont la durée peut excéder celle dudit plan, elle-même fixée par le tribunal.

La loi n° 88-1202 du 30 décembre 1988, relative à l'adaptation de l'exploitation agricole à son environnement économique et social, prévoit, dans le cadre du règlement amiable, que le président du tribunal peut prononcer la suspension provisoire des poursuites pour un délai n'excédant pas deux mois, pendant lequel les voies d'exécution sont fermées.

Le délai de grâce est exclu en matière d'effets négociables (C. com., art. 182 et 185).

B. — Effets du terme

1° Terme extinctif

1086. — En ce qui concerne le terme extinctif, la situation respective du créancier et du débiteur est très simple. Avant l'échéance, tout se passe comme si aucun terme n'avait été stipulé et le contrat déroule ses effets comme s'il s'agissait d'un contrat ordinaire, conclu purement et simplement. A l'échéance, le terme se manifeste uniquement par l'arrêt des prestations : l'obligation cesse, mais pour l'avenir seulement, sans rétroactivité, à la différence de ce qui se passe en présence d'une condition résolutoire.

Encore convient-il de noter que la disparition du rapport de droit ne se produit à la date convenue que dans les cas, les plus nombreux, où la durée du contrat n'est pas impérativement fixée par la loi. Le terme convenu est inopérant dans les cas contraires et le contrat se poursuit au-delà, nonobstant l'échéance qu'il a fixée. Par exemple, le bail à ferme ne peut être inférieur à 9 ans et le bail d'habitation (loi *Méhaignerie*) inférieur à 3 ans. De plus, à l'arrivée du terme imposé, le droit à renouvellement proroge le bail d'une période égale, contre la volonté du bailleur éventuellement.

2° Terme suspensif

1087. — L'effet essentiel du terme suspensif, c'est d'empêcher le créancier d'exiger le paiement avant l'*échéance. Qui a terme ne doit rien* (121-3).

Mais la dette existe déjà, elle est certaine. Il en résulte que, dès avant l'échéance, le créancier peut procéder à des *mesures conservatoires* (inscription d'hypothèque, vérification d'écriture, etc.). D'autre part, si le débiteur paie sa dette avant l'échéance du terme, ce *paiement est définitif :* le débiteur ne peut pas demander la restitution de ce qu'il a payé par anticipation, *même s'il l'a fait par erreur* (on sait que la solution contraire est donnée si une dette sous condition suspensive est payée avant la réalisation de la condition).

Etant donné que la dette n'est pas exigible avant l'échéance, la loi en déduit, très logiquement, que la prescription extinctive de ces dettes ne commence pas à courir avant l'arrivée du terme (C. civ., art. 2257, al. 4).

(121-3) Roland et Boyer, *Adages*, p. 819.

1088. — Les parties peuvent-elles *renoncer* au bénéfice du terme et payer par anticipation ? Cela dépend. Seul peut renoncer au terme, celui dans l'intérêt duquel le terme a été convenu.

En règle générale, le terme est convenu dans l'intérêt du débiteur (C. civ., art. 1187, qui établit même une présomption en ce sens); il en résulte que le débiteur est autorisé à y renoncer et à payer par anticipation. Il y trouvera avantage, notamment, lorsque la dette produit des intérêts qui peuvent être très élevés, et qu'il lui est loisible de se procurer ces sommes à un intérêt moindre. En période de crise économique, le législateur est intervenu en faveur des débiteurs pour leur permettre de se libérer par anticipation de dettes grevées de trop lourds intérêts.

1089. — Mais le terme peut aussi avoir été stipulé en faveur du créancier; lorsque la dette est assortie d'intérêts élevés, 10 %, 12 %, ou même davantage, le créancier a tout intérêt à conserver sa créance, qui est, pour lui, un placement d'argent fructueux; cela peut résulter d'une clause du contrat ou simplement de la nature de la convention. En ce cas, le débiteur ne peut pas payer par anticipation (122). Les textes en décident, parfois, autrement. Par exemple, la loi du 13 juillet 1979 relative à l'information et à la protection des emprunteurs dans le domaine immobilier, dispose, en son article 1er, que l'emprunteur peut toujours, à son initiative, rembourser par anticipation, en partie ou en totalité, tout en précisant que le contrat de prêt peut interdire les remboursements égaux ou inférieurs à 10 % du montant initial du prêt.

1090. — La question de savoir si le terme est stipulé en faveur du créancier peut donner lieu à litige. Cela pose une question d'interprétation du contrat qui sera tranchée, souverainement, par les juges du fond (123).

1091. — Il est au moins un cas qui ne fait pas de difficulté, c'est celui des marchés boursiers à terme. Une partie cède des titres au cours du jour, l'opération ne devant se dénouer qu'en fin de mois (règlement mensuel); le vendeur spécule à la baisse, son acheteur à la hausse; aucun des deux ne saurait anticiper sur la liquidation et aucune renonciation ne peut avoir lieu de part ni d'autre.

C. — Déchéance du terme

1092. — Jusqu'à la loi du 25 janvier 1985, l'article 1188 du Code civil déclarait :

« Le débiteur ne peut plus réclamer le bénéfice du terme lorsqu'il a fait faillite, ou, lorsque par son fait, il a diminué les sûretés qu'il avait données par le contrat à son créancier ».

(122) Req., 21 avril 1896 : *D.* 1896, 1, 484, rapp. VOISIN.

(123) Req., 21 avril 1896, préc. — 24 janv. 1934 : *D.H.* 1934, 145.

La loi de 1985 relative au redressement judiciaire des entreprises a fait disparaître la mention de la faillite du texte primitif du Code civil. Ce n'est pas à dire que la faillite (entendue *lato sensu*) ait cessé d'exercer une influence sur le sort du terme; mais, son effet est réglé ailleurs dans la nouvelle loi, qui distingue selon la situation précise de l'entreprise en difficulté.

Les dispositions légales se justifient. Le terme, est la manifestation de l'idée de crédit, et le crédit est l'expression de la confiance que le créancier accorde à son débiteur. Or, dans les deux hypothèses initialement prévues à l'article 1188, le débiteur n'est plus digne de cette confiance; la sanction sera donc la déchéance du terme, c'est-à-dire l'exigibilité immédiate de la dette.

Les événements entraînant déchéance du terme restent donc l'insolvabilité du débiteur et la perte des sûretés.

1° L'insolvabilité du débiteur

1093. — L'hypothèse est celle d'un commerçant se trouvant en état de cessation des paiements. On parlait autrefois de faillite, mais le terme a disparu depuis la loi du 13 juillet 1967. De nouvelles procédures ont été instituées par la loi du 26 janvier 1985; l'une dite de redressement judiciaire qui débouche, soit sur la continuation de l'entreprise, soit sur sa cession; l'autre dite de liquidation judiciaire dont l'objet est de mettre fin aux activités de l'entreprise en réalisant l'actif et en apurant le passif. Quelle est l'incidence de ces procédures sur la déchéance du terme ?

D'après l'article 56 de la loi nouvelle, le jugement d'ouverture du redressement judiciaire ne rend pas exigibles les créances non échues à la date de son prononcé, toute clause contraire étant réputée non écrite. L'article 74, en cas de continuation de l'entreprise, confie au tribunal le soin d'imposer des délais uniformes de paiement, mais réserve, en ce qui concerne les créances à terme, les délais supérieurs stipulés par les parties avant l'ouverture de la procédure. L'article 91 dispose que le jugement qui arrête le plan de cession totale de l'entreprise rend exigibles les dettes non échues. Enfin, selon l'article 160, le jugement qui prononce la liquidation judiciaire rend exigibles les créances qui n'étaient pas échues à la date à laquelle est intervenu le jugement d'ouverture du redressement judiciaire.

En résumé, le créancier perd le bénéfice du terme en cas de cession de l'entreprise ou de liquidation judiciaire.

De plus, s'agissant du redressement amiable, l'inexécution des engagements pris par le débiteur conduit à l'ouverture des procédures judiciaires de règlement collectif. D'où il résulte la caducité de l'accord amiable et des délais qu'il comportait.

1094. — Quant aux débiteurs civils insolvables, la procédure de la faillite (ou celles qui la remplacent maintenant) ne leur est pas applicable. Le débiteur civil qui ne peut pas payer ses dettes est en état de *déconfiture.* D'après la jurisprudence, la déconfiture entraîne, elle aussi, déchéance du terme, mais le créancier qui entend se prévaloir de cette déchéance doit en faire la demande en justice (124). Le Nouveau Code de procédure civile a légalisé cette solution. Selon son article 512, le délai de grâce ne peut être accordé à celui dont les biens sont saisis par d'autres créanciers, et le débiteur, dans ce cas, perd le bénéfice du terme qu'il aurait préalablement obtenu.

2° La perte des sûretés

1095. — La perte des sûretés que le débiteur avait consenties, notamment une hypothèque, entraîne également déchéance du terme, si elle est imputable au fait du débiteur : par exemple, la perte de l'immeuble hypothéqué par suite de la négligence du débiteur (incendie, ruine par défaut d'entretien, coupes abusives de bois dans la forêt hypothéquée,...). Il n'y a pas déchéance si la perte de la sûreté est due à un événement de force majeure. On assimile, à la perte des sûretés, le refus de fournir les sûretés promises lors de la conclusion du contrat (125). Aux termes de l'article 2020, alinéa 1er du Code civil, lorsque la caution reçue par le créancier, volontairement ou judiciairement, est devenue insolvable, il doit en être donné une autre. Cette disposition étant conçue en termes généraux s'applique au cas où la caution solidaire a été mise en règlement judiciaire, d'où il résulte que le débiteur cautionné doit fournir une autre caution et, qu'à défaut, il encourt la déchéance du terme stipulé pour le remboursement de sa dette (126).

Notons que si, en principe, la déchéance du terme encouru par le débiteur principal ne peut être étendue à la caution (126-1), il en va différemment, et la caution doit subir sans délai l'action des créanciers, lorsqu'elle a expressément accepté que toutes les clauses et conditions du contrat lui soient opposables comme si ledit contrat avait été revêtu de sa signature (126-2).

1095-1. — En dehors du droit privé, il existe bien d'autres hypothèses où la dette devient immédiatement exigible sur le fondement du retard dans le paiement. Notons seulement ici celle qui intéresse un grand nombre de contribuables : au cas où il n'auraient pas versé à temps leur acompte provisionnel, l'article 1664, paragraphe 3 du Code général des impôts, sanctionne leur défaut de diligence, outre la majoration de 10 %, par l'exigibilité immédiate du solde de l'impôt dès la mise en recouvrement du rôle.

(124) Civ., 30 mars 1892 : *D.* 92, 1, 281, note PLANIOL. — Civ. 1re, 19 déc. 1973 : *D.S.* 1974, I.R. 58 (appréciation par le juge d'un état de déconfiture entraînant déchéance du terme). — Civ. 1re, 10 fév. 1976 : *Bull. civ.* I, n° 62.

(125) Req., 2 mai 1900 : *S.* 1901, 1, 14. — Montpellier, 23 avril 1931 : *Gaz. Pal.* 1931, 1, 879.

(126) Civ. 3e, 4 janv. 1983 : *D.* 1983, I.R. 170.

(126-1) Civ., 20 déc. 1976 : *D.* 1977, I.R. 148.

(126-2) Com., 11 juill. 1988 : *Bull. civ.* IV, n° 236, p. 163.

§ 3. — L'obligation à objets multiples

1096. — Il est fréquent que, dans un même contrat, l'une des parties, ou les deux, assument plusieurs obligations envers l'autre. Par exemple, dans le contrat de vente, le vendeur doit veiller à la *conservation* de la chose avant la livraison, doit *livrer* la chose au moment convenu et, après la livraison, il doit encore garantir l'acheteur contre l'*éviction* (réclamation de la chose par un tiers) ou contre l'apparition des *vices cachés.* Dans le contrat de louage, le locataire doit payer *les loyers*, effectuer les *réparations d'entretien* (réparations locatives) et *restituer* le local en fin de bail. Il en va également ainsi dans certains contrats d'origine américaine qui sont, actuellement, pratiqués en France, tels que le *leasing* (qui est une combinaison de location, de mandat, de promesse de vente) et de *renting* (location de matériel et obligation d'entretien à la charge du bailleur).

1097. — Généralement, toutes ces obligations sont dues ensemble, elles sont, pourrait-on dire, *cumulatives,* et c'est leur somme qui donne à chaque contrat son caractère prope. La plupart des contrats sont ainsi un *complexe* d'obligations.

1098. — Mais il peut se faire que le débiteur n'assume pas toutes les obligations à la fois, et c'est là que nous retrouvons l'idée de *modalité*, c'est-à-dire d'un certain agencement particulier des obligations.

Le Code civil prévoit la catégorie des *obligations alternatives*; la pratique et la jurisprudence connaissent une autre catégorie voisine, mais différente, les *obligations facultatives.*

A. — Obligations alternatives

1099. — La combinaison est réglementée par les articles 1189 à 1196 du Code civil (127). L'obligation est dite alternative lorsque le débiteur assume deux ou plusieurs obligations, mais qu'il ne doit exécuter que l'une *ou* l'autre. Il y a donc, en ce cas, un choix entre l'une ou l'autre des obligations assumées. L'obligation porte, par exemple,sur la livraison de tel immeuble *ou* de tel autre. Un autre exemple, pris dans la jurisprudence, est celui de l'emprunt émis par une société, remboursable dans telle ou telle monnaie (francs, livres, francs suisses, etc.), suivant la place de paiement choisie (la France, l'Angleterre, la Suisse, etc.) (128). L'état du droit résultant de l'alternative peut se résumer en deux propositions : les deux objets (ou plus) sont *in obligatione*, un seul *in solutione.*

---

(127) M.-J. GEBLER, *Les obligations alternatives : Rev. trim. dr. civ.* 1969, p. 1 et s.; *Rép. dr. civ. Dalloz, V° Obligations*, par F. DERRIDA.

(128) Civ., 3 juin 1930 : *D.H.* 1930, 361. — V. sur la question : GEBLER, *Les obligations alternatives : Rev. trim. dr. civ.* 1969, 1.

1100. — Deux objets *in obligatione.* Chaque prestation prévue entre dans l'objet de l'obligation. L'intérêt de la combinaison alternative apparaît lorsque l'un des deux objets ne peut pas servir de matière au paiement, pour une raison juridique ou physique. Ainsi, selon l'article 1192 du Code civil,

« l'obligation devient pure et simple, quoique contractée d'une manière alternative, si l'une des deux choses promises ne pouvait être le sujet de l'obligation ».

Ainsi l'article 1193 règle-t-il le cas de la perte de l'un des objets en déclarant que le prix de la chose périe ne peut pas être offert à la place de la chose subsistante. Dans la même hypothèse, le créancier ne saurait s'estimer délié de sa propre obligation. C'est ce qu'a décidé la Cour de cassation dans un contrat de saillie; la mort d'un des étalons ne rend pas impossible l'exécution de la convention, puisqu'on peut faire saillir la jument par l'étalon survivant (129).

Enfin, reste le cas où les deux choses sont péries. Si le débiteur est irréprochable, l'obligation est éteinte (art. 1195); si le débiteur est en faute à l'égard de l'une d'elles, il doit payer le prix de celle qui a péri la dernière (art. 1193, al. 4).

1101. — Un objet *in solutione.* Un seul objet est dû en paiement et sa délivrance éteint totalement l'obligation (art. 1189). Le choix de cet objet appartient au débiteur, mais une clause du contrat peut prévoir le contraire et laisser la décision au créancier (130). Alors, le législateur réglemente différemment dans l'article 1194 l'incidence de la perte sur le paiement :

« Ou l'une des choses seulement est périe; et alors, si c'est sans la faute du débiteur, le créancier doit avoir celle qui reste; si le débiteur est en faute, le créancier peut demander la chose qui reste, ou le prix de celle qui est périe;

Ou les deux choses sont péries; et alors, si le débiteur est en faute à l'égard des deux, ou même à l'égard de l'une d'elles seulement, le créancier peut demander le prix de l'une ou de l'autre à son choix ».

En toutes circonstances, le débiteur ne peut pas forcer le créancier à recevoir une partie d'un objet et une partie de l'autre; il ne peut se libérer qu'en payant exactement ce qu'il doit, c'est-à-dire l'une des prestations promises en son entier.

B. — Obligations facultatives

1102. — Le Code civil ne prévoit pas, nommément, cette modalité; mais elle peut être créée en vertu de la liberté des conventions qui, on le sait, peut inventer des figures contractuelles non prévues par la loi. D'autre part,

(129) Civ. 1re, 22 fév. 1978 : *Gaz. Pal.* 1978, somm. 145. — Sur une autre espèce : Paris, 10 fév. 1959, 356, obs. STARCK : *Rec. gén. lois et jurispr.* 1960, 273. — Pour le cas où l'une des obligations est annulée : Trib. civ. Lille, 17 nov. 1955 : *D.* 1957, somm. 17 : rescision pour lésion de l'une des obligations.

(130) Il en était ainsi pour les emprunts précités payables *au gré du créancier* sur une place ou sur une autre. — V. aussi Req., 17 juill. 1929 : *D.* 1929, 1, 143, rapp. BRICOUT.

cette modalité est *implicitement* consacrée par diverses règles légales. Nous avons vu, par exemple, qu'en cas de lésion dans la vente d'immeuble ou le partage, on peut, en cas de rescision, ou rendre les biens litigieux, ou racheter la lésion. De même, l'article 2168 du Code civil déclare que le tiers détenteur d'un immeuble hypothéqué est tenu, faute d'avoir procédé à la purge, ou de payer tous les intérêts et capitaux exigibles... ou de délaisser l'immeuble hypothéqué.

1103. — S'agissant d'obligations facultatives, *une seule chose est due,* à proprement parler, mais le débiteur a la faculté de se libérer en livrant une autre chose. Par exemple, l'objet de l'obligation est un immeuble, mais le débiteur peut se libérer en livrant une certaine quantité de marchandises. A l'opposé de l'obligation alternative, dans l'obligation facultative, on constate qu'une seule chose est *in obligatione* alors que *deux* sont *in solutione.*

1104. — En ce cas, le choix n'appartient qu'au débiteur (131). Et si la chose due à titre principal — *in obligatione* — périt par la force majeure, le débiteur est libéré; il n'a plus du tout l'obligation de payer la somme qu'il ne devait qu'à titre facultatif, *in facultate solutionis.* Pareillement, si l'objet de l'obligation principale se révèle impossible ou illicite, l'engagement est nul et le débiteur, qui aurait donné en paiement une autre chose, pourrait exercer l'action en répétition.

§ 4. — L'obligation à sujets multiples

1105. — En exposant la théorie du contrat, nous avons raisonné selon un modèle simple, nous avons toujours imaginé des rapports existant entre *un* débiteur et *un* créancier. Et c'est bien là le type du rapport de droit. Mais, en pratique, on rencontre très souvent des rapports de droit où l'on trouve plusieurs débiteurs ou plusieurs créanciers. Cette pluralité revêt diverses *modalités* selon que l'on se trouve en présence d'obligations *conjointes, solidaires* ou *indivisibles.*

A. — Obligations conjointes

1106. — On appelle ainsi les obligations qui ont pour sujets plusieurs créanciers ou plusieurs débiteurs, chacun d'eux ne pouvant réclamer ou n'étant tenu qu'à une *fraction* de la dette. L'expression est, donc, impropre; puisque les personnes obligées conjointement gardent leur indépendance, il serait préférable de parler d'obligations *disjointes.*

---

(131) Douai, 21 mars 1891 : *D.* 1892, 2, 549.

L'exemple le plus fréquent d'obligation ou de créance conjointe résulte d'une règle de droit successoral figurant à l'article 1220 du Code civil. Selon ce texte, les dettes ou les créances d'une personne *se divisent de plein droit* entre ses héritiers. Supposons que Pierre soit créancier de 10 000 F. Il décède en laissant quatre héritiers. La créance se divise automatiquement entre ces derniers, chacun désormais sera créancier de 2 500 F; on est en présence de *créanciers conjoints.* Inversement, si Pierre était débiteur de 10 000 F, après sa mort chacun de ces quatre héritiers sera tenu de payer 2 500 F; ils sont *débiteurs conjoints.* Cette règle subsiste en cas de décès de l'un des codébiteurs solidaires qui laisse plusieurs héritiers; certes, le caractère solidaire de la dette demeure au regard des débiteurs originaires, mais les héritiers ne peuvent être tenus que dans la proportion de leur part héréditaire (131-1).

1107. — En dehors de l'application de cette règle du droit successoral, l'obligation conjointe peut résulter d'un contrat où plusieurs personnes interviennent ensemble comme créanciers ou comme débiteurs. Supposons que Pierre et Paul contractent ensemble un emprunt auprès de Jacques, pour une somme de 10 000 F. Cette dette se divise aussitôt entre les emprunteurs, chacun n'étant tenu d'en rendre que la moitié, à moins qu'une autre proportion ne soit indiquée dans le contrat. On pourrait convenir, en effet, que Pierre soit tenu de payer les trois quarts de la dette, Paul, le quart seulement; mais si rien n'est dit à ce sujet, le partage se fait par parts égales, « par tête » (on dit encore par *parts viriles*, expression conservée du droit romain, *vir* = homme, le sens de l'expression est donc : tant de parts que d'hommes obligés) (131-2).

La situation inverse se produit si Pierre et Paul jouent le rôle de prêteurs; chacun ne pourra exiger qu'une partie de la créance.

1108. — Les obligations conjointes constituent le droit commun des obligations plurales. La division de l'obligation entre créanciers et débiteurs entraîne plusieurs conséquences :

— la limitation de la demande, activement et passivement, au montant de la part de chaque créancier ou de chaque débiteur (131-3);

— la mise en demeure d'un débiteur est sans effet à l'égard des autres;

— l'interruption de la prescription ne profite qu'au créancier qui en est l'auteur, à l'égard du seul débiteur qui en est l'objet.

1109. — La division automatique des dettes entre les débiteurs conjoints est une situation fort gênante en pratique. Le créancier, notamment, est obligé de diviser ses poursuites, d'intenter peut-être plusieurs procès et de procéder à plusieurs saisies; les risques de se trouver devant quelque insol-

---

(131-1) Civ. 1re, 10 mai 1988 : *Bull. civ.* I, n° 140, p. 97.

(131-2) Civ. 1re, 13 déc. 1988 : *J.C.P.* 89, IV, 64.

(131-3) Civ. 1re, 11 oct. 1988 : *D.* 1988, I.R. 246.

vable sont ainsi multipliés. C'est la raison pour laquelle cette règle est écartée en droit commercial où l'idée de crédit joue un rôle prédominant. Si la dette est commerciale, elle ne se divise pas; le créancier peut demander le paiement intégral à chacun des débiteurs : il s'agit alors d'une dette *solidaire.* En droit civil, pour écarter la division des dettes ou des créances, il est nécessaire de stipuler *expressément* dans l'acte une clause de solidarité. Cela nous conduit, précisément, à l'exposé de cette autre modalité des obligations.

B. — Obligations solidaires

1110. — On appelle ainsi les obligations ayant pour sujets plusieurs créanciers ou plusieurs débiteurs, chacun d'eux pouvant réclamer ou pouvant être poursuivi pour la *totalité* de la dette (132). En cas de pluralité de créanciers solidaires, la situation est désignée par les termes de *solidarité active;* si la solidarité existe à l'égard de plusieurs débiteurs, il s'agit de *solidarité passive.*

1° La solidarité active

1111. — Elle est très rare en pratique par suite de son caractère dangereux pour les créanciers.

Chaque créancier peut exiger le paiement intégral de la dette, si bien que le débiteur, après avoir payé la totalité de la dette à l'un des créanciers, est libéré : il ne doit plus rien aux autres. Ces derniers peuvent, bien sûr, se retourner contre celui qui a encaissé toute la somme, pour lui réclamer la part qui leur revient dans la créance, mais ils risquent de se trouver en présence d'un insolvable (le créancier aura dépensé ou dissimulé la somme touchée).

Ce risque explique que la jurisprudence s'en tienne à une interprétation littérale de l'article 1197 cantonnant la solidarité active au seul cas où le titre donne expressément à chacun d'eux le droit de demander le paiement total de la créance (133). *La solidarité active ne se présume jamais* et, en particulier, elle ne saurait s'inférer d'une clause de solidarité passive incluse dans une convention synallagmatique liant plusieurs débiteurs, qui, par ailleurs, sont créanciers au titre des prestations fournies en vertu du même contrat.

---

(132) J. Vincent, *L'extension en jurisprudence de la notion de solidarité passive : Rev. trim. dr. civ.* 1939, p. 601 et s. — P. Raynaud, *La nature de l'obligation des coauteurs d'un dommage. Obligation in solidum ou solidarité : Mélanges Vincent,* p. 317 et s. — J. Mestre, *La pluralité d'obligés accessoires : Rev. trim. dr. civ.* 1981, p. 1 et s. — *Rép. dr. civ. Dalloz, V° Solidarité*, par Derrida.

(133) Civ. 1re, 31 mai 1983 : *Bull. civ.* I, 163; *Rev. trim. dr. civ.* 1984, 716, obs. Mestre. — Dans le même sens : Civ. 1re, 23 déc. 1964 : *J.C.P.* 65, II, 14259, note Patarin.

1112. — Le législateur est très discret sur la réglementation de cette forme de solidarité. Il indique seulement que le choix du créancier *accipiens* revient au débiteur tant qu'il n'a pas fait l'objet de poursuites (art. 1198, al. 1); que la remise de dette faite par l'un d'entre eux ne libère le débiteur que pour la part de celui-ci (art. 1198, al. 2); que tout acte interruptif de prescription profite à tous les créanciers (art. 1199).

1113. — On rencontre volontiers la solidarité active dans la pratique bancaire des *comptes joints*. La banque ouvre un compte dont les titulaires sont, par exemple, le mari *et* la femme ou le père *et* le fils. Chacun des titulaires peut donc retirer l'argent de ce compte; dans la mesure de ces retraits, quel que soit celui des titulaires du compte qui l'effectue, le banquier est libéré. On conçoit que cette modalité soit très fréquente.

Elle avait jadis un intérêt d'ordre fiscal, en évitant le paiement des taxes successorales : à la mort de l'un des titulaires, le survivant qui retirait les fonds sur sa seule signature, n'avait pas à payer de droits de mutation par décès, *puisqu'il était déjà titulaire du compte.* Mais le fisc a déjoué cette manœuvre : sauf preuve contraire, le solde créditeur est réputé appartenir à égalité à chacun des titulaires; les droits de mutation par décès s'appliquent donc à la part du défunt dans le compte (133-1). De ce fait, ce genre de comptes a perdu une partie de son attrait.

2° La solidarité passive

1114. — C'est une situation très fréquente, qui joue un rôle important dans la vie pratique. Il s'agit d'un créancier qui a plusieurs *débiteurs solidaires*, ce qui lui permet de réclamer l'intégralité de la dette à chacun d'eux (133-2). Bien entendu, il ne pourra pas se faire payer plusieurs fois, s'agissant d'une même dette. Créancier, par exemple, de 10 000 F, il pourra réclamer cette somme seulement. Mais, au lieu de diviser ses poursuites, il exigera le paiement de l'un des débiteurs, à sa convenance, parce que cela lui est plus commode ou parce qu'il estime que celui à qui il s'adresse est le plus solvable (v. C. civ., art. 1200).

1115. — Si le débiteur poursuivi paie intégralement, les autres sont libérés à l'égard du créancier. Si le débiteur poursuivi ne peut pas payer ou ne paie qu'une partie de la dette, le créancier pourra poursuivre un autre ou les autres pour tout ce qui reste dû. Naturellement, le débiteur solidaire *solvens* dispose d'un recours contre ses codébiteurs pour les « part et portion » de chacun d'eux (C. civ., art. 1214). Par cette formule, on désigne une division de la dette par parts viriles, mais ce fractionnement égalitaire cède devant

---

(133-1) J.-P. Deschanel, *La convention de compte-joint : Banque*, 1982, p. 1229. — J.-L. Rives-Lange et M. Contamine-Raynaud, *Droit bancaire*, n° 167.

(133-2) La caution solidaire est assimilée à un débiteur principal : Com., 29 nov. 1988 : *D.* 1988, I.R. 294; *J.C.P.* 89, IV, 40.

des stipulations contraires, devant la preuve de l'intéressement inégal des codébiteurs dans l'engagement commun (134), devant l'insolvabilité de l'un des débiteurs (134-1).

1116. — On voit tout de suite le très gros avantage de la solidarité passive : elle constitue pour le créancier une *garantie de paiement,* en termes techniques : une *sûreté.* Plus il y a de débiteurs solidaires, plus ses chances de se faire payer sont grandes. On range la *solidarité passive* parmi les *sûretés personnelles.*

Pour comprendre le sens de cette expression, il faut se souvenir de ce qui a été dit de l'hypothèque et du gage (*Introduction,* n° 1160 et s.), qui sont considérés comme des *sûretés réelles,* parce qu'elles confèrent au créancier un droit réel sur les biens sur lesquels porte son hypothèque ou son gage. Grâce à ce droit réel qui comporte un droit de préférence et un droit de suite (en matière d'hypothèque), le créancier a une situation meilleure que celle d'un simple créancier chirographaire; en ce sens il a une sûreté et cette sûreté portant sur une chose est appelée *réelle.* La solidarité passive ne confère ni droit de suite, ni droit de préférence à l'égard de chaque débiteur. Le créancier reste un créancier *chirographaire* dans ses rapports avec chaque débiteur, mais, pouvant poursuivre plusieurs débiteurs et non un seul, ses chances d'être payé sont multipliées d'autant : c'est pourquoi la solidarité est classée parmi les *sûretés personnelles* (135).

L'étude complète de la solidarité passive ne peut être faite dans ce chapitre car elle suppose connues de nombreuses questions non encore étudiées. On retrouvera donc cette question dans le tome III de l'ouvrage, à propos de l'étude du paiement. On se bornera ici à indiquer les sources de la solidarité passive et à attirer l'attention sur une confusion qu'il faut éviter entre la solidarité passive et les obligations *in solidum.*

a) Sources de la solidarité passive

1117. — L'article 1202 du Code civil déclare : « La solidarité ne se présume point ». Si plusieurs débiteurs s'engagent ensemble, en principe cette dette se divise entre eux : c'est une dette conjointe. Quand serons-nous alors en présence d'une dette solidaire ? La solidarité peut découler de trois sources : la volonté des parties, les usages, la loi.

---

(134) Com., 7 fév. 1983 : *Bull. civ.* IV, 52; *Rev. trim. dr. civ.* 1984, 717, obs. MESTRE.

(134-1) Civ. 3e, 18 mars 1987 : *Bull. civ.* III, n° 58, p. 34 (la part contributive de l'insolvable est souverainement répartie par les juges du fond entre les autres codébiteurs).

(135) Une autre sûreté personnelle est le *cautionnement.* En ce cas, il y a également pluralité de débiteurs, mais ils ne sont pas tenus de la même façon : on distingue le *débiteur principal,* tenu pour ainsi dire en première ligne, et la *caution*, débiteur accessoire, dont le véritable rôle est de payer si le débiteur principal ne paie pas. En fait, le créancier peut s'adresser directement à la caution, mais celle-ci peut lui demander de saisir d'abord les biens du débiteur : la caution invoque alors ce qu'on appelle le bénéfice de discussion (discuter = saisir).

• La volonté des parties

C'est la source la plus fréquente. Le contrat par lequel plusieurs débiteurs s'engagent ensemble contient une clause indiquant que les débiteurs payeront solidairement. L'article 1202 déclare, en effet : « La solidarité doit être expressément stipulée ». « Expressément » ne signifie pas que le terme même de solidarité doit figurer dans l'acte (135-1). Notre droit n'est pas formaliste sur ce point (136). Il suffit que l'intention des parties soit clairement exprimée (136-1); par exemple, dans une clause du contrat d'emprunt, il est prévu que le créancier pourra exiger le remboursement *intégral* à l'un ou l'autre des emprunteurs.

1118. — On notera qu'en pratique on emploie fréquemment la clause suivante, dont la rédaction est critiquable : « les débiteurs s'engagent conjointement et solidairement ». Expression singulière, puisque conjointement veut dire pour partie, alors que solidairement signifie pour le tout : c'est donc réunir ensemble des termes qui se contredisent. Mais il ne fait pas de doute que cette expression (qui dénote une connaissance imparfaite du sens des termes employés) a, dans l'intention des parties, le sens d'établir la solidarité : le terme conjointement est employé improprement comme voulant dire : tous ensemble. Par conséquent, *conjointement et solidairement* se traduit par : « tous ensemble et chacun pour le tout ».

• Les usages

1119. — En matière commerciale, la règle selon laquelle la solidarité ne se présume pas est écartée (136-2), en vertu d'un très ancien usage (c'est là un des cas les plus typiques d'usage, ou plus exactement de *coutume*), créateur de règle de droit. Il suffit que l'acte créateur d'obligation ait le caractère commercial à l'égard des débiteurs pour que ceux-ci soient tenus solidairement. La Cour de cassation a approuvé une cour d'appel qui, ayant considéré que la femme avait participé à l'activité commerciale litigieuse de son mari, a pu déduire de cette constatation qu'elle était tenue solidairement avec celui-ci envers un fournisseur (137). Inversement, elle a cassé une décision qui avait considéré que la dette était commerciale, alors qu'il s'agissait d'une dette de communauté étrangère à tout engagement commercial de la femme (137-1).

(135-1) Civ. 1re, 3 déc. 1974 : *D.* 1975, I.R. 40.

(136) Sur l'absence de formalisme en matière d'établissement de la solidarité passive conventionnelle : Civ. 1re, 3 déc. 1974 : *J.C.P.* 75, éd. G, IV, 30 (cessions d'actions à deux frères dont, pour chacune d'elles, le prix était fixé globalement sans que soit précisée la contribution des cessionnaires).

(136-1) Civ. 1re, 28 avril 1986 : *Bull. civ.* I, n° 108; *D.* 1986, I.R. 396. — Paris, 7 juin 1988 : *D.* 1988, I.R. 228. — A propos de la stipulation de solidarité pour une caution : Civ. 1re, 31 janv. 1989 : *D.* 1989, I.R. 43.

(136-2) Derrida, *De la solidarité commerciale : Rev. trim. dr. com.* 1953, 329.

(137) Com., 7 janv. 1980 : *Gaz. Pal.* 1980, 1, pan. 252. — V. aussi Com., 21 avril 1980 : *Bull. civ.* IV, 123, qui déclare formellement que l'art. 1202, C. civ. n'est pas applicable en matière commerciale.

(137-1) Civ. 1re, 28 avril 1986 : *Gaz. Pal.* 1986, 2, pan. 175.

• La loi

1120. — De très nombreux textes instituent des obligations solidaires. Il en est ainsi en matière de société en nom collectif (les associés en nom sont solidairement tenus des dettes de la société); en cas de pluralité de mandataires pour une affaire commune, ces derniers sont solidairement tenus envers le mandant de toutes les obligations résultant du mandat (C. civ., art. 2002). L'article 1887 du Code civil dispose que, si plusieurs ont conjointement emprunté la même chose, ils en sont solidairement responsables envers le prêteur. L'article 2025 porte que « les cautions d'un même débiteur pour une même obligation sont obligées chacune à toute la dette ». En matière de baux, le Code civil met à la charge de tous les locataires la responsabilité de l'incendie proportionnellement à la valeur locative de la partie de l'immeuble qu'ils occupent (art. 1734). Signalons, surtout, l'article 220 du Code civil qui crée une solidarité particulièrement fréquente, celle qui lie les époux pour tous les contrats qui ont pour objet l'entretien du ménage ou l'éducation des enfants. Cette liste des cas où le législateur institue des obligations solidaires est loin d'être complète. Les cas ci-dessus indiqués ne sont que des exemples. Mais cela suffit pour donner une idée de la diversité des sources de la solidarité.

En dehors du droit civil, on observera, d'une part, qu'il y a de nombreux textes fiscaux instituant la solidarité entre redevables tel l'article 1705 du Code général des impôts en matière d'enregistrement (137-2) d'autre part, qu'en vertu de l'article 55 du Code pénal, les coauteurs d'une infraction pénale sont solidairement tenus au paiement des amendes, des dommages et intérêts envers les victimes, et des restitutions auxquels ils sont condamnés.

1121. — On ajoute, quelquefois, à ces diverses sources une autre qui serait la *solidarité judiciaire*, c'est-à-dire celle prononcée par le juge. Cette affirmation est erronée, elle repose sur une confusion. Le juge n'a pas le droit de condamner solidairement, en dehors des cas où la solidarité existe en vertu de l'une des trois sources précitées. S'il le faisait, sa décision pourrait être cassée. Une décision qui a condamné l'assureur et l'assuré solidairement envers la victime, alors que ni la loi, ni le contrat d'assurance ne prévoit cette solidarité, a été cassée (138). La solution est la même dans le cas où le juge a déclaré que le titulaire d'un compte joint peut être poursuivi en paiement solidaire d'un chèque tiré par le co-titulaire, celui-ci n'étant soumis, par aucune disposition conventionnelle ou légale, à une obligation de solidarité passive envers le porteur (138-1). On trouve, dans un arrêt de la Chambre commerciale (139), l'affirmation du principe selon lequel la solidarité entre les codébiteurs ne peut être prononcée que dans les

(137-2) Com., 15 mars 1988 : *D.* 1989, I.R. 93.

(138) Civ., 7 déc. 1964 : *D.* 1965, somm. 53. — 16 mars 1966 : *D.* 1966, somm. 61.

(138-1) Com., 8 mars 1988 : *Bull. civ.* IV, n° 102, p. 71.

(139) Com., 20 fév. 1978 : *Bull. civ.* IV, 58.

cas prévus par la loi. Mais, il arrive souvent au juge de condamner plusieurs personnes au paiement intégral d'une même somme, non pas en tant que débiteurs solidaires, mais en tant qu'obligés *in solidum.*

b) Obligation solidaire et obligation in solidum

1122. — Textuellement, cela signifie obligés « au tout » ou « à l'intégralité ». Nous avons souvent fait allusion aux obligations *in solidum* en étudiant la responsabilité civile délictuelle (139-1). Le cas le plus fréquent est celui d'un dommage que l'on peut attribuer à plusieurs auteurs (140). Ceux-ci n'ont pas commis d'infraction pénale, cas dans lequel ils seraient tenus solidairement en vertu de l'article 55 du Code pénal, comme on vient de le rappeler. Ils sont coauteurs d'un délit ou d'un quasi-délit purement *civil.* En ce cas, chacun est condamné au *tout*, et celui qui aura payé peut ensuite se retourner contre son ou ses coresponsables (140-1).

Il existe d'autres cas de responsabilité *in solidum* (141) : le commettant et le préposé; l'assureur de responsabilité et le responsable, etc. Nous avons, également, exposé qu'une obligation *in solidum* peut exister entre des personnes, les unes responsables délictuellement, les autres contractuellement.

1123. — Il est certain qu'entre l'obligation solidaire et l'obligation *in solidum,* il existe une grande ressemblance, puisque, dans un cas comme dans l'autre, chaque débiteur peut être poursuivi pour le tout; que le paiement fait par l'un libère les autres à l'égard du créancier; et que ces derniers restent tenus envers celui qui a payé, la dette se divisant entre tous grâce à l'action récursoire de celui qui a payé contre les autres (141-1).

1124. — Mais, s'il y a analogie, il n'y a pas identité des deux situations. En cas de solidarité, on trouve toute une série de conséquences qui se rattachent à l'idée que les débiteurs solidaires se représentent mutuellement, dans une certaine mesure, ce qui fait que certains actes accomplis à l'égard des uns ont effet à l'égard des autres. Par exemple, la mise en demeure de payer adressée à l'un vaut mise en demeure à l'égard des autres

---

(139-1) V. t. I de l'ouvrage : *Responsabilité délictuelle,* n° 877 et s. et n° 922 et s.

(140) Par exemple, Civ. 3e, 28 mai 1979 : *Gaz. Pal.* 1979, 2, somm. 402 : la cour d'appel, qui énonce que les fautes de l'architecte et celles de l'entrepreneur avaient concouru à produire les dommages qui étaient indissociables, motive sa décision et relève l'existence de la condition nécessaire à une condamnation *in solidum,* à savoir que les fautes de chacun des responsables aient concouru à la réalisation de l'entier dommage.

(140-1) Com., 9 fév. 1988 : *D.* 1988, I.R. 53. — Civ. 3e, 5 déc. 1984 : *J.C.P.* 86, II, 20543, note DEJEAN DE LA BÂTIE. — Paris, 18 fév. 1988 : *D.* 1988, I.R. 78 (chirurgie et anesthésiste). — Paris, 22 fév. 1988 : *D.* 1988, I.R. 85 (médecin et chirurgien). — Versailles, 27 mai 1988 : *D.* 1988, I.R. 201 (entrepreneur et architecte).

(141) BORÉ, *Le recours entre co-obligés in solidum : J.C.P.* 67, I, 2126. — P. RAYNAUD, art. préc. *in Mélanges Vincent,* p. 317 et s. — F. CHABAS, *Remarques sur l'obligation in solidum : Rev. trim. dr. civ.* 1967, p. 310 et s.

(141-1) Civ. 1re, 12 nov. 1987 : *D.* 1987, I.R. 236.

(nous verrons plus tard les effets de cette mise en demeure); et bien d'autres conséquences encore se rattachent à la même idée, conséquences que l'on désigne comme étant « les effets secondaires » de la solidarité. Or, aucun de ces effets secondaires ne se rencontre en matière d'obligation *in solidum*, à la base de laquelle manque l'idée de représentation mutuelle des débiteurs. Il est évident que les coauteurs d'un délit civil n'ont pas pu se donner un mandat de représentation réciproque pour ce qui est des suites de leur délit commun.

1125. — Il arrive souvent que, par impropriété de terminologie, les juges prononcent une condamnation *solidaire*, alors qu'en réalité il ne pouvait s'agir, en l'espèce, que de condamnation *in solidum*. Après avoir fait preuve de rigueur en cassant ces décisions, la Cour de cassation a modifié sa jurisprudence. Dès lors que l'objet du litige ne soulève aucun problème spécifique à la solidarité proprement dite (effets secondaires), elle ne casse plus les décisions qui ont simplement employé le terme inexact de solidarité (142) et non, comme elles auraient dû le faire, celui d'obligation *in solidum*.

C. — Obligations indivisibles

1126. — La notion d'indivisibilité (142-1) n'est pas cantonnée au cas de pluralité de sujets de l'obligation. Elle a un rôle à jouer même lorsque la dette n'a qu'un seul débiteur et un seul créancier. En effet, aux termes de l'article 1220, l'obligation doit toujours être exécutée en son entier, même si son objet — par exemple une somme d'argent — est susceptible d'être divisé. En clair, cela veut dire que le créancier peut toujours exiger la totalité de la somme due (ou des choses dues) et qu'il peut refuser tout paiement partiel (143).

1127. — Mais, le véritable intérêt de la notion d'indivisibilité se manifeste en cas de pluralité de créanciers ou de débiteurs. En ce cas, l'indivisibilité de l'obligation permet à chaque créancier d'exiger l'intégralité de la dette du débiteur et, inversement, le créancier peut exiger le paiement intégral de chacun des débiteurs (C. civ., art. 1222). Il y a donc une grande analogie entre la dette indivisible et la dette solidaire.

Toutefois, le législateur prend la précaution de dissocier la dette indivisible de la dette solidaire en disposant, à l'article 1219 du Code civil, que la solidarité stipulée ne donne point à l'obligation le caractère d'indivisibilité. De fait, il existe des différences quant aux effets et quant aux sources.

(142) Ch. mixte, 26 mars 1971 : *J.C.P.* 71, II, 16762, note R. LINDON. — Civ. 2e, 23 oct. 1985 : *Gaz. Pal.* 1986, 1, pan. 32; *Bull. civ.* II, n° 160.

(142-1) HERVÉ, *Solidarité, indivisibilité, cautionnement*, thèse Bordeaux, 1940. — BOULANGER, *Usages et abus de la notion d'indivisibilité des actes juridiques : Rev. trim. dr. civ.* 1950, 1. — *Rép. dr. civ. Dalloz, V° Indivisibilité*, par DERRIDA.

(143) On verra en étudiant les clauses pénales l'intérêt considérable qui s'attache à l'idée d'indivisibilité, même lorsqu'elle n'intéresse qu'un seul débiteur et un seul créancier.

1° Effets de l'indivisibilité

1128. — Quant aux effets, la différence essentielle — la seule que nous noterons ici — c'est que l'indivisibilité continue même après la mort du débiteur, ou du créancier, à la charge ou au profit de ses héritiers (C. civ., art. 1223 et 1224).

Illustrons cette proposition en comparant la situation des codébiteurs solidaires avec ceux tenus indivisiblement. Supposons une dette de 10 000 F due solidairement par Pierre et par Bernard. De leur vivant, chacun est tenu envers le créancier pour la totalité. Mais si Pierre vient à mourir en laissant deux héritiers, chacun d'eux ne sera tenu que conjointement, puisque les dettes se divisent automatiquement, comme nous l'avons vu ci-dessus, entre les héritiers du débiteur. A la suite de la mort de Pierre, la situation du créancier est modifiée. Il peut exiger 10 000 F de Bernard, mais si celui-ci est insolvable, il ne peut demander à chacun des héritiers de Pierre que 5 000 F. Si l'un de ses héritiers est insolvable, il perdra la moitié de sa créance.

C'est ce résultat qui, précisément, est évité en cas d'indivisibilité. Celle-ci ne prend pas fin à la mort du débiteur; elle pèsera tout aussi bien sur ses héritiers. En repenant l'exemple ci-dessus, si la dette de 10 000 F est indivisible, les héritiers de Pierre seront tenus chacun pour la totalité de la dette. Loin de perdre son efficacité, la sûreté se renforce, au contraire, du fait de la mort de l'un des débiteurs qui transmet son passif à plusieurs héritiers.

2° Sources de l'indivisibilité

1129. — Elles sont inscrites aux articles 1217 et 1218 du Code civil :

Art. 1217. — « L'obligation est divisible ou indivisible selon qu'elle a pour objet ou une chose qui dans sa livraison, ou un fait qui dans l'exécution, est ou n'est pas susceptible de division, soit matérielle, soit intellectuelle » (143-1).

Art. 1218. — « L'obligation est indivisible, quoique la chose ou le fait qui en est l'objet soit divisible par sa nature, si le rapport sous lequel elle est considérée dans l'obligation ne la rend pas susceptible d'exécution partielle ».

Ces dispositions conduisent à séparer l'indivisibilité conventionnelle de l'indivisibilité naturelle.

a) Indivisibilité conventionnelle

1130. — La volonté des parties est la source la plus fréquente de l'indivisibilité (C. civ., art. 1218). A cet effet, une clause est insérée dans la convention déclarant que la dette est indivisible. En général, lorsqu'une dette est stipulée payable solidairement, on ajoute : « et indivisiblement ». Par exemple, Pierre et Bernard souscrivent une reconnaissance de dette *solidairement*

(143-1) Civ. 1re, 31 mai 1988 : *D.* 1988, I.R. 171 (solution *a contrario*).

et indivisiblement. C'est là une *solidarité renforcée,* car elle aura, outre les effets normaux de toute solidarité, l'avantage d'éviter la division de la dette en cas de décès de l'un des débiteurs. La situation serait la même en cas de solidarité active (mais on sait que ce genre de solidarité ne se rencontre guère). Toutefois, la jurisprudence voit une sorte d'indivisibilité dans certains aménagements conventionnels. Ainsi, lorsqu'il est vendu, par un seul et même acte et pour un prix global, une propriété horticole, un matériel d'exploitation et un fonds de commerce correspondant, la résolution ne peut être cantonnée et doit porter sur la totalité des biens vendus (143-2).

Un arrêt de la première Chambre civile contient dans ses justes limites la notion d'indivisibilité contractuelle. En l'espèce, un mari avait commandé des travaux dans une propriété qu'il avait acquise en indivision avec sa femme; il s'était engagé en son nom personnel et comme mandataire de son épouse sur les biens indivis; la cour d'appel avait déclaré l'épouse tenue de manière indivisible avec son époux; la Cour suprême considère que les juges du fond n'ont pas donné de base légale à leur décision au regard des articles 1217 et 1218 du Code civil : l'obligation au paiement d'une somme d'argent n'étant pas, par elle-même, indivisible et l'indivisibilité ne s'attachant de plein droit ni à la qualité d'indivisaire ni à la qualité de mandataire, la Cour aurait dû relever l'existence en la cause d'une indivision conventionnelle (144).

b) Indivisibilité naturelle

1131. — La nature même de l'objet de l'obligation peut s'opposer à la division (C. civ., art. 1217). Supposons qu'un débiteur s'engage à *livrer* une chose telle qu'une toile de maître ou un cheval. Il meurt en laissant plusieurs héritiers. La dette ne peut pas se diviser, car le créancier ne saurait réclamer la livraison de la moitié de la toile ou de la moitié du cheval à chacun des deux héritiers du débiteur. Il en est de même d'une obligation de ne pas faire : clause de non-concurrence, obligation de ne pas bâtir, etc. Les héritiers de ces obligations de ne pas faire sont tenus, chacun, à l'intégralité de l'obligation.

1132. — Il a été soutenu que l'indivisibilité peut résulter de la *nature du contrat,* par suite de sa fonction économique et commerciale. Ce serait, notamment, le cas du leasing, contrat d'acquisition de matériels moyennant des versements périodiques. Il est stipulé, dans ce genre de contrats, que le défaut de payement d'une seule mensualité (ou annuité, selon les cas) per-

---

(143-2) Civ. 3e, 16 avril 1986 : *Gaz. Pal.* 1986, 2, pan. 137.

(144) Civ. 1re, 13 mai 1981 : *Gaz. Pal.* 1981, 2, pan. 349; *Bull. civ.* I, 132. — Civ. 1re, 11 janv. 1984 : *D.* 1984, I.R. 275 : l'obligation au remboursement d'une somme d'argent n'est pas par elle-même indivisible; l'indivisibilité ne s'attache pas de plein droit au fait que l'obligation pécuniaire a été fixée globalement (prêt « jeune ménage » à deux concubins ayant l'intention de se marier : le mariage ne se réalisant pas, le jeune homme qui avait acquitté les mensualités assigne la jeune femme en remboursement pour moitié). V. sur cet arrêt les observations de J. MESTRE : *Rev. trim. dr. civ.* 1985, p. 172.

met au cocontractant de reprendre le matériel et de conserver, à titre de peine (clause pénale), les versement encaissés. Or, il arrive que l'acquéreur, après avoir payé peut-être dix mensualités sur douze, ne puisse plus continuer. Rendre le matériel et perdre les dix douxièmes du prix déjà versé paraît bien sévère. Il prétendait faire *réduire* la peine stipulée, au motif qu'il avait *partiellement exécuté.* Certains auteurs et certains arrêts n'ont pas admis ce raisonnement, au motif que l'exécution du contrat de *leasing* ne saurait être qu'*intégrale*... On retrouvera cette question en étudiant les clauses pénales.

1133. — On rattache à cette même catégorie l'indivisibilité propre aux *servitudes* et à *l'hypothèque.*

Une servitude de passage, par exemple, n'est évidemment pas divisible. Si le propriétaire d'un fonds vient à mourir, ses héritiers profiteront ou souffriront intégralement de l'existence de la servitude. Peu importe que le fonds servant appartienne à plusieurs héritiers, chacun d'eux est obligé de souffrir le passage sur le fonds.

De même, l'hypothèque crée un droit indivisible. Si une dette est garantie par une hypothèque, à la mort du débiteur, le créancier peut saisir l'immeuble hypothéqué pour sa totalité afin d'obtenir tout ce qui lui est dû, même si l'héritier à qui l'immeuble a été attribué lors du partage ne doit, en tant qu'héritier, qu'une fraction de la dette. A titre *personnel*, cet héritier n'est tenu que pour partie, mais, *hypothécairement,* il est tenu pour le tout. Une fois la dette payée, il pourra, évidemment, se retourner contre ses cohéritiers pour leur demander leur part contributive.

On ne poussera pas plus loin l'analyse de l'indivisibilité. Dans cette sous-section consacrée aux modalités des obligations, on s'est borné à dresser un tableau d'ensemble, négligeant les détails qui seront approfondis ultérieurement.

Avec l'étude des modalités, nous avons épuisé la question du contenu de l'obligation, nous avons répondu à la question *quid debetur* (qu'est-ce qui est dû ?). Reste à voir quelle est la force de l'obligation.

SECTION II

FORCE OBLIGATOIRE DU CONTRAT

1134. — La force obligatoire du contrat est exprimée dans une formule célèbre figurant à l'article 1134 du Code civil :

« Les conventions légalement formées tiennent lieu de loi à ceux qui les ont faites;

Elles ne peuvent être révoquées que de leur consentement mutuel, ou pour les causes que la loi autorise;

Elles doivent être exécutées de bonne foi ».

Et l'article 1135 ajoute :

« Les conventions obligent non seulement à ce qui y est exprimé, mais encore à toutes les suites que l'équité, l'usage ou la loi donnent à l'obligation d'après sa nature ».

Il convient d'examiner le sens de ces dispositions. Nous le ferons en nous plaçant, à un triple point de vue : par rapport aux parties elles-mêmes (sous-section I), par rapport au juge (sous-section II), par rapport au législateur (sous-section III).

SOUS-SECTION I

LA FORCE OBLIGATOIRE ET LA VOLONTÉ DES PARTIES

1135. — Les textes précités indiquent avec netteté le caractère contraignant du contrat; les obligations qui en résultent sont aussi impérieuses que si elles étaient édictées par la loi elle-même. Toutefois, l'article 1134, alinéa 3, semble adoucir cette rigueur en déclarant que les obligations contractuelles doivent être exécutées de « bonne foi ». Et l'article 1135 mentionne l'« équité », les « usages » et la « loi » comme devant compléter les stipulations contractuelles. Quant à l'article 1134, alinéa 2, il fait allusion à la possibilité de révocation du contrat.

Ces dispositions combinées nous tracent l'ordre des explications qu'il nous faut donner. On examinera, tout d'abord, la portée des textes qui invitent à tenir compte, en plus des stipulations contractuelles elles-mêmes, de *la loi* (§ 1) et de *la bonne foi* (§ 2). Nous verrons, ensuite, comment les contractants peuvent *rompre les liens* d'obligation qui les lient (§ 3).

§ 1. — La soumission à la loi

1136. — L'article 1134 du Code civil ne confère la force obligatoire qu'aux conventions *légalement* formées, c'est-à-dire à celles qui respectent les exigences de la loi. Encore faut-il distinguer, de ce point de vue, les lois supplétives des lois impératives (144-1).

(144-1) V. ROLAND et BOYER, *Introduction au droit*, n° 445 et s.

A. — Lois supplétives

1137. — A défaut de volonté déclarée, donc immédiatement perceptible, les juges invitent à recourir aux dispositions législatives qui donnent le régime juridique de la convention que les parties n'ont pas elles-mêmes élaboré dans le détail. On présume, qu'en gardant le silence, les contractants se sont tacitement référé aux lois supplétives. Ainsi de la vente : le contrat existe dès qu'il y a accord sur la chose et sur le prix, bien que les parties n'aient rien prévu d'autre; le contrat sera complété par application automatique des articles 1582 et suivants du Code civil. Il en est de même du contrat de société qui peut s'en tenir à quelques dispositions essentielles identifiant la personne morale créée (siège social, montant des apports, désignation des organes dirigeants...) et renvoyant, pour tout le reste, aux textes régissant le type de société concernée.

1138. — La doctrine distingue deux catégories de lois supplétives. Certaines sont dites *dispositives* : elles sont éliminées par la volonté, même implicite, des parties; d'autres sont qualifiées *purement supplétives* : elles ne peuvent être écartées que par une clause expresse. La référence aux règles légales supplétives est d'application aisée pour les contrats nommés, car le législateur a pris soin d'en aménager l'économie dans le détail; il n'y a donc jamais, en l'espèce, vide juridique ou hésitation. C'est *un prêt à contracter.* A l'opposé, le contrat innomé (145), parce qu'il ne fait pas l'objet de dispositions spécifiques, pose souvent de délicats problèmes. A quelle législation supplétive doit-on le rattacher ? Le contrat de garage est-il un contrat de dépôt ou un contrat *sui generis* ? Le contrat de location d'un coffre-fort relève-t-il du louage de choses ou du dépôt ? La détermination de la règle de droit devient encore plus incertaine dans les contrats complexes qui prévoient des prestations de types très différents : c'est ce que l'on observe pour le contrat d'hôtellerie, par lequel l'hôtelier met une chambre à la disposition du voyageur (location ?), offre différentes prestations de service, téléphone, télévision, port de bagages, lingerie, etc. (louage d'ouvrage ?), accueille la voiture et les bagages dans son établissement (dépôt ?), sert des aliments et des boissons (vente ?). L'inexistence de règles légales pour ce genre de combinaison contractuelle, jointe au silence des parties (le contrat d'hôtellerie ne fait pas l'objet d'une rédaction écrite), ne laisse d'autres ressources que de se reporter aux usages. Les usages constituent une autre source supplétive de droit ayant un caractère subsidiaire par rapport à la loi. Leur importance est considérable en matière commerciale et en matière professionnelle.

(145) D. Grillet-Ponton, *Les contrats innomés,* thèse Lyon, 1982. — Sur la question, V. *supra*, n° 101 et s.

B. — Lois impératives

1139. — A l'époque où régnait le dogme de l'autonomie de la volonté, les individus étaient tout puissants pour aménager à leur guise le contenu de leurs accords. Le législateur n'avait pas le pouvoir de s'immiscer dans l'élaboration de la loi contractuelle.

Cette vue individualiste appartient au passé. Le contrat n'est plus l'affaire des seuls individus; il intéresse aussi la société à divers titres : au plan moral, car il est nécessaire de protéger la partie économiquement faible et techniquement désarmée; au plan économique, car, dans le cadre d'une économie dirigée ou d'une économie mixte, il est indispensable que les volontés individuelles se plient aux objectifs considérés comme vitaux pour la nation.

Le moyen pour réaliser ces finalités sociales nouvelles est, précisément, la loi impérative qui est à double face. Elle règle le contenu du contrat, soit en retranchant des stipulations expressément inscrites par les parties, soit en insérant d'autorité des clauses nullement envisagées par les contractants.

Il n'est pas question de répéter ici ce qui a été développé ailleurs, notamment au chapitre consacré aux conditions de validité des contrats, à propos de la conformité aux exigences des différents ordres publics. On rappelera simplement, au titre des dispositions *prohibées,* la réglementation des clauses abusives par la loi du 10 janvier 1978, susceptible de s'étendre à toutes les variétés de contrat et, depuis la loi n° 88-14 du 5 janvier 1988, sujette à l'action des associations de consommateurs en vue de leur suppression, et au titre des dispositions *imposées,* les clauses d'information et plus encore celles de garantie qui obligent tout vendeur et tout prestataire de services à stipuler le maintien de la garantie légale.

§ 2. — L'exécution de bonne foi

1140. — L'alinéa 3 de l'article 1134 déclare que les contrats doivent être exécutés « de bonne foi ». Si les clauses du contrat sont claires et précises, elles s'appliqueront strictement; l'idée de bonne foi n'interviendra qu'en cas de doute ou de lacune dans l'agencement du contenu du contrat.

Nous avons longuement étudié ces questions au sujet des *règles d'interprétation* du contrat; il n'y a donc pas lieu d'y revenir.

1141. — Cependant, les notions d'équité (146) et de bonne foi ne se limitent pas au domaine de l'interprétation du contenu des contrats. Elles gouvernent aussi leur *exécution.* A cet égard, la jurisprudence et la doctrine ont dégagé l'existence d'un double devoir de loyauté et de coopération.

A. — Devoir de loyauté

1142. —Pothier, en traitant de la vente, écrivait que souscrire un engagement c'était par là-même s'engager à le remplir *utilement.* Cette idée est pasée au Code civil, à l'alinéa 3 de l'article 1134. Mais, l'obligation d'exécuter de bonne foi a été longtemps tenue en sommeil par la jurisprudence qui n'y voyait qu'un précepte général insusceptible de féconder des solutions propres. Depuis, une évolution sensible s'est produite, portée par l'avènement du consumérisme et l'idée morale de rétablir dans les faits l'équilibre entre contractants, souvent rompu par la supériorité de puissance ou de connaissance de l'un sur l'autre. En quelque sorte, pour reprendre les catégories romaines, on est passé d'un contrat de droit strict à un contrat de bonne foi. Le devoir de loyauté (146-1) dans l'exécution des engagements a été progressivement érigé en une règle autonome servant d'unique fondement au débordement de la lettre du contrat. Sa manifestation la plus usuelle se rencontre dans la reconnaissance d'une obligation de renseignement *post contractuelle*; mais ce n'est pas la seule; la fidélité à l'esprit du contrat sert de principe générateur à bien d'autres situations.

1142-1. —S'agissant de l'obligation de renseignement, elle ne disparaît pas aussitôt le contrat conclu; elle subsiste tout au long de la vie du rapport contractuel. L'un des contractants doit porter à la connaissance de l'autre des faits dont la connaissance est nécessaire à l'exécution du contrat.

Dans certains cas, cette obligation de renseignement est prévue par la loi elle-même. Ainsi, l'assuré doit communiquer à l'assureur tous les faits qui surviennent pendant le cours du contrat et qui sont de nature à aggraver les risques couverts (C. ass., art. L. 113-4, L. 121-10, L. 113-9). De même, le fermier doit informer son bailleur des usurpations commises sur le fond (C. rural, art. L. 411-26). Ainsi, les sociétés anonymes sont-elles tenues d'une obligation d'information vis-à-vis de leurs actionnaires (L. 24 juill. 1966, D. 23 mars 1967, L. 31 déc. 1970).

La jurisprudence reconnaît l'existence de l'obligation de renseignement dans des cas nombreux non prévus par la loi : le locataire doit informer son

---

(146) L'allusion à l'*équité* contenue dans l'art. 1135 ne doit pas conduire à dire que le juge peut écarter telle ou telle clause du contrat sous prétexte qu'elle est *inéquitable.* Nous verrons, au contraire, ci-dessous (à propos de la théorie de l'imprévision), que les clauses claires du contrat doivent être exécutées quelque graves et inéquitables qu'en soient les conséquences. Le recours à l'équité n'est possible que pour donner un sens à des clauses dont la signification est douteuse et, surtout, pour compléter le contenu du contrat qui contiendrait des lacunes sur certains points.

(146-1) Yves Picod, *Le devoir de loyauté dans l'exécution du contrat*, thèse Dijon, 1987.

bailleur des dégradations ou défectuosités du local loué (147); le banquier doit informer son client des difficultés rencontrées lors de la souscription d'un emprunt émanant d'un État étranger (148), révèler que les informations recueillies ne l'ont pas été à la suite d'investigations personnelles et qu'elles n'ont pas été vérifiées (148-1); le fabricant ou le vendeur d'un appareil doit indiquer son mode d'emploi et signaler les dangers que son utilisation peut présenter (149); le médecin est tenu de mettre en garde sa patiente contre les risques de grossesse survenant après une intervention (150); l'associé s'expose à la résiliation du contrat de société dont l'objet est la mise en valeur et la vente d'un domaine, s'il n'informe pas son coassocié de l'existence d'une hypothèque (151); l'entrepreneur chargé de l'entretien d'une installation soumise à réglementation doit informer son client des modifications intervenues dans celle-ci (151-1); le chirurgien dentiste est tenu, lorsque les soins sont importants, d'établir un devis afin que le patient connaisse la nécessité, le coût et les aléas des travaux à effectuer (151-2).

1142-2. — En dehors de la sphère du renseignement, l'application moderne de l'alinéa 3 de l'article 1134 a conduit aux solutions suivantes :

— la *réfaction du contrat* : l'organisateur d'un congrès s'adresse à une société de location de locaux et réserve une salle de 200 places devant être munie d'un matériel de sonorisation et de projection, présentant toutes garanties de tranquillité et de confort. Le locateur n'ayant pas respecté les stipulations du contrat (capacité d'accueil insuffisante, acoustique défaillante, etc.), son partenaire opère d'autorité une réduction sur le prix convenu. Les juges du fond approuvent l'organisateur du congrès en se fondant, non sur l'exception d'inexécution, mais sur la réfaction du contrat que justifie la médiocrité des services rendus (151-3). Cette décision n'est pas isolée, la Cour de cassation a, par exemple, réduit *prorata temporis* l'indemnité d'immobilisation, lorsque le bénéficiaire de la promesse unilatérale de vente avait levé l'option avant le terme (151-4);

---

(147) Civ., 5 janv. 1938 : *D.H.* 1938, 97. — Paris, 28 mars 1939 : *D.H.* 1939, 231.

(148) Trib. civ. Seine, 18 mars 1930 : *Gaz. Pal.* 1930, 1, 820.

(148-1) Paris, 19 juin 1987 : *J.C.P.* 88, IV, 194. — Dans le même sens, Paris, 13 juill. 1988 : *J.C.P.* 88, *Actualités*, n° 38 : le banquier dépositaire de titres est tenu d'une obligation de bonne garde, non seulement matérielle mais *aussi juridique*.

(149) Civ. 1re, 31 janv. 1973 : *J.C.P.* 73, IV, 106. — Civ. 1re, 9 déc. 1975 : *J.C.P.* 75, II, 18588, note MALINVAUD. — V. aussi OVERSTAKE, *La responsabilité du fabricant de produits dangereux : Rev. trim. dr. civ.* 1972, 485. — IVAINER, *De l'ordre technique à l'ordre public technologique : J.C.P.* 72, I, 2495.

(150) Civ. 1re, 9 mai 1983 : *D.* 1984, 121, note PENNEAU.

(151) Civ. 3e, 23 janv. 1974 : *J.C.P.* 74, IV, 85.

(151-1) Civ. 1re, 15 mars 1988 : *D.* 1988, I.R. 93.

(151-2) Versailles, 4 fév. 1988 : *J.C.P.* 88, IV, 367.

(151-3) Paris, 17 mars 1987 : *D.* 1988, 222, note MIRBEAU-GAUVIN.

(151-4) Civ. 3e, 5 déc. 1984 : *J.C.P.* 86, II, 20555, obs. PAISANT. — Comp. Civ. 3e, 10 déc. 1986 : *J.C.P.* 87, II, 20857, obs. PAISANT.

— le *rejet de la clause résolutoire* : une personne vend sa maison avec réserve d'usufruit pour sa femmme et pour lui-même, moyennant un prix comptant et une rente viagère; à son décès, sa veuve réclame la résolution du contrat au motif que la rente viagère n'avait jamais été payée pendant dix ans. Les juges du fond l'ayant déboutée, elle forme un pourvoi en cassation observant que le défaut de paiement des arrérages arriérés ne saurait être excusé pour des motifs de prétendue équité; la Cour de cassation approuve la cour d'appel d'avoir retenu deux considérations pour paralyser le jeu de la résolution conventionnelle : d'une part, en s'abstenant de réclamer si longtemps la rente, le crédit rentier avait accrédité l'idée qu'il ne la demanderait plus jamais; d'autre part, le brusque changement de comportement de la crédit rentière, seulement dû à des dissensions familiales, « avait constitué une situation imprévisible pour le débit rentier empêché de se mettre en règle dans le délai prévu »; elle en conclut que « la clause résolutoire n'avait pas été invoquée de bonne foi » (151-5);

— le *refus d'un complément de prix* : Mme Boulouis, informée par un agent d'Air-France de la possibilité d'un voyage Paris-Los Angeles-Papeete pour le prix exceptionnel aller-retour de 4 980 F en période creuse, avait effectué ledit voyage auxdites conditions; ultérieurement, la compagnie Air-France réclamait à la passagère un complément de 4 980 F, alléguant que le billet avait été acquis à moitié prix par suite d'une erreur de son employé. Le tribunal d'instance avait adopté un moyen terme et condamné Mme Boulouis à verser la moitié du complément réclamé. La première Chambre civile casse cette décision sous le seul visa de l'article 1134 du Code civil : la compagnie ne pourrait réclamer le moins perçu qu'en démontrant que son client avait eu connaissance de l'erreur commise par son préposé et qu'il n'était, donc, pas de bonne foi (151-6).

1143. — La loyauté impose *a fortiori,* mais cette fois-ci de façon générale, de s'abstenir de tout dol (151-7) ou même de tout comportement douteux (151-8). Cette obligation pèse tant sur le débiteur que sur le créancier; le débiteur ne doit rien faire qui empêcherait le créancier de retirer l'avantage escompté du contrat (151-9); le créancier ne doit rien faire qui rendrait l'exécution du contrat plus lourde au débiteur.

(151-5) Civ. 3e, 8 avril 1987 : *Bull. civ.* III, n° 88, p. 53; *Rev. trim. dr. civ.* 1988, 147, obs. RÉMY. — Rappr. Civ. 3e, 6 juin 1984 : *Bull. civ.* III, n° 111, p. 88.

(151-6) Civ. 1re, 2 juin 1987 : *Rev. trim. dr. civ.* 1988, 119, obs. MESTRE.

(151-7) Soc., 30 janv. 1986 : *Gaz. Pal.* 1986, 2, pan. 201.

(151-8) Soc., 30 avril 1987: *Bull. civ.* V, n° 237, p. 152; *Rev. trim. dr. civ.* 1988, 531, obs. MESTRE : conclure pour son propre compte avec un client de son employeur peut constituer un manquement à la loyauté. — *Adde*, Paris, 17 janv. 1989 : *D.* 1989, I.R. 52.

(151-9) Paris, 28 janv. 1988 : *D.* 1988, I.R. 64.

B. — Devoir de coopération

1144. — Le devoir de coopération (151-10) créé l'obligation de faciliter l'exécution du contrat dans les limites dictées par les usages et la bonne foi. A l'instar de l'exigence de loyauté, le devoir de coopération a pris un grand essor, au point qu'un auteur a pu écrire qu'il y avait là une nouvelle étape de l'évolution du droit des contrats succédant à celle de l'équilibre des prestations (151-11). A la différence de la bonne foi qui est réclamée surtout au débiteur, l'obligation de coopération est à double sens, postulant la *solidarité des deux parties* pour parvenir au bon accomplissement des engagements.

Certains textes précisent et sanctionnent cette obligation (152), mais la jurisprudence va au-delà des textes lorsqu'elle déclare qu'un acteur doit se plier aux exigences des répétitions; que celui qui s'habille sur mesure doit effectuer les essayages nécessaires (153), ou que le vendeur est tenu de dispenser des directives à l'acquéreur pour orienter son activité (154) que l'entreprise de travail est tenue de vérifier que le salarié de remplacement possède bien la qualification convenue (154-1) ou encore que l'installateur d'un système de chauffage est tenu d'informer son client des modifications de la réglementation y afférentes (154-2).

1145. — On peut rattacher à ce même devoir de coopération, l'obligation *de ne pas imposer à son cocontractant des frais inutiles :* les officiers ministériels ne peuvent réclamer à leurs clients les frais frustratoires; le transporteur doit rechercher l'itinéraire le moins onéreux pour son client (155) et l'installateur d'électricité le branchement le plus court (156), le garagiste doit prévenir le client de l'inopportunité d'engager sur le véhicule des dépenses hors de proportion avec sa valeur vénale (157).

(151-10) Yves PICOD, *L'obligation de coopération dans l'exécution du contrat : J.C.P.* 88, I, 3318.

(151-11) J. MESTRE, *D'une exigence de bonne foi à un esprit de collaboration : Rev. trim. dr. civ.* 1986, p. 109.

(152) Remise par l'expéditeur d'une marchandise des documents douaniers en cas de transport international par chemin de fer (Conv. internationale pour le transport des marchandises, art. 13). L'auteur doit mettre l'éditeur en mesure de fabriquer et de diffuser les exemplaires de l'œuvre (L. 11 mars 1957, art. 55).

(153) Trib. civ. Bordeaux, 4 nov. 1908 : *D.* 1910, 5, 19.

(154) Civ. 1re, 2 juin 1982 : *Bull. civ.* I, 208 (fourniture d'aliments pour un élevage de cailles).

(154-1) Soc., 21 oct. 1982 : *Gaz. Pal.* 1984, pan. 141, note CHABAS et sur renvoi Versailles, 1er fév. 1984 : *Gaz. Pal.* 1984, 2, 722, note P. PERRIN.

(154-2) Civ. 1re, 28 fév. 1989 : *D.* 1989, I.R. 96.

(155) Civ., 28 nov. 1905 : *D.* 1909, 1, 193.

(156) Req., 19 janv. 1925 : *D.H.* 1925, 77.

(157) Rouen, 18 mai 1973 : *J.C.P.* 74, II, 17867, note GROSS. — Com., 15 nov. 1978 : *Bull. civ.* IV, 263 et 25 fév. 1981 : *Bull. civ.* IV, 109. — Civ. 1re, 20 juin 1979 : *Bull. civ.* I, 190.

1146. — Pour certaines professions, la collaboration est de l'essence même de la mission confiée par la clientèle. L'avocat n'a pas pour seule tâche d'assister son client; il a le devoir de le conseiller, c'est-à-dire de débattre avec lui de la procédure à suivre et de ses risques (158), ou d'apprécier ensemble l'opportunité d'user d'une voie de recours (159). De même le notaire doit suggérer à ses clients les mesures les plus propices pour obtenir le résultat recherché (160) et leur indiquer les formalités utiles bien que la loi ne les oblige pas à y procéder (161), attirer leur attention sur les dangers de tel ou tel acte (162). Des observations analogues pourraient être faites pour les avoués, les banquiers, les huissiers, les agents d'affaires...

Les techniques modernes ont conduit à la conclusion de relations contractuelles impensables en dehors d'une collaboration entre les parties. Le meilleur exemple est fourni par les contrats d'informatique. On lit, par exemple, dans un arrêt de la cour de Paris, que « l'entreprise chargée de fournir à son cocontractant un logiciel d'application... doit, d'une part, aider le client à définir ses besoins, les lui traduire en langage clair par rapport au plan informatique et aux objectifs à atteindre, d'autre part, procéder à une étude préalable et sérieuse des besoins ainsi définis pour parvenir à l'élaboration du logiciel se rapprochant le plus possible des buts recherchés » (162-1). On pourrait en dire autant du contrat de franchisage (162-2), d'ingénierie (162-3), d'affacturage, etc.

§ 3. — L'évasion du contrat

1147. — L'obligation d'exécuter strictement les prestations contractuelles a pour corollaire l'impossibilité de se dégager unilatéralement (163). Le contrat formé, seul un consentement mutuel peut rompre le lien obligatoire : *mutuus dissensus* (163-1). C'est là la suite du principe essentiel de

(158) Paris, 29 sept. 1981 : *Gaz. Pal.* 1982, 3 mars.

(159) Aix-en-Provence, 9 juill. 1961 : *D.* 1961, 593.

(160) Req., 22 janv. 1890 : *D.* 1891, 1, 194 (arrêt de principe). Si l'acte est inhabituel, la jurisprudence reconnaît qu'une obligation particulière de conseil pèse sur le notaire : Aix, 13 janv. 1975 : *J.C.P.* 76, II, 18475, note DAGOT.

(161) Pau, 19 oct. 1960 : *D.* 1961, 67 (publicité non obligatoire).— Civ., 15 juin 1981 : *Bull. civ.* I, n° 218 (notification au propriétaire d'une cession de bail).

(162) Civ. 1re, 22 avril 1980 : *Bull. civ.* I, n° 120 (risque de péremption d'une inscription hypothécaire).

(162-1) 18 juin 1984 : *Rev. trim. dr. civ.* 102, obs. MESTRE.— Dans le même sens, Versailles, 24 juin 1988 : *D.* 1988, I.R. 240, où il est question d'une *collaboration active* du client et du fournisseur.

(162-2) Colmar, 9 juin 1982 : *D.* 1982, 553, note BURST.

(162-3) J. LARRIEU, *Le contrat d'ingénierie*, thèse Toulouse, 1984, p. 107 et s.

(163) V.-B. HOUIN, *La rupture unilatérale des contrats synallagmatiques,* thèse Paris-II, 1973. — SIMLER, *L'article 1134 du Code civil et la résiliation unilatérale anticipée des contrats à durée déterminée : J.C.P.* 71, I, 2913.

(163-1) R. VATINET, *Le mutuus dissensus : Rev. trim. dr. civ.* 1987, 252 et s.

l'irrévocabilité des conventions. La cessation du contrat peut être convenue d'avance, par une stipulation prévoyant que la volonté d'une seule des parties pourra mettre fin aux engagements de chacun, ou intervenir ultérieurement, en cours d'exécution, par un accord de désengagement mutuel. La convention par laquelle les parties détruisent le contrat s'appelle *révocation* quand elle s'applique à un contrat à exécution instantanée, *résiliation* lorsqu'il s'agit d'un contrat à exécution successive. Dans l'un et l'autre cas, la force obligatoire du lien contractuel n'est pas en cause, car son anéantissement repose sur le consentement de chacun : *obligatio contrario consensu dissolvitur* (164).

1148. — L'article 1134, alinéa 2 ne vise pas seulement la révocation par consentement mutuel; il prévoit, en outre, que les conventions peuvent être révoquées « pour les causes que la loi autorise » (164-1).

Quelles sont précisément ces causes où le contrat peut être rompu en vertu de la loi elle-même, à la demande d'une seule des parties (165) ? On distinguera, à la suite, le cas des contrats à durée déterminée et le cas des contrats à durée indéterminée.

A. — Contrats à durée déterminée

1149. — En toute rigueur, il ne devrait pas, dans un contrat à durée déterminée, y avoir place pour une cessation anticipée du rapport contractuel, par volonté unilatérale. Les parties ayant fixé une échéance, la force obligatoire du contrat s'oppose à un dénouement avant le terme convenu. Ce n'est donc qu'exceptionnellement, et si la loi l'autorise, que la vie du contrat peut être abrégée. Relevons quelques cas caractéristiques :

— dans les *baux* de la loi du 22 juin 1982 dite *Quilliot*, et bien que la loi leur assigne une durée de six ans (ou 3 ans s'il n'y a pas de clause de reprise pour habiter), le locataire bénéficie d'une double faculté d'évasion du contrat. D'une part, il peut résilier la location au terme de chaque année moyennant préavis de trois mois (art. 6, al. 1); d'autre part, il peut y mettre fin à tout moment « pour des raisons financières personnelles, familiales, professionnelles ou de santé » (art. 6, al. 2) avec le même préavis, ramené à un mois seulement en cas de perte d'emploi. Quant à la loi *Méhaignerie* du 23 décembre 1986, elle dispose que le locataire peut résilier le contrat à *tout moment* moyennant un préavis de trois mois, ramené à un mois en cas de mutation ou de perte d'emploi (art. 11 et 14);

(164) Sur le problème, ROLAND et BOYER, *Adages*, p. 701 et s. — Civ. 2e, 22 nov. 1983 : *Bull. civ.* III, n° 239; *Rev. trim. dr. civ.* 1985, 161, obs. MESTRE.

(164-1) Le Code civil prévoit trois cas de révocation des donations : pour ingratitude, inxécution des charges ou survenance d'enfant.

(165) Il ne faut pas confondre la révocation et la résiliation qui mettent un terme au déroulement du contrat avec la faculté de rétractation, étudiée plus haut, qui, elle, affecte la naissance du rapport obligatoire.

— dans les contrats d'*assurance*, l'article L. 113-12 du Code des assurances, après avoir déclaré que la durée du contrat est fixée par la police, reconnaît à l'assuré, comme à l'assureur, le droit de se retirer tous les trois ans en prévenant l'autre partie trois mois à l'avance. Selon le même texte (al. 3), après la seconde période de trois ans, la résiliation peut être demandée annuellement par l'une ou l'autre des parties dans les mêmes délais (166). En outre, l'article L. 113-16 ouvre une faculté de résiliation en cas de survenance d'événements dans la situation de l'assuré : changement de domicile, de situation matrimoniale, de profession...

— en matière de *société*, la dissolution anticipée peut être demandée au juge pour justes motifs. Cette expression recouvre, outre le cas d'inexécution par un associé de ses obligations, la difficulté de continuer l'exploitation sociale (déficit, réduction du fonds social...) et, surtout, la mésintelligence entre les associés, contraire au *jus fraternitatis*, empêchant le bon fonctionnement du pacte social (C. civ., art. 1844-7, 5°; L. 24 juill. 1966, art. 2);

— s'agissant du *mandat*, le Code civil prévoit qu'il peut prendre fin, soit par la révocation du mandataire, révocation qui a lieu *ad nutum* (art. 2003), soit par la renonciation du mandataire, à condition qu'elle ne nuise pas aux intérêts du mandant (art. 2007). Cette possibilité de résiliation unilatérale repose sur le rapport mutuel de confiance qu'implique le mandat; ce contrat ne peut plus continuer lorsque la confiance a cessé.

B. — Contrats à durée indéterminée

1150. — Les contrats conclus sans détermination de durée supposent toujours le pouvoir de s'en dégager unilatéralement (166-1). A défaut, on tomberait dans l'engagement perpétuel qui est prohibé par des textes particuliers, d'où l'on a déduit la condamnation générale de la perpétuité contractuelle (C. civ., art. 1780, al. 1 : louage de services à vie; art. 1838 : société de plus de 99 ans). Il est seulement exigé d'avertir à temps le cocontractant, en respectant le délai de préavis fixé par la loi ou par les usages.

1151. — Cette règle trouve application, notamment, dans le contrat de rente établi à perpétuité qui est déclaré « essentiellement rachetable » (C. civ., art. 530 et 1911), dans les baux restant soumis au régime du Code civil résiliables au gré de l'une des parties moyennant congé donné un certain temps à l'avance (C. civ., art. 1736 et 1738), dans le dépôt qui, selon l'article 1944, doit être remis au déposant aussitôt qu'il le réclame,

> « lors même que le contrat aurait fixé un délai déterminé pour la restitution ».

---

(166) Sur les différents cas de résiliation, v. Y. LAMBERT-FAIVRE, *Droit des assurances*, 6e éd., n° 80 et s.

(166-1) Civ. 1re, 5 fév. 1985 : *Gaz. Pal.* 1985, 2, pan. 230 : cassation de l'arrêt qui refuse à une femme divorcée de mettre fin à l'engagement qu'elle avait pris de consentir à son mari un droit d'occupation d'un appartement *aussi longtemps qu'il le voudrait.*

1152. — On n'aura garde d'oublier le contrat de travail, où la résiliation unilatérale porte le nom de *licenciement* quand elle est le fait de l'employeur et celui de *démission* quand le retrait du contrat est le fait du salarié. Cette résiliation présente quelques particularités qu'on se bornera à énoncer :

— la partie qui résilie doit observer le délai-congé fixé par la loi, le contrat ou la convention collective, faute de quoi il est dû, à titre de sanction, une indemnité compensatrice;

— la résiliation doit être fondée sur un juste motif que l'employeur est tenu de faire connaître dans la lettre de congédiement, sinon la rupture est abusive et donne lieu au versement d'une indemnité. Le salarié, quant à lui, n'a ni à formaliser ni à motiver sa démission;

— sauf le cas de faute grave du salarié, des indemnités de licenciement lui sont dues, leur montant étant proportionnel à son ancienneté de services dans l'entreprise.

Le mécanisme de la résiliation dans le contrat de travail obéit donc à plusieurs conditions de fond, à défaut desquelles il est encouru une triple indemnité : indemnité de brusque rupture, indemnité de rupture abusive, indemnité de licenciement (167).

1153. — On le voit, la rupture unilatérale ne doit pas être faite de façon abusive, à contretemps notamment. La théorie de l'abus des droits constitue une protection indispensable du cocontractant, et c'est au juge qu'il appartient de qualifier la rupture d'abusive (on sait que le *critère* de l'abus des droits est difficile à définir).

Cela nous conduit à nous demander dans quelle mesure la force obligatoire du contrat s'impose au juge lui-même.

SOUS-SECTION II

LA FORCE OBLIGATOIRE ET LE RÔLE DU JUGE

1154. — Nous avons vu que le juge ne saurait porter atteinte à la force obligatoire des conventions (167-1). Certes, en présence d'un contrat comportant des clauses peu claires ou des lacunes, le juge possède un pouvoir d'interprétation grâce auquel il interviendra dans l'aménagement du contenu du contrat, dans le sens qui lui paraît le plus équitable.

---

(167) LYON-CAEN, PÉLISSIER, *Droit du travail,* 14e éd., nos 212, 286 et s., 333.

(167-1) V. sur le principe : Com., 18 déc. 1979 : *Rev. trim. dr. civ.* 1980, 780, obs. CORNU. — Civ. 3e, 4 juill. 1968 : *Bull. civ.* III, n° 325. — Civ. 3e, 1er mars 1989 : *D.* 1989, I.R. 100 : cassation pour violation de l'art. 1134 d'une décision ayant substitué à un droit d'usage et d'habitation un payement en argent.

Il arrive même, on le sait, que les tribunaux introduisent, dans le cadre du contrat, des obligations auxquelles les parties n'avaient nullement songé. L'exemple le plus typique de ce genre d'intervention du juge est celui des obligations de sécurité incluses dans la plupart des contrats. Il est évident que le voyageur et le transporteur auraient été très étonnés d'apprendre — avant que la jurisprudence ne l'ait décidé — que le contrat de transport contenait une clause tacite de sécurité : emmener le voyageur sain et sauf à destination; ils n'avaient jamais stipulé pareille obligation ! C'est le juge qui l'a introduite dans le contrat, sous couleur d'interprétation. En réalité, ces obligations de sécurité sont si peu d'origine volontaire (c'est-à-dire fondées sur la volonté tacite des parties) que les contractants ne pourraient pas les supprimer : on verra qu'en matière de transport, les conventions d'irresponsabilité, qui éliminent l'obligation de sécurité, sont prohibées.

1155. — Mais les pouvoirs du juge s'arrêtent en présence d'une clause claire et précise. Ces clauses, il est obligé de les appliquer même si elles lui apparaissent très sévères, du moment qu'elles ne sont pas contraires à la loi. C'est ce qui ressortira de l'étude que nous devons faire d'un problème fameux, celui que l'on désigne sous le nom de *problème de l'imprévision* (167-2). Après avoir précisé la notion d'imprévision (§ 1), nous exposerons la controverse qu'elle a suscité et qui a abouti à l'échec des thèses favorables à la révision du contrat pour cause d'imprévision (§ 2). On montrera, enfin, quelle a été la réaction du législateur et celle des particuliers en présence de l'imprévision (§ 3).

§ 1. — La notion d'imprévision

1156. — Tout contrat successif est exposé aux aléas de la conjoncture économique. Lorsque les parties ont traité, elles l'ont fait en considération des circonstances du moment. Que surviennent des événements imprévus, guerre, crise, inflation, entraînant la raréfaction des marchandises, la hausse des prix ou des salaires, et toute l'économie du contrat est bouleversée. L'imprévision désigne le déséquilibre grave qui se produit entre les prestations contractuelles par suite d'une hausse considérable et imprévue des prix. Cette définition appelle deux précisions, l'une relative à la nature du déséquilibre, l'autre au moment où il se produit.

(167-2) MAURY, *Essai sur le rôle de la notion d'équivalence en droit civil français*, thèse Toulouse, 1920. — VOIRIN, *De l'imprévision dans les rapports de droit privé*, thèse Nancy, 1922. — E. DE GAUDIN DE LAGRANGE, *La crise du contrat et le rôle du juge*, thèse Montpellier, 1935. — AUVERNY-BENNETOT, *La théorie de l'imprévision*, thèse Paris, 1938. — DELMAS-SAINT-HILAIRE, *L'adaptation du contrat aux circonstances économiques*, dans l'ouvrage collectif *La tendance à la stabilité du rapport contractuel*, 1960, p. 189 et s. — FABRE, *Les clauses d'adaptation : Rev. trim. dr. civ.* 1983, p. 1 et s. — *Rép. dr. civ. Dalloz, V° Imprévision*, par J.-L. MOURALIS.

A. — Nature du déséquilibre

1157. — Tout événement imprévu, qui intervient au cours de l'exécution du contrat, ne soulève pas le problème spécifique de l'imprévision. *L'imprévision est une question d'ordre économique et financier.* Elle est liée aux fluctuations des prix. Si l'événement imprévu se situe sur un autre terrain, le problème de l'imprévision ne se pose pas. Des exemples pris dans la jurisprudence le montreront.

Un contrat conclu avant la dernière guerre contenait une clause attributive de compétence : il stipulait qu'en cas de litige, au sujet de l'exécution du contrat, le procès serait porté devant les tribunaux de la Seine. La guerre survint et Paris fut occupé par l'ennemi. Les contractants dont il s'agit s'étaient réfugiés en zone non occupée. Un litige survenant au sujet du contrat, fallait-il les obliger à saisir le tribunal siégeant à Paris ? La réponse fut négative. Les parties *n'avaient pas prévu* la guerre et l'occupation de Paris. La clause attributive de compétence a été écartée et un autre tribunal, en zone non occupée, a pu être saisi (168).

La cession du droit d'adaptation cinématographique d'un roman, consentie par son auteur lors de l'existence du cinéma muet, s'étend-t-elle au cinéma parlant, qui n'était pas inventé lors de la cession et n'était donc pas *prévu ?* Les juges ont répondu négativement et, pour ce faire, ils ont interprété le contrat (169).

Dans le bail à nourriture, qui comporte l'obligation de nourrir et de soigner le cédant, on se heurte quelquefois à l'incompatibilité d'humeur des parties contractantes. Les juges, tenant compte de cet événement imprévu, modifient l'objet du contrat en substituant au bail à nourriture une rente viagère. C'est un exemple clair de modification de contrat par le juge (170).

Rappelons qu'en matière de clauses d'échelle mobile, il est arrivé souvent que l'indice de référence ne soit plus publié ou qu'il soit modifié (l'indice du coût de la vie des 250 articles remplaçant celui des 213 articles, par exemple).

Les juges, malgré le caractère imprévu de ces divers faits, ont interprété le contrat et introduit des modifications dans son économie, de manière à permettre son application, malgré les événements imprévus par les parties.

1158. — Il en est tout autrement lorsque l'imprévision joue en matière de prix. La hausse considérable consécutive aux guerres et à la dépréciation de

(168) Soc., 11 juin 1942 : *D.C.* 1943, 135, note FLOUR.

(169) Trib. civ. Seine, 28 nov. 1934 : *D.* 1936, 2, 97, note SALLÉ DE LA MARNIERRE.

(170) Civ., 27 nov. 1950 : *Gaz. Pal.* 1951, 1, 132. — Civ. 1re, 6 avril 1960 : *D.* 1960, 629. — 5 mars 1969 : *D.* 1969, somm. 77. — Civ. 1re, 8 janv. 1980 : *D.* 1983, 307, note CARREAU; *Rev. trim. dr. civ.* 1980, 782, obs. CORNU. — Civ. 1re, 18 juill. 1984 : *Bull. civ.* I, n° 237.

la monnaie a bouleversé l'équilibre des prestations. Un industriel, par exemple, a conclu un marché par lequel il s'engage à fournir pendant plusieurs années une certaine quantité de marchandises à un prix déterminé. Lors du contrat, ce prix était normal. Survient la guerre, la hausse des matières premières, la hausse des salaires. Le prix de revient de la marchandise s'élève, il est cinq fois, dix fois, cent fois supérieur. Il n'y a plus, alors, aucun rapport entre le prix de revient (celui du coût de la production) et le prix de vente. L'exécution du contrat aux conditions initiales causera rapidement la ruine de l'industriel. Peut-il demander l'annulation du contrat ou le réajustement du prix ? Telle est la question précise à laquelle est appelée à répondre la théorie de l'imprévision.

B. — Moment du déséquilibre

1159. — L'imprévision n'est pas sans évoquer la lésion. La ressemblance vient de ce que, dans les deux cas, on se trouve devant un déséquilibre grave entre les prestations, par suite d'un prix insuffisant.

L'iniquité contractuelle est patente car la prestation de l'un est hors de comparaison avec celle de l'autre. Le Code civil lui-même ne fait-il pas un rapprochement entre ces deux hypothèses, lorsqu'il dispose à l'article 1306 : « Le mineur n'est pas restituable pour cause de lésion lorsqu'elle ne résulte que d'un *événement casuel et imprévu* » ? Il n'y a pas pour autant identité de concept, car l'injustice n'apparaît pas au même moment et n'a pas la même cause. Lorsqu'il s'agit de lésion, le déséquilibre existait dès la conclusion du *contrat;* dès l'origine, le prix ne correspondait pas à la valeur de la chose; quand, au contraire, on parle d'imprévision, le déséquilibre survient *postérieurement* à la conclusion du contrat. Lors de sa conclusion, le prix était normal : c'est la raison pour laquelle on parle quelquefois, en ce cas, de lésion *a posteriori.* Ce sont les circonstances imprévues qui ont provoqué le déséquilibre. Comme l'écrit excellemment un auteur :

> « La lésion doit avoir son germe dans le contrat lui-même, dans une inégalité interne des prestations, tandis qu'ici on a affaire à un bouleversement survenu du dehors par un événement casuel et imprévu » (171).

1160. — Doit-on maintenir le contrat malgré le déséquilibre, même si cela doit entraîner la ruine du débiteur ? Ne doit-on pas, au contraire, permettre au juge de porter remède à cette situation ? La question a été vivement controversée (172).

---

(171) CARBONNIER, *op. cit.*, p. 253.

(172) V. MARTY et RAYNAUD, n° 250 et s. — MALAURIE et AYNÈS, n°s 404 et 410. — WEILL et TERRÉ, n° 378. — CARBONNIER, n° 67.

§ 2. — La controverse sur l'imprévision

1161. — Il peut paraître naturel d'empêcher les conséquences désastreuses de l'imprévision. Aussi, toute une série d'arguments a-t-elle été avancée afin d'inciter le juge, soit à *annuler le contrat* à la suite du déséquilibre provoqué par la hausse considérable et imprévue des prix, soit à *redresser les prix* pour revenir à un équilibre des prestations. Mais cette thèse favorable à l'imprévision a été rejetée.

A. — Thèse favorable à l'imprévision

1162. — L'argument principal a été tiré de l'interprétation de la volonté probable des parties. Celles-ci se seraient engagées sous une condition sous-entendue : celle d'une certaine stabilité de la situation économique. Dans tout contrat, une *clause tacite* doit être supposée, la clause *rebus sic stantibus* (si les choses restent en l'état) (173). Autrement dit, les prix fixés ne l'ont été qu'en fonction d'une certaine situation économique. Si celle-ci change radicalement, ces prix ne peuvent plus être maintenus.

1163. — D'autres arguments ont été encore donnés à l'appui de cette thèse. On a invoqué les articles 1134 et 1135 qui, on l'a vu, déclarent que les contrats doivent être exécutés de *bonne foi*, et conformément à l'*équité*. Or, exiger la livraison d'une marchandise qui vaut 1 000 F en offrant de la payer 50 F, sous prétexte que tel a été le prix convenu, n'est-ce pas contraire à la bonne foi et à l'équité ?

On a également invoqué la théorie de l'*abus des droits.* Même si le contractant a le droit d'exiger l'exécution du contrat dans les conditions stipulées, n'abuse-t-il pas de son droit s'il entend l'exercer dans les circonstances dont il s'agit ?

On a, de plus, remarqué qu'un principe fondamental du droit défend de *s'enrichir injustement* au détriment d'autrui (v. *infra,* titre III, théorie de l'*enrichissement sans cause*), ce qui serait le cas si on appliquait le contrat, à la lettre, malgré l'imprévision.

Certains ont prétendu, enfin, qu'il y avait lieu de faire jouer en la matière la théorie de la *force majeure* et libérer le débiteur.

B. — Rejet de la thèse de l'imprévision

1° Jurisprudence judiciaire

1164. — La Cour de cassation a toujours interdit aux juges d'annuler ou de réviser les contrats pour imprévision, quelles qu'en soient les consé-

(173) V. ROLAND et BOYER, *Adages*, p. 889 et s.

quences pour le débiteur. Parmi les arrêts les plus significatifs, on citera les suivants :

— un arrêt du 6 mars 1876 (174), connu sous le nom de l'*arrêt du Canal de Craponne*, a refusé de relever la redevance due par les bénéficiaires d'un droit d'arrosage au propriétaire du canal d'irrigation. Ces indemnités avaient été fixées en 1560 à la somme de 3 sols (monnaie de l'époque), c'est-à-dire à 3 sous. *Trois siècles après,* la Cour de cassation a estimé que les juges du fond qui avaient élevé à 30 centimes en 1843, et à 60 centimes en 1874, cette redevance, au motif qu'elle n'était plus en rapport avec les frais d'entretien du canal, avaient violé la loi : leur décision a été cassée. La Cour de cassation déclare textuellement :

« Dans aucun cas, il n'appartient aux tribunaux, quelque équitable que puisse leur paraître leur décision, de prendre en considération le temps et les circonstances pour modifier les conventions des parties et substituer des clauses nouvelles à celles qui ont été librement acceptées par les contractants... »;

— non moins célèbre — et bien plus grave par suite de l'ampleur de ses conséquences — est l'arrêt du 6 juin 1921 (175) dans l'*affaire du contrat dit cheptel de fer.* D'après les articles 1821 à 1826 du Code civil, dans leur rédaction initiale, le fermier qui prenait à bail des animaux estimés à une certaine valeur, devait, en fin de bail, restituer des animaux semblables pour la même valeur. La hausse des prix considérable, consécutive à la guerre de 1914-1918, a donc permis au fermier de rendre, par exemple, une vache, alors qu'en vertu du bail, il en avait reçu 6 ou 8 ! Le phénomène contraire s'est produit en 1932-1933, lors de la baisse des prix : le fermier devait rendre des animaux en nombre sensiblement supérieur à ceux qu'il avait pris à bail. La question a, ensuite, été réglée législativement par des lois de 1941 et 1942 modifiant le Code civil quant à la restitution due en fin de bail, en décidant que le fermier devrait rendre un cheptel de même valeur culturale que celui qu'il avait reçu;

— diverses autres décisions refusant toute révision pour imprévision furent rendues par la Cour de cassation (176); citons l'arrêt du 3 janvier 1979 rendu par la Chambre commerciale (177). Elle approuve les juges du fond d'avoir débouté le sous-traitant d'une entreprise de sa demande en indemnisation du préjudice qu'il avait subi, en exécutant le marché à des conditions particulièrement onéreuses par suite des circonstances, considérant que lesdites circonstances n'étaient pas constitutives d'un cas de force majeure.

1165. — Aucun des arguments avancés par les partisans de la théorie de l'imprévision n'a convaincu la Cour de cassation et les auteurs qui l'approuvent.

---

(174) *D.* 1876, 1, 193.

(175) *D.* 1921, 1, 173, rapp. Ambroise COLIN.

(176) A propos d'un *contrat de travail,* Civ. 4 août 1915 : *D.* 1916, 1, 22. — A propos *d'un contrat de livraison de charbon*, Civ., 15 nov. 1933 : *Gaz. Pal.* 1934, 1, 68. — De très nombreuses références *: Rép. dr. civ. Dalloz* V° *Imprévision.*

(177) *Gaz. Pal.* 1979, 1, somm. 214.

— L'existence de la clause sous-entendue *rebus sic stantibus* est niée. Les fluctuations des prix sont de l'essence même de la vie économique, déclare-t-on. En contractant pour une certaine période, les parties assument consciemment les risques de ces fluctuations ! Réplique qui ne nous paraît pas convaincante, car, si certaines fluctuations sont, en effet, propres à toute économie, il n'est pas raisonnable d'affirmer que cela peut couvrir des hausses de l'ordre de 500 ou 3 000 pour cent, hypothèses qui se sont réalisées fréquemment. Par ailleurs, rien n'assure que les contractants aient eu dans l'idée une référence à la condition *rebus sic stantibus*; on peut tout aussi bien leur prêter l'intention d'avoir voulu se prémunir contre un changement, en stabilisant leurs obligations pour une certaine période.

— L'équité et la bonne foi, ajoute-t-on, sont des règles d'interprétation des clauses ambiguës ou interviennent en cas de lacunes du contrat : le juge ne peut pas y recourir en présence de clauses claires et précises.

— Exiger l'exécution du contrat n'est pas un abus de son droit, car « la convention fait la loi des parties ».

— Il n'y a pas enrichissement sans cause du créancier. Son enrichissement a pour cause le contrat lui-même.

— Il n'y a pas non plus de force majeure. Celle-ci suppose une *impossibilité* d'exécuter. *Une très grande difficulté* d'exécution n'est pas une *impossibilité*... (178).

2° Jurisprudence administrative

1166. — Rien n'a donc pu faire fléchir la jurisprudence. Son attitude, rigide, rigoriste même, fait contraste avec celle, beaucoup plus compréhensive, des *tribunaux administratifs.* S'agissant de contrats de droit public, le déséquilibre des prestations est pris en considération par le Conseil d'État qui accorde au débiteur une indemnité d'imprévision, indemnité compensant le préjudice résultant de l'imprévision. C'est ce qui est décidé depuis un fameux arrêt du Conseil d'État dans l'affaire dite du *Gaz de Bordeaux.*

La ville de Bordeaux avait passé un contrat avec une société concessionnaire de la production et de la distribution du gaz. Une clause de ce contrat de concession (contrat de droit public) avait fixé le prix de vente du gaz aux consommateurs. Or, ce prix était devenu dérisoire à la suite de la hausse du prix du charbon d'où le gaz était extrait, et de la hausse des salaires. La compagnie du gaz allait tout droit à la faillite. Elle saisit le Conseil d'État qui condamna la ville de Bordeaux à verser une indemnité d'imprévision pour compenser le déséquilibre dont il s'agit (179).

---

(178) C'est sur ce terrain, celui de la force majeure, que se placent les rares arrêts contemporains.

(179) Cons. d'État, 30 mars 1916 : *D.* 1916, 3, 25; *S.* 1916, 3, 17, note M. HAURIOU. — *Adde* Cons. d'État, 12 mars 1976 ; *A.J.D.A.* 1976, concl. LABETOULLE. — Comp. Cons. d'État, 5 nov. 1982 : *D.* 1983, 245, note DUBOIS. — Sur la question, R. CHAPUS, *Droit administratif général*, 2e éd., n° 1194 et s. — J. RIVERO, *Droit administratif*, 11e éd., n° 125 et s.

1167. — Malgré cette jurisprudence en matière administrative, la Cour de cassation ne changea pas son attitude. En droit public, le problème se pose en termes différents, soutient-on, car la faillite de la compagnie du gaz, par exemple, aurait entraîné la cessation de la production, donc la cessation du fonctionnement d'un service public. Or, cela n'est pas admissible, la *continuité du service public* est une nécessité absolue. Rien de semblable en droit privé : peu importe la faillite du débiteur, cela ne présente pas un intérêt d'ordre public !

1168. — Cette observation n'est pas convaincante. En cas de hausse imprévisible et considérable des prix, ce n'est pas une ou quelques faillites qui sont à redouter, mais des centaines ou des milliers, avec toutes les conséquences malheureuses qui en résultent, non seulement pour l'entreprise, mais pour l'économie nationale, sans oublier la crise sociale consécutive à la fermeture des établissements ruinés par l'imprévision.

1169. — La position de la Cour de cassation et des auteurs qui l'approuvent est difficilement défendable. Ce qui paraît l'avoir inspirée, c'est la crainte d'une immixtion du juge dans la vie contractuelle et l'atteinte au principe sacro-saint selon lequel la convention fait la loi des parties. Mais, un principe qui conduit à de semblables résultats mérite-t-il vraiment d'être considéré comme sacro-saint ?

1170. — On peut légitimement se demander comment l'équilibre économique et social a pu résister à cette position de la jurisprudence. La vérité est que le problème de l'imprévision, que les tribunaux n'ont pas pu ou n'ont pas su résoudre, a été, dans une large mesure, résolu par le législateur, et surtout par les particuliers eux-mêmes.

§ 3. — Les remèdes à l'imprévision

1171. — Le législateur est intervenu pour permettre au juge de prononcer la nullité ou la révision pour imprévision dans le cas où l'injustice paraissait la plus criante et la plus dangereuse. Ces textes que nous examinerons dans la sous-section suivante, en confrontant la force obligatoire du contrat et l'intervention du législateur, ne représentent que des palliatifs et ne constituent que des solutions partielles. S'ils rétrécissent considérablement les effets néfastes du refus de la révision judiciaire pour imprévision, ils ne suppriment pas pour autant le problème.

1172. — Un remède plus général est né spontanément d'une *réaction des particuliers eux-mêmes.* Avertis par les conséquences désastreuses de l'imprévision, ne pouvant plus espérer fléchir la Cour de cassation, ne pouvant pas davantage prévoir les cas dans lesquels le législateur allait intervenir, les contractants ont inventé eux-mêmes le système qui allait permettre au crédit de survivre, malgré l'instabilité économique. Ce système est celui des *clauses d'indexation* ou d'*échelle mobile.* Les prix indexés réalisaient l'équilibre automatique sans lequel les contrats à exécution successive ou différée (ceux qui reposent sur l'idée de crédit) n'auraient pas pu survivre.

1173. — Des difficultés ont surgi du fait que toutes les indexations n'ont pas été considérées valables par les tribunaux. Après une longue période de tâtonnements, la jurisprudence a admis largement la validité des indexations dans le fameux arrêt du 27 juin 1957.

La clause d'échelle mobile n'était, en définitive, qu'une manifestation expresse de la volonté des parties de ne s'engager qu'en fonction d'une certaine situation économique : c'est bel et bien la clause *rebus sic stantibus,* non plus sous-entendue comme on l'avait prétendu jadis, mais clairement formulée par les parties.

Cependant, on l'a vu, le législateur est intervenu en réglementant de façon étroite la validité des clauses d'échelle mobile. Réglementation étroite et maladroite qui laisse subsister quelques hésitations sur la validité de tel ou tel indice. Seules les indexations des dettes d'aliments et des rentes viagères sont entièrement libres.

1174. — La généralisation de la clause d'échelle mobile ne doit pas faire oublier qu'il existe un autre moyen de se prémunir contre les conséquences de l'imprévision. Ce sont les *clauses de révision* ou clauses de sauvegarde ou de *hardschip.* Les parties prévoient au contrat de revoir et de réajuster éventuellement leurs prestations, à des périodes fixes, pour tenir compte des changements constatés dans les circonstances économiques. Cette insertion, *ab initio,* d'une stipulation de nouvel examen n'a pas le même automatisme que les clauses d'indexation (179-1).

1175. — Le développement considérable des clauses d'échelle mobile ou des clauses de révision, invite à mettre en doute le traditionnel antagonisme entre la sécurité qui réfute la révision et l'équité qui la réclame. Refuser le rééquilibrage du contrat, n'est-ce pas s'exposer à ce qu'il soit inexécuté par impossibilité financière d'y satisfaire ? Au contraire, autoriser sa révision, c'est rendre tolérable son exécution, ce qui est à la fois servir la sécurité et rendre justice.

1176. — La théorie de l'imprévision connaîtra, en cas de nouvelles crises, de nouvelles péripéties. Mais, les développements que nous venons de lui consacrer montrent clairement combien, en période d'instabilité économique, la règle : « Les conventions font la loi des parties », combinée avec le principe nominaliste de la monnaie, est d'une application périlleuse. Si le juge s'est montré d'une excessive prudence quant à sa soumission à la loi contractuelle, nous avons déjà vu, à d'autres propos, que le législateur a fait

---

(179-1) R. Fabre, *Les clauses d'adaptation dans les contrats : Rev. trim. dr. civ.* 1983, 1 et s. — Ph. Le Tourneau, *Quelques aspects de l'évolution des contrats : Mélanges Raynaud,* p. 349 et s.

montre de plus d'audace et n'a pas craint de remettre en question le dogme de l'autonomie de la volonté lorsque l'intérêt général lui a paru le commander.

Cette intervention du législateur dans la vie contractuelle ne s'est d'ailleurs pas limitée aux seuls problèmes d'imprévision. C'est ce dernier point qu'il nous reste à indiquer.

SOUS-SECTION III

LA FORCE OBLIGATOIRE ET L'INTERVENTION DU LÉGISLATEUR

1177. — S'il est vrai que les conventions font la loi des parties, il n'en reste pas moins que le contrat demeure subordonné à la loi proprement dite. Nous l'avions déjà dit en constatant le déclin de la théorie de l'autonomie de la volonté.

Certes, en règle générale, le législateur n'intervient pas pour modifier les conventions, car la stabilité des situations contractuelles est hautement souhaitable. On sait que les lois nouvelles ne s'appliquent pas, en principe, aux effets des contrats en cours. C'est là une manifestation du respect du contrat par le législateur lui-même.

Mais, on sait aussi qu'il n'y a pas là de principe absolu, et que le législateur peut — si cela lui paraît commandé par des intérêts d'ordre public — intervenir dans les contrats en cours pour en modifier les effets. Le législateur a une tendance marquée à écarter la règle de la survie de la loi ancienne pour les contrats en cours et de faire prévaloir la loi nouvelle chaque fois que l'ordre public est spécialement intéressé. On citera, par exemple, la loi du 9 juillet 1975 relative à la révision par le juge de la clause pénale dont l'article 3 déclare les nouvelles dispositions applicables aux contrats et aux instances en cours.

D'une manière générale et en schématisant, on peut présenter les interventions du législateur en les répartissant en deux groupes, les premières relatives à la *durée des contrats*, les secondes au *montant des prestations*.

§ 1. — Les interventions législatives quant à la durée du contrat

1178. — L'action du législateur en ce domaine se manifeste de trois manières : soit il fixe impérativement la durée du contrat, soit il en décide la prolongation, soit il en permet le raccourcissement.

1° Fixation de la durée initiale

1179. — De ce point de vue, l'ingérence du législateur se limite à quelques contrats, essentiellement le contrat de bail et le contrat de travail.

a) Contrat de bail

1180. — Pour les *locaux d'habitation*, la loi du 22 juin 1982, dite loi *Quilliot*, décide que la durée du bail est d'un minimum de six ans (art. 4) à compter de sa date d'effet, autorisant exceptionnellement le bailleur, personne physique, à ne conclure que pour trois ans à condition qu'aucune reprise des locaux, à quelque titre que ce soit, ne puisse intervenir avant l'échéance du contrat. La loi *Méhaignerie* (23 déc. 1986), quant à elle, dispose que la jouissance des locaux est au moins égale à trois ans et, qu'à défaut de congé ou de proposition de renouvellement, le contrat parvenu à son terme est reconduit tacitement pour trois ans (art. 9).

Pour les *baux ruraux*, l'article L. 411-5 du Code rural dispose que la durée du bail ne peut être inférieure à neuf ans, nonobstant toute clause ou convention contraire, à moins qu'il ne s'agisse de baux de parcelles d'une surface inférieure au minimum déterminé par arrêté préfectoral et ne constituant ni « un corps de ferme », ni « une partie essentielle » de l'exploitation. Quant aux baux qualifiés à long terme, leur durée minimale est normalement de dix-huit ans, sauf les baux dits de carrière qui doivent être d'au moins vingt-cinq ans.

Enfin, quant aux *baux commerciaux*, la durée du contrat de location doit être au moins égale à neuf ans (D. 30 sept. 1953, art. 3-1), le preneur ayant toutefois la faculté de donner congé à l'expiration d'une période triennale dans les formes et délais de l'article 5.

b) Contrat de travail

1181. — Afin d'éviter la précarité de l'emploi, le législateur cherche à limiter le recours au contrat de travail à durée déterminée. Il pose, à l'article L. 122-1 du Code du travail, qu'un tel contrat ne peut avoir pour objet de pourvoir durablement en emploi lié à l'activité normale et permanente de l'entreprise, que sa conclusion est destinée à l'exécution d'une tâche précise, qu'il doit comporter un terme fixé *ab initio* avec précision et que sa durée, renouvellement compris, ne saurait excéder 24 mois. Par ailleurs, le législateur autorise le contrat à durée déterminée sans fixation d'un terme précis, pour assurer le remplacement d'un salarié absent, pour des emplois à caractère saisonnier, pour exécuter des travaux temporaires par nature (art. L. 122-1-1, C. trav.). Le Code du travail prévoit des dispositions analogues lorsque le salarié est recruté par le canal des entreprises de travail temporaire (art. L. 124-1 et s.).

1182. — La période d'essai est également réglementée. D'après l'article L. 122-3-2, à défaut d'usages ou de dispositions conventionnelles prévoyant des durées moindres, la période d'essai ne peut excéder une durée calculée à raison d'un jour par semaine dans la limite de deux semaines, lorsque la durée initialement prévue du contrat est au plus égale à six mois; elle ne pourra dépasser un mois dans les autres cas. Le texte ajoute que, dans l'hypothèse où le contrat ne comporte pas de terme précis (remplacement d'un salarié défaillant), la période d'essai est calculée par rapport à la durée minimale.

2° Prolongation de la durée

1183. — La manifestation la plus remarquée de la prorogation du rapport contractuel résidait dans la loi du 1er septembre 1948 qui avait organisé « le maintien dans les lieux » des occupants de bonne foi, après l'expiration du bail. La loi du 22 juillet 1982, dans le même désir d'assurer la stabilité du locataire, décide que le contrat de location se renouvelle automatiquement à l'échéance pour une durée de trois ans. Le bailleur ne peut exiger le départ du locataire, une fois le bail expiré, qu'à condition de justifier d'un motif, les seuls motifs reconnus consistant dans l'exercice du droit de reprise pour habiter ou pour vendre, ou dans l'inexécution par la locataire de ses obligations (art. 7). Pour sa part, la loi *Méhaignerie* confère au bail renouvelé une durée égale à celle du bail initial, soit trois ans (art. 9).

L'ordonnance du 17 octobre 1945 portant statut du fermage (C. rural, art. L. 411-46) a accordé au fermier le droit de renouvellement de son bail qui se poursuit de plein droit pour une nouvelle période de neuf ans et aux mêmes conditions, sauf désaccord des parties obligeant à saisir le tribunal paritaire de baux ruraux. Ce droit au renouvellement est tenu en échec dans des cas limitativement énumérés, spécialement pour motifs graves et légitimes (par ex. défaut de paiement de deux fermages successifs) et surtout par l'exercice du droit de reprise du bailleur, soit pour exploitation personnelle pour lui-même ou ses descendants, soit pour construction d'une maison d'habitation.

En matière de baux commerciaux, le locataire a également droit au renouvellement de son bail à condition d'en faire la demande six mois à l'avance par acte extra-judiciaire; le bailleur ne peut s'y opposer (D. 30 sept. 1953, art. 9), que s'il justifie d'un motif grave et légitime à l'encontre du locataire sortant ou s'il est établi que l'immeuble doit être totalement ou partiellement démoli comme insalubre ou dangereux. Hormis ces cas, le bailleur qui refuse le renouvellement doit payer au locataire évincé une indemnité d'éviction, comprenant la valeur marchande du fonds augmentée des frais de déménagement et de réinstallation, ainsi que des frais et droits de mutation à payer pour un fonds de même valeur (art. 8).

3° Abrègement de la durée

1184. — D'autres lois ont permis la résiliation anticipée des baux, notamment pendant la dernière guerre, au profit des mobilisés ou des réfugiés. On peut citer encore, du même point de vue, le décret-loi du 16 juillet 1935 autorisant le remboursement par anticipation de certaines dettes civiles et commerciales, ou la loi du 16 juillet 1940 résiliant de plein droit les locations conclues par les réfugiés. Toutes ces dispositions ont en commun d'être de portée temporaire. Il existe, néanmoins, des textes de caractère permanent, par exemple la loi du 22 juin 1982 qui ouvre au locataire — quoique le bail ait été conclu pour 6 ans ou 3 ans — la faculté de résilier au terme de chaque année de contrat, ou même *à tout moment* s'il fait valoir des raisons financières, personnelles, familiales, professionnelles ou de santé (art. 6).

La loi *Méhaignerie* a quelque peu modifié ce dispositif. Elle confère au locataire la possibilité de se retirer à tout moment, sans avoir à justifier de motifs, à condition de respecter un préavis de trois mois, réduit à un mois en cas de mutation ou de perte d'emploi (art. 11). Elle autorise la conclusion d'un bail réduit de trois à un an lorsque le bailleur, personne physique, justifie d'un événement familial ou professionnel l'amenant à reprendre le local.

§ 2. — Les interventions législatives quant au montant des prestations

1° Baux d'habitation

1185. — La loi n° 89-18 du 13 janvier 1989, modifiant les articles 21 et 31 de la loi *Méhaignerie*, institue de nouvelles limitations de loyers lors du renouvellement des baux. Si l'augmentation proposée n'excède pas 10 % de l'ancien loyer, elle s'applique par tiers au cours des trois années du nouveau bail. Si, au contraire, elle est supérieure à 10 %, la majoration est échelonnée par tranches de un sixième chaque année. Lorsque la proposition du bailleur n'est pas acceptée, la fixation du nouveau loyer est suspendue et la commission de conciliation doit être saisie. A défaut d'accord devant cette commisssion, le montant du loyer est arrêté par le juge.

2° Baux ruraux

1185-1. — L'article L. 411-13 du Code rural aménage une action en révision des fermages se révélant inférieurs d'au moins un dixième à la valeur locative de la catégorie du bien donné à bail. La demande doit être intentée au cours de la troisième année de jouissance; elle ne peut être engagée qu'une seule fois pour chaque bail. Le tribunal paritaire de baux ruraux fixe le prix normal qui ne s'applique que pour la période de location restant à courir.

Par ailleurs, l'article L. 411-11 du Code rural, issu de la loi n° 88-1202 du 30 décembre 1988, prévoit un loyer pour les bâtiments d'habitation fixé en monnaie entre des maxima et des minima arrêtés par l'autorité administrative et actualisés chaque année selon la variation de l'indice Insee du coût de la construction. Les baux en cours doivent être mis en conformité avec cette nouvelle disposition trois ans après la publication de la décision administrative portant fourchette des prix. De plus, les maxima et les minima du loyer des bâtiments d'exploitation et des terres font l'objet d'un nouvel examen tous les 9 ans au plus tard, ce qui déclenche une révision du fermage lors du renouvellement du bail.

3° Rentes viagères

1186. — C'est en ce domaine que les interventions du législateur sont les plus fréquentes, son but étant de protéger les crédirentiers contre la perte du pouvoir d'achat du franc. Nous avons déjà fait allusion aux majorations des rentes dues à titre de réparation du préjudice, mais des majorations sont prévues lorsque *la rente est constituée entre particuliers,* soit contre l'aliénation de biens, soit contre l'aliénation d'un capital. On ne saurait entrer ici dans les détails d'une réglementation complexe et diversifiée. D'une part, la majoration est accordée de plein droit, de façon forfaitaire, *par la loi* de finances annuelle, compte tenu de la date à laquelle elle a été constituée (180); on a justement critiqué ce barême de majoration comme « n'étant ni effectif ni véridique » (181). D'autre part, il est prévu un mécanisme de *révision judiciaire* grâce auquel les majorations forfaitaires sont corrigées afin de tenir compte des circonstances économiques qui ont modifié la valeur de la contre-partie; le but poursuivi est d'aligner le montant de la rente sur l'augmentation de valeur du bien aliéné.

4° Baux commerciaux

1187. — Le décret-loi du 30 septembre 1953 a organisé une révision des loyers des locaux à usage commercial (art. 26); la demande en révision suppose que trois ans se soient écoulés depuis l'entrée en jouissance du locataire ou depuis le commencement du bail renouvelé. Sauf modification des facteurs de commercialité, la majoration — ou diminution — ne saurait excéder la variation de l'indice trimestriel du coût de la construction (art. 27, al. 3).

S'agissant du renouvellement, la loi du 6 janvier 1986 a plafonné le taux de variation du loyer à celui de l'indice Insee du coût de la construction. La loi du 5 janvier 1988 prévoit qu'au cas où le loyer renouvelé selon ce barême ne correspond pas, en plus ou en moins, à la valeur locative, il y a lieu à saisine de la commission départementale de conciliation créée par le

---

(180) D'après l'art. 43 de la loi de finances pour 1989 du 23 déc. 1988, les rentes d'avant 1914 sont majorées de 69364,1 %.

(181) MALAURIE et AYNÈS, *Les contrats spéciaux*, 2e éd., n° 980.

même texte, qui fera une proposition de prix, laquelle devra, selon les recommandations administratives, éviter de n'être que la moyenne arithmétique des propositions respectives.

5° Propriété littéraire et artistique

1188. — Selon la loi du 11 mars 1957 (art. 37), l'auteur qui, en cédant son droit d'exploitation, a subi un préjudice de plus de sept douzièmes dû... à une *prévision insuffisante* des produits de l'œuvre, peut provoquer la révision des conditions de prix du contrat. Ce rajustement n'est recevable que si la cession a eu lieu moyennant une rémunération forfaitaire.

6° Partage

1189. — En matière de partage, le législateur a fixé la date d'évaluation des biens soumis au rapport au jour du partage (art. 860, C. civ.); il était en effet inéquitable qu'un bien donné vingt ans plus tôt fut comptabilisé pour sa valeur d'origine, alors qu'il avait bénéficié d'une plus-value substantielle : l'égalité entre héritiers aurait été rompue. L'article 1978 du Code civil dispose de même en cas de donation-partage. Bref, la valeur rapportable dans ces deux hypothèses de partage, *post mortem* ou *inter vivos*, s'analyse en une dette de valeur variant avec le prix du bien considéré. Par ailleurs, l'article 833-1 du même Code porte :

« Lorsque le débiteur d'une soulte a obtenu des délais de paiement, et que, par suite des circonstances économiques, la valeur des biens mis dans son lot a augmenté ou diminué de plus du quart depuis le partage, les sommes restant dues augmentent ou diminuent dans la même proportion ».

7° Libéralités

1190. — La loi du 4 juillet 1984, ajoutant sept articles au Code civil (900-2 à 900-8), a introduit la possibilité pour tout gratifié de demander la révision en justice des conditions et charges grevant les donations ou legs qu'il a reçus

« lorsque par suite d'un changement de circonstances, l'exécution en est devenue pour lui, soit extrêmement difficile, soit sérieusement dommageable ».

Le juge a le choix entre réduire en quantité ou périodicité les prestations en cause, ou en modifier l'objet, ou encore les regrouper avec des prestations analogues résultant d'autres libéralités. Il peut même autoriser l'aliénation de tout ou partie des biens faisant l'objet de la libéralité, en ordonnant que le prix en sera employé à des fins en rapport avec la volonté du disposant.

La demande n'est recevable que dix ans après la mort du disposant, la personne gratifiée devant justifier des diligences accomplies dans l'intervalle pour exécuter ses obligations.

8° Rentes indemnitaires

1191. — La loi du 5 juillet 1985 sur les accidents de la circulation porte à son article 43 :

> « Sont majorées de plein droit, selon les coefficients de revalorisation prévus à l'article L. 455 du Code de la Sécurité sociale, les rentes allouées soit conventionnellement, soit judiciairement, en réparation du préjudice causé à la victime ou, en cas de décès, aux personnes qui étaient à sa charge » (182).

Ces multiples interventions et d'autres dont on traitera plus loin (révision de la clause pénale n° 1504 et s., réduction des intérêts excessifs ou usure n° 1455 et s.) montrent que la règle selon laquelle la convention fait la loi des parties s'efface lorsque le législateur estime qu'elle doit être écartée pour des raisons d'intérêt général, économique ou social. Ce qui vérifie ce que nous avions déjà constaté maintes fois : le contrat n'est pas affaire purement privée; il est un fait social, il intéresse la vie économique et sociale de la nation. Le contrat reste donc subordonné à la loi.

1192. — La règle énoncée dans l'article 1134 du Code civil selon laquelle les conventions font la loi des parties — dont on vient de montrer la portée et les limites — a pour corollaire celle qui figure dans l'article 1165 du même code, aux termes *duquel les conventions n'ont d'effet qu'entre les parties; les tiers ne peuvent ni en souffrir ni en profiter,* à l'exception du cas particulier de la stipulation pour autrui. A son tour, cette affirmation est trop absolue. On le verra en étudiant les effets du contrat à l'égard des tiers.

---

(182) V. t. I de l'ouvrage, *La responsabilité délictuelle*, n° 642-7.

CHAPITRE VI

LES EFFETS DES CONTRATS A L'ÉGARD DES TIERS

1193. — Deux textes du Code civil gouvernent ce problème, de l'avis général en doctrine :

Article 1165. — Les conventions n'ont d'effet qu'entre les parties contractantes; elles ne nuisent pas au tiers, et elles ne lui profitent que dans le cas prévu par l'article 1121.

Article 1119. — On ne peut, en général, s'engager, ni stipuler en son propre nom que pour soi-même.

Ces textes énoncent la règle fondamentale de la *relativité des conventions,* citée souvent sous sa forme latine : *Res inter alios acta aliis neque nocere neque prodesse potest* (1).

1194. — A première vue, cette règle est d'évidence. Elle est commandée par le principe de *l'indépendance juridique des personnes.* Nul ne doit rien à autrui, nul n'est créancier d'autrui, à moins que la loi ou un contrat auquel il a été partie n'ait créé ce droit ou cette obligation (2). En réalité, la portée de cette règle est difficile à saisir et cela pour deux raisons.

1195. — D'une part, les termes *tiers* et *effets des conventions* ont un caractère incertain et variable. Il nous faudra donc, tout d'abord, les préciser.

1196. — D'autre part, les articles 1165 et 1119 précités ne sont pas les seuls à régir cette matière. Pour nous en tenir à ceux qui se trouvent dans le

(1) ROLAND et BOYER, *Adages,* p. 908 et s.

(2) R. SAVATIER, *Le prétendu principe de l'effet relatif des contrats : Rev. trim. dr. civ.* 1934, 525. — A. WEILL, *La relativité des conventions en droit privé français,* thèse Strasbourg, 1938. — Simone CALASTRENG, *La relativité des conventions,* thèse Toulouse, 1939. — GOUTAL, *Essai sur le principe de l'effet relatif des contrats,* L.G.D.J., 1981. — M. CABRILLAC, *Remarques sur la théorie générale du contrat et les créations récentes de la pratique commerciale : Mélanges Marty* 1978, p. 247 et s. — Florence BERTRAND, *L'opposabilité des contrats aux tiers,* thèse ronéot, Paris II, 1979. — José DUCLOS, *L'opposabilité (essai d'une théorie générale),* thèse Rennes, éd. 1984. — J. LIMPENS, *De l'opposabilité des contrats à l'égard d'un tiers. Contribution à l'étude de la distinction entre les droits réels et personnels : Mélanges Roubier,* t. II, p. 89 et s.

Code civil — mais il y en a bien d'autres — on ne saurait faire abstraction de l'article 1121 concernant la *stipulation pour autrui,* de l'article 1120 qui prévoit la possibilité de se *porter fort pour un tiers en promettant le fait de celui-ci,* ou de l'article 1122 qui déclare que l'on est censé avoir *stipulé pour soi et pour ses héritiers et ayants cause*, à moins que le contraire ne soit exprimé ou ne résulte de la nature de la convention.

1197. — On se rappelle, en outre, qu'en étudiant les *contre-lettres,* nous avons vu que les tiers ne sauraient souffrir d'un acte dissimulé, mais qu'ils peuvent se prévaloir de l'acte ostensible ou, si tel est leur intérêt, de l'acte déguisé. Cela n'est-il pas contraire à la règle de la relativité des conventions ? Si les conventions ne sont pas opposables aux tiers, qu'importe leur caractère ostensible ou dissimulé ?...

Il en est de même des dispositions concernant la *date certaine* d'un contrat sous seing privé, grâce à laquelle les contrats dont il s'agit sont opposables aux tiers.

Les nombreuses règles concernant la *publicité* de certains actes n'ont de raison d'être que pour les rendre opposables aux tiers. Si, du fait de leur relativité, les tiers ne pouvaient ni en souffrir, ni en profiter, à quoi bon instituer cette publicité ?

Comment concilier ces diverses dispositions, quel est le sens exact de la règle de la relativité des conventions, telle est la matière que nous analyserons, dans les sections II, III de ce chapitre, après avoir, dans une section I, précisé les données du problème.

SECTION I

DONNÉES DU PROBLÈME

Notre problème est dominé par deux expressions, celle de *tiers*, d'une part, et celle *d'effets des contrats*, d'autre part. Analysons-les successivement.

§ 1. — La détermination des tiers

1198. — Le terme tiers s'oppose à celui de partie, ce qui oblige à cerner préalablement la notion même de partie. Détient cette qualité, celui qui est le sujet actif ou passif de l'acte juridique, qui est auteur d'une des déclarations de volonté qui, se rencontrant avec celle du partenaire, forment le contrat. Sont donc exclus de la notion, tous ceux qui gravitent autour de l'opération sans pour autant l'avoir voulue. Tel le témoin instrumentaire ou l'exécutant qui fournit les fonds dans une vente. Tel l'huissier qui procède à des enchères et qui n'étant pas cocontractant ne saurait être poursuivi en résolution de la vente (2-1), telle l'Administration qui appose son visa sur un contat passé entre particuliers (2-2). En bref, la signature n'est pas le critère absolu de la qualité de partie (2-3). Au reste, la présence corporelle est indifférente : on sait que, dans le cas où le contrat est conclu par l'intermédiaire d'un représentant, c'est le représenté qui est partie au contrat et non le représentant, lequel demeure un tiers et que, par ailleurs, le système consensualiste reconnaît l'engagement implicite.

1199. — A la partie, on identifie les successeurs universels de l'auteur de l'acte. En effet, en cas de décès d'un contractant, ses héritiers ou légataires universels ou à titre universel (3) s'ils acceptent la succession, prennent la place du défunt, continuent sa personne : héritiers et légataires ne sont donc pas des tiers, ils sont assimilés aux contractants eux-mêmes. On les appelle *ayants cause universels* parce qu'ils recueillent l'universalité du patrimoine ou une quotité de cette universalité.

1200. — La tendance du droit contemporain est d'élargir la qualité de partie en l'attribuant directement aux *proches* du contractant pour certaines opérations juridiques. Ainsi le contrat de location continue, en cas de désertion par le locataire (seule partie originaire à l'acte), au profit de ses ascendants, de ses descendants, du concubin notoire ou des personnes à charge qui vivaient avec lui depuis un an au moins. Dans le bail à ferme, le preneur bénéficiaire du droit de préemption peut subroger un de ses descendants dans l'exercice de ce droit (C. rural, art. 412-5). Parfois même le contrat englobe un membre de la famille par l'effet réflexe d'un autre mécanisme; ce que l'on observe, par exemple, pour les achats de la vie domestique où, par le biais de la solidarité, le mari comme la femme rend son conjoint partie à l'acte (C. civ., art. 220).

Une observation du même genre intéresse les groupes de sociétés. En principe, la société-mère reste étrangère aux opérations passées par sa filiale (4), sauf à être engagée lorsqu'elle s'est immiscée dans ses activités (4-1) ou lorsque la filiale n'a fait que servir d'écran vis-à-vis du cocontractant (4-2).

(2-1) Civ. 1re, 13 janv. 1987 : *Bull. civ.* I, n° 12, p. 9.

(2-2) Soc., 19 juin 1987 : *Rev. trim. dr. civ.* 1988, p. 126, obs. J. MESTRE.

(2-3) M. VASSEUR, *Essai sur la présence d'une personne à un acte juridique accompli par d'autres : Rev. trim. dr. civ.* 1949, 173.

(3) Les légataires universels ont vocation à recueillir, éventuellement, l'ensemble du patrimoine; les légataires à titre universel ne sont appelés qu'à une fraction de celui-ci. — Pour une application Civ. 1re, 2 juin 1987 : *J.C.P.* 88, II, 21068, note SALVAGE : les héritiers sont tenus d'une obligation de garantie à l'égard des conventions passées par leur auteur; des coindivisaires peuvent, à ce titre, se voir opposer le bail consenti par l'un d'entre eux, lorsqu'à la suite du décès de ce dernier, ils ont accepté purement et simplement sa succession.

(4) Com., 4 janv. 1982 : *Rev. sociétés*, 1983, 95, note BURST. — Soc., 5 mai 1986 : *Bull. civ.* V, n° 196, p. 154.

(4-1) Com., 2 mai 1978 : *Gaz. Pal.* 1978, 2, somm. 291.

(4-2) Versailles, 17 sept. 1986 : *D.* 1987, 41, note ESTOUP.

1201. — Compte tenu de ces précisions, on serait tenté de dire que sont tiers tous ceux qui ne sont pas les contractants (5). Mais la réalité est plus complexe et fait ressortir plusieurs catégories de tiers.

A. — Tiers ayants cause particuliers

1202. — Le terme d'ayant cause à titre particulier (5-1) désigne ceux qui acquièrent des droits sur un ou plusieurs biens déterminés appartenant à leur « auteur ». Prenons un exemple pour bien comprendre cette notion importante. Un contrat de vente est conclu entre Pierre et Paul, le premier vend un immeuble au second : Pierre et Paul sont les contractants. Mais voici que Paul vend, à son tour, cet immeuble à Bernard. Bernard est un ayant cause de Paul, il est le cocontractant de Paul dans ce deuxième contrat. Mais Bernard *n'a pas été partie au premier contrat,* celui passé entre Pierre et Paul. Par conséquent, Bernard est un tiers par rapport à ce premier contrat. C'est un tiers appartenant à la catégorie des ayants cause à titre particulier.

Si, au lieu de revendre le bien, Paul l'avait donné ou loué à Bernard, ce dernier serait encore un ayant cause à titre particulier de Paul, donc un tiers par rapport au premier contrat. Il en serait de même si Bernard avait reçu ce bien par testament comme *legs à titre particulier,* legs portant sur un bien déterminé et non sur le patrimoine ou sur une fraction du patrimoine.

1203. — Sont encore des tiers les créanciers des contractants, mais parmi les créanciers on distingue : les *créanciers ayant une sûreté réelle* (hypothèque, gage... sur un bien déterminé), qui sont assimilés à des ayants cause à titre particulier (6), car leurs sûretés portent sur des biens déterminés; les *créanciers chirographaires* qui sont, eux aussi, des tiers, mais qu'on ne classe pas parmi les ayants cause à titre particulier, leurs droits portant sur l'ensemble des biens composant le patrimoine de leur débiteur.

En résumé, rentre dans la catégorie des ayants cause à titre particulier, d'une part, tout acquéreur d'un bien déterminé, acheteur, échangiste, légataire particulier, cessionnaire de créance, d'autre part, tout créancier muni d'une sûreté réelle, créancier hypothécaire, créancier gagiste, créancier nanti (nantissement du fonds de commerce).

---

(5) DEBEAURAIN, *La notion de tiers étranger au contrat : Ann. Loyers* 1977, 490. — AUSSEL, *Essai sur la notion de tiers en droit civil français,* thèse Montpellier, 1951.

(5-1) MOURGEON, *Les effets des conventions à l'égard des ayants cause à titre particulier en droit français,* thèse Paris, 1934. — DU GARREAU DE LA MÉCHENIE, *La vocation de l'ayant cause particulier aux droits et obligations de son auteur : Rev. trim. dr. civ.* 1944, p. 219 et s.; *Rép. dr. civ. Dalloz, V° Ayant cause,* R. DE COTTIGNIES.

(6) Sur le plan terminologique, on emploie indifféremment les termes « ayant cause » ou « ayant droit »; ce sont des expressions synonymes.

B. — Tiers créanciers chirographaires

1204. — On a beaucoup discuté sur la condition juridique des créanciers chirographaires (7). N'étant pas des ayants cause à titre particulier, ne seraient-ils pas des ayants cause à titre universel ? La plupart des auteurs le soutiennent en observant, précisément, 1° que leurs droits portent sur l'ensemble du patrimoine, 2° que n'ayant pas de droit de suite, les actes d'aliénation faits par leur débiteur leur sont opposables et 3° que, n'ayant pas de droit de préférence les dettes, même postérieures à leur propre créance, leur sont également opposables, puisque lors du paiement, ils doivent venir en concours avec ces autres créanciers. Or, *la vocation à l'ensemble d'un patrimoine,* d'une part, et *l'opposabilité des actes juridiques* d'autre part, ce sont bien là les caractéristiques des héritiers et légataires universels et à titre universel, qui sont des ayants cause universels.

1205. — Nous ne pouvons adhérer à cette conception. Les créanciers chirographaires, malgré certaines similitudes, ne sont pas des ayants cause universels, à tout le moins leur situation en diffère suffisamment pour les empêcher de figurer dans la même catégorie. Si les actes faits par leur débiteur leur sont, en principe, opposables, cela n'est pas une règle absolue. En étudiant les contre-lettres, nous avons vu que les créanciers chirographaires sont des tiers auxquels l'acte secret n'est pas opposable, ce qui les distingue des héritiers et des légataires. On verra, que dans divers autres cas, les créanciers chirographaires peuvent se prévaloir de la qualité de tiers, notamment pour se protéger contre les actes faits en fraude de leurs droits (action paulienne; tierce-opposition). Pour ces raisons, nous croyons préférable de ne pas classer les créanciers chirographaires parmi les ayants cause universels, pas plus, d'ailleurs, que parmi les ayants cause particuliers..., c'est une catégorie originale de tiers *sui generis,* qui ne saurait être confondue avec les précédentes (7-1).

C. — Tiers penitus extranei

1206. — Restent enfin ceux qui n'ont aucun rapport juridique *actuel* ni avec l'un, ni avec l'autre des contractants. Ce sont, dit-on, les tiers *vraiment tiers,* ou encore les tiers absolus que l'on désigne par les termes latins *penitus extranei* (au singulier *penitus extraneus*). Cette troisième catégorie se définit négativement par rapport aux deux précédentes; le *penitus extraneus* n'est ni ayant cause, ni créancier chirographaire. L'extériorité par rapport à l'acte atteint avec eux son degré maximum.

---

(7) BONNECASE, *Condition juridique du créancier chirographaire : Rev. trim. dr. civ.* 1920, 103 et s.

(7-1) Dans le même sens, RAYNAUD, n° 269.

Mais on conclurait à tort que ces familles de personnes étrangères au contrat sont exclusives les unes des autres et que l'individu ne peut appartenir qu'à l'une d'elles. En réalité, ces qualités peuvent se retrouver dans la même personne vis-à-vis de situations juridiques différentes : avoir acquis un immeuble de Dupont vous rend ayant cause particulier de Dupont pour cet immeuble, mais vous laisse *penitus extraneus* pour tout le reste.

§ 2. — La détermination des effets du contrat

A. — La création d'un lien obligatoire

1207. — Le principal effet des contrats est la création d'obligations et, corrélativement, de créances entre les contractants. L'obligation est génératrice d'un rapport de droit unissant deux (ou plusieurs) personnes et astreignant l'une à effectuer une prestation envers l'autre et réciproquement. L'une est créancière, l'autre débitrice du *debitum* qui n'existe qu'entre elles deux : dans une vente, l'acheteur a droit à la chose vendue, le vendeur peut exiger le prix convenu. Dans un bail, le propriétaire doit la jouissance du local loué, le locataire le montant du loyer prévu. Aucun tiers ne peut réclamer le bénéfice d'un tel contrat pas plus qu'il ne peut être tenu d'assumer les obligations de l'une des parties. Le contrat, sous le rapport du devoir contractuel qu'il engendre, ne crée qu'un lien interpersonnel, insusceptible de s'étendre à d'autres que les contractants, activement ou passivement (7-2).

B. — Création d'une situation juridique

1208. — Les contrats sont, également, les moyens de transmission des droits, qu'ils soient réels (transfert de propriété, par exemple) ou personnels (cession de créances, notamment). Les démembrements des droits (usufruit, servitudes, etc.), la création des droits réels accessoires (hypothèque ou gage), l'extinction de ces divers droits, peuvent, également, être réalisés par voie contractuelle. La formation des personnes morales de droit privé, sociétés, syndicats, associations, a, dans une large mesure, son origine dans un contrat. Ces diverses fonctions du contrat sont bien différentes de la simple création de droits ou d'obligations : elles *modifient la composition des patrimoines* des contractants ou *créent le patrimoine des personnes morales.*

(7-2) Civ. 3e, 13 nov. 1974 : *Gaz. Pal.* 1975, 1, 210 note PLANCQUEEL : l'architecte condamné *in solidum* avec l'entrepreneur à réparer le préjudice subi par le maître de l'ouvrage, ne peut réclamer le jeu d'une clause pénale stipulée dans un contrat passé par l'entrepreneur et qui lui est étranger. — Paris, 9 mai 1988 : *D.* 1988, I.R. 171 : l'assureur du maître d'ouvrage n'est pas engagé par le contrat passé entre ce dernier et l'entreprise de réparation chargée de remédier aux désordres dont il est responsable.

1209. — Le contrat contient, enfin, l'expression matérielle de la volonté des parties; il *extériorise* cette volonté et, de ce point de vue, il *constitue un fait* dont il faudra, également se demander quelle est la portée. Bref, deux personnes étant devenues l'une créancière, l'autre débitrice, le sont vis-à-vis de tous, car le contrat dont l'existence est une réalité objective s'inscrit dans un cadre social. Il y a création à l'extérieur de la sphère contractuelle d'une situation juridique qui intéresse ou qui est susceptible d'intéresser des individus autres que les contractants (7-3).

1210. — Lorsqu'on affirme, donc, que les contrats n'ont pas d'effet à l'égard des tiers, quels sont parmi ces deux types d'effets ceux que l'on vise, et quels sont les tiers qui sont concernés ? C'est ce qu'il nous faut voir maintenant.

SECTION II

CONTRAT ET CRÉATION D'UNE SITUATION JURIDIQUE

1211. — Le principe de la relativité des conventions ne s'applique pas lorsqu'un contrat est invoqué en tant que situation juridique. Les manifestations les plus claires de cette proposition se trouvent dans le domaine de la preuve (8), mais les plus importantes s'observent lorsqu'on considère la consistance du patrimoine.

SOUS-SECTION I

LE CONTRAT, ÉLÉMENT DE PREUVE

§ 1. — La preuve de la valeur d'un bien

1212. — On sait que, dans de nombreux cas, les plaideurs sont admis à faire la preuve par *présomption.* Or, rien ne s'oppose à la recherche des indices — c'est-à-dire des présomptions — dans un contrat auquel on n'a pas été partie.

(7-3) Civ. 1re, 7 juill. 1981 : *Bull. civ.* I, n° 250 : une transaction entre cohéritiers, à laquelle l'un d'eux n'a pas été partie, n'engendre ni obligation ni droit à sa charge, d'où il résulte que l'absent n'a pas qualité pour attaquer l'acte; en revanche, les cohéritiers sont en droit de lui imposer le respect des relations que cet acte a établies entre eux.

(8) Un contrat, invoqué en tant que simple fait, peut permettre de prouver l'existence d'un autre contrat : Com., 8 mai 1972 : *J.C.P.* 72, II, 17193, note P.L.; *Rev. trim. dr. civ.* 1972, p. 775, obs. LOUSSOUARN (contrat de ramassage de lait) ou son inexistence : Civ. 3e, 7 mars 1973 : *Bull. civ.* III, n° 182, p. 131.

1213. — Ainsi en matière de responsabilité (délictuelle ou contractuelle), lorsqu'un objet est détruit et qu'il s'agit d'en apprécier la valeur, le juge peut, d'office ou à la demande de l'un des plaideurs, réclamer la production du contrat en vertu duquel cette chose a été acquise et où son prix est indiqué. On y trouvera, sinon une preuve absolue, du moins une présomption de sa valeur, permettant la fixation de l'indemnité. Ce contrat sera, donc, opposable en ce sens à un tiers (en l'espèce, un *penitus extraneus*). Bien entendu, cette présomption peut être combattue; elle n'est pas irréfragable.

En cas de préjudice corporel et d'invalidité, les notes de frais médicaux ou chirurgicaux, le salaire ou les revenus de la victime, dont le montant est pris en considération pour la fixation de l'indemnité, résulteront, le plus souvent, de contrats par rapport auxquels le responsable est totalement étranger.

1214. — Il en est de même lorsqu'il s'agit de la fixation du montant d'une pension alimentaire, laquelle varie en fonction des revenus du crédirentier et du débirentier : la preuve de ces revenus peut résulter de divers contrats, contrat de travail, contrat d'édition, contrat de commission..., par rapport auxquels crédirentier ou débirentier sont des tiers.

1215. — D'une manière plus générale, lorsqu'il s'agit de déterminer la valeur d'un bien, par exemple, en matière d'assurance, ou pour savoir, en cas de liquidation d'une communauté, ce que l'un des époux doit à la communauté ou inversement, les contrats passés avec des tiers sont des éléments d'information (9). Dans ce dernier cas, ce n'est pas seulement la *valeur* du bien qui importe, mais encore sa *date* d'acquisition, celle-ci commandant son entrée en communauté, suivant qu'elle est antérieure ou postérieure au mariage; c'est encore dans les contrats passés avec des tiers qu'on pourra rechercher ces précisions. C'est la raison pour laquelle, en prévision de ces diverses preuves à fournir à l'égard de tiers, il est bon de conserver les factures et tous autres documents établissant ces divers éléments des contrats. Le législateur lui-même invite parfois à recourir aux conventions intervenues entre tiers pour faire preuve de sa prétention. Tel est le cas de l'article 21 de la loi *Méhaignerie* : toute proposition de majoration de loyer doit correspondre aux loyers habituellement pratiqués dans le voisinage, au cours des trois dernières années, pour des logements comparables; la proposition doit être accompagnée, à peine de nullité, des références qui servent à établir le nouveau loyer (les références à notifier sont longuement énumérées par le décret n° 89-98 du 15 fév. 1989). Le bailleur est ainsi amené à faire état des contrats de bail passés *inter alios*. Quel meilleur exemple d'opposabilité probatoire !

1216. — Le fisc lui-même recherchera dans les contrats qui lui sont, bien entendu, étrangers, les éléments d'imposition ou la source de ses préroga-

(9) V. pour une espèce très révélatrice en matière de versement d'une indemnité d'assurance et de non-réparation du véhicule accidenté : Civ. 1re, 14 fév. 1984 : *J.C.P.* 84, IV, 127.

tives (10). Citons, à titre d'exemple, l'article 764 du Code général des impôts indiquant la manière d'estimer la valeur des biens meubles pour la liquidation des droits de mutation par décès; s'agissant des bijoux, pierreries, objets d'art ou de collection, l'assiette imposable ne peut être inférieure à l'évaluation faite dans les contrats d'assurance contre le vol ou l'incendie conclus par le *de cujus* moins de dix ans avant son décès (11).

§ 2. — La preuve du droit de propriété

1217. — En matière immobilière, la *preuve de la propriété* pose quelquefois un problème épineux. Pour le trancher, le juge comparera les indices fournis par les plaideurs qui revendiquent l'immeuble, parmi lesquels figurent les *titres* qu'ils produisent, notamment, les contrats en vertu desquels ils prétendent en avoir acquis la propriété (11-1). Comme il arrive que chacun des plaideurs produise un contrat en sa faveur, le juge sera amené à en examiner la date et divers autres éléments, corroborant la prétention des parties en litige.

1218. — De plus, le contrat en tant que simple fait, joue un rôle en matière *d'usucapion* (prescription acquisitive). Celui qui prétend avoir acquis la propriété par usucapion abrégée, c'est-à-dire dix à vingt ans (alors que le délai ordinaire est de trente ans), doit produire un juste titre, en fait un *contrat,* en vertu duquel *il a cru acquérir* la propriété (mais qui en fait ne la lui avait pas transmise, car il émanait de quelqu'un qui n'était pas propriétaire du bien aliéné; c'est une acquisition *a non domino*). Ce contrat sera, donc, opposé au véritable propriétaire qui souffrira les conséquences de la prescription abrégée dont il s'agit, en vertu d'un contrat par rapport auquel il est totalement étranger.

On voit, donc, que le contrat, en tant que fait contenant des informations, ou en tant que fait corroborant la bonne foi d'un acquéreur, est opposable aux tiers (12).

---

(10) Nous avons vu que l'exercice du *droit de préemption* de l'enregistrement prend pour base le *prix* figurant dans l'acte de vente.

(11) Le texte réserve la preuve contraire et précise que, s'il existe plusieurs polices susceptibles d'être retenues, la valeur imposable est égale à la moyenne des évaluations figurant dans ces polices.

(11-1) Pour déterminer la propriété d'un bien, les juges doivent examiner les titres sans avoir à appliquer l'art. 1165, C. civ. — V. Civ. 3e, 5 mai 1982 : *Bull. civ.* III, n° 116, p. 82. — Civ. 3e, 29 avril 1986 : *D.* 1986, somm. 13. — Il en va autrement lorsque le procès se déroule entre les ayants droit d'un auteur commun : Civ. 1re, 1er avril 1981 : *J.C.P.* 82, II, 19897, note TOMASIN.

(12) Pour d'autres applications du contrat considéré comme un fait probatoire, par exemple pour servir à l'interprétation d'autres contrats : Civ. 1re, 9 nov. 1981 : *Rev. trim. dr. civ.* 1982, 601, obs. CHABAS.

SOUS-SECTION II

LE CONTRAT, FACTEUR DE VARIATION DU PATRIMOINE

Les modifications du patrimoine sont, en principe, opposables aux tiers(§ 1) mais, dans divers cas, cette opposabilité est soumise à certaines conditions (§ 2).

§ 1. — Le principe de l'opposabilité

Les deux faces de l'opposabilité

1219. — Il s'impose, dès l'abord, de lever toute équivoque quant au terme d'opposabilité. Dire qu'un contrat est opposable aux tiers ne signifie pas, uniquement, que les parties aient le droit de s'en prévaloir contre eux; si l'opposabilité est susceptible de leur *nuire*, elle est aussi susceptible de leur *profiter*. Les tiers ont, à leur tour, la faculté d'invoquer l'existence du contrat contre l'une des parties, soit pour acquérir un droit, soit pour se soustraire à une obligation.

1220. — La première hypothèse se rencontre lorsque l'inexécution défectueuse d'un contrat cause un préjudice à un tiers. Le débiteur qui n'exécute pas ses obligations contractuelles engage sa responsabilité envers son cocontractant et c'est là une responsabilité contractuelle. Mais, si un tiers est également victime de cette inexécution, il pourra s'en prévaloir et exiger la réparation du préjudice subi. Là encore, un tiers se prévaudra d'un contrat par rapport auquel il est totalement étranger, c'est ce qui explique que la responsabilité est, en ce cas, *délictuelle* à son égard (12-1). Cela montre bien qu'à l'extérieur du cercle des contractants, le contrat n'est considéré que comme un simple fait générateur d'une responsabilité extra-contractuelle (13), sous réserve des règles afférentes aux chaînes de contrats (13-1).

1221. — Pour illustrer la seconde hypothèse, rappelons l'espèce dont a eu à connaître la première Chambre civile, le 16 mai 1960. A la suite de la détérioration par un tiers de chemins de desserte d'un domaine agricole, une transaction était intervenue aux termes de laquelle le bailleur dispensait son fermier de remettre les lieux dans leur état antérieur. Il a été jugé que le

(12-1) Civ. 1re, 24 oct. 1967 : *J.C.P.* 68, II, 15360, note LINDON : la faute contractuelle d'un architecte peut constituer pour les locataires la négligence de l'art. 1383 du Code civil. — Civ. 2e, 8 juin 1979 : *D.* 1980, 563, note ESPAGNON.

(13) Com., 19 et 23 avril 1985 : *D.* 1986, I.R. 327, obs. VASSEUR.

(13-1) V. *infra*, n° 1734 et s.

fermier dispensé de toute obligation, ne pouvait pas exiger du tiers responsable la réparation des chemins; le tiers, auteur des détériorations, a ainsi profité d'un contrat auquel il n'avait pas participé.

Ces situations de profit n'étant pas les plus fréquentes, on s'en tiendra à l'aspect passif de l'opposabilité pour démontrer que sa portée est générale, s'appliquant indistinctement aux *penitus extranei,* aux ayants cause particuliers ainsi qu'aux créanciers.

A. — Opposabilité aux penitus extranei

1222. — Si le contrat engendre ou transmet un *droit réel*, principal ou accessoire, la modification qu'il crée dans le patrimoine de l'un des contractants, lequel perd ce droit, et dans le patrimoine de l'autre, qui l'acquiert, est opposable aux tiers, quels qu'ils soient (13-2).

1223. — Pendant longtemps, cette opposabilité du contrat n'a pas été mise en évidence, car elle était masquée par l'opposabilité *erga omnes* des droits réels transmis ou créés. Ce qui caractérise les droits réels étant précisément leur opposabilité à tous, on n'a pas pris garde que le contrat qui était, le plus souvent, le moyen de transmission ou de création de ces droits était lui-même opposable à tous (sous les réserves que nous indiquerons ci-dessous, § 2). Sans cela, l'opposabilité des droits réels aux tiers eût été impossible. Il va de soi que celui qui se prétend propriétaire et, comme tel, revendique son bien, invoquera le contrat par lequel il l'a acquis. Si ce contrat n'était pas lui-même opposable aux tiers, l'assise même du droit du propriétaire s'effondrerait.

1224. — Cette proposition sera renforcée par l'examen des contrats qui ne sont pas translatifs de droits réels, mais créateurs ou translatifs de créances, simples *droits personnels*. Ces derniers ne sont pas, par eux-mêmes, opposables à tous; ils ne créent de lien de droit qu'entre les contractants. C'est la raison pour laquelle on les appelle « droits personnels ». Et cependant, tout autant que les droits réels, les tiers doivent en respecter l'existence, ne rien faire qui puisse en entraver l'exercice (13-3). Les exemples suivants le montreront.

1225. — Considérons le contrat de travail (dans le sens large de ce terme). Ce contrat lie l'employé et l'employeur, et eux seuls, l'un devant une prestation de services, l'autre une rémunération; mais les tiers doivent

(13-2) Marc LEVIS, *L'opposabilité du droit réel*, thèse Paris II, 1985.

(13-3) Com., 13 mars 1979 : *D.* 1980, 1, note SERRA.

en tenir compte, parce qu'il leur est opposable (14). C'est très exactement ce que signifie le délit de « débauchage » : le tiers qui, connaissant l'existence du contrat liant l'employé à un employeur, l'engage cependant à son service, au mépris de ce contrat, se rend coupable d'une faute engendrant sa responsabilité civile (C. trav., art. L. 122-15). C'est donc que le contrat dont il s'agit et la situation juridique qui en est résultée sont opposables à tous, à l'instar d'un droit réel (15). Point n'est question ici de relativité des conventions.

On constate le même rayonnement du contrat avec les clauses d'exclusivité. Une congrégation propriétaire d'une clinique avait traité avec deux chirurgiens et un anesthésiste en leur garantissant l'exclusivité de l'activité de chirurgie et de réanimation dans les locaux de ladite clinique; puis elle avait autorisé un médecin otho-rhino-laryngologiste à y pratiquer des interventions relevant de sa spécialité; la cour d'appel, approuvée par la Cour de cassation, décide que les trois intéressés bénéficiant d'une clause d'exclusivité, le médecin otho-rhino ne pouvait pratiquer son art dans ces lieux. Le contrat d'origine a donc bien une existence vis-à-vis des tiers, qui ne peuvent méconnaître la situation qu'il a engendrée (15-1). Une observation identique peut être faite à propos des contrats de distribution sélective, qui réservent la vente du produit à des revendeurs déterminés. Les distributeurs non sélectionnés qui parviennent à se procurer le produit engagent leur responsabilité pour violation du contrat de distribution (15-2) et, qui mieux est, ils se rendent coupables d'un trouble manifestement illicite les exposant à la juridiction des référés (15-3).

1226. — Citons encore, par suite de leur fréquence et des nombreux litiges à leur sujet, les *promesses unilatérales de vente* (15-4) et les *pactes de préférence* (15-5). Ces promesses ou ces pactes ne créent que des droits personnels, des droits de créance au profit de leurs bénéficiaires. Mais ces

---

(14) V. P. HUGUENEY, *De la responsabilité du tiers complice de la violation d'une obligation contractuelle*, thèse Dijon, 1910. — B. STARCK, *Des contrats conclus en violation des droits contractuels d'autrui : J.C.P.* 54, I, 1180.

(15) V. une application concernant un acteur : Paris, 7 juill. 1970 : *J.C.P.* 71, II, 16611, obs. C.J. — Com., 20 juin 1972 : *Bull. civ.* IV, n° 198, p. 192 (débauchage d'un salarié).

(15-1) Civ. 1re, 3 nov. 1988 : *J.C.P.* 89, IV, 4.

(15-2) Paris, 5 mars 1987 : *J.C.P.* 87, éd. E, n° 14931, note VINCENT. — Comp. pour un produit régulièrement acquis Com., 13 déc. 1988 : *J.C.P.* 89, IV, 62.

(15-3) Versailles, 14 oct. 1986 : *Gaz. Pal.* 1987, somm. 206, obs. ROSENFELD. — Paris, 18 mars 1987, I.R. 94.

(15-4) Civ. 3e, 8 juill. 1975 : *Gaz. Pal.* 1975, 2, 781, note PLANCQUEEL.

(15-5) Civ. 2e, 13 avril 1972 : *D.S.* 440 (violation du droit de préférence accordé par l'auteur à un éditeur). — Sur l'obligation de réparer, V. Civ. 1re, 16 juill. 1985 : *Bull. civ.* I, n° 224, p. 201; *Rev. trim. dr. civ.* 1987, 88, obs. MESTRE. — Sur l'annulation de la vente conclue au mépris du pacte de préférence quand celui-ci est connu du tiers acquéreur : Civ. 3e, 26 oct. 1982 : *Bull. civ.* III, n° 208, p. 154. — Com., 27 mai 1986 : *Rev. trim. dr. civ.* 1987, 89, obs. MESTRE.

droits, par conséquent les contrats qui en sont la source, sont opposables *erga omnes.* Le tiers qui, au mépris de ces contrats, par hypothèse connus par lui, traiterait avec le promettant, engage sa responsabilité (16).

B. — Opposabilité aux créanciers

1227. — Il est à peine besoin de dire que les droits, tant réels que personnels, sortis du patrimoine de l'un des contractants et entrés dans le patrimoine de l'autre par l'effet d'un contrat, intéressent les créanciers des contractants. Le Code civil pose, en effet, à l'article 2092 que « quiconque s'est obligé personnellement est tenu de remplir son engagement sur tous ses biens mobiliers et immobiliers, *présents et à venir* », et l'article 2093 que « les biens du débiteur sont le gage commun de ses créanciers ». Dès lors, les créanciers sont au premier chef intéressés à connaître la consistance du patrimoine de leur débiteur au moment où ils réclament leur dû, les valeurs patrimoniales ayant varié par le jeu des contrats entre la naissance et l'exécution de la créance.

En effet, les créanciers saisiront ces biens (droits réels ou créances) dans le patrimoine de leur débiteur si, par hypothèse, ils s'y trouvent déjà. Ils pourront, en cas de négligence et d'insolvabilité de leur débiteur, exercer les droits de ce dernier par l'action oblique (C. civ., art. 1166).

1228. — Dans certains cas, ils pourront poursuivre *directement* le débiteur de leur débiteur par une action directe; l'exemple le plus connu est celui de la victime d'un dommage qui peut poursuivre par une action directe l'assureur responsable, avec lequel cependant il n'avait pas contracté.

C. — Opposabilité aux ayants cause particuliers

1229. — Les ayants cause à titre particulier à qui un bien déterminé a été transmis (tels les acheteurs) invoqueront les contrats passés par leur auteur avec celui dont il tenait lui-même le bien transmis et même les contrats de ce dernier avec son propre auteur, et ainsi de suite... afin de consolider leur acquisition en établissant une chaîne régulière de contrats se succédant les uns aux autres. C'est la pratique suivie, notamment en matière immobilière, par les notaires qui recherchent l'origine de propriété des biens lors d'une opération les concernant.

---

(16) Civ. 1re, 15 déc. 1965 : *D.* 1966, 246. — 23 oct. 1957 : *D.* 1957, 729. — La Cour de cassation a décidé dans un arrêt du 30 janvier 1974 (*J.C.P.* 75, II, 18001, note DAGOT; *Gaz. Pal.* 1974, 2, 570, note PLANCQUEEL), que « l'acquisition d'un immeuble en connaissance de sa précédente cession à un tiers (bénéficiaire d'une promesse de vente) est constitutive d'une faute qui ne permet pas au second acquéreur d'invoquer à son profit les règles de la publicité foncière ». — Cf. aussi, avec plus de réserve, Civ. 3e, 3 oct. 1974, *eod. loc.*

1230. — Bien entendu, en sens inverse, les ayants cause à titre particulier souffriront des effets des contrats passés par leur auteur, qui *affectent l'existence ou l'étendue du droit transmis :* servitudes, usufruit, hypothèques, leur sont opposables, le bien n'étant acquis que dans l'état où il se trouvait lors de sa transmission dans le patrimoine de leur auteur *(cum onere suo)* (17).

1231. — Ajoutons, enfin, que les personnes morales, dont l'acte de création est le plus souvent un contrat, ont une existence opposable *erga omnes.* Bien que les statuts de la société ou de l'association ne soient issus que de la volonté des associés ou des sociétaires, les tiers qui entreront en relation avec la personne morale pourront invoquer le pacte social, comme ils devront le subir.

§ 2. — Les conditions de l'opposabilité

1232. — Cette opposabilité et cette transmission des droits issus des contrats sont cependant subordonnées à un certain nombre de conditions commandées par des idées diverses. L'une d'entre elles, qu'il suffit de signaler, concerne toutes les catégories de tiers; c'est l'absence de simulation. On sait que les droits résultant de contre-lettres ne sont pas opposables aux tiers, le terme tiers s'appliquant en ce cas même aux créanciers chirographaires, car la simulation peut être dirigée contre eux et la loi entend les protéger. Les autres conditions qu'il convient d'évoquer ici intéressent uniquement les ayants cause à titre particulier; il s'agit de l'exigence d'une date certaine et d'une publicité de la transmission.

A. — Nécessité d'une date certaine

1233. — Pour que les ayants cause à titre particulier puissent se voir légitimement opposer le contrat conclu par leur auteur relativement au bien qui leur est transmis, il est nécessaire que ce contrat ait une date certaine antérieure à la transmission. En effet, tant que l'auteur possédait le droit qu'il a ensuite transmis, il pouvait en modifier le contenu, par exemple grever son immeuble d'hypothèque; mais tout change du jour où la transmission s'est opérée; l'auteur ne peut plus rien contre son ayant cause et tous actes qu'il ferait postérieurement ne sauraient être opposables à celui-ci. Tout est donc une question de temps. L'ayant cause ne peut subir l'effet des opérations conclues par son auteur que si celles-ci sont antérieures à l'acquisition qu'il a faite. Il faut donc prouver la date, et la certitude de

(17) Il faut cependant tenir compte du caractère strictement personnel — *intuitu personae* — de certains droits et de certaines obligations. Ce caractère s'oppose à leur transmission aux tiers, ayants cause à titre particulier ou même universels. Ils ne peuvent être saisis par leurs créanciers ni exercés par ces derniers au nom de leur débiteur par l'« action oblique » (C. civ., art. 1166). Il est évident, par exemple, que l'obligation d'un peintre d'exécuter un tableau n'est ni cessible, ni saisissable par ses créanciers, ni transmissible aux héritiers.

celle-ci est indispensable pour faire échec à la fraude. A défaut, un vendeur pourrait, une fois la vente conclue, donner à bail l'immeuble vendu et obliger l'acquéreur à subir un locataire qu'il ignorait.

1234. — L'acte authentique, parce qu'il est dressé par un officier public chargé de vérifier personnellement la date à laquelle il instrumente, fait pleine foi de sa date par lui-même et à l'égard de tous. *Scripta publica probant se ipsa*: les écrits publics font preuve par eux-mêmes (17-1). La question de l'exactitude de la date ne se présente donc que pour les actes sous seing privé. La certitude de la date découle de l'une des trois circonstances limitativement énumérées par l'article 1328 du Code civil:

— l'enregistrement de l'acte, c'est-à-dire sa présentation à l'administration fiscale qui appose son cachet sur l'*instrumentum* (17-2);

— le décès d'un des signataires du contrat, qu'il s'agisse d'une partie ou d'un témoin;

— la relation de la substance de la convention dans un acte authentique.

B. — Nécessité d'une publicité

1235. — L'opposabilité de nombreux droits est assujettie à la publicité (17-3). Il s'agit d'informer le public de l'existence des actes qui ont transféré ou constitué des droits réels ou modifié la situation juridique d'un bien, de sorte que l'ayant cause connaisse exactement ce qu'il acquiert. Ces diverses mesures de publicité sont une protection indispensable des tiers qui ne doivent pas souffrir de l'opposabilité de droits qu'ils n'avaient pas le moyen de connaître.

1236. — On citera parmi les actes assujettis à la publicité:

— les actes translatifs ou constitutifs de droits réels immobiliers : vente, échange, apport en société, legs, renonciation à un droit immobilier, hypothèque, servitude....;

— certains actes affectant la propriété, tels que les clauses d'inaliénabilité, les règlements de copropriété, les pactes de préférence portant sur un immeuble;

— certains actes se rapportant à des droits de créance : baux de plus de douze ans, cession de loyers portant sur une période d'au moins trois ans, promesse unilatérale de vente d'immeuble, contrat de crédit-bail en matière immobilière.

(17-1) ROLAND et BOYER, *Adages*, p. 963.

(17-2) Sur la formalité, V. STARCK, ROLAND et BOYER, *Introduction au droit*, n°s 477 et 497.

(17-3) MAZEAUD, CHABAS et RANOUIL, *Sûretés, publicité foncière*, 6e éd., n° 717 et s. — RAYNAUD et JESTAZ, *Les sûretés. La publicité foncière*, n° 744 et s. — THÉRY, *Sûretés et publicité foncière*, n° 383.

1237. — Pour être admis à se prévaloir du défaut de publicité et, par conséquent, méconnaître l'acte qui porte préjudice, trois conditions doivent être remplies. En premier lieu, il faut se prévaloir sur l'immeuble d'un droit concurrent dont l'acquisition est elle-même sujette à publicité, ce qui est précisément le cas de l'acheteur, du coéchangiste, du donataire... En second lieu, il faut avoir respecté soi-même les formalités de publicité prescrites par la loi (17-4). En troisième lieu, il faut que les personnes en conflit soient les ayants cause d'un auteur commun (17-5). En effet, c'est dans cette hypothèse que l'inopposabilité donne le moyen de départager les prétentions en conflit. Soit un vendeur qui a aliéné le même immeuble à deux acquéreurs différents; si la première vente est opposable au second acquéreur, celui-ci, ayant traité *a non domino,* n'a pas acquis la propriété; si, au contraire la première vente lui est inopposable, il tient ses droits de quelqu'un qui était encore propriétaire; il a donc pu recevoir la propriété. La publicité donne raison à celui qui a publié le premier son titre, serait-il acquéreur en second. *Prior tempore potior jure* (17-6).

On le voit, la transmission passive des contrats aux acquéreurs à titre particulier n'opère pas de plein droit, l'opposabilité ne joue qu'à charge que soient remplies les conditions exposées ci-dessus. Par exemple, la convention de cession d'antériorité de l'hypothèque, qui n'a pas été publiée conformément à l'article 2149 du Code civil, est inopposable aux tiers quand bien même ceux-ci en auraient eu connaissance (17-7).

1238. — Ces diverses conditions — il est bon de le souligner — loin de témoigner en faveur de l'effet relatif des conventions, en sont au contraire la négation même : elles eussent été inutiles si les conventions dont il s'agit, les droits et les obligations qu'elles engendrent, n'étaient pas, en principe et par leur nature même, opposables aux tiers.

Dès lors, quand peut-on parler de relativité des conventions ? C'est la question que nous devons examiner dans la section suivante.

(17-4) Civ. 3e, 13 mai 1987 : *Bull. civ.* III, n° 103, p. 61.

(17-5) Sur la notion d'auteur commun, Civ. 3e, 4 fév. 1987 : *Bull. civ.* III, n° 20, p. 12. — M. N. JOBARD-BACHELIER, *Servitude et grandeur de la publicité foncière en droit français* (à propos de deux décisions récentes de la Cour de cassation) : *D.* 1988, chron. 247.

(17-6) ROLAND et BOYER, *Adages*, p. 782.

(17-7) Com., 6 janv. 1987 : *Bull. civ.* IV, n° 5, p. 3. — Comp. Com., 17 mai 1988 : *J.C.P.* 88, II, 21117, note E.-M. BEY qui semble lier l'inopposabilité de contrats de crédit-bail, consécutive à leur défaut de publicité, au fait que les créanciers n'en avaient pas eu personnellement connaissance.

SECTION III

CONTRAT ET CRÉATION D'UN LIEN OBLIGATOIRE

1239. — Seuls les contractants peuvent devenir débiteurs ou créanciers en vertu d'un contrat, tel semble être, en définitive, le vrai sens des articles 1165 et 1119 du Code civil (18). Les tiers, *tous les tiers,* tels que nous les avons définis au début de ce chapitre, ne peuvent voir naître des obligations à leur charge ou des droits à leur profit à la suite d'un contrat auquel ils n'ont pas été partie (19).

1240. — Cependant, l'article 1165 prévoit une exception à la règle qu'il énonce : le tiers peut profiter d'un contrat « dans le cas prévu par l'article 1121 »; ce texte concerne la *stipulation pour autrui.* Il nous faudra donc analyser cette disposition et voir quelle en est l'exacte portée (sous-section I).

1241. — D'autre part, l'article 1120, continuant et complétant l'article 1119, dispose qu'il est possible « de se porter fort pour un tiers en promettant le fait de celui-ci ». Cette *promesse du fait d'un tiers* est-elle, aussi, une exception à la relativité des conventions ? Cette question sera étudiée en deuxième lieu (sous-section II).

1242. — Enfin, en vertu d'un certain nombre de textes particuliers et d'une jurisprudence en grande partie prétorienne, le principe de la relativité des conventions est écarté, dans une certaine mesure, à l'égard des *ayants cause à titre particulier.* Dans quels cas ? Pour quelle raison ? C'est ce qu'il nous faudra examiner en dernier lieu (sous-section III).

---

(18) Civ. 2e, 16 juin 1982 : *Gaz. Pal.* 1982, pan. 363 ; une colonie de vacances ne saurait être condamnée, *in solidum,* avec l'assureur, à verser une provision au père de la victime, le contrat d'assurance ne créant d'obligation de garantie qu'à la charge de l'assureur.

(19) Un salarié ne peut se prévaloir du bénéfice d'une convention collective qui a été signée par une société-mère et non par la filiale qui l'emploie : Soc., 7 nov. 1973 : *Rev. trim. dr. civ.* 1974, p. 146, obs. LOUSSOUARN. — Un fournisseur ne saurait agir en paiement d'une lettre de change contre la belle-mère de la défunte commerçante qui l'avait acceptée; le fait que la belle-mère soit seule inscrite au registre du commerce ne suffit pas à la rendre partie à l'opération dès lors que seule sa bru exploitait le fonds : Com., 17 mars 1981 : *Gaz. Pal.* 1981, 2, pan. 234; *Bull. civ.* IV, 112. On exclut, bien entendu, les héritiers et légataires universels qui ne sont pas, juridiquement, des tiers puisqu'en acceptant la succession du *de cujus,* ils « continuent sa personne »; ils sont tenus de ses dettes et peuvent réclamer ses créances, que leur source soit contractuelle, délictuelle ou légale.

SOUS-SECTION I

LA STIPULATION POUR AUTRUI

1243. — La stipulation pour autrui est un contrat dont l'originalité réside en ce que l'un des contractants promet à l'autre d'exécuter une prestation en faveur d'un tiers (ce terme pouvant être pris dans le sens le plus fort de *penitus extraneus*) (20).

On trouve, donc, dans la stipulation pour autrui trois personnes, jouant des rôles différents : le promettant, le stipulant, le tiers bénéficiaire. Le contrat est passé entre le promettant et le stipulant : le promettant est celui qui s'engage envers le tiers, le stipulant est celui qui reçoit cet engagement; quant au tiers, on le désigne par le terme : bénéficiaire de la stipulation pour autrui.

1244. — La base légale de cette combinaison contractuelle se trouve dans l'article 1121 du Code civil, qui déclare :

« On peut pareillement stipuler au profit d'un tiers, lorsque telle est la condition d'une stipulation que l'on fait pour soi-même ou d'une donation que l'on fait à un autre. Celui qui a fait cette stipulation ne peut la révoquer, si le tiers a déclaré vouloir en profiter ».

Cette disposition n'est pas très claire, il va donc falloir essayer d'en saisir le sens. Mais deux traits se dégagent dès sa première lecture :

— la stipulation pour autrui ne paraît possible que *dans certains cas,* ce qui pose le problème de son domaine d'application;

— la stipulation pour autrui est *révocable,* à moins que le tiers ne déclare vouloir en profiter.

Le Code civil n'en dit pas davantage. Or, une foule de questions se posent pratiquement, les unes concernant les *conditions de validité* de la stipulation pour autrui, les autres relatives à ses *effets.* C'est la jurisprudence qui a dû répondre à ces diverses questions. Elle l'a fait de façon *empirique*, c'est-à-dire guidée par le seul souci de permettre le fonctionnement aisé et efficace de cette institution, dont les applications sont très nombreuses. Quant à la doctrine, elle essaie d'expliquer *le mécanisme de la stipulation pour autrui* de manière à permettre de coordonner logiquement les conditions et les effets propres à cette institution, telle qu'elle a été forgée par la jurisprudence.

---

(20) Ed. LAMBERT, *Du contrat en faveur des tiers,* thèse Paris, 1893. — CHAMPEAU, *La stipulation pour autrui en droit français*, thèse Paris, 1883. — G. FLATTET, *Les contrats pour le compte d'autrui*, Paris, 1950. — LARROUMET, *Les opérations juridiques à trois personnes en droit privé,* thèse Bordeaux, 1969. — DESWARTE-JULIEN, *La stipulation pour autrui en droit administratif*, thèse Paris, 1970. — *Rép. dr. civ. Dalloz, V° Stipulation pour autrui* par C. LARROUMET.

Le plan selon lequel cette question sera exposée se dégage de ces quelques remarques : *domaine* d'application, *mécanisme* de la stipulation pour autrui, *conditions* de validité, *effets.*

§ 1. — Le domaine de la stipulation pour autrui

1245. — L'article 1121 semble limiter ce domaine à deux cas : la stipulation pour autrui est possible lorsqu'elle est la condition :
— d'une stipulation que l'on fait pour soi-même;
— ou d'une donation que l'on fait à un autre.

Expliquons le sens de cette formule assez énigmatique, en commençant par sa dernière partie, celle qui concerne la donation. On envisagera ensuite les cas pratiques de stipulation pour autrui.

A. — Interprétation de l'article 1121 du Code civil

1° Donation avec charges

1246. — L'allusion à la donation que l'on fait à un autre vise les *donations avec charge* (20-1). Il est fréquent que, dans un contrat de donation, une clause soit insérée, par laquelle le donateur impose au donataire une obligation en faveur d'un tiers. Le donataire s'engage, par exemple, à payer une rente à un tiers, à effectuer une prestation quelconque en faveur d'un tiers.

Les donations avec charge sont valables depuis le droit romain (du moins depuis le Bas-Empire) où elles avaient pour seule justification leur utilité pratique. Le Code civil a donc suivi la tradition en les validant (21). On y reconnaît les trois acteurs de la stipulation pour autrui : le donateur joue le rôle du stipulant, le donataire tient celui de promettant, le bénéficiaire de la charge étant le tiers bénéficiaire de la stipulation pour autrui. Ce cas ne soulève aucune difficulté, il n'y a pas lieu d'insister. Il en va différemment du second.

2° Stipulation pour soi-même

1247. — La stipulation pour autrui est valable lorsqu'elle est la condition d'une stipulation que l'on fait pour soi-même... Le sens de cette formule a évolué.

(20-1) BOUYSSOU, *Les libéralités avec charges en droit civil français*, thèse Toulouse, 1945. — J. FLOUR et H. SOULEAU, *Les libéralités*, n° 144 et s.

(21) V. ROLAND et BOYER, *Nemo alteri stipulari potest, Adages*, p. 575 et s.

A la lettre, elle semble dire que la stipulation pour autrui n'est valable que *si le stipulant exige quelque chose pour lui-même* également (c'était le sens primitif, celui que lui donnaient les Romains). Autrement dit, la stipulation pour autrui ne pourrait être que *l'accessoire d'un contrat principal* liant le stipulant au promettant. Mais, avec ce sens étroit, une foule d'opérations n'auraient pas pu être validées, faute pour le stipulant d'avoir exigé l'exécution d'une prestation en sa faveur. C'est pourquoi la jurisprudence a élargi la signification de la formule dont il s'agit.

1248. — Pour que la stipulation pour autrui soit valable, il suffit, déclare-t-elle, que le stipulant ait un *intérêt personnel* à ce que le promettant exécute ce qu'il a promis en faveur du tiers. Cet intérêt peut être *matériel* (22), pécuniaire, mais il suffit, précisent les tribunaux, qu'il soit purement *moral*. Dès lors que le stipulant a un intérêt, fût-il simplement moral, à l'exécution de la prestation en faveur du tiers, l'exigence de l'article 1121 est satisfaite : la stipulation pour autrui est valable parce qu'elle est la condition d'une stipulation que l'on a faite pour soi-même, au moins implicitement.

1249. — Il est facile de voir que, grâce à cette interprétation, la stipulation pour autrui a perdu son caractère d'accessoire à un autre contrat. Dès lors qu'une personne assume le rôle de stipulant, en exigeant d'une autre — le promettant — l'exécution d'une prestation au profit d'un tiers, on doit admettre qu'elle y avait *nécessairement* un intérêt. Tout acte (émanant, bien sûr, d'un être lucide) a un sens, un but, une signification. On ne peut donc pas rencontrer de stipulations pour autrui dans lesquelles le stipulant n'aurait pas quelque intérêt personnel. Il en résulte que la condition posée à l'article 1121 est *toujours* remplie : ce qui paraissait exceptionnel est devenu règle générale.

1250. — Ce renversement est, à la réflexion, bien naturel. La justification profonde de la relativité des conventions, dans le sens restreint où on l'étudie dans la présente section, c'est la nécessité de la protection de l'indépendance juridique des personnes. Que nul ne puisse être engagé en vertu d'un contrat auquel il n'a pas été partie ou représenté, c'est là une règle de défense de la liberté individuelle, qui n'a pas besoin d'être justifiée : elle va sans dire. Mais on ne voit aucun danger pour cette liberté dans le fait de conférer un droit à un tiers à la suite d'un contrat passé par d'autres, alors surtout que ce droit n'est pas imposé au bénéficiaire, la loi elle-même prévoyant qu'il peut y renoncer...; c'est dire que, dès son énoncé, le principe de la relativité des conventions était fondé sur un postulat inexact. Justifiée, voire nécessaire, en tant qu'elle protège les personnes en défendant qu'elles ne soient engagées par la volonté d'autrui, la relativité des conventions n'a pas de raison d'être lorsqu'ils'agit de droits créés au profit d'un tiers. C'est

(22) Pour un exemple d'intérêt en matière de bail où le nouveau preneur prend en charge l'arriéré des loyers, Paris, 12 janv. 1984 : *D.* 1984, I.R. 121.

ce qui explique, en définitive, la validité *de principe* de toute stipulation pour autrui.

1251. — Il en était tout autrement à Rome par suite du vieux formalisme selon lequel la création d'un droit personnel impliquait nécessairement la présence physique, tant du créancier que du débiteur. Le *vinculum juris,* la chaîne juridique, liant le débiteur à son créancier, mettant l'un sous la puissance de l'autre, avait pour corollaire la nécessité de leur présence effective lors de la création de cet engagement (23). Mais à Rome, déjà, l'évolution sociale et économique avait fait apparaître le caractère gênant de cette règle, et la pratique s'est ingéniée à la tourner. Elle est, aujourd'hui, périmée, anachronique.

B. — Cas pratiques de stipulation pour autrui

1252. — Privée de ce fondement (le formalisme), réduite à sa seule fonction de protection de l'individu, la relativité des conventions ne pouvait pas être un obstacle à l'admission généralisée de la stipulation pour autrui. Grâce à cette interprétation libérale, la stipulation pour autrui a un domaine d'application illimitée. En fait, ses applications pratiques sont très nombreuses (23-1).

1° Contrat d'assurance

1253. — C'est en matière d'assurance que la stipulation pour autrui trouve son domaine d'élection (23-2). L'exemple type est celui de l'assurance sur la vie. L'assuré — qui joue le rôle de stipulant — contracte avec la compagnie d'assurances — qui est le promettant — en faveur d'un bénéficiaire. Il est convenu qu'en cas de décès de l'assuré, la somme prévue au contrat sera versée à telle personne, désignée dans la police ou dans un acte ultérieur. Ce bénéficiaire est un tiers par rapport au contrat d'assurance; cependant, il acquiert des droits contre la compagnie.

Signalons, également, en matière d'assurance, celle que l'on appelle « l'assurance pour le compte de qui il appartiendra ». C'est l'assurance prise par le propriétaire d'une marchandise qui se trouve entre les mains d'un transporteur (généralement sur un navire). Cette marchandise peut

---

(23) C'est la même raison qui s'était opposée à Rome à la reconnaissance d'une théorie de la représentation.

(23-1) V. *La stipulation pour autrui et ses principales applications : Travaux Association Capitant*, 1952.

(23-2) Les principes directeurs — qui ne se trouvaient pas dans l'art. 1121 — ont été dégagés par la jurisprudence à propos de l'assurance, notamment la reconnaissance du droit direct du tiers bénéficiaire (Civ., 6, 8, 22 fév. 1888 : *S.* 1888, 1, 121). Ces solutions jurisprudentielles ont été consacrées par la loi du 13 juillet 1930, puis par le Code des assurances si bien que les dispositions laconiques de l'art. 1121 du Code civil doivent être complétées par le livre Ier du Code des assurances.

être vendue au cours du voyage, il est donc prudent de l'assurer pour le compte de celui qui sera propriétaire au jour du sinistre. Cette personne, que l'on ne connaît d'ailleurs pas lors du contrat, est désignée par ces seuls mots : « celui à qui il appartiendra ».

2° Contrat d'entreprise

1254. — On a jugé aussi que la clause d'un marché de travaux selon laquelle un entrepreneur qui traite avec un sous-entrepreneur demeure personnellement responsable envers le maître de l'ouvrage, ainsi qu'*envers les ouvriers et les tiers,* constitue une stipulation pour autrui; les fournisseurs ayant traité avec le sous-entrepreneur sont des tiers bénéficiaires de cette stipulation faite dans l'intérêt de l'entreprise et peuvent donc poursuivre l'entrepreneur (24). La nécessité d'insérer dans le marché une clause de stipulation pour autrui a été rendue caduque par la loi du 31 décembre 1975 qui, dans son article 12, octroye une action directe au sous-traitant contre le maître de l'ouvrage.

1255. — En revanche, le mécanisme conserve son intérêt en droit administratif; c'est ainsi que sont considérées — ce qui est discuté — comme relevant de la stipulation pour autrui, les clauses contenues en faveur des ouvriers dans les contrats de marché de travaux publics. On donne la même analyse pour les dispositions des concessions de service public qui réglementent la situation du personnel de l'entreprise concessionnaire et celle des usagers du service.

3° Contrat de transport

1256. — La stipulation pour autrui existe également dans l'hypothèse du transport de marchandises. Le contrat est passé entre l'*expéditeur* et le *transporteur* au profit du *destinataire.* Ce dernier est le tiers bénéficiaire qui peut exiger du transporteur — lequel tient le rôle du promettant — la livraison de l'objet transporté, ou une réparation en cas de mauvaise exécution (25).

La jurisprudence décide de même, mais la stipulation est alors tacite, dans le contrat de transport de personnes. Le voyageur stipule tout d'abord pour lui : il est censé avoir exigé d'être conduit sain et sauf à destination (obligation de résultat, on le sait). Mais, de plus, *il est censé avoir également stipulé au profit de ses proches :* son conjoint, ses enfants, ses ascendants et, plus généralement, envers ceux que la jurisprudence admet à agir en tant que victimes par ricochet. En cas d'accident mortel, ces derniers, considérés

---

(24) Lyon, 7 mars 1968 : *Gaz. Pal.* 1968, 2, 63. — Civ. 3e, 28 mars 1968 : *Bull. civ.* III, 114, n° 145.

(25) Com., 28 fév. 1984 : *J.C.P.* 84, IV, 148. — V. pour une application douteuse de la stipulation pour autrui en l'espèce : Civ. 1re, 21 nov. 1978 : *D.* 1980, 309, note C. CARREAU; *J.C.P.* 80, II, 19315, note RODIÈRE.

comme bénéficiaires d'une stipulation pour autrui, pourront poursuivre le transporteur par une *action contractuelle,* puisqu'elle trouve sa base dans une stipulation, donc dans un contrat (26). Si cette stipulation n'avait pas été imaginée en leur faveur, ils n'auraient pu agir contre le transporteur que par une *action délictuelle.* Or, la possibilité d'agir par l'action contractuelle peut avoir des avantages.

En effet, à l'époque où cette jurisprudence s'était affirmée, la possibilité d'agir en vertu de l'article 1384, alinéa 1er, était encore incertaine; les proches pouvaient craindre, s'ils agissaient comme de simples tiers, de se trouver obligés de prouver la faute du transporteur, comme l'exige l'article 1382. Se présentant, au contraire, comme bénéficiaires d'une stipulation pour autrui contenue dans un contrat de transport, ils bénéficiaient de l'obligation de sécurité qui y est incluse au profit du voyageur et de ceux pour le compte desquels il était censé avoir stipulé. Cette construction artificielle n'aurait probablement pas été élaborée si l'article 1384, alinéa 1er avait, à l'époque, offert une base sûre d'indemnisation, aussi avantageuse que l'obligation contractuelle de sécurité.

1257. — Cette observation s'est vérifiée quelques années plus tard en matière de transport maritime. En effet, bien que tenus, en principe, d'une obligation de sécurité envers les passagers, les transporteurs maritimes stipulaient une clause de non-responsabilité en cas d'accident (naufrage, etc.), clause que la jurisprudence considérait comme valable. Lors du naufrage du paquebot « Lamoricière », les proches des victimes réclamèrent la réparation de leurs dommages personnels. La compagnie de navigation essaya de faire échec à leur demande en déclarant que ces proches étant des bénéficiaires d'une stipulation pour autrui (tacite) contenue dans le contrat de transport, se heurtaient à la clause de non-responsabilité dont il s'agit. Mais les victimes par ricochet répliquèrent qu'elles n'étaient nullement obligées d'*accepter* cette stipulation pour autrui !... En y renonçant, elles attaquèrent la compagnie de navigation sur le terrain délictuel, mais sur la base de l'article 1384, alinéa 1er; elles évitaient ainsi l'opposabilité de la clause de non-responsabilité. Leur action fut accueillie (27). Un procédé analogue a été utilisé, pour les mêmes raisons, en matière de transport aérien (28).

1258. — Cette jurisprudence arrivait ainsi à faire aux victimes par ricochet une situation juridiquement meilleure que celle de la victime immédiate. On sait que des lois récentes ont modifié les conditions de la

(26) Civ., 6 déc. 1932 et 24 mai 1933 : *D.* 1933, 1, 137, note JOSSERAND. — Civ. 1re, 21 nov. 1978 : *J.C.P.* 80, II, 19301, note RODIÈRE.

(27) Com., 19 juin 1951 : *D.* 1951, 717, note RIPERT; *J.C.P.* 51, II, 6426, note BECQUÉ; *S.* 1952, 1, 89, note NERSON. — V. aussi 23 janv. 1959 : *D.* 1959, 281, note RODIÈRE *(affaire du Champollion).*

(28) Civ., 23 janv. 1959 : *J.C.P.* 59, II, 11002, note DE JUGLART et *D.* 1959, 101, note SAVATIER *(arrêt Vizioz).*

responsabilité dans le transport maritime et aérien, en y introduisant une responsabilité forfaitaire et limitée (29), et en interdisant les clauses de non-responsabilité. En revanche, la responsabilité limitée en vertu de la loi elle-même est opposable, non seulement aux transportés, mais à toute personne agissant de leur chef. Il en résulte que la stipulation pour autrui tacite a perdu tout intérêt en ces matières. Elle ne conserve d'utilité qu'en ce qui concerne le transport terrestre, où l'obligation de sécurité n'a jamais pu être écartée par une clause de non-responsabilité, et où il n'existe pas de limitation légale du montant de la réparation.

4° Autres contrats

1259. — Il existe bien d'autres situations où l'idée de stipulation est utilisée. Le mécanisme a été retenu dans les hypothèses les plus variées (30), ainsi que l'attestent les illustrations suivantes :

- *contrat de soins* : un hôpital qui contracte avec un centre de transfusion sanguine est regardé comme ayant stipulé au profit des malades appelés à subir une transfusion; en conséquence, si le sang transfusé est porteur de germes syphylitiques, le receveur du sang infecté peut agir directement en responsabilité contre le centre de transfusion (31);
- *contrat de location de coffre-fort* : un tel contrat passé entre une société numismatique et une banque est générateur d'une stipulation pour autrui au profit de l'acquéreur de pièces anciennes, lequel avait laissé à la société venderesse la charge de garder lesdites pièces, volées par la suite; la Cour de cassation admet l'acheteur volé à agir directement en responsabilité contre l'établissement bancaire (32);
- *contrat de convoyage de fonds* : le contrat par lequel un transporteur s'engage à mettre à la disposition d'une banque des véhicules blindés et des équipes de conducteurs et d'accompagnateurs pour assurer le transport d'espèces monnayées, fait naître un droit direct au profit du client de cette banque; en effet, cette convention, conclue tant dans l'intérêt de la banque que de son client, contient une stipulation pour autrui en faveur de ce dernier; le transporteur, qui a manqué à son obligation de surveillance, doit donc des dommages et intérêts au propriétaire des fonds volés en cours de transport (32-1).

---

(29) Pour les transports aériens, art. 24 de la convention de Varsovie et art. L. 322-3 du Code de l'aviation civile. Pour les transports maritimes, art. 6 de la convention de Bruxelles du 20 avril 1961 et art. 42 de la loi du 18 juin 1966.

(30) V. par exemple : Paris, 18 juin 1957 : *J.C.P.* 57, II, 10134, note LINDON; le contrat entre un expert en philatélie et le vendeur d'un timbre contient une stipulation pour autrui tacite, au profit de l'acheteur de ce timbre...

(31) Civ. 2e, 17 déc. 1954 : *D.* 1955, 269, note RODIÈRE; *J.C.P.* 55, II, 8490, note SAVATIER.

(32) Com., 15 janv. 1985 : *D.* 1985, I.R. 344, obs. VASSEUR.

(32-1) Civ. 1re, 21 nov. 1978 : *J.C.P.* 80, II, 19315, note P. RODIÈRE; *D.* 1980, 309, note GARREAU.

1260. — *Contrat de transfert de propriété.* Des époux divorcés prennent l'engagement, lors de la liquidation de leurs intérêts communs, de passer par acte authentique, au nom de leurs trois enfants mineurs un appartement sis à Nice, intégralement payé par le mari. Cet accord n'a aucune suite. Quelques années plus tard, deux des enfants en poursuivent l'exécution et obtiennent satisfaction devant les juges du fond qui admettent l'existence d'une stipulation pour autrui. La Cour de cassation approuve cette analyse et déclare, qu'à supposer que le transfert de propriété prévu puisse être regardé comme une donation, il s'agit d'une donation indirecte valable sans les formes de l'article 931 du Code civil et qui, faite à des enfants mineurs, a pu, en application de l'article 935, alinéa 2 du même Code, être acceptée par les parents (32-2). On ne peut être plus accueillant : le même acte d'origine porte, tout à la fois, l'engagement des parents de transférer la propriété à leurs enfants et l'acceptation par les enfants représentés par leurs parents de la donation qui en résulte. Comme l'a souligné un commentateur (32-3), cette bienveillante admission d'une stipulation pour autrui tacite masque mal un double engagement unilatéral. Il y a mieux : certains tribunaux qualifient, parfois, l'opération qui leur est soumise de stipulation pour autrui, alors qu'à l'évidence un tel schéma est inapplicable à l'espèce (32-4).

Si la validité de principe de la stipulation pour autrui ne fait plus de doute, reste encore à expliquer son mécanisme, c'est-à-dire la technique d'acquisition des droits par le bénéficiaire. Cela seul permettra de comprendre ses conditions de validité et ses effets.

§ 2. — Le mécanisme de la stipulation pour autrui

1261. — L'originalité de cette forme contractuelle, réside dans la naissance d'un droit au profit d'une personne étrangère par rapport au contrat. Comment ce tiers peut-il devenir créancier de l'un des contractants ? Plusieurs explications ont été proposées (32-5) :

A. — Théorie du double contrat

1262. — On a prétendu que la stipulation pour autrui se décomposait en deux opérations successives : — un premier contrat a lieu entre le stipulant

(32-2) Civ. 1re, 5 mai 1986 : *Gaz. Pal. Tables* 1986, *Vis* Contrats et obligations, n° 23; *Rev. trim. dr. civ.* 1987, 102, obs. MESTRE; *Rép. Defrénois*, 1987, art. 34120, n° 119, obs. CHAMPENOIS.

(32-3) MESTRE : *Rev. trim. dr. civ.* 1987, 102.

(32-4) Par exemple, à propos d'une délégation d'honoraires en faveur des « experts d'assurés », Trib. com. Paris, 29 oct. 1986 : *J.C.P.* 88, II, 21114, note B. PONS.

(32-5) BOYER-DRIOT, *Du fondement juridique de la stipulation pour autrui*, thèse Toulouse, 1933.

et le promettant, contrat par lequel le stipulant acquiert lui-même un droit, par exemple, une créance, contre le promettant, ou un bien du promettant, dont la propriété lui est transmise. Ce droit, une fois acquis par lui, le stipulant offre de le céder au tiers, *offre unilatérale* d'abord, mais *qui se transforme en contrat* lorsque le tiers l'accepte. Cette acceptation réalise, donc, un second contrat grâce auquel la créance ou le bien passe du patrimoine du stipulant dans le patrimoine du tiers, lequel, dès ce moment, a cessé d'être un tiers pour devenir un deuxième contractant (33).

1263. — Cette théorie expliquerait la possibilité de révocation de l'offre unilatérale aussi longtemps que le tiers ne l'a pas acceptée. Mais elle présente divers inconvénients. L'offre unilatérale serait caduque par la mort de l'offrant, ce qui empêcherait le fonctionnement de l'assurance sur la vie, car le bénéficiaire n'accepte jamais l'assurance avant la mort de l'assuré. Un autre inconvénient résulte du fait qu'en cas d'acceptation de l'offre, un deuxième contrat se forme et que, par conséquent, le bien ou le droit acquis par le bénéficiaire a subi une *double mutation.* Il est, d'abord, passé du patrimoine du stipulant dans celui du bénéficiaire. Cette double mutation permettrait au fisc de percevoir deux droits de mutation. Cela était déjà une sérieuse raison pour abandonner cette théorie. La double mutation a aussi des inconvénients sur le plan du droit civil, car les créanciers du stipulant et ses héritiers pourraient faire valoir des droits sur ces biens qui ont fait partie, ne fût-ce qu'un instant, du patrimoine du stipulant.

Pour que la stipulation pour autrui puisse fonctionner facilement, il fallait donc trouver une explication qui évite que le bien acquis par le bénéficiaire fût considéré comme ayant fait partie du patrimoine du stipulant; il fallait donc trouver une théorie qui expliquât l'existence d'un lien de droit *direct* entre le promettant et le bénéficiaire.

B. — Théories de l'engagement direct

Théories, *au pluriel,* car plusieurs explications ont été tentées pour y parvenir. Sans insister, on se bornera à les indiquer.

1° Théorie de la gestion d'affaires

1264. — Le stipulant est censé avoir joué le rôle de « gérant d'affaires » du tiers bénéficiaire. En contractant avec le promettant, il l'a fait pour le compte du tiers (le gérant d'affaires est une sorte de représentant de celui

(33) Traditionnellement, on présente ce mécanisme sous le nom de *théorie de l'offre.* Nous croyons que cette dénomination n'est pas très heureuse car elle n'indique pas suffisamment l'originalité propre de cette analyse. Cette théorie a surtout été défendue par LAURENT, *Principes de droit civil français,* t. XV, n° 559 et DEMOLOMBE, *Cours de code Napoléon,* t. XXIV, n° 248.

pour le compte duquel il agit). L'acceptation de ce dernier n'est rien d'autre que la ratification de cette gestion d'affaires. De cette façon, le tiers acquiert un droit *direct* contre le promettant.

Cette théorie rencontre une *objection* décisive. Le stipulant, on l'a vu, peut *révoquer* la stipulation pour autrui aussi longtemps que le bénéficiaire ne l'a pas acceptée. Cela ne cadre pas avec la situation qui naît d'une gestion d'affaires, car le gérant d'affaires n'a pas le pouvoir de revenir sur la gestion; il est obligé de la continuer jusqu'à son terme (34).

2° Théorie de l'engagement par volonté unilatérale

1265. — Le promettant s'engage, par sa seule volonté, directement envers le bénéficiaire. Cette promesse s'insère, d'ailleurs, dans le cadre du contrat qui lie le promettant au stipulant. Autrement dit, parmi les diverses clauses de ce contrat entre stipulant et promettant, il en est une en vertu de laquelle le promettant s'engage *unilatéralement* au profit du bénéficiaire.

Cela explique, d'une part, la *possibilité de révocation,* que le stipulant s'est réservée dans le contrat passé avec le promettant, et cela permet également de dire que lorsque le bénéficiaire accepte, le contrat qui se forme crée des *liens directs* entre lui et le promettant.

C'est la théorie qui nous paraît la meilleure. Nous avions adhéré, on s'en souvent, à la thèse de l'engagement par volonté unilatérale. Appliquée à la stipulation pour autrui, elle permet d'expliquer son fonctionnement (conditions et effets). Cependant, cette thèse n'est pas unanimement suivie.

3° Théorie de la stipulation pour autrui, institution originale

1266. — Beaucoup d'auteurs refusent d'essayer d'expliquer l'existence du droit direct entre promettant et bénéficiaire. Ce droit direct a été admis par la jurisprudence, cela doit suffire ! C'est la constatation d'un fait qui n'aurait nul besoin d'être théoriquement expliqué. La stipulation pour autrui a son régime propre, ses règles propres, qui se justifient par le simple fait qu'elles existent telles que la jurisprudence les a forgées, guidée par des raisons de pure opportunité. Cette théorie renonce donc à toute justification rationnelle.

1267. — Quoi qu'il en soit de ces diverses théories, le trait qui leur est commun et qui doit être considéré comme acquis, c'est qu'elles reconnaissent, toutes, l'existence d'un lien de droit *direct* entre le promettant et le bénéficiaire. En aucun cas, les droits acquis par le bénéficiaire, ne sont censés lui avoir été transmis par le stipulant. Celui-ci a déclenché le mécanisme, il conserve un rôle, et même un rôle important, puisqu'il peut révo-

---

(34) Cette thèse de la gestion d'affaires a été défendue par LABBÉ dans ses notes au *S.* 1877, 1, 393 et 1888, 2, 49. — Sur l'exposé et la critique de cette doctrine, v. FLOUR et AUBERT, *op. cit.*, n° 470.

quer la stipulation tant qu'elle n'a pas été acceptée; il joue le rôle de contractant dans ses rapports avec le promettant. Mais, lorsque le bénéficiaire entre en scène, il n'a plus devant lui que le promettant, directement engagé à son égard.

A la lumière de ces explications, voyons maintenant quelles sont les conditions de validité et les effets de la stipulation pour autrui.

§ 3. — Les conditions de la stipulation pour autrui

Validité du contrat entre stipulant et promettant

1268. — Il faut, tout d'abord, que le contrat qui lie le promettant au stipulant remplisse les *conditions de validité propres à tout contrat :* capacité des parties, consentement non vicié, objet et cause licites... La jurisprudence a fait application de cette règle, notamment, dans le cas d'une assurance sur la vie stipulée au profit de la concubine; en l'espèce, la cause était immorale comme visant à conserver les faveurs de la maîtresse (35). Le recours au droit commun des actes juridiques s'impose naturellement : on ne saurait, en empruntant le canal de la stipulation pour autrui, faire indirectement bénéficier un tiers d'un droit qu'on ne peut lui conférer directement (36). Bien entendu, si le contrat est nul, le promettant pourra opposer cette nullité au bénéficiaire.

Il a été jugé que la présence à l'acte du tiers bénéficiaire n'est pas nécessaire à la validité du contrat conclu entre stipulant et promettant. En revanche, son intervention, nous le verrons, vaut acceptation expresse de la stipulation.

Mais y a-t-il, en outre, des conditions de validité propres au tiers bénéficiaire ? A son égard, le problème se pose en termes différents, car il n'est pas partie au contrat liant le stipulant et le promettant. On notera les particularités qui affectent la détermination de la personne du tiers et l'incidence de son acceptation sur l'efficacité du mécanisme.

A. — Détermination du bénéficiaire

1° Stipulation au profit d'une personne indéterminée

1269. — La nécessité d'identifier le bénéficiaire de la stipulation va de soi : un droit n'est pas créé *in abstracto*, mais pour telle ou telle personne.

---

(35) Civ. 1re, 22 mai 1984 : *J.C.P.* 84, IV, 243.

(36) Civ. 1re, 8 oct. 1957 : *D.* 1958, 317, note ESMEIN : la Cour de cassation a annulé l'opération dans les rapports du stipulant et du tiers bénéficiaire, mais l'a maintenu dans les rapports entre stipulant et promettant, d'où il résulte que ce sont les héritiers de l'assuré qui sont appelés à percevoir le capital promis par la compagnie à la concubine. — V. aussi Civ. 1re, 3 fév. 1976 : *Bull. civ.* I, n° 51.

Ce n'est pas à dire que le bénéficiaire doit être nommément désigné à l'époque de la stipulation; il suffit qu'il soit déterminé au moment où la stipulation doit produire ses effets. C'est le cas de l'assurance « pour le compte de qui il appartiendra » (37). On ne sait pas encore quel est l'individu qui profitera de cette garantie, mais celle-ci se fixera sur celui qui sera propriétaire des marchandises lorsqu'elles périront. Cela peut être le cas d'une assurance sur la vie prise par un célibataire au profit de son conjoint ! On ne sait pas encore qui il est... mais on le saura. Bien entendu, si le célibataire ne se marie pas, il n'y aura pas eu de stipulation pour autrui, ce n'était qu'un projet.

1270. — La solution n'est pas douteuse; l'article L. 132-8 du Code des assurances dispose :

« Est considérée comme faite au profit de bénéficiaires déterminés la stipulation par laquelle le bénéfice de l'assurance est attribué à une ou plusieurs personnes qui, sans être nommément désignées, sont suffisamment définies dans cette stipulation pour pouvoir être identifiées au moment de l'exigibilité du capital ou de la rente garantis ».

Ce texte ajoute que l'assurance faite au profit du conjoint profite à la personne qui a cette qualité au moment de l'exigibilité.

Dans l'hypothèse où l'assurance-décès ne comporte aucune désignation même implicite, d'un bénéficiaire quelconque, le capital garanti doit être intégré dans la succession du défunt, signataire du contrat (37-1).

2° Stipulation au profit d'une personne future

1271. — Suivant une règle générale, on assimile à l'enfant né l'enfant conçu, chaque fois qu'il y va de son intérêt : *infans conceptus pro nato habetur quoties de commodis ejus agitur* (37-2). On désigne, donc, par personnes futures, les seules personnes qui ne sont pas encore conçues. Or, par dérogation, le bénéficiaire peut même ne pas être conçu au moment du *contrat,* pourvu qu'il le soit au moment où la stipulation doit se réaliser. Ce point avait fait l'objet de controverse. On avait objecté que, selon l'article 906 du Code civil, seules les personnes conçues peuvent recevoir une libéralité par donation ou par testament. Mais la stipulation pour autrui n'est ni une donation, ni un testament. Elle résulte d'un engagement unilatéral du promettant : l'article 906 ne s'y applique pas (38).

Il est donc possible de prendre une assurance — et cela est fréquent — payable à ses enfants *nés ou à naître,* même au profit de ceux qui n'étaient pas conçus lors du contrat. Cette solution a été consacrée par la loi du

---

(37) Civ., 25 avril 1928 : *D.H.* 1928, 351.

(37-1) Civ. 1re, 16 fév. 1983 : *D.* 1983, I.R. 356.

(37-2) ROLAND et BOYER, *Adages*, p. 410 et s.

(38) Sur la controverse, v. FLOUR et AUBERT, *op. cit.*, n° 467.

13 juillet 1930 sur les assurances (art. 63), alors que la jurisprudence antérieure était en sens contraire. Aujourd'hui, cette solution est inscrite à l'article L. 132-8 du Code des assurances.

B. — Acceptation par le bénéficiaire

1272. — *Le consentement du bénéficiaire n'est pas une condition d'existence de la stipulation pour autrui.* — Le promettant est engagé par sa seule promesse envers le bénéficiaire (déterminé ou déterminable; né ou à naître). Les droits du bénéficiaire *préexistent* à l'acceptation de la stipulation pour autrui (ce qui se concilie bien avec la théorie de l'engagement par volonté unilatérale). Il s'ensuit que l'acceptation, qui n'est pas donnée par le bénéficiaire de son vivant, peut l'être par ses héritiers (39).

1273. — Toutefois, si le consentement du bénéficiaire n'est pas une condition d'existence de la stipulation pour autrui, il est tout de même *une condition de son efficacité.* Il va de soi que le promettant ne sera tenu d'exécuter que si le bénéficiaire l'exige — ce qui implique qu'il ait accepté (40).

1274. — Mais il y a plus ! L'acception du bénéficiaire — donc son consentement — consolide ses droits. Avant son acceptation, ses droits sont *révocables* au gré du stipulant. Dans une assurance sur la vie, par exemple, si le conjoint est désigné comme bénéficiaire, cela n'a qu'un caractère précaire; l'assuré peut changer la personne du bénéficiaire par un acte postérieur, et même dans son testament (41). Le droit de révocation n'appartient qu'au stipulant et ne peut de son vivant être exercé par ses créanciers; après sa mort, cette faculté revient à ses héritiers qui ne peuvent en user que trois mois après que le bénéficiaire ait été mis en demeure de se prononcer (C. ass., art. L. 132-9).

1275. — Conformément à ce que dit l'article 1121, la révocation n'est plus possible lorsque le bénéficiaire a déclaré vouloir profiter de la stipulation pour autrui. Il a été jugé que l'acceptation du bénéficiaire n'est soumise à aucune forme. Elle peut être expresse et provenir, par exemple, de l'intervention, au contrat d'assurance, du bénéficiaire qui n'acquiert pas pour autant la qualité de cosouscripteur (42); elle peut être tacite : ainsi en matière de transport, le fait de prendre livraison de la marchandise marque sans équivoque la volonté du destinataire d'accepter le contrat (43).

---

(39) Paris, 4 fév. 1983 : *R.G.A.T.* 1983, 530, note A. B.

(40) On a vu que le tiers bénéficiaire n'est nullement obligé d'accepter la stipulation faite en sa faveur (v. ce qui a été dit au sujet des *arrêts Lamoricière* et *Vizioz*).

(41) C. ass., art. 132-8, al. 6. — Civ. 1re, 24 juin 1969 : *D.* 1969, 544.

(42) Civ. 1re, 22 mai 1984 : *J.C.P.* 84, IV, 243.

(43) Com., 28 fév. 1984 : *J.C.P.* 84, IV, 148. — V. aussi Paris, 3 janv. 1918 : *D.* 1918, 2, 33.

§ 4. — Les effets de la stipulation pour autrui

Il convient d'examiner ces effets dans les rapports qui peuvent exister entre les diverses personnes qui jouent un rôle dans la stipulation pour autrui.

A. — Entre le stipulant et le promettant

1276. — Ce sont les effets normaux de tout contrat, chacun étant tenu d'exécuter ce qu'il a promis. Si la stipulation réalise une vente ou une donation, le stipulant doit transférer la propriété du bien vendu ou donné au promettant; s'agissant d'un contrat de transport, l'expéditeur stipulant est tenu de payer le coût du transport. Toutefois, il existe une disposition propre à l'assurance sur la vie; l'article L. 130-20 du Code des assurances permet au stipulant de cesser le paiement des primes, auquel cas il y a lieu à résiliation.

La seule particularité à noter concerne les droits du stipulant en cas d'inexécution par le promettant de son engagement envers le bénéficiaire. En ce cas, le stipulant peut utiliser toutes les voies de contrainte dont dispose un créancier à l'égard de son débiteur pour parvenir à l'exécution; en effet, bien que la stipulation profite à un tiers et non au stipulant, ce dernier a au moins un intérêt moral à l'exécution (44). Mais l'intérêt peut être pécuniaire. Voici un acte de cession d'un fonds de commerce contenant l'engagement du cédant de réembaucher le personnel qui ne suivrait pas le cessionnaire, dans le cas où celui-ci déciderait le transfert du siège de l'établissement acquis. Le cédant ne tient pas sa parole et le cessionnaire est amené à verser des sommes au personnel non repris. Le juges du fond ont tort, selon la Cour de cassation (44-1), de décider que seul le personnel peut se prévaloir de cette obligation de réembauchage contractée par le cédant; le stipulant a le droit de se prévaloir, à l'égard du promettant, de l'obligation souscrite par ce dernier en faveur des tiers, d'où il suit que le cessionnaire peut déduire ce qu'il a versé aux employés du solde dont il est redevable sur le prix de cession.

Le stipulant peut, aussi, demander la résolution du contrat et obtenir ainsi la restitution de ce qu'il avait remis au promettant en vue de procurer au tiers le résultat stipulé.

(44) Civ., 12 juill. 1956 : *D.* 1956, 749, note RADOUANT. — Rappel du principe dans Com., 14 mai 1979 : *D.* 1980, 157, note LARROUMET.

(44-1) Com., 14 mai 1979 : *D.* 1980, 157, note LARROUMET.

B. — Entre le promettant et le bénéficiaire

1277. — La Cour de cassation avait jugé, par un arrêt du 10 avril 1973 (45), que le droit acquis par le tiers bénéficiaire contre le promettant était franc et quitte de toutes charges : « la stipulation pour autrui ne saurait faire naître qu'un droit au profit d'un tiers et *non mettre à sa charge* une obligation stipulée en dehors de lui ». Un arrêt ultérieur du 21 novembre 1978 (45-1) avait, au contraire, admis que la prérogative reçue par le tiers pouvait être assortie d'une contre-partie. Aujourd'hui, l'hésitation n'est plus permise. Par un arrêt de principe en date du 8 décembre 1987 (45-2), la première Chambre civile proclame que la stipulation pour autrui n'exclut pas, dans le cas d'acceptation du bénéficiaire, qu'il soit tenu de certaines obligations.

Le tiers bénéficiaire peut utiliser les voies de contrainte dont dispose tout créancier envers son débiteur. L'action en exécution a la nature d'une action contractuelle (46), puisqu'elle a sa base dans le contrat passé entre promettant et stipulant. Mais le bénéficiaire ne peut pas demander la résolution du contrat, car cela n'aurait pas d'intérêt pour lui.

1278. — Il est important de noter le caractère *direct* (47) de ce droit et de voir quelles en sont les conséquences. Tout doit se passer comme si le droit acquis (créance de somme d'argent ou droit sur une chose) est directement passé du patrimoine du promettant dans celui du bénéficiaire. Cela signifie que jamais ce droit n'a fait partie du patrimoine du stipulant. La remarque a un grand intérêt à deux points de vue :

— *si le stipulant a des créanciers non payés*, ceux-ci ne peuvent pas saisir les sommes ou les biens dus par le promettant au bénéficiaire. Ces sommes ou ces biens n'ont jamais appartenu à leur débiteur, le stipulant. L'article L. 132-14 du Code des assurances déclare de façon très nette :

---

(45) Civ. 3e, 10 avril 1973 : *D.* 1974, 21, note LARROUMET. — Civ. 3e, 10 avril 1973 : *D.* 1974, 21, note LARROUMET; *Bull. civ.* III, n° 273, p. 197.

(45-1) Civ. 1re, 21 nov. 1978 : *Bull. civ.* I, n° 356, p. 276.

(45-2) Civ. 1re, 8 déc. 1987 : *Bull. civ.* I, n° 343, p. 246; *D.* 1988, I.R. 3; *Rev. trim. dr. civ.* 1988, 532, obs. MESTRE. En l'espèce, la Safer de Lorraine avait vendu une parcelle de terre à Mme Lebert, laquelle avait pris l'engagement de faire, dans les cinq ans, donation de cette parcelle à son fils, étant précisé que l'acte de donation devait comporter une clause interdisant au donataire, pendant quinze ans, d'aliéner, de morceler ou de lotir et l'obligeant à exploiter lui-même durant toute cette période. Mme Lebert avait revendu l'immeuble et avait été assignée par son fils en paiement, à titre d'indemnité, de la valeur de l'immeuble qu'elle aurait dû lui transférer par donation.

(46) Com., 28 fév. 1984, préc.

(47) Com., 4 nov. 1987 : *J.C.P.* 88, IV, 11 : lors de la cession de la quasi-totalité des actions d'une société en difficulté financière, le cessionnaire prend l'engagement vis-à-vis du cédant de présenter un pacte concordataire; cet engagement n'est pas tenu; il est jugé que l'obligation du cessionnaire a été contractée non seulement dans l'intérêt du cédant mais aussi dans celui des créanciers de la société, que ces créanciers, en demandant le respect de l'engagement, ont accepté une stipulation pour autrui qui les rend créanciers *directs* du cessionnaire. — COZIAN, *L'action directe,* 1969, préface PONSARD.

« Le capital ou la rente garantis au profit d'un bénéficiaire déterminé ne peuvent être réclamés par les créanciers du contractant. Ces derniers ont seulement droit au remboursement des primes, dans le cas indiqué par l'article L. 132-13, deuxième alinéa (primes manifestement exagérées eu égard aux facultés de l'assuré), en vertu soit de l'article 1167 du Code civil (action révocatoire pour fraude), soit des articles 107 et 108 de la loi n° 85-98 du 25 janvier 1985 relative au redressement et à la liquidation judiciaire des entreprises » (annulation des actes faits et des paiements effectués depuis la cessation des paiements);

— *si le stipulant décède en laissant des héritiers*, ceux-ci ne peuvent émettre aucune prétention sur les sommes ou les choses dont il s'agit, car elles n'ont pas figuré dans le patrimoine du défunt (cette question sera approfondie à propos de l'étude du « rapport » et de la « réduction pour atteinte à la réserve »). Si les bénéficiaires sont les héritiers, ils conservent le bénéfice de l'assurance même en cas de renonciation à la succession (C. ass., art. L. 132-8, al. 5); ce qui prouve bien que les sommes assurées ne passent pas par le patrimoine du souscripteur.

1279. — Seul le fisc ne tenait pas compte du caractère *direct* du droit du bénéficiaire (C.G.I., art. 765) : les sommes dues par une compagnie d'assurance aux bénéficiaires d'une assurance sur la vie étaient, jusqu'à une date récente, considérées comme acquises à titre successoral, comme s'il s'agissait d'une transmission à cause de mort du stipulant (l'assuré) au tiers bénéficiaire. Ce dernier était donc obligé de payer des droits de succession sur le montant des valeurs ainsi reçues. C'était là une manifestation de la règle de l'autonomie du droit fiscal, autonomie qui lui permettait d'ignorer les analyses civilistes des institutions. Mais une loi du 28 décembre 1959 a abrogé cette disposition : les droits de mutation par décès ne frappent plus le capital assuré. Le droit fiscal s'est aligné, ici, sur les conceptions civilistes de la stipulation pour autrui.

1280. — Le droit direct, bien qu'il naisse immédiatement en la personne du bénéficiaire sans transiter par le patrimoine du stipulant, n'en est pas moins dépendant du contrat dont il est issu; il en découle que ce droit sera paralysé par toute cause frappant la convention d'origine; le promettant échappera à l'exécution en établissant, soit la nullité de l'accord passé avec le stipulant (47-1), soit le manquement de celui-ci à ses obligations, par exemple, le non-paiement des primes dans l'assurance, soit encore la caducité (47-2).

1281. — L'origine contractuelle du droit du tiers explique également l'étendue de sa créance. On en trouve une illustration dans un jugement du tribunal de commerce de Paris (48). Une société se porte acquéreur du

---

(47-1) Req., 19 déc. 1892 : *S.* 1895, 1, 255, note TISSIER. — Com., 25 mars 1969 : *Bull. civ.* IV, n° 118, p. 117.

(47-2) Com., 30 avril 1969 : *Bull. civ.* IV, n° 151, p. 146.

(48) 14 sept. 1983 : *Rev. jurispr. com.* 1984, 297, note P. DE FONTBRESSIN; *Rev. trim. dr. civ.* 1985, 370, obs. MESTRE.

capital d'une autre société, et, après le dépôt de bilan de la société cédante, s'engage à faire présenter un concordat acceptable. Les créanciers ne peuvent prétendre à la totalité de leur dû et doivent se contenter d'un quart de leurs créances, « car il est certain que dans le cadre de propositions concordataires, ils n'auraient reçu qu'une part de leur dû ». Ainsi, si les tiers bénéficiaires (les créanciers) acquièrent bien un droit direct contre le promettant (la société cessionnaire), il est clair que ce droit, dérivant du contrat principal passé entre les deux sociétés, lui emprunte sa mesure.

Que le tiers bénéficiaire voit *l'existence* et *l'étendue* de son droit dépendre du contrat principal où il puise sa source, ne signifie pas qu'il soit tenu par toutes les stipulations qui y sont incluses, dès lors que celles-ci sont détachables de l'engagement que le promettant a pris envers lui. La Chambre commerciale en a ainsi décidé dans l'espèce suivante (48-1) : Mme Bisutti avait promis de vendre les actions qu'elle possèdait à la société Bruynzeel et à en céder une partie à un tiers, la société Sofimo; ayant procédé à cette dernière cession et n'ayant pas été désintéressée, elle assignait en paiement devant le tribunal de commerce; la société Sofimo soulevait une exception d'incompétence, invoquant la clause compromissoire contenue dans le contrat principal de vente; les juges du fond l'avaient accueillie, admettant ainsi l'opposabilité de la clause compromissoire; leur décision a été cassée : « Vu l'article 1165 du Code civil; attendu que les conventions n'ont d'effet qu'entre les parties contractantes, elles ne nuisent point au tiers et ne lui profitent que dans le cas de l'article 1121 du Code civil; ... attendu qu'en se déterminant ainsi alors que, si la société Sofimo était bénéficiaire d'une stipulation pour autrui conclue entre Mme Bisutti et la société Bruynzeel, elle n'était pas pour autant fondée à se prévaloir de la clause compromissoire *liant uniquement le stipulant et le promettant*, la cour d'appel a violé le texte susvisé ».

C. — Entre le stipulant et le bénéficiaire

1282. — Les effets de la stipulation pour autrui dans les rapports du stipulant et du bénéficiaire s'éclairent à la lumière de la notion de cause.

Le stipulant a pu vouloir faire une *libéralité* au bénéficiaire. Les effets seront, alors, ceux d'une libéralité, étant rappelé, toutefois, que la libéralité ne porte pas sur les sommes touchées par le bénéficiaire du promettant. S'agissant d'une assurance, par exemple, seules les primes versées par l'assuré peuvent être considérées comme des libéralités, soumises au rapport ou à la réduction si elles sont très élevées par rapport aux facultés de l'assuré.

La cause de la stipulation pour autrui peut être celle d'une opération *à titre onéreux.* Ainsi, il est usuel de contracter une assurance sur la vie au

(48-1) Com., 4 juin 1985 : *Bull. civ.* IV, n° 178, p. 149; *Rev. trim. dr. civ.* 1986, 593, obs. MESTRE.

profit de l'organisme de crédit qui a effectué un prêt d'une certaine durée au stipulant (notamment dans un crédit hypothécaire à long terme). En ce cas, l'assurance sur la vie fait partie des clauses d'une opération à titre onéreux, et aucune des règles concernant les libéralités ne lui est applicable. Le stipulant qui se trouve débiteur du tiers bénéficiaire peut, aussi, utiliser la stipulation pour autrui pour s'acquitter de sa dette : un vendeur, par exemple, stipule de l'acquéreur que celui-ci paiera une partie du prix de vente à un créancier du vendeur en vue de le désintéresser. Le versement effectué par le promettant en exécution de la stipulation vaudra paiement pour le stipulant.

Telle est cette institution importante qui constitue la dérogation la plus remarquable à la règle de la relativité des conventions. Etant destinée à faire naître un *droit* au profit d'un tiers, elle ne présente que des avantages : c'est ce qui explique qu'elle soit permise. On comprend que la situation ne soit pas la même lorsqu'il s'agit de faire naître une *obligation* à la charge d'un tiers. C'est ce qu'il nous reste à montrer

SOUS-SECTION II

LA PROMESSE POUR AUTRUI

1283. — La promesse pour autrui ne saurait être valable, car il serait inconcevable qu'un tiers puisse être engagé par suite d'un contrat auquel il est resté étranger.

« On ne peut, en général, s'engager ni stipuler en son propre nom que pour soi-même »,

déclare l'article 1119 du Code civil, qui exprime la même idée que celle qu'affirme l'article 1165.

Mais l'article 1120 ajoute :

« Néanmoins, on peut se porter fort pour un tiers en promettant le fait de celui-ci; sauf l'indemnité contre celui qui s'est porté fort, si le tiers refuse son engagement ».

Ce texte concerne l'obligation dite de *porte-fort.*

1284. — Se porter-fort pour autrui, c'est s'engager personnellement à ce qu'un tiers effectue une prestation. On peut promettre qu'un tiers paiera telle somme ou livrera telle chose ou conclura tel contrat, ou ratifiera tel acte; d'où il ressort que la promesse du fait d'autrui est aussi une promesse de son *propre* fait : le porte-fort s'engage à faire tout son possible pour que le tiers donne son consentement. On doit distinguer deux formes de se porter-fort; ou bien *à titre principal* où l'objet qui réunit les parties est uniquement d'obtenir l'engagement du tiers; ou bien *à titre accessoire* où la promesse de porte-fort est intégrée dans un contrat dont elle est destinée à faciliter la conclusion; on parle alors dans cette seconde hypothèse plutôt de clause de porte-fort (49). On ne confondra pas, bien que la distinction soit parfois délicate, le porte-fort avec les bons offices. Dans le second cas, le promettant ne garantit pas la ratification par le tiers, il se borne à aider à la conclusion de l'opération; il n'est donc tenu que d'une obligation de moyens et, en cas d'échec, sa responsabilité n'est engagée que sur la preuve d'une faute (49-1). Le porte-fort, quant à lui, s'il ne souscrit pas personnellement l'engagement qui fera l'objet de l'acte principal, assume l'obligation de résultat d'obtenir le consentement du tiers à cet acte (49-2).

Quelles sont les applications pratiques du porte-fort ? Quels en sont ses effets ? Ce sont là les deux questions qu'il nous faut examiner.

§ 1. — Les cas d'application de la promesse de porte-fort

1° Défaut de pouvoirs

1285. — En pratique, cette forme de s'engager est surtout destinée à permettre la conclusion de contrats qui ne sont pas en eux-mêmes valables ou efficaces, à moins qu'un tiers n'y consente. En voici des exemples.

Un mandataire désire passer un contrat qui n'entre pas dans le cadre de ses pouvoirs. Pour le faire, il doit rassurer son cocontractant qui, légitimement, peut redouter que cet acte fait sans pouvoirs soit inefficace à l'égard du mandant. Aussi ne contractera-t-il pas, à moins que le mandataire ne se porte-fort de la ratification par le mandant. On cite le cas de l'impresario qui, sans mandat, s'engage envers un organisateur de spectacles à faire jouer un artiste, en se portant-fort de l'acceptation par ce dernier; ou du tuteur qui passe, pour le compte de son pupille, un acte dépassant les pouvoirs de représentation qu'il détient à son égard, en se portant-fort de la ratification de cet acte par le pupille lors de sa majorité (49-3). C'est encore le cas des cohéritiers majeurs, appelés à une succession en même temps qu'un mineur, vendant les biens héréditaires à l'amiable pour éviter le partage en justice (C. civ., art. 466), se portant-fort envers les acheteurs que le mineur, une fois majeur, n'attaquera pas l'aliénation ((49-4).

---

(49) J. Boulanger, *La promesse de porte-fort et les contrats pour autrui,* thèse Caen, 1933. — R. Savatier, *La clause de porte-fort dans la pratique contemporaine : Rép. Defrénois* 1928, art. 21592 et 21605. — Marc Véricel, *Désuétude ou actualité de la promesse de porte-fort : D.* 1988, chron. 123.

(49-1) Civ., 7 mars 1978 : *D.* 1978, I.R. 478; *Bull. civ.* III, n° 108.

(49-2) Com., 22 juill. 1986 : *Rev. trim. dr. civ.* 1987, 306, obs. Mestre.

(49-3) Civ. 1re, 26 nov. 1975 : *D.* 1976, 353, note Larroumet; *J.C.P.* 76, II, 18500, note F. Monéger; *Rev. trim. dr. civ.* 1976, 575, obs. Cornu et 1977, 117, obs. Loussouarn.

(49-4) Civ., 6 oct. 1954 : *J.C.P.* 55, II, 8444, note Laurent. La loi du 14 déc. 1964, en autorisant le tuteur à procéder au partage amiable avec l'autorisation du conseil de famille, a retiré beaucoup de son intérêt à cette façon de procéder.

2° Création d'une personne morale

1286. — Un autre cas fréquent est celui du contrat passé par les fondateurs d'une société en formation; celle-ci n'a pas encore d'existence légale (de personnalité morale), aussi, les cocontractants exigent-ils, généralement, l'engagement personnel des fondateurs, en tant que porte-fort. Mais, plus souvent, les fondateurs qui ont dû contracter des obligations pour le compte de la société pendant la période constitutive entendent les faire prendre en charge par celle-ci, lorsqu'elle aura acquis la personnalité morale par son immatriculation au registre du commerce et des sociétés; l'article 5 de la loi du 24 juillet 1966 et l'article 26 du décret du 23 mars 1967 organisent les conditions dans lesquelles la société peut reprendre les engagements contractés pour elle durant sa fondation.

La loi du 4 janvier 1978 a étendu ces règles à toutes les sociétés en disposant à l'article 1843 du Code civil : « Les personnes qui ont agi au nom d'une société en formation avant l'immatriculation sont tenues des obligations nées des actes ainsi accomplis, avec solidarité si la société est commerciale, sans solidarité dans les autres cas. La société régulièrement immatriculée peut reprendre les engagements souscrits, qui sont alors réputés avoir été dès l'origine contractés par celle-ci ».

Est-ce à dire que l'article 1120 du Code civil a perdu toute utilité? Certainement pas; mais le mécanisme du porte-fort s'est déplacé; il joue désormais pour les engagements pris avant la période constitutive ou en tout temps, lorsque, en cas de cession, les futurs repreneurs de la société promettent au cédant l'exécution de certaines prestations à son profit, par exemple, celle de lui conserver la direction (50).

3° Liquidation d'indivision

1287. — Citons, enfin, l'hypothèse d'une propriété appartenant par indivis à plusieurs personnes (plusieurs héritiers, par exemple), vendue par une seule d'entre elles. L'acheteur ne conclura ce contrat que si le vendeur se porte fort de l'acceptation de la vente par les autres, car, sans cela, la vente de la propriété ne serait pas valable (51).

La clause de porte-fort peut être *tacite,* c'est-à-dire s'induire des diverses autres stipulations du contrat; encore faut-il que l'engagement du porte-fort soit pris au nom d'un tiers déterminé (52).

---

(50) Com., 2 fév. 1971 : *Bull. civ.* IV, n° 33, p. 34. — Civ. 1re, 22 avril 1986 : *Bull. civ.* I, n° 99, p. 101; *Rev. trim. dr. civ.* 1987, 306, obs. MESTRE.

(51) Civ. 3e, 20 déc. 1971 : *Bull. civ.* III, n° 653.

(52) Paris, 17 oct. 1968 : *D.* 1969, somm. 45.

§ 2. — Les effets de la promesse de porte-fort

Les effets de la promesse de porte-fort dépendent de l'attitude du tiers, suivant qu'il ratifie ou ne ratifie pas la promesse faite pour lui.

A. — Non-ratification par le tiers

1288. — En ce cas, le porte-fort est personnellement responsable envers son cocontractant. Il avait promis une ratification qu'il ne peut pas fournir, il engage sa responsabilité contractuelle se traduisant par une condamnation à dommages et intérêts (53); il en serait de même en cas de retard dans la validation promise (54). En revanche, le tiers n'est pas engagé par la promesse du porte-fort, ainsi que le veut la règle de la relativité des conventions qui prend, ici, tout son sens.

1289. — Par ailleurs, le contrat principal, c'est-à-dire celui que le porte-fort avait imprudemment conclu pour le compte du tiers, est anéanti. Il en résulte que, s'il avait déjà été exécuté, il y a lieu à répétition des prestations versées : le mineur, qui refuse de ratifier l'aliénation consentie par le tuteur, reprend l'immeuble que celui-ci avait livré à l'acheteur.

1290. — Cependant, s'il n'est pas tenu en vertu de la promesse, le tiers peut, dans certains cas, être poursuivi par application d'autres techniques juridiques. Ainsi, le contrat conclu par le porte-fort peut constituer un acte de *gestion d'affaires :* le tiers sera alors poursuivi par l'action ayant pour base cette gestion d'affaires. Si le contrat lui a procuré un enrichissement, il s'expose à être poursuivi par l'*action d'enrichissement sans cause.*

1291. — Il arrive, surtout, que le tiers soit l'héritier du porte-fort. Si ce dernier décède, le tiers qui accepte sa succession est obligé comme le porte-fort lui-même, puisqu'il succède à son passif. S'il refuse de ratifier, par exemple, le contrat conclu pour son compte, il s'expose à être condamné à des dommages et intérêts, comme l'eût été le porte-fort lui-même; mais on ne saurait l'obliger à valider le contrat (55).

La première Chambre civile de la Cour de cassation a rappelé ce principe en termes très nets dans un arrêt du 26 novembre 1975 (56), proclamant que

---

(53) Civ. 1re, 10 mars 1954 : *Bull. civ.* I, p. 76, n° 91; — Rouen, 7 avril 1970 : *D.* 1970, 676, note TROCHU. — Com., 4 janv. 1980 : *Gaz. Pal.* 1980, 1, pan. 243; *Bull. civ.* IV, n° 13.

(54) Civ. 1re, 7 oct. 1964 : *Bull. civ.* I, p. 335, n° 433; *Rev. trim. dr. civ.* 1965, 808, obs. J. CHEVALLIER.

(55) Civ. 3 nov. 1955 : *D.* 1956, somm. 70. — Civ. 1re, 26 nov. 1975 : *D.* 1976, 353, note LARROUMET; *J.C.P.* 76, II, 18500, note MONÉGER; *Rép. Defrénois* 1976, 1425, obs. AUBERT.

(56) *D.* 1976, 353, note LARROUMET; *J.C.P.* 76, II, 18500, note MONÉGER; *Rev. trim. dr. civ.* 1976, 575, obs. CORNU.

l'inexécution de la promesse de porte-fort consentie par une mère rendait ses enfants seulement passibles de dommages-intérêts. On aurait pu songer à une réparation en nature consistant à obliger à ratifier la promesse à titre de dédommagement; mais l'obstacle tenait à ce que la promesse n'a pas vraiment pour objet la ratification, mais seulement une diligence en vue de l'obtenir; or, cette diligence s'analyse en une obligation de faire, rebelle à l'exécution forcée.

1292. — Il en va autrement lorsque la promesse de porte-fort se rapporte à la vente d'un immeuble indivis. Le porte-fort en tant que vendeur pour sa part est tenu d'une obligation de garantie; à son tour, le tiers successeur en est tenu en tant qu'héritier; et comme l'obligation de garantie est indivisible, il lui est interdit de dénier l'acte litigieux; il est donc obligé de ratifier (57).

Malgré tout, ces actions sont exceptionnelles; elles ne doivent pas nous faire perdre de vue que, normalement, le tiers qui ne ratifie pas n'est pas obligé par la promesse du porte-fort.

B. — Ratification par le tiers

1293. — Cette ratification, qui peut être tacite (57-1), a pour premier effet d'engager le tiers envers le cocontractant du porte-fort. La ratification l'oblige *directement* envers le cocontractant. Mais ce qu'il y a de tout à fait remarquable, c'est que cette ratification *rétroagit*. Le contrat qui lie le tiers aura pour point de départ, non le jour de la ratification, mais le jour où la promesse du porte-fort a été faite. Il est donc inutile que le cocontractant du porte-fort donne à nouveau son consentement : il l'avait déjà donné, seule la ratification du tiers manquait. Lorsque celle-ci intervient, tout est régularisé, tout se passe comme si le contrat avec le tiers avait été conclu dès la promesse du porte-fort (58).

Cela montre que la promesse du porte-fort, bien que n'engageant pas le tiers, n'est pas un acte indifférent à son égard : elle constitue le *germe d'un engagement virtuel,* qui deviendra effectif du fait de la ratification.

1294. — Quant au porte-fort, la ratification a pour effet de le dégager de toute responsabilité, puisque, aussi bien, il aura tenu sa promesse (59). Il y

---

(57) Civ., 28 déc. 1926 : *D.* 1930, 1, 73, note LALOU. — Rennes, 20 mars 1950 : *S.* 1950, 2, 121, note LAGARDE. — Lyon, 11 mars 1980 : *D.* 1981, 617, note PEYRARD. — Sur le problème, RAYNAUD, n° 278.

(57-1) Com., 22 juill. 1986, préc., note 49-2.

(58) Civ., 30 janv. 1957 : *D.* 1957, 182. — Civ., 8 juill. 1964 : *D.* 1964, 560; dans cette espèce, les juges tirent de cette rétroactivité une conséquence inattendue : l'action en rescision pour lésion d'une vente d'immeubles se prescrivant par deux ans à partir de la vente, si la ratification intervient plus de deux ans après la promesse du porte-fort, le vendeur ne peut plus agir en rescision, le délai étant expiré (solution bien discutable). — Civ. 3e, 20 déc. 1971 : *Bull. civ.* III, n° 153; *D.* 1972, somm. 86.

(59) Civ. 3e, 7 mars 1979 : *D.* 1979, I.R. 395.

a là une sorte d'application de la maxime, *Ratihabitio mandato aequiparatur* (59-1). Il en va de même, et l'action en responsabilité est écartée, lorsque son partenaire bénéficiaire de la promesse abandonne sa prétention contre le tiers (59-2).

Mais qu'arrivera-t-il si le tiers, après avoir ratifié, n'exécute pas, ne paie pas ce qu'il a promis, par exemple ? Le cocontractant peut-il se retourner contre le porte-fort ? La réponse est, en principe, négative. Le porte-fort s'était obligé à procurer *l'engagement*, il n'en avait pas promis *l'exécution* et ne s'était pas porté garant du tiers.

1295. — Il pourrait en être autrement si le porte-fort déclare expressément se porter également *caution*. On se trouve alors en présence d'une situation complexe : celle d'un engagement de porte-fort *et* d'un cautionnement.

SOUS-SECTION III

LA TRANSMISSION DES CONVENTIONS AUX AYANTS CAUSE PARTICULIERS

1296. — L'ayant cause à titre particulier ne succède pas aux dettes et aux créances de son auteur : c'est précisément ce qui le distingue, avant tout, de l'ayant cause universel. Cette règle est d'évidence lorsqu'il s'agit des dettes ou des créances quelconques de l'auteur, mais elle s'applique même aux créances et aux dettes qui sont nées des conventions passées par rapport à la chose transmise à l'ayant cause à titre particulier. Tel est du moins le principe (§ 1). Mais ce principe comporte des exceptions qu'il nous faudra exposer (§ 2).

§ 1. — Le principe de l'intransmissibilité

1297. — Pour déterminer la mesure dans laquelle les ayants cause particuliers sont étrangers aux contrats passés *inter alios* relativement à la chose qui leur a été transmise, il faut distinguer selon l'objet du contrat, car la réponse n'est pas la même suivant qu'il s'agit de droits réels ou de droits personnels.

(59-1) ROLAND et BOYER, *Adages*, p. 886.

(59-2) Civ. 1re, 22 avril 1986 : *Bull. civ.* I, n° 99, p. 101; *Rev. trim. dr. civ.* 1987, 308, obs. MESTRE.

A. — Contrats portant sur des droits réels

1298. — Les contrats, qui ont pour objet des droits réels, ont pour effet de donner au bien sa configuration juridique et de faire corps avec lui. Un immeuble peut être entièrement libre de toutes espèces de charges : ne pas être hypothéqué, ne pas être frappé d'alignement, ne pas être grevé d'une servitude quelconque, passage, puisage, etc. Cet immeuble se transmet tel quel, si bien que l'acheteur acquiert une propriété franche et quitte. Au contraire, si le précédent propriétaire a passé sur cet immeuble des conventions en restreignant l'usage ou l'étendue, par exemple, s'il a constitué une servitude à la charge de son fonds, s'il a passé une transaction avec son voisin sur les limites de son domaine, s'il a consenti un usufruit..., c'est dans cet état diminué que l'acquéreur le recevra. L'acheteur ayant cause à titre particulier subit ainsi les effets des accords passés par son auteur sur la chose objet de la transmission. Naturellement, les conventions antérieures ont pu améliorer la situation juridique de la chose, par exemple, en établissant à son profit une servitude active, ou en abrégeant la durée d'un usufruit; le succédant profite de ces avantages, comme précédemment il supportait l'incidence des conventions préjudiciables.

1299. — Cette transmission s'opère de plein droit, passivement comme activement, sans qu'une stipulation spéciale soit nécessaire à ce sujet. Cette transmissibilité automatique découle de cette règle de bon sens exprimée dans l'adage *Nemo plus juris ad alium transferre potest quam ipse habet* (59-3). Nul ne pouvant transférer plus de droit qu'il n'en a, le propriétaire vend sa chose dans l'état juridique où il l'a lui-même placée par les conventions qu'il a souscrites à son propos; l'ayant cause à titre particulier ne saurait acquérir la chose que dans la position où elle se trouve dans le patrimoine du cédant. On doit seulement réserver le jeu de la publicité foncière; faute d'avoir été publiées comme le veut la loi, certaines de ces conventions seront sans effet obligatoire vis-à-vis de l'acquéreur à titre particulier, qui gardera la qualité de tiers par rapport à elles.

On le constate, dès lors que le contrat porte sur un droit réel (60), le principe de l'effet relatif est hors de cause, car le propre du droit réel est son opposabilité à l'égard de tous.

B. — Contrats portant sur des droits personnels

1300. — L'inopposabilité aux ayants cause à titre particulier des créances et des dettes nées des contrats passés par leur auteur par rapport à la chose

(59-3) ROLAND et BOYER, *Adages*, p. 606.

(60) Sur le danger de l'extension de la notion de droit réel et la tendance des tribunaux à transformer l'obligation relative au bien transmis en une charge réelle, v. MAZEAUD et CHABAS, 7e éd., 1985, n° 755.

transmise est affirmée par de nombreuses décisions qui invoquent à cet égard la règle de la relativité des conventions. Le principe de l'inopposabilité est clairement posé par la Cour de cassation :

« Le successeur ou ayant cause à titre particulier n'est pas de plein droit, et comme tel, directement tenu des obligations personnelles de son auteur;... ce principe s'applique même aux conventions que ce dernier aurait passées par rapport à la chose formant l'objet de la transmission à moins qu'elles n'aient eu pour effet de restreindre ou de modifier le droit transmis » (61).

On a vu précédemment la portée de l'exception en ce qui concerne les droits réels; on va donner maintenant quelques illustrations de la règle de l'intransmissibilité s'agissant des droits personnels.

1301. — L'acquéreur d'un fonds de commerce n'acquiert pas les créances du cédant, même si elles sont nées à l'occasion de l'exploitation du fonds cédé (62), à plus forte raison n'assume-t-il pas les obligations, les dettes du commerçant (63).

Il a été jugé également que l'acquéreur d'un immeuble ne peut pas exercer l'action en résolution du bail pour retard dans le paiement des fermages échus *antérieurement* à son acquisition (64). C'est donc qu'il n'avait pas acquis cette créance des fermages échus.

Un arrêt a décidé que la promesse de l'acquéreur d'un terrain de ne l'utiliser que pour la construction d'immeubles d'habitation bourgeoise ne crée d'obligation qu'en faveur du vendeur et non en faveur d'acquéreurs d'autres parcelles, tiers à l'égard du premier (65).

L'effet relatif des conventions explique également la décision suivante : le propriétaire d'un terrain, responsable envers un tiers pour les dégâts subis par l'immeuble de ce dernier — non-réparation d'une digue, ce qui a provoqué l'inondation du fonds voisin — vend sa propriété en stipulant que l'acquéreur ferait son affaire personnelle de l'instance éventuelle en responsabilité pour les dommages dont il s'agit. La victime poursuit, cependant, celui qui était propriétaire lors du sinistre; les juges du fond la déboutent en invoquant l'acte de vente précité. Cette décision est cassée : la victime est un *tiers* par rapport à cette vente; celle-ci ne lui est pas opposable (66).

1302. — Citons encore un arrêt qui a peut être poussé trop loin le principe de la relativité des conventions. Dans l'espèce, le propriétaire d'un

(61) Civ., 15 janv. 1918 : *D.P.* 1918, 1, 17. — Civ. 3ᵉ, 16 nov. 1988 : *J.C.P.* 89, IV, 24; *D.* 1988, I.R. 288; *D.* 1989, 157, note MALAURIE.

(62) Civ., 12 janv. 1937 : *D.H.* 1937, 99.

(63) Civ., 18 déc. 1844 : *D.* 1845, 1, 15 (la cession globale de l'actif d'une société ne met pas à la charge de l'acquéreur les dettes sociales).

(64) Soc., 20 déc. 1957 : *D.* 1958, 81, note LINDON.

(65) Civ., 29 mars 1933 : *D.H.* 1933, 282; solution qui paraît critiquable, v. MARTY et RAYNAUD, n° 265.

(66) Civ. 1ʳᵉ, 6 juin 1966 : *D.* 1966, 481, note VOULET.

local, responsable envers son locataire pour la non-exécution de certains travaux auxquels il était tenu en vertu d'un bail, vend son immeuble à un tiers. Faisant abstraction de cette vente, le locataire assigne son bailleur à qui il demande des dommages et intérêts pour le trouble de jouissance souffert et, en plus, l'édification des constructions dont il s'agit (un W.C. sur cour). Les juges du fond, approuvés par la Cour de cassation, lui donnent gain de cause sur les deux chefs de sa demande. Somme toute, la vente de l'immeuble n'a aucun effet à l'égard du locataire (67).

Cet arrêt est justifié lorsqu'il condamne le bailleur, ancien propriétaire, à indemniser le locataire pour les troubles de jouissance antérieurs à la vente. Sur ce point, sa décision est identique à l'arrêt précédemment cité. Mais le condamner aussi à effectuer les travaux qui ont occasionné le litige, c'est oublier que ce bailleur n'était plus propriétaire des lieux (si l'actuel propriétaire s'y opposait quelle serait la situation ?...); c'est méconnaître, surtout, qu'en cas de vente d'un immeuble loué, le bail continue avec le nouveau propriétaire en vertu de l'article 1743 du Code civil qui, à cet égard, déroge à la règle de la relativité des conventions.

1303. — Une autre décision de la Cour de cassation concerne les fournitures commandées par un précédent exploitant; une société qui reprend l'exploitation de son fonds de commerce, momentanément assurée par un tiers, ne peut être tenue au paiement des marchandises commandées antérieurement à cette reprise; l'article 1165 du Code civil s'oppose, à défaut de convention contraire, à ce que les actes passés par le prédécesseur soient créateurs d'obligations à la charge du successeur (68).

§ 2. — Les exceptions à l'intransmissibilité

La loi, d'une part, la jurisprudence, d'autre part, admettent un certain nombre d'exceptions à la règle de la non-transmission des créances ou des dettes aux ayants cause à titre particulier.

A. — Exceptions légales

1° Contrat de bail

1304. — On citera, en premier lieu, celle que consacre l'article 1743 auquel on vient de faire allusion. Lorsqu'un immeuble loué est aliéné (vendu, donné, etc.), le contrat de bail continue avec le nouveau propriétaire, l'acquéreur du bien. Ce dernier est cependant un *tiers* par rapport au

(67) Civ. 3e, 9 juill. 1970 : *J.C.P.* 71, II, 16745, note MOURGEON.

(68) Com., 14 déc. 1981 : *Gaz. Pal.* 1982, 1, pan. 162; *Bull. civ.* IV, 353.

bail. Mais le Code a voulu que le sort du bail ne dépende pas de l'aliénation de l'immeuble (69). Il en résulte que l'acquéreur de l'immeuble, ayant cause à titre particulier, profitera de ce bail (il pourra exiger les loyers et le respect des diverses clauses du contrat) et, inversement, il en souffrira, en ce sens qu'il sera soumis à toutes les obligations d'un bailleur. On est là en présence d'un cas où un tiers, contrairement à la formule de l'article 1165, profite ou souffre des effets d'un contrat qui n'a pas été conclu par lui (70).

L'article 1743 précise qu'il n'en est ainsi que si le bail a date certaine, ce qui va de soi car, on l'a vu en étudiant les preuves, les actes qui n'ont pas de date certaine ne sont pas opposables aux tiers (71). En outre, l'acte de vente doit contenir des mentions suffisantes pour informer l'acheteur de l'existence du bail et de ses conditions (durée, date, loyers, etc.), faute de quoi il ne lui est pas opposable (72).

2° Contrat de travail

1305. — Un autre cas intéressant à noter se rencontre dans l'hypothèse de l'aliénation d'une entreprise commerciale ou industrielle. En vertu d'une loi du 19 juillet 1928, l'acquéreur doit continuer les contrats de travail conclus par son cédant avec le personnel de l'entreprise. Cette disposition est aujourd'hui inscrite à l'article 122-12, alinéa 2, du Code du travail :

« S'il survient une modification dans la situation juridique de l'employeur, notamment par succession, vente, fusion, transformation du fonds, mise en société, tous les contrats de travail en cours subsistent entre le nouvel entrepreneur et le personnel de l'entreprise ».

Le successeur est donc à la fois créancier et débiteur à l'égard des employés de l'entreprise à la suite de contrats passés par un autre que lui. Cette loi est inspirée par le désir de protéger les travailleurs en cas de cession d'entreprise, en assurant la stabilité de leur emploi (73). Mais cette disposition profite également à l'employeur. L'employé qui refuserait de travailler pour le cessionnaire de l'entreprise engage sa responsabilité à l'égard de ce dernier (74).

---

(69) La solution contraire, admise à Rome, est que le contrat de bail prend fin en cas d'aliénation de l'immeuble. Cela créait une bien fâcheuse insécurité pour le locataire.

(70) Pour autant, le vendeur, bailleur primitif, n'est pas libéré de ses obligations vis-à-vis du locataire : Civ. 3e, 9 juill. 1970 : *J.C.P.* 71, II, 16745, note L. MOURGEON.

(71) V. sur cette question R. DALLANT, *Les positions actuelles de l'article 1743 du Code civil : J.C.P.* 58, I, 1431.

(72) V. pour l'inopposabilité d'un bail verbal à l'acheteur, Civ. 3e, 4 mars 1971 : *J.C.P.* 71, IV, 97. — Exceptionnellement, la location verbale est opposable si elle est connue de l'acquéreur : Civ. 3e, 15 janv. 1976 : *J.C.P.* 76, IV, 76.

(73) Soc., 16 oct. 1980 : *Bull. civ.* IV, 547. — Ass. plén. 15 nov. 1985 : *D.* 1986, 1, concl. PICCA; *J.C.P.* 86, II, 20705 (1re espèce), note FLÉCHEUX et BAREX; *Gaz. Pal.* 1986, 1, 38, note RAYROUX; *Rev. trim. dr. civ.* 1986, 375, obs. RÉMY. — Soc., 17 mars 1988 : *Bull. civ.* V, n° 186, p. 121. — Soc., 7 mars 1989 : *D.* 1989, I.R. 96. — Sur les limites, Soc., 8 et 2 fév. 1984 : *D.* 1984, 321, concl. PICCA et ECOUTIN.

(74) Soc., 21 avril 1977 : *Bull. civ.* IV, 259 et 30 mai 1979, *ibid.*, n° 350.

3° Contrat d'assurance

1306. — Notons aussi, qu'en cas de transfert d'une chose assurée, l'assurance continue de plein droit avec l'acquéreur, tant à son profit qu'à sa charge, à moins de résiliation du contrat. L'article L. 122-10 du Code des assurances prévoit le maintien d'office du contrat au profit de l'héritier ou de l'acquéreur, à charge par celui-ci d'exécuter toutes les obligations dont l'assuré était antérieurement tenu vis-à-vis de l'assureur. Il prévoit aussi que celui qui aliène reste tenu du paiement des primes échues (74-1), mais se trouve libéré, même comme garant, des primes à échoir à partir de la notification de l'aliénation à l'assureur. Cette règle ne s'applique pas en cas d'aliénation d'un véhicule à moteur (auto, moto), cas où l'assurance est suspendue de plein droit à partir du lendemain, à zéro heure, du jour de l'aliénation (C. ass., art. L. 121-11); elle peut être résiliée moyennant préavis de dix jours par chacune des parties. A défaut de remise en vigueur par l'accord des parties ou de résiliation par l'une d'elles, le contrat est résilié de plein droit à l'expiration d'un délai de six mois.

1307. — Un décret du 14 juin 1938 a prévu la possibilité pour les entreprises d'assurances de céder, avec l'approbation du ministre du Travail, leur « portefeuille » de contrats « avec ses *droits et obligations* » à une ou plusieurs sociétés agréées par le gouvernement. Le transfert est aujourd'hui régi par l'article L. 324-1 du Code des assurances. Il est opposable aux assurés et autres créanciers du cédant (qui disposent d'un délai de trois mois pour présenter leurs observations). Il va se réaliser ainsi un changement de débiteur par la substitution de la société cessionnaire à la société cédante; les assurés devant s'adresser à la nouvelle société, sans que cette substitution soit subordonnée à leur accord.

4° Vente d'immeuble à construire

1308. — La loi du 7 juillet 1967 a institué un nouveau cas d'opposabilité à l'ayant cause à titre particulier dans le cadre de la vente d'un immeuble à construire. Selon l'article 1601-4 du Code civil :

> « La cession par l'acquéreur des droits qu'il tient d'une vente d'immeubles à construire *substitue* de plein droit le cessionnaire dans les obligations de l'acquéreur envers le vendeur. Si la vente a été assortie d'un mandat, celui-ci se poursuit entre le vendeur et le cessionnaire ».

De telles dispositions gouvernent toutes mutations, qu'elles soient entre vifs ou à cause de mort, volontaires ou forcées (C. constr. et hab., art. L. 261-4).

Quant à l'obligation de garantie du constructeur, rappelons que, depuis la loi du 4 janvier 1978 modifiant l'article 1792 du Code civil, tout constructeur d'un ouvrage (au sens de l'article 1792-1 : architecte, entrepreneur, technicien, promoteur...) est responsable de plein droit envers le maître ou

(74-1) Civ. 1re, 28 juin 1988 : *D.* 1988, I.R. 209.

l'acquéreur de l'ouvrage des dommages qui en compromettent la solidité ou qui l'affectent au point de le rendre impropre à sa destination. L'article 1646-1 déclare que le vendeur-constructeur est tenu, à compter de la réception des travaux, des obligations dont les architectes, entrepreneurs et autres personnes assimilées sont tenues à son égard et que ces garanties bénéficient aux propriétaires successifs de l'immeuble.

5° Contrat de promotion immobilière

1309. — Si avant l'achèvement du programme, le maître de l'ouvrage cède les droits qu'il a sur celui-ci, le cessionnaire lui est substitué de plein droit, activement et passivement, dans l'ensemble du contrat. De plus, les mandats spéciaux donnés au promoteur se poursuivent entre celui-ci et le cessionnaire (C. civ., art. 1831-3).

6° Acquisition dans un immeuble en copropriété

1309-1. — Le règlement de copropriété s'impose, en cas de vente du lot, aux acquéreurs successifs; l'article 13 de la loi du 10 juillet 1965 précise que ce règlement ainsi que les modifications qui peuvent lui être apportées ne sont opposables aux ayants cause à titre particulier des copropriétaires qu'à dater de leur publication au fichier immobilier. Cette transmissibilité ne constitue une dérogation à l'effet relatif que pour ceux qui reconnaissent un caractère conventionnel audit règlement. Pour les auteurs qui soutiennent son caractère statutaire ou institutionnel, celle-ci se situe en dehors du champ de l'article 1165 (74-2).

7° Cession de contrat

1310. — Jusqu'à présent, on a considéré la cession d'obligations, isolément, en tant qu'elles sont liées à la chose transmise. Mais elle peut s'envisager aussi à l'occasion d'une opération plus large, le transfert du contrat lui-même (75). Imaginons l'exploitant d'un fonds de commerce ayant passé une commande de marchandises à livrer; un commerçant du même secteur d'activité souhaite à son tour acquérir les mêmes marchandises. On pourrait concevoir une double opération : un achat suivi d'une revente. N'est-il pas plus simple de céder le marché tel qu'il a été conclu entre le premier commerçant et le fournisseur ? C'est ce que l'on dénomme cession de contrat. Le second commerçant-cessionnaire succède aux droits et obligations du premier et doit s'acquitter entre les mains du fournisseur cédé; mais celui-ci conserve sa créance contre le cédant tant qu'il ne l'a pas expressément délié de sa dette. La cession de ce contrat n'entraîne donc

(74-2) V. F. Givord et C. Giverdon, *La copropriété*, 3e éd., n° 355.

(75) Sur la cession de contrat, v. Marty et Raynaud, n° 344 et s. — Carbonnier, *op. cit.*, n° 127, note L. Aynès sous Civ. 1re, 14 déc. 1982 : *D.* 1983, 416. — Lapp, *Essai sur la cession de contrat*, thèse Strasbourg, 1951. — L. Aynès, *La cession de contrat*, 1984.

qu'une transmission imparfaite, puisque, s'agissant du passif, le premier rapport contractuel n'est pas effacé. C'est ce que vient de rappeler la Cour de cassation.

En l'espèce, le sieur Aquaviva était bénéficiaire d'une promesse de vente d'un terrain sur lequel il avait engagé des travaux pour une somme de 280 000 F; puis il avait cédé ses droits à la société L'Arche qui avait pris l'engagement de le dédommager de cette somme pour le cas où elle achèterait le terrain; à son tour, la société L'Arche avait elle-même cédé le bénéfice de la promesse de vente à la société Acofra; celle-ci devenue propriétaire du terrain était assignée par le sieur Aquaviva en règlement de la somme de 280 000 F. La Cour de cassation approuve les juges du fond d'avoir accueilli cette demande :

« attendu que la cession d'un contrat synallagmatique permet au cédé de poursuivre directement le cessionnaire qui est tenu envers lui en vertu du contrat transmis; qu'en conséquence, la décision de la cour d'appel qui condamne la société Acofra à payer au sieur Aquaviva la somme que la société L'Arche s'était engagée à lui verser si elle devenait acquéreur du terrain, est légalement justifiée » (76).

8° Cession de créance

1311. — Notons encore que rien ne s'oppose à la cession des créances en même temps que celle des biens auxquels elles se rapportent. La cession de créance est prévue par la loi, de façon générale, c'est donc en vertu de la loi elle-même que l'ayant cause à titre particulier, cessionnaire de ces créances, pourra s'en prévaloir. Cela est vrai non seulement des créances de sommes d'argent (loyers ou fermages non payés par exemple), mais aussi de diverses autres prestations.

Ainsi, le vendeur du fonds de commerce bénéficiant d'une obligation de *non-concurrence* prise à son égard par son propre cédant (celui-ci avait promis de ne pas s'installer dans un certain secteur, par exemple) peut céder cette créance à l'acheteur du fonds. Ce dernier, ayant cause à titre particulier, pourra donc se prévaloir du contrat précédant la cession — par rapport auquel il est un tiers — mais dont il a acquis le bénéfice, grâce à la cession qui lui a été consentie.

1312. — Dans certains cas, c'est la loi elle-même qui commande la cession de droits annexes au bien aliéné, tel, par exemple, l'article 1692 du Code civil qui dispose :

« La vente ou la cession d'une créance comprend les accessoires de la créance, tels que caution, privilège ou hypothèque. »

1313. — Mais si la cession de ces créances ou de ces accessoires ne fait pas de difficulté, il en est autrement des dettes. La *cession de dettes* est sans effet, dès lors que le créancier n'y consent pas. Cela s'explique aisément. Le

(76) Civ. 1re, 14 déc. 1982 : *D.* 1983, 416, note AYNÈS; *Gaz. Pal.* 1983, 1, somm. 114; *Rev. trim. dr. civ.* 1983, 531, obs. CHABAS.

créancier a accordé un crédit au débiteur qui lui inspirait confiance; celui-ci ne saurait céder sa dette à une personne à laquelle le créancier n'est peut-être pas disposé à consentir le même crédit.

Certes, en pratique, il est fréquent de voir l'acquéreur d'un bien déclarer, dans une clause de l'acte, qu'il prend en charge telle ou telle dette concernant le bien acquis ou, s'il s'agit d'un litige, qu'il « en fait son affaire personnelle ». Mais ce genre de stipulations, si elles sont valables entre les parties, ne sont pas opposables au créancier ainsi que nous l'avons vu ci-dessus. L'interdiction de la cession de dettes rejoint, sur ce point, la relativité des conventions.

9° Obligation *propter rem*

1314. — Il n'en est autrement qu'en cas d'aliénation d'un immeuble hypothéqué (ou de tout autre bien grevé d'un droit réel accessoire à une dette). L'acquéreur de l'immeuble hypothéqué peut être poursuivi en paiement de la dette garantie en tant que « tiers détenteur », par le créancier hypothécaire du vendeur (ou même d'un précédent propriétaire de l'immeuble). On sait, en effet, que l'aliénation de l'immeuble n'empêche pas le créancier pourvu de cette sûreté de le saisir entre les mains de l'acquéreur : c'est là la manifestation de son *droit de suite.* L'acquéreur, tiers par rapport au contrat d'hypothèque, en subira donc le contrecoup.

Mais son engagement n'est pas, à proprement parler, une dette personnelle; il peut éviter les poursuites dirigées contre lui en *abandonnant* l'immeuble. Autrement dit, la dette pèse, en réalité, plutôt sur l'immeuble que sur le tiers détenteur. Il s'agit d'une obligation *propter rem* (à raison de la chose) (77) et non d'une obligation personnelle. Il n'y a donc pas identité de situation avec les cas précédemment cités, mais une certaine analogie.

Tels sont les principaux cas où la relativité des conventions est écartée à l'égard d'ayants cause à titre particulier par la loi, soit en vertu d'un texte spécial justifié par des raisons d'opportunité pratique, soit en vertu de principes ayant une portée générale, comme la cession de créance ou le droit de suite en matière de sûretés.

Reste à voir quelles sont les exceptions admises par la jurisprudence sans base légale précise.

B. — Exceptions jurisprudentielles

1315. — Une tendance se manifeste en jurisprudence pour admettre, dans *certains cas,* la transmission des créances aux tiers acquéreurs d'un bien, lorsqu'un lien de connexité très étroit existe entre la créance et le bien

(77) Sur l'obligation *propter rem,* v. *Introduction au droit,* n° 1155 et s. — ABERKANE, *Essai d'une théorie générale de l'obligation* propter rem *en droit positif français*, thèse Paris, 1955.

transmis. Il en est ainsi notamment en matière de cession d'un *fonds de commerce* au regard des *pactes de non-concurrence* qui existaient au profit du vendeur du fonds, en matière de *clauses d'exclusivité* et encore de *garantie contre les vices cachés.*

1° Pactes de non-concurrence

1316. — Rien ne s'oppose, on l'a vu, à la cession expresse de la clause de non-concurrence à l'acquéreur du fonds de commerce. Mais selon les tribunaux, le bénéfice de la clause de non-concurrence appartient à l'acquéreur du fonds en l'absence de toute stipulation dans l'acte. Plusieurs explications en ont été données.

1317. — On soutient qu'il y a, en l'espèce, une *cession implicite* de cette créance en observant que, désormais, elle n'a plus aucune utilité pour le cédant, tandis que l'acquéreur a tout intérêt à ce que le pacte de non-concurrence continue de s'appliquer.

Une autre explication consiste à dire qu'il y a, en ce cas, une *stipulation pour autrui tacite.* En promettant de ne pas se rétablir, le vendeur du fonds s'est engagé, non seulement à l'égard de l'acheteur, mais aussi à l'égard des sous-acquéreurs, futurs propriétaires du fonds aliéné.

On ajoute, avec peut-être plus de raison, que la clause de non-concurrence augmente la valeur du fonds, que, de ce fait, elle est l'un de ses éléments constitutifs et se trouve, tout naturellement, englobée dans la cession (78).

La multitude et la diversité de ces explications témoignent de l'embarras où l'on se trouve pour donner une justification à ces solutions. Au demeurant la jurisprudence est très fluctuante (79).

2° Clauses d'exclusivité

1318. — La situation inverse se produit, mais elle est encore plus difficile à justifier. Le vendeur du fonds avait certaines obligations envers un contractant, par exemple il était lié par une « clause d'approvisionnement » (obligation d'acheter ses marchandises auprès d'un fournisseur déterminé) (80). La validité de ces clauses d'approvisionnement a été longtemps admise sans conditions; puis elles ont été réglementées par la loi du 14 octo-

(78) Req., 18 mai 1868 : *S.* 1868, 1, 246; *D.* 1869, 1, 366.

(79) Pour la transmissibilité, V. Rouen, 28 nov. 1925 : *D.P.* 1927, 2, 172, note LEPARGNEUR; *S.* 1925, 2, 125, note ROUSSEAU et 15 nov. 1938 : *D.H.* 1939, 141. — Comp. Com., 15 oct. 1968 : *D.* 1969, 98; *Gaz. Pal.* 1968, 2, 395. — *Contra* : Poitiers, 17 juin 1981 : *J.C.P.* 84, II, 20184, note BEAUCHARD. — Civ. 1re, 24 mars 1965 : *J.C.P.* 65, II, 14325, note J. MAZEAUD.

(80) On les appelle aussi « contrat de bière » parce qu'elles étaient usuelles entre brasseurs et débits de boissons, ces derniers s'engageant à n'acheter la bière qu'auprès de telle brasserie déterminée.

bre 1943, articles. 1 à 3 (81). Supposons une clause de ce genre, valable. Elle liait le vendeur du fonds de commerce envers un industriel ou un grossiste; l'acquéreur du fonds qui est un *tiers* par rapport à ce contrat en sera-t-il tenu ?

L'objection vient de ce que la cession de dettes n'est pas admise en droit français (sauf si le créancier est d'accord pour l'accepter), alors que la cession de créance est une opération usuelle. Malgré cette objection, les tribunaux admettent que l'acquéreur du fonds de commerce est tenu par la « clause d'approvisionnement » (82). Pour le justifier, on déclare, en général, que cette clause grève, en quelque sorte, le fonds, un peu comme une *servitude* qui grève un fonds de terre, et qui, par conséquent, subsiste malgré son aliénation.

Cette explication n'a pas grande valeur en elle-même, ce n'est qu'une image de style, la servitude étant un droit exclusivement immobilier; il n'y a pas de servitude sur des meubles. La vérité, c'est qu'on se trouve devant une *jurisprudence prétorienne,* une fois de plus, c'est-à-dire sans base dans la loi; c'est une construction juridique qui se justifie par sa seule utilité d'ordre commercial.

3° Garantie des vices cachés

1319. — Il est important de souligner, en raison de sa portée pratique et de son actualité, la jurisprudence qui permet à un sous-acquéreur d'exercer l'action en garantie des vices cachés (action rédhibitoire ou estimatoire) contre le vendeur originaire, en particulier contre le vendeur fabricant (83). Cette transmission de la garantie aux acquéreurs successifs doit être étendue par analogie à la protection contre les vices affectant la nature, la composition, l'origine et l'ancienneté des œuvres d'art et d'objets de collection, réglementée par le décret du 3 mars 1981. Si l'existence de cette action directe est indiscutée, les opinions divergent quant au fondement à lui donner. Selon les auteurs, on y voit ou une stipulation tacite pour autrui, ou une cession tacite de créance, ou encore le résultat du caractère accessoire de la garantie par rapport à l'objet vendu.

On pourrait donner d'autres exemples : transfert de l'obligation de renseignement pesant sur le fabricant ou le vendeur d'un produit dangereux (84), cession à l'acquéreur d'une forêt de l'action appartenant au

---

(81) D'après l'art. 1er de cette loi, est limitée à dix ans la durée maximum de validité de toute clause d'exclusivité par laquelle l'acheteur cessionnaire ou locataire de biens meubles s'engage vis-à-vis de son vendeur cédant ou bailleur à ne pas faire usage d'objets semblables en provenance d'un autre fournisseur.

(82) Req., 17 fév. 1931 : *D.* 1931, 1, 41, note VOIRIN.

(83) Ass. plén., 7 fév. 1986 : *D.* 1986, 293, note BÉNABENT; *J.C.P.* 86, II, 20616, note MALINVAUD; *Rev. trim. dr. civ.* 1986, 594, obs. MESTRE. — Une action directe est également reconnue à l'emprunteur-locataire, Civ. 1re, 11 fév. 1986 : *Bull. civ.* I, n° 27, p. 23; *D.* 1986, 541, note B. GROSS; *Rev. trim. dr. civ.* 1987, 100, obs. MESTRE.

(84) Civ. 1re, 31 janv. 1973 : *J.C.P.* 75, I, 2679.

vendeur contre un marchand de bois (85)... Ceux que l'on vient de citer suffisent à illustrer le problème et à montrer que la relativité des conventions, exacte en principe, comporte cependant quelques exceptions importantes lorsqu'il s'agit de tiers, ayants cause à titre particulier.

1320. — Pour conclure ce chapitre, on observera que, s'il était excessif de parler du « prétendu principe de la relativité des conventions » (86), il est exact que, pendant longtemps, la règle avait été mal comprise, et qu'une analyse exacte des effets du contrat et de la diversité des tiers intéressés nous a montré qu'il fallait réduire considérablement le domaine d'un principe qui, comme tel, subsiste toujours.

Ayant vu en quoi consistent les effets des contrats, tant dans les rapports des parties entre elles que dans leurs rapports avec les tiers, il nous faut maintenant étudier les conséquences de l'inexécution des obligations contractuelles. Ce sera l'objet du chapitre suivant.

(85) Req., 3 nov. 1932 : *D.H.* 1932, 570.

(86) Tel est le titre d'un article de M. le doyen SAVATIER : *Rev. trim. dr. civ.* 1934, p. 525 et s.

CHAPITRE VII

LES SANCTIONS DE L'INEXÉCUTION DES OBLIGATIONS CONTRACTUELLES

1321. — La force obligatoire des contrats conduit à étudier les conséquences qui en découlent en cas d'inexécution, autrement dit les sanctions. Celles-ci sont diverses, selon les cas. On distingue :

— l'exécution directe ou l'*exécution en nature* qui tend à procurer au créancier la prestation même prévue au contrat;

— l'*exécution par équivalent* (dommages-intérêts) lorsque joue la responsabilité contractuelle pour défaut d'exécution en nature;

— les *sanctions propres aux contrats synallagmatiques* telles que l'exception d'inexécution ou la résolution pour inexécution.

1322. — Nous consacrerons à chacune de ces sanctions une section de ce chapitre. Cependant, quelle que soit la sanction que le créancier va mettre en œuvre, il lui faut, au préalable, procéder à la *mise en demeure* de son débiteur, c'est-à-dire l'inviter officiellement à exécuter sa prestation. On étudiera donc, dans une section 1re, la mise en demeure. Les trois sections suivantes seront consacrées à l'étude des conséquences de l'inexécution du contrat, ci-dessus indiquées.

SECTION I

MISE EN DEMEURE

1323. — La mise en demeure est prévue à l'article 1146 du Code civil au sujet des *dommages et intérêts* que le créancier peut réclamer en cas d'inexécution des obligations par son débiteur. En réalité, son champ d'application est plus vaste. Elle est le *préalable nécessaire de toute sanction,* qu'il s'agisse de l'exécution directe ou de l'exécution par équivalent.

1324. — La mise en demeure (1) est la manifestation de volonté du créancier qui exige l'exécution des prestations qui lui sont dues. Elle est destinée à faire constater officiellement que le débiteur est en retard quant à l'exécution de ses obligations (« demeure » vient de *mora* qui, en latin, signifie retard). Il est singulier que le bénéficiaire d'une obligation soit dans la nécessité d'avertir solennellement son cocontractant qu'il tarde à s'exécuter. La ponctualité fait partie de l'engagement pris : on a promis une prestation pour une date déterminée et le *vinculum juris* exige l'exécution à l'échéance, sans autre forme de procès. A défaut, on accepte un relâchement du lien contractuel qui est déjà suffisamment distendu par toutes les autres mesures d'atermoiement (délai de grâce, sursis à exécution...). La nécessité de la mise en demeure est un héritage d'un formalisme primitif conservé *ob favorem debitoris.*

Certains auteurs distinguent la *mora* de l'*interpellatio* qui est la manière de prendre acte du défaut de ponctualité (1-1).

On envisagera successivement le *régime* de la mise en demeure (sous-section I) et son *domaine* d'application (sous-section II).

SOUS-SECTION I

LE RÉGIME DE LA MISE EN DEMEURE

§ 1. — La forme de la mise en demeure

1325. — Selon l'article 1139 du Code civil, la mise en demeure résulte d'une sommation ou d'un acte équivalent. Mais ce texte n'est pas de portée absolument générale et il est des cas où l'interpellation est efficace sans formes.

A. — Interpellation formelle

1326. — En principe, la loi réclame un acte formaliste, volontiers qualifié d'acte extra-judiciaire, car il sert souvent de prélude à une instance en justice. Les actes formalistes nécessitent généralement le ministère d'huissier. Ce sont :

— la *sommation :* acte d'huissier par lequel le créancier invite formellement le débiteur à s'exécuter quand il ne dispose que d'un titre privé;

(1) F. DAVID, *De la mise en demeure : Rev. crit. législ. et jurispr.* 1939, 95. — MOGRABI, *La mise en demeure*, thèse Paris, 1976. — D. ALLIX, *Réflexions sur la mise en demeure : J.C.P.* 77, I, 2844. — *Rép. dr. civ. Dalloz, V° Mise en demeure*, par PERROT et GIVERDON.

(1-1) P. COLLOMB, *Demeure et mise en demeure en droit privé*, thèse Nice, 1975.

— le *commandement :* également acte d'huissier; lui aussi est une invitation à payer, mais il est plus énergique que la sommation, car il suppose que le créancier possède déjà un titre exécutoire (« grosse » d'un jugement ou d'un acte notarié, aujourd'hui déonommée par les textes « copie exécutoire ») (2);

— la *citation en justice :* elle aussi opère mise en demeure, car elle manifeste, sans équivoque, la volonté d'obtenir l'exécution. En règle générale, la citation en justice est, d'ailleurs, faite par huissier. D'après la jurisprudence, la citation en justice opère mise en demeure, même si elle est faite devant un juge incompétent (2-1), même si elle ne comporte pas de chef spécial de conclusions tendant à l'allocation de dommages-intérêts moratoires (2-2), à condition toutefois que l'assignation ne soit pas périmée (2-3). Dans le cas d'incompétence, bien entendu, le créancier doit recommencer son procès, en saisissant le tribunal réellement compétent, mais la mise en demeure aura déjà eu lieu dès la première citation en justice (3);

— la *convocation par le greffier.* Devant certaines juridictions, notamment le Conseil de prud'hommes, le secrétariat, saisi par le demandeur, convoque le défendeur, par lettre recommandée, devant le bureau de conciliation. Cette convovation vaut citation en justice. Cette simplification des formes a été partiellement étendue aux tribunaux d'instance par le décret n° 88-209 du 4 mars 1988; elle ne joue que pour les litiges d'un montant inférieur à 13 000 F (art. 847-1, N.C.P.C.);

— l'*avertissement du percepteur* ou avis d'imposition : il vaut lui aussi mise en demeure, puisqu'aussi bien il porte la date de mise en recouvrement et la date limite de paiement, passé laquelle le redevable encourt les pénalités de retard.

B. — Interpellation informelle

1° Lettre recommandée

1327. — L'usage de la lettre recommandée est prévu par un certain nombre de textes. En matière d'assurances, s'agissant de la *résiliation*, l'article 113-14 du Code des assurances donne le choix à l'assuré entre une déclaration faite contre récépissé au siège social ou chez le représentant de la société dans la localité, ou un acte extra-judiciaire, ou une lettre recommandée, ou tout autre moyen prévu à la police. En pratique, la résiliation par lettre recommandée est la voie la plus habituelle, tant pour l'assureur

(2) Com., 25 mai 1982 : *Gaz. Pal.* 1982, pan. 308.

(2-1) Civ., 11 déc. 1957 : *D.* 1958, 165, note VOIRIN.

(2-2) Civ. 1re, 21 juin 1988 : *Bull. civ.* I, n° 200, p. 139. — Dans le même sens, Com., 25 mai 1982 : *Bull. civ.* IV, n° 196, p. 171; *Rev. trim. dr. civ.* 1983, 387, obs. PERROT.

(2-3) Civ. 2e, 17 déc. 1984 : *Bull. civ.* II, n° 200.

(3) L'effet de la mise en demeure attachée à l'assignation s'applique à la demande fondée sur l'article 1166 du Code civil (action oblique) : Civ. 1re, 9 déc. 1970 : *D.* 1971, somm. 58.

que pour l'assuré. S'agissant du *paiement des primes* (C. ass., art. L. 113-3), la mise en demeure ne peut intervenir que dix jours après un avis d'échéance qui résulte d'une lettre ordinaire; quant à la mise en demeure elle-même, elle s'opère par lettre recommandée simple, l'avis de réception n'étant imposé que dans le cas où l'assuré est domicilié hors de la France métropolitaine (4).

En matière de sécurité sociale, la mise en demeure de l'article L. 244-2 du Code de la Sécurité sociale ne constitue qu'une invitation faite à l'employeur de régulariser sa situation dans le délai de quinzaine et n'est soumise à aucune forme particulière autre que celle d'être adressée par lettre recommandée (5).

2° Lettre ordinaire

1328. — La Cour de cassation, depuis fort longtemps, reconnaît aux juges du fond le pouvoir d'estimer, après coup, qu'une lettre missive a pu valoir mise en demeure dès lors qu'il en ressort une interpellation suffisante (6).

C'est par référence à l'autonomie de la volonté qu'une telle solution peut être reçue dans notre droit, les tribunaux étant libres de trouver dans les circonstances de l'espèce l'intention des parties de ne pas recourir au ministère d'huissier. Le Nouveau Code de procédure civile a apporté un certain fondement textuel à la dispense de formalisme en faisant de la notification par voie postale la notification de droit commun des actes et formalités en matière de procédure (N.C.P.C., art. 665 et s.).

1329. — On notera, aussi, qu'en *matière commerciale,* en vertu des usages, la mise en demeure n'a pas à revêtir une forme spéciale : elle peut résulter d'une lettre, d'un télégramme, ou de toute autre manifestation de volonté dont la preuve peut être rapportée.

1330. — Quelle que soit sa forme, la mise en demeure doit exprimer la volonté ferme du créancier d'obtenir l'exécution immédiate de l'obligation, et contenir des précisions suffisantes pour éclairer le débiteur sur le contenu de sa dette (7) et les sanctions qu'il encourt. Ainsi la lettre de mise en demeure pour le paiement des primes doit, outre le rappel du montant de la prime et de la date d'échéance, reproduire le texte de l'article L. 113-3, pour que l'assuré prenne clairement conscience qu'il encourt une suspension de garantie à défaut de paiement.

---

(4) Civ. 1re, 29 juin 1982 : *D.* 1984, I.R. 40.

(5) Soc., 31 janv. 1983 : *D.* 1983, I.R. 196. — Rappr. Soc., 5 janv. 1968 : *Bull. civ.* V, n° 12.

(6) Civ., 19 fév. 1878 : *D.* 1878, 1, 261. — Civ. 3e, 31 mars 1971 : *D.* 1971, somm. 131; *J.C.P.* 71, IV, 126.

(7) Com., 12 oct. 1964 : *Bull. civ.* III, p. 375, n° 420. — T.G.I. Riom, 24 mai 1967 : *D.* 1967, 523, note G.A.

1331. — En toutes circonstances, on ne saurait se contenter de propos purement verbaux. Un écrit est toujours nécessaire, sinon on ne pourrait jamais savoir si les déclarations du créancier ont été assez explicites et comminatoires pour constituer une véritable *interpellatio*.

§ 2. — Les effets de la mise en demeure

1332. — La mise en demeure est indifférente en ce qui concerne le devoir même de s'exécuter. La partie qui n'exécute pas son engagement, au motif que son cocontractant ne s'acquitte pas de sa propre obligation, n'est pas fondée à reprocher à son partenaire de ne l'avoir pas mise en demeure (8).

1333. — En revanche, la mise en demeure joue un rôle important dans de nombreux domaines. Elle constitue le prélude nécessaire de toute voie d'exécution. Elle rend comptable des revenus de la chose frugifère celui qui a manqué à l'obligation de la livrer ou de la restituer. Surtout, elle manifeste son utilité au plan de la mise en jeu de la responsabilité et du fonctionnement de la théorie des risques.

A. — Mise en demeure et responsabilité

1° Dommages et intérêts moratoires

1334. — Le débiteur n'est pas en faute du seul fait de l'arrivée du terme, qu'il s'agisse d'une obligation de somme d'argent (C. civ., art. 1153, al. 3) ou d'une quelconque prestation (C. civ., art. 1146). *Dies non interpellat pro homine* (8-1). On en donne pour explication, qu'en l'absence de manifestation du créancier, le débiteur a pu penser qu'il lui était tacitement consenti un délai de paiement. La mise en demeure est donc une condition indispensable à l'allocation d'intérêts moratoires, lesquels ne courrent jamais qu'à compter de la constatation officielle du retard (8-2), sans jamais pouvoir s'appliquer à la période antérieure. Cette solution fait partie de l'obligation générale pour le créancier de veiller à son intérêt; de même qu'il doit se déplacer pour requérir son dû (les dettes sont quérables), de même il doit réclamer sa créance en temps voulu : *Jura vigilantibus tarde venientibus ossa* (8-3).

(8) Com., 26 mai 1981 : *Gaz. Pal.* 1982, 1, pan. 4; *Bull. civ.* IV, 195. — Comp. Versailles, 3 mars 1983 : *Gaz. Pal., Tables* 1983-85, *V° Contrats et Obligations*, n° 87.

(8-1) ROLAND et BOYER, *Adages*, p. 232.

(8-2) Civ. 1re, 10 mai 1988 : *J.C.P.* 88, IV, 243. — Civ. 1re, 21 juin 1988 : *Bull. civ.* I, n° 200, p. 139.

(8-3) ROLAND et BOYER, *Adages*, p. 459.

2° Dommages et intérêts compensatoires

1335. — La question de savoir si l'octroi de dommages-intérêts compensatoires est subordonné à une mise en demeure, partage non seulement la doctrine mais également la jurisprudence. La nécessité de la mise en demeure a été posée par un arrêt de principe du siècle dernier (9) à propos du défaut de réparation d'un fenil ayant entraîné le gâchis d'une récolte de foin, préjudice jugé non imputable au bailleur faute de mise en demeure; cette jurisprudence a été reprise plusieurs fois (10). Mais, on trouve des décisions en sens contraire et même à propos de l'espèce du fenil ayant fait l'objet de l'arrêt de principe (11). Sans prendre parti sur cette controverse (11-1), on remarquera que l'interpellation a, de toute façon, un effet qui n'est pas discuté : celui de permettre de prouver le comportement fautif du débiteur.

B. — Mise en demeure et risques

1336. — En vertu de l'article 1138 du Code civil, les conséquences de la force majeure sont pour le propriétaire de la chose, ce qui veut dire que l'acquéreur, devenu propriétaire à l'instant même du contrat, doit payer le prix de la chose détruite quand bien même elle ne lui aurait pas été livrée. On exprime cette règle par l'adage *Res perit domino.*

Le principe est tenu en échec par la mise en demeure. Le débiteur qui est en retard pour livrer va assumer la charge des risques à dater de l'*interpellatio* et l'événement de force majeure qui survient n'entraîne plus sa libération; d'où il résulte qu'il n'a plus droit au paiement du prix. Ce déplacement du poids du risque repose sur la présomption que, si l'objet avait été livré dans les délais, la perte ne se serait pas produite chez le créancier qui aurait mieux protégé la chose. Puisqu'il s'agit d'une présomption, la preuve contraire est admise; c'est ce qui découle de l'article 1302 alinéa 2 du Code civil :

« Lors même que le débiteur est en demeure... l'obligation est éteinte dans le cas où la chose fût également périe chez le créancier si elle lui eût été livrée ».

---

(9) Civ., 11 janv. 1892 : *D.* 1892, 1, 257, note PLANIOL.

(10) Soc., 17 déc. 1943 : *J.C.P.* 47, II, 3373. — Civ., 31 juill. 1946 : *J.C.P.* 47, II, 3809.

(11) Civ., 18 janv. 1943 : *Gaz. Pal.* 1943, 1, 153.

(11-1) CARBONNIER, n° 76, p. 312.

SOUS-SECTION II

LE DOMAINE DE LA MISE EN DEMEURE

1337. — D'une manière générale, la mise en demeure est nécessaire : on dit *dies non interpellat pro homine;* ce qui signifie que la seule survenance de l'échéance ne met pas en demeure par elle-même, en dispensant le créancier de la faire. Toutefois, à ce principe, des exceptions peuvent être apportées par la volonté des parties, en plus de celles que la loi a spécialement prévues.

§ 1. — La dispense conventionnelle

1338. — Les contractants sont en droit de convenir que la simple échéance vaudra mise en demeure, ce qui dispense le créancier de tout rappel et ce qui expose le débiteur à des dommages et intérêts dès qu'il se met en retard pour exécuter. L'article 1139 du Code civil dispose, en effet, que le débiteur est constitué en demeure, « soit... soit par l'effet de la convention, lorsqu'elle porte que, sans qu'il soit besoin d'acte et par la seule échéance du terme, le débiteur sera en demeure ». Le libellé même de l'article laisse entendre que la stipulation du terme, à elle seule, n'est pas suffisante et que l'accord doit expressément prévoir que l'arrivée du terme dispense de mise en demeure. Néanmoins, la Cour de cassation admet que cette clause peut être tacite et qu'il appartient aux juges du fond d'apprécier l'intention des parties (12). Les tribunaux peuvent, notamment, déduire la dispense de mise en demeure de l'insertion d'une clause pénale (13), de la clause stipulant la dette portable, ou de la clause « livrable de suite » (14) ou encore de la stipulation d'une astreinte (14-1).

§ 2. — Les dispenses légales

1339. — Le créancier est dispensé de la mise en demeure par la loi elle-même dans plusieurs hypothèses. Il en va ainsi :

1° En cas d'*inutilité*. L'article 1145 du Code civil, s'agissant d'obligations de ne pas faire, déclare que celui qui y contrevient doit des dommages et

(12) Req., 28 fév. 1938 : *Gaz. Pal.* 1938, 1, 871. — Civ. 1re, 5 juin 1967 : *Bull. civ.* I, n° 195.

(13) Soc., 3 juill. 1953 : *D.* 1954, 615. — Civ. 3e, 7 mars 1969 : *J.C.P.* 70, II, 16461, note PRIEUR. — Rappr. Versailles, 20 oct. 1981 : *Gaz. Pal.* 1983, 1, somm. 116.

(14) Req., 7 mars 1933 : *D.H.* 1933, 218.

(14-1) Civ. 3e, 19 fév. 1986 : *Gaz. Pal.* 1986, 2, pan. 137.

intérêts par le seul fait de la contravention (15). De même l'article 1146 dispense de toute *interpellatio* lorsque « la chose que le débiteur s'était obligé de donner ou de faire ne pouvait être donnée ou faite que dans un certain temps qu'il a laissé passer ». Par exemple, si l'exposant dans une foire commande des travaux ou des marchandises, et si la foire a fermé ses portes avant le commencement des travaux ou l'arrivée des marchandises, on ne voit pas quelle serait encore l'utilité de la mise en demeure (16). Pour la même raison, dès lors qu'*il est certain que la prestation ne sera pas fournie* (l'objet en est détruit), la mise en demeure est inutile. Il en est de même si le débiteur a déclaré formellement qu'il n'a pas l'intention d'exécuter (16-1).

2° Dans certains *contrats.* Dans la constitution de dot, les intérêts courent de plein droit à dater de la célébration du mariage (C. civ., art. 1440); dans le mandat, l'intérêt des avances faites par le mandataire lui est dû du jour des avances constatées; dans le compte courant, le solde porte intérêt *ipso facto* à compter de sa clôture (16-2); dans le bail, l'action en résiliation judiciaire n'est pas subordonnée à une mise en demeure (16-3).

3° Pour toute *créance de réparation.* L'article 1153-1, ajouté par la loi du 5 juillet 1985, dispose qu'en toutes matières, contractuelle et extracontractuelle, la condamnation à une indemnité emporte intérêts au taux légal même « en l'absence de demande ou de disposition spéciale du jugement ». Les intérêts moratoires, qui courent automatiquement, ont pour point de départ le prononcé du jugement.

4° Dans *certaines situations.* Selon l'article 474 du Code civil, la somme à laquelle s'élèvera le reliquat dû par le tuteur portera intérêt de plein droit à compter de l'approbation du compte, alors que les sommes dues par le pupille ne portent intérêt que du jour de la sommation de payer. Par ailleurs, à titre de sanction, la loi dispense de la mise en demeure à l'égard de ceux qui ont reçu un paiement indû et à l'encontre du voleur qui est d'office en demeure de restituer.

Il nous faut maintenant étudier les diverses sanctions de l'inexécution des obligations contractuelles, selon le plan ci-dessus indiqué.

---

(15) Civ. 3ᵉ, 2 mai 1969 : *J.C.P.* 69, II, 16141. — Com., 10 nov. 1970 : *J.C.P.* 70, IV, 314. — Civ. 3ᵉ, 25 oct. 1968 : *J.C.P.* 69, II, 16062, note PRIEUR.

(16) Com., 2 avril 1974 : *D.* 1974, I.R. 152. — Com., 18 oct. 1976 : *Bull. civ.* IV, 223. — Civ. 3ᵉ, 4 janv. 1977 : *Gaz. Pal.* 1977, somm. 169. — Civ. 3ᵉ, 27 avril 1979 : *Gaz. Pal.* 1979, 2, somm. 401; *Bull. civ.* III, 69.

(16-1) Civ. 3ᵉ, 3 avril 1973 : *Bull. civ.* III, n° 25.

(16-2) Com., 4 nov. 1981 : *Bull. civ.* IV, n° 378.

(16-3) Civ. 3ᵉ, 12 oct. 1988 : *J.C.P.* 88, IV, 383.

SECTION II

EXÉCUTION EN NATURE

1340. — L'exécution en nature est-elle toujours possible ? (16-4). De prime abord, la question est surprenante. Il est de l'essence de toute obligation, en effet, d'être susceptible d'exécution forcée au cas où le débiteur ne s'acquitte pas volontairement; de même que le créancier a le droit de refuser une autre chose que celle qui était prévue au contrat (C. civ., art. 1243), de même il peut refuser des dommages-intérêts à la place de la prestation due. Mais faut-il aller jusqu'à autoriser la contrainte physique pour obtenir la satisfaction en nature ?

Etant donné le principe de l'inviolabilité du corps humain, la réponse négative s'impose. Ce qui ne signifie pas que l'exécution en nature ne soit pas réalisable. Elle l'est nécessairement pour les obligations qui n'impliquent pas l'intervention personnelle de l'obligé où elle peut s'accomplir directement; elle est susceptible de l'être par des voies détournées, spécialement lorsque la personne du débiteur est en cause ou lorsqu'il s'agit de briser une évidente mauvaise volonté.

On examinera donc successivement l'exécution *directe* et l'exécution *indirecte* en nature (16-5).

SOUS-SECTION I

L'EXÉCUTION DIRECTE EN NATURE

1341. — On doit introduire ici une distinction d'après l'objet de l'obligation, selon que le *débitum* consiste dans un *dare* ou prévoit un *facere* ou *non facere*.

(16-4) L'art. 28 de la Convention de Vienne déclare que, si une partie a le droit d'exiger de l'autre l'exécution d'une obligation, un tribunal n'est tenu d'ordonner l'exécution en nature que s'il le ferait en vertu de son propre droit pour des contrats de vente semblables non régis par la présente convention.

(16-5) WEILL et TERRÉ, n° 829 et s. — MALAURIE et AYNÈS, n° 638 et s. — CARBONNIER, n° 145. — MAZEAUD et CHABAS, n° 931 et s. — PRÉVAULT, *L'évolution du droit de l'exécution forcée... : Mélanges J. Vincent*, p. 297. — J. MESTRE, *Réflexions sur l'abus du droit de recouvrer sa créance : Mélanges Raynaud*, p. 439 et s.

§ 1. — L'exécution directe dans les obligations de donner

1° Dettes de somme d'argent

1342. — L'exécution en nature est toujours, théoriquement, possible en ce qui concerne ces dettes. En effet, si le débiteur ne paie pas, le créancier peut saisir ses biens, les faire vendre et se payer sur le produit de la vente. Cela suppose, bien entendu, que le débiteur possède des biens et que ces derniers soient saisissables (C. civ., art. 2092-2). Dans le cas contraire, le créancier ne pourra pas être payé ou ne le sera qu'incomplètement (17).

2° Livraison d'un corps certain ou d'une chose de genre

1343. — L'exécution en nature est, également, possible à leur égard. Si le créancier l'exige, le tribunal peut ordonner la remise des choses dues, au besoin avec l'appui de la force publique : *manu militari.* Mais, si la chose certaine a été détruite, l'exécution en nature n'est plus possible (la question d'une exécution par équivalent se pose alors).

La possibilité pour le créancier d'être mis en possession de son bien par la force est même réglementée en matière mobilière où le législateur met à la disposition du propriétaire la procédure de la saisie-revendication, qui lui permet de suivre son bien partout où il se trouve (A.C.P.C., art. 826 et s.).

En ce qui concerne les choses de genre, se pose le problème de l'individualisation, condition préalable au transfert de propriété. Si elle est au pouvoir du créancier, l'exécution en nature ne soulève aucune difficulté. Au contraire, si elle dépend du débiteur, l'obligation de *dare* s'accompagne d'une obligation de faire qui relève d'un régime qui lui est propre.

3° Transfert de propriété

1344. — L'obligation ne soulève pas de problèmes, car le transfert est réalisé automatiquement du seul fait de l'accord des parties : il y a donc nécessairement exécution en nature, sans même qu'il soit nécessaire d'employer une voie de contrainte quelconque. Ces différentes espèces couvrant un large secteur contractuel, on vérifie ici l'importance du domaine de

---

(17) A Rome, le créancier pouvait emmener le débiteur qui ne payait pas dans sa prison privée, l'enchaîner et l'obliger à travailler; il pouvait même le vendre comme esclave, au-delà du Tibre, un citoyen romain ne pouvant pas être esclave à Rome. Ce genre de paiement a été, fort heureusement, aboli depuis longtemps.

l'exécution directe en nature, qui ne souffre aucune difficulté, à la différence de ce qui se passe s'agissant des obligations de faire ou de ne pas faire. Comme le notait l'illustre Laurent :

« La liberté est hors de cause quand il s'agit d'une obligation de donner : la force publique s'adresse à la *chose* et non à l'homme » (18).

§ 2. — L'exécution directe dans les obligations de faire

1345. — A leur égard, on rencontre un texte qui semble dire que l'exécution en nature n'est pas possible. Il s'agit de l'article 1142 du Code civil qui dispose ce qui suit :

« Toute obligation de faire ou de ne pas faire *se résout en dommages et intérêts,* en cas d'inexécution de la part du débiteur » (19).

1° Justification de la règle

1346. — A suivre ce texte, s'agissant des obligations de faire que le débiteur n'accomplit pas volontairement, il se produirait une substitution dans l'objet de la créance : le débiteur ne saurait être contraint à effectuer le travail promis et ne pourrait être condamné qu'à fournir l'équivalent pécuniaire de ce qu'il devait en nature, c'est-à-dire des dommages et intérêts. Les anciens auteurs disaient en maxime *Nemo praecise cogi potest ad factum* (20).

En faveur de cette règle, on met en avant plusieurs considérations. En premier lieu, l'intangibilité de la personne humaine : pour briser la résistance du débiteur, il faudrait recourir à une violence sur son corps, ce qui serait contraire à la liberté et à la dignité individuelles. En second lieu, l'inefficacité pratique de la coercition : qu'espérer d'un ouvrage exécuté sous la contrainte ? Enfin, le trouble apporté à la paix publique que perturberaient gravement des voies de fait exercées entre particuliers. Cet ensemble de raisons rend compte de l'histoire de la contrainte par corps dans notre droit.

Sous le régime du Code civil initial, il existait, en effet, une voie de contrainte s'exerçant sur la personne même du débiteur. On l'appelait, précisément, la *contrainte par corps.* C'était la « prison pour dettes », emprisonnement de nature civile et non pénale. Tombée en désuétude par suite

---

(18) *Principes de droit civil français,* t. XVI, n° 198.

(19) V. GÉNICON, *De la règle Nemo praecise potest cogi ad factum,* thèse Bordeaux, 1910. — Pour un rappel du principe, Com., 19 juill. 1988 : *Bull. civ.* IV, n° 253, p. 173 et Civ. 3e, 16 nov. 1988 : *D.* 1988, I.R. 288. — W. JEANDIDIER, *L'exécution forcée des obligations contractuelles de faire : Rev. trim. dr. civ.* 1976, p. 700 et s.

(20) ROLAND et BOYER, *Adages,* p. 610 et s.

de son inefficacité, la contrainte par corps a été abrogée par une loi du 22 juillet 1867 pour toutes les dettes contractuelles civiles ou commerciales. Elle ne subsistait plus que pour les dommages et intérêts et restitutions civiles consécutives à un délit pénal. Or, même en ces matières, la contrainte par corps a été abrogée par le Code de procédure pénale (entrée en vigueur le 2 mars 1959). Elle n'est plus possible qu'au profit du Trésor public, ou dans certains cas prévus par la loi, notamment pour sanctionner des infractions économiques (C. proc. pén., art. 794 et 762) (21).

2° Portée limitée de la règle

1347. — Mais il convient d'observer que la prohibition de l'exécution *in specie* n'a pas la portée qu'on lui prête d'ordinaire. Elle est limitée, en effet, à deux séries d'hypothèses : celles où il y a impossibilité d'exécution, celles où l'exécution est strictement personnelle.

a) Impossibilité d'exécution

1348. — Il arrive que l'attitude du débiteur récalcitrant ait engendré une situation irréversible. Cela se produit toutes les fois que l'obligation était enfermée dans un délai et que celui-ci est expiré. Ainsi, en cas de manquement à une *obligation de faire.* Le comédien qui s'est engagé à donner une représentation tel jour, et qui s'est abstenu, ne peut évidemment être condamné qu'à des dommages-intérêts. Il en va de même dans l'hypothèse inverse de violation d'une *obligation de ne pas faire :* si l'artiste se produit sur scène telle soirée, alors qu'il avait promis de ne pas paraître, rien ne peut effacer l'événement et le manquement ne peut être sanctionné que par l'allocation de dommages-intérêts.

1349. — A côté de cette impossibilité matérielle (21-1), on peut rencontrer une impossibilité juridique conduisant au même résultat. L'hypothèse classique est celle de la promesse unilatérale de vente qui n'est pas respectée. Le promettant vend à un autre que le bénéficiaire de la promesse; le tiers devient propriétaire et la promesse ne peut plus être exécutée; la méconnaissance de l'engagement ne saurait donner lieu qu'à une action en responsabilité au profit du bénéficiaire évincé, sauf annulation de la vente en cas de mauvaise foi (21-2). La même solution est donnée en cas de violation d'un pacte de préférence : le bénéficiaire du pacte ne saurait se substituer au tiers acquéreur dans les droits que celui-ci tient de l'aliénation qui lui a été indûment consentie par le promettant (21-3).

---

(21) La jurisprudence apprécie d'ailleurs avec rigueur, là où le débiteur reste contraignable, les conditions de forme devant précéder l'incarcération. V. T.G.I. Créteil, 6 mai 1985 : *D.* 1985, 402, note PRÉVAULT.

(21-1) Civ. 1re, 9 déc. 1986 : *J.C.P.* 87, IV, 60.

(21-2) Jurisprudence constante : Civ., 28 août 1940 : *S.* 1940, 2, 103.

(21-3) Civ., 4 mai 1957 : *Bull. civ.* I, n° 197, p. 163. — Com., 27 mai 1986 : *Rev. trim. dr. civ.* 1987, 89, obs. MESTRE.

1350. — En dehors des hypothèses où la satisfaction en nature se heurte à une impossibilité, l'article 1184 du Code civil impose que la partie bénéficiaire de l'engagement inexécuté puisse forcer l'autre à l'exécution de la convention. La jurisprudence est très ferme sur ce point; un arrêt de la 3e Chambre civile le rappelle à l'occasion de la construction défectueuse de l'escalier d'accès à une piscine ne comprenant pas le nombre de marches prévues; la demande du maître de l'ouvrage tendant à la mise en conformité de l'escalier ne saurait être rejetée, *sans que soit recherché si la remise en état des lieux est impossible* (22).

1351. — Une autre décision de la même Chambre (23) rappelle, à propos de plantations, le principe de l'exécution directe : lorsqu'il est contrevenu aux dispositions de l'article 671 du Code civil, le propriétaire voisin *peut exiger* que les arbres en limite plantés à moins d'un demi-mètre de la ligne séparative soient ou arrachés ou réduits à la dimension légale (hauteur de deux mètres). Témoigne également de l'exigibilité de l'exécution en nature, l'arrêt — approuvé par la Cour de cassation — qui décide que le meilleur moyen de réparer l'erreur commise par la société de participation immobilière, qui avait conseillé à son client des prises d'investissement dans trois groupes, consiste à faire reprendre par ladite société les parts et compte courant du client abusé (23-1).

b) Exécution personnelle

1352. — Certaines obligations de faire impliquent une activité mettant en jeu les qualités propres du débiteur. Le débiteur étant jugé irremplaçable et ne pouvant être contraint sans violence, la situation n'a d'autre issue que le dédommagement du créancier. L'exemple type de ce genre de situations est celui de la création ou de l'interprétation artistique, illustrée par une jurisprudence ancienne aux noms célèbres. La tragédienne Rachel qui n'a pas accepté le rôle de Médée, pourtant composé à son intention par Legouvé, ne s'est pas vue encadrée par deux gendarmes pour paraître sur scène (24). Le peintre Whisler n'a pas été forcé de livrer le portrait de Lady Eden qu'il jugeait indigne de lui (25). On décide de même dans des cas où ce n'est plus la liberté intellectuelle qui est en cause, mais la liberté physique ou la liberté morale. Comment obtenir de l'ouvrier qu'il vienne travailler à l'usine alors qu'il s'y refuse, sans l'appréhender au corps et le séquestrer sur le lieu du travail ? Comment obtenir de la strip-teaseuse, revenue aux sentiments de la pudeur, qu'elle s'exhibe nue en public, contre sa volonté (26) ?

(22) Civ. 3e, 17 janv. 1984 : *J.C.P.* 84, IV, 93.

(23) Civ. 3e, 17 juill. 1985 : *J.C.P.* 85, IV, 333.

(23-1) Civ. 1re, 28 avril 1986 : *Gaz. Pal.* 1986, 2, pan. 174.

(24) Paris, 3 mars 1855 : *S.* 1855, 2, 410.

(25) Civ., 14 mars 1900 : *S.* 1900, 1, 489. — Dans le même, Paris, 4 juill. 1865 *(Rosa Bonheur)* : *S.* 1865, 2, 233. — Paris, 21 avril 1896 *(Coquelin aîné)* : *S.* 1897, 2, 9.

(26) Paris, 8 nov. 1973 : *D.* 1975, 401, note PUECH.

1353. — Ce qui illustre, également, le recours aux dommages-intérêts en raison du caractère personnel de l'obligation, ce sont les conséquences que la loi attache aujourd'hui au licenciement injustifié du personnel (27). Lorsqu'est en cause une rupture abusive du contrat de travail s'agissant d'un salarié ordinaire, le tribunal ne peut que proposer (ce n'est qu'une faculté) la réintégration dans l'entreprise (27-1). Mais, il en va différemment pour les représentants du personnel (délégué syndical, délégué du personnel, membre du comité d'entreprise); la loi du 28 octobre 1982, mettant fin à des discordances jurisprudentielles, décide que le représentant du personnel a droit à réintégration lorsque la décision administrative autorisant le licenciement a été annulée (27-2). Ainsi est réalisée l'exécution en nature, puisque l'intéressé retrouve exactement sa place au sein de l'entreprise. S'il en va ainsi, c'est pour cette raison qu'au lien individuel né du contrat vient s'ajouter, pour cette catégorie de salariés, une mission d'intérêt collectif leur conférant un statut qui ne saurait être écarté que par décision administrative et qui exige, le cas échéant, la réintégration. Dès lors, on comprend que la jurisprudence, s'agissant des salariés ordinaires, n'admette pas d'obligation à réintégration dans les hypothèses où le licenciement est annulé pour vice de forme (27-3) ou vice de fond (27-4) : « en raison du caractère personnel des relations nées du contrat de travail, il est d'ordre public qu'aucune des parties ne puisse être contrainte de continuer à l'exécuter contre sa volonté ».

SOUS-SECTION II

L'EXÉCUTION INDIRECTE EN NATURE

1354. — On vient de voir que la satisfaction en nature est la règle pour toutes espèces d'obligations et qu'elle ne rencontre d'autre obstacle que celui qui, dans les obligations de faire, provient de la liberté et de la dignité de la personne. Dès l'instant où l'inviolabilité du débiteur n'est plus en cause, il devient possible d'obtenir la satisfaction du *facere* en nature, soit en le faisant exécuter par un tiers, soit en amenant le débiteur lui-même, par pression psychologique, à remplir son obligation.

(27) Sur la jurisprudence antérieure, LYON-CAEN, PÉLISSIER, *Droit du travail,* 14e éd., n° 700 et s.

(27-1) C. trav.. art. L. 122-14-4.

27-2) LYON-CAEN et PÉLISSIER, n° 704.

(27-3) Soc., 4 juin 1987 : *D.* 1988, p. 193, note A. MAZEAUD.

(27-4) Paris, 5 mai 1988 : *D.* 1988, I.R. 157.

§ 1. — L'exécution aux dépens du débiteur

1355. — La situation doit être envisagée sous le double aspect de l'obligation de ne pas faire et de l'obligation de faire. Le Code civil vise les deux hypothèses; l'article 1143 pour le *non facere* prévoit le retour au *statu quo ante,* l'article 1144 pour le *facere* la faculté de remplacement.

1° Retour au *statu quo ante*

1356. — L'article 1143 du Code civil donne au créancier le pouvoir de demander au tribunal la destruction de ce qui aurait été fait indûment et admet même qu'il puisse être autorisé à le détruire aux frais du débiteur, sans préjudice de dommages et intérêts, s'il y a lieu. Si c'est une construction qui a été élevée en contravention à une obligation de ne pas bâtir, le créancier sera justifié à faire procéder à la démolition aux dépens du débiteur; si c'est un commerce qui a été ouvert, nonobstant une promesse de ne pas se rétablir, la fermeture de l'entreprise pourra être ordonnée (27-5); si c'est une interdiction de vendre — découlant d'une promesse de vente ou d'une clause d'inaliénabilité — qui a été violée, le juge, sous certaines conditions, prononcera l'inopposabilité de l'acte. Grâce à ces procédures, la contravention à l'obligation négative est effacée et le créancier parvient à une exécution effective de l'engagement.

1357. — Le tout est de savoir si l'effacement de la situation créée au mépris de l'obligation contractuelle est, ou non, de droit pour le créancier. Une doctrine reconnaissait au juge une liberté d'appréciation entre l'octroi de dommages-intérêts et le rétablissement en nature, se fondant sur l'article 1142, texte de principe en la matière, d'après lequel le mode normal d'exécution forcée est l'exécution par équivalent, et rapprochant l'article 1143 de l'article 1144, qui pose que le créancier... *peut* être autorisé à faire exécuter lui-même l'obligation aux dépens du débiteur. Pendant longtemps, la jurisprudence s'est rangée à ce point de vue, considérant que le juge n'était pas obligé d'ordonner la destruction de ce qui avait été fait en contravention avec l'engagement pris (28).

1358. — Mais cette position paraît aujourd'hui dépassée. La Cour de cassation censure les juges du fond qui se contentent d'ordonner l'octroi de dommages-intérêts. Ainsi en a décidé la Chambre sociale à propos d'une clause de non-concurrence; en l'espèce, un salarié, embaumeur dans une entreprise de pompes funèbres, avait été justement licencié par son employeur; il avait fondé un fonds de thanatopraxie et acheté un autre

(27-5) Com., 20 janv. 1981 : *Bull. civ.* IV, n° 41.

(28) Civ., 25 juill. 1922 : *S.* 1923, 1, 111. — Civ. 1re, 24 mai 1960 : *Bull. civ.* I, n° 283. — Civ. 3e, 8 oct. 1970 : *Bull. civ.* III, n° 501.

commerce d'articles funéraires, en violation d'une obligation de ne pas s'établir; la cour d'Aix avait condamné le salarié à verser 6 000 F à titre de dommages-intérêts à son ancien employeur. La Cour de cassation casse cet arrêt au motif péremptoire suivant :

« Attendu qu'en statuant ainsi, alors que la société Pompes funèbres provençales Michel et Cie avait demandé que les commerces ouverts en contravention de l'engagement de non-concurrence soient fermés, les juges d'appel ont violé le texte susvisé » (C. civ., art. 1143) (29).

1359. — De son côté, la 3e Chambre civile juge que méconnaît l'article 1143 la cour d'appel qui alloue seulement des dommages-intérêts, se bornant à énoncer qu'il est hors de proportion avec le dommage causé d'ordonner la démolition d'une maison construite depuis plus de dix ans, sans relever une impossibilité de procéder à la destruction de la maison et à la reconstruction à l'emplacement prévu (30). Quant à la 1re Chambre civile, elle se rallie à la même doctrine, décidant que la condamnation en nature qui est sollicitée ne peut être refusée pour des raisons tenant à l'intérêt des tiers (31).

1360. — On ne peut qu'approuver cette jurisprudence. A partir du moment où la liberté du débiteur n'est pas compromise et où ne se présente aucun obstacle insurmontable, le retour au *statu quo* s'impose. C'est en ce sens que l'article 1143 est conçu : ce texte déclare que le créancier a le droit de demander la destruction; dès que c'est un droit pour le créancier, c'est une obligation pour le juge.

2° Faculté de remplacement

1361. — S'il s'agit d'une obligation de faire qui est demeurée en souffrance, l'article 1144 du Code civil prévoit que le créancier peut être habilité « à faire exécuter lui-même l'obligation aux dépens du débiteur »; par exemple, il lui est loisible de commander à un entrepreneur les réparations devenues nécessaires dans l'immeuble loué ou de mettre en dépôt dans quelque autre lieu la chose due qui n'a pas été enlevée en temps voulu (C. civ., art. 1264). Dans de telles éventualités, il n'y a pas, certes, entière dérogation à l'article 1142, car, du côté du débiteur, le mécanisme n'oblige qu'à acquitter le coût de l'opération. Mais, du côté du créancier, il en va différemment, puisque celui-ci n'en est plus réduit à se contenter d'un équivalent et reçoit satisfaction en nature.

---

(29) Soc., 24 janv. 1979 : *D.* 1979, 619, note Y. Serra.

(30) Civ. 3e, 15 fév. 1978 : *Gaz. Pal.* 1978, 1, somm. 169. — V. aussi Civ. 3e, 18 fév. 1981 : *Bull. civ.* III, n° 38 et 19 mai 1981 *ibid.* n° 101. — Civ. 3e, 20 janv. 1988 : *J.C.P.* II, IV, 115 : nul ne pouvant être contraint de céder sa propriété, si ce n'est pour cause d'utilité publique, la *démolition* d'ouvrages appartenant respectivement à deux voisins et empiétant chacun sur le fonds de l'autre, *ne saurait être refusée*, au motif qu'il serait fâcheux de bouleverser des propriétés et que la solution de bon sens est de chiffrer des dommages et intérêts.

(31) Civ. 1re, 17 déc. 1963 : *J.C.P.* 64, IV, 14. — *Contra* : Grenoble, 5 oct. 1978 : *J.C.P.*, éd. N, 79, 260.

1362. — De ces hypothèses, on rapprochera celle de l'inexécution d'une obligation de livrer des choses de genre : le créancier, qui réclame en vain la livraison, a la faculté de se procurer sur le marché les choses promises, tout en adressant la facture au débiteur, ce qui est une transposition pure et simple de l'article 1144. Ce mécanisme se retrouve, peu ou prou, dans la Convention de Vienne sur les ventes internationales de marchandises; d'après l'article 75, lorsque dans un délai raisonnable après la résolution (31-1) du contrat, l'acheteur a procédé à un achat de *remplacement* ou le vendeur à une vente compensatoire, la partie qui demande des dommages-intérêts peut obtenir la différence entre le prix prévu au contrat et le prix payé.

Dans le même ordre d'idées, on notera aussi la solution dégagée par la pratique en ce qui concerne l'obligation de signer un acte juridique : si, par exemple, l'auteur d'une promesse de vente refuse de participer à la rédaction de l'acte destiné à servir d'*instrumentum* à l'opération, le tribunal, constatant la vente formée, décidera que son jugement tiendra lieu d'acte de vente, si bien que le bénéficiaire de la promesse disposera d'un titre de propriété et pourra procéder à la transcription.

1363. — Dans de telles hypothèses, il est admis que les juges du fond disposent d'un pouvoir souverain pour prescrire ou non l'exécution aux frais du débiteur. Selon un arrêt de principe, l'article 1144 permet d'autoriser le créancier à faire exécuter lui-même l'obligation du débiteur et il appartient aux juges du fait d'user ou de ne pas user, suivant les circonstances, de cette faculté qui leur est donnée (32). Cette position est discutable dès qu'il ne fait pas de doute que le créancier a le droit de demander l'exécution forcée de l'obligation contractée par le débiteur et, qu'à défaut, il peut la faire accomplir pour lui et aux frais de l'obligé; c'est au créancier, donc, que le choix appartient, et non au juge qui a le devoir de faire respecter les obligations assumées par les parties.

1364. — Au-delà de cette divergence entre la jurisprudence et la doctrine, ce qui est indiscutable c'est la nécessité du recours à la justice (33). En effet, la substitution représente une voie d'exécution forcée qui ne peut être mise en mouvement que de l'autorité du juge. Par ailleurs, le contrat ne confère pas au créancier le droit de faire exécuter par un tiers, ce droit n'étant acquis que par l'inexécution de l'obligation, laquelle doit être constatée en justice. La jurisprudence n'excepte que le cas d'urgence et à la condition que les travaux effectués de son propre chef l'aient été de la manière la plus économique (34).

(31-1) Selon l'art. 72, lorsqu'il est manifeste qu'une partie commettra une contravention essentielle au contrat, son partenaire peut déclarer celui-ci résolu.

(32) Civ., 19 mars 1855 : *D.* 1855, 1, 297.

(33) Soc., 5 juin 1953 : *D.* 1953, 601. — Civ. 3e, 29 nov. 1972 : *J.C.P.* 73, IV, 14. — *Bull. civ.* III, n° 642, p. 473.

(34) Civ., 2 juill. 1945 : *D.* 1946, 4. — Soc., 7 déc. 1951 : *D.* 1952, 144.

1365. — Notons que la Cour de cassation semble autoriser le créancier à conclure directement à des dommages et intérêts, sans réclamer l'exécution en nature (35). Là encore, la solution manque d'orthodoxie; le créancier ne peut demander que ce qui était *in obligatione,* c'est-à-dire l'accomplissement du travail ou de l'ouvrage promis; il ne saurait conclure directement à des dommages et intérêts : il a stipulé un fait, non une somme d'argent.

§ 2. — L'exécution par pression sur le débiteur

1366. — Il s'agit, ici, des moyens de contrainte psychologique employés pour amener le débiteur à s'exécuter. Le choix s'impose à lui, ou d'honorer son engagement, ou de s'exposer à une condamnation plus forte.

On indiquera, brièvement, les principales mesures de nature à déterminer le débiteur à préférer l'exécution (36).

1° Répression pénale

1367. — Le meilleur procédé d'intimidation consiste dans la perspective d'une sanction répressive. Si le débiteur sait qu'il risque une condamnation pénale, amende ou emprisonnement, il sera davantage porté à respecter la foi jurée. C'est pourquoi, d'ailleurs, le législateur a parfois érigé en infraction pénale l'inexécution de certaines obligations contractuelles. La violation de l'obligation de restitution dans le dépôt, dans le mandat, dans le prêt... peut constituer l'abus de confiance sous les conditions fixées à l'article 408 du Code pénal. La disposition des choses saisies réalise éventuellement le détournement d'objets donnés en gage (C. pén., art. 400). Ne pas acquitter le prix de son repas ou de son logement vous rend passible de l'incrimination du délit de filouterie (C. pén., art. 401).

Toutefois, on notera que l'évolution actuelle ne va pas dans le sens de la pénalisaton (36-1); il suffit de penser à l'ordonnance du 1er décembre 1986 qui a supprimé le délit de refus de vente et à une certaine jurisprudence qui interprète très restrictivement, pour les écarter, les dispositions pénales (36-2).

---

(35) Civ. 1re, 31 mars 1981 : *Gaz. Pal.* 1981, 2, pan. 302.

(36) On a déjà vu le rôle de la mise en demeure qui fait courir les intérêts moratoires. On verra plus loin, à propos de l'étude de la clause pénale, que les stipulations de la convention peuvent contribuer à obtenir une exécution effective et ponctuelle.

(36-1) M. T. Calais-Auloy, *La dépénalisation du droit des affaires : D.* 1988, chron. 315. — J. Mestre : *Rev. trim. dr. civ.* 1988, n° 129 et s.

(36-2) Crim., 24 nov. 1983 : *D.* 1984, 465, note Lucas de Leyssac; *J.C.P.* 85, II, 20450, note H. Croze. — Crim., 9 mars 1987 : *Bull. crim,* n° 111, p. 313.

2° Expulsion

1368. — Pour obtenir le déguerpissement d'un local indûment occupé, qu'il s'agisse du vendeur qui ne procède pas à la délivrance ou du locataire qui se maintient dans les lieux, on ne procède pas *obtorto collo* sur la personne de l'occupant; on va seulement s'en prendre au mobilier garnissant les lieux en le faisant déménager et placer dans un garde-meubles. Comme le débiteur ne peut vivre sans meubles, il est contraint de quitter la place; ainsi s'obtient la libération des locaux, sans atteinte corporelle, uniquement par pression psychologique.

3° Astreinte

1369. — Il s'agit d'une condamnation à une somme d'argent à tant par jour de retard dans l'exécution. Son but est de faire plier la volonté du débiteur récalcitrant, de l'amener à préférer exécuter plutôt que de devoir acquitter une dette d'argent qui grossit sans cesse. Le remède est à toute épreuve, car il n'est pas de fortune qui puisse résister à une ponction qui s'enfle continuellement. Son efficacité est telle que le législateur a entériné la jurisprudence qui en avait découvert les mérites et que, par une loi du 5 juillet 1972, il a reconnu, à ce sujet, et à toutes juridictions un pouvoir d'office. Le moyen a été étendu au domaine administratif pour contraindre les personnes morales de droit public à exécuter les décisions juridictionnelles passées en force de chose jugée (L. du 16 juill. 1980). Ce mode de contrainte n'est pas limité à l'inexécution des obligations contractuelles. Toute obligation, quelle qu'en soit la source, permet au juge de prononcer une condamnation à l'astreinte, afin de vaincre la mauvaise volonté du débiteur qui refuse d'exécuter. Aussi l'étude de l'astreinte sera-t-elle faite dans le troisième volume de cet ouvrage qui traite des problèmes communs à toutes les obligations.

4° Injonction de faire

1369-1.— Le décret du 4 mars 1988 a instauré une procédure nouvelle, dénommée injonction de faire (N.C.P.C., art. 1425-1 à 1425-9), tendant à l'exécution en nature d'une obligation contractuelle, lorsque le contrat a été conclu entre des personnes n'ayant pas toutes la qualité de commerçant (entre particuliers ou entre un commerçant et un particulier) et que la valeur de la prestation en cause n'excède pas le taux de compétence du tribunal d'instance, soit actuellement 30 000 F. Saisi par une simple requête, le juge d'instance, si la demande lui paraît fondée, rend une ordonnance portant injonction de faire, fixant, d'une part l'objet de l'obligation ainsi que le délai et les conditions dans lesquels celle-ci doit être accomplie, d'autre part une date d'audience à laquelle l'affaire sera examinée dans le cas où l'injonction n'aura pas été exécutée. En cas d'inexécution totale ou partielle, le tribunal statue après avoir tenté de concilier les parties. A première vue, cette procédure ne paraît pas appelée à un grand succès.

L'injonction est purement comminatoire; loin d'être assortie d'une quelconque sanction, elle va jusqu'à prévoir son échec en arrêtant un jour d'audience pour la discussion, incitant de la sorte le débiteur à la dérobade. Toutefois, compte tenu de ce que c'est le même juge qui connaît de l'injonction et du fond, on peut espérer que le débiteur simplement récalcitrant hésitera à le braver en n'obtempérant pas de suite.

1370. — Une remarque concernant toute demande d'exécution en nature du contrat doit être faite en conclusion : le créancier qui demande l'exécution n'a pas à démontrer que la non-exécution de l'obligation entraînerait pour lui un préjudice. *Pacta sunt servanda* : on doit exécuter les conventions (36-3). Ainsi, il a été jugé en matière de lotissement que tout propriétaire d'un lot peut exiger des autres lotis le respect du cahier des charges, sans être tenu d'établir que la violation de ces dispositions lui cause un dommage (37).

SECTION III

EXÉCUTION PAR ÉQUIVALENT (THÉORIE DE LA RESPONSABILITÉ CONTRACTUELLE)

1371. — Le créancier qui ne peut obtenir l'exacte prestation qui lui est due exigera une compensation. Le plus souvent, ce sera une somme d'argent, c'est-à-dire des dommages et intérêts. L'inexécution met en jeu, ainsi, la *responsabilité contractuelle* du débiteur (37-1).

Il convient de se demander quelles sont les *conditions* auxquelles est subordonnée cette responsabilité, puis quelles sont les règles particulières concernant la *réparation* en matière contractuelle.

(36-3) ROLAND et BOYER, *Adage*, p. 716 et s.

(37) Civ. 3e, 9 déc. 1970 : *J.C.P.* 71, IV, 18.

(37-1) B. STARCK, *Essai d'une théorie générale de la responsabilité civile considérée en sa double fonction de garantie et de peine privée*, thèse Paris, 1947. — LE TOURNEAU, *La responsabilité civile*, 3e éd., 1982. — H. et L. MAZEAUD, *Traité théorique et pratique de la responsabilité civile délictuelle et contractuelle*, 4 vol., en collaboration avec A. TUNC, J. MAZEAUD et DEJEAN DE LA BÂTIE. — G. VINEY, *La responsabilité : conditions*, 1982, *La responsabilité : effets*, 1988. — R. SAVATIER, *Traité de la responsabilité civile en droit français*, 2 vol., 1951. — LALOU, *Traité pratique de la responsabilité civile*, 6e éd. par P. AZARD.

SOUS-SECTION I

LES CONDITIONS DE LA RESPONSABILITÉ CONTRACTUELLE

1372. — On retrouve ici les trois conditions de toute responsabilité civile : un dommage, un fait générateur de responsabilité, un lien de causalité entre le dommage et le fait générateur.

L'étude que nous avons faite de ces questions en matière de responsabilité délictuelle nous facilitera beaucoup la tâche, car, sur bien des points, les règles applicables sont identiques. Il suffira donc de les rappeler d'un mot et de mentionner, au passage, les différences qui existent entre ces deux sortes de responsabilité.

§ 1. — Le dommage

1373. — L'inexécution, l'exécution tardive, incomplète ou défectueuse de l'obligation contractuelle n'est source de responsabilité que si le créancier a subi de ce fait un dommage (38).

Les éléments du dommage réparable sont les mêmes en matière contractuelle qu'en matière délictuelle : dommage matériel, c'est-à-dire la perte éprouvée et le gain manqué selon l'article 1149 du Code civil (38-1); atteinte à l'intégrité corporelle et à la vie, dans les contrats comportant une obligation de sécurité; dommage moral, dans les diverses acceptions de ce terme; préjudice futur, dès lors qu'il est certain; perte d'une chance (38-2); dommage par ricochet. Sur tous ces points, il suffit de se reporter à ce qui a été dit dans le premier volume de l'ouvrage.

1374. — La seule règle originale en matière de dommage réparable sur le terrain contractuel — qui n'a pas son correspondant en matière délictuelle — est celle qui figure à l'article 1150 du Code civil. Ce texte déclare :

« Le débiteur n'est tenu que des dommages et intérêts qui *ont été prévus* ou qu'*on a pu prévoir* lors du contrat, lorsque ce n'est point par son dol que l'obligation n'a pas été exécutée ».

---

(38) V. Civ. 3e, 9 juill. 1970 : *Bull. civ.* III, n° 481, p. 348; *J.C.P.* 70, IV, 236.

(38-1) Le *damnum emergens* et le *lucrum cessans* sont expressément visés par l'art. 74 de la Convention de Vienne sur la vente internationale de marchandises comme limites aux dommages et intérêts.

((38-2) Civ. 1re, 17 mai 1988 : *J.C.P.* 88, IV, 258 : une société est victime d'un vol à la suite de la défaillance du dispositif d'alarme; les juges du fond, considérant que le préjudice ne consistait pas dans la perte d'une chance, mais dans les conséquences dommageables du vol, condamnent l'installateur à des dommages et intérêts représentant la totalité des marchandises volées, augmentés d'un manque à gagner; la Cour de cassation censure cette décision; l'installateur n'était tenu de réparer que les seules conséquences dommageables découlant du manquement à son obligation contractuelle, dont l'objet était l'installation d'un appareil destiné à alerter les services de police en cas de vol, *non d'empêcher* le vol lui-même.

Cet important article pose une règle et prévoit une exception à cette règle : en principe, seul est réparable le dommage *prévu* ou *prévisible* lors du contrat (39); en cas d'inexécution imputable au *dol* du débiteur, on doit réparer même le dommage non prévu et non prévisible.

Exposons le principe avant de voir l'exception qu'il comporte.

A. — Limitation de la réparation au dommage prévisible

1° Objet de la prévisibilité

1375. — Cette règle a donné lieu à bien des discussions. A quoi s'applique précisément la prévision ou la prévisibilité du dommage au moment du contrat ? Concerne-t-elle la nature du dommage (perte, détérioration...) ou sa quotité ? L'interprétation, aujourd'hui unanimement admise, c'est que la prévision dont il est question dans l'artcle 1150 concerne *l'importance du dommage.* Un exemple simple le fera comprendre. Supposons que je confie à un transporteur un colis et que ce colis soit volé ou détruit. S'il contenait des objets de valeur, que le débiteur (le transporteur) ne pouvait pas connaître, il ne pourra pas en être rendu responsable (40). L'expéditeur aurait pu prévenir le transporteur de l'importance du contenu du colis; ne l'ayant pas fait, il ne pourra pas réclamer des dommages et intérêts égaux à la valeur des choses perdues (41). De même, la personne qui confie ses tapis pour être nettoyés à une entreprise spécialisée, sans faire de déclaration spéciale de valeur, ne peut réclamer, en cas de vol, que le montant figurant au tarif forfaitaire porté au récépissé qui lui a été remis (42).

1376. — Ce point étant réglé, reste encore à préciser si l'article 1150 concerne les *éléments constitutifs du dommage* ou les dommages-intérêts nécessaires pour compenser le préjudice. Pendant longtemps, on s'en est tenu à la lettre de l'article 1150, considérant que c'était le montant des dommages et intérêts qui était limité à ce que le débiteur avait prévu ou aurait dû prévoir au moment de la conclusion du contrat. Mais l'inflation et la variation des prix ont amené un revirement de jurisprudence; depuis

(39) Isabelle SOULEAU, *La prévisibilité du dommage contractuel,* thèse Paris II, 1979. — M. GUITTARD, *La réparation du dommage en matière contractuelle : Gaz. Pal.* 1978, doct. 10. — Sur le principe, Civ. 1re, 25 janv. 1989 : *D.* 1989, I.R. 47.

(40) Civ., 29 déc. 1913 : *D.* 1916, 1, 117. — Angers, 13 mai 1929 : *D.* 1929, 2, 161, note JOSSERAND.

(41) Si le contractant déclare une valeur *supérieure* à la valeur réelle, il va de soi que le transporteur ne doit pas plus que cette valeur ou celle prévue au tarif (Civ., 31 juill. 1944 : *D.C.* 1944, 96, note A.C. — Com., 27 oct. 1947 : *Gaz. Pal.* 1948, 2, 265, sous-note *b.* — Civ., 2 déc. 1947 : *Gaz. Pal.* 1948, 1, 84).

(42) Civ. 1re, 4 mars 1981 : *Gaz. Pal.* 1981, 2, pan. 240.

un arrêt du 16 février 1954 (43), les dispositions de l'article 1150 concernent le préjudice pris en lui-même, considéré dans sa nature et son étendue (43-1), nullement « l'équivalent monétaire destiné à le réparer » (44). Ce qui signifie que le juge a toute liberté pour évaluer, *à la date de sa décision*, le montant de l'indemnité à accorder. Par exemple, en cas de garantie d'achèvement d'une construction et de respect d'un délai déterminé, la victime du non-achèvement peut prétendre à un dédommagement en fonction d'un rapport d'expertise qui tient compte des variations de l'indice du coût de la construction (45).

2° Appréciation de la prévisibilité

1377. — L'imprévision ou l'imprévisibilité s'apprécient *in abstracto* (45-1). D'où il suit que le dommage réparable est celui que pouvait ou devait prévoir un homme ordinaire placé dans les circonstances de l'espèce. Pothier donnait l'exemple du bailleur qui devait s'attendre, s'il ne fournissait pas la jouissance réelle des lieux loués, à ce que locataire soit amené à se loger à des conditions plus onéreuses : un tel préjudice est prévisible, même s'il n'a pas été concrètement prévu, parce que cette conséquence est la suite normale de l'inexécution d'un contrat de bail. D'après la jurisprudence, il est prévisible, par exemple, qu'un voyageur, stationnant sa voiture dans le parc de l'hôtel, laisse à l'intérieur de son véhicule fermé à clef divers objets, tels qu'un appareil de photographie ou un vêtement (45-2); ou que le dommage résultant de la disparition d'un film après sa remise au photographe en vue du traitement et du montage consiste en la perte du souvenir auquel le propriétaire était normalement attaché (45-3).

1378. — Mais, il faut observer que le *bonus pater familias* de référence n'est pas le bon père à tout faire. Force est de considérer le groupe social ou

---

(43) *D.* 1954, 534, note RODIÈRE.

(43-1) Par exemple, Paris, 15 nov. 1988 : *D.* 1989, I.R. 5. Arrêt très explicite. La Cour, statuant sur les conséquences de la livraison d'un système informatique non conforme à la commande, alors qu'il s'agissait d'un programme standard, déclare que le fournisseur avait tous les éléments lui permettant d'apprécier les difficultés éventuelles de mise en œuvre et énumère les différents chefs de préjudice résultant pour le client de l'interruption de son service informatique : ressaisie des écritures comptables, établissement manuel des paies, reprise des cumuls de paye et du coût de révision de la comptabilité, surcroît de travail assumé en heures supplémentaires, désorganisation dans la gestion, etc.

(44) Com., 4 mars 1965 : *D.* 1965, 449. — Civ. 1re, 1er juin 1976 : *J.C.P.* 76, II, 18483, note SAVATIER (deux arrêts). — Civ. 1re, 6 déc. 1983 : *Gaz. Pal.* 1984, 1, pan. 110, note CHABAS.

(45) Civ. 1re, 6 déc. 1983 : *D.* 1984, I.R. 124; *Gaz. Pal.* 1984, pan. 110, obs. F.C.

(45-1) La Convention de Vienne accentue ce caratère. Aux termes de son art. 74, les dommages et intérêts ne peuvent être supérieurs à la perte subie et au gain manqué que la partie en défaut avait prévu ou *aurait dû prévoir* au moment de la conclusion du contrat, en considérant les faits dont elle avait connaissance ou *aurait dû avoir connaissance, comme étant des conséquences possibles* de la contravention au contrat.

(45-2) Civ. 1re, 18 janv. 1989 : *D.* 1989, I.R. 31.

(45-3) Civ. 1re, 25 janv. 1989 : *D.* 1989, I.R. 47.

économique auquel appartient le débiteur; et c'est de ce groupe que l'on tire le modèle de comparaison. S'agit-il d'un sportif, c'est avec un sportif amateur que l'on établira le rapprochement, et non avec l'individu sédentaire; s'agit-il d'un professionnel, on se référera au type moyen correspondant au secteur d'activité envisagé...

Davantage encore, on devra tenir compte du degré de spécialisation et se calquer tantôt sur le médecin de campagne, tantôt sur le généraliste de grande ville ou sur le spécialiste en renom. Une illustration de cet affinement concret de l'*in abstracto* se trouve, par exemple, dans un arrêt de la 1re Chambre civile du 31 janvier 1984 qui fait grief à un conseil financier de n'avoir pas, à l'occasion de l'évaluation d'un immeuble, envisagé le cas où il serait vendu en bloc à la suite d'une saisie, ce qui était de nature à diminuer sa valeur de moitié (46).

1379. — Le rôle de la Cour de cassation varie selon l'objet de l'appréciation. Elle se reconnaît compétente pour apprécier le caractère prévisible ou non du dommage, puisqu'il s'agit de déterminer le contenu des obligations d'une partie (47); en revanche, tout ce qui a trait à l'équivalent monétaire du préjudice réparable relève des juges du fond comme constituant une pure question de fait (48).

3° Justification de la prévisibilité

1380. — La limitation de la réparation au seul dommage prévu ou prévisible lors de la conclusion du contrat se justifie facilement. En matière contractuelle, l'obligation repose sur la volonté des contractants; or, cette volonté est elle-même déterminée par les prévisions qui ont pu être faites : le débiteur ne pouvait pas *vouloir* s'engager au-delà de ce qu'il a pu *prévoir*. L'obligation, même inexécutée, reste attachée à l'accord de volontés qui lui a donné naissance; cet accord déterminait ce qui devait être fait et, par contre coup, circonscrit l'étendue du dommage réparable. Est donc non indemnisable le préjudice qui n'est pas entré dans le champ contractuel; en réparant au-delà, on irait contre la bonne foi contractuelle; ce serait le cas du transporteur qui se croyait chargé de marchandises courantes, et auquel on réclamerait le prix d'objets de valeur.

1381. — Selon une certaine doctrine, la véritable raison d'être de l'article 1150 serait ailleurs. Il n'y aurait pas, à proprement parler, de responsabilité contractuelle, mais simplement, en cas de défaillance du débiteur, une

(46) *J.C.P.* 84, IV, 114.

(47) Civ. 1re, 11 fév. 1952 : *Bull. civ.* I, n° 59.

(48) Les juges tiennent compte des circonstances de la cause, par exemple, en cas de perte des bagages, l'indemnité due par le transporteur est fonction de la quantité et de la valeur des objets de prix que le voyageur pouvait normalement emporter avec lui eu égard à sa profession, à sa situation de fortune, à l'objet du voyage et au prix du billet : Civ. 29 déc. 1913 : *D.P.* 1916, 1, 117.

exécution différente. Or, cette exécution de substitution ne saurait dépasser celle qui avait été initialement promise. Dans une telle optique, il est faux de dire que la réparation n'est que partielle en matière contractuelle : on n'est pas en présence d'une réparation, mais d'un équivalent d'exécution (49).

B. — Réparation intégrale du dommage en cas de dol

1382. — En ce cas, aux termes de l'article 1150, le débiteur doit réparer le préjudice *intégralement,* alors même qu'il n'était pas prévu ou prévisible lors du contrat. Cela, aussi, se comprend facilement. Le débiteur qui, intentionnellement, n'a pas exécuté, qui, donc, a fait preuve de mauvaise foi, ne mérite pas le bénéfice d'une règle limitant la responsabilité (50).

1° Fondement de la réparation intégrale

1383. — Un auteur (Josserand) a écrit qu'en commettant un dol, le contractant « s'évade du contrat » et doit être assimilé à celui qui est responsable délictuellement, donc de façon intégrale. Cette explication a pour fondement une thèse naguère très controversée, celle dite du *cumul* de la responsabilité contractuelle et de la responsabilité délictuelle. Certains auteurs — et de nombreux arrêts — admettaient que l'inexécution du contrat permet au créancier de choisir entre deux voies : la voie de la responsabilité contractuelle ou celle de la responsabilité délictuelle, si cette dernière lui paraît plus avantageuse (il s'agit donc d'option et non de cumul). La voie délictuelle avait comme principal avantage d'éviter l'application de l'article 1150 ou de tout autre texte ou clause contractuelle limitative de responsabilité; en revanche, le créancier devait prouver que les conditions de la responsabilité délictuelle étaient réunies.

Mais la thèse du cumul — ou plus exactement de l'option entre les deux sortes de responsabilité — est aujourd'hui abandonnée (50-1). A juste titre, nous semble-t-il. L'inexécution d'un contrat ne saurait faire abstraction de la situation particulière issue du contrat et des obligations qui y trouvent, à la fois, leur origine et leur mesure.

1384. — Relevons une espèce où la Cour de cassation a confirmé l'incompatibilité entre les deux ordres de responsabilité. Un entrepreneur avait

---

(49) LE TOURNEAU, *La responsabilité civile,* 3e éd., n° 243.

(50) Dans la même éventualité, le débiteur est privé du bénéfice de l'assurance : Civ. 1re, 29 mai 1985 : *D.* 1985, I.R. 450 (comportement frauduleux d'un notaire agissant en collusion d'intention avec son clerc, d'où il résulte que les faits incriminés ne sont pas couverts par l'assurance).

(50-1) Civ. 1re, 11 janv. 1989 : *D.* 1989, I.R. 34 : le créancier d'une obligation contractuelle ne peut se prévaloir contre le débiteur, quand bien même il y aurait intérêt, des règles de la responsabilité délictuelle (contrat d'assurance).

été déclaré responsable de l'incendie d'un château où il effectuait des travaux à l'aide d'un chalumeau; la cour d'appel l'avait condamné au paiement de diverses indemnités, incluant une somme représentative des intérêts d'un emprunt contracté par le propriétaire ainsi qu'une somme pour perte de loyers. Elle justifiait cette aggravation de la réparation en se fondant sur le fait que l'inexécution de l'obligation contractuelle coïncidait avec une faute délictuelle, en ce qu'elle constituait une négligence coupable. La Cour de cassation juge qu'il y a violation de l'article 1150 du Code civil, motif pris de ce que la victime d'un dommage « dont l'auteur est contractuellement responsable » ne peut se prévaloir contre cet auteur des règles de la responsabilité délictuelle (51).

1385. — Est-ce à dire que l'inexécution fautive d'une obligation contractuelle doive entraîner les mêmes conséquences qu'une inexécution non fautive ? Certainement pas. Et la règle posée par l'article 1150 du Code civil — en matière contractuelle — en est la meilleure illustration.

Il ne fait pas de doute que cette exception relative au dol du débiteur témoigne que la responsabilité civile contractuelle (comme, d'ailleurs, la responsabilité délictuelle) a non seulement pour but de réparer les dommages, mais aussi de les prévenir. La responsabilité civile a une certaine fonction répressive des fautes, du moins de celles qui ont une suffisante gravité.

1386. — Cette analyse a été reprise depuis par une doctrine autorisée. Obliger le débiteur malhonnête, qui n'a pas craint de bafouer la confiance qui lui était accordée, à réparer l'entier dommage, même imprévisible lors de la formation du pacte, c'est tout simplement lui infliger une sanction exceptionnelle, mais méritée. Le débiteur s'est comporté comme si le contrat n'existait pas : le droit l'enserre dans son propre jeu : privé du droit d'invoquer le pacte, il va pouvoir être condamné à indemniser des risques qu'il n'avait pas acceptés; inversement, le créancier recevra des avantages qu'il n'escomptait pas. La mesure mérite donc d'être vue comme une *peine privée* (52).

2° Domaine de la réparation intégrale

1387. — La jurisprudence pousse la rigueur plus loin encore que le législateur. L'article 1150 ne vise, à la lettre, que le *dol;* seul il permettrait la réparation du dommage non prévu. Or, les tribunaux déclarent qu'en cas de *faute lourde,* il en sera de même. Il y a pourtant une différence radicale entre les deux notions : le dol est une faute intentionnelle, alors que la faute lourde n'est pas intentionnelle. Mais, la jurisprudence invoque ici un vieil adage selon lequel la faute lourde est équivalente au dol : *culpa lata dolo*

(51) Civ.,11 mai 1982 : *Gaz. Pal.* 1982, 2, 612, note CHABAS.— V. aussi Com., 26 fév. 1985 : *J.C.P.* 85, IV, 172.

(52) LE TOURNEAU, *op. cit.*, n° 244. — Dans le même sens SOULEAU, *op. cit.*, n° 527.

aequiparatur (53). Cela supprime les difficultés de preuve de l'intention dolosive.

1388. — S'il arrive aux tribunaux de se montrer sévères en qualifiant facilement de faute lourde toute faute prouvée, caractérisée (négligence, imprudence) (54), le plus souvent c'est sans rigueur excessive qu'ils font l'assimilation à partir d'un comportement inexcusable. Tel est le cas de la société de gardiennage d'un bateau qui, loin de réagir devant la présence à bord de celui qui allait dérober le bâtiment, l'aide au contraire à mettre le moteur en route sans lui demander la moindre justification (55); tel est le cas de l'annonceur qui s'abstient, sans aucun motif valable, d'exécuter deux ordres d'insertion dans l'annuaire des abonnés au téléphone (56) ou du garagiste qui vend la voiture remise en dépôt (56-1). On citera encore le bailleur qui laisse s'opérer, au grand jour, un véritable déménagement dans les lieux loués, alors qu'il s'était spécialement chargé d'une mission de garde et de surveillance de l'immeuble (57).

Malgré tout, ce sont là des cas exceptionnels qui ne doivent pas faire perdre de vue la règle posée à l'article 1150 : en matière contractuelle, seul le dommage prévu ou prévisible est réparable.

§ 2. — Le fait générateur

Inexécution, seul fait générateur

1389. — La réponse, en apparence, est simple : le fait générateur, en cette matière, est l'inexécution de l'obligation ou son exécution tardive, incomplète ou défectueuse (58).

1390. — De nombreux auteurs ajoutent, cependant, une condition supplémentaire : la *faute* du débiteur (58-1). La responsabilité contractuelle

(53) V. ROLAND et BOYER, *Adages*, p. 205.

(54) Req., 24 oct. 1932 : *S.* 1933, 1, 289, note P. ESMEIN; *D.* 1932, 1, 176, note PILON. — Amiens, 18 juin 1964 : *Gaz. Pal.* 1964, 2, somm. 12. — Paris, 28 nov. 1951 : *D.* 1952, 23. — Civ., 26 juin 1951 : *Bull. civ.* III, n° 195, p. 151 (fermier sortant laissant l'exploitation en mauvais état). — V. la note de M. MIMIN au *D.* 1938, 1, 29, et les arrêts cités en ce sens.

(55) Civ. 1re, 31 janv. 1984 : *D.* 1984, I.R. 236.

(56) Com., 17 janv. 1984 : *J.C.P.* 84, IV, 96.

(56-1) Colmar, 1er juin 1983 : *Gaz. Pal., Tables* 1982-85, *V° Responsabilité civile*, n° 241.

(57) Civ. 3e, 22 fév. 1983 : *D.* 1983, I.R. 241. — V. encore Civ. 1re, 8 nov. 1983 : *D.* 1984, I.R. 486. Cependant, dans une espèce qui a été très controversée, la Cour de cassation a admis que l'article 1150 doit être écarté, même en présence d'une faute simple (non lourde) du débiteur (Req., 14 déc. 1926 : *D.* 1927, 1, 105, note JOSSERAND).

(58) V. une affirmation très nette du principe : Civ. 1re, 12 juill. 1977 : *Bull. civ.* I, 261.

(58-1) H. et L. MAZEAUD et TUNC : *op. cit.*, t. I, n° 662 et s. — G. VINEY, *La responsabilité : conditions*, n° 439 et s. — P. RENAULT, *La base de la responsabilité contractuelle*, thèse Paris, 1938. — L. SEGUR, *La notion de faute contractuelle en droit français*, thèse Bordeaux, 1954. — D. NGUYEN-THANH-BOURGEOIS, *Contribution à l'étude de la faute contractuelle : Rev. trim. dr. civ.* 1973, 496. — R. RODIÈRE : *Rép. dr. civ. Dalloz, V° Responsabilité contractuelle*, n° 53 et s.

impliquerait non seulement l'inexécution, mais, de plus, l'*inexécution fautive.* Ces auteurs se rattachent à ce courant général de la pensée juridique qui ne conçoit pas que l'on puisse être déclaré responsable sans faute. Dès que le terme responsabilité est employé, on recherche, presque d'instinct, à le rattacher à une faute.

Cette doctrine est encore moins soutenable en matière contractuelle qu'en matière délictuelle. En effet, dès lors qu'une personne a promis et n'a pas exécuté, la responsabilité contractuelle se justifie sans aucune difficulté : elle apparaît comme la sanction — l'une des sanctions — de l'inexécution. Si le créancier qui se heurte à l'inexécution décide d'utiliser les voies de contrainte directe, nul n'a jamais soutenu qu'il doit, au préalable, établir la faute du débiteur. Il lui suffit d'établir l'obligation et son inexécution. On ne voit pas pourquoi la faute serait nécessaire s'il demande une exécution par équivalent.

1391. — D'ailleurs, les auteurs qui soutiennent cette thèse ajoutent que la faute contractuelle n'est rien d'autre que l'inexécution de l'obligation ! Ne pas exécuter son obligation, c'est commettre une faute. Cette remarque enlève toute portée véritable à l'exigence de la faute en tant que condition *distincte.* Dire que la responsabilité contractuelle exige : 1° la preuve de l'inexécution, 2° la faute du débiteur, et ajouter aussitôt que le faute n'est rien d'autre que l'inexécution du contrat, est contradictoire. Autant dire : *la condition, nécessaire et suffisante, de la responsabilité contractuelle est l'inexécution de l'obligation.*

Dualité d'inexécution

1392. — C'est bien là le principe que nous adoptons. Est-ce à dire que tous les problèmes soient résolus ? Il n'en est rien, car la question n'est que déplacée : il faut, en effet, déterminer ce que l'on doit entendre par *inexécution de l'obligation.* La réponse à cette obligation suppose précisés, au préalable, le contenu et l'étendue de l'obligation contractuelle. Or, cette question a été déjà étudiée ci-dessus, ce qui nous permettra une réponse facile au problème actuellement analysé.

On sait que la division la plus importante relative au contenu de l'obligation et à son étendue est celle qui distingue les *obligations de résultat* des *obligations de moyens* (59). Pour savoir si la responsabilité du débiteur est engagée, il faut donc se reporter à cette distinction. La réponse ne sera pas la même dans les deux séries d'hypothèses.

(59) V. A. Plancqueel, *Obligations de moyens, obligations de résultat (Essai de classification des obligations contractuelles en fonction de la charge de la preuve en cas d'inexécution) : Rev. trim. dr. civ.* 1972, 334.

A. — Obligations de résultat

1393. — En ce cas, l'inexécution du contrat, par conséquent le fait générateur de responsabilité, est établi par cela seul que le résultat promis n'a pas été fourni. Le créancier a pour seule preuve à faire l'existence de l'obligation dont il s'agit et la défaillance du débiteur. Si, en toutes circonstances, l'absence de satisfaction engendre la responsabilité, il y a lieu, au contraire, de distinguer selon la garantie du résultat, pour savoir si le débiteur peut ou non invoquer une cause d'exonération. De ce point de vue, on doit reprendre la distinction précédemment faite entre obligations de résultat absolues et obligations de résultat ordinaires.

1° Obligations de résultat absolues

1394. — A cet égard, il faut encore se rappeler que, si l'obligation a pour objet une chose de genre (sommes d'argent ou choses fongibles en général), aucun événement ne libère le débiteur : *genera non pereunt* (les genres ne périssent point). Le débiteur est tenu d'un résultat dans le sens le plus absolu de ce terme. Dans tous ces cas, parler d'exécution par équivalent ou de responsabilité est d'ailleurs inexact, le débiteur pouvant toujours être contraint à exécuter en nature.

Seul le *retard* dans l'exécution donnera lieu à des dommages-intérêts. Les dommages et intérêts qui sont destinés à réparer le préjudice résultant d'une satisfaction tardive sont appelés dommages et intérêts *moratoires.* Sous ce rapport, la faute du débiteur, on le verra, aura des conséquences propres.

2° Obligations de résultat ordinaires

1395. — Si l'obligation a pour objet un corps certain, nous avons vu que, d'après la jurisprudence, on se trouve en présence, — sauf cas exceptionnels — d'obligations de résultat du type ordinaire. Si le résultat n'a pas été atteint, le débiteur est tenu, sauf s'il peut établir que l'inexécution est due à une *cause étrangère.*

a) Cas pratiques

1396. — Ainsi en va-t-il de l'installation d'un système d'alarme : l'entreprise qui ne procède pas à la mise en place des détecteurs de choc prévus au devis d'origine manque à son obligation de résultat et, le système n'ayant pas fonctionné, doit réparer le préjudice résultant du cambriolage des locaux (60). Ainsi en va-t-il pour un club de plongée sous-marine : il lui

(60) T.G.I. Paris, 3 juill. 1980 : *Rev. ass. terr.* 1981, 405. — Comp. Lyon, 30 juin 1981 : *D.* 1982, I.R. 365, note LARROUMET (en l'espèce, il s'agissait du non-fonctionnement du dispositif de sécurité qui avait bien été mis en place).

incombe l'obligation de mettre en place un dispositif de secours d'urgence : présence d'une personne compétente sur le bateau, appareil à oxygène en état de marche, plan d'évacuation (61). La solution est identique pour l'agence de voyages que les tribunaux déclarent garante de l'exécution du déplacement et du séjour dans des conditions normales et aux dates prévues (61-1).

1397. — Il en est de même lorsqu'on se trouve en présence d'une obligation de sécurité du type de l'obligation de résultat. Le créancier, — c'est-à-dire la victime d'un accident corporel ou ceux qui agissent par ricochet — n'a pas à prouver la cause de l'accident. La responsabilité du débiteur de sécurité est engagée du seul fait de l'accident; à moins qu'il ne puisse s'exonérer en prouvant la cause étrangère. Citons un arrêt très significatif à cet égard : un club de séjour de vacances organise une excursion pour ses adhérents; le délabrement des sièges oblige certains à se tenir debout, ce qui a pour conséquence qu'ils sont heurtés à la tête lorsque la voiture s'engage sous la toiture du restaurant. La Cour déclare que le club a contracté une obligation de sécurité-résultat le rendant responsable des dommages pouvant leur survenir dans le trajet et qu'il ne peut être exonéré que par une cause étrangère répondant aux caractéristiques de la force majeure (62). Relèvent du même régime de responsabilité le transporteur de fonds (63), le gardien d'enfants à titre professionnel (64), le fabricant d'armes à feu (65), le fournisseur de bouteilles gazeuses (66), la société mère qui prend l'engagement de soutenir sa filiale dans ses besoins financiers (67), la banque locateur de compartiments de coffre-fort (68). Une lecture attentive des arrêts permet même de découvrir, sous la constatation de l'existence d'une faute, une véritable obligation de résultat; on l'observe, notamment, s'agissant des agences de renseignements commerciaux qui ont le devoir impératif de fournir des informations exactes (69) et complètes (70).

---

(61) Poitiers, 18 juin 1980 : *Quot. jur.* 25 mars 1982.

(61-1) Paris, 9 fév. 1988 : *D.* 1988, I.R. 73.

(62) Paris, 8 nov. 1980 : *Gaz. Pal.* 1981, 2, somm. 212.

(63) Com., 21 nov. 1977 : *D.* 1978, I.R. 422, obs. VASSEUR. — Paris, 11 mai 1988 : *D.* 1988, I.R. 169.

(64) Civ., 13 janv. 1982 : *D.* 1982, I.R. 363, obs. LARROUMET.

(65) Civ. 1re, 23 avril 1980 : *Gaz. Pal.* 1980, 2, pan. 455.

(66) Aix, 25 mai 1977 : *D.* 1979, I.R. 61, obs. LARROUMET. — T.G.I. Libourne, 2 fév. 1978 : *Gaz. Pal.* 1978, 1, somm. 209. — Civ. 1re, 21 nov. 1978 : *D.* 1979, I.R. 348, note LARROUMET. — Civ. 1re, 12 juin 1979 : *J.C.P.* 80, II, 19422, note DEJEAN DE LA BÂTIE.

(67) Montpellier, 10 janv. 1985 : *D.* 1985, I.R. 340, obs. VASSEUR.

(68) Com., 15 fév. 1985 : *D.* 1985, I.R. 253.

(69) Com., 14 mars 1978 : *D.* 1979, 549, note R. TENDELER.

(70) Com., 1er mars 1982 : *Gaz. Pal.* 1982, 2, pan. 250, note CHABAS.

b) Exonération par la force majeure

1398. — La cause étrangère est, en matière contractuelle, définie de la même façon qu'en matière délictuelle : cas fortuit ou force majeure : événement normalement imprévisible, inévitable et d'origine externe (70-1), fait exclusif d'un tiers ou de la victime présentant les mêmes caractères d'imprévisibilité et d'inévitabilité que la force majeure.

1399. — Il va de soi que le débiteur ne sera pas exonéré en établissant que l'inexécution est imputable à un préposé ou à un collaborateur quel qu'il soit. Ce ne sont pas là des tiers, la condition d'*extériorité* nécessaire pour être libéré n'est pas remplie. Point n'est besoin, en matière contractuelle, de parler d'une « responsabilité du fait d'autrui ». L'obligation pesant sur le débiteur, directement, celui-ci est responsable directement, même si, en fait, il a confié l'exécution de cette obligation à autrui (71). La jurisprudence est constante sur ce point. Par exemple, un centre équestre, qui ne se borne pas à fournir des chevaux mais accompagne les cavaliers et conduit la promenade, ne peut prétendre à la seule qualité de loueur, mais répond de l'activité de son préposé comme de la sienne propre (72); pareillement, le contractant qui a passé un marché de travaux avec une société doit poursuivre la résiliation de la convention contre la société elle-même, et non contre son dirigeant de fait ou son gérant en titre pris personnellement (73). Il n'en résulte pas que le préposé soit nécessairement mis hors de cause : il peut être recherché dans le cas où, par son comportement, il s'est placé en dehors de l'opération et ne bénéficie plus de la couverture de son commettant (74). Cette condition d'extériorité est, également, exigée quand bien même il n'existerait aucun lien de préposition. Le restaurateur, tenu d'une obligation de sécurité-résultat pour les comestibles et boissons qu'il sert, ne saurait se justifier en prouvant qu'il était dans l'impossibilité de découvrir dans un produit apparemment sain le microbe qui l'affecte, la présence même indécelable de staphylocoques pathogènes constituant un vice interne et, par conséquent, une cause qui ne lui est pas étrangère (75).

(70-1) RADOUANT, *Du cas fortuit et de la force majeure*, thèse Paris, 1920. — FRATTE, *Les effets de la force majeure dans les contrats*, thèse Paris, 1932. — WIGNY, *Responsabilité contractuelle et force majeure :Rev. trim. dr. civ.*1935, 19. — P. JOURDAIN, *Recherche sur l'imputabilité en matière de responsabilités civile et pénale*, thèse Paris II, 1982, n° 525 et s. — H. et L. MAZEAUD et TUNC, *op. cit.*, t. I, 6ᵉ éd., n° 624, t. II, 5ᵉ éd., n° 1540 et s. — G. VINEY, *La responsabilité : conditions*, n° 392 et s. — *Rép. dr. civ. Dalloz, V° Force majeure* par F. CHABAS.

(71) On se souvient que, d'après la doctrine actuelle (que nous avons critiquée), il en est autrement en matière délictuelle : la responsabilité du commettant serait une responsabilité *indirecte*, le responsable direct étant le préposé; v. parmi de nombreuses études consacrées à ce problème, RODIÈRE : *Y a-t-il une responsabilité contractuelle du fait d'autrui ? : D.* 1952, chron. 79 et s. — BAUMET, *La responsabilité contractuelle du fait d'autrui,* thèse Nice, 1974.

(72) Paris, 3 fév. 1982 : *D.* 1984, I.R. 186, note E. WAGNER.

(73) Com., 8 mars 1982 : *Gaz. Pal.* 1982, 2, pan. 332; *Rev. sociétés* 1983, 573, note Y. GUYON.

(74) Civ. 1re, 17 juill. 1979 : *Gaz. Pal.* 1979, 2, somm. 519.

(75) Colmar, 7 mars 1978 : *Rev. Alsace-Lorraine* 1979, 34.

c) Indifférence de la faute

1400. — Dans tous ces cas, — la remarque est capitale — le débiteur est condamné *même si aucune faute n'est établie à sa charge* (75-1). Il sera condamné, non seulement lorsque la cause de l'inexécution est restée inconnue (le doute sur l'origine exacte de l'inexécution profite au créancier), mais encore lorsque l'on a la certitude que le débiteur n'a pas commis de faute (accident d'ordre purement mécanique : rupture de pièces, explosions, etc., que l'on ne pouvait ni prévoir, ni empêcher). On se trouve donc en présence d'une responsabilité objective, c'est-à-dire indépendante de la faute établie du débiteur.

1401. — Ajoutons que, si dans les obligations de résultat la faute n'est pas une condition nécessaire de la responsabilité, cela ne signifie pas que le créancier n'ait pas intérêt à l'établir lorsque, en fait, l'inexécution du contrat est fautive. La présence d'une faute à l'origine du dommage n'est jamais indifférente. Même si la responsabilité peut être engagée *objectivement* (sans faute du débiteur), le créancier peut avoir intérêt à montrer que le débiteur a commis une faute. Cela peut influer sur les autres règles de la responsabilité contractuelle. Nous avons déjà vu que la preuve du dol ou de la faute lourde permet d'écarter la règle posée à l'article 1150 qui limite la réparation au dommage prévisible. D'autres règles sont également influencées par la preuve d'une faute caractérisée du débiteur (causalité, conventions limitatives de responsabilité, etc.). On sait que la responsabilité civile n'a pas pour seule mission de réparer; elle se préoccupe aussi de prévenir les dommages évitables, ce à quoi elle tend en renforçant la sanction en présence d'une faute établie du débiteur. Nous avions énoncé les mêmes propositions en matière de responsabilité délictuelle.

B. — Obligations de moyens

1° Nécessité d'un comportement fautif

1402. — La situation est toute différente. Par définition, le débiteur n'est tenu, alors, que d'employer une activité diligente, de mettre en œuvre les moyens nécessaires pour parvenir à un but poursuivi par le créancier. Ce but, ce résultat si l'on veut, est *souhaité* par le créancier, cela est évident; *mais il n'est pas promis* par le débiteur.

Quand dira-t-on, donc, que le contrat n'a pas été exécuté ? Lorsqu'il sera établi que les moyens promis n'ont pas été mis en œuvre. Or, ne pas avoir mis en œuvre les moyens promis, c'est avoir eu un comportement fautif. Il

(75-1) Civ. 3ᵉ, 25 janv. 1989 : *D.* 1989, I.R. 43. — Sur la question, V. TUNC, *Force majeure et absence de faute en matière contractuelle : Rev. trim. dr. civ.* 1945, n° 235 et s.

en résulte que, *dans le cadre des obligations de moyens, la faute du débiteur est bien une condition de sa responsabilité* (76).

Mais, ce qu'il importe de bien comprendre, c'est que l'exigence de cette faute ne s'explique pas par une nécessité propre à l'idée de responsabilité; elle résulte de l'*analyse du contenu de l'obligation.* Pour pouvoir affirmer que l'obligation de moyens n'a pas été exécutée, il faut faire état de la faute du débiteur.

1403. — On voit donc que, de même qu'en matière délictuelle la faute reste une condition nécessaire de la responsabilité dans un large secteur (celui des dommages autres que les dommages corporels et matériels), de même la faute conserve un rôle important en matière contractuelle, lorsqu'il s'agit d'obligations de moyens.

Ces obligations, on le rappelle, sont essentiellement celles qui ont pour objet des prestations de services et certaines obligations de sécurité (celles où la victime conserve une suffisante liberté de mouvement pour devoir veiller à sa propre sécurité).

2° Cas pratiques d'obligations de moyens

1404. — Toute la difficulté réside donc dans la question de savoir si la créance que l'on fait valoir relève ou non d'une obligation de moyens. La jurisprudence procédant de façon très empirique et les espèces étant d'une infinie diversité, il n'est pas possible d'en extraire un critère certain, permettant d'identifier à coup sûr la prestation qui, à l'intérieur du contrat, n'astreint le débiteur qu'au devoir de prudence et de diligence. A titre d'exemples, on indiquera que sont analysées en obligations de moyens :

— l'obligation pour une entreprise de travail temporaire de fournir un salarié ayant la qualification appropriée (77);

— l'obligation pour le dresseur d'animaux de veiller au bon état et à la sécurité de la bête qui lui est confiée (78);

— l'obligation pour l'exploitant d'une laverie automatique de veiller au bon fonctionnement des machines, de sorte qu'aucun liquide ne s'en échappe de nature à rendre glissant le carrelage du magasin (79);

---

(76) Civ. 1re, 24 avril 1985 : *J.C.P.* 85, IV, 238 : un automobiliste avait subi de graves blessures causées par l'explosion d'une bombe aérosol dégivrante qu'il avait placée dans le vide-poches de son véhicule; il est jugé que la présence de la boîte à fusibles du circuit électrique à proximité du vide-poches constituait une imprudence de la part du fabricant.

(77) Civ. 1re, 28 mai 1980 : *D.* 1981, I.R. 136, note P. LANGLOIS. — Soc., 29 janv. 1981 : *Gaz. Pal.* 1981, 2, pan. 199. — Paris, 2 juin 1982 : *D.* 1982, I.R. 354.

(78) Civ. 1re, 15 avril 1980 : *J.C.P.* 80, II, 19402, note A. BÉNABENT.

(79) Civ. 1re, 16 nov. 1976 : *Gaz. Pal.* 1977, 1, somm. 6; *Rev. trim. dr. civ.* 1977, 323, obs. DURRY.

— l'obligation pour une fédération sportive d'assurer la sécurité de l'arbitre d'un match de hand-ball (80);

— l'obligation pour le moniteur d'une école de voile de répéter les instructions de manœuvres à des élèves parfaitement novices (81);

— l'obligation de surveillance générale de l'installation pour une société chargée de l'entretien d'un ascenseur (82);

— l'obligation pour l'organisateur d'une course cycliste de prendre toutes les mesures nécessaires pour assurer la sécurité des participants et des spectateurs (83);

— l'obligation pour une société d'assistance de procéder à un rapatriement sanitaire en liaison avec l'équipe médicale locale (84);

— l'obligation pour l'exploitant d'une patinoire d'assurer correctement la police et la surveillance de la piste (85);

— l'obligation de la clinique d'assurer la surveillance des malades, variable en fonction des réactions psychiques et de l'état pathologique du patient (86);

— l'obligation pour un centre municipal de loisirs de veiller à la sécurité des enfants qu'il accueille (87);

— l'obligation pour l'organisateur de séjours de vacances de prendre toutes les précautions pour que la période de loisirs se déroule sans incident (88);

— l'obligation pour un vétérinaire, intervenant pour un vêlage, de donner des soins attentifs, consciencieux et conformes aux données acquises de la science (88-1);

— l'obligation pour l'exploitant d'une plage privée comportant un toboggan pour enfant d'en interdire l'accès aux adultes en raison de la faible profondeur de l'eau (88-2)...

---

(80) Civ. 1re, 4 avril 1978 : *Gaz. Pal.* 1978, somm. 254; *D.* 1979, I.R. 314, note F. ALAPHILIPPE et J.-P. KARAQUILLO.

(81) Paris, 30 mai 1978 : *Gaz. Pal.* 1978, 2, 389.

(82) Civ. 1re, 12 déc. 1977 : *Bull. civ.* I, 374.

(83) Poitiers, 16 mai 1984 : *D.* 1985, I.R. 143. — V. aussi Poitiers, 29 juin 1983 : *D.* 1984, 61, note G. DAVERAT (course automobile).

(84) Civ. 1re, 27 fév. 1985 : *D.* 1985, 348.

(85) Paris, 24 mai 1983 : *D.* 1984, I.R. 486, obs. G. BARON.

(86) Paris, 24 sept. 1982 : *D.* 1983, I.R. 499, obs. J. PENNEAU.

(87) Civ. 1re, 1er fév. 1983 : *J.C.P.* 84, II, 20129, note CHABAS.

(88) Civ., 18 fév. 1981 : *Gaz. Pal.* 1981, 2, pan. 174, note CHABAS.

(88-1) Civ. 1re, 31 janv. 1989 : *D.* 1989, I.R. 45.

(88-2) Civ. 1re, 18 déc. 1985 : *Bull. civ.* I, n° 359; *Gaz. Pal.* 1986, 2, somm. 333, note CHABAS.

3° Exemples de faute

1405. — Quant à la définition de la faute, on peut transposer, à cette place, ce qui a été dit en matière délictuelle : la faute est une erreur de conduite, moralement blâmable, erreur que n'aurait pas commise l'homme prudent, diligent et avisé, placé dans les mêmes circonstances de fait. Commet une faute, l'organisateur d'une course de relais en ne s'assurant pas que le terrain ne comportait pas de trous (89), le club de vacances en n'avertissant pas tous les baigneurs du danger de la baignade et en n'assurant pas une surveillance attentive (90), l'entrepreneur de spectacles en éteignant la salle de représentation avant que tout le public ne l'ait quittée (91), la société de travail temporaire en mettant à la disposition d'un employeur une aide-comptable déjà condamnée pour faux et falsification de chèques (92), la Fédération française de lawn-tennis en ne maintenant pas libres au passage les dégagements du stade Roland Garros (93), l'anesthésiste-réanimateur en ne contrôlant pas le réveil du malade jusqu'à reprise complète des fonctions vitales (94), le notaire en n'appelant pas l'attention des parties à un prêt hypothécaire sur l'insuffisance du gage (95), le maître de manège qui confie à une débutante un cheval fougueux (95-1), la chaîne de magasins qui ne vérifie pas la conformité des signatures apposées sur les tickets de caisse avec celle figurant sur la carte de crédit (95-2), le garagiste qui, faute d'examen d'ensemble du moteur, procède à une réparation inutile (95-3), le commerçant qui ne sable pas au pourtour immédiat de son magasin alors que la présence de verglas était prévisible (95-4)... Par contre, est irréprochable, le comportement du moniteur de ski qui emmène ses élèves sur une piste rectiligne et à faible pente (96), celui de l'exploitant d'une salle de spectacles qui ne saurait répondre de la chute du spectateur qui n'a pas attendu d'être placé par l'ouvreuse (97), celui du club hippique qui fait monter des chevaux entiers en Afrique, conformément à l'habitude locale, ce qui ne présente aucun danger sauf en présence

---

(89) Civ. 1re, 18 fév. 1981 : *Gaz. Pal.* 1981, 2, pan. 174, note CHABAS.

(90) Paris, 19 sept. 1980 : *Gaz. Pal.* 1981, somm. 39.

(91) Civ. 1re, 11 mars 1980 : *Gaz. Pal.* 1980, 2, pan. 362.

(92) Civ. 1re, 1er mars 1983 : *D.* 1983, I.R. 256.

(93) Paris, 19 mai 1982 : *D.* 1983, I.R. 508.

(94) Civ. 1re, 11 déc. 1984 : *J.C.P.* 85, IV, 71.

(95) Civ. 1re, 25 mai 1985 : *D.* 1985, I.R. 370.

(95-1) Civ. 1re, 10 fév. 1987 : *D.* 1987, I.R. 43.

(95-2) Civ. 1re, 14 juin 1988 : *J.C.P.* 88, IV, 299.

(95-3) Versailles, 3 juin 1988 : *D.* 1988, I.R. 244.

(95-4) Paris, 8 janv. 1989 : *D.* 1989, I.R. 47.

(96) Civ. 1re, 28 avril 1980 : *Gaz. Pal.* 1980, 2, pan. 455.

(97) T.G.I. Mans, 9 mars 1982 : *D.* 1983, 128, note LE TOURNEAU.

de juments (98), celui de façonnier, victime du vol de la fourrure fournie, auquel on fait uniquement grief de ne s'être pas assuré (98-1).

4° Preuve de la faute

1406. — Dans les obligations de moyens, la faute doit être prouvée *par le créancier,* en principe tout au moins. Qu'il s'agisse du contrat médical, d'un contrat de travail, de l'obligation de sécurité du type des obligations de moyens, c'est à la victime — créancière d'indemnité — qu'incombe la charge de la preuve de la faute du débiteur (99).

1407. — Cette règle n'est, cependant, pas aussi absolue que l'affirment les auteurs. Dans certains cas, le législateur *présume* la faute. Il appartient alors au débiteur de prouver qu'il n'en a point commise. Citons, en ce sens, l'article 1732 du Code civil au sujet des obligations du locataire :

« Il répond des dégradations ou des pertes qui arrivent pendant sa jouissance, à moins qu'il ne prouve qu'elles ont eu lieu sans sa faute ».

Il en est de même de l'obligation du transporteur aérien envers ses passagers : il répond des accidents envers ses passagers, à moins qu'il ne puisse prouver qu'il a apporté toute la diligence requise pour éviter l'accident (100). Une règle analogue existe en matière maritime. L'article 38 de la loi n° 66-420 du 18 juin 1966 dispose, en effet :

« Le transporteur est responsable de la mort ou des blessures des voyageurs causées par naufrage, abordage, échouement, explosion, incendie, ou tout sinistre majeur, sauf preuve, à sa charge, que l'accident n'est imputable ni à sa faute, ni à celle de ses préposés » (101).

1408. — Dans ces diverses hypothèses, la responsabilité du débiteur a bien pour condition sa faute; il n'est donc tenu que d'une obligation de moyens. Mais, le législateur présume que l'accident, cause de l'inexécution, est dû à une faute, tout en permettant au débiteur de renverser cette présomption en prouvant sa diligence.

Ces cas restent, cependant, exceptionnels. Le droit commun en matière d'obligations de moyens, c'est que la responsabilité du débiteur est subordonnée à la preuve de sa faute, laquelle doit être établie par le créancier.

---

(98) Paris, 13 nov. 1981 : *Gaz. Pal.* 1982, 1, somm. 185.

(98-1) Paris, 18 fév. 1987 : *D.* 1987, I.R. 53.

(99) Civ. 1re, 1er fév. 1978 : *Bull. civ.* 1978, I, n° 46.

(100) V. DE JUGLART, chron. au *J.C.P.* 57, I, 1362 et les décisions citées en ce sens.

(101) Il a été soutenu que telle est, également, la situation de l'acconier (A. CHAO, *L'action du destinataire contre l'entrepreneur de manutention*, thèse Paris, 1968, n° 125-127, citée par M. RODIÈRE, note au *J.C.P.* 71, II, 16600). L'obligation de ce dépositaire ne serait que de *moyens,* mais en cas de non restitution des objets déposés, sa *faute serait présumée* (application du principe de l'aptitude à la preuve). Il devrait pouvoir s'exonérer en prouvant qu'il n'a pas commis de faute. Mais M. RODIÈRE reconnaît que les tribunaux exigent, pour libérer l'acconier, la preuve de la *force majeure* (v. arrêts cités dans sa note). En ce cas, tout se passe comme si l'obligation était de résultat.

1409. — On rappelle que le degré de la faute nécessaire pour engager la responsabilité n'est pas toujours le même. Cela peut être une faute légère, très légère, ou, au contraire, seulement une faute plus ou moins lourde ou grave. Tout dépend du *contenu de l'obligation de moyens.* Dans certains cas, le débiteur est tenu d'une diligence très stricte (le médecin hautement spécialisé) : il sera donc responsable de ses fautes très légères; dans d'autres — c'est le cas ordinaire — il ne sera tenu que d'une diligence moyenne, il sera alors responsable de ses fautes moyennes, légères; dans d'autres, enfin, — c'est notamment le cas des contrats gratuits — il ne répondra que de ses fautes lourdes (102). Cette diversité des fautes s'observe spécialement en matière médicale. Un établissement non spécialisé n'en est pas moins responsable des conséquences de la tentative de suicide d'un pensionnaire, dès lors qu'il connaissait les antécédents du malade et que le personnel avait lui-même constaté une aggravation de l'état dépressif, circonstances qui imposaient une surveillance spéciale (103). En revanche, est irréprochable le médecin qui a fait pratiquer une radiographie au tout début de la maladie et qui a informé son patient, quoi qu'il n'y ait aucun signe de malignité, de la nécessité de procéder à un contrôle chaque mois (104).

§ 3. — La causalité

1410. — Le lien de causalité entre le dommage et l'inexécution de l'obligation est la troisième condition de la responsabilité contractuelle. Il n'y a pas lieu de s'y arrêter longuement, les problèmes étant les mêmes qu'en matière délictuelle. On examinera successivement le caractère direct de la causalité, la pluralité des causes et l'exonération par la force majeure.

A. — Causalité directe

1411. — L'article 1151 du Code civil — placé dans le titre des contrats — déclare qu'il ne faut tenir compte que « de ce qui est une suite immédiate et directe de l'inexécution de la convention », et cela même si « l'inexécution

(102) Sur les degrés de la faute contractuelle : N'Guyen Thanh-Bourgeais, *Contribution à l'étude de la faute contractuelle : la faute dolosive et sa place actuelle dans la gamme des fautes : Rev. trim. dr. civ.* 1973, p. 496. — Brière de l'Isle, *La faute inexcusable : D.* 1970, chron. 73; *La faute intentionnelle : D.S.* 1973, chron. 259. — Ghestin, *La faute intentionnelle du notaire dans l'exécution de ses obligations contractuelles et l'assurance de responsabilité : D.S.* 1974, chron. 31. — Civ. 1re, 24 oct. 1973 : *D.S.* 1974, 90, note Ghestin (arrêt distinguant la faute intentionnelle du notaire de la volonté de nuire); obs. Durry, *Rev. trim. dr. civ.* 1974, 414. — Sur la notion de substitution et la faute inexcusable en droit du travail : Soc., 13 mars 1975 et 18 oct. 1973 : *D.S.* 1975, 611, note Saint-Jours. — Sur la faute inexcusable en droit aérien : Paris, 26 mai 1973 : *D.S.* 1974, 48, concl. Cabannes (erreur grave de navigation).

(103) Civ. 1re, 23 fév. 1982 : *D.* 1983, I.R. 499, obs. J. Penneau.

(104) Paris, 25 avril 1984 : *D.* 1985, I.R. 368, note J. Penneau.

de la convention résulte du dol du débiteur ». C'est, donc, affirmer la nécessité d'une *relation causale directe* entre le dommage et l'inexécution du contrat. On rappelle seulement qu'il est souvent difficile — sinon même tout à fait impossible — de décider, sur un plan théorique, si la causalité est directe ou indirecte. En cette matière, le bon sens du juge et son esprit de mesure sont pratiquement les seuls critères (105).

1412. — Dans un contrat de maintenance relatif à un ascenseur, l'insuffisance notoire des dispositions préventives d'entretien jouent un rôle direct dans le fait qu'après des années de service une dénivellation se soit produite entre l'ascenseur et les paliers desservis, ce qui a provoqué la chute d'un locataire (106). Dans un contrat d'hôtellerie, alors que l'incendie, dont la cause est demeurée inconnue, aurait pu être circonscrit au rez-de-chaussée, sa propagation aux étages supérieurs où se trouvaient les chambres des victimes est due à la nature combustible des matériaux utilisés pour l'aménagement intérieur et la décoration; en conséquence, la faute de l'hôtelier a *directement* causé le dommage invoqué par les clients (107). Lorsqu'une société immobilière charge un huissier de dresser un état des lieux et que celui-ci est gravement incomplet (aucune indication sur l'état du gros œuvre, des descentes d'eaux pluviales, des menuiseries extérieures...), mettant la société dans l'impossibilité de remédier à ces insuffisances avant la location, il y a relation causale entre le manquement professionnel de l'huissier et le dommage allégué par le client (107-1).

1413. — Par contre, il a été jugé qu'il n'y a aucune relation de cause à effet entre la faute commise par un médecin qui a insufflé de l'air dans un sinus — malgré une manifestation hémorragique — et l'apparition d'une embolie gazeuse ayant provoqué l'invalidité (108); pas plus entre le fait pour le médecin de ne pas informer la clinique du danger de suicide et les blessures du malade ayant tenté de mettre fin à ses jours par défenestration,

---

(105) Il n'est pas douteux que la gravité de la faute influe sur l'appréciation du caractère direct ou indirect du lien de causalité avec le dommage. V. Lyon, 11 juill. 1949 : *S.* 1950, 2, 9 (chose livrée par le transporteur en un lieu différent de celui qui était convenu et qui y est détruit par une explosion : la causalité est considérée comme indirecte). — Cass., 12 nov. 1950 : *Gaz. Pal.* 1951, 1, 69, (perte d'un colis de vêtements remis par un teinturier; perte de clientèle alléguée par ce dernier comme conséquence de la non-livraison du colis; la causalité est incertaine et indirecte).

(106) Paris, 16 déc. 1981 : *Gaz. Pal.* 1982, 1, somm. 184.

(107) Civ. 1re, 29 janv. 1985 : *J.C.P.* 85, IV, 139. — V. aussi Civ. 1re, 8 janv. 1985 : *J.C.P.* 85, IV, 113 (panne d'une électrovanne due à l'absence de filtre protecteur). — Civ. 1re, 21 mai 1985 : *D.* 1985, I.R. 494 (fausse qualification dans un acte notarié : il y a relation directe entre l'indication qu'un immeuble comportait des « communs divers », alors qu'il s'agissait de parties communes à plusieurs immeubles, et le préjudice de l'acquéreur qui avait loué lesdits lieux).

(107-1) Civ. 1re, 22 nov. 1988 : *D.* 1988, I.R. 293.

(108) Civ. 1re, 17 nov. 1982 : *D.* 1983, I.R. 380, note PENNEAU. — *Adde*, Civ. 1re, 7 juin 1988 : *Bull. civ.* I, n° 180, p. 125 (pas de causalité entre un retard dans le traitement du malade et la perte d'une chance de ne pas souffrir de surdité).

lorsque la clinique connaissait l'existence d'un risque de suicide (109); pas davantage encore entre la chute d'un lutteur et l'absence de moniteur, la présence de celui-ci ne pouvant éviter l'accident en raison de la soudaineté de la perte d'équilibre qui en était la cause (110).

1414. — En toute circonstance, la Cour de cassation exige que les juges du fond la mettent en mesure d'exercer son contrôle sur l'existence du rapport de causalité. En voici un exemple. L'exploitant d'un magasin, victime de vols, réclamait des dommages et intérêts à la société ayant équipé les locaux de systèmes électroniques d'alarme qui n'avaient pas fonctionné; la cour d'appel avait jugé qu'il n'était pas établi que, même fonctionnant normalement, les protections mises en place auraient empêché les malfaiteurs de pénétrer dans le magasin et que la relation entre la faute et le préjudice était trop lointaine et incertaine pour que le dommage puisse être tenu pour une suite immédiate et directe de ladite faute. La Cour suprême a cassé cette décision au motif suivant :

« en ne précisant pas pourquoi il n'y avait pas relation de cause à effet entre le défaut du système d'alarme et le dommage subi par le demandeur, ni en quoi le rapport de causalité entre la faute imputée à l'installateur et ledit dommage n'avait qu'un caractère indirect, la Cour n'a pas donné de base légale à sa décision au regard de l'article 1147 du Code civil » (111).

B. — Causalité plurale

1415. — Des problèmes peuvent se poser également du fait que l'inexécution du contrat peut être rattachée à plusieurs causes (111-1). On appliquera alors les mêmes règles que celles déjà étudiées en matière de responsabilité délictuelle. Si l'inexécution de l'obligation est imputable aux différents débiteurs (111-2) ou à la fois au débiteur et à un tiers, la victime disposera d'une action *in solidum* contre les différents débiteurs et le tiers. En voici un exemple.

Un enfant de trois ans, qui se trouvait avec ses parents dans un restaurant à libre service, est blessé par le mécanisme d'entraînement de la table

(109) Civ. 1re, 11 déc. 1984 : *D.* 1985, I.R. 367, note PENNEAU.

(110) Civ. 2e, 11 juin 1980 : *D.* 1981, I.R. 44, note F. ALAPHILIPPE et J.-P. KARAQUILLO. — V. aussi Rouen, 14 mai 1980 : *Gaz. Pal.* 1981, 1, somm. 101 (chute sur une plaque de talc). — Civ. 1re, 4 mars 1980 : *Bull. civ.* 1981, I, 64 (défaut de port de bombe par une cavalière). — Civ. 1re, 19 juill. 1988 : *Bull. civ.* I, n° 245, p. 170 (le propriétaire d'un camion, victime d'une avarie consécutive à un défaut de lubrifiant, ne peut rechercher le garagiste qui avait procédé à une vérification du niveau d'huile, alors que les désordres sont apparus dix mois après, une fois parcourus plusieurs milliers de kilomètres).

(111) Com., 14 déc. 1981 : *Gaz. Pal.* 1982, pan. 165; *Bull. civ.* IV, 354. — V. aussi Civ. 1re, 11 déc. 1984 : *D.* 1985, I.R. 367.

(111-1) F. CHABAS, *L'influence de la pluralité des causes sur le droit à réparation*, 1967.

(111-2) Civ. 1re, 8 déc. 1987 : *J.C.P.* 88, IV, 68 (médecin et laboratoire). — Com., 9 fév. 1988 : *Bull. civ.* IV, n° 68, p. 147 (société et commissaire aux comptes). — Versailles, 15 avril 1988 : *D.* 1988, I.R. 123 (entrepreneur et architecte).

de desserte automatique des plateaux, sous laquelle il avait introduit la main. L'accident est dû à une double faute : la faute d'un tiers, le fabricant-installateur d'un matériel dangereux, pour n'avoir pas satisfait à son obligation de renseignement (il aurait dû attirer l'attention sur l'insuffisance de la protection de la chaîne et de la poulie); la faute du cocontractant restaurateur qui, en tant qu'utilisateur du matériel, est coupable de n'avoir pas installé, de lui-même, un dispositif de sécurité (112). La particularité dans de telles espèces est que l'une des actions est contractuelle et l'autre délictuelle (113); il n'empêche que fonctionne le mécanisme de l'*in solidum* (114).

1416. — Si le dommage est dû partiellement à la faute du créancier lui-même, l'indemnité sera réduite. Cela s'explique, on le sait, par l'idée de sanction des fautes qui est l'une des fonctions de la responsabilité civile. L'indemnité sera supprimée si l'inexécution du contrat est imputable à la faute ou au fait *exclusif* du créancier (assimilables à la force majeure).

1417. — Les cas de mitigation de responsabilité sont, de loin, les plus fréquents. Ainsi, le restaurateur qui offre à sa clientèle un escalier d'accès en forte pente et aux marches usées manque à son obligation de moyens, mais sa responsabilité est atténuée lorsqu'il est établi que la victime, au lieu de veiller à sa propre sécurité, n'avait pas tenu la main courante et avait descendu les degrés sans attention suffisante (115). Ainsi, lorsqu'un client commande un prototype à un ingénieur dont il sait qu'il n'a pas les connaissances nécessaires, il y a faute et de l'ingénieur et du client, l'un pour avoir accepté étant incompétent, l'autre pour avoir commandé connaissant l'incompétence (116).

1418. — Une question que soulève fréquemment le partage de responsabilité est celle de l'acceptation des risques que l'on rencontre surtout en matière d'activités sportives (117), mais pas uniquement (117-1). En règle

---

(112) Civ. 1re, 10 juin 1980 : *Gaz. Pal.* 1980, 2, pan. 569.

(113) V. Rennes, 2 fév. 1982 : *D.* 1983, I.R. 509.

(114) Pour des exemples de l'action *in solidum* de la victime de l'inexécution d'une obligation imputable, à la fois, au débiteur et à un tiers : Civ. 1re, 8 janv. 1975 : *J.C.P.* 75, éd. G, IV, 62. — 5 fév. 1975 : *J.C.P.* 75, éd. G, IV, 99.

(115) Paris, 17 fév. 1982 : *Gaz. Pal.* 1982, 2, somm. 397.

(116) Pau, 21 avril 1977 : *Quot. jur.* 3 juin 1978. — Pour d'autres exemples, Colmar, 18 mars 1976 : *Rev. Alsace-Lorraine* 1977, 63. — Chambéry, 20 janv. 1976 : *D.* 1977, 209, note W. RABINOVITCH. — Trib. com. Paris, 18 juill. 1979 : *D.* 1980, I.R. 216, note M. VASSEUR.

(117) J. HONORAT, *L'idée d'acceptation des risques dans la responsabilité civile,* L.G.D.J., 1969, préface FLOUR. — C. LAPOYADE DESCHAMPS, *La responsabilité de la victime,* thèse Bordeaux, 1977. — Civ. 1re, 11 mars 1986 : *Gaz. Pal.* 1986, 2, pan. 125; *Bull. civ.* I, n° 64 (séance d'équitation).

(117-1) Paris, 10 janv. 1989 : *D.* 1989, I.R. 47 : le commerçant qui, en connaissance de cause, fait installer par économie un système d'alarme incomplet, accepte le risque d'être moins bien protégé et ne peut rechercher la responsabilité de l'installateur en cas de cambriolage.

générale, le seul fait de participer à un sport et d'en connaître les règles et les dangers, implique de la part de celui qui s'y livre l'acceptation du risque sportif, acceptation qui doit conduire, en cas d'accident, à partager les responsabilités.

1419. — Tel est le cas du skieur qui accepte de suivre le moniteur dans un parcours sur glacier hors piste, alors qu'il n'ignore pas que les conditions atmosphériques (brouillard et radoucissement de la température) l'exposent à la rupture de ponts de neige au-dessus de crevasses (118). La jurisprudence va jusqu'à considérer, lorsque les circonstances le justifient, qu'il peut y avoir exonération complète du débiteur. La première Chambre civile en a ainsi décidé à propos d'une promenade à cheval : un enfant de 9 ans avait fait une chute à la suite du cabrement de sa monture habituelle, pour une raison inconnue; les juges du fond sont approuvés d'avoir rejeté la demande de dédommagement du père de la victime et d'avoir justement relevé qu'il n'ignorait pas que le défendeur était loueur de chevaux, et non professeur d'équitation, et qu'il avait accepté les risques découlant de l'équitation ainsi pratiquée (119).

1420. — Il est souvent fait une référence abusive à cette notion d'acceptation des risques. Pour être opérante, deux conditions élémentaires doivent se trouver réunies : d'un côté, il faut qu'il y ait participation active et directe au sport, ce qui, par exemple, n'est pas le cas d'un commissaire de course dans une épreuve de moto-cross (120); de l'autre, il est nécessaire qu'il y ait eu conscience effective des risques encourus, ce qu'on ne saurait admettre pour un débutant nullement familiarisé avec la pratique de l'exercice en question (121).

1421. — Observons que la pluralité des causes n'est pas nécessairement dualité et que trois personnes — ou davantage — peuvent se trouver prises dans le même filet de responsabilité. Dans une affaire de colle d'emploi dangereux, il a été jugé que le fabricant devait supporter les conséquences de l'accident dans la proportion des deux tiers, faute d'avoir suffisamment alerté son partenaire sur le risque d'inflammation, le revendeur-pompiste dans la proportion d'un sixième pour n'avoir pas pris les précautions qui

(118) Chambéry, 6 juin 1978 : *J.C.P.* 80, II, 19286, note P. SARRAZ-BOURNET. — Civ. 1re, 12 juin 1979 : *Gaz. Pal.* 1979, 2, somm. 425.

(119) Civ. 1re, 17 fév. 1982 : *Gaz. Pal.* 1982, 2, somm. 263. — V. aussi Civ. 2e, 5 juin 1985 : *J.C.P.* 85, IV, 286 (cavalier blessé par la ruade d'un cheval dans un concours hippique, débouté de sa demande en réparation pour avoir accepté les risques inhérents à ce genre d'épreuve; la Cour de cassation, curieusement, se place sur le terrain de l'art. 1385, C. civ.).

(120) Rennes, 2 fév. 1982 : *D.* 1983, I.R. 509. — Poitiers, 16 mai 1984 : *D.* 1985, I.R. 143, note ALAPHILIPPE; *J.C.P.* 85, IV, 217 (course cycliste). — Paris, 14 oct. 1988 : *D.* 1988, I.R. 266.

(121) Aix, 6 fév. 1980 : *D.* 1982, I.R. 91, note F. ALAPHILIPPE et J.-P. KARAQUILLO. — Rappr. Paris, 15 nov. 1983 : *Gaz. Pal.* 1984, 1, somm. 207 (jeu avec une vachette). — Paris, 23 déc. 1985 : *Gaz. Pal., Tables* 1986, *V° Responsabilité civile*, n° 38 (skieuse et fête nautique).

s'imposent à un professionnel des carburants, la victime dans la proportion d'un sixième pour avoir manqué à la prudence banale que requérait le maniement d'un tel produit (122).

C. — Causalité étrangère

1422. — La force majeure est un cas d'exonération (sauf à l'égard des obligations de résultat absolues). La force majeure se définit, en matière contractuelle, de la même façon qu'en matière délictuelle : événement normalement (123) imprévisible, insurmontable et externe. La preuve de la force majeure incombe au débiteur qui s'en prévaut pour s'exonérer. La jurisprudence se montre exigeante pour l'admettre et la Cour de cassation entend exercer son contrôle sur la notion de cause étrangère libérant le débiteur (124).

1423. — Deux arrêts rendus par une Chambre mixte le 4 février 1983 illustrent bien les différentes composantes de la force majeure (125). Deux sociétés abonnées à l'E.D.F. se plaignaient d'une grève qui avait entraîné une coupure de courant, source de préjudice pour elles, du fait d'un ralentissement ou d'une interruption de leur production. Les juges du fond dans les deux cas avaient débouté les demanderesses de leur action en responsabilité et avaient déchargé complètement E.D.F., considérant que la grève était, dans les deux espèces, constitutive d'un cas de force majeure. La Cour de cassation suit le raisonnement des cours d'appel (Riom et Paris) qui avaient justement relevé les trois caractéristiques de la force majeure. En premier lieu, il y avait bien *imprévisibilité* au moment du contrat d'abonnement, les décisions salariales qui avaient motivé le mouvement revendicatif étant intervenues postérieurement. En second lieu, il y avait bien *irrésistibilité*, car E.D.F. ne pouvait ni recourir à la réquisition de son personnel ni faire appel à une main-d'œuvre de remplacement et devait approvisionner d'abord les usagers prioritaires. Enfin, il y avait bien *extranéité*, la grève

---

(122) Rouen, 27 avril 1982 : *Gaz. Pal.* 1982, 2, somm. 400.

(123) Cet adverbe condamne la doctrine classique qui exigeait le plus haut degré d'imprévisibilité et d'irrésistibilité, faisant de la force majeure une *vis maxima* alors qu'il lui suffit d'être *vis major* surmontant les capacités de prévision et de résistance du *bonus paterfamilias* (v. CARBONNIER, n° 75). C'est cette conception que retient l'art. 79 de la Convention de Vienne sur la vente internationale des marchandises : « Une partie n'est pas responsable de l'inexécution de l'une quelconque de ses obligations si elle prouve que cette inexécution est due à un empêchement indépendant de sa volonté et que l'on ne pouvait *raisonnablement* attendre d'elle qu'elle le prenne en considération au moment de la conclusion du contrat, qu'elle en prévienne ou surmonte les conséquences ».

(124) Civ. 1re, 3 juill. 1974 : *J.C.P.* 75, II, 17919, note RODIÈRE (cassation d'un arrêt ayant retenu la responsabilité de la R.A.T.P. en affirmant, sans motiver, que le fait que des jeunes gens surexcités aient blessé un voyageur, dans le métro, n'était, pour elle, ni imprévisible, ni inévitable).

(125) *D.* 1984, I.R. 185, obs. GOINEAU.

ayant été provoquée par des décisions gouvernementales, événement extérieur à E.D.F. (126).

1423-1. — Parmi les autres espèces significatives, retenons :

— s'agissant de l'*imprévisibilité* : le cas du pharmacien qui, étant aussi directeur d'un laboratoire d'analyses, avait embauché une laborantine, puis l'avait licenciée au motif qu'il n'avait pas obtenu une dérogation à l'interdiction du cumul d'activités. Pour la Cour de cassation, il n'y a pas fait du prince imprévisible, car l'engagement de la laborantine était postérieur à la loi sur le cumul et que le refus de la dérogation devait entrer dans les prévisions du pharmacien (126-1);

— s'agissant de l'*irrésistibilité* : le cas du chauffeur agressé par un groupe d'hommes armés au cours d'un arrêt, victime du vol de la marchandise transportée. Les juges du fond, approuvés par la Cour de cassation (126-2), relèvent que la circulation était dangereuse dans ce pays étranger et qu'il était périlleux de s'arrêter de nuit dans un endroit isolé; ils en déduisent que l'agression, certes insurmontable dans ses effets, était née de circonstances qu'il était possible d'éviter;

— s'agissant de l'*extériorité* : le cas de l'éleveur dont le poulailler perd sa toitoure sous le poids de la neige, faisant périr les pintadeaux qu'il était chargé d'élever. Il n'y a pas cas fortuit car le phénomène n'est pas extérieur à l'activité exercée (126-3).

D'une manière générale, la Cour suprême a de la force majeure une interprétation restrictive. En témoigne la cassation intervenue dans l'espèce suivante : un vol de marchandises transportées dans un camion avait eu lieu à la suite d'une attaque à main armée; les juges du fond avaient vu dans cette circonstance un événement libératoire; la Cour de cassation censure, reprochant aux premiers juges de n'avoir pas recherché si le fait que le chauffeur se soit aperçu que son camion était suivi pouvait lui permettre de prévoir l'agression ou de s'y soustraire (126-4).

---

(126) D'une manière générale, la cause de la grève est *extérieure* lorsqu'elle est d'origine politique et l'on admet alors que la condition d'extériorité est remplie : Ch. mixte, 4 fév. 1983 : *Gaz. Pal.* 1983, pan. 163, note CHABAS.

(126-1) Soc., 4 fév. 1987 : *Bull. civ.* V, n° 54, p. 35. — Précédemment : Civ. 1re, 1er déc. 1970 : *J.C.P.* 71, IV, 13 (le refus d'autorisation de vol vers Israël était prévisible). — T.G.I. St-Denis de la Réunion, 2 avril 1973 : *J.C.P.* 74, II, 17664, note RODIÈRE (la chute d'un rocher sur un autocar empruntant un itinéraire habituel et dangereux n'était pas imprévisible).

(126-2) Com., 5 janv. 1988 : *J.C.P.* 88, IV, 95. — *Adde*, Paris, 10 janv. 1989 : *D.* 1989, I.R. 44 : le fait de transporter un bagage encombrant (poussette) dans un autobus ne peut être tenu pour irrésistible. — *A contrario*, Civ. 3e, 10 oct. 1972: *D.* 1973, 378, note J.M.; *Rev. trim. dr. civ.* 1974, 161, obs. DURRY : l'attaque par des bactéries « sulfato réductrices » de canalisations en fonte présente un caractère insurmontable dans l'état actuel de la science.

(126-3) Civ. 1re, 19 juill. 1988 : *Bull. civ.* I, n° 249, p. 173; *J.C.P.* 88, IV, 348. — *Adde* Soc., 23 juin 1988 : *Bull. civ.* V, n° 385, p. 249 : la déclaration de l'inaptitude définitive d'une salariée n'est pas constitutive de force majeure car elle est interne, consécutive au maintien de l'employée à un poste fatiguant pendant une longue durée.

(126-4) Com., 23 fév. 1988 : *J.C.P.* 88, IV, 167.

1424. — On n'a pas assez remarqué, toutefois, que la force majeure se présente différemment selon qu'il s'agit d'obligations de résultat ou d'obligations de moyens. A l'égard des obligations de résultat, les conditions constitutives de la force majeure sont appréciées avec la même rigueur qu'en matière délictuelle dans le domaine de la responsabilité objective (art. 1384, al 1er, ou tout texte analogue). Au contraire, lorsque l'obligation n'est que de moyens, le débiteur ne répondant que de ses fautes, son exonération procède de la simple démonstration de sa non-culpabilité, ce qui facilite la reconnaissance du cas de force majeure (126-5).

En tout cas, le débiteur d'une obligation de moyens qui entend se soustraire à la responsabilité en invoquant la force majeure, n'est pas obligé d'établir l'*extériorité* de l'événement (127). Ainsi, la maladie du débiteur, qui ne l'exonère pas s'il est tenu d'une obligation de résultat (128), est une cause de non-responsabilité s'il n'a assumé qu'une obligation de moyens (129).

La question de savoir si la force majeure peut n'être que partiellement exonératoire ne semble pas s'être posée en matière contractuelle (130). Ce partage, de toute façon, ne nous paraît pas admissible.

1425. — On ne trouve donc, en ce qui concerne la causalité, aucune différence notable entre la responsabilité délictuelle et la responsabilité contractuelle. Il ne semble pas, toutefois, que la jurisprudence ait jamais admis en matière contractuelle que le *fait non fautif* du créancier puisse exonérer *partiellement* le débiteur (131).

(126-5) Com., 22 nov. 1988 : *J.C.P.* 88, *Actualités* du n° 50 : les juges du fond avaient retenu que le vol avec agression d'objets déposés chez un bijoutier ne constituait pas un cas de force majeure; la Cour de Cassation, retenant à la charge du bijoutier une simple obligation de moyens, casse la décision, reprochant de n'avoir pas recherché si le vol était ou non imputable à une faute commise par l'intéressé. — Consulter TUNC, *Force majeure et absence de faute : Rev. trim dr. civ.* 1945, 235.

(127) Colmar, 7 mars 1978, préc. : pour un restaurateur tenu d'une obligation de sécurité résultat en ce qui concerne les comestibles et les boissons, le microbe qui infecte l'aliment servi, même s'il est indécelable, représente un vice interne exclusif de toute force majeure.

(128) Req., 15 juin 1911 : *D.* 1912, 1, 181 (déchéance d'un contrat d'assurance pour non paiement de la prime, alors que l'assuré a été frappé d'une attaque d'apoplexie au moment où il voulait se rendre au siège de la compagnie).

(129) Paris, 7 janv. 1910 : *D.* 1910, 2, 292 : une rage de dents est un cas de force majeure pour l'écrivain qui tarde à remettre le manuscrit à son éditeur dans les délais convenus. — Soc., 19 nov. 1970 : *J.C.P.* 70, IV, 321 : employé qui allègue son état de santé pour être exonéré envers son employeur; sa prétention est rejetée, non parce que la maladie n'est pas un cas de force majeure, mais parce que, dans l'espèce, il n'a pas apporté la preuve de la prétendue maladie.

(130) On sait que dans les arrêts *Lamoricière* les victimes par ricochet, renonçant à la prétendue stipulation pour autrui dont ils étaient les bénéficiaires, ont agi contre le transporteur maritime en vertu de l'art. 1384, al. 1er.

(131) V. la solution contraire donnée en matière délictuelle, solution que nous avons critiquée.

SOUS-SECTION II

LA RÉPARATION DANS LA RESPONSABILITÉ CONTRACTUELLE

1426. — Les principes généraux sont, en matière contractuelle (131-1), les mêmes que ceux que nous avons exposés pour le domaine délictuel (131-2). La règle de la réparation intégrale du préjudice prévu ou prévisible est de rigueur (131-3) ainsi que la souveraineté d'appréciation par le juge du montant des dommages et intérêts (131-4).

Ces principes généraux sont écartés, toutefois, en matière contractuelle dans un certain nombre de cas. On peut les grouper en deux catégories. Tantôt, la réparation du dommage a fait l'objet d'une *réglementation légale spéciale;* tantôt, ce sont les parties elles-mêmes qui ont réglé d'avance, par une *convention relative à la responsabilité,* les conséquences de l'inexécution. Etudions successivement ces deux questions.

I. — RÉGLEMENTATION LÉGALE

1427. — Un certain nombre de textes prévoient des règles spéciales relatives au montant des dommages et intérêts. Les uns fixent une limite que le juge ne peut pas dépasser, les autres prévoient des dommages et intérêts forfaitaires.

On se bornera à citer quelques-uns de ces textes parmi les plus intéressants à connaître, et on s'arrêtera davantage sur les dispositions du Code civil relatives aux dettes de sommes d'argent.

§ 1. — Les dispositions relatives aux obligations de faire

Des textes divers ont institué des plafonds de réparation en considération, tantôt de l'ampleur du dommage possible, tantôt de l'encouragement à accorder à certaines activités, tantôt de l'automaticité de la réparation (contrat de travail). Ce textes instituant des régime spéciaux, on s'en tiendra à l'essentiel en envisageant l'hôtellerie, le transport, l'énergie nucléaire.

(131-1) V. G. VINEY, *La responsabilité : effets*, n° 57 et s. — Y. CHARTIER, *La réparation du préjudice*, n° 112 et s. — LE TOURNEAU, *La responsabilité civile*, 3e éd., n° 1075 et s. — *Rép. dr. civ. Dalloz, Vis, Dommages et intérêts* par F. DERRIDA, et *Responsabilité contractuelle* par R. RODIÈRE.

(131-2) V. STARCK, ROLAND, BOYER, *La responabilité délictuelle*, n° 1013 et s.

(131-3) Com., 29 nov. 1988 : *J.C.P.* 89, IV, 43.

(131-4) Civ. 1re, 10 fév. 1987 : *Bull. civ.* I, n° 44, p. 32.

A. — Contrat d'hôtellerie

1428. — Les articles 1952 et 1953 du Code civil posent, en principe, que les *aubergistes et hôteliers* sont responsables, comme dépositaires, des effets apportés par le voyageur qui loge chez eux (131-5) et cela, alors même que le vol ou le dommage de ces effets a été le fait des préposés de l'hôtelier ou des étrangers « allant et venant dans l'hôtel ». C'est une obligation de *résultat,* très stricte (132).

Bien entendu, conformément à l'article 1150 du Code civil, cette responsabilité est limitée à ce qui a été *prévisible* (il n'est pas prévisible que dans un hôtel « une étoile », une cliente possède un... manteau de vison ou des robes de grands couturiers !) (133).

1429. — Quant au montant même de la réparation, le Code civil aménage un régime particulier en distinguant deux situations.

La première vise le cas où les vêtements, bagages et objets divers amenés par le voyageur ont été déposés entre les mains de l'hôtelier, hypothèse à laquelle on assimile le refus, sans motif légitime, de l'hôtelier de les prendre effectivement sous sa garde. En cas de vol ou de détérioration, la responsabilité est illimitée et toute clause contraire (133-1) est frappée de nullité. La réparation ne connaît donc aucune limite (art. 1953, al. 2).

Dans la deuxième situation, où le voyageur ne remet pas ses effets à l'hôtelier, les dommages et intérêts qui lui sont dûs sont limités à l'équivalent de 100 fois le prix de location du logement par journée (art. 1953, al. 3); ce taux descend à 50 fois le prix de location pour les objets laissés dans les véhicules stationnés sur les lieux dont l'hôtelier a la jouissance privative (133-2) (art. 1954, al. 2).

(131-5) Peu importe que le client réside dans la ville où se trouve l'hôtel : Paris, 22 avril 1983 : *Gaz. Pal.* 1983, 1, somm. 199. — Les règles de la responsabilité des hôteliers ne s'appliquent pas aux restaurateurs qui sont tenus dans les termes du droit commun : Paris, 3 déc. 1987 : *D.* 1988, I.R. 28.

(132) BELLAMY, *Le contrat d'hôtellerie*, thèse Lyon, 1960. — BERGEL, *Les responsabilités des hôteliers : Gaz. Pal.* 1977, doct. 62. — LESCAILLON, *La responsabilité de l'hôtelier et du restaurateur : Rev. Huissier* 1987, 380. — *Rép. dr. civ. Dalloz, V° Hôtelier-logeur*, par J. MESTRE. — V. BIHL, *La notion de dépôt hôtelier : J.C.P.* 74, I, 2616. — L. MORET, *Le contrat d'hôtellerie : Rev. trim. dr. civ.* 1973, p. 663.

(133) V. Nîmes, 23 nov. 1961 : *J.C.P.* 62, II, 12641 : *D.* 1962, 248; obs. B. STARCK : *Rec. gén. lois et jurispr.* 1962, p. 349, au sujet du vol d'effets laissés dans une voiture garée dans la cour d'un hôtel. — Civ. 1re, 18 janv. 1989 : *D.* 1989, I.R. 31.

(133-1) Paris, 12 oct. 1982 : *Gaz. Pal.* 1983, 1, somm. 199; *D.* 1983, I.R. 23.

(133-2) Civ. 1re, 8 janv. 1989 : *D.* 1989, I.R. 31 (parc de stationnement). — Il est indifférent que le parc à voitures soit exploité par un tiers : Paris, 25 mars 1983 : *Gaz. Pal.* 1984, I, somm. 41. — Paris, 15 juin 1988 : *D.* 1988, I.R. 222. — Solution *a contrario* : Civ. 2e, 9 juill. 1975 : *J.C.P.* 77, II, 18544 (1re espèce), note MOURGEON (automobile stationnée sur la voie publique).

1430. — En outre, ce plafonnement peut être écarté si le préjudice subi résulte d'une faute de l'hôtelier ou du personnel de service dont il répond (art. 1953, al. 3, *in fine*) (133-3). Il en résulte que la victime du vol ou des dégradations peut obtenir une réparation intégrale en prouvant le défaut de surveillance, qu'il s'agisse des effets laissés à l'intérieur de l'hôtel ou à l'intérieur de la voiture remisée dans le parking de l'hôtel (134). Le maximum légal est, par exemple, éliminé, lorsque le vol a été rendu possible, d'une part par la présence de deux échelles laissées à proximité des fenêtres de la chambre occupée par la victime, d'autre part par l'impossibilité de garder fermés les volets et les fenêtres de la chambre visitée par les voleurs (135).

Le Code civil prend soin de préciser que les articles 1952 et 1953 ne s'appliquent pas aux animaux vivants.

B. — Contrat de transport aérien

1431. — Divers textes concernant les *transports aériens* fixent les sommes que le juge ne peut pas dépasser en cas de dommages aux personnes transportées ou aux marchandises. Il en est ainsi de la loi du 2 mars 1957, relative à l'aviation, qui adopte pour le transport aérien interne les règles existant déjà pour le transport international régi par la Convention de Varsovie de 1929, modifiée par le protocole de La Haye du 28 septembre 1955 (136). Il y a lieu de distinguer l'indemnisation des personnes et celle des marchandises.

1° Indemnisation des personnes

1432. — S'agissant des voyageurs dans le cadre du trafic inernational, la Convention de Varsovie, modifiée par le protocole de La Haye, limite à 250 000 F Poincaré le dédommagement par personne, précisant que le franc Poincaré représente une unité monétaire constituée par 65,5 milligrammes d'or au titre de 900 millièmes de fin. Le problème est de savoir quelle est la valeur de cette unité de compte or depuis l'entrée en vigueur du deuxième amendement au statut du Fonds monétaire international (F.M.I.) prohibant la référence à l'or (136-1). Dans le trafic intérieur, la limitation de

---

(133-3) Paris, 21 sept. 1983 : *Gaz. Pal.* 1984, 1, somm. 195 (veilleur de nuit). — Paris, 12 nov. 1986 : *D.* 1986, I.R. 487. — Paris, 15 janv. 1987 : *D.* 1987, I.R. 36.

(134) Civ. 1re, 27 janv. 1982 : *J.C.P.* 83, II, 19936, note CHABAS.

(135) Civ. 1re, 13 oct. 1965 : *J.C.P.* 65, II, 14403. — Mais il n'y a pas faute à laisser la porte du garage non fermée à 19 h 30, vu son emplacement dans une rue centrale et l'arrivée à cette heure-là de la plupart des clients : Paris, 26 nov. 1987 : *D.* 1988, I.R. 4. — *Adde*, Paris, 6 mars 1986, 2, somm. 283 (pas de faute vu l'existence d'un dispositif de surveillance par caméras).

(136) J. NAVEAU et M. GODFROID, *Précis de droit aérien*, spéc. n° 152 et s. et 171 et s. — *Rép. dr. civ. Dalloz, Transports aériens* par E. DU PONTAVICE.

(136-1) V. NAVEAU et GODFROID, *op. cit.*, p. 205.

responsabilité est de 500 000 F par voyageur depuis la loi du 6 mai 1982 modifiant l'article L. 322-3 du Code de l'aviation civile (137).

1433. — Ces différents plafonds sont écartés, et la réparation devient intégrale, s'il est prouvé que le dommage résulte d'un acte ou d'une omission du transporteur ou de ses préposés fait, soit avec l'intention de provoquer un dommage, soit témérairement et avec conscience qu'un dommage en résultera probablement... (art. 25 de la Convention de Varsovie) (138).

2° Indemnisation des marchandises

1434. — S'agissant des marchandises, la Convention de Varsovie a également établi un plafond que le protocole de La Haye a doublé; il est actuellement de 250 F Poincaré par kilo (139). La conversion du franc Poincaré en francs actuels soulève des difficultés : il a été jugé que les dispositions de la Convention de Varsovie mettant en jeu l'ordre public monétaire, les tribunaux doivent se conformer à l'interprétation officielle donnée par l'autorité gouvernementale qu'ils doivent solliciter (139-1). Ce plafond peut être dépassé, soit en cas de faute intentionnelle (139-2) ou inexcusable (139-3)

---

(137) Ces limitations légales, sur le plan interne ou international, de la responsabilité des transporteurs aériens et maritimes, ne trouvent aucune justification proprement juridique; leur maintien répond à des considérations commerciales anachroniques (v. la forte critique du système en matière aérienne E. GEORGIADÈS, *Comment peut se justifier à l'heure actuelle la limitation de la responsabilité du transporteur aérien : Gaz. Pal.* 15-17 août 1971, doct. 2). Ce système a été condamné aux États-Unis comme *contraire à la Constitution.* Dans le jugement rendu dans l'affaire *Burdell c. Canadian Pacific Airlines,* rendu par la Cour du Circuit de Cook County (Illinois), on peut lire ce passage :

« Le tribunal reconnaît que l'un des buts de la Convention de Varsovie était de protéger les transporteurs aériens. Mais il convient d'apprécier la portée économique de la Convention de Varsovie dans les conditions actuelles... Il résulte des statistiques et des autres renseignements que le régime préférentiel accordé aux transporteurs aériens n'est justifié actuellement ni au point de vue économique, ni au point de vue moral ou juridique. Toutes les raisons qui ont pu exister pour justifier ce régime préférentiel ont disparu, et la situation est maintenant renversée ». (Cité par M. MANKIEWICZ : *Rev. fr. dr. aérien* 1969, p. 256). Les mêmes objections pourraient être faites en ce qui concerne les transports maritimes. Ces objections expliquent les nouveaux protocoles de Guatemala-City et de Montréal qui posent le principe d'une responsabilité objective et relèvent considérablement les plafonds d'indemnité.

(138) Paris, 25 juin 1965 : *D.* 1966, 401, note CHAUVEAU. — Aix-en-Provence, 29 sept. 1970 : *J.C.P.* 71, II, 16621, note DE JUGLART et DU PONTAVICE, contenant de nombreuses références à la notion de « faute inexcusable » en matière aérienne.

(139) Com., 8 janv. 1985 : *J.C.P.* 85, II, 20500, note GRELLIÈRE (le paiement du prix du transport de la marchandise, en cas de perte de celle-ci, est un élément du préjudice résultant de l'inexécution du contrat; il ne saurait donc être indemnisé spécialement, ce qui conduirait à un dépassement du plafond légal de réparation).

(139-1) Com., 7 mars 1983 : *J.C.P.* 84, II, 20213, note A. VIALLARD. — Pour une application, v. Paris, 7 mai 1986 : *D.* 1987, 526, note BORRICAND et 22 oct. 1987 : *D.* 1987, I.R. 234.

(139-2) Com., 21 juill. 1987 : *Bull. civ.* IV, n° 210, p. 155 (vol d'un colis contenant de l'or par un mandataire de la compagnie).

(139-3) Civ., 24 fév. 1987 : *Bull. civ.* I, n° 74, p. 53 (pilote volant à vue pris par le brouillard et ne faisant pas demi-tour). — Civ. 1re, 17 nov. 1987 : *Bull. civ.* I, n° 302, p. 217 (pilote échangeant des signes d'amitié au moment de l'atterrissage).

telle que définie précédemment, soit en cas de déclaration de valeur faite par l'expéditeur au moment de la remise du colis. On notera, d'ailleurs, que la Convention de Varsovie et la loi de 1957 ne s'appliquent pas à toutes les opérations qui ont lieu à l'occasion du transport aérien (par exemple, les opérations de débarquement sur l'aire de trafic); mais les compagnies d'aviation stipulent des clauses limitatives de responsabilité pour les cas non prévus par ces textes (140).

C. — Contrat de transport maritime

1435. — La loi n° 66-420 du 18 juin 1966 sur les contrats d'affrêtement et de transport maritimes établit, elle aussi, des limites à la réparation tant pour les dommages subis par les marchandises que pour ceux subis par les passagers. Ce texte a été modifié par la loi n° 86-1292 du 23 décembre 1986.

1° Indemnisation des marchandises

1436. — Originairement, les plafonds de réparation étaient fixés en francs Poincaré (un franc Poincaré = 65,5 millièmes d'or au titre de 900 millimètres de fin). Les accords de la Jamaïque d'avril 1978 prohibant toute référence à l'or pour la convertibilité des monnaies nationales, il était devenu nécessaire d'adopter une nouvelle unité de compte pour les pays membres du Fonds monétaire international (F.M.I.); ce fut le droit de tirage spécial (D.T.S.). La loi du 23 décembre 1986, modifiant l'article 28 de la loi de 1966, renvoie, désormais, pour le calcul de la limitation à la Convention de Bruxelles du 25 août 1924 modifiée par le protocole signé à Bruxelles le 21 décembre 1979. Il en résulte que le remboursement des pertes ou dommages subis par les marchandises ne peut dépasser 666,67 unités de compte par colis ou unité, ou 2 unités de compte par kilogramme de poids brut de marchandises perdues ou endommagées, la limite la plus élevée étant applicable (140-1).

1437. — Le transporteur est déchu du bénéfice de la limitation lorsqu'il est prouvé que le dommage résulte de la faute intentionnelle ou de la faute inexcusable (art. 28, al. 5 a). Il ne peut s'en prévaloir en cas de déclaration de valeur par le chargeur insérée dans le connaissement et acceptée par le transporteur.

Aux termes de l'article 29, est nulle et de nul effet toute clause ayant pour objet ou pour effet de restreindre la responsabilité à une somme inférieure au chiffre limite. En revanche, rien n'interdit aux parties de stipuler une indemnisation plus élevée.

(140) Civ. 1re, 3 juin 1970 : *D.* 1971, 373, note CHAUVEAU. — V. RODIÈRE et MERCADAL, *Droit des transports terrestres et aériens,* 4e éd., n° 367 et s.

(140-1) C. *Lamy Transport,* n° 5586.

2° Indemnisation des personnes

1438. — S'agissant des personnes, la responsabilité du transporteur pour mort ou blessures des voyageurs causées par « naufrage, abordage, échouement, explosion, incendie ou tout sinistre majeur » est enfermée dans les limites fixées à l'article 7 de la Convention internationale sur la limitation de responsabilité en matière de créances maritimes faite à Londres le 19 novembre 1976 (141) (art. 40 de la loi du 18 juin 1966 modifiée par la loi n° 86-1292 du 23 déc. 1986). La réparation ne saurait excéder, par passager, 46 666 unités de compte, étant précisé que l'unité de compte est le droit de tirage spécial tel que défini par le Fond monétaire international. Toutefois, ces limites ne s'appliquent pas s'il est prouvé que le dommage résulte du fait ou de l'omission personnels du transporteur ou de son préposé commis avec l'intention de provoquer un tel dommage ou commis témérairement et avec conscience qu'un tel dommage en résulterait probablement.

1439. — Quant aux bagages et véhicules de tourisme, le plafond de responsabilité est fixé par le décret n° 67-268 du 23 mars 1967 modifié par le décret n° 86-1065 du 24 septembre 1986; il est établi comme suit : 7 500 F par passager pour les bagages de cabine, 30 000 F par véhicule, 10 000 F par passager pour les autres bagages. Cette limitation ne s'applique plus en cas de dol ou de faute inexcusable. De plus, elle est écartée pour les biens précieux déposés entre les mains du capitaine ou du commissaire de bord.

D. — Contrat de transport postal

1439-1. — Les postes et télécommunications ont le monopole du transport des lettres ainsi que des paquets et papiers n'excédant pas le poids de 1 kilogramme (art. L. 1, C. postes et télécoms), sous réserve des exceptions concernant les sacs de procédure, les papiers relatifs uniquement au service personnel des entrepreneurs de transport, les journaux, recueils, bulletins, périodiques à la condition qu'ils soient expédiés soit sous bande mobile ou sous enveloppe ouverte, soit en paquets non cachetés (art. L. 2, C. postes et télécoms).

1439-2. — La responsabilité de l'administration des postes est différente s'agissant des envois ordinaires, des envois recommandés ou des envois avec valeur déclarée. Pour les premiers, elle bénéficie d'un régime d'irresponsabilité. Selon l'article 7 du Code des postes et télécommunications « l'administration des postes et télécommunications n'est tenue à aucune indemnité pour perte d'objet de correspondance ordinaire ». S'agissant des seconds, la poste ne doit indemniser qu'en cas de perte (art. L. 8, C. postes et télécoms), qu'à certaines conditions (emballage reconnu suffisant par

(141) Cette convention est entrée en vigueur le 1er déc. 1986 (D. n° 86-1371 du 23 déc. 1986 portant publication de la Convention de 1976).

exemple). L'indemnité allouée en régime intérieur est de 100, 430, 860 ou 1 220 F selon le droit de recommandation versé par l'expéditeur, c'est-à-dire selon la valeur qu'il a voulu garantir. En régime international, la perte, seule, ouvre droit à indemnité qui est de 180 F pour tous objets, sauf pour les sacs spéciaux d'imprimés où elle atteint 540 F. Ces chiffres ne sont pas forfaitaires, mais fixent seulement le plafond au regard duquel le demandeur ne peut prétendre qu'à la réparation du préjudice subi. Pour les envois avec valeur déclarée, l'administration doit la réparation en cas de perte, spoliation ou détérioration des valeurs, objets précieux ou marchandises régulièrement insérées jusqu'à concurrence du montant de la déclaration, sans pouvoir excéder le maximum autorisé pour la déclaration.

E. — Exploitation nucléaire

1° Navire nucléaire

1440. — Aux termes de l'article 1er de la loi n° 65-956 du 12 novembre 1965 modifiée par la loi n° 68-1045 du 29 novembre 1968, l'exploitant d'un navire nucléaire est responsable de plein droit des dommages causés par l'énergie nucléaire.

L'article 9 de ladite loi réglemente en ces termes le plafond de la réparation :

« Le montant de la responsabilité de l'exploitant en ce qui concerne un même navire nucléaire est limité à 500 millions de francs pour un même accident nucléaire, même si celui-ci résulte d'une faute personnelle quelconque de l'exploitant; ce montant ne comprend ni les intérêts ni les dépens alloués par un tribunal dans une action en réparation intentée en vertu de la présente loi.

Toutefois, le montant maximum de la responsabilité de l'exploitant d'un navire nucléaire étranger est, sauf accord passé avec l'État dont le navire bat pavillon, celui fixé par la loi de cet État, sans que ce montant puisse en aucun cas être inférieur à celui qui est fixé à l'alinéa précédent.

Est considéré comme constituant un même accident nucléaire tout fait ou toute succession de faits de même origine qui cause un dommage nucléaire ».

Cet article a été complété par un nouvel alinéa introduit par la loi n° 88-1093 du 1er décembre 1988 et qui dispose : « En cas de dommages nucléaires causés sur le territoire ou dans les eaux soumises à la souveraineté d'un État étranger par un navire nucléaire affecté à un service public de l'État, le montant maximum de la responsabilité de l'exploitant est, sauf accord passé avec l'État concerné, déterminé par la loi de cet État. La responsabilité est illimitée si cette loi ne fixe aucune limite ».

Par ailleurs, l'article 11-2 exclut la répétition pour les indemnités provisionnelles ou définitives effectivement versées aux victimes.

1441. — Signalons que le législateur réglemente l'hypothèse où, à la suite d'un accident nucléaire, il apparaît que l'ensemble des dommages causés par ledit accident risque d'excéder la limite de responsabilité de 500 millions de francs (v. art. 15).

2° Installation nucléaire

1442. — Le régime spécial né de la Convention de Paris du 29 juillet 1960, modifiée par la Convention de Bruxelles du 31 janvier 1963 et des protocoles additionnels du 28 janvier 1964, ainsi que de la loi du 30 octobre 1968 établit une responsabilité de plein droit de l'exploitant d'installations nucléaires, civiles ou militaires. Cette responsabilité vise les dommages causés par un accident nucléaire survenu dans l'installation ou au cours du transport, résultant des propriétés radio-actives, toxiques, explosives ou dangereuses des matières nucléaires. L'exploitant ne peut s'exonérer que dans les cas limitativement énumérés par la Convention de Paris : faute intentionnelle de la victime, conflit armé, guerre civile, cataclysme naturel...

Quant à la réparation, un plafond est fixé par la loi de 1968, de façon à ne pas entraver le développement dans le domaine nucléaire : 50 millions de francs pour un même accident; au-delà les victimes sont indemnisées par l'État dont l'obligation ne saurait excéder 600 millions de francs (art. 4 et 5 de la loi).

§ 2. — Les dispositions relatives aux dettes de sommes d'argent

1443. — Lorsque la dette inexécutée a pour objet une somme d'argent et qu'elle n'est pas payée le jour convenu, le législateur a posé des règles spéciales concernant l'indemnisation du créancier (142). La raison en est que le préjudice causé au créancier par le retard n'est pas facile à établir par le juge. Être privé de la somme due a pu causer au créancier un préjudice considérable (il a pu manquer une « affaire »; il a été poursuivi par ses propres créanciers et, éventuellement, mis en faillite); ou bien ce retard n'a peut-être causé aucun dommage particulier, sinon la perte résultant de l'impossibilité d'investir ces sommes et leur faire produire des bénéfices ou, du moins, des intérêts. C'est pour éviter des discussions sur l'existence et l'importance du préjudice que le législateur est intervenu en édictant des règles relatives aux *intérêts de retard* ou *intérêts moratoires :* ce sont des *intérêts légaux*, c'est-à-dire fixés par la loi elle-même.

Une deuxième considération a guidé le législateur. L'expérience universelle montre que les contractants tendent à fixer eux-mêmes, par convention, les intérêts des sommes dues et que, souvent, ils abusent de cette possibilité en fixant des taux usuraires. Une deuxième règle concerne, dès lors, la *limitation des taux d'intérêts conventionnels.*

---

(142) G. SOUSI, *La spécificité de l'obligation de somme d'argent : Rev. trim. dr. civ.* 1982, p. 514 et s; *Rép. dr. civ. Dalloz,* V^is *Intérêts des capitaux* par F. DERRIDA.

Une troisième disposition vise la *capitalisation des intérêts*. La pratique qui consiste à incorporer au capital les intérêts échus pour les rendre à leur tour producteurs d'intérêts est très dangereuse pour le débiteur. Une réglementation spéciale vient le protéger.

Reprenons ces trois points pour les analyser de façon plus précise.

A. — Intérêts légaux

1444. — Ils sont prévus à l'article 1153 du Code civil, texte qui a été remanié plusieurs fois. Cet article pose une règle et prévoit une dérogation à cette règle.

1° Intérêts moratoires

1445. — Selon l'article 1153, dans les obligations qui se bornent au paiement d'une certaine somme, les dommages-intérêts résultant du retard dans l'exécution ne consistent jamais que dans la condamnation aux intérêts au taux légal, sauf les règles particulières au commerce et au cautionnement (143). La Cour de cassation rappelle fréquemment le principe et annule, par exemple, la décision qui affecte une créance du coefficient 1,6 traduisant la moyenne des variations de 4 indices économiques (143-1) ou celle qui compense le retard de paiement des honoraires de l'architecte par une actualisation en fonction de l'indice du coût de la construction (143-2).

Ces dommages et intérêts consistent dans un pourcentage de la somme due, d'où la qualification « intérêts ». Le débiteur en est redevable automatiquement du seul fait du retard, d'où la qualification « moratoires ». De ce point de vue, la jurisprudence est très stricte : d'une part, elle décide que, dès lors que le montant de la dette n'est pas contesté, les juges du fond ne peuvent décharger des intérêts légaux, car ils sont dus par l'effet de la loi (143-3); d'autre part, elle admet que les intérêts légaux courent même en l'absence d'un chef de conclusions les réclamant (143-4). Par ailleurs, la Cour de cassation veille rigoureusement à l'application de l'alinéa 2 de l'article 1153 d'après lequel il n'est pas besoin au créancier de justifier d'aucune perte. C'est ainsi que les preneurs qui continuent d'exploiter le

(143) A. Robert, *L'intérêt de l'argent : réflexions sur une évolution : Études Lambert* 1975, 437. — Vion, *L'intérêt légal depuis la loi du 11 juillet 1976 : Rép. Defrénois* 1975, art. 30973, p. 1089. — Balsan, *La pratique judiciaire des intérêts au taux légal : Ann. Loyers* 1981, 940.

(143-1) Civ. 1re, 11 janv. 1989 : *D.* 1989, I.R. 31.

(143-2) Civ. 1re, 16 fév. 1988 : *Bull. civ.* I, n° 40, p. 26. — Civ. 3e, 27 janv. 1988 : *J.C.P.* 88, IV, 123.

(143-3) Civ. 3e, 25 mars 1987 : *J.C.P.* 87, IV, 190.

(143-4) Civ. 1re, 21 juin 1988 : *J.C.P.* 88, IV, 308.

fonds de commerce tant que l'indemnité d'éviction ne leur est pas versée peuvent se prévaloir des dispositions concernant l'octroi des intérêts légaux (143-5).

a) Taux de l'intérêt

1446. — Pendant très longtemps, le taux de l'intérêt moratoire a été fixé *ne varietur,* par des lois successives dont la dernière avait retenu 4 % en matière civile et 5 % en matière commerciale. Cette fixation invariable à taux faible n'était pas de nature, en période d'inflation, à amener plus sûrement le débiteur à s'exécuter; il pouvait, au contraire, avoir avantage à différer son paiement et faire un placement à un taux rémunérateur, alors que le créancier pouvait être contraint d'emprunter à des conditions très onéreuses pour faire face à ses obligations. C'est pourquoi la loi du 11 juillet 1975 a cherché à relier l'intérêt légal à la situation économique et monétaire, en faisant dépendre le taux légal du taux d'escompte de la Banque de France, plus proche du loyer réel de l'argent (144).

Actuellement, le taux de l'intérêt légal est, *en toute matière*, fixé pour la durée de l'année civile; il est, pour l'année considérée, égal au taux d'escompte pratiqué par la Banque de France le 15 décembre de l'année précédente. Dans le cas où l'on observerait une différence de trois points ou davantage au 15 juin de l'année suivante, le taux de l'intérêt légal serait majoré d'autant, pour les six derniers mois de l'année (art. 2 de la loi).

1447. — Outre le taux ordinaire, la loi a prévu des taux aggravés. Celui qui a le plus de portée pratique concerne la résistance prolongée du débiteur condamné judiciairement. Si la décision n'est pas exécutée à l'expiration d'un délai de deux mois, du jour où elle est devenue exécutoire, fût-ce par provision, le taux est majoré de cinq points à compter de cette date (pour 1989, le taux d'escompte étant de 9,5 %, le taux majoré s'éleve à 14,5 %). Une telle majoration n'étant prévue par la loi qu'à l'encontre de la partie condamnée, n'est pas applicable à un tiers payeur, tel le fonds de garantie automobile dans le cas où, le responsable du dommage étant connu, l'action en responsabilité a été dirigée contre lui (145).

Une autre majoration, plus limitée dans son application, intéresse le domaine des accidents de la circulation. L'inexécution de la condamnation de justice entraîne une augmentation de 50 % à l'expiration d'un délai de deux mois et un doublement à l'expiration d'un délai de quatre mois. S'agissant d'une éventuelle transaction, le non-paiement dans le délai (un mois) conduit à un intérêt au taux légal majoré de moitié durant les deux premiers mois, porté ensuite au double de ce taux.

(143-5) Civ. 3e, 16 mars 1988 : *D.* 1988, I.R. 95.

(144) Il en résulte que pour le calcul des intérêts, il faut tenir compte de la variation du taux légal au cours de la période d'inexécution : Civ. 1re, 23 oct. 1984 : *J.C.P.* 85, IV, 5.

(145) Civ. 2e, 5 déc. 1984 : *J.C.P.* 85, IV, 60.

b) Point de départ

1448. — Pendant très longtemps, le seul texte régissant la matière était l'article 1153, alinéa 3 du Code civil qui faisait partir les intérêts du jour de la sommation de payer. Cette disposition était, évidemment, inapplicable dans le cas où la créance n'était pas déterminée et supposait, pour l'être, une décision du juge (surtout créance d'indemnité). La jurisprudence avait donc dû déplacer le point de départ, mais ne s'était pas entendue sur plusieurs points : fallait-il se régler sur la date du prononcé du jugement ou de son caractère exécutoire, distinguer selon la source de la responsabilité, donner au juge le pouvoir d'avancer ou de reculer le *dies a quo* ? C'est alors qu'est intervenue la loi du 5 juillet 1985 qui a introduit au Code civil le nouvel article 1153-1, aux termes duquel la condamnation à une indemnité emporte, en toute matière, intérêts au taux légal à compter du prononcé du jugement. Pour autant, toute difficulté n'est pas écartée et on s'interroge encore sur le domaine respectif d'application des articles 1153, alinéa 3 et 1153-1 du Code civil (146).

• Domaine de l'article 1153, alinéa 3

1449. — Le texte s'applique indiscutablement à toute créance de somme d'argent dès l'instant que celle-ci est *liquide*, c'est-à-dire précisément chiffrée. Peu importe la source de l'obligation (147), excepté naturellement les dettes d'origine délictuelle qui procèdent d'un jugement et qui, par hypothèse, n'ont pas d'existence antérieure à l'instance.

Le vrai problème est de savoir si l'article 1153, alinéa 3 doit également viser les intérêts dont est redevable le débiteur d'une *indemnité* que le juge ne fait que constater. La jurisprudence antérieure à la loi de 1985 l'admettait; survit-elle au nouvel article 1153-1 qui réglemente différemment les créances indemnitaires ? La solution n'est pas douteuse compte tenu du nombre de décisions conformes rendues à cet égard. Les intérêts ont, ainsi, pour point de départ le jour de la sommation ou de la demande en justice lorsqu'il s'agit :

— de rappels de salaires et de congés payés ainsi que de compléments d'indemnités de préavis et de licenciement (148);

(146) G. VINEY, *La responsabilité : effets*, n° 399 et s. — Y. LOBIN, *Le point de départ des intérêts légaux après une décision de condamnation* : *D.* 1978, chron. 13. — SOINNE, *Le cours des intérêts post jugement déclaratif*: *Gaz. Pal.* 1983, 1, doct. 135. — BALSAN, *Le nouvel article 1153-1 du Code civil et la modification du régime des intérêts au taux légal* : *Ann. Loyers* 1985, 1257. — E. DU RUSQUEC, *Le point de départ des intérêts légaux à la suite d'un arrêt de la cour d'appel* : *Gaz. Pal.* 14 juin 1988.

(147) Civ. 3e, 9 déc. 1987 : *Bull. civ.* III, n° 200, p. 118 : le bénéficiaire d'une décision assortie de l'exécution provisoire — annulée par la suite — n'est tenu à la restitution des condamnations prononcées à son profit que selon les principes de l'art. 1153, al. 3.

(148) Soc., 5 mars 1986 : *Bull. civ.* V, n° 66, p. 52. — Soc., 21 avril 1988 : *Bull. civ.* V, n° 251, p. 164; *J.C.P.* 88, IV, 20.

— d'indemnité due par une compagnie en cas d'assurance de choses (149);

— de créances de caisses de Sécurité sociale (150);

— d'indemnités de licenciement (151);

— d'indemnités allouées en contrepartie d'une clause de non-concurrence (152);

— de créances du reliquat d'un compte (153);

— de créances d'un héritier contre la succession (154).

Dans toutes ces espèces, le juge n'a qu'un pouvoir lié : la liquidation dépend, non de son appréciation, mais de la prise en compte d'éléments objectifs, comme le contrat de travail et la convention collective, la valeur de la chose assurée au jour du sinistre...

Notons que le point de départ des intérêts moratoires, tel que le fixe l'article 1153-3, est intangible : le juge ne peut ni retarder ni avancer le moment où commencent à courir les intérêts moratoires (154-1). Tout autre est la situation dans le cadre de l'article 1153-1.

● Domaine de l'article 1153-1

1450. — Il n'est pas douteux qu'en situant le point de départ des intérêts afférents à une créance indemnitaire au jour du jugement, les rédacteurs de l'article 1153-1 ont eu l'intention de confirmer la jurisprudence antérieure. La Cour de cassation, en effet, jugeait avec régularité « qu'une créance née d'un délit ou d'un quasi-délit n'existe et ne peut produire d'intérêts moratoires que du jour où elle est judiciairement constatée, la victime n'ayant, jusqu'à la décision de justice qui lui accorde un indemnité, *ni titre de créance ni droit reconnu* dont elle puisse se prévaloir » (154-2). En outre, la consécration a englobé l'extension de la règle à la matière contractuelle, que la Cour de cassation avait finalement traitée à l'égal de la responsabilité délictuelle. L'expression en toute matière est dépourvue d'équivoque.

---

(149) Civ. 1re, 10 mai 1988 : *Bull. civ.* I, n° 132, p. 91.

(150) Soc., 4 mai 1988 : *Bull. civ.* V, n° 267, p. 176. — Civ. 2e, 25 janv. 1989 : *J.C.P.* 89, IV, 111.

(151) Soc., 26 mai 1988 : *J.C.P.* 88, IV, 267.

(152) Soc., 19 juill. 1988 : *J.C.P.* 88, IV, 348.

(153) Civ. 1re, 21 juin 1988 : *J.C.P.* 88, IV, 308.

(154) Civ., 24 nov. 1987 : *Bull. civ.* I, n° 310, p. 222.

(154-1) Sauf de rares exceptions. Le juge peut, notamment, avancer le point de départ lorsque la fixation au jour de la sommation aboutirait à réaliser un enrichissement sans cause au profit du débiteur : Civ. 1re, 10 déc. 1980 : *Bull. civ.* I, n° 322, p. 254.

(154-2) Par exemple, Com., 3 mai 1983 : *J.C.P.* 83, IV, 215. — Civ. 2e, 8 juin 1983 : *J.C.P.* 83, IV, 257.

Par ailleurs, eu égard au libellé très général du texte (« condamnation à une indemnité »), il est sûr aussi que l'article 1153-1 n'est pas limité aux indemnités fondées sur les règles de la responsabilité, mais peut viser la créance née de l'enrichissement sans cause (154-3), ou l'indemnité due au titre d'un rapport en valeur (154-4) ou encore une indemnité d'occupation (154-5).

Le régime prévu à l'article 1153-1 est radicalement différent du dispositif de droit commun de l'article 1153, alinéa 3. D'une part, l'allocation des dommages-intérêts moratoires se produit en l'absence de demande ou de disposition spéciale du jugement : ni le plaideur, ni le juge n'ont, en principe, à se manifester. D'autre part, il est ouvertement reconnu au juge un pouvoir de modification lui permettant de faire rétroagir (154-6) ou postagir le cours des intérêts légaux, à la condition, bien entendu, qu'il indique les raisons pour lesquelles il retient une date différente (154-7).

Enfin, le texte prévoit spécialement les conséquences qui s'attachent à la décision d'appel. Confirme-t-elle purement et simplement ? les intérêts partent du jugement de première instance (154-8). Infirme-t-elle en tout ou en partie ? l'indemnité qu'elle alloue porte intérêt à compter seulement de son arrêt. Mais le juge peut toujours déroger à ces règles, sous réserve de s'en justifier (154-9).

2° Intérêts compensatoires

1451. — L'article 1153, alinéa 4 dispose que :

« Le créancier auquel son débiteur en retard a causé, par sa mauvaise foi, un préjudice indépendant de ce retard, peut obtenir des dommages et intérêts distincts des intérêts moratoires de la créance ».

On a vu, en effet, que la défaillance du débiteur a pu causer au créancier des préjudices graves, bien supérieurs aux intérêts légaux. C'est de la réparation de ces préjudices *distincts du retard* qu'il est question dans l'alinéa 4 de l'article 1153. Il ne s'agit plus pour le créancier de réclamer de simples intérêts moratoires, mais une véritable réparation : des dommages et intérêts *compensatoires.* La loi le lui permet à condition que le créancier fasse une double preuve (155).

(154-3) Com., 6 janv. 1987 : *J.C.P.* 87, IV, 84. — 23 fév. 1988 : *J.C.P.* 88, IV, 165.

(154-4) Civ. 1re, 4 oct. 1988 : *D.* 1988, I.R. 256 et *D.* 1989, 119, note G. Morin.

(154-5) Civ. 3e, 10 déc. 1985 : *J.C.P.* 86, IV, 21.

(154-6) Civ. 1re, 18 janv. 1989 : *D.* 1989, I.R. 31; *J.C.P.* 89, IV, 102.

(154-7) Les chambres de la Cour de cassation exigent formellement une motivation lorsque le juge déplace le point de départ dans le cadre de l'appel : v. note (154-9).

(154-8) Crim., 3 nov. 1987 : *D.* 1988, I.R. 5.

(154-9) Crim., 15 déc. 1987 : *J.C.P.* 88, IV, 78. — Civ. 2e, 27 avril 1988 : *J.C.P.* 88, IV, 229. — Civ. 3e, 12 juill. 1988 : *J.C.P.* 88, IV, 339.

(155) Com., 16 juill. 1985 : *J.C.P.* 85, IV, 332. — Soc., 19 juin 1986 : *J.C.P.* 86, IV, 251.

1452. — En premier lieu, le créancier doit faire état d'un préjudice distinct de la seule privation de la somme d'argent à l'échéance, laquelle est réparée par l'octroi des dommages-intérêts moratoires. Un tel préjudice résulte, ou bien d'un manque à gagner (s'il avait eu la somme en temps voulu, le créancier aurait fait un placement fructueux), ou d'une perte subie : il a dû emprunter à un taux élevé pour régler ses propres créanciers, ou encore, débiteur du fisc, il a subi la majoration de 10 %, ou, pis encore, ses biens ont été saisis (156).

1453. — Il faut, ensuite, que le créancier établisse la mauvaise foi du débiteur (157). Sur l'interprétation de la mauvaise foi, la jurisprudence de la Cour de cassation a évolué. Elle s'était, d'abord, contenté d'une faute quelconque (158), puis elle est revenue à une lecture plus littérale du texte (159), sans toutefois exiger la preuve de l'intention de nuire. Elle assimile à la mauvaise foi la faute caractérisée du débiteur; le plus souvent elle se contente des lenteurs exagérées, de la résistance ou de l'inertie du débiteur, circonstances qui ne révèlent pas nécessairement l'*animus nocendi* (160). Mais faut-il aller jusqu'à dire, en suivant un auteur

« qu'être de mauvaise foi, c'est refuser d'exécuter alors qu'on est en mesure de le faire » (161).

La jurisprudence n'exige pas toujours la réunion cumulative de ces deux conditions (161-1) On trouve des arrêts où la considération de la mauvaise foi est déterminante, justifiant l'allocation de dommages et intérêts supplémentaires alors que le préjudice n'est pas vraiment indépendant du retard (161-2); inversement, certaines décisions se désintéressent du comportement du débiteur dès l'instant qu'un préjudice spécial est démontré (161-3).

---

(156) Le vrai problème en la matière serait peut-être de savoir s'il convient de traiter comme préjudice indépendant du retard celui qui est inhérent à la dépréciation monétaire constatée dans l'intervalle. La jurisprudence répond par la négative. — Civ. 1re, 10 janv. 1978 : *D.* 1978, I.R. 414 — Com., 26 fév. 1979 : *D.* 1979, I.R. 250. — Paris, 2 juin 1983 : *D.* 1984, I.R. 32.

(157) Sur ce point, la loi de 1900, qui a ajouté un alinéa 4 à l'art. 1153, est en retrait par rapport à la jurisprudence antérieure qui permettait au créancier d'obtenir des dommages-intérêts supérieurs aux intérêts légaux s'il prouvait la *faute* du débiteur (on justifiait cette solution par l'idée critiquable selon laquelle la preuve de la faute du débiteur met en jeu sa *responsabilité délictuelle...*). — Sur le principe, Civ. 1re, 4 oct. 1988 : *Bull. civ.* I, n° 273, p. 187.

(158) Civ., 16 juin 1903 : *D.* 1903, 1, 407.

(159) Civ. 1re, 16 mars 1977 : *Bull. civ.* I, 139. — Civ. 3e, 10 janv. 1978 : *D.* 1978, I.R. 414.

(160) Civ. 1re, 5 nov. 1980 : *Gaz. Pal.* 1981, 1, pan. 79 (la résistance du débiteur ne peut être jugée abusive quand il est établi que le créancier a initialement réclamé une somme excessive). — *Adde*, Soc., 19 juin 1986 : *J.C.P.* 86, IV, 251.

(161) J. MAZEAUD, note du *D.* 1969, 601.

(161-1) En ce sens, G. VINEY, *La responsabilité : effets*, n° 352.

(161-2) Com., 28 oct. 1986 : *D.* 1986, 592, note VASSEUR.

(161-3) Civ. 1re, 5 mars 1986 : *Bull. civ.* I, n° 117, p. 119. — Civ. 3e, 23 juill. 1986 : *D.* 1986, I.R. 418.

B. — Intérêts conventionnels

1454. — Le Code civil, en 1804, avait laissé toute liberté en matière d'intérêts conventionnels, mais une loi de 1807 vint le limiter à 5 % en matière civile et à 6 % en matière commerciale. Cependant, à la suite de la guerre de 1870, toute une série de textes rendit, à nouveau, la liberté au taux des intérêts conventionnels.

1455. — Cette liberté a pris fin en vertu d'un décret-loi du 8 août 1935, qui considère comme *usuraire* le prêt consenti à un taux effectif dépassant de plus de la moitié le taux moyen pratiqué par des prêteurs de bonne foi pour les opérations comportant des risques analogues. Ce texte n'était applicable qu'au contrat de prêt.

1456. — Il a été, à son tour, abrogé par une nouvelle réglementation de l'usure résultant de la loi (n° 66-1010) du 28 décembre 1966, qui nous régit actuellement (161-4). Par ailleurs, la loi n° 78-22 du 10 janvier 1978 relative à l'information et à la protection des consommateurs dans le domaine de certaines opérations de crédit et la loi n° 79-596 du 13 juillet 1979 relative à l'information et à la protection des emprunteurs dans le domaine immobilier, ont réglementé les indemnités dont peut être contractuellement redevable l'emprunteur remboursant par anticipation ou n'exécutant pas ses obligations. On envisagera donc les trois hypothèses de la conclusion, de l'exécution anticipée et de la non-exécution du contrat de prêt.

1° Conclusion du contrat

1457. — Le législateur de 1966 raisonne par rapport à un taux effectif global qui ne saurait dépasser deux taux de référence (162).

1458. — Le taux effectif global (T.E.G.) a été défini par le décret du 4 septembre 1985 (162-1) :

Art. 1er. — Le taux effectif global d'un prêt est un taux annuel, proportionnel au taux de période, à terme échu et exprimé pour cent unités monétaires. Le taux de période et la durée de la période doivent être expressément communiqués à l'emprunteur.

(161-4) GALVADA et STOUFFLET, *La limitation des taux d'intérêts conventionnels par la loi n° 66-1010 du 28 décembre 1966 sur l'usure : J.C.P.* 68, I, 2171. — HUSSET, *Calcul de taux et usure dans les prêts remboursables par mensualités : D.* 1977, chron. 131.

(162) Le calcul de ce taux avait donné lieu à des divergences jurisprudentielles que la Cour de cassation avait dû trancher : Civ. 1re, 9 janv. 1985 : *J.C.P.* 85, IV, 112. — Civ. 1re, 16 juin 1987 : *Bull. civ.* I, n° 201, p. 149 (condamnation de la méthode dite des taux équivalents).

(162-1) Sur ce texte, v. SALATS, *Les taux d'intérêt* (après D. n° 85-944 du 4 sept. 1985) : *Rép. Defrénois* 1986, 337. — D. SCHMIDT et P. LUTZ, *Calcul du taux effectif global : Banque* 1986, 863.

Le taux de période est calculé actuariellement à partir d'une période unitaire correspondant à la périodicité des versements effectués par l'emprunteur. Il assure, selon la méthode des intérêts composés, l'égalité entre, d'une part, les sommes prêtées et, d'autre part, tous les versements dus par l'emprunteur au titre de ce prêt, en capital, intérêts et frais divers, ces éléments étant, le cas échéant, estimés.

Lorsque la périodicité des versements est irrégulière, la période unitaire est celle qui correspond au plus petit intervalle séparant deux versements. Le plus petit intervalle de calcul ne peut cependant être inférieur à un mois.

Lorsque les versements sont effectués avec une fréquence autre qu'annuelle, le taux effectif global est obtenu en multipliant le taux de période par le rapport entre la durée de l'année civile et celle de la période unitaire. Le rapport est calculé, le cas échéant, avec une précision d'au moins une décimale.

1459. — Le taux effectif global ainsi déterminé ne doit pas excéder un double maximum. Il ne doit pas dépasser au moment où il est consenti :

— de plus d'un quart, le taux effectif moyen pratiqué, au cours du trimestre précédent, par les banques et établissements financiers pour les opérations de même nature comportant des risques analogues;

— le double du taux moyen de rendement effectif des obligations émises au cours du semestre précédent.

Ces taux sont publiés chaque trimestre et chaque semestre au *Journal officiel* (162-2).

1460. — Est usuraire tout prêt (163) qui excède la marge de majoration autorisée, soit 25 % du taux pratiqué par les banques, 100 % du rendement moyen des obligations, le second des deux chiffres ainsi dégagés répresentant le maximum à ne pas dépasser (163-1). Pour le premier semestre 1989, le taux d'usure est de 17,96 %. L'usure est doublement sanctionnée : au civil, non par la nullité mais par l'imputation de plein droit des perceptions excessives sur les intérêts normaux alors échus et, subsidiairement, sur le capital de la créance (art. 5); au pénal, par une peine d'emprisonnement de deux mois à deux ans et une amende de 2 000 à 300 000 F ou l'une de ces deux peines seulement (art. 6).

1461. — Rappelons que la stipulation d'intérêts implique la rédaction d'un écrit dans lequel doivent figurer le taux convenu entre les parties et le taux effectif global, qu'il y a là une *condition de validité*, faute de quoi il est fait application du taux légal (164). La circonstance que divers taux ont été

(162-2) Civ. 1re, 1er déc. 1987 : *J.C.P.* 87, IV, 56 : la cour d'appel doit rechercher quel est le taux effectif global et les taux de référence définis par les avis publiés en application de la loi du 28 déc. 1966, et non affirmer que le taux « était loin d'être un taux usuraire ».

(163) Ou tout crédit accordé à l'occasion de ventes à tempérament (art. 1er, al. 2 de la loi de 1966). Le texte a été déclaré inapplicable au *leasing*.

(163-1) Reims, 28 oct. 1979 : *D.* 1980, I.R. 259. — L'usure est établie lorsque le taux effectif global dépasse à la fois le taux de référence et le taux plafond « butoir » : Paris, 1er mars 1979 : *D.* 1981, 355, note BOIZARD.

(164) Civ. 1re, 24 juin 1981 (1re et 3e espèce) : *J.C.P.* 82, II, 19713, obs. VASSEUR et 26 mai 1984 : *Bull. civ.* I, n° 197. — 20 oct. 1987 : *J.C.P.* 87, IV, 400. — Civ. 1re, 9 fév. 1988 : *Bull. civ.* I, n° 35, p. 24.

utilisés un certain temps ne peut être invoquée pour suppléer l'absence d'un écrit ou prouver outre ou contre un écrit (164-1) et, puisque le taux conventionnel est hors de cause en l'absence d'écrit, la clause d'indexation des annuités de l'intérêt conventionnel ne peut être transposée au taux légal substitué (164-2). Mais, la loi ne précisant pas la forme et l'emplacement de la stipulation d'intérêt conventionnel (164-3), il a été jugé que l'intérêt conventionnel peut figurer dans les conditions générales du prêt auquel renvoie l'accord des parties (164-4). En revanche, pour déterminer si la mention du taux effectif global est insérée dans un contrat de prêt, il n'est pas possible de se référer à une autre convention qui n'est pas annexée au contrat (164-5).

En vertu d'une règle coutumière, le compte courant, parce qu'il produisait des intérêts de plein droit, échappait à l'exigence d'un écrit (165); son taux était déterminé par la banque conformément aux usages de la profession (et suivait les fluctuations du marché), la non-contestation du relevé de compte dans le délai imparti valant acceptation (166). Cette position a été abandonnée. Selon la première Chambre civile (166-1), la règle de l'article 1907, alinéa 2 du Code civil, qui impose un écrit pour la validité de la stipulation d'intérêt conventionnel, est d'application générale et il ne peut y être dérogé, même en matière d'intérêts afférents au solde débiteur d'un compte courant; d'où il suit qu'en l'absence d'écrit, le taux légal, seul est applicable. De plus, après la clôture du compte courant, le taux conventionnel fixé auparavant ne continue à s'appliquer que s'il existe une convention entre le débiteur et le créancier (166-2). A son tour, la Chambre commerciale a adopté la même solution (166-3).

(164-1) Civ. 1re, 11 oct. 1988 : *J.C.P.* 88, I.R. 394.

(164-2) Civ. 1re, 22 juill. 1986 : *Rép. Defrénois* 1986, art. 33825, n° 118, obs. SOULEAU; *Bull. civ.* I, n° 219.

(164-3) Civ. 1re, 9 janv. 1985 : *J.C.P.* 86, II, 20532, note PITOU.

(164-4) Civ. 1re, 24 juin 1981 : *D.* 1981, I.R. 438.

(164-5) Civ. 1re, 9 fév. 1988 : *Bull. civ.* II, n° 35, p. 24.

(165) Com., 11 janv. 1984 : *D.* 1985, I.R. 339, obs. VASSEUR.

(166) Trib. com. Lyon, 21 août 1984 : *D.* 1985, I.R. 340, obs. VASSEUR.

(166-1) 9 fév. 1988 : *J.C.P.* 88, II, 21026, note GALVADA et STOUFFLET; *Bull. civ.* I, n° 34, p. 23; *Banque* 1988, 590, note RIVES-LANGE. — *Adde*, Montpellier, 22 sept. 1988 : *D.* 1989, 150, note GAVALDA.

(166-2) Com., 10 janv. 1989 : *J.C.P.* 89, IV, 90.

(166-3) 12 avril 1988 : *D.* 1988, 309, concl. M. JEOL; *J.C.P.* 88, II, 21026, note GALVADA et STOUFFLET. — M. VASSEUR, *La fixation du taux d'intérêt et du taux effectif global en matière de découvert en compte* (après les arrêts Civ. 1re, 9 fév. 1988, et Com., 12 avril 1986) : *D.* 1988, chron. 157.

2° Remboursement anticipé

1462. — Pour remédier à l'abus des clauses pénales et des stipulations d'indemnités exagérées insérées dans les contrats de crédit, au cas où le débiteur désirerait y mettre fin prématurément, la loi du 10 janvier 1978 pour le crédit ordinaire, celle du 13 juillet 1979 pour le crédit immobilier ont aménagé un dispositif de limitation du montant des indemnités.

1463. — S'agissant du *crédit ordinaire* (tous crédits à l'exception des prêts professionnels, immobiliers ou des prêts modiques ou de courte durée... v. art. 2 et 3 combinés de la loi du 10 janvier 1978), le prêteur qui est en droit d'exiger, en cas de remboursement par anticipation, une indemnité au titre des intérêts non encore échus, ne peut réclamer plus de 4 % du capital remboursé par anticipation; par ailleurs, si le prêt est remboursé en totalité, l'indemnité ne pourra en aucun cas excéder le montant des intérêts restant à percevoir (art. 19, L. du 10 janv. 1978 et art. 1er, D. n° 78-373 du 17 mars 1978).

1464. — S'agissant du *crédit immobilier,* la règle est quelque peu différente. D'après le décret n° 80-473 du 28 juin 1980 fixant le barême prévu par la loi de 1979, l'indemnité ne peut dépasser la valeur d'un semestre d'intérêts sur le capital remboursé, au taux moyen du prêt, sans pouvoir dépasser 3 % du capital restant dû (art. 2).

3° Défaillance de l'emprunteur

1465. — Dans l'hypothèse du *crédit immobilier,* la loi du 13 juillet 1979 distingue deux cas. Si le prêteur n'exige pas le remboursement immédiat du capital restant dû, il peut majorer, au maximum de trois points, le taux d'intérêt que l'emprunteur devait et ce, jusqu'à ce que ce dernier ait repris le cours normal de ses paiements. Si le prêteur demande la résolution du contrat et exige le remboursement immédiat, il peut prétendre à une indemnité au plus égale à 7 % des sommes dues au titre du capital à rembourser ainsi que des intérêts échus et non versés (art. 13, L. de 1979 et 3, D. n° 80-473 du 28 juin 1980).

1466. — Dans le domaine du *crédit ordinaire,* le prêteur qui exige le remboursement immédiat peut demander une indemnité égale à 8 % du capital restant à amortir à la date de la défaillance. Lorsqu'il n'exige pas la restitution sans délai, il ne saurait exiger une indemnité supérieure à 8 % des échéances échues demeurées impayées (art. 2, D. n° 78-373 du 17 mars 1978).

1467. — Dans le cas particulier d'un contrat de location assortie d'une promesse de vente ou d'un contrat de location-vente, le bailleur est en droit d'exiger une indemnité égale à la différence entre, d'une part, la valeur résiduelle hors taxes du bien stipulée au contrat augmentée de la valeur actualisée, à la date de la résiliation du contrat, de la somme hors taxes des loyers non encore échus et, d'autre part, la valeur vénale hors taxes du bien restitué (art. 8, D. du 17 mars 1978 modifié par D. n° 87-344 du 21 mai 1987). S'il ne demande pas la résiliation du contrat, il peut réclamer au locataire défaillant une indemnité égale à 8 % des termes échus impayés (art. 3 du décret du 17 mars 1978).

1468. — Qu'il s'agisse de remboursement anticipé ou d'inexécution du contrat, ce mécanisme d'indemnisation fonctionne sans préjudice de l'application de l'article 1152 du Code civil sur la clause pénale. Aucune indemnité ni aucun coût autres que ceux visés aux articles 19 à 21 ne peuvent être mis à la charge de l'emprunteur dans les cas de remboursement pour anticipation ou défaillance. Il n'est pas possible, par exemple, de rendre l'emprunteur débiteur des frais de gardiennage du véhicule après sa restitution à l'établissement de crédit (166-4).

C. — Capitalisation des intérêts

1469. — La capitalisation des intérêts — appelée aussi *anatocisme* (166-5) — est une opération dangereuse pour le débiteur : les intérêts non payés, ajoutés au capital, produiront à leur tour des intérêts. On a calculé que des intérêts de 5 %, capitalisés tous les ans, doublent le capital dû au bout de 14 ans, alors qu'à défaut de capitalisation le doublement n'a lieu qu'au bout de 20 ans. Le risque est d'autant plus grand que le débiteur ne perçoit, à l'origine, que les avantages du mécanisme : il reçoit instantanément le capital qui lui est nécessaire et il reporte le règlement des intérêts à beaucoup plus tard, sans prendre conscience qu'il lui faudra, alors, restituer une somme substantiellement gonflée par l'accession des intérêts non payés.

Cependant, le législateur n'a pas prohibé l'anatocisme; il l'a simplement réglementé dans l'article 1154 du Code civil qui s'exprime ainsi :

« Les intérêts échus des capitaux peuvent produire des intérêts, ou par une demande judiciaire, ou par une convention spéciale, pourvu que, soit dans la demande, soit dans la convention, il s'agisse d'intérêts dus au moins pour une année entière ».

Cette position mesurée est à approuver. Elle évite l'endettement écrasant du débiteur, tout en procurant une satisfaction légitime au créancier; celui-ci, en effet, s'il avait reçu, à l'échéance, son dû en capital et intérêts, aurait pu faire fructifier l'ensemble de cette somme; s'il n'est pas payé, il perd son revenu et sur le principal et sur les intérêts; il n'est que légitime de lui permettre d'incorporer au capital les intérêts non acquittés pour qu'ils deviennent à leur tour frugifères.

(166-4) Civ. 1re, 12 nov. 1987 : *J.C.P.* 88, IV, 23.

(166-5) G. Viney : *La responsabilité : effets*, n° 353 et s. — Y. Chartier, *La réparation du préjudice*, n° 439 à 441. — H.-L. et J. Mazeaud et F. Chabas, *Traité...*, t. III, vol. 1, n° 2288 et s. — *Rép. dr. civ. Dalloz, Vis Intérêts des capitaux* par F. Derrida, n° 169 et s. — *Rép. dr. com. Dalloz, V° Compte courant* par R. Percerou, n° 208 et s.

Trois points sont à examiner : les sources de l'anatocisme, la date où il peut être décidé, la période au bout de laquelle la capitalisation peut être faite.

1° Sources de la capitalisation

1470. — Il est rare que des lois spéciales soient intervenues pour décider que l'anatocisme fonctionnerait automatiquement. L'exemple le plus connu est celui des livrets de Caisse d'épargne ou du Crédit mutuel. L'article 6 du Code des caisses d'épargne, dans sa rédaction issue du décret n° 87-446 du 29 juin 1987, dispose:

« Au 31 décembre de chaque année, l'intérêt acquis s'ajoute au capital et devient lui-même productif d'intérêts. La capitalisation des intérêts peut, le cas échéant, porter le montant du premier livret au-delà du montant de 80 000 » (plafond actuel des dépôts).

Quant au Crédit mutuel, l'article 1er du décret n° 84-441 du 13 juin 1984, modifié par le décret n° 87-1003 du 16 décembre 1987, déclare que les montants du premier livret peuvent dépasser les plafonds (80 000 F pour une personne physique, 400 000 F pour une personne morale) par capitalisation des intérêts, l'article 2 précisant qu'au 31 décembre de chaque année, l'intérêt acquis s'ajoute au capital et devient lui-même productif d'intérêts.

1471. — Il est plus exceptionnel encore que l'anatocisme dérive directement d'un usage. Tel est cependant le cas très connu du compte-courant, convention par laquelle une banque et son client conviennent de porter toutes les créances qu'ils auront entre eux au crédit et au débit d'un compte unique et d'en dégager le solde à des échéances déterminées. D'après la pratique bancaire, il y a lieu à arrêté de compte tous les trimestres et cet arrêté devient immédiatement et de plein droit productif d'intérêts, sans qu'on ait à tenir compte de la nature des éléments composant le reliquat, capitaux ou intérêts desdits capitaux (167). Compte tenu du nombre de comptes courants, tant civils que commerciaux, la portée de cette exception est considérable.

1472. — L'anatocisme dérive, habituellement, soit d'une décision du juge, soit d'un accord entre les parties. La Cour de cassation le rappelle régulièrement (168).

1473. — Dans le premier cas, le créancier qui n'a pas obtenu le paiement des intérêts au jour convenu, peut s'adresser au tribunal et lui demander de décider que les intérêts échus seront ajoutés au capital. Le tribunal ne peut

---

(167) Civ., 21 juill. 1931 : *D.P.* 1932, 1, 49, note HAMEL. — Com., 11 janv. 1984 : *Bull. civ.* IV, n° 15; *Rev. trim. dr. com.* 1984, 703, obs. CABRILLAC et TEYSSIÉ. — Nouméa, 24 déc. 1987 : *J.C.P.* 88, II, 21080, note J.-L. VIVIER. — RIPERT et ROBLOT, *Traité de droit commercial*, t. II, 11e éd., n° 2298.

(168) V. par exemple, Civ. 1re, 4 avril 1984 : *J.C.P.* 84, IV, 184. — Dans le même sens, Civ. 1re, 21 avril 1982 : *Gaz. Pal.* 1982, 2, pan. 285.

pas, d'ailleurs, refuser de l'ordonner (168-1), sauf dans le cas où le créancier aurait commis une faute ayant entraîné un retard dans la liquidation ou le paiement de la dette (169). Mais, un tel pouvoir n'entre pas dans l'office du juge des référés (169-1).

1474. — Par ailleurs, la capitalisation peut être prévue par « convention spéciale ». Le créancier convient avec le débiteur que les intérêts échus et non payés seront ajoutés au capital et produiront des intérêts. Le fait que la capitalisation n'ait pas été prévue au contrat n'interdit pas au créancier de la demander en justice (170).

2° Date de la décision de capitalisation

1475. — A quel moment la convention peut-elle être faite ? La doctrine avait soutenu que cela ne pourrait être fait qu'après l'échéance des intérêts. Il faudrait donc attendre chaque échéance, constater le non-paiement des intérêts, et convenir alors seulement que les intérêts seront capitalisés. Cette opinion se fonde sur le texte même de l'article 1154 qui ne vise que les intérêts « échus », et aussi sur la nécessité de protéger le débiteur contre des demandes excessives du créancier lors de la réalisation du prêt, c'est-à-dire à un moment où il est pressé par le besoin d'argent.

Mais la jurisprudence ne l'entend pas ainsi. Elle autorise la convention de capitalisation *au moment du contrat qui donne naissance à la dette*. Dans le contrat de prêt, par exemple, une clause expresse peut prévoir que les intérêts s'ajouteront au capital automatiquement, c'est-à-dire dès qu'ils seront échus et non payés. Peu importe que, sous l'empire de la nécessité d'obtenir le prêt, le débiteur soit obligé d'accepter les conditions sévères que lui impose son créancier (171). La même solution s'applique à la réclamation en justice; est permise la demande tendant à la capitalisation des intérêts dus pour un an, même si, à la date de son introduction, les intérêts ne sont pas encore échus (172).

Notons que les dispositions de l'article 1154 ont pour objet de limiter la capitalisation des intérêts *échus au cours de la période pendant laquelle le principal de la créance n'ayant pas été encore payé* les intérêts continuent de courir; elles sont sans application dans le cas où le débiteur, s'étant acquitté de sa dette en principal, a interrompu le cours des intérêts mais ne les a pas

(168-1) Cons. d'État, 6 fév. 1987 : *J.C.P.* 87, II, 20886, note J. Dufau.

(169) Req., 16 juin 1942 : *D.A.* 1943, 11. — Com., 13 fév. 1979 : *Bull. civ.* 1979, IV, 49.

(169-1) Civ. 3e, 4 mars 1987 : *Bull. civ.* III, n° 41, p. 25.

(170) Civ. 3e, 8 mai 1979 : *Gaz. Pal.* 1979, 2, somm. 415.

(171) Civ., 19 oct. 1938 : *D.H.* 1938, 561. — Paris, 21 janv. 1941 : *D.C.* 1941, 47, note Lalou.

(172) Civ. 3e, 26 fév. 1974 : *J.C.P.* 74, IV, 134. — Com., 13 mai 1981 : *Gaz. Pal.* 1981, 2, pan. 363. — Com., 20 oct. 1982 : *Bull. civ.* 1982, IV, n° 323, p. 272.

payés, obligeant ainsi le créancier à en solliciter le versement par une demande distincte; en cette éventualité, les intérêts qui étaient dus au jour du paiement du principal forment eux-mêmes une créance productive d'intérêts dans les conditions de l'article 1153 du Code civil (173).

3° Délai de capitalisation

1476. — Quant à la période écoulée, l'article 1154 déclare que la capitalisation ne peut être faite que pour les intérêts échus *pour une année entière* (173-1). On ne pourrait donc pas capitaliser des intérêts échus tous les mois ou tous les trimestres, car cela alourdirait trop la charge financière de l'opération (174). Cette exigence d'une durée annale s'applique sans distinction aux intérêts moratoires, qu'ils soient judiciaires ou conventionnels (175). Par voie de conséquence, la demande d'anatocisme ne saurait être accueillie s'agissant des annuités à venir (176). La Cour de cassation censure les arrêts qui ne la mettent pas en mesure d'exercer son contrôle sur les conditions de mise en œuvre de l'anatocisme (177).

1477. — L'article 1155 prévoit une très importante dérogation :

Néanmoins, les revenus échus, tels que fermages, loyers, arrérages de rentes perpétuelles ou viagères, produisent intérêt du jour de la demande ou de la convention.

La même règle s'applique aux restitutions de fruits et aux intérêts payés par un tiers au créancier en acquit du débiteur.

Il en ressort que lesdits revenus produisent des intérêts dès le jour de la demande ou de la convention, quelle que soit leur période d'échéance (177-1). S'il en va ainsi, c'est pour deux raisons. La première, d'ordre psychologique, tient à ce que le débiteur n'étant pas, dans ces hypothèses, redevable d'un principal, l'anatocisme ne présente pas le même danger; la seconde est d'ordre technique : ces sortes de revenus, quoiqu'ils soient produits par un bien immobilier ou mobilier et constituent des intérêts sur

---

(173) Cons. d'État, 30 avril 1982 : *Gaz. Pal.* 1982, 2, somm. 419. — 30 avril 1982 : *Gaz. Pal.* 1982, somm. 419 et 16 janv. 1987 : *D.* 1987, I.R. 23.

(173-1) Civ. 3e, 23 mars 1988 : *J.C.P.* 88, IV, 201 : ne donnent pas une base légale à leur décision les juges du second degré qui, en matière de fixation du prix d'un immeuble délaissé, accordent le bénéfice de l'art. 1154 à compter de la date de mémoire du demandeur en cause d'appel, sans s'expliquer sur la demande présentée par lui en première instance.

(174) Civ. 1re, 4 fév. 1975 : *J.C.P.* 75, IV, 97 (nullité d'une convention de capitalisation des intérêts échus chaque six mois).

(175) Civ. 1re, 10 mai 1978 : *Bull. civ.* I, 150. — Civ. 1re, 16 juill. 1985 : *J.C.P.* 85, I.R. 332 (l'art. 1154 du C. civ. est une disposition d'ordre public, qui s'applique sans distinction à tous les intérêts moratoires judiciaires).

(176) Paris, 14 mars 1977 : *J.C.P.* 78, II, 18863, note A. DE MARTEL-TRIBES.

(177) Com., 21 déc. 1981 : *Gaz. Pal.* 1982, 1, pan. 172.

(177-1) Civ. 3e, 21 mars 1988 : *Bull. civ.* III, n° 62, p. 35; *J.C.P.* 88, IV, 201 : le point de départ des intérêts dus sur la différence entre le nouveau loyer et le loyer prévisionnel est, en application de l'art. 1155, à bon droit fixé à la date d'effet du renouvellemet du bail commercial et au fur et à mesure des échéances mensuelles.

le plan économique, sont traités au plan juridique comme des capitaux dont il est normal qu'ils produisent des intérêts, sans l'exigence d'une dette antérieure, vieille d'au moins une année entière (178). Naturellement, la dérogation de l'article 1155 ne vise que l'exigence d'un délai d'un an; elle laisse entière la nécessité d'une demande en justice ou d'une convention, l'anatocisme ne jouant pas de plein droit sur la seule réclamation de la prestation.

II. — RÉGLEMENTATION CONVENTIONNELLE

1478. — Les conventions concernant la réparation sont fréquentes et de nature fort diverses. Certaines modifient les conditions ordinaires auxquelles est subordonnée la naissance de la réparation (§ 1), d'autres fixent forfaitairement le montant des dommages-intérêts (§ 2), d'autres encore stipulent des clauses exonératoires ou limitatives de responsabilité (§ 3).

§ 1. — Les clauses sur le principe de la réparation

1479. — Les contractants introduisent, quelquefois, dans leurs conventions des clauses modifiant les conditions de la responsabilité du débiteur, soit dans le sens d'une aggravation, soit dans celui d'un allègement.

A. — Clauses aggravantes

1480. — Les clauses qui *aggravent* les conditions de la responsabilité seront, par exemple, celles par lesquelles le débiteur déclare qu'il répondra de l'inexécution, même si un événement de *force majeure* est la véritable cause de l'inexécution. Ces clauses sont valables (179), le débiteur jouant en quelque sorte le rôle d'un assureur de son créancier.

1481. — On pourrait imaginer, également, la transformation conventionnelle d'une obligation de moyens en obligation de résultat. Mais, outre qu'en pratique on n'en rencontre guère, on peut douter de leur validité. Un médecin qui garantirait la guérison, un avocat qui promettait le succès de la cause de son client, n'assumeraient pas des obligations valables. La nature même des prestations s'oppose à ce que le résultat puisse être garanti; cela irait à l'encontre des règles de morale professionnelle. Ces clauses, à notre sens, seraient dangereuses, immorales et contraires à l'ordre public, du moins en ce qui concerne les prestations dans le louage de services ou de celles qui sont dues par une personne exerçant une profession libérale.

---

(178) Paris, 6 avril 1979 : *D.* 1979, I.R. 506, note D. MARTIN.

(179) Par exemple, l'art. 1772, C. civ. qui, relativement aux baux à ferme, déclare que « le preneur peut être chargé des cas fortuits par une stipulation expresse »; de telles clauses transforment une obligation de résultat ordinaire en une obligation de résultat absolue.

1482. — Sont *valables,* en revanche, les clauses qui ajoutent aux obligations habituelles, des *obligations supplémentaires :* les parties peuvent, en effet, régler à leur guise le contenu du contrat. Ainsi, bien que normalement les réparations importantes soient à la charge du bailleur, le locataire n'étant tenu que des réparations d'entretien (dites « locatives »), de nombreux contrats de bail contiennent des clauses mettant à la charge du locataire toutes les réparations. Leur validité est admise, à la condition qu'elles ne soient pas un moyen détourné d'augmenter le maximum autorisé des loyers. On observera toutefois que, s'agissant des baux d'habitation relevant de la loi du 22 juin 1982 dite loi *Quilliot*, une pareille clause est condamnée par l'article 19 relatif à l'obligation d'entretien et de réparation du bailleur, disposition considérée comme d'ordre public (179-1). On verra aussi qu'en cas de cession de créance, le cédant peut insérer une clause aggravant la garantie qui, normalement, découle du fait de la cession.

B. — Clauses atténuantes

1483. — Plus fréquentes sont les clauses qui *restreignent* le contenu des obligations. Ce genre de clauses est également valable *en principe,* en vertu de la liberté des parties d'aménager à leur convenance leurs rapports contractuels (180).

Ainsi, à une époque, ont été jugées valables certaines clauses de *non-garantie* en matière de vente (181) (non-garantie des vices ou non-garantie d'éviction), ou encore la clause par laquelle le bailleur se décharge de l'obligation d'entretenir l'immeuble (182), ou supprime le service d'une concierge.

On rencontre des clauses définissant certains événements comme des cas de force majeure exonératoire, alors même que, d'après la jurisprudence, ils n'en présenteraient pas les caractères; ou encore des clauses instituant des prescriptions très brèves (183). On pourrait imaginer la modification du contenu d'une obligation de résultat, ramenée par la volonté des parties à une obligation de moyens. Dans tous ces cas, la restriction du contenu de l'obligation a pour conséquence la disparition de la responsabilité corrélative : *on ne saurait être responsable de l'inexécution d'une obligation qu'on n'a pas assumée.*

(179-1) La loi du 23 déc. 1986 prévoit un autre système : les parties peuvent convenir des travaux que le locataire exécutera et des modalités de leur imputation sur le loyer (v. art. 6).

(180) MUZUAGHI, *Le déclin des clauses d'exonération de responsabilité sous l'influence de l'ordre public nouveau,* L.G.D.J., 1981, préface BONASSIES. — DELEBECQUE, *Les clauses allégeant les obligations dans les contrats,* thèse Aix, 1981.

(181) MALINVAUD, *Pour ou contre la validité des clauses limitatives de la garantie des vices cachés dans la vente : J.C.P.* 75, I, 2690.

(182) Soc., 6 fév. 1958 : *J.C.P.* 59, II, 11115, note B. STARCK, la charge de l'obligation d'entretien ne peut être déplacée que dans le cadre d'un bail échappant à une réglementation impérative, notamment celle de la loi du 22 juin 1982.

(183) Montpellier, 9 nov. 1954 : *D.* 1955, somm. 35.

1484. — Cependant, ces clauses restrictives d'obligations ne sont pas toutes valables. Dans certains cas, c'est le législateur lui-même qui s'y oppose.

Ainsi, on ne pourrait pas stipuler valablement dans le contrat de vente la non-garantie d'éviction de son fait personnel. On ne peut pas vendre une chose tout en se réservant la possibilité d'évincer l'acheteur en intentant contre lui une action pour reprendre en tout ou en partie la chose vendue par un contrat valable (C. civ., art. 1628). Ainsi encore, celui qui connaît l'existence de défauts de la chose vendue ne peut pas insérer dans le contrat une clause de non-garantie des vices (C. civ., art. 1643). La jurisprudence renforce cette règle à l'égard des vendeurs professionnels; ces derniers ne peuvent pas stipuler la non-garantie des vices, même en prétendant qu'ils ignoraient les défauts de la chose : les vendeurs professionnels *doivent* connaître la chose qu'ils vendent, l'excuse d'ignorance ne les met pas à l'abri de la garantie (184).

1485. — La loi du 10 janvier 1978 sur la protection des consommateurs a fait plus qu'entériner cette jurisprudence; elle en a élargi le domaine en dépassant la simple garantie des vices cachés. Rappelons, à cet égard, la disposition de l'article 2 du décret du 24 mars 1978 pris en application de cette loi :

« Dans les contrats de vente conclus entre des professionnels, d'une part, et, d'autre part, des non-professionnels ou des consommateurs, est interdite comme abusive au sens de l'alinéa 1° de l'article 35 de la loi susvisée la clause ayant pour objet ou pour effet de réduire le droit à réparation du non-professionnel ou consommateur en cas de manquement par le professionnel à l'une quelconque de ses obligations (185).

1486. — En dehors des cas où le législateur lui-même s'oppose à certaines clauses restrictives d'obligations, la jurisprudence n'en admet la validité que si l'insertion de semblables clauses ne supprime pas, en réalité, toute obligation, en rendant sans cause l'obligation du cocontractant.

Ainsi, pour prendre un exemple dans la jurisprudence, une entreprise de transports par wagons frigorifiques avait inséré dans ses contrats une clause en vertu de laquelle elle ne garantissait pas le glaçage des wagons ! De fait, le destinataire d'un certain nombre de caisses de poulets les reçut en fort mauvais état, la température à l'intérieur du wagon avoisinant 42°...

---

(184) Civ., 19 janv. 1965 : *D.* 1965, 389. — 28 nov. 1966 : *D.* 1967, 99. — Com., 4 juin 1969 : *D.* 1970, 51. — 1er déc. 1964 : *Bull. civ.* III, 574. — Civ. 3e, 27 mars 1969 : *D.* 1969, 633, note JESTAZ. — Civ. 1re, 21 nov. 1972 : *J.C.P.* 74, II, 17890, note GHESTIN (garagiste vendeur d'une automobile). — Com., 27 nov. 1973 : *J.C.P.* 74, II, 17887, note MALINVAUD (fabricants de pièces de navires). — Com., 17 déc. 1973 : *J.C.P.* 75, II, 17912, note SAVATIER (grossiste en marbres). — Civ. 3e, 22 janv. 1974 : *D.S.* 1974, 288 (vendeur professionnel d'immeubles). — Com., 28 janv. 1974 : *J.C.P.* 74, II, 17852, note H.T., obs. CORNU; *Rev. trim. dr. civ.* 1975, p. 126, n° 1 et p. 128, n° 2.

(185) V. sur l'incidence de la loi du 10 janvier 1978 sur la validité des conventions restrictives de la garantie contre les vices cachés, MAZEAUD et DE JUGLART, *Leçon de droit civil,* t. III, Principaux contrats, 6e éd., n° 990 et s. — CALAIS-AULOY, *Droit de la consommation*, nos 86 et 87.

La cour de Paris a annulé cette clause comme supprimant l'objet même du contrat (186), mais cet arrêt a été cassé de façon assez incompréhensible par la Cour de cassation (187).

A été déclarée nulle, également, la clause stipulée par une clinique psychiatrique dégageant sa responsabilité en cas de suicide des aliénés qu'elle recevait, clause qui supprime l'une des obligations essentielles de ce genre d'établissements : la surveillance des malades (188).

Ces clauses qui modifient le principe de la réparation ne doivent pas être confondues avec celles qui en réglementent le montant, dont il faut entreprendre maintenant l'examen.

§ 2. — Les clauses sur le montant de la réparation

1487. — Les clauses sur le montant de la réparation portent traditionnellement le nom de *clause pénale*. La clause pénale est une évaluation conventionnelle et forfaitaire des dommages et intérêts contractuels. Les parties conviennent qu'en cas d'inexécution ou d'exécution tardive (188-1), le débiteur devra une somme fixée d'avance à titre de dommages et intérêts. Cette somme est dénommée aussi peine (189). Le Code civil définit la clause pénale comme « celle par laquelle une personne, pour assurer l'exécution d'une convention, s'engage à quelque chose en cas d'inexécution » (art. 1226).

---

(186) Paris, 13 juin 1957 : *D.* 1957, 531, note RODIÈRE.

(187) Com., 15 juin 1959 : *D.* 1960, 97, note RODIÈRE.

(188) Trib. civ. Marseille, 12 juin 1956 : *D.* 1956, 515.

(188-1) Civ. 3e, 6 nov. 1986 : *J.C.P.* 87, IV, 16 : constituent une clause pénale les stipulations relatives à la fixation des pénalités de retard. — La question était précédemment discutée, v. MESTRE, obs. : *Rev. trim. dr. civ.* 1988, p. 112.

(189) B. BOCCARA, *La liquidation de la clause pénale et la querelle séculaire de l'article 1231 du Code civil : J.C.P.* 70, I, 2294. — E.-M. BEY, *De la réforme de la clause pénale :J.C.P.* 75, éd. C.I., 11882. — B. BOCCARA, *La réforme de la clause pénale : conditions et limites de l'intervention judiciaire : J.C.P.* 75, I, 2742. — B. BOULBI, *La mort de la clause pénale ou le déclin de l'autonomie de la volonté : J. not.* 1976, 1, 945. — F. CHABAS, *La réforme de la clause pénale : D.* 1976, chron. 229. — P. MALAURIE, *La révision judiciaire de la clause pénale : Rép. Defrénois* 1976, 533. — S. SANZ, *La consécration du pouvoir judiciaire par la loi du 9 juillet 1975 et ses incidences sur la théorie générale de la clause pénale : Rev. trim. dr. civ.* 1977, 268 et s. — NECTOUX, *La révision judiciaire des clauses pénales. Bilan des premières années d'application de la loi du 9 juillet 1975 : J.C.P.* 78, I, 2913. — JOMAIN, *La clause pénale et l'équilibre contractuel :* SCHWARZ-LIEBERMANN, *Exigence sociale, jugement de valeur et responsabilité civile*, 1983. — G. PAISANT, *Dix ans d'application de la réforme des articles 1152 et 1231 du Code civil relative à la clause pénale : Rev. trim. dr. civ.* 1985, p. 647 et s. — J. MESTRE, *De la notion de clause pénale et de ses limites : Rev. trim. dr. civ.* 1985, p. 372 et s. — G. VINEY, *La responsabilité civile : effets*, n° 229 et s. — *Rép. dr. civ. Dalloz, V° Clause pénale*, par J.-Y. CHEVALLIER.

Finalité de la clause pénale

1488. — Le but que poursuivent les parties en insérant une clause pénale est double.

D'une part, la clause pénale *évite les difficultés d'évaluation judiciaire* des dommages et intérêts. Elle établit un *forfait*, ce qui supprime toute discussion sur la réalité et l'importance du préjudice.

D'autre part, la clause pénale agit, également, comme *moyen de pression* sur le débiteur. En fixant le montant de la peine à un chiffre élevé, le débiteur sera incité à exécuter afin d'éviter de payer une somme peut-être considérable. Par ce dernier trait, la clause pénale s'apparente à l'astreinte, aussi l'appelle-t-on quelquefois « astreinte conventionnelle ». Cette parenté est encore plus frappante lorsque la somme convenue à titre de peine prend le caractère successif : tant par jour de retard, par exemple (190).

1489. — La clause pénale est très souvent utilisée dans la pratique; elle est insérée dans les contrats les plus divers : vente, bail, prêt à intérêt et, ces dernières années, elle a trouvé un regain d'actualité du fait de son insertion dans les contrats d'un type nouveau, notamment le *leasing,* le *renting* (191), le contrat de concession de station-service (192)... On la trouve, aussi, dans les obligations de faire à caractère personnel, en vue d'obtenir, par pression psychologique, ce que ne permettent pas les règles habituelles d'exécution forcée (193).

Dangers de la clause pénale

1490. — Le mécanisme de la clause pénale, s'il n'emporte qu'approbation dans son principe en ce qu'il est destiné à garantir la bonne exécution des prestations contractuelles, suscite des réserves lorsque la peine est imposée par la partie qui détient, pour une raison ou pour une autre, le pouvoir de décision. On rencontre des peines d'un montant si élevé qu'aucune justification ne peut être fournie en leur faveur. Cette fixation draconienne par le plus fort est favorisée par l'illusion de bon nombre de débiteurs qui ne soupçonnent pas, qu'à l'échéance, ils seront hors d'état d'exécuter. Inversement, la clause pénale a paru offrir au débiteur un moyen de se soustraire à ses obligations de façon délibérée. Cela se présente lorsque le montant de la clause pénale est inférieur au bénéfice que le

---

(190) V. Civ., 21 mars 1966 : *D.* 1966, somm. 109.

(191) Le *leasing* est un contrat complexe qui combine une location de matériel, un mandat donné au locataire, une option d'achat de ce matériel une fois toutes les mensualités versées (v. sur ce contrat : BEY, *De la symbiotique dans le leasing et crédit-bail mobilier*, Paris, 1970 et ses notes au *J.C.P.* 69, éd. C.I., 86634, et 70, II, 16481); le *renting* est un bail de matériel mobilier assorti d'une obligation d'entretien assurée par le bailleur.

(192) Com., 9 oct. 1972 : *D.* 1972, 730.

(193) Exemple Civ. 1re, 4 fév. 1969 : *D.* 1969, 601 (engagement d'artiste).

débiteur escompte retirer de l'inexécution du contrat [hypothèse comparable à celle que nous avons rencontrée en exposant la question de la faute lucrative (193-1)]. La peine joue, dans ce cas, comme un dédit acquis à vil prix.

1491. — Ce double danger rend compte de l'intervention du législateur qui a permis, en 1975, de critiquer judiciairement les clauses léonines, et qui a reconnu aux tribunaux, en 1985, un pouvoir d'office.

On traitera d'abord de la validité de la clause pénale, puis on décrira son régime, avant d'évoquer les difficultés de qualification que soulèvent les clauses fixant une indemnisation contractuelle.

A. — Validité de la clause pénale

1492. — La possibilité pour les parties de fixer, d'avance et à forfait, les dommages et intérêts qui seront dus en cas d'inexécution est reconnue par plusieurs textes du Code civil. D'abord, selon l'article 1152, « lorsque la convention porte que celui qui manquera de l'exécuter payera une certaine somme à titre de dommages-intérêts, il ne peut être alloué à l'autre partie une somme plus forte ni moindre ». Les articles 1226 à 1233 aménagent le fonctionnement de la clause pénale (nécessité d'une mise en demeure, option entre la peine et l'exécution, réduction proportionnelle en cas de défaillance partielle, etc.).

Néanmoins, la validité de la clause pénale est tenue en échec dans plusieurs séries d'éventualités.

1° En cas de nullité du contrat

1493. — La peine prévue n'étant qu'une clause figurant à l'intérieur d'une convention comportant de multiples articles, la loi (art. 1227, C. civ.) tire, logiquement, de son caractère accessoire que l'annulation de l'obligation principale entraîne celle de la clause pénale (194). Mais la réciproque n'est pas vraie : la nullité de la clause pénale reste sans incidence sur le sort du contrat qui la contient et qui reçoit application comme si les parties n'avaient pas envisagé l'éventualité de la défaillance du débiteur (art. 1227, al. 2).

2° En cas de prohibition légale

1494. — La loi interdit parfois, et de façon radicale, la clause pénale lorsque son insertion dans certains contrats expose à des abus fréquents de

---

(193-1) STARCK, ROLAND, BOYER, *Responsabilité délictuelle*, n° 1077 et s.

(194) Com., 20 juill. 1983 : *J.C.P.* 83, IV, 314. — *D.* 1984, 422, note AUBERT; *Rev. trim. dr. civ.* 1984, 710, obs. MESTRE.

la part de la partie qui jouit d'une position dominante lors de l'accord des volontés. C'est ainsi que l'article L.122-42 du Code du travail fait défense

« à tout employeur de sanctionner par des amendes ou d'autres sanctions pécuniaires les manquements aux prescriptions d'un règlement intérieur ».

L'amende, quoiqu'elle ait une vocation disciplinaire, n'est rien d'autre juridiquement qu'une clause pénale. Pareillement, s'agissant des V.R.P., l'indemnité de clientèle à laquelle ils ont droit, en cas de résiliation non fautive du contrat ou de sa cessation par suite d'accident ou de maladie, ne peut être déterminée forfaitairement à l'avance (C. trav., art. L. 751-9, al. 4), le risque étant que le représentant accepte un dédommagement sans rapport avec la clientèle apportée. Dans les baux d'habitation, l'article 27 de la loi du 22 juin 1982 condamne toute clause par laquelle le bailleur s'autoriserait à percevoir des amendes, en cas de manquement du preneur au contrat de location ou au règlement intérieur de l'immeuble (195). On trouve la même solution à l'article 4 de la loi *Méhaignerie* du 23 décembre 1986.

A côté des règles prohibitives, le législateur, sans condamner l'usage des clauses pénales, se borne à imposer un plafond que la peine conventionnelle ne doit pas dépasser. D'après l'article L. 261-14 du Code de la construction et de l'habitation, la vente d'immeuble à construire ne peut stipuler forfaitairement, en cas de résolution, le paiement par la partie à laquelle elle est imputable d'une indemnité supérieure à 10 % du prix.

3° En cas de fraude à la loi

1495. — Même si le législateur ne les prohibe pas formellement, les clauses pénales ne doivent pas être employées pour se soustraire aux lois impératives. On avait depuis longtemps dénoncé ce danger. Habilement utilisées, les clauses pénales permettraient, par exemple, d'éviter l'application des lois qui limitent le taux des intérêts conventionnels et prohibent l'*usure.* Le prêteur stipule un taux d'intérêt déterminé, mais ajoute qu'en cas de non-paiement à l'échéance, le débiteur devrait, en plus, telle somme par jour (ou mois, etc.) de retard ! C'est à ce titre que certaines décisions l'ont annulée ou l'ont réduite (196). Mais d'autres décisions (197) n'ont pas considéré comme usuraires ces clauses par suite des circonstances propres aux espèces jugées, dès lors que la volonté de « fraude à la loi » n'est pas

(195) Il a été jugé que « l'illicéité de la clause pénale... ne ressort pas de l'art. 27 qui a trait aux amendes et non aux dédommagements sous forme forfaitaire » : Paris, 9 juill. 1985 : *D.* 1985, 510, note J.-L. AUBERT. — *Contra :* Paris, 25 sept. 1984 : *D.* 1985, I.R. 293, obs. C. GIVERDON.

(196) Paris, 22 mai 1953 : *inédit* cité dans la note signée H.B. au *J.C.P.* 68, II, 15334. — Trib. corr. Dunkerque, 25 janv. 1963 : *D.* 1963, somm. 76. — Trib. com. Seine, 24 oct. 1967 : *J.C.P.* 68, II, 15450.

(197) Civ. 1re, 10 oct. 1967 : *J.C.P.* 68, II, 15450, note H.B.— Paris, 11 mars 1967 : *J.C.P.* 68, II, 15334, note H.B.

prouvée. On a justement observé (198) que, si sous le régime de l'usure tel qu'il résultait du décret-loi du 30 octobre 1935 il était plus facile de prétendre qu'étant donné les particularités de l'affaire, les taux résultant de la clause pénale n'étaient pas usuraires, le nouveau régime de l'usure, institué par la loi du 28 décembre 1966, est beaucoup plus rigoureux et laisse peu ou pas d'échappatoires car, pour calculer le taux usuraire, l'article 1er de cette loi déclare qu'il faut tenir compte, outre des intérêts, « des frais, commissions ou *rémunération de toute nature* »... (199).

1496. — En dehors des clauses pénales annulées comme faisant échec aux règles légales concernant l'usure, la nullité a été également prononcée lorsque la clause était destinée à obtenir une renonciation à l'indemnité pour délai congé (200) ou dont le but réel était d'empêcher la résiliation unilatérale par le salarié d'un contrat de travail à durée indéterminée (201). Il en est de même de celles qui ont essayé de tourner la disposition de l'article 103 du Code du commerce qui prohibe les clauses de non-responsabilité en matière de transport terrestre (202).

B. — Régime de la clause pénale

1497. — L'analyse du régime juridique de la clause pénale résulte de ses deux caractères principaux. D'une part, la peine *remplace les dommages et intérêts,* avec cette particularité qu'ils sont fixés contractuellement. D'autre part, la peine représente un règlement *forfaitaire* des conséquences de l'inexécution, qui ne laisse place à une rectification judiciaire que dans une mesure limitée. Tirons les conséquences de cette double observation, en étudiant successivement le caractère indemnitaire de la clause pénale issu directement de l'inexécution (1°) et le contrôle du juge (2°).

1° Inexécution de la part du débiteur

1498. — La peine étant un substitut des dommages et intérêts, il en découle qu'elle n'est due, en principe, que si la responsabilité du débiteur est engagée. Si l'inexécution est la conséquence d'un événement de force

---

(198) H.B. note préc. au *J.C.P.* 68, II, 15450.

(199) Mais v. Rouen, 3 juill. 1970 : *D.* 1971, 465, note C. Dessens, qui écarte l'application de la loi de 1966 sur l'usure, non en considération du montant de la clause pénale, mais parce que cette loi ne s'applique qu'aux prêts et aux ventes à tempérament et que le *leasing* ne se confond avec aucun de ces contrats.

La Cour de cassation a jugé que la clause pénale n'est pas soumise aux dispositions des textes réprimant l'usure : Com., 22 fév. 1977 : *Bull. civ.* IV, n° 58.

(200) Trib. civ. Seine, 9 sept. 1892 : *D.* 1892, 2, 545, note Planiol.

(201) Trib. civ. Seine, 23 mai 1932 : *Gaz. Pal.* 1932, 2, 338.

(202) Civ., 12 juill. 1923 : *D.* 1926, 1, 229. — Com., 3 janv. 1950 : *D.* 1950, 225.

majeure, le créancier ne peut pas exiger le paiement de la peine. Dans les obligations de moyens, la peine n'est pas due si l'inexécution de l'obligation n'est pas imputable à la faute du débiteur.

Dans les obligations de résultat, la position du créancier est très favorable : la seule démonstration que le résultat promis n'a pas été obtenu suffit à rendre exigible le paiement de la somme stipulée, à moins que le débiteur, sur qui pèse la charge de la preuve, ne rapporte l'existence d'une cause étrangère.

a) Nécessité d'une mise en demeure

1499. — La peine n'est due que si le débiteur est en demeure d'exécuter (C. civ., art. 1230). On se rappelle que la mise en demeure est le préalable nécessaire de toute sanction en matière d'inexécution du contrat (203). Mais il a été jugé que l'article 1230 n'est pas impératif, et que les contractants peuvent renoncer à la mise en demeure pour l'application de la clause pénale (204). La jurisprudence admet même qu'il y a obligation pour les juges du fond de rechercher dans les circonstances de la cause s'il n'y a pas eu intention de dispense de toute interpellation (205). Ainsi la dispense peut résulter du court laps de temps compris entre la signature de l'acte et le terme convenu pour l'exécution (205-1).

b) Option du créancier

1500. — Le créancier n'est pas obligé d'exiger la peine stipulée, il est libre — s'il le préfère — de demander l'exécution directe ou en nature (C. civ., art. 1228). Cette règle est importante. Sans elle, l'obligation serait *alternative* ou *facultative,* le débiteur pouvant choisir entre l'exécution en nature et le paiement de la peine. C'est précisément ce que la loi a entendu prohiber. Le choix appartient au créancier, non au débiteur. Le créancier lui-même n'opère ce choix que sous le contrôle du juge; celui-ci peut décider que, l'exécution étant possible, le créancier ne saurait exiger la clause pénale.

Le créancier peut donc renoncer au bénéfice de la clause pénale, mais à condition de manifester clairement sa volonté par des actes dépourvus d'équivoque. Il lui est loisible de poursuivre la résolution de la convention, la stipulation d'une peine n'emportant pas de plein droit renonciation à réclamer l'effacement du contrat (206).

---

(203) Grenoble, 29 mai 1967 : *J.C.P.* 68, IV, 32.

(204) Civ. 3e, 22 janv. 1971 : *J.C.P.* 71, IV, 49. — 7 mars 1969 : *J.C.P.* II, 16461, note PRIEUR (en l'espèce il a été jugé que la renonciation à la mise en demeure résultait *implicitement* des clauses du contrat). — V. encore Civ. 3e, 20 janv. 1976 : *J.C.P.* 76, IV, 84. — Versailles, 20 oct. 1981 : *Gaz. Pal.* 1983, 1, somm. 116.

(205) Civ. 3e, 17 nov. 1971 : *Bull. civ.* III, n° 564.

(205-1) Civ. 3e, 19 fév. 1986 : *Gaz. Pal.* 1986, 2, pan. 137.

(206) Civ. 3e, 22 fév. 1978 : *Bull. civ.* III, n° 99.

1501. — En revanche, il ne saurait, à la fois, exiger le paiement de la peine et réclamer l'exécution en nature (art. 1229, al. 2). En effet, la clause pénale compense forfaitairement les effets dommageables provenant du manquement du débiteur; le créancier n'est donc pas justifié à cumuler une indemnité compensatoire et l'exécution de l'obligation; dès l'instant qu'il demande « le principal », il renonce du même coup à l'application du contrat. Il n'en va autrement que dans une seule hypothèse, celle où la peine n'a été stipulée que pour le simple retard (art. 1229, al. 2, *in fine*); alors la pénalité couvre les dommages et intérêts *moratoires*, non les dommages et intérêts compensatoires, ce qui justifie que le créancier puisse prétendre et à la clause pénale et à l'exécution de l'obligation.

c) Pluralité de débiteurs

1502. — La loi distingue selon que l'obligation qui n'est pas respectée est indivisible ou non.

Dans le premier cas, l'article 1232 dispose :

« Lorsque l'obligation primitive contractée avec une clause pénale est d'une chose indivisible, la peine est encourue par la contravention d'un seul des héritiers du débiteur, et elle peut être demandée, soit en totalité contre celui qui a fait la contravention, soit contre chacun des cohéritiers pour leur part et portion, et hypothécairement pour le tout, sauf leur recours contre celui qui a fait encourir la peine ».

Une solution opposée est prévue par l'article 1233 dans l'éventualité inverse :

« Lorsque l'obligation primitive contractée sous une peine est divisible, la peine n'est encourue que par celui des héritiers du débiteur qui contrevient à cette obligation, et pour la part seulement dont il était tenu dans l'obligation principale, sans qu'il y ait d'action contre ceux qui l'ont exécutée ».

d) Montant de la clause pénale

1503. — La seule différence entre la peine et les dommages et intérêts, c'est qu'en présence d'une clause pénale, le créancier n'a pas à établir l'*importance* du préjudice, ni même l'*existence* du préjudice. Il lui suffit d'établir l'inexécution ou, le cas échéant, le retard dans l'exécution. C'est dans la dispense de la preuve de la réalité du préjudice et de son montant exact que réside l'intérêt de la stipulation d'une clause pénale.

Les tribunaux, de longue date, ont affirmé l'indépendance entre le montant de l'indemnité contractuelle et l'importance du préjudice causé par l'inexécution de l'obligation principale. La clause pénale est efficace en dehors de toute perte éprouvée ou de tout manque à gagner souffert par le créancier (207); par exemple, le bailleur a droit à la clause pénale prévue en cas de départ du preneur avant l'échéance convenue, quand bien même il aurait aussitôt reloué les lieux et n'aurait, de ce fait, subi aucune perte de

(207) Com., 10 janv. 1977 : *D.* 1977, I.R. 171.

loyers (207-1). Inversement, il n'est pas permis de faire valoir que le préjudice est plus élevé que le dédommagement prévu (208). La clause pénale est un forfait contractuel qui lie le juge autant que les parties.

Toutefois, la rigueur du principe forfaitaire a été atténuée par le législateur qui admet, désormais, la révision de la peine lorsqu'on constate une inadéquation flagrante et considérable de la peine au préjudice.

2° Contrôle du juge

1504. — La loi du 9 juillet 1975 a introduit un second aliéna à l'article 1152 reconnaissant au juge le pouvoir de modérer ou d'augmenter la peine convenue sous certaines conditions. Nonobstant cette innovation législative, il n'est pas sans intérêt de retracer l'évolution de la jurisprudence s'agissant du caractère intangible de la clause pénale.

a) Jurisprudence antérieure à la loi de 1975

1505. — La question de l'intervention du juge s'était posée dans les deux hypothèses d'insuffisance et d'excès de la peine convenue.

Dans une espèce, un acteur, sociétaire de la Comédie française, avait accepté un rôle dans un film, malgré l'interdiction qui résultait de son contrat, assortie d'une clause pénale de 2 500 F en cas de violation de cet engagement. Le comédien offrit volontiers cette somme qui, sans doute, était bien inférieure au cachet qu'il escomptait obtenir du tournage du film (souvent ce sont les entreprises qui procèdent au débauchage, qui paient le montant de la peine). La Comédie française demanda et obtint une somme supérieure à celle de la clause pénale dont il s'agit, au motif que celle-ci ne s'applique pas en cas de *dol* du débiteur. Or, « le débiteur commet une faute dolosive lorsque, *de propos délibéré,* il se refuse à exécuter ses obligations contractuelles, même si ce refus n'est pas dicté par son intention de nuire à son cocontractant », déclara la Cour de cassation (209).

Cet arrêt permettait donc l'intervention du juge pour augmenter le montant de l'indemnité prévue à la clause pénale en cas de dol du débiteur, et donnait du dol une définition précise en déclarant qu'il n'implique pas l'intention de nuire, mais seulement la violation délibérée des engagements contractuels. La solution est bonne, elle doit être approuvée; on y retrouve la fonction sanctionnatrice, répressive et préventive que conserve la responsabilité civile.

1506. — Mais la véritable crise en la matière se produisait surtout dans le cas inverse, celui d'une clause dont le montant paraissait excessif. Un procédé avait été

(207-1) Sous réserve des législations spéciales sur les baux qui sont d'ordre public. Par exemple, l'art. 14 de la loi du 23 déc. 1986 dispose que, pendant le délai de préavis, le locataire n'est redevable du loyer que pour le temps où il a réellement occupé les lieux, en cas de congé notifié par le bailleur; mais qu'il en répond totalement si c'est lui qui a donné congé, sauf si le logement se trouve occupé, avant la fin du préavis, par un autre locataire.

(208) A moins qu'il ne s'agisse d'indemniser un préjudice différent de celui qui résultait de l'inexécution de l'obligation principale et qui était réparé par la clause pénale : Civ. 3e, 30 janv. 1979 : *Gaz. Pal.* 1979, 1, somm. 214.

(209) Civ. 1re, 4 fév. 1969 : *D.* 1969, 601, note J. MAZEAUD; *J.C.P.* 69, II, 16030, note PRIEUR.

utilisé avec quelque succès, le recours à l'article 1231 du Code civil aux termes duquel « la peine peut être modifiée par le juge lorsque l'obligation principale a été exécutée en partie ».

Il suffit, dès lors, au débiteur de montrer qu'il avait exécuté, partiellement, ses obligations pour demander au juge de modifier le montant de la peine. Or, c'est là l'hypothèse la plus courante, surtout dans les contrats successifs du type de l'achat à tempérament, du crédit-bail, du *leasing,* du *renting,* etc., car, bien entendu, le débiteur commence par payer quelques mensualités ou annuités, ce qui constitue une exécution partielle de ses engagements. De cette façon, l'article 1152 n'aura pratiquement pas à jouer et c'est l'article 1231 qui occupera le premier rang en la matière : le juge pourrait contrôler et modérer la peine.

Un certain nombre de décisions ont statué en ce sens (210).

1507. — Mais une contre-attaque a été déclenchée contre cette argumentation, du moins dans le domaine des contrats de *leasing*, où le problème est à la fois le plus fréquent et le plus aigu (211). Il a été soutenu que les obligations résultant de ce contrat sont indivisibles par leur nature même, pour des raisons économiques et commerciales. Cet argument a convaincu un certain nombre de tribunaux qui ont refusé au juge le droit de modérer la clause pénale (212).

Cependant, d'autres décisions n'avaient pas suivi ce raisonnement et, considérant que lorsque le débiteur avait payé une ou plusieurs mensualités, il y avait bien exécution partielle du contrat; elles en déduisaient que le juge retrouvait son pouvoir de fixer l'indemnité en faisant abstraction de la clause pénale, qui n'avait pas prévu cette situation (213). Il n'était pas certain toutefois que cette opinion l'emporte en définitive; deux autres moyens pouvaient être utilisés, en effet, pour interdire au juge de modifier la clause pénale.

1508. — Si l'on ne reconnaît pas à certains contrats — le *leasing* et le *renting* notamment — *l'indivisibilité naturelle* (C. civ., art. 1217), il est encore loisible aux parties de prévoir *expressément* l'indivisibilité des obligations. C'est ce qui résulte de l'article 1218 du Code civil qui déclare que l'obligation est indivisible « si le rapport sous lequel elle est considérée ne la rend pas susceptible d'exécution partielle ». Une clause, dans ce sens, suffirait donc (214).

1509. — Une autre considération pouvait intervenir pour interdire au juge d'appliquer, en cette matière, l'article 1231. Ce texte ne joue que si la clause pénale n'avait prévu que l'inexécution totale; il est, alors, légitime de laisser au juge le soin de fixer l'indemnité en cas d'exécution partielle qui, par hypothèse, n'avait pas été envisagée par les contractants. Mais rien ne s'oppose à ce que les parties stipulent des clauses pénales pour l'*inexécution totale ou partielle* du contrat (215). En ce cas,

(210) Civ. 3e, 5 mars 1970 : *J.C.P.* 70, II, 16581, 1re espèce, note BOCCARA. — Trib. com. Grenoble, 12 mai 1969 : *J.C.P.* 70, II, 16155, note BOCCARA. — Pau, 30 nov. 1970 : *Gaz. Pal.* 1970, 2, somm. 38. — T.G.I. Bergerac, 26 mars 1969 : *Gaz. Pal.* 1969, 2, 67.

(211) Il semble qu'il en serait de même pour le *renting.*

(212) Toulouse, 8 mai 1970 : *J.C.P.* 70, II, 16481, note E.M.B. — Et Trib. com. Paris, 4 mars 1970 : *Lomico c. Lépine,* inédit cité dans la note E.M.B. préc.

(213) Paris, 21 janv. 1970 : *J.C.P.* 70, II, 16376, longuement motivé.

(214) Toulouse, 8 mai 1970 ; préc. et la note approbative E.M.B.

(215) V. déjà en ce sens, Civ., 4 juin 1860 : *D.* 1860, 1, 257. — Rouen, 5 mars 1970 : *J.C.P.* 71, II, 16581, deuxième espèce, note BOCCARA. — Com., 13 nov. 1969 : *J.C.P.* 70, II, 16376, note BOCCARA.

le juge n'a plus de pouvoirs, obligé qu'il est d'appliquer une clause claire et précise; à nouveau, c'est l'article 1152 qui commande la solution, lui-même n'étant qu'une application de la règle selon laquelle la convention fait la loi des parties (C. civ., art. 1134). Si donc, la jurisprudence favorable au pouvoir modérateur du juge venait à s'imposer, il était à prévoir que les créanciers modifieraient le libellé de leurs clauses, afin qu'il n'y ait plus de doute qu'elles doivent jouer, même en cas d'inexécution partielle. Le danger des clauses excessives n'était donc pas écarté.

1510. — Un autre argument avait été, dès lors, recherché pour permettre le contrôle des clauses pénales par le juge. Dans la plupart des cas où des clauses pénales sont insérées, notamment dans les contrats de vente à crédit, de *leasing* et de *renting*, il est stipulé qu'à défaut de paiement d'un seul terme, et après mise en demeure (ou même sans mise en demeure), le contrat sera *résilié*, et toutes les sommes restant dues, ou une fraction importante de ces sommes (dans une espèce on avait indiqué 4/5 des loyers à venir jusqu'à l'expiration normale du contrat), seront acquises au créancier à titre de peine. Celui-ci va donc, du fait de la résiliation, retrouver son matériel — plus ou moins usagé, mais quelquefois encore commercialisable — et, en plus, il pourra exiger le paiement de l'*intégralité* des sommes convenues en cas d'exécution normale du contrat. Cela revient à « toucher » presque deux fois la valeur des prestations fournies !...

1511. — On comprend que, devant de semblables clauses, on ait essayé de réagir. Certains auteurs (216), suivis par certaines décisions (217), avaient déclaré qu'en cas de résiliation du contrat, la clause pénale est caduque. La situation serait la même qu'en cas de nullité du contrat qui entraîne, on l'a vu, la nullité de la clause pénale. Le contrat étant résilié, précise-t-on encore, le créancier reprend les choses par lui livrées, la clause pénale est, dès lors, nulle pour absence de cause.

1512. — L'objection, bien qu'ingénieuse, n'était cependant pas décisive. On verra bientôt que l'inexécution du contrat, totale ou même partielle, permet au créancier d'obtenir sa résolution ou sa résiliation et, en plus, des dommages et intérêts; l'article 1184, alinéa 2, du Code civil l'énonce expressément. La résolution du contrat (ou sa résiliation) ne fait pas disparaître, en effet, tout le préjudice subi par le créancier; c'est la raison pour laquelle il peut exiger, en plus, des dommages et intérêts. Cela étant, la clause pénale, prévue comme devant jouer en cas de résiliation, ne fait rien d'autre que fixer forfaitairement et conventionnellement le montant de ces dommages et intérêts (218).

1513. — L'impasse était donc totale, et il ne semblait pas que, dans l'état actuel des textes, on puisse trouver une voie sûre permettant au juge de contrôler le montant des clauses pénales excessives (219). Seul le législateur pouvait résoudre la question si, sur le plan pratique, il lui paraissait souhaitable de brider, une fois de plus, une manifestation de la liberté contractuelle permettant de conduire à de tels abus.

---

(216) MAZEAUD et TUNC, *Traité de la responsabilité*, t. III, n° 2537. — BOCCARA, note au *J.C.P.* 70, II, 16155.

(217) V. déjà Req., 8 juill. 1873 : *D.* 1874, 1, 56. — Civ., 29 juin 1925 : *D.H.* 1925, 594. — Paris, 27 juin 1970 : *J.C.P.* 70, II, 16576, note BOUBLI.

(218) En ce sens Paris, 19 fév. 1970 : *J.C.P.* 70, II, 16575, et BOUBLI, note préc.

(219) V. cependant les suggestions de M. ALFANDARI, *op. cit.*, et BOUBLI, *op. cit.*

b) Pouvoir de révision du juge depuis la loi de 1975

1514. — Le législateur a jugé bon d'intervenir et, par une loi du 9 juillet 1975, a complété l'article 1152 du Code civil de la manière suivante :

« Néanmoins, le juge peut modérer ou augmenter la peine qui avait été convenue, si elle est manifestement excessive ou dérisoire. Toute stipulation contraire sera réputée non écrite ».

• Caractères du pouvoir du juge

1515. — Le pouvoir du juge n'est qu'un pouvoir de révision, non pas un pouvoir de substitution : la clause pénale ne peut pas être annulée (220) par le juge qui évaluerait lui-même les dommages-intérêts; elle demeure avec son caractère forfaitaire, sauf ajustement en plus ou moins lorsqu'il y a excès dans un sens ou dans un autre. Ce qui signifie que les contractants conservent toujours une partie de l'avantage résultant de l'évaluation conventionnelle des conséquences de l'inexécution.

Le pouvoir de révision présente deux traits distinctifs :

— il est *d'ordre public* puisque l'article 1152, alinéa 2 prend soin d'interdire toute stipulation contraire; ce n'est pas à dire que le juge doive nécessairement l'exercer; la Cour de cassation rappelle qu'il s'agit d'une simple faculté et que les juges du fond n'ont pas à motiver leur décision lorsque, faisant application pure et simple du contrat, ils refusent de modifier le montant de la peine qui y est forfaitairement prévue (221);

— il entre dans le pouvoir *d'office* du juge. Cette solution est récente. Précédemment, la tendance des juges du fond (222) était de se reconnaître le droit de réviser la clause spontanément, en dehors de la demande des parties, en se fondant sur le caractère d'ordre public de la loi de 1975. Mais la Cour de cassation censurait cette position (223) et adoptait la seule solution en harmonie avec l'article 5 du Nouveau Code de procédure civile n'autorisant le juge à se prononcer que dans les limites de la demande. La loi du 11 octobre 1985, pour venir au secours des plaideurs ignorant la possibilité d'une révision, qu'ils ne pouvaient donc pas demander, a intro-

---

(220) Com., 11 mai 1976 : *Bull. civ.* IV, 134. Un juge ne saurait refuser de faire application de la clause pénale au motif que l'extrême disproportion entre le préjudice et le montant de la peine priverait de cause la clause pénale.

(221) Com., 25 mai 1981 : *Gaz. Pal.* 1981, 2, pan. 373; *Bull. civ.* IV, 193. — 7 juill. 1981 : *Bull. civ.* IV, 242. — Civ. 1re, 23 fév. 1982 : *Bull. civ.* I, 74. — Civ. 3e, 14 janv. 1987 : *J.C.P.* 87, IV, 92; *D.* 1987, I.R. 18; *Bull. civ.* I, n° 8, p. 5.

(222) V. par exemple T.G.I. Lyon, 8 nov. 1976 : *Rev. trim. dr. civ.* 1978, 379, obs. CORNU.

(223) Civ. 3e, 8 nov. 1978 : *Gaz. Pal.* 1979, somm. 118. — Com., 2 oct. 1984 : *J.C.P.* 85, II, 20433, note G. PAISANT. — Dans le même sens, Versailles, 9 nov. 1979 : *Gaz. Pal.* 1981, 2, somm. 234 et Paris, 26 nov. 1981 : *J.C.P.* 82, IV, 210. — Com., 2 oct. 1984 : *J.C.P.* 85, II, 20433, note G. PAISANT; *Bull. civ.* IV, n° 248. — Comp. Civ. 1re, 3 janv. 1985 : *Rev. trim. dr. civ.* 1985, p. 574, obs. MESTRE (les juges du fond, en appréciant la portée des conclusions, peuvent considérer qu'il a été demandé *implicitement* la modération de la clause pénale).

duit la locution « même d'office », à la fois dans l'article 1152 et dans l'article 1231 du Code civil. Cette nouveauté a été déclarée applicable aux contrats et aux instances en cours au moment de la publication de la présente loi (art. 3).

• Conditions de la révision

1516. — Le contrôle du juge, bien qu'il s'exerce d'office et qu'il soit d'ordre public, ne saurait sanctionner n'importe quelle disproportion entre le *quantum* de la peine et le montant du préjudice. Il faut que la peine convenue soit *manifestement excessive* (223-1) ou dérisoire. Pour apprécier l'excès manifeste, deux critères sont concevables; le premier purement objectif consisterait à constater un écart quantitatif substantiel rappelant, à la hausse, celui de la lésion *(laesio enormis)*, à la baisse celui de la vileté du prix. Le second critère, celui-ci subjectif, prendrait en considération l'état d'esprit des contractants, à savoir la désinvolture du débiteur infidèle face à une peine ridicule ou la domination du créancier qui a obtenu contre son débiteur la promesse d'une sanction anormalement exagérée.

1517. — La jurisprudence pose à titre de principe qu'il ne suffit pas d'énoncer que le montant de l'indemnité est trop élevé, qu'il faut préciser en quoi ce montant est manifestement excessif (224). Elle paraît combiner les deux critères, tout en privilégiant le premier (224-1). Par exemple, il a été jugé qu'il serait manifestement excessif de mettre à la charge d'un simple chauffeur de car un intérêt de 18 % par an, alors que, d'une part, le débiteur ne jouit que de revenus modestes et que, d'autre part, le créancier ne justifie pas d'un dommage particulier assez important (225). Il en a été décidé de même pour une clause qui, en cas de non-acquisition d'un matériel commandé, prévoyait une indemnité égale à 30 % de la valeur dudit matériel, ce qui représentait beaucoup plus que la marge bénéficiaire brut du fabricant (225-1).

1518. — En pratique, deux éventualités se présentent :

— ou bien l'inexécution engendre un préjudice et le juge, dans le cadre de la réduction, ne saurait allouer une somme inférieure à son montant,

(223-1) Com., 12 nov. 1986 : *J.C.P.* 87, IV, 26; *Rev. trim. dr. civ.* 1988, 110, obs. MESTRE : une cour d'appel viole l'art. 1152 en réduisant la pénalité convenue tout en constatant qu'elle n'était pas excessive.

(224) Ch. mixte, 20 janv. 1978 : *D.* 1978, I.R. 229, note M. VASSEUR; *Rev. trim. dr. civ.* 1978, 377, obs. CORNU. — Civ. 1re, 20 mai 1978 : *Bull. civ.* I, 187. — Com., 5 nov. 1981 : *Bull. civ.* IV, 380.

(224-1) Paris, 11 mars 1987 : *D.* 1987, 492, note PAISANT : le caractère manifestement excessif ne peut être apprécié en fonction de la position économique et de la bonne foi du débiteur (notions à ne prendre en compte que pour l'art. 1244 relatif au délai de grâce), mais en fonction de la comparaison avec les peines habituellement stipulées dans les conventions ayant un objet similaire.

(225) Nîmes, 8 mars 1977 : *Rev. Alsace-Lorraine* 1980, 72.

(225-1) Versailles, 29 sept. 1988 : *D.* 1988, I.R. 260. — Pour un autre exemple de modération : Civ. 1re, 1er déc. 1987 : *D.* 1987 : I.R. 257.

sinon il supprimerait le caractère répressif de la clause (226). Mais il lui est loisible de condamner le débiteur à une somme supérieure (227). Pour autant, l'allocation d'une somme dépassant le dommage subi peut déboucher sur une amputation considérable de la peine stipulée (228);

— ou bien l'inexécution n'engendre aucun préjudice pour le créancier. Quoiqu'un arrêt ait sous-entendu la nécessité d'un préjudice (229), la jurisprudence semble aujourd'hui fixée en sens contraire (230); ainsi, dans le cas où il est constaté que l'annulation d'une commande de véhicule automobile n'a causé aucun tort au vendeur, ce n'en est pas moins à bon droit qu'est retenu le principe d'une indemnisation — celle-ci devant être réduite — eu égard à l'existence d'une pénalité convenue par les parties en cas de rupture unilatérale du contrat. De même une société d'abonnement téléphonique — qui ne subit aucun préjudice du fait de la résiliation du contrat par le client — a néanmoins droit à un franc au titre de la clause pénale stipulée (231). Ce qui sous-tend ces décisions, c'est la seconde fonction de la clause pénale, jouant ici son rôle répressif (232).

1519. — Qu'il y ait ou non préjudice, l'appréciation du caractère excessif des clauses pénales doit être faite à la date où le juge rend sa décision (232-1). Il peut donc prendre en considération toutes circonstances antérieures, par exemple, se fonder, en cas de prêt, sur le remboursement de la totalité du capital deux années après la signature du contrat (233). Il peut aussi tenir compte du but de la clause (233-1). Par ailleurs, la modération par le juge de la peine convenue entre les parties, ne faisant pas perdre à cette peine son caractère d'indemnité forfaitaire contractuellement prévue pour le cas d'inexécution, les intérêts au taux légal de la somme retenue par le juge sont dus à compter du jour de la sommation de payer et non du jour de la décision de justice (234).

---

(226) Civ. 1re, 24 juill. 1979 : *D.* 1979, I.R. 151, obs. LANDRAUD. — Com., 28 avril 1980 : *Bull. civ.* IV, 167. — Com., 8 juill. 1986 : *Bull. civ.* IV, n° 147, p. 125.

(227) Com., 23 janv. 1979 : *Gaz. Pal.* 1979, 1, somm. 214; *Bull. civ.* IV, n° 30.

(228) Civ. 1re, 3 janv. 1985 : *J.C.P.* 85, IV, 101 (indemnité forfaitaire ramenée de 150 000 F à 12 000 F).

(229) Com., 28 avril 1980 : *Gaz. Pal.* 1980, 2, pan. 430; *Bull. civ.* IV, 132.

(230) Com., 10 janv. 1977 : *Gaz. Pal.* 1977, 1, somm. 191. — Soc., 21 mars 1978 : *Bull. civ.* V, 218.

(231) Com., 13 mars 1979 : *Gaz. Pal.* 1979, 2, 344; *Bull. civ.* IV, 77.

(232) T.I. Lens, 24 fév. 1983 : *J.C.P.* 84, II, 20171, note E.-M. BEY.

(232-1) Civ. 1re, 19 mars 1980 : *Bull. civ.* I, n° 95, p. 79.

(233) Civ. 1re, 19 mars 1980 : *Bull. civ.* I, 79.

(233-1) Civ. 1re, 3 janv. 1985 : *Bull. civ.* I, n° 4, p. 4.

(234) Com., 12 fév. 1979 : *Gaz. Pal.* 1979, 1, somm. 214.— Com., 21 juill. 1980 : *Gaz. Pal.* 1980, 1, 207, note E.-M. BEY; *J.C.P.* 82, II, 19778, note B. BOCCARA; *D.* 1981, 335, note CHABAS. — Soc., 9 nov. 1983 : *Bull. civ.* V, n° 547, p. 386. — Civ. 1re, 12 nov. 1987 : *Bull. civ.* I, n° 289, p. 208.

1520. — Le législateur, outre le cas de l'inexécution totale qui se règle comme exposé ci-dessus, a, en outre, envisagé spécialement l'hypothèse d'une défaillance limitée du débiteur. La loi du 9 juillet 1975 modifiant l'article 1231 du Code civil, déclare que

« La peine convenue peut être diminuée par le juge à proportion de l'intérêt que l'exécution partielle a procuré au créancier, *sans préjudice de l'application de l'article 1152* » (234-1).

Le juge dispose donc d'un double pouvoir : modeler le montant de la clause pénale sur l'étendue de l'exécution, éventuellement le réduire en cas d'excès manifeste comme en matière d'inexécution totale (235). Toutefois, cette prérogative cesse lorsque les parties ont, elles-mêmes, convenu d'une réduction de la peine au prorata de l'exécution (236).

C. — Domaine de la clause pénale

1521. — Il a toujours existé un contentieux quant à la délimitation exacte de la clause pénale; mais, avant la loi du 9 juillet 1975, l'enjeu était le respect du principe d'immutabilité, alors que, depuis la réforme, c'est le pouvoir de révision du juge qui est en cause.

1522. — A considérer la jurisprudence postérieure à la réforme, on constate qu'un nombre important de décisions ont refusé la qualification de clause pénale à des stipulations qui prévoyaient pourtant la sanction de l'inexécution d'une promesse contractuelle. Ainsi l'article 1152 a-t-il été déclaré inapplicable s'agissant d'une indemnité due en contrepartie d'une obligation de non-concurrence (237); s'agissant de la clause d'un contrat de location de véhicule automobile prévoyant une évaluation forfaitaire du préjudice subi par le bailleur en cas de sinistre dû à une cause étrangère au locataire (238); s'agissant de la clause du règlement intérieur d'un syndicat établissant que la cotisation totale serait acquise nonobstant une démission anticipée (239). En outre, deux arrêts de la 3ᵉ Chambre civile ont dénié le caractère pénal aux stipulations d'indemnité d'immobilisation contenues dans des promesses unilatérales de vente, en contrepartie du délai d'option ouvert au bénéficiaire ou de la prolongation de ce même délai (240). Ulté-

---

(234-1) Civ. 3ᵉ, 26 mai 1988 : *J.C.P.* 88, IV, 266.

(235) Com., 21 juill. 1980 : *Gaz. Pal.* 1981, 1, 207, note E.-M. Bey; *J.C.P.* 82, II, 19778, note B. Boccara; *D.* 1981, 335, note Chabas.

(236) Com., 5 nov. 1981 : *Gaz. Pal.* 1982, pan. 132; *Bull. civ.* IV, 302.

(237) Soc., 4 juill. 1983 : *Bull. civ.* V, n° 380. — Soc., 26 mai 1988 : *Bull. civ.* V, n° 318, p. 208; *J.C.P.* 88, IV, 347. — Soc., 19 juill. 1988 : *Bull. civ.* V, n° 461, p. 295.

(238) Com., 22 mai 1978 : *Bull. civ.* IV, 141.

(239) Civ. 1ʳᵉ, 23 mars 1983 : *Bull. civ.* I, 112.

(240) Civ. 3ᵉ, 5 déc. 1984 : *Bull. civ.* III, n° 207. — Civ. 3ᵉ, 5 déc. 1984 : *Bull. civ.* III, n° 208; *D.* 1985, 544, note Bénac-Schmidt; *J.C.P.* 86, II, 20555, note Paisant; *Rép. Defrénois* 1986, a. 33653, note J.-M. Olivier; *Rev. trim. dr. civ.* 1985, 372, obs. Mestre, 592, obs. Rémy. — V. A. Benet, *Indemnité d'immobilisation, dédit et clause pénale : J.C.P.* 87, I, 3274.

rieurement, un arrêt (240-1) a exclu, s'agissant toujours de l'indemnité d'immobilisation, d'en réduire le montant en vertu de l'article 1152, alinéa 2.

1523. — Par ailleurs, un arrêt de la 1re Chambre civile du 16 janvier 1985 a déclaré que ne constituait pas une clause pénale la clause ouvrant droit à une indemnité forfaitaire de 5 % au profit du créancier qui serait obligé d'entreprendre ou de participer à une procédure quelconque d'exécution (241). Il en va de même d'une indemnité de licenciement fixée contradictoirement par les parties signataires d'une convention collective (241-1). En revanche, doit être regardée comme une clause pénale, et non comme une amende qui serait réputée non écrite, la clause d'un bail prévoyant une indemnité de 10 % en cas de retard dans le paiement des loyers (241-2).

1524. — Quel enseignement tirer de cette suite d'arrêts pour tenter de cerner la notion de clause pénale et, du même coup, les hypothèses dans lesquelles le pouvoir de révision du juge est appelé à s'exercer ?

1525. — Selon une analyse (242), trois conditions seraient nécessaires pour qu'entre en jeu l'article 1152. Il faudrait, d'abord, que la clause pénale ait pour objet une somme d'argent représentative de dommages et intérêts, ce qui n'est pas le cas, par exemple, de la clause par laquelle, en cas de cessation d'activité de l'emprunteur, le remboursement du prêt devient exigible, une telle clause ne conduisant qu'au rétablissement de la situation pré-contractuelle, sans astreindre le débiteur à quoi que ce soit d'autre (243).

Il faudrait, ensuite, une évaluation conventionnelle de la réparation, ce qui élimine du champ de la clause pénale les dommages-intérêts d'origine administrative ou légale, comme les majorations de retard réclamées par une caisse de congés payés à l'un de ses adhérents (244).

Enfin, il faudrait que la clause se rapporte au manquement du débiteur à l'obligation souscrite dans le contrat. Si la clause est destinée à couvrir un préjudice dérivant de l'exercice d'un droit ou de l'acceptation d'une obligation autre, on ne saurait plus parler de peine au sens de l'article 1152. Ainsi en va-t-il dans l'arrêt rapporté plus haut où le maintien de la cotisation s'analyse comme le paiement de l'exercice d'un droit reconnu par la loi, en l'occurence celui de démissionner d'un syndicat.

(240-1) Civ. 3e, 24 juin 1987 : *Gaz. Pal.* 1987, 2, pan. 224.

(241) *J.C.P.* 85, II, 20661, note PAISANT; *Rev. trim. dr. civ.* 1986, 103, obs. MESTRE; *Bull. civ,.* I, n° 24, p. 24.

(241-1) Soc., 14 mai 1987 : *Bull. civ.* V, n° 320, p. 204. — Comp. Soc., 2 juill. 1984 : *Bull. civ.* V, n° 279 et 5 juin 1986 : *D.* 1986, 558, note KARAQUILLO.

(241-2) Civ. 3e, 25 mars 1987 : *Bull. civ.* III, n° 63, p. 37; *D.* 1987, I.R. 81.

(242) V. J. MESTRE, préc.

(243) Civ. 1re, 22 fév. 1977 : *Bull. civ.* I, 99.

(244) Soc., 29 nov. 1978 : *Bull. civ.* V, 810. — V. également Soc., 10 nov. 1981 : *Bull. civ.* V, 891.

1526. — Selon nous, l'élément primordial paraît devoir être recherché dans le caractère comminatoire de la clause. Pour mériter sa qualification pénale, la clause doit tendre à assurer l'exécution de l'obligation souscrite, par la menace de la peine qu'elle contient :

« une telle clause n'ayant pas pour objet de faire assurer par l'une des parties l'exécution de son obligation, c'est justement que la cour d'appel a estimé qu'elle n'avait pas le caractère d'une clause pénale » (245).

Tel est le cas de l'indemnité stipulée dans une promesse unilatérale de vente : elle ne peut être traitée comme pénalité contractuelle, puisque, par hypothèse, la vente n'est pas conclue et qu'il n'y a rien à exécuter. Les considérants de la Cour de cassation sont très nets à cet égard :

« Attendu qu'après avoir exactement énoncé que le bénéficiaire d'une promesse unilatérale de vente, n'étant pas tenu d'acquérir, ne manque pas à une obligation contractuelle en s'abstenant de requérir du promettant l'exécution de sa promesse, l'arrêt en a déduit à bon droit que la stipulation d'une indemnité d'immobilisation au profit du promettant ne constitue pas une clause pénale » (246).

Au fond, la clause pénale, selon le moment où l'on se place, remplit une double fonction : au moment de l'accord des volontés, elle constitue un moyen d'amener plus sûrement le débiteur à s'exécuter : elle est une *voie de contrainte* par pression psychologique comme l'exprime l'article 1226 du Code civil. Plus tard, et en cas d'échec de son rôle coercitif, elle devient seulement alors *une évaluation conventionnelle* des dommages-intérêts selon l'article 1152 du Code civil (247).

§ 3. — Les clauses limitatives ou exclusives de responsabilité

1527. — Il est fréquent que les parties aménagent les conséquences de l'inexécution de l'obligation en allégeant, voire en excluant, la responsabilité qui en découle; on parle de clauses limitatives de responsabilité, de clauses d'irresponsabilité ou de non-responsabilité. Ces clauses soulèvent

(245) Civ. 1re, 16 janv. 1985 préc. On trouve une formule analogue dans les arrêts de la 3e Ch. civ. du 5 déc. 1984 préc.

(246) V. les arrêts cités à la note 240. — Dans la seconde espèce, la Cour suprême décide que l'indemnité d'immobilisation, quoique non constitutive d'une clause pénale, est susceptible de réduction et, visant l'art. 1134, C. civ., casse l'arrêt de la cour de Paris pour n'avoir pas recherché si cette indemnité n'avait pas été fixée par les parties en fonction de la durée d'immobilisation et si son montant ne devait pas être réduit du fait de la renonciation du bénéficiaire avant l'expiration du délai d'option. Depuis, elle a jugé que cette indemnité était acquise de plein droit au promettant au titre de dommages et intérêts et qu'il n'y avait pas à rechercher si elle devait être réduite en considération de la durée effective de l'immobilisation : Civ. 3e, 10 déc. 1986 : *J.C.P.* 87, II, 20857; *D.* 1987, I.R. 4.

(247) Sur cette double fonction de la clause pénale, v. une formulation explicite dans Civ. 1re, 3 janv. 1985 : *D.* 1985, I.R. 370.

de graves difficultés d'application (247-1). Avant d'en entreprendre l'étude proprement juridique, il faut exposer *pourquoi* ce genre de clauses est si souvent stipulé, quels en sont les avantages et les inconvénients.

Vue générale

1528. — Les clauses d'irresponsabilité ou de responsabilité limitée sont nées d'une réaction de la pratique contre un régime de responsabilité de plus en plus rigoureux. On doit se souvenir de la place grandissante des obligations de résultat en matière contractuelle. Dans ce cas, la responsabilité contractuelle est très stricte, puisqu'elle est engagée alors même qu'aucune faute n'est établie à la charge du débiteur. De là est née, par une sorte de réaction de défense, l'idée d'alléger cette responsabilité par la stipulation de clauses limitant le montant des dommages et intérêts ou même les supprimant complètement.

1529. — Les *avantages de ces clauses* sont évidents pour le débiteur qui évite ou limite sa responsabilité. Elles ont paru nécessaires dans certaines entreprises dont le fonctionnement est la cause de *dommages fréquents ou importants.* La charge financière de la réparation des dommages a été présentée comme trop lourde pour pouvoir permettre à ces entreprises de survivre; l'argument avait été surtout avancé en matière d'aviation, du moins à ses débuts (248).

Il faut tenir compte aussi de la *concurrence internationale.* C'est notamment le cas en matière de transports maritimes. Les clauses de non-responsabilité ou de responsabilité limitée étant admises en droit anglais, par exemple, — ce qui permet un abaissement sensible des coûts des transports (le frêt maritime) — les transporteurs maritimes français n'auraient pas pu soutenir cette concurrence si leur responsabilité n'avait pas pu être allégée de la même façon.

Ajoutons que les clauses limitant la responsabilité *facilitent l'assurance* que contractent les débiteurs pour le cas d'inexécution de leurs obligations et, de toute façon, diminuent les primes d'assurance.

Quant au créancier, il y trouve l'avantage d'un *prix plus bas.* Cela est particulièrement frappant dans certains cas où il a le choix entre deux tarifs : un premier tarif à prix élevés, mais à responsabilité intégrale; un

---

(247-1) J.-P. DURAND, *Des conventions d'irresponsabilité*, thèse Paris, 1931. — AL JONDI, *Le juge et les clauses exonératoires et limitatives de responsabilité*, thèse Paris I, 1975. — Ph. DELEBECQUE, *Les clauses allégeant les obligations dans les contrats*, thèse Aix, 1981. — A.-S. MUZUAGHI, *Le déclin des clauses d'exonération de responsabilité sous l'influence de l'ordre public nouveau*, L.G.D.J., 1981. — G. VINEY, *La responsabilité : Effets*, n° 193 et s. — *Rép. dr. civ. Dalloz, V° Responsabilité contractuelle* par R. RODIÈRE, n° 136 et s. — J. SCHMIDT-SZALEWSKI : *Jurisclasseur, Conventions de responsabilité*, fasc. 155.

(248) V. *supra*, note 137, la forte critique du maintien des limitations de responsabilité en cette matière en droit contemporain.

deuxième tarif à prix réduit, où la responsabilité est limitée. L'expérience prouve que, faisant preuve d'optimisme..., le créancier préfère les bas tarifs, comptant que tout ira bien et que le contrat sera exécuté.

1530. — Mais *ces clauses présentent des inconvénients*, le principal étant que le débiteur qui bénéficie de l'impunité ou d'une responsabilité limitée (couverte, au surplus, par une assurance), n'apportera plus à exécuter ses obligations la même diligence que celle qu'il déploierait se sachant responsable. Ces clauses ont été dénoncées comme une véritable *invitation à l'impéritie et à la négligence.* On leur reproche aussi d'être souvent *imposées* à des cocontractants qui n'ont pas la possibilité de refuser leur acceptation (contrats d'adhésion), à supposer même qu'ils en aient réellement eu connaissance (249).

Le problème est donc difficile. Le législateur ne l'a qu'incomplètement résolu (A). La véritable réglementation de ces clauses est l'œuvre de la jurisprudence (B).

A. — Clauses sur la responsabilité en législation

1531. — Il existait un certain nombre de textes — peu nombreux d'ailleurs — les uns validant, les autres prohibant les clauses relatives à la responsabilité. Les dispositions sur la protection des consommateurs ont considérablement élargi le champ d'intervention du législateur.

1532. — Les textes *validant ces clauses* sont rares. On citera, en ce sens, l'article 98 du Code de commerce qui permet au commissionnaire de transport par terre ou par eau de s'exonérer de la responsabilité du fait des voituriers (250).

Selon la loi du 31 mai 1924, le transporteur aérien pouvait stipuler son irresponsabilité pour les accidents dus aux risques de l'air ou aux fautes du pilote et de l'équipage. Mais cette loi a été abrogée et ces solutions ne sont plus admises depuis la loi du 2 mars 1957.

1533. — La plupart des lois *prohibent ces clauses,* dans une mesure variable selon le type de contrat en cause.

---

(249) Dans certains cas, la clause, écrite en caractères microscopiques, ou énoncée dans une pancarte difficilement visible, est considérée comme n'ayant pas été vue, donc comme *non-acceptée,* par le cocontractant; elle est alors dépourvue de tout effet (Paris, 23 fév. 1968 : *Gaz. Pal.* 1968, 1, somm. 20). — La preuve de l'acceptation de la clause incombe à celui qui s'en prévaut (Civ., 4 juill. 1967 : *Gaz. Pal.* 1967, 2, 133).

(250) Le commissionnaire est un *intermédiaire* entre l'expéditeur et le transporteur (voiturier). — Il se charge de faire parvenir la marchandise qui lui est confiée par l'expéditeur en la remettant à une entreprise de transport. Responsable, en principe, si la marchandise n'est pas livrée, il peut stipuler valablement son irresponsabilité si l'inexécution est due au fait du voiturier.

1° Contrat de vente

1534. — Parmi les clauses abusives visées par le décret du 24 mars 1978 pris en application de la loi du 10 janvier 1978, il en est une relative aux garanties dans la vente. Aux termes de l'article 2 dudit décret, est interdite comme abusive la clause ayant pour objet ou pour effet de réduire le droit à réparation du non-professionnel ou consommateur en cas de manquement par le professionnel à *l'une quelconque de ses obligations* (250-1).

1535. — Cette disposition est remarquable par sa généralité; elle s'applique sans limite à tout vendeur professionnel; elle protège tout consommateur; elle englobe, sans distinction, les faits générateurs de responsabilité. Elle interdit donc toute stipulation qui limiterait le droit à réparation du consommateur. De plus, l'article 4 du même décret fait obligation de mentionner l'existence de la garantie légale des vices cachés des articles 1641 et suivants du Code civil. Rien ne s'oppose, par ailleurs, à ce que le vendeur professionnel aménage la garantie offerte en renchérissant sur la protection légale.

1536. — S'agissant de la vente d'immeuble à construire, la loi prévoit un régime prohibitif spécial. L'article L. 261-16 du Code de la construction et de l'habitation répute non écrite toute clause contraire aux dispositions des articles L. 261-11 à 261-15 du même code (garantie d'achèvement de l'immeuble, limitation de l'indemnité en cas de résolution...), ainsi qu'aux dispositions des articles 1642-1 du Code civil (prohibition de toute décharge de responsabilité pour les vices apparents avant l'expiration d'un délai d'un mois après prise de possession) et 1646-1 du Code civil (assimilation du vendeur d'immeuble, pour la responsabilité qu'il encourt, aux architectes, entrepreneurs et autres personnes tenues par un contrat de louage d'ouvrage).

1536-1. — La directive des communautés européennes du 25 juillet 1985 qui établit une responsabilité objective du producteur par suite d'un défaut de son produit, dispose, à l'article 12, qu'elle ne peut être limitée ou écartée par une clause restrictive ou exonératoire. Cette directive doit être intégrée dans les législations nationales au plus tard trois ans après sa notification (250-2).

2° Contrat de construction

1537. — La loi du 4 janvier 1978 a condamné de façon très large les conventions relatives à la responsabilité qui naît du contrat de construction (C. civ., art. 1792-5). Se trouvent ainsi prohibées :

(250-1) Paris, 25 juin 1984 : *D.* 1986, I.R. 40.

(250-2) V. J. HUET, *Responsabilité du vendeur et garantie contre les vices cachés*, n° 102 et s.

— toute clause qui a pour objet d'exclure ou de limiter la responsabilité prévue à l'article 1792 du Code civil. Ce texte dispose :

« Tout constructeur d'un ouvrage est responsable de plein droit, envers le maître ou l'acquéreur de l'ouvrage, des dommages, même résultant d'un vice du sol, qui compromettent la solidité de l'ouvrage ou qui, l'affectant dans l'un de ses éléments constitutifs ou l'un de ses éléments d'équipement, le rendent impropre à sa destination. Une telle responsabilité n'a point lieu si le constructeur prouve que les dommages proviennent d'une cause étrangère »;

— toute clause qui élimine ou restreint la garantie inscrite à l'article 1792-3 du Code civil, d'après lequel la garantie de bon fonctionnement « des autres éléments » d'équipement du bâtiment (autres que ceux qui font corps avec les ouvrages de viabilité, de fondation, d'ossature, de clos ou de couvert visés à l'art. 1792-2) est d'une durée minimale de deux ans à compter de la réception de l'ouvrage;

— toute clause écartant ou restreignant la solidarité établie par l'art. 1792-4 entre le fabricant d'ouvrage et le locateur d'ouvrage.

3° Contrat de travail

Plusieurs textes réglementent la matière.

1538. — L'article 1780, alinéa 5 du Code civil disposant que le louage de services à durée indéterminée peut toujours cesser par la volonté d'une des parties contractantes et prévoyant, en ce cas, la possibilité de dommages et intérêts calculés en fonction de la nature des services, du temps écoulé, des retenues et versements pour pension de retraite et de toutes autres circonstances, interdit aux parties de renoncer, par avance, à solliciter une telle indemnité en vertu de ces dispositions.

1539. — Par ailleurs, l'article L. 122-14-7 alinéa 3 du Code du travail porte que les parties ne peuvent renoncer par avance au droit de se prévaloir des dispositions contenues dans la section intitulée « Résiliation du contrat de travail à durée indéterminée » (délai-congé, indemnité de licenciement, indemnité de rupture abusive).

1540. — Enfin, une prohibition du même ordre figure à l'article L. 509 du Code de la Sécurité sociale qui déclare que toute convention contraire au livre IV régissant les accidents du travail et les maladies professionnelles (indemnités journalières, rentes, faute inexcusable, faute intentionnelle) est nulle de plein droit.

4° Contrat de location

1541. — Dans les *baux à ferme*, est réputée non écrite toute clause stipulant que les détenteurs du droit de chasse dans les bois situés au voisinage des terres louées ne sont pas responsables des dégâts causés aux cultures par les lapins de garenne et le gibier vivant dans leurs bois (C. rural, art. L. 415-6). Sont pareillement réputées non écrites, selon l'article 411-77, toutes clauses ou conventions ayant pour effet de supprimer ou de restreindre les droits conférés au preneur sortant.

1542. — Dans *les baux commerciaux*, sont nulles et de nul-effet, quelle qu'en soit la forme, « les clauses, stipulations et arrangements » qui auraient pour effet de faire échec au droit de renouvellement institué par le décret du 30 septembre 1953, article 35 dans sa rédaction issue de la loi du 16 juillet 1971.

1543. — Dans les *baux d'habitation*, la loi du 22 juin 1982, dite loi *Quilliot*, répute non écrite la clause qui autorise le bailleur à diminuer ou à supprimer des prestations stipulées au contrat, sans prévoir la diminution correspondante du loyer et des charges, et, le cas échéant, une indemnisation (art. 27). En conséquence, le propriétaire ne saurait, par exemple, se décharger de son obligation d'entretien; le preneur ayant accepté le local en l'état et déclaré s'en contenter pourrait réclamer les réparations nécessaires à la bonne jouissance des locaux, nonobstant la clause.

La loi *Méhaignerie* condamne, de son côté, la clause selon laquelle le bailleur serait autorisé à diminuer ou à supprimer, sans contrepartie équivalente, des prestations stipulées au contrat (art. 4).

5° Contrat de transport

a) Transports terrestres

1544. — Le texte fondamental est l'article 103 du Code de commerce (modifié par une loi de 1905, dite loi *Rabier*), qui déclare nulles les clauses d'irresponsabilité en matière de *transport terrestre* de marchandises et de bagages. Bien que le transport des personnes ne soit pas visé, ce texte y est applicable *a fortiori.* Mais l'article 103 précité ne prohibe que les clauses d'irresponsabilité *totale* et non les clauses *limitatives* de responsabilité (250-3). Celles-ci sont donc licites, du moins en ce qui concerne le transport de marchandises et elles sont même très fréquemment utilisées. Dans le domaine ferroviaire, par exemple, le tarif de base, pour les marchandises de toute nature qui n'ont pas fait l'objet d'une déclaration de valeur, prévoit que la S.N.C.F. doit au plus 150 F par kilo perdu ou avarié et 160 F pour les marchandises transportées par le Sernam (Service national des messageries de la S.N.C.F.).

1545. — S'agissant des transports internationaux par fer ou par route, qu'il s'agisse de personnes ou de marchandises, il existe une réglementation très complexe qui relève des ouvrages spécialisés (251).

(250-3) Com., 26 fév. 1985 : *Bull. civ.* IV, n° 82, p. 71. — Com., 3 fév. 1987 : *J.C.P.* 87, IV, 121.

(251) V. RODIÈRE et MERCADAL, *Droit des transports terrestres et aériens,* 4e éd., 1984. Consulter aussi Ph. LE TOURNEAU, *op. cit.,* n° 442 et s.

b) Transports maritimes et aériens

1546. — En ce qui concerne les transports maritimes et les transports aériens, on sait qu'il existe actuellement un système légal fixant un maximum au chiffre des dommages et intérêts *(supra*, n° 1431 et s.). On est donc en présence de *limitation légale* de l'indemnité (tant par personne, tant par colis ou par kilo, etc.). Or, ces lois déclarent que *toute clause contraire est interdite.* Par conséquent, toutes les fois que l'on se trouve en présence d'un texte fixant un maximum légal en matière de transport maritime ou aérien, les clauses relatives à la responsabilité sont interdites, qu'il s'agisse de clauses d'irresponsabilité totale ou de clauses limitant le montant de l'indemnité *au-dessous* du chiffre posé par la loi.

Cependant, on le rappelle, les dispositions spéciales (lois ou conventions internationales) ne concernent pas toutes les opérations relatives au transport; la question de la validité des clauses dont il s'agit, se pose donc dès lors que l'on se trouve en dehors du domaine réglementé (par exemple, les accidents survenus sur l'aire du trafic à l'occasion du débarquement).

6° Contrat de société

1547. — L'article 52 de la loi du 24 juillet 1966 reconnaît aux associés dans la S.A.R.L. le pouvoir d'intenter l'action sociale en responsabilité contre les gérants et répute non écrite toute clause des statuts ayant pour effet de subordonner l'exercice de l'action sociale à l'avis préalable ou à l'autorisation de l'Assemblée, ainsi que celle qui comporterait par avance renonciation à l'exercice de cette action. On trouve la même disposition pour les sociétés anonymes à l'article 246 de la même loi. Cette solution figure de façon générale à l'article 1843-5 du Code civil (L. n° 88-15, 5 janv. 1988).

On voit donc la diversité des solutions. Elles ne laissent pas découvrir une idée directrice. La jurisprudence a dû construire de toutes pièces un système concernant la validité et les effets de ces clauses dans tous les cas — et ils restent nombreux — où le législateur n'a pas prévu de solution.

B. — Clauses sur la responsabilité en jurisprudence

1548. — Pendant longtemps, la jurisprudence traitait différemment les clauses d'irresponsabilité *totale* et celles qui sont simplement *limitatives* de responsabilité. Bien qu'à l'heure actuelle, il semble qu'un même régime leur soit applicable, il est préférable de les exposer successivement, afin de saisir le sens de cette évolution de la jurisprudence (252).

---

(252) Cf. STARCK, *Observations sur le régime juridique des clauses de non-responsabilité ou limitatives de responsabilité: D.S.* 1974, 157, n°s 16, 64 à 75 (responsabilité des vendeurs professionnels). — MALINVAUD, *Pour ou contre la validité des clauses limitatives de la garantie des vices cachés dans la vente : J.C.P.* 75, I, 2690. — GHESTIN, *Rapport de synthèse in Les ventes internationales de marchandises,* Économica, 1981, p. 369. — LE TOURNEAU, *Conformité et garantie: Rev. trim. dr. com.* 1980, 280.

1° Clauses limitatives de responsabilité

a) Clause limitative et clause pénale

1549. — Il faut distinguer les clauses limitatives de responsabilité, qui fixent un *plafond* à l'indemnité éventuellement due, des clauses pénales qui stipulent un *forfait*. En présence d'une clause limitative de responsabilité, le juge doit évaluer le dommage; il ne peut condamner à la somme stipulée si le dommage est inférieur à ce chiffre (252-1). Ce pouvoir d'appréciation lui échappe s'il s'agit d'une clause pénale, puisqu'aussi bien le caractère forfaitaire de celle-ci s'oppose à l'évaluation du préjudice réel (sous les réserves importantes que nous avons exposées ci-dessus). Il peut y avoir doute sur la qualification de la clause : « limitative de responsabilité » ou « clause pénale » ? C'est là une question de fait, laissée à l'appréciation des juges du fond.

b) Validité

1550. — La validité des clauses limitatives est admise, en principe, sur la base de la règle de la liberté des conventions (253). Dès lors qu'aucun texte ne prohibe ce genre de clauses, les parties peuvent librement fixer le maximum du montant des dommages et intérêts. Le plus souvent, d'ailleurs, les arrêts visent l'article 1150 du Code civil. En limitant la responsabilité à une certaine somme, les parties ont *prévu*, semble-t-on dire, que le dommage ne saurait dépasser celle-ci (254).

Toutefois, étant donné que ces conventions dérogent au droit commun, la jurisprudence veille avec plus d'attention à ce qu'elles aient été *connues* et *acceptées* par la partie à qui elles sont opposées (254-1). La connaissance de la clause est une question de fait. Elle résulte pratiquement de son insertion sur un document accessible au plus tard lors de la conclusion de la convention, et, très souvent, de son affichage. En conséquence, est inapplicable pour cause d'ignorance, la clause restrictive de responsabilité contenue dans un règlement des eaux qui n'a pas été portés à la connaissance de l'abonné (254-2) ou la clause limitative apposée dans une chambre d'hôtel

---

(252-1) Toulouse, 3 mai 1984, cité par J. SCHMIDT-SZALEWSKI : *Jurisclasseur*, fasc. 155.

(253) On trouvera dans un arrêt de la 1re Chambre civile du 19 janv. 1982 (*J.C.P.* 84, II, 20215, note F. CHABAS) le rappel explicite de la validité de telles clauses : « attendu qu'aucune disposition légale ne prohibe d'une façon générale l'insertion de clauses limitatives ou exonératoires de responsabilité dans les contrats d'adhésion ».

(254) En réalité, le contraire pourrait tout aussi bien être soutenu, à notre avis. C'est précisément parce qu'on redoute un préjudice élevé que les contractants insèrent des clauses limitatives de responsabilité.

(254-1) Com., 24 janv. 1983 : *Gaz. Pal.* 1984, 1, pan. 57, note CHABAS; *Bull. civ.* IV, n° 23.

(254-2) Civ. 1re, 19 mai 1987 : *Bull. civ.* I, n° 156.

dont le client n'est instruit qu'après avoir traité (254-3). Le législateur est intervenu et a prescrit, de façon générale, à tout vendeur de produits ou tout prestataire de services d'informer le consommateur sur les limitations éventuelles de la responsabilité contractuelle par voie de marquage, d'étiquetage, d'affichage ou tout autre procédé approprié (art. 28 de l'ordonnance n° 86-1243 du 1er déc. 1986 relative à la liberté des prix et de la concurrence). Quant à l'acceptation, la jurisprudence, dans un premier temps, la faisait souvent découler de la connaissance; elle est, aujourd'hui, plus exigeante, requérant que la preuve en soit rapportée distinctement. La Cour de cassation, par exemple, ne tient pas pour acceptée une clause limitative figurant sur un récépissé de transport au motif que celui-ci a été reçu sans protestation de l'expéditeur. La cour de Lyon, de son côté, écarte semblable clause faute pour son bénéficiaire de rapporter la preuve de l'adhésion de son partenaire (254-4).

En outre, toujours à raison de leur caractère dérogatoire, l'interprétation desdites clauses est *de droit étroit*. Si la convention vise une limitation de responsabilité du bailleur en cas de travaux dans l'immeuble, il ne s'agit que de travaux normaux d'entretien et non de la modification de la structure du bâtiment. Dans un contrat de collecte d'annonces en vue de leur publication dans l'annuaire, la stipulation qui envisage l'erreur ou l'omission ne saurait être étendue à l'inexécution totale de l'obligation (254-5).

Par clause limitative, on ne saurait entendre la clause fixant le dédommagement à un taux très bas, voire symbolique. La Cour de cassation considère que les indemnités dérisoires sont tenues pour inexistantes et que la clause qui les prévoit recouvre en réalité une clause de non-responsabilité. Elle annule donc les clauses limitatives de ce type dans la mesure où les clauses élisives de responsabilité sont elles-mêmes interdites (255). Toutefois, pour apprécier le caractère dérisoire, il ne suffit pas de constater, intrinsèquement, que l'indemnité est minime par rapport au préjudice subi, il faut encore tenir compte de la contrepartie qui peut résulter, par exemple, d'une réduction du prix (256). Par ailleurs, on fait rentrer dans la catégorie des clauses restrictives de responsabilité celles qui assignent une durée moindre pour l'exercice de l'action (257). Du moins exige-t-on qu'elle laisse

---

(254-3) Lyon, 12 juin 1950 : *D.* 1951, somm. 2.

(254-4) Com., 15 juill. 1987, Lyon, 8 janv. 1987, rapportés par J. SCHMIDT-SZALEWSKI, *op. cit.*

(254-5) Com., 17 janv. 1984 : *Bull. civ.* IV, n° 20; *Gaz. Pal.* 1984, 1, pan. 141, note F. CHABAS.

(255) Civ., 7 mai 1945 : *S.* 1945, 1, 93. — 23 fév. 1948 : *J.C.P.* 48, II, 4426, note LEPARY. — 7 juin 1952 : *Gaz. Pal.* 1952, 2, 113. — Com., 4 mai 1959 : *Gaz. Pal.* 1959, 2, 191.

(256) Com., 4 juill. 1951 : *Bull. transp.* 1951, 559. — V. RODIÈRE, *Rev. trim. dr. civ.* 1954, 221.

(257) Civ., 6 oct. 1976 : *D.* 1977, 25. — V. aussi, Civ., 14 nov. 1978 : *D.* 1979, I.R. 349, obs. LARROUMET.

à la victime le temps matériel de faire valoir ses droits (258); à défaut, on serait en présence d'une clause léonine justifiant la nullité, comme lorsque l'indemnité stipulée est dérisoire.

1551. — Les principes concernant la validité des clauses limitatives risquent d'être mis en cause par la législation sur les clauses abusives. On sait que le décret du 24 mars 1978 sur la protection des consommateurs déclare interdite, dans les rapports entre professionnel et consommateur, la clause ayant pour objet ou pour effet de supprimer ou de réduire le droit à réparation du non-professionnel en cas de manquement du professionnel à l'une quelconque de ses obligations. Sur la base de ce texte, a été réputée non écrite la clause inscrite sur les emballages des rouleaux de pellicules photographiques ainsi libellée : « Le prix de ce film conprend le traitement et le montage de vues... Tout film accepté pour traitement est réputé avoir une valeur qui n'excède pas son prix de tarif. La responsabilité du vendeur est limitée au remplacement du film perdu ou détérioré ». La Cour de cassation, qui aurait dû rester sur le terrain de la vente, se place sur le terrain de la prestation de service pour décider que le vendeur doit réparer l'intégralité du préjudice (perte du souvenir) (258-1).

L'élimination des limitations de responsabilité risque de se généraliser si se développe la jurisprudence de la première Chambre civile du 16 juillet 1987 qui confère l'autonomie à l'article 35 de la loi du 10 janvier 1978 pour faire décider qu'une clause est abusive, indépendamment de tout décret, dès lors qu'elle répond aux critères légaux (abus de puissance économique, avantage excessif).

c) Incidence du dol et de la faute lourde

1552. — Le principe général de la validité ne joue pas lorsque l'inexécution du contrat est intentionnelle. Autrement dit, la limitation du montant des dommages et intérêts est écartée en cas de dol du débiteur. Cela se justifie aisément, on ne saurait protéger un débiteur de mauvaise foi.

Quant à la définition du dol, on doit transposer ici la solution donnée en matière de clause pénale : c'est le refus, de propos délibéré, d'exécuter le contrat, sans que la preuve de l'intention de nuire soit exigée (259).

1553. — En outre, la jurisprudence écarte la clause limitative, même si l'inexécution n'est pas dolosive, lorsque le débiteur a commis une *faute lourde*. En vertu d'un adage que nous avons déjà cité, la faute lourde est

---

(258) Aix, 23 juin 1976 : *Gaz. Pal.* 1977, 268.

(258-1) Civ. 1re, 25 janv. 1989 : *J.C.P.* 89, *Actualités*, n° 8.

(259) Civ. 1re, 4 fév. 1969 : *D.* 1969, 601, note J. MAZEAUD. — Com., 11 mai 1971 : *J.C.P.* 72, II, 17009.

assimilée au dol (260). Il suffit donc que le créancier prouve la faute lourde du débiteur pour qu'il puisse obtenir une réparation intégrale (261).

1554. — Ainsi dans l'affaire du loto. Le règlement prévoit que :

« sont intégralement remboursés sur remise du volet B les bulletins validés qui auraient accidentellement disparu ou qui auraient été endommagés ou qui n'auraient pas été traités »;

un participant, possesseur du volet B porteur du numéro gagnant, (le volet C ayant disparu, le volet A n'étant jamais parvenu au centre de traitement), devait pour échapper à l'application de cette clause limitative de responsabilité, prouver les agissements dolosifs ou la faute lourde de ses débiteurs; n'ayant pas rapporté cette preuve, il ne pouvait prétendre qu'au simple remboursement de sa mise (262).

1555. — Constituent une faute lourde (262-1) écartant la clause limitative de responsabilité, le fait pour un ingénieur, spécialement mandaté, de n'avoir pas procédé au contrôle des dispositifs de sécurité d'une grue et de n'avoir pas attiré l'attention de l'entreprise utilisatrice sur la nécessité de procéder à des épreuves sur l'efficacité du dispositif (263); la négligence grossière d'une société intérimaire qui fournit une aide-comptable déjà condamnée pour détournement (264); la circonstance que le banquier a manqué à sa stricte obligation de surveillance qui lui faisait un devoir de vérifier l'identité de la personne qui demandait l'accès au coffre-fort (265); la désinvolture du conducteur de camion qui abandonne, durant une heure et demie, son véhicule chargé de marchandises précieuses (265-1)...

1556. — On observera toutefois que l'exéquation entre la faute lourde et la faute dolosive est contestable. Ce qui est vrai, c'est qu'en présence d'une faute d'une certaine gravité, — qualifiée lourde — le juge estime qu'une *sanction* s'impose : le caractère *répressif* de la responsabilité civile se manifeste ainsi clairement.

---

(260) Com., 7 juin 1952 : *D.* 1952, 651. — 22 avril 1975 : *D.* 1975, somm. 92. — 7 mai 1980 : *D.* 1981, 245, note CHABAS. — Civ., 5 janv. 1961 : *D.* 1961, 1, 340. — V. Nguyen THANK-BOURGEOIS, *Contribution à l'étude de la faute contractuelle : la faute dolosive et sa place actuelle dans la gamme des fautes : Rev. trim. dr. civ.* 1973, 496. — G. VINEY, *Remarques sur la distinction entre faute intentionnelle, faute inexcusable et faute lourde : D.* 1975, chron. 263.

(261) V. par exemple, Civ. 1re, 8 nov. 1983 : *Gaz. Pal.* 1984, 1, 384, note TARABEUX (organisateur de régates).— Civ. 1re, 18 janv. 1984 : *J.C.P.* 85, II, 20372, note MOULY; *Rev. trim. dr. civ.* 1984, p. 727, obs. HUET (loto).

(262) Civ. 1re, 24 nov. 1982 : *D.* 1983, I.R. 48.

(262-1) Com., 5 janv. 1988 : *Bull. civ.* IV, n° 8, p. 6 : les juges du fond doivent relever des circonstances constitutives d'une négligence d'une extrême gravité confinant au dol et dénotant l'inaptitude du débiteur, maître de son action, à l'accomplissement de la mission contractuelle qu'il avait acceptée (vol d'un camion chargé de peaux de marmottes). — Rappr. Com., 26 fév. 1985 : *Bull. civ.* IV, n° 82, p. 71.

(263) Civ. 1re, 28 mai 1980 : *Bull. civ.* I, 130.

(264) Paris, 12 nov. 1981 : *Gaz. Pal.* 1982, 1, somm. 184; *D.* 1982, I.R. 136.

(265) Civ. 1re, 15 nov. 1988 : *D.* 1988, I.R. 281.

(265-1) Paris, 17 fév. 1988 : *D.* 1988, I.R. 88.

1557. — Cependant, de façon assez peu logique, la Cour de cassation ne suit pas cette dernière règle en matière de transport terrestre par *chemin de fer.* Les clauses limitatives de responsabilité concernant les *marchandises* et les *bagages* sont considérées comme licites et applicables *même si l'inexécution est due à la faute lourde* du transporteur ou de ses préposés. En cette matière, seul le dol ferait écarter la limitation de responsabilité (266). Cette jurisprudence est unanimement critiquée par la doctrine (267). Il n'est pas sûr d'ailleurs, qu'elle soit toujours d'actualité, depuis que la Cour suprême a déclaré que l'équipollence de la faute lourde au dol est de droit commun (268).

1558. — Relevons en terminant que le commettant devant répondre des fautes commises par son préposé en rapport avec ses fonctions, la faute lourde ou dolosive du préposé écarte la clause de non-responsabilité comme si elle avait été celle du débiteur-commettant lui-même (269).

2° Clauses exclusives de responsabilité

1559. — Les clauses d'irresponsabilité totale sont en principe valables alors qu'elles sont nulles en matière délictuelle. La raison de cette différence est à rechercher dans la liberté contractuelle. Rien n'obligeait l'individu à souscrire un engagement; s'il l'a fait, c'est aux conditions de son choix et rien n'obligeait son partenaire à accepter la promesse avec une telle restriction.

Toutefois, on ne doit pas se cacher que semblables stipulations d'irresponsabilité mettent en cause, à la limite, le principe même de la force obligatoire du contrat. A l'opposé de la clause limitative qui n'agit que sur le montant de la réparation, la clause exonératoire présente un aspect potestatif qui n'est pas conceptuellement sans incohérence : s'engage-t-on vraiment si l'on décide en même temps que l'on ne sera pas tenu par ledit engagement ? Dans ces conditions, on comprend que la jurisprudence se montre vigilante pour sauvegarder ce qu'une doctrine appelle « le respect d'un minimum contractuel » (269-1).

---

(266) Civ., 3 août 1932 : *D.* 1933, 1, 49, note JOSSERAND. — Com., 26 juin 1972 : *Bull. transp.* 1972, p. 346. — Cette jurisprudence est d'autant plus singulière que la Cour de cassation adopte une solution opposée en ce qui converne les tarifs routiers : Com., 7 mai 1980 : *Bull. transp.* 1980, p. 327 et 344. — Sur la question, *Lamy transp.* not., n° 4794.

(267) Cette solution est à rapprocher de celle qui prévaut en matière de *transport maritime de marchandises* où une limitation de responsabilité a été instituée par le *législateur.* Seul le dol — et non la faute lourde — permet une condamnation à une somme supérieure au tarif légal (L. 18 juin 1966, art. 28).

(268) Com., 7 mai 1980 : *J.C.P.* 80, II, 19473, note RODIÈRE; *D.* 1981, 245, note CHABAS. — 16 mai 1981 : *D.* 1981, I.R. 378.

(269) Civ. 1re, 31 mars 1981 : *Gaz. Pal.* 1981, 2, pan. 306; *Bull. civ.* I, 95. — V. aussi CARBONNIER, *op. cit.*, nos 78 et 79.

(269-1) G. VINEY, *La responsabilité : conditions*, n° 489; *La responsabilité : effets*, n° 190. — Pour une illustration à l'occasion d'un crédit-bail mobilier : Dijon, 2 sept. 1986 : *J.C.P.* 87, II, 20865, note E.-M. BEY.

Sans pouvoir s'attarder sur la question, on indiquera le régime applicable, qui s'est aligné sur celui de la clause limitative, avant d'évoquer sommairement les situations particulières faisant état d'une faute professionnelle ou mettant en cause la personne humaine.

a) Identité de régime entre les clauses limitatives et exclusives

1560. — Pendant longtemps, le seul effet de ces clauses valables était ce que l'on appelait le renversement de la charge de la preuve. Cela signifiait que le créancier pouvait obtenir la réparation intégrale, malgré la clause d'irresponsabilité, en prouvant que l'inexécution du contrat était imputable à la faute du débiteur ou de ses préposés, *cette faute fût-elle légère.*

La clause modifiait donc la situation si l'obligation était de résultat. Normalement, on s'en souvient, dans ce genre d'obligation, le créancier obtient réparation sans avoir à prouver que l'inexécution de l'obligation est imputable à la faute du débiteur. L'insertion d'une clause de non-responsabilité modifiait cette position probatoire en mettant à la charge du créancier la preuve de cette faute, s'il voulait obtenir réparation.

L'argument sur lequel se fondait la jurisprudence était le suivant : la clause d'irresponsabilité supprime la responsabilité contractuelle. Mais l'inexécution du contrat peut résulter d'une faute ayant les caractères d'une *faute délictuelle.* Or, les conséquences des fautes délictuelles ne peuvent pas être écartées par convention, car la responsabilité délictuelle est d'ordre public. Il suffisait donc que le créancier prouvât une faute, même légère, pour que le débiteur puisse être condamné (270).

1561. — Ce raisonnement était critiquable, car l'inexécution d'un contrat ne peut pas mettre en jeu une responsabilité délictuelle. Même si l'inexécution du contrat est due à la faute prouvée du débiteur, la responsabilité qui en découle est de nature contractuelle. La jurisprudence qui aboutissait au renversement de la charge de la preuve pêchait par mélange des genres. De plus, la clause devenait vaine lorsqu'il incombait au créancier, d'après la nature de l'obligation (obligation de moyens), de rapporter la preuve de la faute du débiteur. Et comment justifier une telle différence dans l'effet selon que l'obligation était de moyens ou de résultat ? Il fallait, donc, reconnaître à ces clauses, dans tous les cas, une portée autre que probatoire.

1562. — Les tribunaux ont alors modifié leur analyse. Dans deux arrêts (271) la Chambre sociale a reproché aux juges du fond de n'avoir pas recherché si la faute du débiteur « présentait un caractère de gravité tel que ladite faute ne pouvait être couverte par la convention liant les parties ». Dès lors, on en a conclu que si la faute n'atteignait pas un certain degré de

(270) Civ., 18 janv. 1933 : *D.H.* 1933, 115. — Civ. 2e, 14 fév. 1955 : *D.* 1956, 17.
(271) Soc., 3 août 1948 : *D.* 1948, 536. — 15 juill. 1949 : *J.C.P.* 49, II, 5181.

gravité, elle ne tenait pas en échec la clause d'irresponsabilité qui opérait décharge du débiteur, conformément à la volonté des parties. *A fortiori*, la clause était déclarée pleinement efficace en l'absence de toute faute (271-1).

En conséquence, la jurisprudence a suivi, à l'égard des clauses d'irresponsabilité totale, le même système qu'à l'égard des clauses limitatives de responsabilité : validité de principe, mais caducité si l'inexécution est due au dol ou à la faute lourde équivalente au dol (272).

1563. — Parmi les cas constitutifs de faute lourde, retenons les deux exemples suivants. Un chauffagiste, chargé d'installer un récupérateur de chaleur, s'était borné à réaliser ce qui était indiqué sur la notice jointe à l'appareil; ce technicien a commis une faute lourde inhibant la décharge de responsabilité, parce que le schéma fourni par le fabricant n'était qu'indicatif et renvoyait expressément l'installateur à adapter le montage à la configuration des lieux (273). De même l'organisateur de régates, bien qu'il ait stipulé que les concurrents participaient à la courses à leurs risques et périls, se rend coupable d'une faute lourde, excluant la clause élisive de responsabilité, en laissant dans l'obscurité l'espace entre la panne du débarcadère et le ponton qui le prolongeait, où l'un des participants a fait une chute (273-1).

b) Clause d'irresponsabilité et faute professionnelle

1564. — Le problème s'est posé de l'assimilation de la faute professionnelle à la faute lourde. Est-il admissible qu'un notaire, un médecin, un expert-comptable, un industriel puisse s'exonérer des fautes commises dans l'exercice de sa profession ? Pothier refusait toute exonération s'agissant de l'artisan qui *spondet peritiam artis* (273-2). Faut-il conserver aujourd'hui cette proposition en l'étendant à tout homme de l'art ?

1565. — La jurisprudence semble portée à assimiler facilement la faute simple du professionnel à une faute lourde et, corrélativement, à restreindre le champ d'efficacité des clauses de non-responsabilité. En tous cas, un point est certain : en matière de vente, les clauses exclusives — ou limita-

---

(271-1) Civ. 3e, 17 juill. 1986 : *D.* 1987, 481, note DELEBECQUE (validité de la clause stipulée pour le cas de vol dans les locaux du Louvre des Antiquaires au motif que le fonctionnement défectueux de l'appareil d'alarme ne permet pas de conclure à une faute du bailleur). — Civ. 1re, 20 déc. 1988 : *J.C.P.* 89, IV, 73 (validité de la clause excluant la réparation du préjudice commercial dans une vente de plants de kiwis).

(272) V. par exemple Com., 25 juin 1980 : *Gaz. Pal.* 1980, 2, pan 569; *Bull. civ.* IV, 222. — Civ. 3e, 22 fév. 1983 : *D.* 1983, I.R. 241.

(273) Versailles, 16 sept. 1988 : *D.* 1988, I.R. 259.

(273-1) Civ. 1re, 8 nov. 1983 : *J.C.P.* 84, IV, 23; *D.* 1984, I.R. 486, note G. BARON; *Gaz. Pal.* 1984, 1, 384, note F. TARABEUX; *Bull. civ.* I, n° 261.

(273-2) ROLAND et BOYER, *Adages*, p. 1156.

tives — de responsabilité sont dépourvues d'effet lorsque le vendeur est un professionnel, car il est censé connaître les vices de la chose (274).

1566. — Cette jurisprudence a, non seulement été confirmée, mais étendue (275) par le législateur. Rappelons que le décret n° 464 du 24 mars 1978 dispose à l'article 2 que, dans les contrats de vente conclus entre des professionnels d'une part, et d'autre part, des non-professionnels ou des consommateurs, est interdite comme abusive la clause ayant pour objet ou pour effet de supprimer le droit à réparation du non-professionnel ou consommateur en cas de manquement par le professionnel à *l'une quelconque de ses obligations*. Le texte prohibe donc toutes les clauses d'irresponsabilité s'agissant des diverses obligations qui pèsent sur le vendeur *professionnel* : ce n'est pas seulement la garantie des vices cachés qui est en cause, mais aussi l'obligation de délivrance ou de garantie contre l'éviction, ou même encore l'obligation de renseignement ou de conseil (276).

1567. — Quelle solution adopter en dehors de la vente ? Il n'existe en la matière qu'une seule disposition de portée générale, celle de l'article 35 de la loi n° 78-23 du 10 janvier 1978 sur la protection et l'information du consommateur de produits et de services. Ce texte vise *indistinctement les contrats conclus entre professionnels et non-professionnels*, posant que peuvent être interdites ou réglementées « les clauses relatives à l'étendue des responsabilités et garanties » lorsqu'elles apparaissent imposées par un abus de puissance économique procurant au professionnel un avantage excessif. En principe, un décret est nécessaire pour que de telles stipulations soient déclarées abusives et, en conséquence, réputées non écrites; mais on sait que la Cour de cassation s'oriente vers la reconnaissance au juge du pouvoir de déclarer *de plano*, en se passant de l'intermédiaire du décret, le caractère abusif de telle ou telle clause. Si cette position devait se confirmer, on irait progressivement vers l'élimination des clauses d'irresponsabilité. C'est, d'ailleurs, dans cette direction que va le projet de réforme proposé par la Commission de refonte du droit de la consommation (276-1).

c) Clause d'irresponsabilité et personne humaine

1568. — Ajoutons, enfin, que certains arrêts et certains auteurs déclarent que toute clause d'irresponsabilité (ou de responsabilité limitée) est nulle si elle concerne la vie et l'intégrité corporelle au motif que la personne humaine est hors du commerce... *liber homo non recipit aestimationem* (277).

(274) Req., 5 juin 1929 : *Gaz. Pal.* 1929, II, 433. — Civ. 2e, 15 juill. 1975 : *J.C.P.* 75, IV, 296. — Civ. 3e, 26 fév., 1980 : *Bull. civ.* III, 47. — Com., 28 janv. 1974 : *J.C.P.* 74, II, 17852.

(275) Pour un libellé très explicite, Paris, 25 juin 1984 : *D.* 1986, I.R. 40.

(276) MAZEAUD et DE JUGLART, *Principaux contrats : vente et échange*, 7e éd., n° 990. — G. VINEY, *La responsabilité : effets*, n° 199 et s.

(276-1) G. VINEY, *op. cit.*, n° 211.

(277) V. ROLAND et BOYER, *Adages*, p. 480.

L'argument repose sur une confusion (277-1). Les clauses dont il s'agit ne permettent pas de porter atteinte à la personne humaine, elles ne concernent que l'*indemnité* qui lui serait éventuellement due en cas d'accident (278). Aussi, avant les lois précitées de 1957 et 1966, ces clauses de non-responsabilité étaient valables en matière de transport maritime et aérien, et nul n'avait soutenu que l'intégrité de la personne humaine méritait moins d'égard sur mer et dans les airs que sur la terre ferme. Cela dit, il est exact que lorsque les tribunaux trouvent que les clauses de non-responsabilité sont inopportunes, ils invoquent encore l'argument selon lequel la personne humaine étant intangible, les clauses s'y rapportant sont contraires à l'ordre public, donc nulles. Cette argumentation est souvent avancée pour annuler ces clauses stipulées dans les contrats de manèges forains.

SECTION IV

INEXÉCUTION DANS LES CONTRATS SYNALLAGMATIQUES

1569. — Les contrats synallagmatiques sont ceux où les deux contractants assument des obligations, l'un à l'égard de l'autre, ceux où il existe une réciprocité et une interdépendance entre les obligations issues du même contrat. En cas d'inexécution, par l'un des contractants, de ce qu'il doit à l'autre, ce dernier dispose d'un moyen, en apparence très simple, d'éviter de subir les conséquences de cette inexécution : ne pas exécuter sa propre prestation ou, s'il l'avait déjà fait, en demander la restitution, poursuivre la remise des choses dans l'état antérieur.

Plusieurs situations doivent être distinguées.

1570. — L'inexécution de l'obligation par l'un des contractants est due à un *événement fortuit,* à un événement de force majeure. La question se pose alors de savoir si le créancier de cette prestation dont il n'obtiendra pas l'exécution, doit, cependant, exécuter sa propre prestation. C'est à cette situation que se réfère la *théorie des risques* dans les contrats synallagmatiques (279).

(277-1) V. la pertinente critique de cette opinion dans la note de M. CHAUVEAU : *D.* 1971, 373, sous Civ. 1re, 3 juin 1970.

(278) V. SAVATIER, *Le dommage et la personne : D.* 1955, chron. 5. — P. ESMEIN, *Méditation sur les conventions d'irresponsabilité en cas de dommage causé à la personne : Mélanges Savatier,* p. 271.

(279) Ne pas confondre avec la théorie *du* risque en matière de responsabilité délictuelle.

1571. — L'inexécution de l'obligation n'est pas due à un événement de force majeure, mais à la faute du débiteur ou à un événement qui engage sa responsabilité, même en dehors de toute faute, comme dans les obligations de résultat. En ce cas, le créancier peut, certes, soit poursuivre l'exécution en nature, si elle est encore possible, soit demander une réparation pécuniaire en mettant en jeu le mécanisme de la responsabilité contractuelle. Mais, s'agissant de contrats synallagmatiques, il a, en outre, deux autres possibilités :

— *suspendre* l'exécution de sa propre prestation en utilisant la voie que lui offre l'*exception d'inexécution;*

— demander la *résolution du contrat,* par conséquent la libération définitive de ses propres obligations et, éventuellement, la restitution de ce qu'il avait remis à son cocontractant, et, le cas échéant, des dommages et intérêts. Etudions donc successivement ces trois moyens : la résolution du contrat, tout d'abord, l'exception d'inexécution, ensuite, la « théorie des risques » enfin.

SOUS-SECTION I

LA RÉSOLUTION POUR INEXÉCUTION

1572. — La résolution est prévue à l'article 1184 du Code civil qui, dans son premier alinéa, déclare :

« La condition résolutoire est toujours sous-entendue dans les contrats synallagmatiques pour le cas où l'une des deux parties ne satisfera point à son engagement ».

Dans la suite du texte, il est précisé que le contrat *n'est pas résolu de plein droit,* le créancier ayant le choix entre la demande en exécution, lorsqu'elle est possible, ou la demande en résolution avec des dommages et intérêts.

Le dernier alinéa indique que la résolution *doit être demandée en justice* et que le juge peut accorder au défendeur un délai, selon les circonstances. Il s'agit donc, d'une *résolution judiciaire* (280).

1573. — Pour comprendre les divers aspects de la résolution des contrats, il faut tenir compte de deux considérations. D'une part, la résolution du contrat ne doit pas offrir à l'un des contractants un moyen commode de renoncer à un contrat, de s'octroyer *un droit de repentir.* Il ne saurait prendre prétexte de la moindre inexécution pour obtenir la résolution.

(280) LEPELLETIER, *La résolution des contrats pour inexécution des obligations*, thèse Caen, 1934. — CASSIN, *Réflexions sur la résolution judiciaire des contrats pour inexécution : Rev. trim. dr. civ.* 1945, 149; CARBONNIER, n° 80; LARROUMET, n° 701 et s.; MALAURIE et AYNÈS, n° 537 et s.; MAZEAUD et CHABAS, n° 1087 et s.; WEILL et TERRÉ, n° 478 et s. — *Rép. dr. civ. Dalloz, V^is Contrats et conventions* par Louis BOYER, n° 236 et s.

D'autre part, la résolution est dangereuse pour les tiers : les ayants cause à titre particulier du contractant dont les droits sont résolus voient, en principe, les droits transmis également résolus, par voie de conséquence.

Elle est dangereuse, aussi, pour les autres créanciers chirographaires du débiteur. En effet, celui qui obtient la résolution sort indemne en reprenant sa prestation en entier, alors que les autres créanciers risquent de n'obtenir qu'une fraction de ce qui leur est dû et voient leur gage diminuer. En soi, la résolution confère, sinon un privilège dans le sens précis du terme, du moins une *situation privilégiée.*

Ces considérations militent encore plus en faveur de l'intervention du juge qui doit contrôler l'opportunité de la résolution et expliquent les restrictions que subit le droit de résolution en cas de faillite du débiteur.

En revanche, tout le monde s'accorde à reconnaître la nécessité de la résolution qui sert à faire la police dans le champ contractuel. Comme l'écrit un savant auteur, « un contrat qui traîne dans l'inexécution ou la mauvaise exécution est un organisme mort dont il vaut mieux débarrasser l'économie : les forces vives du contractant capable d'exécuter pourront ainsi se remployer rapidement ailleurs » (280-1).

Les données du problème de la résolution des contrats sont donc extrêmement complexes. Il fallait les indiquer avant d'aborder l'étude de cette question. On précisera successivement : le fondement (§ 1) et le champ d'application (§ 2) de la résolution, avant d'examiner ses conditions (§ 3) et ses effets (§ 4). Une dernière rubrique sera consacrée aux cas de résolution non judiciaire (§ 5).

§ 1. — Le fondement de la résolution

1574. — La doctrine a recherché successivement le fondement de la résolution dans plusieurs directions, celle de la volonté présumée, celle de la responsabilité, celle de la cause.

A. — Résolution et condition résolutoire tacite

1575. — Le texte de l'article 1184 semblerait dire que la résolution est l'effet d'une clause tacite, d'une « condition résolutoire sous-entendue ». Ce sont les parties contractantes qui auraient décidé par avance — et tacitement — qu'en cas d'inexécution, le contrat serait résolu. Ce texte figure, d'ailleurs, dans la section du Code civil consacrée aux obligations conditionnelles (art. 1168 à 1184). On invoque en ce sens la tradition historique.

(280-1) CARBONNIER, n° 81 , p. 338.

L'institution serait issue de la *lex commissoria* romaine, pacte par lequel il était stipulé formellement qu'à défaut de paiement du prix, la vente serait anéantie. Cette clause, après avoir été expresse, serait devenue de style au Moyen Age et on l'aurait finalement sous-entendue dans tous les contrats. Cette explication est rejetée unanimement, car elle conduirait à dire qu'en cas d'inexécution, le contrat est résolu automatiquement par suite de la volonté des parties elles-mêmes, si le créancier l'exige. Or, tel n'est pas le cas : la résolution doit être prononcée par le juge, elle a un *caractère judiciaire,* et le juge a, comme on le verra, de larges pouvoirs d'appréciation pour la prononcer ou non.

B. — Résolution et droit à réparation

1576. — Selon un autre système, la résolution constituerait un mode de réparation. Le créancier, en cas d'inexécution, a le droit de demander des dommages et intérêts pour le préjudice que lui cause la défaillance de son partenaire. Mais les règles de la responsabilité contractuelle sont souvent inefficaces en raison de l'insolvabilité du débiteur. On peut, alors, utiliser une réparation plus adéquate, celle qui consiste à libérer pour l'avenir le créancier impayé ou à lui permettre de reprendre la prestation accomplie; de cette façon, on efface le préjudice. Si, en dépit de cet anéantissement, un dommage subsiste encore, l'octroi de dommages et intérêts reste possible. Ainsi s'expliquerait le pouvoir du juge d'assortir la chute du contrat d'une condamnation à une somme d'argent.

1577. — Cette opinion ne manque pas de mérite. Il est exact qu'il est toujours loisible au juge de prescrire toute mesure propre à empêcher le dommage. Mais, elle rencontre une objection car la résolution peut être prononcée en l'absence de tout préjudice. L'idée de réparation est, donc, insuffisante et doit être complétée par celle de sanction qui vient du droit canonique : celui qui n'a pas tenu sa promesse ne peut prétendre à ce que l'on tienne ses propres engagements envers lui : *frangenti fidem, fides non est servanda* (280-2).

1578. — Cet aspect répressif rend compte du caractère judiciaire de la résolution : une sanction ne saurait être abandonnée à l'initiative privée; elle doit être appréciée par le juge. Il demeure, néanmoins, une critique : si la résolution était une sanction, il faudrait constater une faute dans le manquement du débiteur. Or, la jurisprudence fait fonctionner l'article 1184 alors même que l'inexécution n'est pas imputable au débiteur, l'admettant, par exemple, en cas de force majeure. On rétorque, il est vrai, que la plupart du temps, l'inexécution est fautive, et non fortuite.

(280-2) Roland et Boyer, *Adages*, p. 356.

C. — Résolution et théorie de la cause

1579. — Une théorie plus moderne voit, dans la résolution des contrats, une illutration de l'idée de *cause.* Dans les contrats synallagmatiques, l'obligation de chaque contractant a pour cause, non seulement l'obligation de l'autre contractant, mais encore l'*exécution* de cette obligation. Si celle-ci n'a pas encore été effectuée, l'autre obligation manque de cause. En effet, dans un contrat bilatéral, chacun ne s'est engagé qu'en considération de la prestation promise par le partenaire. Si le résultat escompté ne peut être obtenu, il n'est que juste que la victime de l'inexécution puisse se dégager, à son tour, de sa propre dette, qui a perdu sa cause.

1580. — Présenter la résolution comme une conséquence de la cause encourt un double reproche. D'abord, on fait intervenir la théorie de la cause au stade de l'exécution des obligations alors que, rationnellement, elle se manifeste seulement au moment de la conclusion. Ce que l'on appelle absence de cause n'est qu'une défaillance postérieure, qui ne conduit pas à une nullité absolue comme le voudraient les principes, mais à un effacement qui ne peut être demandé que par le seul créancier. Ensuite, l'explication est trop étroite, car elle ne justifierait la disparition des engagements que pour l'inexécution de l'*obligation principale* et seulement dans les contrats *synallagmatiques.* Or, la résolution présente un régime différent : elle peut jouer en dehors des contrats synallagmatiques et en dehors de l'obligation principale.

1581. — En réalité, la résolution, telle qu'elle fonctionne, tient compte de chacune de ces trois idées; elles ne s'excluent pas l'une l'autre, mais se combinent entre elles. La suite de l'exposé vérifiera cette proposition.

§ 2. — Le champ d'application de la résolution

1582. — L'article 1184 vise *les contrats synallagmatiques* et eux seuls. Et il est exact que telle est la *règle générale* en matière de résolution. Mais cette règle n'est pas absolue, elle comporte deux séries d'exceptions : d'une part, certains contrats synallagmatiques ne peuvent être résolus; d'autre part, des contrats qui ne sont pas synallagmatiques sont néanmoins soumis à la résolution.

A. — Contrats synallagmatiques non résolubles

1° Rente viagère

1583. — Deux textes prévoient l'inexécution de ce contrat.

Aux termes de l'article 1977, la résiliation est possible si le débirentier ne fournit pas les sûretés promises; le crédirentier reprend alors le bien ou les sommes aliénés pour la constitution de la rente. En revanche, si le débirentier ne paie pas les arrérages, l'article 1978 déclare que la résolution du contrat n'est pas possible, le crédirentier ne peut que saisir les biens de son cocontractant pour obtenir une somme suffisante à la constitution d'une rente égale.

Les rédacteurs du Code ont adopté cette solution parce qu'à l'époque on se heurtait à une difficulté technique : si la rente avait été servie pendant quelques temps, il eût été injuste que le crédirentier obtînt le remboursement intégral des sommes ou des biens ayant servi à sa constitution; comment déterminer, en ce cas, le montant de la restitution ? Pensant que cela serait techniquement impossible, on a édicté la règle de l'article 1978.

1584. — Depuis longtemps déjà, la raison invoquée à l'appui de l'article 1978 a cessé d'être conforme à la réalité. Le montant des sommes ou des biens nécessaires à la constitution d'une rente peut être connu grâce aux tables de mortalité fondées sur le calcul des probabilités, compte tenu de l'âge du crédirentier. Il est, donc, facile de fixer la valeur, en capital, d'une rente d'un montant déterminé, en faveur d'un crédirentier déterminé, à tout moment de sa vie (281).

1585. — La disposition de l'article 1978 est unanimement critiquée et l'abrogation de ce texte souhaitée par beaucoup d'auteurs. D'une part, l'aléa n'existe pas vraiment puisque les lois statistiques permettent de chiffrer assez exactement le montant du remboursement; d'autre part, le risque qu'ont accepté de courir les parties n'est pas le danger d'insolvabilité, mais celui inhérent à la durée inconnue de la vie. Par ailleurs, l'article 1978 n'est guère appliqué (281-1). La jurisprudence considère, en effet, que la règle qu'il édicte n'est pas impérative (282); les contractants peuvent, donc, l'écarter en insérant dans le contrat de rente viagère une clause expresse de résolution, ce qu'ils ne manquent guère de faire.

1586. — En tout cas, ce texte n'est pas étendu à d'autres contrats aléatoires. Il en est ainsi, notamment, pour le bail à nourriture qui, le cas échéant, peut être résolu pour inexécution des obligations (283), ainsi que pour la dot moniale (284).

---

(281) Naturellement, si la résolution était admise, on n'exigerait pas la restitution de l'intégralité du capital versé; le taux de rachat est différent du taux de constitution car il prend en compte le montant des annuités versées ainsi que l'âge du crédirentier; grâce aux barêmes, il serait facile de calculer le montant de la restitution.

(281-1) Civ. 1re, 13 déc. 1988 : *D.* 1989, I.R. 7 (sol. indirecte).

(282) Civ., 24 juin 1913 : *D.P.* 1917, 38. — Civ. 3e, 28 mai 1986 : *Bull. civ.* III, n° 84, p. 64; *Rev. trim. dr. civ.* 1987, 363, obs. MESTRE. — Civ. 1re, 6 janv. 1987 : *Bull. civ.* I, n° 6, p. 5.

(283) Civ., 27 nov. 1950 (motifs) : *Gaz. Pal.* 1951, 1, 132. — Civ. 3e, 9 oct. 1979 : *D.* 1980, I.R. 228, obs. LARROUMET (*a contrario*).

(284) Civ., 13 mars et 4 juin 1907 : *D.* 1907, 1, 281, note PLANIOL.

2° Partage

1587. — Un deuxième cas où la résolution est écartée est celui du partage. Si l'un des copartageants ne paie pas la soulte convenue (c'est-à-dire la somme qu'il doit à ses copartageants, ayant reçu, dans le partage, des biens d'une valeur supérieure au montant de ses droits), les autres copartageants ne peuvent pas, en principe, demander la résolution. On justifie, d'ordinaire, cette solution par l'appel à l'effet déclaratif du partage : les héritiers tiennent les valeurs mises dans leur lot directement du *de cujus*, non des copartageants, d'où il suit que l'inexécution d'une prestation entre cohéritiers n'exerce aucune influence. Il est vrai qu'on peut répliquer que le mécanisme déclaratif suppose, pour sa mise en mouvement, un acte entre héritiers, que l'inexécution des conditions prévues à cet acte est de nature à entraîner la chute du partage. Cette solution n'est édictée expressément par aucun texte, mais elle est admise par la jurisprudence, de façon prétorienne. On semble considérer que la résolution du partage est une mauvaise solution, car elle remet les biens dans l'indivision, ce qui peut entraîner de nombreux inconvénients pour les copartageants et leurs ayants droit. D'autre part, les copartageants créanciers de la soulte sont protégés par le privilège que la loi leur accorde sur les immeubles de la succession (C. civ., art. 2103, 3°).

Cette exception n'est pas, non plus, impérative. Les copartageants peuvent insérer dans l'acte de partage, une clause expresse de résolution.

3° Cession d'office ministériel

1588. — Si l'acquéreur d'un office ministériel ne règle pas le prix de cession, la résolution n'est pas possible. On ne conçoit pas l'anéantissement de l'opération car il conduirait le cessionnaire à restituer son office, c'est-à-dire à abandonner sa charge; or, le successeur a été nommé par l'autorité publique et il ne peut dépendre de la volonté individuelle de faire cesser cet agrément. La seule ressource consiste à poursuivre le paiement en saisissant les autres biens de l'officier ministériel, à moins qu'on ne préfère la revente de la charge pour faire saisie-arrêt entre les mains de son acquéreur.

1589. — Le refus de la résolution est tout à fait discutable. Au plan des principes, rien n'empêche les pouvoirs publics de reprendre l'investiture qu'ils ont conférée en cas de défaillance de l'acquéreur. Au plan pratique, la solution conduit à exiger un règlement comptant du successeur ou la sollicitation d'un crédit nécessairement onéreux; ce qui signifie que l'on va ainsi au devant du risque que l'on voulait écarter en faisant contrôler le prix de cession par la Chancellerie : la répercussion sur l'usager d'un prix d'acquisition excessif.

B. — Contrats unilatéraux résolubles

1590. — Une deuxième série d'exceptions joue en sens inverse : il existe *des contrats qui ne sont pas synallagmatiques et où la résolution est admise.*

Ainsi, en vertu de la loi elle-même, la résolution est admise à propos du *gage* (art. 2082). Si le créancier gagiste abuse de l'objet remis en gage (par exemple, s'il s'en sert pour son usage personnel), le débiteur peut réclamer sa restitution immédiate.

De même, l'article 1912, relatif au contrat de *rente perpétuelle,* prévoit la résolution du contrat si le débirentier cesse de payer les arrérages pendant deux ans, ou bien s'il ne fournit pas les sûretés promises.

Dans ces cas, c'est l'idée de *sanction*, plus que les autres idées, qui justifie la résolution de ces contrats qui n'entrent pas dans la catégorie des contrats synallagmatiques : le gage et le contrat de rente perpétuelle sont des contrats unilatéraux.

1591. — Une certaine doctrine a soutenu que les articles 1912 et 2082 étaient insusceptibles d'extension, car ils ne constitueraient pas des applications de l'article 1184, mais des déchéances qu'il conviendrait de rapprocher de l'article 1188 du Code civil qui édicte la déchéance du terme, en présence de certains manquements du débiteur. Mais cette thèse est insoutenable : l'article 1184 accorde une faculté d'option (soit demander la résolution, soit poursuivre l'exécution) qu'on ne saurait transposer aux hypothèses où l'on est déchu de son droit. D'ailleurs, la jurisprudence ne s'en tient pas à ces deux seuls cas de contrats unilatéraux, dont la résolution est prévue par la loi. Elle généralise ces textes en les appliquant à tous les contrats unilatéraux, notamment au *commodat* (prêt à usage) et au *prêt à intérêts* (285).

Observons que la donation n'échappe pas au mécanisme résolutoire lorsqu'elle est consentie avec charges. L'inexécution de celles-ci conduit à ce que le législateur appelle révocation, qui n'est autre qu'un cas particulier de résolution. Il est vrai, qu'en l'espèce, la stipulation de charges rend le contrat de donation synallagmatique, d'unilatéral qu'il était.

---

(285) Trib. civ. Seine, 17 oct. 1928 : *D.* 1929, 2, 141.

§ 3. — Les conditions de la résolution

1592. — La résolution ne constituant pas une pièce du mécanisme de la responsabilité, il n'est pas nécessaire au contractant qui la sollicite du juge d'établir l'existence d'un préjudice (286). Toutes les conditions se rapportent à l'inexécution elle-même et à son appréciation par le juge.

A. — Inexécution de la convention

1593. — Il s'agit d'apprécier, ici, d'une part, l'étendue, d'autre part, le caractère de l'inexécution.

1° Etendue de l'inexécution

1594. — L'inexécution est la condition essentielle, celle qui justifie la résolution quel que soit le fondement qu'on lui donne. Ce qu'il faut noter, c'est qu'il n'est pas nécessaire qu'elle soit totale (286-1) pour que la résolution soit prononcée : une exécution *partielle* ou *tardive* (286-2) suffirait. Le juge devra donc se livrer à une appréciation délicate. Il est évident qu'il ne prononcera pas la résolution si l'inexécution est minime (287). Ainsi la destruction du contrat ne saurait être accueillie si la chose a été livrée dans un état défectueux, sans pour autant que l'acheteur ait été empêché de l'affecter à l'usage auquel il la destinait; ce qui compte, c'est de savoir si l'exécution partielle laisse ou non un intérêt suffisant au créancier (288). Au besoin, le juge prononcera une résolution partielle, afin de maintenir une corrélation entre les prestations (289). On voit, là, une manifestation de

---

(286) Civ. 3e, 5 fév. 1971 : *J.C.P.* 71, IV, 65. — 4 mai 1982 : *Gaz. Pal.* 1982, 2, pan. 282. En revanche, il est nécessaire de déterminer l'importance du préjudice lorsqu'il est demandé, en sus de la résolution, des dommages-intérêts (Civ. 3e, 21 fév. 1984 : *J.C.P.* 84, IV, 134).

(286-1) Paris, 9 nov. 1988 : *D.* 1988, I.R. 294 : l'éditeur qui ne procède pas à la réédition des tomes épuisés manque à son obligation d'assurer à l'œuvre une exploitation permanente, l'objet même du contrat.

(286-2) Versailles, 13 oct. 1988 : *D.* 1988, I.R. 280 (retard de la livraison d'un groupe électrogène pour pallier la grève de l'E.D.F.).

(287) Il relève du pouvoir souverain du juge du fond de rechercher si la défaillance du débiteur présente une gravité suffisante pour justifier la résolution. V. pour un contrat de franchisage, Com., 27 mai 1981 : *Gaz. Pal.* 1982, 1, pan. 4; *Bull. civ.* IV, 199; — V. aussi Paris, 27 mars 1984 : *D.* 1985, I.R. 42. — A propos de l'adjudication d'un immeuble saisi dont le prix n'avait pas été payé conformément au cahier des charges : Civ. 3e, 22 mars 1983 : *Rép. Defrénois* 1984, p. 296, obs. AUBERT (le juge peut tenir compte, pour apprécier la demande, de toutes les circonstances intervenues jusqu'au jour de sa décision). — Paris, 5 juill. 1988 : *D.* 1988, I.R. 226.

(288) Trib. civ. Seine, 17 oct. 1928 : *D.* 1929, 2, 141. — Com., 28 oct. 1986 : *J.C.P.* 87, IV, 12 : résolution de la vente de matériel informatique, inutilisable pour l'acquéreur complètement novice, faute par le vendeur d'avoir satisfait à son obligation de conseil.

(289) Civ. 1re, 7 fév. 1956 : *Gaz. Pal.* 1956, 1, 250.

l'idée d'absence partielle de cause (290). En outre, exiger une certaine importance dans le manquement aux obligations, c'est éviter qu'un contractant ne prenne prétexte de la moindre imperfection pour se dérober lui-même à ses engagements.

Les propositions qu'on vient d'énoncer n'ont que valeur de principe. Il arrive que la jurisprudence adopte une conception extensive de l'inexécution partielle et qu'elle fasse de la moindre imperfection un cas de résolution totale. Ainsi l'acheteur d'une automobile obtient-il la résolution de la vente au seul motif que la carrosserie présente de légères anomalies de peinture (290-1); ainsi l'acheteuse d'un mobilier peut-elle refuser l'échange qui lui est proposé dès lors que les ferrures ou la couleur du bois du nouveau mobilier, sans en modifier rigoureusement l'aspect, ne sont pas conformes à la commande (290-2). On comprend davantage la position de la cour de Paris qui considère que, pour une publicité, l'emplacement est essentiel et que sa modificaiton unilatérale justifie, à elle seule, la résolution.

2° Caractère de l'inexécution

1595. — Selon une doctrine classique, l'inexécution doit être fautive. Les partisans de cette opinion font remarquer que, si l'inexécution est due à la force majeure, ce n'est plus de résolution qu'il faut parler, mais de l'application de la théorie des risques (291). Mais la jurisprudence ne fait pas cette distinction et n'hésite pas à invoquer l'article 1184, même en présence d'une inexécution que l'on doit attribuer à la force majeure. On lit, dans un arrêt de la 1re Chambre civile, qu'il résulte de l'article 1184 que la résolution d'un contrat synallagmatique peut être prononcée, quel que soit le motif qui a empêché la partie de remplir ses engagements, alors même que cet empêchement résulterait du fait d'un tiers ou de la force majeure (292). En revanche, la Chambre commerciale juge « qu'une demande de résolution judiciaire du contrat, en cas d'impossibilité d'exécution, n'est pas nécessaire » (292-1).

Il y aurait cependant intérêt à ne pas confondre résolution et théorie des risques, car, dans ce dernier cas, la résolution opère automatiquement et ne

(290) Civ. 1er avril 1924 : *S.* 1925, 1, 371 (réduction du prix d'une marchandise défectueuse). — Trib. civ. Saint-Amand, 4 mars 1948 : *D.* 1949, somm. 8; (réduction de salaire en cas de « grève perlée » d'un ouvrier).

(290-1) Civ. 1re, 1er déc. 1987 : *J.C.P.* 88, IV, 58 (*dame Ozanne*).

(290-2) Civ. 1re, 1er déc. 1987 : *J.C.P.* 88, IV, 58 (*dame Belghazi*).

(291) MAZEAUD et CHABAS, n° 1097; MARTY et REYNAUD, n° 299. — Comp. WEILL et TERRÉ, *op. cit.*, n° 486.

(292) Position adoptée dans l'affaire du phylloxéra ; Civ., 14 avril 1891 : *D.P.* 1891, I, 329, note PLANIOL. — Depuis, dans le même sens : Civ. 1re, 2 juin 1982 : *Gaz. Pal.* 1982, 2, pan. 363; *Bull. civ.* I, n° 205, p. 178; *Rev. trim. dr. civ.* 1983, 340, obs. CHABAS. — Civ. 1re, 12 mars 1985 : *Bull. civ.* I, n° 94, p. 87; *Rev. trim. dr. civ.* 1986, 345, obs. MESTRE.

(292-1) 28 avril 1982 : *Bull. civ.* IV, n° 145, p. 128; *Rev. trim. dr. civ.* 1983, 340, obs. CHABAS.

conduit pas à l'octroi des dommages-intérêts. Observons que l'enjeu de cette discussion est mince en pratique, étant donné que la quasi-totalité des arrêts prend soin de relever tout fait constitutif d'une faute pour justifier l'anéantissement du contrat (292-2).

B. — Recours à justice

1° La demande en justice

1596. — La résolution doit être demandée en justice par le créancier (292-3). Cette exigence est clairement indiquée dans l'article 1184 (292-4). Le créancier, après avoir mis en demeure (293) le débiteur, a le choix entre les diverses sanctions de l'inexécution : exécution directe, dommages et intérêts ou résolution (avec, en plus, éventuellement, des dommages et intérêts) (294).

Il est intéressant de noter que ce choix lui appartient, même *en cours d'instance.* On ne considère pas qu'il y a modification de la demande si, après avoir demandé l'exécution directe, le créancier modifie son attitude et conclut à la résolution (295). L'idée qui sous-tend cette option, c'est de conserver la possibilité de l'exécution qui doit être préférée à la résolution comme étant plus conforme à la force obligatoire du contrat. On en tire la conséquence que la possibilité du choix demeure tant qu'on n'a pas renoncé (296), que l'on ne présume pas la renonciation d'une demande précédente en exécution (297), que l'insertion d'une clause pénale n'emporte pas de plein droit renonciation à poursuivre la résolution (298).

(292-2) Paris, 19 déc. 1986 : *D.* 1987, I.R. 16, énumère longuement les fautes du débiteur : manquement à l'obligation d'assistance, de conseil et d'entretien.

(292-3) Civ. 1re, 20 déc. 1988 : *D.* 1989, I.R. 19 : la caution qui, en vertu de l'art. 2036, C. civ., peut opposer au créancier toutes les exceptions qui sont inhérentes à la dette, peut demander la résolution du contrat principal.

(292-4) La loi ne fixe aucun délai pour agir, la jurisprudence décide, en matière de vente, que le manquement à l'obligation de délivrance ne se confondant pas avec la découverte d'un vice caché, il n'y a pas lieu, en ce cas, d'enfermer l'action dans le bref délai de l'art. 1648, C. civ. : Civ. 1re, 8 nov. 1988 : *D.* 1988, I.R. 280.

(293) En réalité, d'après la jurisprudence, la mise en demeure résulte, implicitement, de l'assignation en justice tendant à obtenir la résolution (Civ., 19 oct. 1931 : *D.H.* 1931, 537. — Paris, 6 fév. 1956 : *D.* 1956, somm. 161. — Civ. 3e, 2 mars 1977 : *Bull. civ.* III, n° 105). Cette jurisprudence doit être approuvée. En effet, l'assignation en justice permet encore au débiteur d'éviter la résolution en offrant d'exécuter; l'assignation remplit, donc, le même rôle que la mise en demeure, celui d'un *avertissement* adressé au débiteur.

(294) Civ., 4 janv. 1965 : *Gaz. Pal.* 1965, 1, somm. 11. — Civ., 17 fév. 1982 : *D.* 1982, I.R. 240.

(295) Paris, 20 déc. 1968 : *D.* 1969, somm. 33. — Com., 27 oct. 1953 : *D.* 1953, 201, note H.L. — Soc., 25 juin 1954 : *D.* 1954, soc. 73.

(296) Civ., 6 janv. 1932 : *D.H.* 1932, 114.

(297) La renonciation peut résulter de l'octroi d'un délai par le créancier à son débiteur : Civ. 1re, 8 mai 1967 : *Bull. civ.* I, n° 157.

(298) Civ. 3e, 22 fév. 1978 : *Bull. civ.* III, 99.

1597. — A propos de l'option, le problème le plus discuté est celui de savoir s'il est possible de renoncer par avance à la résolution judiciaire. La doctrine est partagée. Pour certains (299), l'article 1184 n'est pas d'ordre public, puisque d'après le libellé même du texte, la résolution repose sur la volonté tacite des parties. Dès lors, rien ne s'oppose à introduire une clause aux termes de laquelle l'un ou l'autre des contractants abandonne son droit de faire résoudre le contrat. Pour d'autres, au contraire (300), la résolution s'analysant comme un droit de contrôle du juge sur le contrat et ne dérivant pas de l'intention présumée des parties, il ne saurait être question d'amputer l'office du juge de cette prérogative. Par ailleurs, la force obligatoire du contrat débouchant sur les deux moyens de l'action en exécution et de l'action en résolution, ce serait l'amoindrir que de supprimer l'une de ces voies d'exécution.

1598. — La jurisprudence était indécise jusqu'à ces dernières années (301). Mais un arrêt de la Chambre commerciale du 7 mai 1984, quoique s'exprimant de façon incidente, a levé toute ambiguïté et reconnut qu'il était permis de renoncer à se prévaloir des dispositions de l'article 1184 (302).

2° La décision de justice

1599. — La résolution doit être prononcée par le juge. Il ne suffit pas que la résolution soit demandée, il faut encore que le tribunal estime qu'il est opportun de la prononcer (302-1). A cet effet, le juge dispose d'un large pouvoir d'appréciation.

1600. — Il peut, tout d'abord, accorder des délais de grâce au débiteur dont la durée, rappelons-le, a été portée d'un an à deux ans par la loi du 11 octobre 1985. Il sera porté à le faire si l'obstacle lui apparaît comme étant seulement temporaire et s'il existe des chances sérieuses pour que le débiteur soit en mesure de satisfaire à ses obligations un peu plus tard. Cette possibilité est bien venue quand l'inexécution provient de la force majeure, car elle permet d'attendre la cessation de l'événement fortuit. Le juge ajoute, quelquefois, afin d'éviter le retour des parties devant le tribunal, que le contrat sera résolu automatiquement à l'expiration du délai qu'il fixe si le débiteur n'a pas exécuté.

---

(299) WEILL et TERRÉ, *op. cit.*, n° 493.

(300) MAZEAUD et CHABAS, *op. cit.*, n° 1104.

(301) Pour la validité de la renonciation : Com., 14 mars 1950 : *J.C.P.* 50, II, 5694. — De façon implicite Civ. 1re, 1er fév. 1965 : *J.C.P.* 65, II, 14187. — Com., 2 déc. 1974 : *Bull. civ.* IV, n° 306. — Contre la validité : Com., 12 juin 1961 : *D.* 1961, 661 (la demande de dissolution d'une société pour justes motifs est un droit d'ordre public). — V. également Civ., 9 mars 1937 : *D.H.* 1937, 253.

(302) *J.C.P.* 85, II, 20407, note Ph. DELEBECQUE.

(302-1) Com., 16 juin 1987 : *Bull. civ.* IV, n° 145; *J.C.P.* 87, IV, 293. — *Rép. Defrénois* 1988, a. 34202, n° 14, obs. AUBERT.

1601. — Il peut, aussi, admettre que l'offre d'exécution faite par le débiteur, même en cours d'instance, même en cause d'appel, suffit pour éviter la résolution; il déclarera alors que cette offre est *satisfactoire* (303). A cet effet, il doit constater que l'exécution tardive ne porte pas au créancier un préjudice irrémédiable. Il peut ne prononcer la résolution que pour partie en réduisant, par exemple, la prestation due : le prix dans une livraison de marchandises de qualité moindre, le loyer dans un bail d'immeuble inconfortable, le salaire de l'ouvrier en cas de grève perlée. L'objection en l'espèce est qu'on aboutit à conférer au juge le pouvoir de refaire le contrat (304).

1602. — De toute façon, le juge a le choix entre prononcer la résolution, avec ou sans dommages et intérêts (305), et accorder seulement des dommages et intérêts. La question du calcul des intérêts se pose dans l'hypothèse où la résolution est prononcée aux torts réciproques; en ce cas, le juge ne saurait renvoyer les parties dos à dos, c'est-à-dire refuser à toutes deux des dommages-intérêts au motif qu'elles ont chacune une part de responsabilité; il doit rechercher la gravité de leurs fautes respectives et l'importance des préjudices de chacun et opérer compensation (305-1).

S'agissant de l'octroi même des dommages-intérêts, la Convention de Vienne sur la vente internationale de marchandises prévoit un dédommagement automatique, soustrait à l'arbitraire du juge. Quant au montant de l'indemnité, s'il y a eu achat de remplacement ou vente compensatoire, le demandeur peut obtenir la différence entre le prix du contrat et celui de l'opération de substitution (art. 75); dans la négative, il pourra solliciter la différence du prix du contrat et du prix courant au moment de la résolution (art. 76).

1603. — Le juge sera guidé dans ce choix par diverses considérations; *la bonne ou la mauvaise foi* du débiteur jouera un rôle important (on retrouve là le caractère de sanction de la résolution); il refusera la résolution si la demande du créancier ne lui apparaît qu'un *prétexte* permettant à ce dernier de renoncer à un contrat dont il regrette la conclusion et, à cet effet, il tiendra compte de l'importance de l'inexécution (306); le juge appréciera aussi les répercussions que la résolution est susceptible d'entraîner à l'égard des tiers.

---

(303) Civ. 1re, 22 oct. 1956 : *J.C.P.* 56, IV, 162.

(304) Sur ce point, WEILL et TERRÉ, *op. cit.*, n° 487.

(305) Civ. 3e, 8 fév. 1977 : *Bull. civ.* III, 50 (torts réciproques). — Com., 2 déc. 1980 : *Bull. civ.* IV, 322 (torts exclusifs de l'une des parties).

(305-1) Civ. 1re, 11 mai 1976 : *Bull. civ.* I, n° 166. — Com., 19 mai 1980 : *Bull. civ.* IV, n° 202. — Com., 11 mars 1986 : *Rép. Defrénois* 1987, a. 33913, n° 12, obs. AUBERT.

(306) Paris, 1er déc. 1956 : *D.* 1957, somm. 62. Sur le pouvoir souverain du juge de prononcer la résolution en fonction de son appréciation de la gravité de l'inexécution : Com., 5 mars 1974 : *J.C.P.* 74, éd. G, IV, 145.

1604. — S'agissant de contrats à exécution successive, le contrat ne sera résolu que pour la période à partir de laquelle l'un des contractants n'a plus rempli ses obligations (307) sous réserve de leur indivisibilité (*infra* n° 1610); il incombe au juge de fixer le point de départ de cette période (308).

Par ailleurs, la jurisprudence reconnaît au juge le pouvoir d'impartir un délai pour opérer les restitutions sous une astreinte par jour de retard (309).

1605. — Le pouvoir du juge est la caractéristique même de la résolution judiciaire, telle qu'elle a été prévue par l'article 1184 et interprétée par la jurisprudence. C'est pour échapper au contrôle du juge que les parties insèrent souvent des clauses de résolution expresse.

§ 4. — Les effets de la résolution

1606. — La résolution une fois prononcée, le contrat est anéanti non seulement pour l'avenir, mais aussi pour le passé : la résolution opère *rétroactivement.* La rétroactivité commande de remettre les choses dans l'état antérieur, de faire en sorte que *tout se passe comme si le contrat n'avait pas eu lieu.* Chaque contractant doit restituer à l'autre ce qu'il en a reçu en vertu du contrat résolu (310).

Cette rétroactivité peut être préjudiciable à l'intérêt des tiers. Entre les parties elles-mêmes, elle peut conduire à une situation très délicate à dénouer, car on ne peut pas effacer complètement ce qui a pu se passer entre la conclusion du contrat et sa résolution. C'est ce qui explique que la rétroactivité de la résolution comporte diverses *atténuations,* soit en faveur des tiers, soit même entre les contractants.

A. — Résolution à l'égard des tiers

1607. — En principe, la résolution des droits d'un contractant se répercute à l'égard de ses ayants cause. Si la vente est résolue, les droits que l'acheteur avait consentis à ses propres ayants cause (par exemple, il a pu

(307) Civ. 3e, 28 janv. 1975 : *J.C.P.* 75, IV, 86.

(308) Com., 7 janv. 1975 : *D.S.* 1975, I.R. 53. — V. aussi Amiens 21 déc. 1976 : *Gaz. Pal.* 1977, 1, 219, note J. Guyenot; *J.C.P.* 77, IV, 254.

(309) Civ. 1re, 13 janv. 1971 : *D.* 1971, somm. 108.

(310) Com., 12 oct. 1982 : *J.C.P.* 84, II, 20166, note G. Signoret. — Paris, 25 mars 1987 : *D.* 1987, I.R. 102.

revendre l'immeuble ou l'hypothéquer, etc.) sont eux-mêmes résolus. Une première résolution entraîne donc, théoriquement, une cascade d'autres résolutions (311) : *Resoluto jure dantis resolvitur jus accipientis* (311-1).

1608. — Diverses règles juridiques atténuent quelque peu ces inconvénients. Nous avons rencontré un problème analogue en étudiant les effets de la nullité et ceux des conditions résolutoires. Ce sont les mêmes règles qui joueront ici.

En matière immobilière, les tiers disposent de la protection que leur assure le droit de la publicité. Le décret du 4 janvier 1955 assujettit, en effet, à la publicité foncière les demandes en justice susceptibles d'entraîner la résolution ou la révocation d'actes soumis à publicité de même que les décisions qui constatent l'anéantissement d'un droit résultant de la résolution. A défaut de publicité, la résolution est inopposable aux tiers. De plus, en cas de vente ou de prêt en vue de l'acquisition d'un immeuble, le vendeur ou le prêteur ne peuvent exercer l'action résolutoire qu'à condition d'avoir inscrit leur privilège dans le délai de deux mois à compter de la passation de l'acte (C. civ., art. 2108).

En matière mobilière, les tiers de bonne foi sont protégés contre l'éventualité d'une restitution par la règle « en fait de meubles, la possession vaut le titre » (C. civ., art. 2279). Quant à l'hypothèse de vente d'effets mobiliers non payés donnant lieu à privilège, les tiers sont également à l'abri puisque la revendication n'est possible que si les biens sont encore en la possession du débiteur et que le vendeur ne peut empêcher la revente qu'à condition d'exercer la revendication dans la huitaine de la livraison (art. 2102-4°).

En matière d'actes d'administration, la tradition jurisprudentielle déclare qu'ils ne tombent pas malgré la résolution des droits de celui qui les a conclus, du moins si le tiers qui a traité avec celui dont les droits sont résolus est de bonne foi (312).

En cas d'entreprise en difficultés, la loi du 25 janvier 1985 prévoit des dispositions spéciales limitant le jeu de la résolution. On citera simplement l'article 47 d'après lequel le jugement d'ouverture du redressement judiciaire suspend ou interdit toute action tendant à la résolution du contrat pour défaut de paiement d'une somme d'argent et dispose, en outre, que les délais impartis à peine de résolution sont suspendus. Ainsi dans la mesure où l'action résolutoire se trouve paralysée, les tiers sont à couvert du contrecoup de l'anéantissement du contrat.

---

(311) Civ., 16 juill. 1968 : *D.* 1969, somm. 2. — Paris, 12 juill. 1988 : *D.* 1988, I.R. 235 (vice rédhibitoire d'un matériel informatique; résolution de la vente et du crédit-bail subséquent).

(311-1) Roland et Boyer, *Adages*, p. 935.

(312) Civ., 8 juin 1966 : *Rev. trim. dr. civ.* 1967, 385.

B. — Résolution à l'égard des parties

1609. — De deux situations l'une. Ou bien le contrat n'a encore reçu aucune exécution et le créancier est libéré de sa propre obligation; l'état provisoire qui résultait de l'exception d'inexécution est consolidé (312-1). On notera, cependant, que demeurent certaines clauses du contrat, nonobstant son anéantissement, celles précisément qui ont trait à sa cessation, comme la clause pénale. Ou bien le contrat a reçu un commencement d'exécution et il y a lieu de rétablir les parties dans la situation précontractuelle; il s'agira par exemple, pour un vendeur, de restituer les acomptes reçus. Mais, la remise des choses en l'état antérieur n'est pas toujours possible. Cela est évident pour les contrats successifs. On ne peut pas faire qu'un locataire n'ait pas eu l'usage du local pendant un certain temps, ou qu'une société n'ait pas fait des opérations. Aussi, on l'a déjà dit en définissant les contrats successifs, ce genre de contrats ne sont pas susceptibles d'être *résolus* mais seulement *résiliés.* La résiliation opère pour l'avenir, elle n'a pas, à proprement parler, d'effet rétroactif.

En revanche, la jurisprudence décide que le juge peut résoudre (résilier) la convention à partir de la date du fait constitutif d'inexécution (313), ou à la date de la première comparution des parties devant lui (314).

1610. — Toutefois, le principe de la non-rétroactivité peut être tenu en échec, lorsque, dans l'intention des parties, les prestations — bien qu'étalées dans le temps — constituent un ensemble indivisible. Par exemple, l'élève qui a prématurément résilié un contrat d'enseignement par correspondance, prévu pour une durée de six ans, doit néanmoins régler la totalité des mensualités inscrites au contrat (315). Dans un arrêt du 3 novembre 1983 (316), la première Chambre civile fait, à l'occasion d'un contrat d'édition, une application de l'indivisibilité en termes très explicites :

> « vu les articles 1183 et 1184 du Code civil; attendu qu'il résulte de ces textes que, dans les contrats à exécution échelonnée, la résolution pour inexécution partielle atteint l'*ensemble du contrat* ou *certaines de ces tranches seulement* suivant que les parties ont voulu faire un marché indivisible, ou fractionné en une série de contrats ».

La première Chambre civile a réitéré sa position dans un arrêt du 13 janvier 1987 (316-1). Un centre de formation routière s'était engagé à don-

---

(312-1) Versailles, 3 mars 1988 : *D.* 1988, I.R. 94 (reprise par le vendeur du matériel informatique et dispense corrélative du paiement du prix par l'acheteur).

(313) Soc., 23 fév. 1957 : *D.* 1957, 466.

(314) Com., 26 juin 1967 : *J.C.P.* 67, II, 15302, note BOCCARA.

(315) Civ. 1re, 28 avril 1971 : *D.* 1971, 608.

(316) Civ. 1re, 3 nov. 1983 : *Bull. civ.* I, n° 252, p. 227; *Rev. trim. dr. civ.* 1985, 166, obs. MESTRE.

(316-1) *J.C.P.* 87, II, 20860, note G. GOUBEAUX; *D.* 1987, I.R. 18; *Bull. civ.* I, n° 11, p. 18.

ner des leçons de conduite à deux jeunes gens moyennant un forfait de 7 100 F; il avait, ultérieurement, refusé de poursuivre l'exécution du contrat. Les juges du fond, en accueillant la résolution, avaient fixé à 2 000 F le montant du préjudice subi du fait de l'inexécution partielle. Cette décision a été censurée au motif que, le contrat litigieux prévoyant en cas d'échec au permis une formation complémentaire gratuite jusqu'à la réussite, les parties avaient voulu faire une convention indivisible.

Toute la difficulté réside dans le point de savoir quand on peut conclure à l'indivisibilité des stipulations du contrat (316-2). Si on s'en tient à la seule intention des parties, on est naturellement conduit à rejeter l'idée de tout découpage en tranches; le contrat a été conçu comme un tout, l'échelonnement des prestations n'étant qu'une modalité; bref, l'indivisibilité deviendrait la règle avec son corollaire, la rétroactivité. En outre, à raisonner sur l'espèce, la solution au fond prête à la critique si l'on considère qu'agissant en responsabilité, le demandeur n'eût obtenu que 2 000 F, montant de son préjudice tel qu'apprécié par les juges du fond. C'est pourquoi, un auteur a justement suggéré de revenir aux principes en rappelant que l'article 1183 oblige, une fois la résolution prononcée, « à remettre les choses au même état que si l'obligation n'avait pas existé ». Concrètement, il y aurait eu lieu de prendre en compte la valeur des leçons déjà données pour l'imputer sur le montant de la restitution (316-3).

1611. — Même pour les contrats instantanés, la restitution réciproque des prestations soulève des difficultés. L'acquéreur a perçu des fruits dans l'intervalle; doit-il les restituer ? Le vendeur a profité des intérêts de la somme reçue, doit-il les rendre ? Très généralement, les tribunaux estiment que fruits et intérêts se compensent. Il en va autrement quand l'acheteur n'a tiré aucun profit de la jouissance provisoire de la chose, auquel cas le prix de vente qu'il a payé doit lui être restitué avec intérêts (317).

1612. — Des problèmes peuvent naître, aussi, du fait que la chose qui doit être restituée à la suite de la résolution n'est plus dans le même état. Elle a pu être *améliorée,* des constructions ont pu être faites sur le terrain vendu que l'on doit rendre. Il y aura lieu de décider quelles sont les *indemnités* qui seraient dues en ce cas. On ne peut exiger que le montant des dépenses utiles. Inversement, des *dégradations* ont pu être apportées à la chose que l'acquéreur doit restituer : il devra une indemnité à titre de *réparation.* En dehors même d'une plus ou d'une moins-value, le seul fait de l'utilisation du bien restitué conduit à un dédommagement, afin de replacer exactement les parties dans leur état antérieur au contrat. Ainsi y-a-t-il lieu

---

(316-2) GHESTIN, *L'effet rétroactif de la résolution des contrats à exécution successive : Mélanges Raynaud*, p. 203. — M. L. CROS, *Les contrats à exécution échelonnée : D.* 1989, chron. 49, n° 13 et s. — J. MESTRE : *Rev. trim. dr. civ.* 1987, 540.

(316-3) GOUBEAUX, *loc. cit.*

(317) Req., 8 juill. 1925 : *Gaz. Pal.* 1925, 2, 606.

à indemnité pour usure de l'automobile (317-1) ou pour occupation de l'immeuble (317-2).

On voit donc que la remise en l'état antérieur, qui peut aller jusqu'à la démolition de l'immeuble construit au mépris du contrat (317-3), est source de difficultés nombreuses.

§ 5. — La résolution non judiciaire

La résolution peut avoir lieu sans intervention du juge, soit en vertu de la loi, soit en vertu de la jurisprudence, soit surtout à la suite d'une clause expresse de résolution insérée dans le contrat.

A. — Résolution en vertu de la loi

1613. — La résolution du contrat est prévue dans certains cas spéciaux par le législateur lui-même. Il suffit que le créancier exprime la volonté de l'obtenir pour que le contrat soit résolu. Il est inutile de la faire prononcer par le juge.

Ainsi, d'après l'article 1657 concernant la vente de denrées et effets mobiliers, « la résolution de la vente aura lieu de plein droit et sans sommation, au profit du vendeur, après l'expiration du terme convenu (317-4) pour le retirement ». En effet, dans le commerce, on ne peut pas attendre le bon plaisir de l'acheteur pour qu'il enlève les marchandises, ni même attendre la fin d'une instance judiciaire qui peut être longue : il peut s'agir de marchandises périssables et, de toute façon, le vendeur peut avoir besoin des locaux pour y entreposer d'autres marchandises. La résolution automatique lui permettra donc de disposer immédiatement des denrées vendues au profit d'un autre acheteur (318).

Les nécessités du commerce, donc les impératifs de rapidité, expliquent, également, les dispositions de la Convention de Vienne relatives à la vente internationale de marchandises. Ce texte confère aux parties le droit de résoudre elles-mêmes la vente, par simple déclaration unilatérale, en principe notifiée au partenaire, dans divers cas : il est manifeste qu'une partie commettra une contravention *essentielle* au contrat (art. 72-1); le débiteur déclare qu'il n'exécutera pas ses obligations (art. 72-3); dans les contrats à

(317-1) Civ. 1re, 4 oct. 1988 : *D.* 1988, I.R. 256; *J.C.P.* 88, IV, 375. — Civ. 1re, 22 nov. 1988 : *D.* 1988, I.R. 295; *J.C.P.* 89, IV, 32.

(317-2) Civ. 3e, 12 janv. 1988 : *D.* 1988, I.R. 44; *J.C.P.* 88, IV, 109; *Bull. civ.* III, n° 7, p. 4.

(317-3) Versailles, 22 avril 1988 : *D.* 1988, I.R. 148.

(317-4) Le terme peut aussi résulter d'un usage : Com., 3 nov. 1953 : *Bull. civ.* III, n° 341, p. 239. — Amiens, 26 fév. 1974 : *Gaz. Pal.* 1974, 1, 360.

(318) Req., 20 oct. 1926 : *D.P.* 1928, 1, 92.

livraisons successives, l'inexécution par l'une des parties d'une obligation relative à une livraison constitue un manquement essentiel au contrat ou donne de sérieuses raisons de penser qu'il y aura contravention essentielle pour l'avenir (art. 73-1 et 2).

1614. — Ainsi, en matière d'assurances, la loi organise un processus de résolution tout à fait original d'où est exclue toute intervention du juge. Aux termes de l'article L. 113-3 du Code des assurances, à défaut de paiement d'une prime ou d'une fraction de prime dans les dix jours de son échéance, la garantie ne peut être suspendue que trente jours après la mise en demeure de l'assuré; le droit de résiliation de l'assureur ne peut s'exercer que dix jours après l'expiration du délai de trente jours.

1615. — Signalons, enfin, que la loi n° 22-78 du 10 janvier 1978 sur la protection des consommateurs dans le domaine du crédit immobilier crée trois hypothèses de résolution *de plano :* l'espèce où le contrat principal, pour lequel le prêt est demandé, est lui-même annulé (art. 9), l'espèce où le prêteur n'a pas, dans le délai, informé le vendeur de l'attribution du crédit (art. 13, al. 2), l'espèce où l'emprunteur a exercé son droit de rétractation dans les sept jours suivant son acceptation (art. 13, al. 3).

B. — Résolution en vertu de la jurisprudence

1616. — Les tribunaux admettent que la résolution opère sans intervention du juge, lorsque l'inexécution du contrat est telle qu'une solution immédiate s'impose, l'attente d'une solution judiciaire pouvant causer un préjudice irréparable au créancier (319). Par exemple, un spectateur trouble une représentation théâtrale; il peut être immédiatement expulsé (320), un employé commet-il une faute grave, le contrat de travail peut être rompu sur le champ et sans que l'employeur soit tenu au versement d'aucune somme, qu'elle soit compensatrice du préavis ou représentative d'une indemnité de licenciement. La jurisprudence est particulièrement abondante à cet égard. Il y a lieu à résolution extra-judiciaire dans le cas où un gardien de nuit s'endort à son poste (321), où un employé fume dans un local où sont stockés des produits inflammables malgré une interdiction formelle (322), où le travailleur provoque une rixe dans l'atelier (323). Cette règle élaborée par l'usage a été consacrée par la loi dans l'article L. 122-6 du Code du travail.

---

(319) Trib. civ. Seine, 31 juill. 1897 : *S.* 1898, 2, 85.

(320) Soc., 4 avril 1978 : *Bull. civ.* V, 208.

(321) Soc., 18 mai 1978 : *Bull. civ.* V, 281.

(322) Soc., 17 mai 1979 : *Bull. civ.* V, 308.

(323) Paris, 28 sept. 1982 : *D.* 1982, I.R. 494.

1617. — On se trouve là en présence d'une véritable voie de *justice privée* (le créancier se rend justice lui-même), ce qui n'est pas sans danger (324). Mais le débiteur peut toujours saisir les tribunaux pour faire déclarer le procédé non fondé ou abusif. Il y a donc tout de même un *contrôle judiciaire qui intervient après coup* au lieu d'intervenir *avant*, comme dans l'hypothèse ordinaire.

C. — Résolution en vertu de la convention

Généralités

1618. — Il est fréquent que le contrat contienne une clause aux termes de laquelle la résolution jouera de plein droit en cas d'inexécution (325). Cette clause, qui porte le nom de *pacte commissoire exprès,* ne doit pas être confondue avec la condition résolutoire expresse dont on a traité à propos des modalités de formation du contrat (326). Lorsqu'il y a condition, la résolution dépend d'un événement futur et incertain, étranger au comportement du débiteur et exclusif de tout aspect sanctionnateur. Au contraire lorsqu'il y a pacte commissoire, la résolution est attachée, dans la quasi-totalité des cas, au manquement du débiteur à ses devoirs contractuels et suppose, pour sa mise en œuvre, l'initiative du créancier.

1619. — Cette clause présente de nombreux avantages : éviter les frais d'un procès, écarter l'incertitude qui résulte du large pouvoir d'appréciation du juge, possibilité de faire jouer la résolution dans les cas où la loi ou la jurisprudence l'écarte en principe (partage, rente viagère). En revanche, elle n'est pas sans présenter certains dangers; d'un point de vue général, elle compromet la stabilité des situations juridiques en favorisant exagérément l'anéantissement des contrats; du point de vue des tiers, elle les expose à tous les inconvénients découlant de la rétroactivité des restitutions; dans les rapports entre les parties, elle est souvent source d'iniquité dès le moment où elle est imposée par la partie économiquement la plus forte.

Pour autant, le législateur n'a pas réglementé d'une façon générale le régime de la clause commissoire, se bornant à disposer pour certains contrats; la jurisprudence, quant à elle, a marqué ses réticences par une interprétation nettement restrictive.

---

(324) B. Houin, *La rupture unilatérale des contrats synallagmatiques,* thèse Paris, 1973.

(325) J. Borricand, *La clause résolutoire expresse dans les contrats : Rev. trim. dr. civ.* 1957, 23 et s.

(326) On ne la confondra pas non plus avec le pacte commissoire en matière de gage aux termes duquel, en cas de non-paiement à l'échéance, le créancier serait autorisé à s'approprier la chose donnée en gage sans autorisation du juge (C. civ., art. 2078). Pour une application : Douai, 25 sept. 1981 : *D.* 1982, I.R. 245, note M. Vasseur.

1° Validité de la clause

1620. — Le principe est la validité du pacte commissoire (326-1). Toutefois, le législateur l'a parfois condamné, plus souvent réglementé.

1621. — La prohibition s'observe en matière d'assurances. La procédure de résiliation instituée par la loi ne peut être écartée par un accord entre les parties. L'article L. 113-3 *in fine* du Code des assurances le déclare expressément : Toute clause réduisant les délais ou dispensant l'assureur de la mise en demeure est nulle ».

On retrouve la condamnation dans les procédures collectives; aux termes de l'article 37 de la loi n° 85-98 du 25 janvier 1985, aucune résiliation ou résolution du contrat ne peut résulter du seul fait de l'ouverture d'une procédure de redressement judiciaire et ce, nonobstant, toute clause contraire.

1622. — De même, en matière de baux à ferme, l'article L. 411-31 du Code rural dispose que, nonobstant toute clause contraire, le bailleur ne peut faire résilier son bail que s'il justifie de l'un des motifs définis à l'article L. 411-53 du même code, c'est-à-dire en cas de défaut de paiement de deux fermages successifs ou d'agissements du preneur de nature à compromettre la bonne exploitation du fonds.

1623. — La plupart des dispositions législatives visent, non pas à condamner, mais à soumettre la clause commissoire à des conditions protectrices des intérêts du débiteur. En matière locative, la loi du 22 juin 1982 restreint à la fois le domaine et la portée du pacte de résolution; l'article 27 répute non écrite la clause autorisant la résiliation de plein droit du bail pour une autre cause que le non-paiement du loyer et des charges dûment justifiées *(sic)*, l'article 25 déclare que ladite clause ne produit effet qu'un mois après un commandement de payer demeuré infructueux (327). L'article 19 de la loi *Méhaignerie* du 23 décembre 1986 contient une disposition analogue englobant également le non-versement du dépôt de garantie et prévoit que le juge peut suspendre les effets de la clause en accordant des délais de paiement (327-1).

1624. — En matière de construction immobilière, nombreux sont les textes qui diffèrent l'effet du pacte commissoire. Pour la vente d'immeubles à construire, les clauses de résolution de plein droit concernant les obligations de versement ou de dépôt à la charge de l'acheteur n'opèrent qu'un

---

(326-1) A condition que le contrat soit lui-même valable : Civ. 3e, 22 juill. 1986 : *Bull. civ.* III, n° 130, p. 101; *Rev. trim. dr. civ.* 1988, 121, obs. MESTRE.

(327) Le décret du 30 sept. 1953 prévoit une disposition identique en matière de baux commerciaux (art. 25).

(327-1) Civ. 3e, 21 déc. 1988 : *J.C.P.* 89, IV, 68.

mois après la date de la sommation ou du commandement de payer demeurés sans suite (C. constr. et hab., art. 261-13). De plus, le délai de grâce de l'article 1244 du Code civil peut être sollicité du juge pendant le mois ainsi imparti. Ces prescriptions ne souffrent aucune stipulation contraire. Des solutions identiques sont prévues pour le contrat de promotion immobilière par les articles L. 222-3 et L. 222-4 du Code de la construction et de l'habitation.

2° Portée de la clause

1625. — La jurisprudence ne considère pas ces clauses avec faveur et leur donne une interprétation restrictive (327-2). Pour être sûr d'obtenir le résultat souhaité, le contractant doit être attentif au libellé de la clause qu'il insère à son profit. Plusieurs situations sont à distinguer :

— si les parties se bornent à déclarer qu'en cas d'inexécution, le contrat sera résolu, les tribunaux estiment que la clause n'a fait que se référer à l'article 1184 auquel elle n'ajoute rien : la demande en justice est toujours nécessaire et le juge possède le large pouvoir d'appréciation que l'on a dit (328);

— si la convention porte que la résolution se produira dans telle hypothèse, le recours à justice reste obligatoire et l'effet de la clause est seulement d'écarter le pouvoir d'appréciation du juge sur les faits retenus par les parties comme devant conduire à la résolution. Par exemple, si la clause résolutoire prévoyait que le commandement de payer contiendrait la déclaration d'intention par le vendeur d'user du bénéfice de cette clause et que cette déclaration a été omise, il n'y a plus clause résolutoire, seulement résolution judiciaire (328-1). De même, l'application de la clause au règlement des charges trimestrielles ne saurait s'étendre au solde d'une régularisation annuelle (328-2);

— si les contractants ont été plus précis et sont convenus d'une résolution opérant *de plein droit,* l'intervention du juge est alors écartée et l'anéantissement du contrat est à la disposition du seul créancier. Puisque la résolution se produit en dehors du juge, aucun délai de grâce n'est concevable pas plus qu'une paralysie de la clause par une offre d'exécution. Toutefois, le créancier reste tenu de procéder à une mise en demeure, car c'est là le procédé habituel pour constater le retard dans l'exécution (329);

(327-2) Civ. 3e, 7 déc. 1988 : *D.* 1988, I.R. 299; *J.C.P.* 89, IV, 49; les clauses résolutoires doivent exprimer de manière non équivoque la *commune intention* des parties de mettre fin *de plein droit* à leur convention. — Civ., 16 déc. 1986 : *D.* 1988, 173, note B. EDELMAN.

(328) Req., 3 mai 1937 : *S.* 1937, 1, 371. — Civ. 1re, 13 déc. 1988 : *J.C.P.* 89, IV, 64 : le jeu de la clause n'est envisagé que comme une possibilité parmi d'autres, il n'y a pas clause résolutoire de plein droit.

(328-1) Civ. 1re, 6 janv. 1987 : *J.C.P.* 87, IV, 85; *Rev. trim. dr. civ.* 1988, 148, obs. RÉMY.

(328-2) Paris, 10 janv. 1989 : *D.* 1989, I.R. 50.

(329) Pour produire effet, le commandement doit évidemment émaner d'une personne ayant qualité : Civ. 3e, 20 déc. 1983 : *J.C.P.* 84, IV, 68.

— si la clause prévoit que la résolution aura lieu *de plein droit et sans sommation ni formalité,* le régime de droit commun est entièrement mis de côté. Il en résulte qu'il n'y a lieu ni à mise en demeure (329-1), ni à recours au tribunal; ce qui supprime toute discussion.

3° Rôle du juge

1626. — Même dans l'hypothèse où le libellé de la clause élimine le recours à justice, il n'en résulte pas pour autant que le tribunal n'aura pas à se prononcer. Il est évident que le débiteur peut saisir le juge s'il conteste l'inexécution (329-2) ou si la clause résolutoire est empreinte d'équivoque (329-3). La clause ne supprime donc pas complètement le recours au juge, mais celui-ci n'a plus le même rôle. Il contrôle le jeu de la clause de résolution et ne dispose d'aucun pouvoir pour prononcer ou non la résolution. Quelle que soit la rigueur de la clause, il ne peut se refuser à la déclarer acquise (330). Cependant, il faut faire une réserve d'importance : la clause résolutoire ne peut être opposée que par un contractant de bonne foi. Ansi a-t-il été jugé qu'il y avait mauvaise foi — et la clause résolutoire est écartée — de la part d'un crédirentier à réclamer douze ans après le contrat le versement des arrérages (331), de la part d'un bailleur à impartir au locataire un délai manifestement trop bref pour la réalisation de travaux (331-1), ou à exiger une remise en état imputable à sa propre carence dans l'entretien de l'immeuble (331-2), de la part de l'interpellant à manquer de précision dans ses exigences enfermées dans un délai de rigueur (331-3)...

1627. — De son côté, le créancier conserve le droit de demander au juge l'exécution en nature s'il le préfère (332) et, éventuellement, de poursuivre l'octroi de dommages-intérêts (333).

(329-1) Civ. 3e, 29 oct. 1986 : *J.C.P.* 87, IV, 10 : dès lors qu'une obligation doit être exécutée dans un délai déterminé, la mise en demeure n'est pas nécessaire avant le jeu de la clause résolutoire prévue.

(329-2) Versailles, 4 mars 1987 : *D.* 1987, I.R. 91 : discussion sur l'exécution totale d'un contrat de maintenance.

(329-3) Civ. 1re, 25 nov. 1986 : *J.C.P.* 87, IV, 42; *Gaz. Pal.*, 4 août 1987, note M.R.; *Rev. trim. dr. civ.* 1987, 313, obs. Mestre.

(330) Paris, 30 avril 1947 : *D.* 1947, 400. — Civ. 2e, 12 mars 1954 : *D.* 1954, 363.

(331) Civ. 3e, 8 avril 1987 : *J.C.P.* 88, II, 21037, note Y. Picod; *Bull. civ.* III, n° 88, p. 53; *Rev. trim. dr. civ.* 1988, 122, obs. Mestre, 146, obs. Rémy; *Rép. Defrénois* 1988, a. 34202, n° 15, obs. Aubert.

(331-1) Civ. 3e, 16 déc. 1987 : *J.C.P.* 89, II, 21184, note Boccara.

(331-2) Civ. 3e, 27 mai 1987 : *Gaz. Pal.* 1987, 2, pan. 212.

(331-3) Civ. 3e, 28 nov. 1968 : *Bull. civ.* III, p. 382. — 11 oct. 1987 : *Bull. civ.* III, n° 331. — Sur d'autres hypothèses de mauvaise foi : Civ. 3e, 25 janv. 1983 : *Bull. civ.* III, n° 21; *Rev. trim. dr. civ.* 1985, 163, obs. Mestre. — Civ. 3e, 6 juin 1984 : *Bull. civ.* III, n° 111, p. 88; *Rev. trim. dr. civ.* 1988, 147, obs. Rémy.

(332) Civ. 1re, 11 janv. 1967 : *Bull. civ.* I, 15.

(333) Com., 26 janv. 1953 : *Bull. civ.* III, 38.

1628. — Le problème s'est posé de savoir si la clause de résiliation unilatérale n'était pas de nature à retirer à son bénéficiaire le droit de se réclamer de l'article 1184. Il peut avoir intérêt à le faire lorsque la réglementation du pacte commissoire se révèle d'une mise en œuvre trop lourde, et qu'il est plus simple pour lui de se placer sous l'empire de la résolution judiciaire. Une espèce particulièrement significative a été tranchée par la Chambre commerciale (334). Dans un contrat de concession liant la société Ygol à la société Limousine de Carburants, la société concédante s'était réservée le pouvoir de résilier unilatéralement le contrat, moyennant un préavis de douze mois par lettre recommandée avec accusé de réception suivant décision de l'assemblée générale adoptée à la majorité des quatre cinquièmes et par vote à bulletins secrets. La société Ygol ayant rencontré des difficultés pour respecter ces formalités, avait préféré recourir directement à la résolution judiciaire de l'article 1184. La Cour de cassation, approuvant cette démarche, déclare :

« attendu que la cour d'appel a retenu à bon droit que le fait que le contrat ait réservé à une partie une faculté de résiliation unilatérale n'était pas de nature, en dehors de la renonciation non équivoque de cette partie à se prévaloir des dispositions de l'article 1184 du Code civil, à empêcher celle-ci de demander la résolution judiciaire de la convention pour inexécution de ses engagements par l'autre partie ».

SOUS-SECTION II

L'EXCEPTION D'INEXÉCUTION

1629. — L'exception d'inexécution est un *moyen de défense* du contractant à qui on demande l'exécution de ses obligations, alors que le demandeur n'a pas exécuté celles qu'il avait lui-même à son égard. Le contractant qui invoque l'exception d'inexécution ne prétend pas rompre le lien contractuel (comme dans l'hypothèse de la résolution); il suspend simplement ses propres prestations, aussi longtemps que son cocontractant n'exécute pas ce qu'il lui doit (335). On la désigne, couramment, par les termes latins *exceptio non adimpleti contractus,* bien que, sous sa forme générale, elle fût inconnue à Rome.

---

(334) Civ., 7 mars 1984 : *J.C.P.* 84, II, 20407, note Ph. DELEBECQUE. — Précédemment dans le même sens : Civ. 1re, 23 mars 1971 : *J.C.P.* 71, IV, 120; *Bull. civ.* I, 97. — Civ. 3e, 7 juin 1974 : *Rev. trim. dr. civ.* 1975, 328, obs. CORNU. — C. GABET-SABATIER, *Le rôle de la connexité dans l'évolution du droit des obligations : Rev. trim. dr. civ.* 1980, p. 39 et s.

(335) CASSIN, *De l'exception tirée de l'inexécution dans les contrats synallagmatiques et de ses relations avec le droit de rétention, la compensation et la résolution.* thèse Paris, 1914. — J.-F. PILLEBOUT, *Recherches sur l'exception d'inexécution,* thèse Paris II, 1971, préface P. RAYNAUD. — ARTZ, *La suspension du contrat à exécution successive : D.* 1979, chron. 95. — C. GABET-SABATIER, *La connexité dans le droit des obligations*, thèse Paris I, 1977. — *Rép. dr. civ. Dalloz, Vis Contrats et conventions* par Louis BOYER, n° 261 et s. *V° Rétention* par F. DERRIDA.

1630. — Divers textes consacrent ce droit à la dispense provisoire d'exécution dans des cas particuliers : l'article 1612 du Code civil au profit du vendeur qui peut refuser de livrer la chose tant qu'il n'a pas reçu le prix; l'article 1653 selon lequel l'acheteur, qui a juste crainte d'être menacé d'éviction, peut retenir le paiement du prix jusqu'à ce que le vendeur ait fait cesser le trouble; l'article 1704 en matière d'échange, l'article 1948 en matière de dépôt salarié; l'article L. 113-3 du Code des assurances qui prévoit une procédure de suspension en cas de non-paiement des primes. Mais, nulle part, ne se trouve inscrite une disposition d'ensemble, comparable à l'article 1184 pour la résolution, autorisant la suspension de l'exécution de ses obligations en réponse au manquement dont on est victime. Très souvent, l'exception se dissimule sous d'autres mécanismes, notamment celui de la compensation ou du droit de rétention.

1631. — Néanmoins, son champ d'application est très vaste en droit positif. La vitalité de l'institution tient à ses incomparables mérites. C'est, d'abord, un instrument de sécurité remarquable : le contractant sait qu'il a « dans ce qu'il doit une garantie de ce qui lui est dû »; l'exception, jouant à la manière d'une saisie-arrêt sur soi-même, dispense de faire une enquête sur la solvabilité et la loyauté de celui avec qui l'on traite. Cette sécurité est, elle-même, facteur du développement des affaires. Ensuite, l'exception a un caractère comminatoire très efficace : en privant son partenaire de la prestation qu'il attend, le créancier insatisfait pèse utilement sur la volonté de celui qui se dérobe à ses engagements. En cela, le procédé est rassurant; loin de tendre à détruire le contrat, il sert, telle l'astreinte, à en obtenir l'exécution intégrale.

Toutefois, ce moyen purement défensif a ses faiblesses. Il ne crée qu'un état provisoire, sans dénouer la situation au fond; or, le jour où la partie défaillante s'exécutera, le créancier devra à son tour reprendre l'exécution, ce qui ne va pas sans difficulté chaque fois qu'entre-temps il a pris d'autres dispositions (335-1). Par ailleurs, il s'agit d'une institution de justice privée à laquelle, faute d'autorisation préalable, il peut être recouru abusivement.

§ 1. — Le fondement de l'exception d'inexécution

1632. — La doctrine a justifié par trois voies différentes le fait qu'une partie puisse, même momentanément, être affranchie de l'exécution des obligations qu'elle a assumées par le contrat.

(335-1) Com., 24 juin 1980 : *Bull. civ.* IV, n° 273.

A. — Exception d'inexécution et théorie de la cause

1633. — La théorie de la cause a d'abord été invoquée. Dans les contrats synallagmatiques, la cause de l'obligation de l'un résidant dans l'exécution de l'obligation de l'autre, si cette obligation n'est pas accomplie, la cause du premier engagement fait défaut. Ce serait donc l'absence de cause qui autoriserait le sursis à l'exécution.

Cette théorie, volontiers accueillie par les tribunaux (336), est inacceptable. La cause est une condition de validité des contrats et son absence peut constituer un obstacle à la formation de l'obligation, nullement à son exécution. La cause, qui a existé à l'origine au point de faire naître un engagement valable, ne peut pas disparaître après coup pour justifier l'inexécution. Le fondement est non seulement incorrect au plan technique, mais encore trop étroit. A le suivre, on devrait restreindre le domaine de l'exception aux seuls contrats synallagmatiques; or la mesure est reçue en dehors de ces contrats.

B. — Exception d'inexécution et droit de rétention

1634. — On a préconisé aussi d'analyser l'exception en un droit de rétention, c'est-à-dire d'y voir la prérogative, analogue à celle dont jouit le créancier détenteur d'un bien appartenant à son débiteur, de refuser de s'en dessaisir tant qu'il n'est pas désintéressé de son dû (337).

1635. — Sans méconnaître que les deux mécanismes relèvent d'une certaine justice privée et procèdent *ex pari causa*, on ne saurait pour autant les identifier. En premier lieu, l'assimilation est sans intérêt, car le droit de rétention étant une notion très incertaine, ce n'est pas expliquer une institution que de la rapprocher d'une autre dont on ne connaît pas la nature exacte. En second lieu, il y a entre les deux mesures une analogie trompeuse, qui masque de profondes différences. Il est de principe que le droit de rétention ne peut être exercé que sur les objets corporels par une personne qui en a la détention, et à la condition qu'une connexité objective rattache la créance à la chose. Cette double nécessité d'une détention maté-

(336) Civ., 5 mai 1920: *D.P.* 1926, 1, 37.

(337) Sur la question N. CATALA, *De la nature juridique du droit de rétention: Rev. trim. dr. civ.* 1967, spéc. p. 9 et s. — MANDÉ-DJAPOU, *La notion étroite du droit de rétention: J.C.P.* 76, I, 2760. — F. CHABAS et CLAUX, *Disparition et renaissance du droit de rétention: D.* 1972, chron. 19. — Ch. SCAPEL, *Le droit de rétention en droit positif: Rev. trim. dr. civ.* 1981, p. 539 et s.

rielle et d'un *debitum cum re junctum* (337-1) est écartée lorsqu'il s'agit de l'*exceptio non adimpleti contractus;* d'une part, l'*excipiens* peut refuser de payer une somme d'argent ou d'exécuter une obligation de faire, ce qui n'a rien à voir avec la délivrance d'objets corporels; d'autre part, il lui est permis de s'abstenir de restituer une chose sur laquelle il n'a fait aucune impense; par exemple, un chef d'orchestre est habilité à conserver la partition d'un opéra en garantie du paiement de ses honoraires de répétition.

C. — Exception d'inexécution et valeur obligatoire du contrat

1636. — Il semble préférable d'envisager l'exception d'inexécution comme une suite logique et nécessaire de l'existence du rapport obligatoire. Par hypothèse, les deux obligations doivent s'exécuter trait pour trait, en même temps, puisque le créancier n'a pas concédé de terme à son débiteur. La simultanéité d'exécution est inscrite dans la volonté contractuelle. Ce serait modifier le contrat que d'obliger l'un à s'exécuter avant l'autre. La dispense provisoire d'exécution est le moyen de procurer la réalisation du contrat dans les termes où il a été voulu.

Le respect de la force obligatoire du contrat est conforme à l'article 1134 alinéa 3 du Code civil qui place l'exécution des conventions sous le signe de la bonne foi et de l'équité. Il serait contraire à la bonne foi et à l'équité de prétendre recevoir sans prester soi-même.

§ 2. — Le domaine de l'exception d'inexécution

A. — Principe

1637. — La simple réciprocité des dettes n'est pas suffisante, et l'abstention est illicite, lorsque deux personnes sont respectivement débitrices de prestations étrangères l'une à l'autre. La défaillance reprochée doit porter sur une obligation corrélative de celle de l'*excipiens*, autrement dit il doit exister entre les obligations qui se font face un lien d'interdépendance (338). La jurisprudence est aujourd'hui fixée pour reconnaître que la corrélativité réside dans la *communauté d'origine* des deux dettes, les obligations existant de part et d'autre trouvant un fondement commun dans le même rapport synallagmatique. Voici un vendeur de voiture impayé qui a l'occasion d'en

(337-1) Civ. 1re, 9 fév. 1988 : *Bull. civ.* I, n° 32, p. 21 (refus par une banque de rendre les titres qui lui ont été remis en dépôt par un client dont elle est créancière en vertu d'un acte de cautionnement; la rétention est injustifiée, car il n'existe pas de lien de connexité entre le dépôt de titres et l'engagement de caution). — Com., 14 juin 1988 : *J.C.P.* 88, IV, 296 (même règle à propos de la réparation d'un véhicule automobile)

(338) Sur ce lien, v. GAVET-SABATIER, *Le rôle de la connexité dans l'évolution du droit des obligations : Rev. trim. dr. civ.* 1980, p. 39 et s.

reprendre la détention pour y effectuer des réparations; il est sans droit pour retenir la voiture confiée en réparation en se fondant sur le non-paiement du prix d'achat. L'obligation de régler le prix d'acquisition, née du contrat de vente, est sans lien avec l'obligation de restituer la voiture qui est issue, elle, du contrat de réparation.

1638. — L'interdépendance requiert, d'ailleurs, plus que l'identité de nature de l'opération; elle exige l'unité du titre créateur des engagements réciproques. On le relève à propos de réparations successives effectuées sur une voiture; si la seconde remise en état a été faite en vertu du même contrat de réparation, le garagiste impayé est autorisé à opposer l'exception *non adimpleti contractus;* au contraire, il ne pourrait refuser de restituer le véhicule sous prétexte que les frais exposés à la suite d'un précédent contrat de réparation n'ont pas été acquittés (339).

1639. — De ce principe, il découle que le domaine de l'exception n'est pas limité aux contrats synallagmatiques. L'exception a été admise en matière de contrats synallagmatiques imparfaits où, pourtant, seule la dette de l'une des parties est engendrée par le contrat, celle du partenaire provenant d'un événement postérieur, étranger à l'accord des volontés. Les tribunaux, raisonnant par analogie à partir de l'article 1948 relatif au dépôt, estiment qu'il y a une origine commune entre les obligations respectives, car il existe une relation naturelle entre l'obligation accidentelle du créancier et l'obligation contractuelle du débiteur (340).

1640. — De même, le mécanisme a été utilisé en ce qui concerne les restitutions réciproquement dues par les parties à la suite d'une résolution judiciaire ou de l'annulation d'un contrat. Cette extension de la solution à ce qu'un auteur a appelé le « synallagmatique renversé » (341) est révélatrice de la conception compréhensive de la jurisprudence, puisqu'aussi bien le contrat détruit n'est plus de nature à créer des obligations connexes. Mais, à défaut de contrat, c'est la loi qui constitue le titre unique générateur des opérations de restitution, qui sont nécessairement interdépendantes puisqu'elles portent sur un contrat synallagmatique.

B. — Exceptions

1641. — Des impératifs d'ordre public conduisent à exclure l'exception d'inexécution alors même que les rapports des parties seraient interdépendants.

C'est ainsi que l'inviolabilité de la personne humaine fait obstacle à ce que la dispense provisoire d'exécution puisse se rapporter au corps

(339) Com., 23 juin 1964 : *D.* 1965, 79, note RODIÈRE.

(340) Civ., 17 janv. 1866 : *D.P.* 66, 1, 77.

(341) L'expression est de J. CARBONNIER, *op. cit.*, p. 332.

humain : un service de pompes funèbres n'est pas admis à s'opposer à la restitution de la dépouille mortelle, motif pris de ce qu'il n'a pas été désintéressé des frais de transport (342).

1642. — C'est également la considération de la personne qui est mise en avant pour expliquer que sont insusceptibles de rétention les biens appartenant aux collectivités publiques, tels que les documents qu'un architecte départemental a entre ses mains ou l'instrument que détient le musicien affilié à une harmonie municipale. Mais ici, c'est peut-être l'idée d'insaisissabilité qui commande cette dérogation, étant donné que d'une manière générale, l'exception n'est pas susceptible de s'appliquer aux biens insaisissables dans la mesure de leur insaisissabilité.

Enfin, il a été jugé que le désir de sauvegarder des intérêts collectifs interdisait à un agent d'affaires de conserver, en paiement de ses honoraires, les registres d'un commerçant en faillite : le règlement de la faillite intéresse tous les créanciers et exige que ces documents soient remis au syndic dans l'intérêt de la masse.

Ajoutons brièvement — la question relève du droit commercial — que la loi du 25 janvier 1985, applicable depuis le 1er janvier 1986, sur le redressement et la liquidation judiciaires des entreprises, crée, à l'article 37, une nouvelle exception : elle interdit au créancier de se faire un titre de la défaillance du débiteur — si elle est antérieure au jugement d'ouverture — pour refuser de remplir ses propres obligations; le défaut d'exécution de ses engagements par le débiteur n'ouvrant droit au profit du créancier qu'à déclaration au passif.

§ 3. — Les conditions de l'exception d'inexécution

1643. — Le jeu de l'*exceptio non adimpleti contractus* est subordonné à la réunion de deux conditions : les obligations doivent s'exécuter simultanément; l'inexécution reprochée doit être suffisamment grave (343). Il n'est pas demandé une autorisation judiciaire, le sursis à exécution étant décidé unilatéralement par l'intéressé lui-même (343-1).

---

(342) V. néanmoins Douai, 14 oct. 1983 qui déclare que toutes les prothèses peuvent faire l'objet d'une rétention et même d'une saisie et Trib. inst. Lille, 16 nov. 1983 qui ordonne la saisie conservatoire d'une prothèse dentaire se trouvant dans la bouche d'une débitrice d'un chirurgien-dentiste (*J.C.P.* 85, II, 20365, note X. LABBÉE). — *Contra* : Civ. 1re, 9 oct. 1985 : *D.* 1985, *Flash* du 12 déc. 1985).

(343) Le jeu de l'exception *non adimpleti contractus* n'est pas soumis à la condition de l'existence d'un rapport de cause à effet entre le dommage subi par le contractant à qui elle est opposée, à la suite de l'inexécution de l'obligation de l'autre, et sa propre défaillance à exécuter la sienne : Civ. 3e, 26 nov. 1974 : *J.C.P.* 75, IV, 15; *Bull. civ.* III, 439.

(343-1) Sauf de très rares exceptions. Par exemple, aux termes de l'art. R. 224-4 du Code de l'aviation civile, en cas de non-paiement des redevances aéroportuaires, l'exploitant de l'aérodrome doit requérir de l'autorité responsable de la circulation aérienne sur l'aérodrome que l'aéronef y soit retenu jusqu'à consignation du montant des sommes en litige. Pour une application, V. Cons. d'État, 21 oct. 1988 : *D.* 1988, I.R. 268.

A. — Simultanéité dans l'exécution

1644. — Ce n'est pas assez pour autoriser le fonctionnement de l'exception que les obligations réciproques soient corrélatives. Il faut, en outre, que leur exécution ait lieu trait pour trait. En règle générale, cette condition est satisfaite; en effet, la corrélativité entraîne logiquement la simultanéité, de sorte que les obligations liées entre elles sont par nature exécutoires dans le même temps (343-2).

1645. — Une atteinte à la concomitance est parfois portée par les textes, par exemple en cas d'expropriation où le propriétaire ne peut être dépossédé qu'après le paiement d'une juste et préalable indemnité. Dès l'instant qu'une partie est tenue d'exécuter la première, l'exception *non adimpleti contractus* n'est plus susceptible de jouer des deux côtés; le contractant qui doit l'exécution préalable perd la faculté de se prévaloir de la défaillance de son partenaire pour ne pas s'acquitter à son tour (344). Tel est le cas d'un marché informatique comprenant, à la fois, fourniture d'un ordinateur et d'un logiciel, mais avec livraison différée pour ce dernier; le client ne peut prétendre refuser de payer l'ordinateur en soulevant l'exception d'inexécution tenant à la non-livraison du logiciel (344-1).

1646. — Les situations où les exécutions se trouvent dissociées se rencontrent, pour une bonne part, dans les accords qui comportent la prestation d'un service ou le respect d'une abstention, en échange d'une rémunération en argent, s'accomplissant instantanément : ainsi l'hôtelier ne présente-t-il sa note au voyageur qu'au moment de son départ, ainsi le malade ne règle-t-il le médecin qu'après avoir été examiné, ainsi le salarié ne touche-t-il sa paye que le travail accompli. Dans tous ces cas, c'est la partie qui doit fournir une prestation continue (hôtelier, médecin, salarié) qui est privé de la possibilité d'invoquer l'exception d'inexécution.

B. — Gravité de l'inexécution

1647. — Si la défaillance du débiteur est complète, il n'y a pas de problème. Mais que décider en cas de manquement simplement partiel ? L'exception risque d'être opposée sans tolérance, sous les prétextes les plus futiles, en réponse à une inexécution légère, voire insignifiante. La jurisprudence décide qu'il n'est pas besoin que l'inexécution critiquée soit totale; mais elle y apporte un correctif pour conserver l'institution dans les limites

(343-2) Com., 28 avril 1982 : *Bull. civ.* IV, 127.

(344) En cas de terme pour le solde du prix, l'exception ne peut être invoquée que pour l'acompte immédiatement dû : Orléans, 23 oct. 1975 : *J.C.P.* 77, II, 18653, note LE TOURNEAU.

(344-1) Paris, 18 déc. 1986 : *D.* 1987, I.R. 19.

de la loyauté : la nécessité d'une certaine gravité (344-2). On compare les deux inexécutions et on recherche si l'exception n'apparaît pas comme une sanction exagérée eu égard à l'importance du manquement incriminé, si la riposte est mesurée, un peu à la manière de la légitime défense en droit pénal.

1648. — C'est sur cette idée de disproportion que s'appuie, par exemple, la jurisprudence pour interdire au fermier de se dispenser de payer son fermage lorsque le bailleur n'a pas effectué certaines réparations qui étaient à sa charge; l'inexécution du bailleur n'est pas assez grave du fait qu'il remplit tout de même son obligation principale en assurant au preneur la possession des lieux, malgré le défaut d'entretien (345). A l'inverse, il y a inexécution suffisamment grave pour justifier le moyen de défense, lorsqu'il est constaté qu'un locataire est intoxiqué par des émanations d'oxyde de carbone dues à un vice de construction des cheminées, qui l'obligent à abandonner son appartement pendant la saison froide : le locataire est à bon droit exonéré du paiement de certains loyers, car la jouissance normale des lieux ne lui est pas continuellement procurée (346). Pareillement, le preneur est exempté du paiement de la totalité du loyer lorsque la jouissance des lieux ne lui est pas procurée ou qu'il y a impossibilité d'utiliser les locaux par suite de dégâts des eaux (347).

1649. — La Cour de cassation reconnaît aux juges du fond le pouvoir souverain d'apprécier si l'inexécution de ses obligations par l'une des parties est de nature à affranchir son partenaire de l'exécution de ses obligations corrélatives (348). En conséquence, on ne saurait faire grief à une cour d'appel d'avoir estimé que le défaut de délivrance d'une parcelle vendue, qui devait intervenir le jour même de la signature de l'acte, autorise l'acquéreur à ne pas payer les intérêts prévus à la convention pour toute somme non payée à l'échéance (348-1).

C. — Non-nécessité de l'intervention judiciaire

1650. — Les deux exigences précédentes sont les seules auxquelles soit subordonnée la recevabilité de la suspension du contrat. L'exception n'est pas soumise à l'autorisation du juge, à l'opposé du mécanisme résolutoire. Dès lors, on ne peut manquer de souligner le caractère dangereux de cette

---

(344-2) Civ. 1re, 23 oct. 1963 : *D.* 1964, 33, note VOIRIN; *J.C.P.* 64, II, 13485, note J. MAZEAUD.

(345) Civ. 1re, 10 juin 1963 : *D.* 1964, somm. 1. — Civ. 3e, 7 juill. 1982 : *Bull. civ.* III, n° 168.

(346) Soc., 10 avril 1959 : *D.* 1960, 61.

(347) Paris, 11 janv. 1984 : *D.* 1984, I.R. 110. — Rappr. Civ. 3e, 21 déc. 1987 : *Bull. civ.* III, n° 212, p. 125.

(348) Com., 25 oct. 1977 : *Bull. civ.* IV, 204. — Com., 31 mai 1983 : *Bull. civ.* IV, 140.

(348-1) Civ. 3e, 3 juill. 1974 : *Bull. civ.* III, n° 286.

exception, en même temps que son trait original. Celui qui l'invoque, le fait de sa propre autorité, sans décision préalable du juge. C'est, a-t-on dit, une voie de *justice privée.*

Il a même été jugé que l'exception d'inexécution peut être invoquée *sans mise en demeure préalable.* En effet, le simple fait de ne pas exécuter sa prestation au motif que le débiteur n'exécute pas la sienne est à la fois une manifestation ferme de la volonté du créancier et un avertissement donné au débiteur d'avoir à s'exécuter (349). Nonobstant, l'interpellation, si elle n'a pas juridiquement de caractère obligatoire, est en fait très utile, tant pour établir la carence du débiteur que la bonne foi du créancier qui oppose l'exception.

Le contractant qui se réclame de l'exception d'inexécution le fait à ses risques et périls (350).

1651. — Le cocontractant n'est cependant pas livré à *l'arbitraire* de son adversaire. Il peut saisir le juge pour faire constater que l'exception d'inexécution a été opposée à tort, soit parce qu'il avait, en réalité, exécuté sa prestation, soit parce qu'il disposait d'un terme pour l'exécution, soit parce que l'inexécution était minime (351). Le créancier qui a ainsi abusé de son droit d'invoquer l'exception d'inexécution, peut même être déclaré responsable du préjudice qu'il a pu causer à son contractant.

On voit donc que si le juge n'a pas à autoriser préalablement le créancier qui invoque l'exception d'inexécution, il peut contrôler après coup la régularité de son exercice.

§ 4. — Les effets de l'exception d'inexécution

1652. — Le moyen de défense que constitue l'*exceptio non adimpleti contractus* entraîne une double conséquence : la suspension *temporaire*, la suspension *indivisible* de l'exécution.

A. — Suspension temporaire

1653. — Le contrat reste provisoirement inexécuté. Le créancier adopte une position d'expectative, qui a pour lui le mérite supplémentaire d'écarter toute mesure d'exécution dirigée contre lui durant la période de suspension.

(349) Com., 27 janv. 1970 : *J.C.P.* 70, II, 16554, note A. HUET. — *Rec. gén. lois et jurispr.* 1971, 85, obs. Nicolas JACOB. — Com., 26 mai 1981 : *Gaz. Pal.* 1982, 1, pan. 4; *Bull. civ.* IV, 195.

(350) Civ. 1re, 5 mars 1974 : *J.C.P.* 74, II, 17707, note J. VOULET; *Bull. civ.* I, 76.

(351) Req., 1er déc. 1897 : *D.* 98, 1, 289 (coupure de courant très mal venue car l'abonné, directeur d'hôtel, contestait le principe de sa dette et le défaut de paiement ne portait que sur 22 F).

1654. — Cette situation provisoire débouche sur l'alternative suivante. Ou l'effet comminatoire de l'exception a rempli son rôle et le débiteur, pour obtenir ce qui lui est dû, accomplit son propre engagement, obligeant ainsi l'excipant à tenir le sien sans pouvoir en être délié (351-1) : le contrat est ramené à exécution. Ou le moyen de pression demeure inefficace et, de guerre lasse, le créancier déçu sollicite sa libération définitive par la voie de la résolution : le contrat est détruit.

1655. — Ce qu'il importe de noter, c'est que, dans le cadre de l'exception, la durée de suspension est indéterminée. Tout est fonction de la patience du créancier et de la résistance du débiteur (352), ce qui est affaire d'espèce. L'exception se distingue, par là, des autres causes de suspension prévues par la loi dans des cas particuliers où le temps d'inhibition du rapport contractuel est prédéterminé. Il est connu avec précision dans l'hypothèse où le juge a accordé un délai de grâce en vertu de l'article 1244 du Code civil (deux ans maximum), ou dans le cas où la loi fixe elle-même la durée, comme en matière d'assurances où la suspension de la garantie est fixée à 10 jours par l'article L. 113-3 du Code des assurances.

1656. — Il y a, au contraire, indétermination, dans certaines limites, lorsqu'il s'agit du contrat de travail suspendu par le service national (C. trav., art. L. 122-18) ou par la grossesse (C. trav., art. L. 122-25) du salarié. Quant à la grève des travailleurs, le mécanisme suspensif joue en dehors de toute prévision de durée.

B. — Suspension indivisible

1657. — Le manquement partiel de l'une des parties autorise-t-il le recours pour le tout à l'exception d'inexécution ou faut-il poser, en thèse, que la riposte de l'excipant doit être mesurée comme en matière de légitime défense, c'est-à-dire être proportionnelle à l'importance de l'inexécution reprochée ?

1658. — Si on prenait parti pour la réductibilité de l'exception, on serait sûr qu'un exact équilibre serait maintenu entre les positions de chacun, ce qui est précisément la vocation de l'institution. Mais la solution est rejetée par le droit positif : pourvu qu'elle soit légitime, l'exception d'inexécution est indivisible. Contre le fractionnement, on observe que sa mise en œuvre obligerait à opérer un dosage nécessairement arbitraire; l'excipant apprécierait immanquablement à son profit la défaillance de son débiteur pour

---

(351-1) Com., 15 janv. 1973 : *D.* 1973, 473.

(352) Ou de telle autre circonstance, Civ. 1re, 24 fév. 1981 : *D.* 1982, 479, note D. MARTIN; *Gaz. Pal.* 1981, 2, pan. 220. Des époux à qui a été concédé un droit d'habitation gratuit divorcent; le mari continue d'occuper seul la maison jusqu'à son décès; à cette date, la femme survivante réclame le bénéfice du logement gratuit. Il est jugé que le divorce avait seulement eu pour effet de suspendre l'obligation et que le débiteur était tenu de s'exécuter lorsque l'impossibilité momentanée avait cessé.

s'autoriser une abstention totale. De plus, admettre la divisibilité diminuerait de façon malencontreuse la sécurité à laquelle a droit le créancier, qui sait que le paiement de chaque partie de sa créance est garanti en bloc par toute sa propre dette. Enfin, le rejet de l'indivisibilité compromettrait gravement le succès du procédé; l'exception, comme l'astreinte, doit être délibérément excessive pour être dotée d'efficacité; l'excipant n'a de chance d'obtenir satisfaction que s'il devient un gêneur dont on cherche à se débarrasser; il n'a de moyen de le devenir que s'il oppose une force d'inertie illimitée. Outre ces arguments, l'indivisibilité a un fondement textuel, l'article 1244 aux termes duquel le débiteur ne peut point forcer le créancier à recevoir pour partie le paiement d'une dette même divisible; si ce texte répudie la possibilité d'un paiement fractionné, il condamne par là même une réduction symétrique de l'exception (353).

SOUS-SECTION III

LA THÉORIE DES RISQUES

Position du problème

1659. — Il n'est pas question, ici, de mauvais vouloir du débiteur, mais d'une impossibilité d'exécution due à un événement de force majeure. Si l'obligation devenue irréalisable par suite d'un obstacle fortuit est contenue dans un contrat unilatéral, la solution est simple : l'unique obligation est éteinte et le débiteur entièrement libéré : par exemple, le dépositaire n'est tenu à rien lorsque la chose déposée est détruite par l'incendie.

Le problème des risques ne se pose, en réalité, que dans le cadre du contrat synallagmatique qui fait peser des obligations sur les deux parties. La prestation de l'une des parties étant rendue impossible par la force majeure, la prestation de l'autre, qui demeure réalisable par hypothèse, est-elle encore due ? Une agence de tourisme a organisé une croisière; la guerre éclate, rendant le voyage impossible; du même coup, l'agence de voyages est libérée : elle ne doit rien à ses clients; ceux-ci doivent-ils encore le prix ? La question se résume donc à l'incidence de l'impossibilité d'exécution d'une des obligations sur l'exécution de l'autre. De deux choses l'une. Ou bien les touristes restent liés; ils doivent payer la croisière tombée à l'eau et l'on dira que les risques de la force majeure sont pour eux, car ils supportent les conséquences de sa survenance : la perte est pour le créancier de l'obligation impossible; on dit en raccourci *res perit creditori*. Ou bien les

(353) V. toutefois Civ. 3e, 8 mai 1969 : *J.C.P.* 69, IV, éd. A, 116; *Bull. civ.* III, 366. — Civ. 3e, 31 oct. 1978 : *Gaz. Pal.* 1979, 1, 173, note PLANCQUEEL : le locataire ne peut invoquer l'exception — pour ne pas payer la totalité de ses loyers — au seul motif que l'impossibilité de jouir des lieux n'est pas totale.

voyageurs, qui se heurtent à l'inexécution fortuite, sont libérés à leur tour par voie de réciprocité; les risques de la force majeure pèsent sur l'agence de voyages qui perd tout droit au paiement de la croisière, en gardant à sa charge les frais exposés pour son organisation; on exprime ce résultat en disant *res perit debitori* (353-1), le débiteur étant le contractant frappé par la force majeure. Bref, qui doit supporter le poids de l'inexécution consécutive à un événement de force majeure (353-2) ?

Dispositions législatives

1660. — Le législateur n'a pas posé de règle de principe pour régler l'incidence de la force majeure. Seuls quelques textes spéciaux existent dans des domaines très différents.

Selon l'article 1722 du Code civil, si la chose louée est détruite par cas fortuit en totalité, le bail est résilié de plein droit et il n'y a lieu à aucun dédommagement. Ce qui signifie que le locataire, créancier de l'obligation inexécutée par force majeure, est dispensé d'acquitter les loyers et que le bailleur, débiteur de la jouissance devenue impossible, ne peut prétendre à rien : *res perit debitori.*

L'article 1790 formule la même règle pour le louage d'ouvrage. On suppose qu'il a été remis à l'ouvrier une matière à façonner, telle une pièce de tissu à un tailleur; avant la livraison, le vêtement vient à périr par force majeure : « l'ouvrier n'a point de salaire à réclamer ». Qui subit le contrecoup du cas fortuit ? Le façonnier qui a travaillé en pure perte : *res perit debitori.*

1661. — Au contraire, l'article 1138 du Code civil précise, à propos du transfert de la propriété, qui est parfait par le seul consentement des parties, que l'obligation de livrer « rend le créancier propriétaire et met la chose à ses risques dès l'instant où elle a dû être livrée encore que la tradition n'en ait point été faite ». L'acheteur doit donc payer le prix de la chose, détruite avant qu'il en ait pris livraison; le vendeur débiteur de l'obligation devenue impossible, ayant néanmoins droit à la contrepartie, ne supporte pas les conséquences de la force majeure; les risques sont pour l'acquéreur-créancier : *res perit creditori.*

Comment concilier ces diverses dispositions ? Peut-on trouver une idée générale indiquant comment, dans les cas non visés par la loi, ce problème des risques doit être résolu ?

La réponse consiste en une distinction : en règle générale, les risques sont pour le débiteur; mais les contrats translatifs de propriété obéissent à un régime spécial.

(353-1) ROLAND et BOYER, *Adages*, p. 937.

(353-2) CARBONNIER, n° 84. — BÉNABENT, p. 258 et s. — LARROUMET, n° 734 et s. — MALAURIE et AYNÈS, n° 552 et s. — MAZEAUD et CHABAS, n° 1107 et s. — WEILL et TERRÉ, n° 497 et s.

§ 1. — Les risques dans les contrats non translatifs

A. — Principe : *res perit debitori*

1662. — Généralisant les dispositions fragmentaires du Code civil, la jurisprudence admet sans discussion la règle *res perit debitori.* C'est le débiteur qui subit les risques de la force majeure, le créancier est libéré de sa propre prestation. La Cour de cassation s'est, notamment, prononcée en ce sens dans une espèce intéressante. Un contrat de complant (bail d'un fonds en vue d'en faire un vignoble) avait été passé entre un propriétaire et un cultivateur en vertu duquel le paysan faisait les frais de plantation de la vigne et devenait, en échange, propriétaire de la moitié du terrain au bout de dix ans. Après trois années pendant lesquelles le cultivateur avait exécuté ses engagements, le phylloxéra l'avait placé dans l'impossibilité de poursuivre. La Chambre civile a prononcé la résiliation du contrat; d'où il résultait que le viticulteur, débiteur de l'obligation inexécutée, perdait sa moitié de terrain promis (354). Une solution identique a été adoptée pour un artiste empêché de donner la représentation convenue en raison de son état grippal : l'artiste n'a droit à aucun cachet, c'est donc lui qui supporte les risques. Dans de telles espèces, l'anéantissement de l'obligation devrait opérer de plein droit, mais on sait que la jurisprudence ne distingue pas selon que l'inexécution est fautive ou fortuite (354-1), et exige l'intervention du juge (354-2).

1663. — L'attribution des risques au débiteur a pour conséquence d'engendrer une véritable résolution, c'est-à-dire d'anéantir le contrat rétroactivement : les deux obligations disparaissent, l'une par force majeure, l'autre par contrecoup (355). Ce résultat ne se produit pas lorsque l'inexécution due à la force majeure ne couvre pas la totalité de la prestation. Le créancier n'est pas entièrement libéré. Normalement, il y a lieu à réajustement de l'obligation qui se trouve réduite proportionnellement, ainsi que le montre la disposition de l'article 1722 du Code civil :

« lorsque la chose louée n'est détruite qu'en partie, le preneur peut, suivant les circonstances, demander ou une diminution du prix ou la résiliation même du bail ».

---

(354) Civ., 14 avril 1891 : *S.* 1894, 1, 391; *D.* 91, 1, 329, note PLANIOL.

(354-1) Civ. 1re, 2 juin 1982 : *Bull. civ.* I, n° 205. — Civ. 1re, 12 mars 1985 : *Bull. civ.* I, n° 94; *Rev. trim. dr. civ.* 1986, 345, note MESTRE.

(354-2) Rappelons que la Chambre commerciale affirme l'automatisme de la résolution : 29 avril 1982 : *Bull. civ.* IV, n° 145, p. 128. Cette solution paraît la plus orthodoxe comme correspondant à l'art. 1722 du Code civil qui vise une résiliation de plein droit et qui est l'archétype de *res perit debitori.*

(355) Com., 28 avril 1982 : *Bull. civ.* IV, n° 145; *Rev. trim. dr. civ.* 1983, p. 340, obs. CHABAS.

B. — Justification du principe

1664. — En doctrine, on invoque, une fois de plus, l'idée de *cause.* Dans les contrats synallagmatiques, l'obligation de chaque contractant a pour cause l'exécution de l'obligation de l'autre contractant. L'inexécution, même imputable à la force majeure, supprime donc la cause de l'obligation du créancier de cette obligation. Le créancier est donc libéré. On connaît les objections qu'encourt une telle opinion : la cause est uniquement une condition de formation du contrat, elle ne peut pas concurremment exister à la date de formation du contrat et défaillir au moment de l'exécution. Par ailleurs, si la théorie était exacte, elle conduirait à la nullité du rapport contractuel et non à sa résolution.

1665. — La jurisprudence invoque plus volontiers l'article 1184 du Code civil, relatif à la résolution pour inexécution (356). Cette façon de résoudre le problème est critiquée. On reproche aux tribunaux de confondre deux situations différentes : dans l'une, l'inexécution est due à la faute du débiteur, dans l'autre elle est due à la force majeure. Or, les résultats auxquels on est conduit ne sont pas les mêmes suivant que l'on adopte une explication ou une autre :

— l'article 1184 laisse au juge un large pouvoir d'appréciation, il peut accorder ou refuser la résolution, accorder des délais ou condamner à des dommages et intérêts. Or, en cas d'inexécution due à la force majeure, la résolution *joue de plein droit.* Si on s'adresse au juge, celui-ci ne peut que *constater* l'inexécution, et prononcer la libération du créancier (le juge aurait, cependant, un pouvoir d'appréciation en cas d'inexécution *partielle*);

— d'autre part, en cas d'inexécution fautive, le juge peut accorder des dommages et intérêts, en plus de la résolution, ce qu'il ne peut pas faire en présence d'une inexécution attribuée à la force majeure.

Il serait donc préférable de ne pas se fonder sur l'article 1184 lorsque l'inexécution est due à la force majeure (357).

(356) Civ., 13 mars et 4 juin 1907 : *S.* 1907, 1, 321, rendus au sujet de la restitution des « dots moniales » par suite de la dissolution des congrégations religieuses par le législateur, ce qui est un cas de force majeure (« fait du prince »). — V. aussi Req., 8 janv. 1906 : *D.* 1906, 1, 262. — Civ. 1re, 2 juin 1982 : *Bull. civ.* I, 178.

(357) Cependant un arrêt (Soc., 13 oct. 1971) fait application de l'art. 1184 en cas d'inexécution due à la force majeure; en l'espèce, c'est le *débiteur* qui invoque la force majeure pour faire déclarer qu'il est libéré de ses obligations (un *employeur* obligé de cesser son activité demande la rupture des contrats de travail à l'égard de ses employés).

§ 2. — Les risques dans les contrats translatifs

1666. — Quand le contrat transfère la propriété, notamment dans la vente, les risques passent immédiatement sur la tête de l'acquéreur, créancier de la livraison de la chose. Cela signifie que l'acheteur doit payer le prix convenu, même s'il ne peut plus recevoir la chose qui a été détruite par un événement de force majeure postérieurement au jour de la conclusion du contrat, et avant la livraison. Apparemment, il est fait application de *res perit creditori*. En réalité, le fondement de la règle est ailleurs et il faut tenir compte de cas particuliers.

A. — Fondement : *res perit domino*

1667. — Selon une explication historique, l'attribution des risques dans les contrats translatifs de propriété (vente, échange, donation avec charges) ne serait que la reproduction d'une règle romaine. A Rome, à suivre certains auteurs, la vente se réalisait au moyen de deux stipulations distinctes : l'acheteur promettait le prix *(emptio)*, le vendeur la chose *(venditio)*. L'extinction de l'une des obligations n'atteignait pas l'autre : si donc le vendeur ne pouvait livrer la chose, l'acheteur n'en était pas moins tenu au paiement parce que lié par un engagement distinct. Plus tard, lorsque la vente devint synallagmatique et consensuelle, où les obligations des partenaires furent jugées en corrélation indissoluble, on défendit la survivance de la règle par un motif d'équité. Puisque l'acheteur bénéficie dès le jour du contrat des fruits, accroissement et plus-value de la chose, il n'est que légitime qu'il en assume les risques en compensation : il a le *commodum* de la chose vendue, il doit en avoir le *periculum*.

Cette analyse n'est guère convaincante. Il n'y a aucune commune mesure entre les chances d'augmentation de valeur et les risques de perte de la chose. Ce qui se compense, c'est une plus-value avec une moins-value, non un enrichissement en revenus avec une disparition du capital.

1668. — Selon une autre doctrine, en matière de propriété, la charge des risques dérive d'une interprétation de la volonté présumée des parties. En procédant à une aliénation, le vendeur veut échanger une chose périssable, un bien, contre une chose impérissable, de l'argent. L'acheteur, quant à lui, n'entend pas se prémunir contre l'éventualité d'une perte, il s'y expose, au contraire, en acquérant une chose sujette à disparition. Qu'il supporte seul les risques est conforme aux prévisions contractuelles.

Une telle présomption de volonté est bien divinatoire. Ce qui détermine à l'achat d'un bien, c'est l'usage auquel on le destine et le besoin qu'on en a. Il est tout à fait douteux qu'il soit entré dans l'esprit de l'acheteur de courir le risque de perdre la chose qu'il envisage d'acquérir. S'il avait songé à cette éventualité, il est beaucoup plus probable qu'il se serait abstenu.

1669. — L'explication à laquelle toute la doctrine se rallie aujourd'hui, rattache les risques à la propriété. Dans le système du Code civil (art. 1138), la vente est translative de propriété par le simple échange des consentements, avant toute tradition (358). C'est parce qu'il est propriétaire dès l'accord des volontés que l'acheteur supporte les risques, ce que l'on exprime par l'adage *res perit domino* (358-1). Cette règle soulève quelques difficultés quant à la détermination de la date du transfert dans le cas où il est prévu que l'accord sous seing privé sera authentifié par devant notaire (358-2). En tout cas, il n'y a aucune hésitation lorsque la vente est faite *franco*, cette clause ne différant pas le moment de l'acquisition de la propriété (358-3), ou lorsqu'il y a convention de maintien temporaire du vendeur dans l'immeuble aliéné (358-4), qui n'exerce aucune incidence sur la charge des risques.

Ce qui confirme ce rattachement des risques à la propriété, ce sont les solutions du droit positif dans les cas où, par exception, la vente n'opère par translation immédiate de ce droit. On citera comme ventes non translatives de propriété les ventes de *choses de genre.* Tant que les denrées vendues n'ont pas été individualisées (par exemple mises dans des caisses au nom de l'acheteur), le transfert de propriété n'a pas pu se faire (359). L'acheteur n'aura donc pas à en payer le prix en cas de destruction. D'ailleurs, le débiteur — le vendeur — n'est pas libéré par cette destruction, car « les genres ne périssent pas ».

1670. — Si la vente porte sur un corps certain, il est loisible aux contractants d'y insérer une *clause retardant le jour du transfert de propriété.* On peut convenir, par exemple, que le transfert de propriété n'aura lieu que le jour de la livraison, ou au jour du paiement. En ce cas, si la destruction de la chose survient antérieurement, l'acheteur n'a pas à en payer le prix. Les risques sont pour le vendeur, débiteur de la chose (360). Il en va de même lorsque les circonstances permettent de conclure que la volonté des parties a été d'ajourner le transfert, comme dans l'espèce où le vendeur devait, pour satisfaire à son obligation de délivrance, modifier dans les locaux de l'acheteur le mode d'entraînement de l'appareil (360-1).

(358) V. dans le même sens l'art. 1583, C. civ. — V. J.-M. MOUSSERON, *La gestion des risques par le contrat : Rev. trim. dr. civ.* 1988, n° 27.

(358-1) ROLAND et BOYER, *Adages*, p. 939.

(358-2) Civ. 1re, 24 janv. 1984 : *Bull. civ.* I, n° 31.

(358-3) Com., 17 mai 1983 : *Bull. civ.* IV, 126. — Com., 6 juill. 1983 : *Gaz. Pal.* 1984, 1, pan. 32. — Com., 20 mai 1986 : *Gaz. Pal.* 1986, 2, pan. 240.

(358-4) Rouen, 11 juill. 1985 : *Gaz. Pal.* 1986, 2, somm. 27.

(359) Com., 15 juin 1965 : *D.* 1965, 823.

(360) V. pour une clause de réserve de propriété, Com., 20 nov. 1979, et sur renvoi Metz 29 oct. 1980 : *J.C.P.* 81, II, 19615, note GHESTIN. — Com., 19 oct. 1982 : *D.* 1983, I.R. 482, note B. AUDIT.

(360-1) Civ. 1re, 20 déc. 1982 : *Gaz. Pal.* 1983, 1, pan. 132; *D.* 1983, I.R. 477, note B. AUDIT.

B. — Cas particuliers

1671. — Dans certaines hypothèses, le principe *res perit domino* ne joue plus, en ce sens que le transfert des risques n'accompagne plus le transfert de la propriété.

1672. — Ainsi l'incidence des risques est déplacée en cas de mise en demeure. Si le débiteur était en demeure de livrer avant l'événement de force majeure, les risques sont pour lui, car la mise en demeure a constaté son retard à exécuter, donc sa faute (art. 1138, al. 2 et 1302, al. 1er). Cependant, l'obligation du débiteur est éteinte, même s'il était en demeure, « dans le cas où la chose fût également périe chez le créancier si elle lui eût été livrée » (art. 1302, al. 2).

1673. — Le Code civil envisage aussi le cas de la vente faite sous condition *suspensive* d'une chose qui périt *pendente conditione.* Si la condition se réalise après la perte de la chose, le vendeur n'en subit pas moins les risques : il ne peut en exiger le prix (C. civ., art. 1182). Le Code écarte ainsi les conséquences de la rétroactivité de la condition qui aurait conduit à considérer l'acheteur propriétaire depuis la conclusion de la vente, les risques de perte fortuite restant alors à sa charge. Mais la rétroactivité n'est qu'une fiction, et le législateur a estimé qu'elle ne saurait jouer en cas de perte de la chose.

Une solution différente est donnée en cas de *perte partielle :* le créancier a, dans ce cas, le choix, ou de résoudre l'obligation, ou d'exiger la chose dans l'état où elle se trouve sans diminution du prix..., autrement dit, en acceptant de supporter les risques de la perte partielle (art. 1182, al. 3).

1674. — En revanche, on retrouve la règle lorsque le contrat translatif de propriété a été conclu sous condition résolutoire et que la chose vient à périr avant la réalisation de la condition. Certes, le législateur n'a prévu aucune solution en l'espèce. Mais les auteurs sont d'accord pour appliquer la solution symétrique donnée par l'article 1182, c'est-à-dire écarter la rétroactivité et laisser les risques à la charge du propriétaire sous condition résolutoire (361).

1674-1. — Parmi les dérogations à la règle qui lie le transfert des risques au transfert du droit de propriété, on doit faire une mention spéciale des dispositions contenues dans la Convention de Vienne sur les ventes internationales de marchandises qui rattache, au contraire, la charge des risques à la livraison de la chose. Plusieurs éventualités sont réglementées. Si le vendeur n'est pas tenu de remettre les marchandises en un lieu donné,

(361) MAZEAUD et CHABAS, *op. cit.*, n° 1123; WEILL et TERRÉ, *op. cit.*, n° 502.

l'acheteur supporte les risques à partir de leur remise au premier transporteur; dans l'hypothèse inverse, les risques ne sont transférés que du jour où les marchandises ont été prises en charge par le transporteur en ce lieu. Dans l'un et l'autre cas, il est nécessaire que les marchandises aient été « clairement identifiées » (art. 67). Pour les marchandises vendues en cours de transport, c'est la conclusion du contrat qui marque le moment du déplacement des risques (art. 68). En dehors de ces cas, le transfert des risques est lié au retirement des marchandises et, à défaut de retirement en temps voulu, l'acheteur assume les risques du jour où les marchandises sont mises à la disposition (art. 69).

1675. — Notons, pour finir, que les règles légales relatives à l'incidence des risques n'ont pas de caractère impératif. Une clause du contrat peut donc régler de façon différente les conséquences de la force majeure en écartant la règle *res perit debitori* ou *res perit domino* (362).

Avec les règles spéciales concernant l'inexécution des contrats synallagmatiques, nous avons achevé l'étude des contrats en tant que source d'obligations.

Il nous faut maintenant étudier le problème de la comparaison et des rapports de la responsabilité contractuelle et de la responsabilité délictuelle, auquel nous avons fait déjà de nombreuses allusions, ce qui en facilitera la synthèse et l'examen critique.

---

(362) Req., 8 janv. 1906 : *D.* 1906, 1, 262. — Civ. 1re, 24 janv. 1984 : *Bull. civ.* I, n° 31.

CHAPITRE VIII

LA COEXISTENCE DES RESPONSABILITÉS CONTRACTUELLE ET DÉLICTUELLE

1676. — L'existence de deux ordres de responsabilité (1) a donné lieu à un abondant contentieux et à de nombreuses études et controverses, surtout pendant la première moitié de ce siècle. Bien que ses données de base se soient profondément modifiées, la question conserve, de nos jours, son intérêt (2).

1677. — On négligera la théorie qui niait purement et simplement la dualité de ces deux responsabilités en donnant comme argument que la faute délictuelle et la faute contractuelle, qui en sont le fondement, s'analysent l'une et l'autre comme étant la *violation d'une obligation préexistante* (3). Outre que l'une et l'autre de ces responsabilités comprennent un large domaine où la faute n'est pas une condition de l'obligation de réparer le dommage causé — ainsi qu'on l'a vu — il n'est nullement indifférent de savoir quelle est la nature de l'obligation préexistante dont l'inexécution engendre la responsabilité. Le contrat engendre, *en fait,* une situation qui

---

(1) On emploiera, ici, les termes « responsabilité délictuelle » dans le sens large, englobant la responsabilité tant délictuelle que quasi délictuelle.

(2) A. BRUN, *Rapports et domaines des responsabilités contractuelle et délictuelle,* thèse Lyon, 1931. — J. HUET, *Responsabilité contractuelle et responsabilité délictuelle, essai de délimitation entre les deux ordres de responsabilité,* thèse Paris II, 1978. — H. MAZEAUD, *Responsabilité délictuelle et contractuelle : Rev. trim. dr. civ.* 1929, 551. — H. MAZEAUD, *Essai de classification des obligations : Rev. trim. dr. civ.* 1936, 1. — R. RODIÈRE, *Étude de la dualité des régimes de responsabilité : J.C.P.* 50, I, 861 et 868. — Joanna SCHMIDT, *La sanction de la faute précontractuelle : Rev. trim. dr. civ.* 1974, 46. — M. ESPAGNON, *Le non-cumul des responsabilités contractuelle et délictuelle,* thèse Paris I, 1980. — Georges DURRY, *La distinction de la responsabilité contractuelle et de la responsabilité délictuelle* (Centre de recherche en droit privé et comparé du Québec, Montréal, 1986). — *Rép. dr. civ. Dalloz, V° Responsabilité* (en général) par R. RODIÈRE, n° 45 et s. — G. VINEY, *La responsabilité : conditions,* n° 161 et s.

(3) PLANIOL, *Études sur la responsabilité civile : Rev. crit. lég. et jurisp.* 1905, p. 283 et s. — GRANDMOULIN, *De l'unité de la responsabilité ou nature délictuelle de la responsabilité pour violation des obligations contractuelles,* thèse Rennes, 1892. — Sur l'exposé des thèses de l'unité et de la dualité, G. VINEY, *La responsabilité : conditions,* n° 161 et s.

n'existe pas entre non-contractants (une chose est remise à un dépositaire; une prestation de service est promise par telle personne à telle autre, etc.), et, par là même, *il engendre des obligations* qui lui sont *spécifiques* : veiller à la conservation d'une chose; remettre tel objet; assurer la sécurité d'une personne déterminée, etc., obligations qui trouvent dans le contrat leur source, leur portée et leur sanction.

1678. — Nous considérerons, donc, avec la quasi-unanimité de la doctrine et de la jurisprudence, que l'on ne peut réduire ces deux responsabilités à une catégorie unique. Tel étant le point de départ de cette étude, trois problèmes se posent.

Quelles sont les différences de régime juridique entre la responsabilité délictuelle et la responsabilité contractuelle ? En quoi les règles juridiques qui les gouvernent sont-elles distinctes ? C'est ce qu'il nous faudra exposer tout d'abord (section I).

Ces différences notées, on comprend l'intérêt de la délimitation exacte du domaine respectif de ces deux sortes de responsabilité. Contrairement à ce que l'on pourrait croire, cette ligne de démarcation entre les deux domaines n'est pas toujours évidente. Certaines situations marginales rendent le tracé de cette frontière incertain ou contestable, ainsi qu'on essaiera de le montrer en second lieu (section II).

On s'est, enfin, demandé — ce qui, de prime abord, peut apparaître singulier — si l'inexécution, ou la mauvaise exécution d'une obligation contractuelle, permet aux créanciers d'agir contre le débiteur, soit par l'action du contrat, soit par une action délictuelle. C'est ce qu'on a appelé le problème du cumul de la responsabilité contractuelle et de la responsabilité délictuelle. Nous en ferons l'analyse en dernier lieu (section III).

SECTION I

DIFFÉRENCES DE RÉGIME ENTRE LES DEUX RESPONSABILITÉS

Schéma traditionnel

1679. — Dans la doctrine et dans la jurisprudence traditionnelles (qui avaient cours durant le XIXe siècle et encore au début de celui-ci), on notait, principalement, les différences suivantes (3-1) :

(3-1) G. Viney, *La responsabilité : conditions*, n° 165 et s. — Marty et Raynaud, n° 448.

1° *La charge de la preuve.* En matière délictuelle, il appartient au créancier, la victime, de prouver la faute du débiteur, l'auteur du dommage. En matière contractuelle, la situation est renversée : le créancier doit prouver l'existence du contrat et c'est au débiteur à établir qu'il a exécuté ce qu'il a promis ou qu'il est libéré de ses obligations, par suite de force majeure.

2° *Le degré de la faute.* En matière délictuelle, la faute la plus légère (*levissima culpa)* suffit pour engendrer la responsabilité. En matière contractuelle, le degré de la faute varie selon les cas : celle-ci peut être légère, lourde ou très légère. Tout dépend de la nature de la prestation promise (C. civ., art. 1137).

3° *Le montant de la réparation :* celle-ci doit être intégrale en matière délictuelle; elle est limitée au préjudice prévu, ou qui était prévisible lors du contrat, en matière contractuelle (C. civ., art. 1150).

4° *Les clauses de non-responsabilité* (totale ou partielle) : valables, en principe, en matière contractuelle, elles sont nulles en matière délictuelle.

5° *Les tribunaux compétents :* ce ne sont pas les mêmes suivant que la responsabilité est contractuelle ou délictuelle. Dans ce dernier cas, notamment, la victime peut saisir, soit le tribunal du domicile du défendeur, soit celui du lieu où s'est produit le dommage.

6° *La prescription de l'action.* Si le dommage résulte d'une infraction pénale, l'action de réparation, l'action civile, se prescrit dans les mêmes délais que l'action publique, lorsqu'il s'agit de responsabilité délictuelle, du moins de la responsabilité pour faute prouvée. L'action contractuelle ne subit pas l'influence de la prescription pénale.

7° *La mise en demeure :* elle n'est jamais nécessaire en matière délictuelle; elle l'est, en principe, en matière contractuelle.

1680. — Il fallait rappeler ces différences, telles qu'elles étaient recensées dans la doctrine traditionnelle, afin de comprendre l'importance, à cette époque, de la détermination de la nature de la responsabilité en jeu. Mais on sait que des modifications profondes sont intervenues depuis quelques décennies en matière de responsabilité. Ces modifications conduisent à réviser le tableau des différences entre les deux sortes de responsabilité sur plusieurs points : les faits générateurs de la responsabilité, la preuve de l'imputabilité du dommage, l'étendue de la réparation, le contentieux de la responsabilité.

§ 1. — Les faits générateurs de responsabilité

1681. — Selon la nature du fait générateur (faute, fait des choses, fait d'autrui), on constate, soit un rapprochement entre les deux branches de la responsabilité, soit des points de discordance très nets.

La faute

1682.— Si l'obligation contractuelle est de résultat, la faute du débiteur n'est pas une condition de sa responsabilité; *a fortiori*, sera-t-il responsable de ses fautes les plus légères. En matière délictuelle, il existe encore un large domaine où la faute du défendeur reste une condition de sa responsabilité; en ce cas, la faute dont il répond n'est jamais la *levissima culpa*. C'est, en général, la faute moyenne, celle que ne commet pas le *bonus pater familias*, et on trouve des cas où seule la faute lourde peut engendrer la responsabilité, même délictuelle.

Ce n'est pas à dire que la distinction entre les deux sortes de responsabilité ait perdu tout intérêt lorsqu'on recherche le degré de la faute du défendeur; il faut, au contraire, déterminer la nature de cette responsabilité pour savoir si la faute de ce dernier est une condition de sa responsabilité et, dans l'affirmative, quel est le degré de cette faute.

Par contre, l'évolution moderne de la responsabilité a fait apparaître des oppositions naguère inconnues entre les deux sortes de responsabilité en ce qui concerne les autres sources de l'obligation de réparer : fait des choses, fait d'autrui.

Le fait des choses

1683. — En matière délictuelle, la distinction entre la responsabilité pour fait personnel, régie par l'article 1382, et celle pour fait des choses, réglée, notamment, par l'article 1384, alinéa 1er (que nous avons d'ailleurs critiquée) joue, en jurisprudence, un rôle important. Or, cette distinction est inconnue en matière contractuelle. Qu'il s'agisse d'obligation de résultat ou d'obligation de moyens, nul ne songe à se demander si le débiteur s'est servi ou non de choses pour exécuter ou pour ne pas exécuter ses obligations. Placer le problème sur le terrain contractuel, c'est supprimer l'une des difficultés, et non des moindres, que l'on rencontre en ces matières.

Le fait d'autrui

1684. — Il en est de même de la responsabilité du fait d'autrui. Celle-ci joue un rôle important en matière délictuelle et on a montré toutes les subtilités et les incertitudes de l'analyse de son fondement et, surtout, de sa mise en œuvre pratique. Or, en matière contractuelle, la responsabilité du fait d'autrui ne soulève pas les mêmes problèmes. Le débiteur contractuel doit exécuter sa promesse et — à moins qu'il ne s'agisse de prestation *intuitu personae* — il importe peu que, pour l'exécuter, il ait ou non recours à des préposés ou autres collaborateurs. En cas d'inexécution, ou de mauvaise exécution, il engage *directement* sa propre responsabilité, et non une prétendue responsabilité *indirecte* du fait d'autrui (4).

---

(4) Com., 17 nov. 1981 : *J.C.P.* 82, II, 19811, note TARDIEU-NAUDET. — V. aussi : T. I. Saint-Denis, 25 août 1983 : *D.* 1985, 26, note J.-Y. CHOLEY (responsabilité d'E.D.F. du fait de ses préposés grévistes).

§ 2. — La preuve de l'imputabilité

1685. — Il n'est plus possible de conserver l'ancienne opposition quant à la charge de la preuve et de dire que la victime qui se prévaut de la responsabilité délictuelle est dans l'obligation de prouver au moins une imprudence ou une négligence de l'auteur du dommage, alors que celui qui invoque la responsabilité contractuelle est dispensé d'une preuve de cette nature, le poids de la démonstration pesant sur le partenaire à qui il incombe de rapporter l'existence d'une force majeure pour s'exonérer. La découverte de l'article 1384, alinéa 1er, son extension considérable, l'apparition de nombreux autres cas de responsabilité délictuelle objective dispensent fréquemment la victime — le créancier — de faire la preuve de la faute du responsable — le débiteur —. Ce dernier est obligé de réparer le dommage causé en vertu d'une responsabilité présumée ou de plein droit, sauf s'il peut établir que le dommage est imputable à une cause étrangère. La victime se trouve, par conséquent, dans une situation analogue, sinon identique, à celle du contractant agissant en vertu de l'article 1147 du Code civil.

Inversement, le créancier contractuel n'est pas toujours à même d'invoquer ce dernier texte. Si le débiteur n'est tenu à son égard que d'une obligation de moyens, il lui faudra prouver sa faute pour mettre en jeu sa responsabilité. Sa situation est, alors, comparable à celle de la victime agissant par l'action délictuelle ayant pour base l'article 1382.

1686. — Ce n'est donc pas la nature, contractuelle ou délictuelle, de la responsabilité qui gouverne la charge de la preuve. En matière délictuelle celle-ci dépend de la nature des droits lésés (certains droits sont « garantis » de façon objective); en matière contractuelle, de la nature de l'objet de la prestation : promesse d'un résultat ou simple obligation de moyens.

§ 3. — L'étendue de la réparation

1687. — L'opposition traditionnelle subsiste quant à la limitation de l'indemnisation au dommage prévu ou prévisible en matière contractuelle et le principe de réparation intégrale en matière délictuelle, qui emporte indemnisation des dommages même imprévisibles.

1688. — Une autre différence capitale s'observe au plan du paiement des dommages-intérêts. Lorsque le dommage est l'œuvre de plusieurs personnes, la victime bénéfice d'une véritable garantie dans le domaine délictuel, car elle obtient une condamnation *in solidum* de tous les coauteurs, chacun devant couvrir le dommage pour le tout, quitte à se retourner contre ses coobligés.

Rien de tel ne se produit au plan contractuel : la solidarité ne se présumant pas, sauf en matière commerciale, les débiteurs, quoique impliqués dans le même rapport de droit, ne peuvent être recherchés que pour leur part et portion, à concurrence de la seule inexécution qui leur incombe. D'où il résulte que la victime supporte les conséquences de l'insolvabilité de l'un des coresponsables. Notons, toutefois, que, selon certains auteurs, la différence de ce point de vue entre les deux branches de la responsabilité serait beaucoup plus ténue, une condamnation *in solidum* étant parfois reconnue en matière contractuelle lorsqu'il est constaté une *contribution indivisible* à la réalisation du dommage (5).

1689. — En revanche, la distinction est moins tranchée que jadis lorsqu'on envisage les clauses exclusives ou limitatives de responsabilité. Sans doute, la jurisprudence continue d'annuler les conventions relatives à la responsabilité délictuelle, alors qu'elle valide celles qui ont trait à la matière contractuelle. Mais, d'une part, la prohibition au plan délictuel est atténuée par la validité reconnue aux accords restreignant ou excluant la réparation lorsqu'ils sont intervenus *après* la réalisation du dommage; d'autre part, il existe un bon nombre de clauses de non-responsabilité contractuelle que rejette la jurisprudence (garantie du vendeur professionnel) ou même la loi qui répute abusive la clause réduisant le droit à réparation du consommateur en cas de manquement du professionnel à l'une quelconque de ses obligations. Par surcroît, certaines stipulations d'irresponsabilité, en principe licites, n'ont qu'une portée limitée comme en matière de transport.

§ 4. — Le contentieux de la réparation

Mise en demeure

1690. — L'article 1146 du Code civil pose, rappelons-le, la nécessité d'une mise en demeure en matière contractuelle pour ouvrir droit aux dommages et intérêts. En revanche, les dommages-intérêts pour délits sont dûs sans aucune sorte d'interpellation. La jurisprudence est absolument constante à cet égard (6). Cette dispense en matière délictuelle s'explique d'elle-même : puisqu'il s'agit d'obligation de ne pas faire (ne pas causer de dommage), comment concevoir une procédure tendant à réclamer l'exécution ?

Compétence

1691. — Sous ce rapport, la distinction entre les deux ordres de responsabilité s'est estompée depuis le Nouveau Code de procédure civile. Dans

(5) G. VINEY, *La responsabilité, conditions*, n° 175. — En ce sens, Paris, 30 mars 1973 (2 espèces) : *D.* 1974, p. 116, note RAYNAUD. — V. aussi Civ. 3e, 11 juin 1976 : *Bull. civ.* III, n° 260; *Rev. trim. dr. civ.* 1977, 136, obs. DURRY.

(6) Req., 14 janv. 1856 : *D.P.* 56, 1, 82.— Civ., 22 mai 1968 : *D.* 1970, 453, note GHESTIN.— Civ. 3e, 20 nov. 1984 : *J.C.P.* 85, IV, 43.

tous les cas, le demandeur à l'action dispose d'une option de compétence. En matière contractuelle, il peut saisir à son choix, outre la juridiction du lieu où demeure le défendeur, la juridiction du lieu de l'exécution de la prestation de service ou du lieu de la livraison effective de la chose. En matière délictuelle, la victime dispose d'une option entre le *forum rei*, la juridiction du lieu du fait dommageable (7) ou celle dans le ressort de laquelle le dommage a été subi (N.C.P.C., art. 46).

Prescription

1692. — La loi du 5 juillet 1985 a introduit un contraste complet entre les deux responsabilités. En vertu de l'article 2270-1 nouveau du Code civil, la prescription des actions en responsabilité délictuelle est ramenée de 30 à 10 ans. Ce texte ne gouvernant pas la matière des contrats, la responsabilité contractuelle reste sous l'empire du droit commun, c'est-à-dire de la prescription trentenaire.

On doit noter que, dans le cas où la responsabilité délictuelle est mise en jeu à l'occasion d'un procès pénal, l'action en responsabilité se prescrit selon les règles du Code de procédure pénale; application est faite de la prescription abrégée de l'action publique, un an pour les contraventions, trois ans pour les délits, dix ans pour les crimes. Toutefois, s'il y a dissociation de l'action publique et de l'action civile, la victime ayant saisi directement la juridiction civile de sa demande en réparation, celle-ci se prescrit selon les règles civiles, autrement dit par dix ans (C. proc. pén., art. 10).

Il résulte de cet inventaire rénové des principales différences entre les deux sortes de responsabilité que l'on ne saurait éviter la question de la délimitation de leur domaine respectif.

SECTION II

DOMAINE RESPECTIF DES DEUX RESPONSABILITÉS

Problème de la responsabilité légale

1693. — La distinction de la responsabilité contractuelle et de la responsabilité délictuelle n'est pas une *summa divisio*. Des obligations existent qui ont pour base la loi, directement. Telles les obligations des tuteurs envers leurs pupilles ou celles qui existent entre propriétaires voisins; telles les obligations du gérant d'affaires, etc. L'inexécution de ces obligations n'est

---

(7) Pour une application : Civ. 2e, 11 janv. 1984 : *D.* 1984, I.R. 240.

pas source de responsabilité contractuelle (7-1), mais elle n'ouvre pas davantage une responsabilité délictuelle; c'est, reconnaît-on, une *responsabilité légale*. Quel en sera dès lors le régime ? D'après certains auteurs, la responsabilité délictuelle constitue le droit commun de la responsabilité. Faute de règle légale spéciale la concernant, on la soumettra au régime délictuel qui serait mieux dénommé extra-contractuel (8).

Cette thèse nous paraît contestable. Aucun texte, aucune règle de droit n'autorise à déclarer que la responsabilité délictuelle constitue la responsabilité de droit commun. Celle-ci concerne des dommages causés à des tiers. La responsabilité sanctionnant l'inexécution des obligations légales suppose des situations de fait où l'auteur et la victime ne sont pas réellement des tiers (tuteur et pupille, propriétaires voisins, gérant et maître de l'affaire, etc.). Si une analogie devait être établie, elle jouerait plutôt en faveur d'une assimilation avec la responsabilité contractuelle.

Quoi qu'il en soit, on négligera, ici, ces responsabilités découlant de l'inexécution d'obligations légales, dont le régime est, presque toujours, déterminé par la loi elle-même (quant à la nécessité d'une faute ou à son degré; quant au montant de l'indemnité, etc.). Si un problème venait à se poser à leur égard, il devrait être résolu compte tenu de ses données propres et non par référence globale à la responsabilité délictuelle : des arguments d'analogie pourraient être recherchés, selon les cas, soit dans le régime contractuel, soit dans le régime délictuel.

Problème de la délimitation des responsabilités délictuelle et contractuelle

1694. — Il n'y a, naturellement, pas de question de frontière entre les deux sortes de responsabilité lorsque le législateur a institué un régime unique d'indemnisation profitant à toute victime, qu'elle ait la qualité de tiers ou de contractant. A cet égard, deux textes méritent d'être signalés : la loi du 5 juillet 1985 sur les accidents de la circulation et la directive des communautés européennes du 25 juillet 1985 sur les produits défectueux. Dans les deux cas, le législateur a recherché d'abord la protection contre les atteintes physiques à la personne, abstraction faite de la position juridique de la victime, tiers ou contractant; ainsi que le souligne un auteur (8-1), la distinction selon la nature de la responsabilité (contractuelle ou délictuelle) tend à faire place à une division fondée sur *la nature du dommage* (corporel, matériel).

Si on excepte ces régimes spéciaux, dans la grande majorité des cas, le problème de la délimitation des deux types de responsabilité ne se pose pas.

(7-1) Civ. 3e, 13 avril 1988 : *Bull. civ.* III, n° 67, p. 39 : « Attendu que même s'il ont comme origine une non-conformité aux stipulations contractuelles, les dommages qui relèvent d'une garantie légale ne peuvent donner lieu, contre les personnes tenues à cette garantie, à une action en réparation sur le fondement de la responsabilité contractuelle de droit commun. »

(8) MAZEAUD et CHABAS, n° 392. — Avec des réserves, MARTY et RAYNAUD, n° 451.

(8-1) J. HUET : *Rev. trim. dr. civ.* 1987, 322.

Le débiteur qui n'exécute pas son obligation, ou qui l'exécute mal, engage sa responsabilité contractuelle, cela va de soi. Si, entre la victime d'un préjudice et son auteur, il n'y a pas de contrat auquel on puisse rattacher le dommage, la responsabilité est, en principe, délictuelle (8-2). Cette vue du problème, pour juste qu'elle soit, apparaît néanmoins trop simpliste. La complexité des rapports humains ne permet pas toujours de faire découler la solution de la constation de l'existence ou de la non-existence d'un lien contractuel (9). Il arrive que se nouent des rapports sur la nature juridique desquels on s'interroge et, partant, sur le fondement de la responsabilité applicable. Il arrive, à l'inverse, qu'on soit indiscutablement en présence d'un contrat et que l'on hésite, néanmoins, sur le type de responsabilité à mettre en œuvre (10).

SOUS-SECTION I

L'ABSENCE DE RELATION CONTRACTUELLE

1695. — Le doute sur le régime de responsabilité auquel il convient de recourir dépend de la manière dont on qualifie la situation dans laquelle sont entrées deux ou plusieurs personnes. Par hypothèse, le contrat n'est pas parvenu à la vie juridique. Pour décrire les différents cas pratiques, on peut, par une référence à la biologie, se situer à trois moments : celui de la *conception*, de la *gestation*, de la *délivrance*.

§ 1. — Le contrat non conçu

1° Hypothèses diverses

1696. — Raisonnons sur quelques espèces. Une personne, en se rendant aux toilettes du buffet d'une gare, fait une chute dans l'escalier. Le cas relève-t-il d'un contrat de restauration ? La Cour de cassation considère

---

(8-2) Civ. 1re, 30 oct. 1984 : *Gaz. Pal.* 1985, 1, pan. 93; *D.* 1985, 132; *Bull. civ.* I, n° 287.

(9) Par exemple, il a été jugé qu'il ne se forme pas de rapport contractuel dans les ventes aux enchères entre les acquéreurs et le commissaire-priseur : Civ. 1re, 23 avril 1969 : *D.* 1969, 493; *J.C.P.* 69, II, 16035, note R.L.; *Rev. trim. dr. civ.* 1970, 771, obs. DURRY.

(10) La Cour de cassation fait obligation aux juges du fond de préciser nettement le fondement de la responsabilité qu'ils retiennent afin de lui permettre d'exercer son contrôle sur la qualification. V. Civ. 3e, 6 fév. 1979 : *Gaz. Pal.* 1979, somm. 241. — Com., 15 mai 1985 : *J.C.P.* 85, IV, 258. — Par ailleurs, sur le pouvoir des juges du fond, v. Civ. 1re, 29 nov. 1978 : *D.* 1979, 381, note BÉNABENT (impossibilité pour le juge de modifier le fondement de l'action qui, nécessitant l'appréciation d'éléments de fait, ne constitue pas un moyen de pur droit) et Civ. 1re, 20 nov. 1984 : *D.* 1985, I.R. 265, obs. JULIEN (pouvoir de substitution reconnu à la cour d'appel à condition de s'appuyer sur des faits qui sont dans le débat et de respecter le principe du contradictoire).

que la victime a été à bon droit déboutée de son action fondée sur la responsabilité contractuelle; le seul fait d'utiliser les vespasiennes de l'établissement, en l'absence de preuve d'une commande de consommation, ne permet pas de conclure à l'existence d'une relation contractuelle (11).

Un écolier tombe à terre au cours d'une bousculade provoquée par l'un de ses camarades lors de l'arrivée du car de ramassage scolaire. La victime n'est pas justifiée à se prévaloir de l'article 1147 du Code civil, le contrat de transport n'ayant pas encore reçu d'exécution. Le transporteur ne peut être recherché que sur la base de l'article 1384 du Code civil, alinéa 1er, en raison de la présomption de responsabilité qui pèse sur lui en tant que gardien du véhicule (12).

Un skieur ayant trouvé la mort en compagnie d'un moniteur qui lui donnait d'ordinaire des leçons, l'existence de liens antérieurs de professeur à élève ne permet pas d'en déduire que, le jour de l'accident, la victime se trouvait dans un rapport contractuel d'enseignement. Les deux intéressés, amateurs de ski en neige profonde, avaient pu décider, ce jour-là, une sortie amicale; il appartenait donc aux proches parents du skieur décédé d'établir que leur auteur, au moment de l'accident, avait passé un contrat pour être accompagné dans sa sortie (13).

Le client d'un magasin à grande surface est blessé par la chute d'une bouteille qu'un tiers non identifié présentait à la caisse enregistreuse. Les juges du fond déboutent la victime de sa demande en réparation contre l'exploitant du magasin, au motif qu'il n'était pas établi qu'il avait la garde de la bouteille. La Cour suprême casse cette décision, arguant que « la société propriétaire du magasin était présumée demeurée gardienne de la bouteille », faute de pouvoir caractériser le transfert de la garde à l'auteur inconnu du dommage (14). Autrement dit, la responsabilité en cause est de nature délictuelle, le vendeur étant tenu de répondre, de façon objective, du dommage provenant des choses exposées à la vente. Ce dernier arrêt s'inscrit dans une suite concordante de décisions (15).

Pourquoi, dans une telle éventualité, répudier la responsabilité contractuelle ? Le choix de la responsabilité délictuelle tient à cette circonstance que peuvent se trouver dans le magasin de simples visiteurs ou badauds, sans intention d'achat, et que, s'agissant de vrais clients, la relation contractuelle ne sera établie qu'au moment du règlement. On est bien en présence d'une situation *précontractuelle* ne pouvant déboucher que sur la responsabilité délictuelle (15-1). On observera, toutefois, qu'en ce qui

---

(11) Civ. 1re, 22 mars 1977 : *D.* 1977, I.R. 437, note LARROUMET.

(12) T.G.I. Tarascon, 14 avril 1977 : *J.C.P.* 78, IV, 71.

(13) Civ. 1re, 13 oct. 1981 : *Gaz. Pal.* 1981, 1, pan. 127.

(14) Civ. 2e, 16 mai 1984 : *Bull. civ.* II, n° 86; *Rev. trim. dr. civ.* 1985, p. 585, obs. J. HUET.

(15) V. par exemple, Civ. 2e, 14 fév. 1979 : *Bull. civ.* II, n° 51 (glissade sur un détritus).

(15-1) ROUBIER, *Essai sur la responsabilité précontractuelle*, thèse Lyon, 1911.

concerne d'autres locaux ouverts au public, la jurisprudence applique plus volontiers la responsabilité contractuelle aux accidents qui y surviennent (16).

2° Incidence de la gratuité

1697. — De ces hypothèses où, à l'évidence, l'absence de rapport contractuel rend compte du recours à la responsabilité délictuelle, on rapprochera d'autres espèces qui se situent plus près du lien contractuel, mais où, semble-t-il, *le caractère bénévole* de la prestation fournie conduit à infléchir le choix du régime de réparation (16-1). Ce qu'invite à penser un arrêt de la deuxième Chambre civile du 15 février 1984 (17) : venu livrer un canapé, le vendeur s'était blessé en aidant l'acheteur, afin de faire place nette, à transporter un meuble dans une pièce voisine; il était soutenu que l'événement était une suite de la vente et engendrait donc une responsabilité contractuelle. Or, la Cour suprême approuve les juges du fond d'avoir estimé que, l'accident s'étant produit avant la livraison proprement dite du nouveau canapé, et la victime « *étant intervenue bénévolement* », l'aide apportée se situait en dehors du contrat de vente avec livraison. Cette décision est discutable. Peut-on sérieusement soutenir que le dommage était bien étranger au contrat, alors qu'il est de pratique courante que le vendeur, qui transporte la chose vendue à domicile, la mette à la place désignée par l'acquéreur, ce qui suppose qu'il participe à l'enlèvement de l'objet ancien pour permettre de ranger le nouveau ?

1698. — Cette espèce n'est pas isolée. Citons, encore, le cas de l'entrepreneur établissant gratuitement un croquis pour son beau-frère en vue de la construction d'une maison, dont la réalisation fidèle au projet se révèle défectueuse : la responsabilité du beau-frère serviable ne peut être déclenchée qu'en vertu d'une faute quasi délictuelle commise dans l'élaboration du plan, le principe étant que « la responsabilité d'un concepteur ne peut être engagée que dans le cadre d'un contrat de louage d'ouvrage, par essence à titre onéreux, et qui se trouve exclu en présence d'un service gratuit » (18).

1699. — Mais il serait hasardeux de croire à une jurisprudence concordante. Dans un arrêt du 15 mai 1984 (19), la première Chambre civile, à

(16) V. sur de telles espèces, J. HUET, obs. *ibid.*, p. 587.

(16-1) M. BOITARD, *Les contrats de service gratuits*, thèse Paris, 1941. — O. MAHONY, *De la réparation du préjudice subi par celui qui bénévolement porte aide ou secours à autrui*, thèse Paris, 1942. — M. F. SOINNE-BARRAT, *L'assistance bénévole portée à autrui*, thèse Lille, 1971. — G. VINEY, *La responsabilité : conditions*, n° 184 et s.

(17) *Rev. trim. dr. civ.* 1985, 389, obs. J. HUET. — V. sur une espèce voisine (absence de lien entre le coup de main et le contrat de transport) : Civ. 2e, 26 fév. 1959 : *D.* 1959, 298, note RODIÈRE.

(18) Civ. 3e, 3 oct. 1980 : *Gaz. Pal.* 1981, 1, pan. 15. — V. encore : Civ. 1re, 1er mars 1977 : *Gaz. Pal.* 1977, somm. 152; *D.* 1977, I.R. 327, obs. LARROUMET.

(19) Civ. 1re, 15 mai 1984 : *Bull. civ.* I, 163; *Rev. trim. dr. civ.* 1985, 389, obs. J. HUET. — V. aussi Civ. 1re, 26 fév. 1980 : *D.* 1981, I.R. 57, note E.-N. MARTINE (contrat d'entraide entre agriculteurs).

l'occasion d'une blessure survenue à un garçon alors qu'il descendait d'un petit train *gratuitement* mis à la disposition des visiteurs lors d'une journée « portes ouvertes » organisée par une école militaire, prend parti pour une responsabilité contractuelle; tout en déclarant que l'existence d'un contrat de transport, générateur d'une obligation de résultat à la charge du transporteur, ne résultait pas des circonstances de la cause, elle admet néanmoins que les organisateurs de l'attraction étaient tenus d'une obligation de moyens, donc d'une obligation de nature contractuelle.

D'autres décisions vont dans le même sens, et cette fois-ci, de façon explicite. Un neveu prête son concours bénévole à son oncle pour dessoucher à l'aide d'explosifs agricoles; le neveu est blessé; les juges du fond relèvent l'existence d'une convention d'assistance, d'où il est conclu — la Cour de cassation approuvera — à la mise en jeu de la responsabilité contractuelle de l'oncle assisté, pour réparer le dommage causé au neveu (19-1). Une personne pilote gracieusement une péniche remorquée qui était tombée en panne; elle est blessée à la suite d'un choc; la cour de Paris qualifie l'intervention de convention d'assistance ayant pour effet d'imposer au propriétaire assisté l'obligation d'indemniser l'intervenant (19-2).

Un auteur, tout en reconnaissant la confusion qui règne en jurisprudence, suggère une distinction suivant que le dommage atteint l'auteur ou le bénéficiaire de la prestation bénévole : ici responsabilité contractuelle, là responsabilité délictuelle; jurisprudence qualifiée d'opportuniste, d'une part en évitant de trop grever le bienfaiteur s'il a été maladroit, d'autre part en le dédommageant lorsque son geste s'est retourné contre lui (19-3).

§ 2. — Le contrat avorté

L'expression vise la période précontractuelle. Deux incidents peuvent survenir et engendrer un dommage : la rupture des pourparlers, le retrait de l'offre.

1° Rupture des pourparlers

1700. — Lorsqu'il n'y a que simple échange de projets et que les propositions de part et d'autre ne sont pas encore nettement précisées, on ne saurait parler de rupture abusive des pourparlers; le fait de ne donner aucune suite n'engage ni la responsabilité contractuelle, ni la responsabilité délictuelle du désistant. Tel est le cas de la négociation entre une artiste et

(19-1) Civ. 1re, 16 déc. 1986 : *D.* 1987, I.R. 25.

(19-2) Paris, 21 janv. 1987 : *D.* 1987, I.R. 31. La cour déclare que la convention d'assistance ne requiert pas l'état de nécessité et que l'assistance peut se manifester dans des circonstances autres que celles résultant d'un danger. — *Adde* : Soc., 21 juill. 1986 : *Gaz. Pal.* 1986, 2, pan. 268 (personne aidant à pousser un camion en panne).

(19-3) G. Viney, *La responsabilité : conditions*, n° 184.

un producteur qui ne prévoit aucune des stipulations essentielles, comme la date du tournage ou la rémunération de la comédienne (20).

1701. — Si, au contraire, les parties sont très avancées dans le processus contractuel successif, l'interruption des discussions peut être reprochable, et le tout est de déterminer le type de responsabilité encouru. On a soutenu longtemps, en se fondant sur l'opinion de Ihering, que les parties étaient liées par un avant-contrat, qui les obligeait à répondre de leurs fautes *in contrahendo* selon les règles de la responsabilité contractuelle. Aujourd'hui, l'accord s'est fait (20-1) pour écarter la fiction de l'avant-contrat et poser que la responsabilité a un fondement délictuel. La jurisprudence est, désormais, fixée en ce sens (20-2). Et voici une illustration.

Un concessionnaire de véhicules automobiles, lié depuis 1921 à la société Citroën pour un secteur géographique déterminé, est incité à étendre son champ commercial sans avoir préalablement procédé à une sérieuse étude de marché, ce qui avait conduit à des investissements sans rapport avec la rentabilité prévisible. La question de la nature de la responsabilité était débattue au travers d'une clause attributive de compétence territoriale au tribunal de commerce de Paris contenue dans le contrat d'extension. La cour d'appel de Rouen avait jugé que les griefs adressés à la société Citroën concernaient les tractations antérieures à la signature du contrat de concession, lequel n'en était que l'aboutissement, que celles-ci devaient être considérées comme une partie de la convention à laquelle elles se rattachaient, participant par là même de sa nature, et qu'en conséquence, si une faute avait été commise au cours du déroulement de ces discussions préalables, elle ne pouvait être que contractuelle. Par suite, la clause de compétence était applicable à la cause. La Cour suprême (21) casse cette décision en termes catégoriques :

« Attendu qu'en se déterminant par ces motifs, alors que la victime d'une faute commise au cours de la période qui a précédé la conclusion d'un contrat est en droit de poursuivre la réparation du préjudice qu'elle estime avoir subi devant le tribunal du lieu du dommage sur le fondement de *la responsabilité délictuelle*, la cour d'appel a violé le texte susvisé » (C. civ., art. 1382).

2° Retrait de l'offre

1702. — L'auteur d'un engagement unilatéral se refuse à l'exécuter; pour certains, il engage sa responsabilité délictuelle; pour d'autres, il a violé un avant-contrat. A notre avis, sa responsabilité doit être calquée sur la responsabilité contractuelle, non parce que son engagement est de nature

(20) Paris, 13 déc. 1984 : *J.C.P.* 85, *Actualités*, n° 40.

(20-1) GHESTIN, n° 228.

(20-2) Com., 20 mars 1972 : *J.C.P.* 73, II, 17543, note J. SCHMIDT-SZALEWSKI; *Rev. trim. dr. civ.* 1972, 779, obs. DURY. — Civ. 1re, 12 avril 1976 : *Bull. civ.* I, n° 122, p. 98. — Com., 9 fév. 1981 : *D.* 1982, p. 4, note J. SCHMIDT-SZALEWSKI.

(21) Com., 11 janv. 1984 : *Bull. civ.* IV, n° 16.

contractuelle, mais parce que l'analogie joue en ce sens : l'engagement unilatéral, comme le contrat, a pour source la volonté de celui qui s'oblige. Le montant des dommages et intérêts, par exemple, serait limité au dommage prévu ou prévisible lors de l'engagement, conformément à l'article 1150.

Pourtant, cette opinion n'est pas celle de la majorité. Là aussi l'idée d'un avant-contrat étant rejetée, la doctrine et la jurisprudence considèrent que la révocation intempestive de l'offre est constitutive d'une faute qui, commise avant l'accord des volontés, est nécessairement de nature délictuelle (21-1).

§ 3. — Le contrat mort-né

1703. — On envisage, sous cette rubrique, le cas du contrat entièrement établi, prévoyant les obligations réciproques, mais qu'un vice de confection dénoncé après coup anéantit rétroactivement. Il est de principe que le droit de demander la nullité d'un contrat n'exclut pas l'exercice d'une action en responsabilité délictuelle par la victime de manœuvres dolosives commises lors des actes préparatoires à la conclusion du contrat. C'est ainsi qu'il y a lieu à cassation d'un arrêt qui considère qu'il y a, en l'espèce, manquement dans l'exécution d'une obligation contractuelle, donc inapplicabilité de l'article 1382 du Code civil, alors qu'il s'agit d'une fraude commise antérieurement à la formation du contrat (22). Naturellement, ce qui est jugé à propos du dol, vaut pour tout autre motif d'annulation.

1704. — Déduire de la nullité du contrat que la responsabilité ne peut pas être contractuelle et que, par conséquent, elle ne saurait être que délictuelle, est un jugement dogmatique, abstrait, qui ne tient pas compte des réalités. Même nul, le contrat a créé une situation de fait toute différente de celle qui existe entre non-contractants. Supposons qu'un contrat de travail soit nul. Si l'employé a mal exécuté sa tâche antérieurement à l'annulation du contrat, le rendra-t-on responsable sur la base délictuelle ? On sait que l'employé ne répond à l'égard de son employeur que de ses *fautes lourdes;* la nullité de son contrat de travail (par exemple l'embauchage d'un ouvrier étranger non autorisé) conduira-t-elle à rendre l'employé responsable de ses fautes les plus légères ? Cela ne semble pas soutenable. Cet ouvrier n'était pas un tiers, *penitus extraneus.* L'appréciation de sa responsabilité ne saurait faire abstraction du lien de fait créé par cette convention, même nulle. Le législateur lui-même ne tient pas compte de la nullité du contrat pour appliquer à l'employé la législation des accidents du travail. Il a même été

(21-1) Paris, 14 mai 1970 : *J.C.P.* 71, II, 16751; *Rev. trim. dr. civ.* 1971, 844, obs. DURRY. — Soc., 2 mars 1972 : *D.* 1972, 468. — V. *supra*, n° 59 et s.

(22) Civ. 1re, 14 nov. 1979 : *D.* 1980, I.R. 264, note GHESTIN; *Gaz. Pal.* 1980, 1, pan. 152.

jugé que l'employé congédié peut réclamer des dommages et intérêts pour résiliation abusive (23).

La situation résultant d'un contrat nul est donc complexe et nuancée (23-1).

SOUS-SECTION II

L'EXISTENCE D'UNE RELATION CONTRACTUELLE

1705. — De prime abord, il y a quelque paradoxe à s'interroger sur la nature de la responsabilité là où il y a certitude sur l'existence d'un contrat. Mais ce serait une erreur de penser que tout dommage commis à l'occasion d'un contrat est couvert par la responsabilité contractuelle.

Premièrement, malgré l'existence certaine d'un contrat valable entre le demandeur et le défendeur, le doute peut surgir sur la nature de la responsabilité engagée par ce dernier, parce que le contenu du contrat est incertain et que, par conséquent, il n'est pas immédiatement évident que le dommage souffert se rattache à l'inexécution du contrat.

Une deuxième question vient de ce que le contrat — nous l'avons longuement exposé — a des effets à l'égard des tiers. Le dommage subi par un tiers du fait de l'inexécution du contrat relève-t-il de la responsabilité contractuelle ou de la responsabilité délictuelle ? Inversement, le tiers qui porte atteinte aux droits contractuels d'autrui est-il délictuellement ou contractuellement responsable à l'égard du contractant lésé ?... Examinons successivement ces deux problèmes qui naissent, le premier, de *l'extériorité de l'obligation* par rapport à la convention, le second, de *l'extranéité de la personne victime* du dommage.

§ 1. — L'extériorité de l'obligation

1706. — Il ne suffit pas que le dommage ait un rapport quelconque avec le contrat pour déclencher une responsabilité contractuelle (24). Il est indispensable qu'il soit *en liaison directe* avec une obligation entrant effective-

(23) Soc., 25 nov. 1960 : *Bull. civ.* IV, 831 et 9 fév. 1966 : *Dr. soc.* 1966, 426, note J. SAVATIER. — *Contra* Civ., 20 nov. 1933 : *Gaz. Pal.* 1934, 1, 41.

(23-1) Sur la question, LEGROS, *Essai d'une théorie générale de la responsabilité en cas de nullité de contrat*, thèse Dijon, 1900 et *supra*, n° 898.

(24) V. pour un exemple de la complexité des situations : Civ. 1re, 30 oct. 1984 : *D.* 1985, 132 (vol d'une voiture sur le parking d'un aéroport).

ment dans le champ de la convention (24-1). Alors, seulement, il y a inexécution d'une obligation dérivant de la volonté et du même coup déclenchement de la responsabilité contractuelle. Il est donc capital de déterminer avec précision quels sont les devoirs incombant aux parties, pour déterminer si l'événement dommageable *a sa cause* dans l'inexécution de l'un d'entre eux.

A. — Contrat de transport

1707. — Pour illustrer cet aspect du problème — le plus important pratiquement — il suffit de rappeler l'évolution de la jurisprudence en matière de *contrat de transport.* Avant les célèbres arrêts de la Cour de cassation de 1911 et 1913 (25), la victime d'un accident de transport poursuivait le voiturier par une action délictuelle. Les juristes de l'époque ne voyaient aucun rapport entre le contrat de transport et l'accident... En l'absence d'une présomption de responsabilité ou d'une responsabilité de plein droit, inconnue jusqu'à la fin du siècle dernier, la victime (ou en cas de décès, ses proches) ne pouvait se faire indemniser qu'en prouvant la faute du transporteur.

C'est pour lui éviter cette preuve difficile, le plus souvent même impossible, que l'on eût l'idée, en jurisprudence, de soumettre le contrat de transport à une nouvelle analyse, de le remodeler, de manière à pouvoir soutenir que la prestation *contractuellement* promise par le transporteur était, non d'emmener le voyageur d'un lieu à un autre, mais de l'y emmener sain et sauf : ce fut la découverte d'une *obligation contractuelle de sécurité* à la charge du transporteur. En cas d'accident, la situation était désormais régie par l'article 1147 du Code civil et non par l'article 1382. De ce fait, la victime n'avait plus à prouver la faute du transporteur; la responsabilité de ce dernier étant contractuelle, la preuve de l'inexécution du contrat suffisait; or, cette inexécution résultait du seul fait de l'accident causant des blessures aux voyageurs ou leur mort...

On voit donc tout l'intérêt qui s'attachait, à cette époque, à faire admettre que la responsabilité du voiturier est contractuelle. Mais on comprend, aussi, que ce problème n'aurait pas eu la même acuité si la victime d'un accident de transport avait pu agir en vertu d'un texte instituant une responsabilité objective.

1708. — Ce qui est remarquable, c'est que l'introduction de l'obligation de sécurité dans le contrat de transport n'a pas mis fin au problème du

---

(24-1) Civ. 1re, 22 juill. 1986 : *Gaz. Pal.* 1986, 2, pan. 254 : un moniteur de ski est blessé par l'élève d'un cours collectif; les juges du fond décident à bon droit que les élèves déjà bien entraînés disposaient d'une autonomie réelle et *que le dommage ne résultait pas d'un manquement lié aux obligations du contrat.* — Sur la question, MARTY et RAYNAUD, n° 449, G. VINEY, *La responsabilité : conditions*, n° 185.

(25) Civ., 21 nov. 1911, 27 janv. et 21 avril 1913 : *D.* 1913, 1, 249, note SARRUT.

contenu de ce contrat. Il a fallu encore attendre de nombreuses années, des centaines, voire des milliers de décisions, pour préciser le *moment* où le transport commence et celui où il finit. On sait que la jurisprudence a évolué et que ce n'est que tardivement qu'une définition du contrat de transport, limité dans le temps, a été donnée.

Cette nouvelle définition restreint le domaine de l'obligation de sécurité incluse dans le contrat de transport, mais suscite, par la même occasion, des questions embarrassantes sur la situation du voyageur *antérieurement* et *postérieurement* au transport proprement dit (26).

1709. — Depuis que le transport ne commence qu'au moment où le voyageur accède au véhicule et qu'il finit lorsqu'il a achevé d'en descendre, la situation des voyageurs se trouvant dans l'enceinte de la gare soulève un nouveau problème : ces voyageurs sont-ils des tiers qui, en cas d'accident, pourraient poursuivre le transporteur en vertu de l'article 1384, alinéa 1er, ou bien sont-ils déjà (ou encore) des contractants, liés par un contrat innomé comportant lui aussi une obligation de sécurité ? Dans l'affirmative, cette obligation est-elle de résultat ou de moyens ? La jurisprudence, après avoir penché en faveur de cette dernière solution dont nous avons montré les inconvénients, soumet le transporteur à la responsabilité délictuelle dès lors que le dommage se situe en dehors de l'exécution du contrat de transport (26-1).

On ne reviendra donc pas sur toutes ces questions déjà longuement analysées. Ce rappel a eu pour seul but de montrer que la nature contractuelle ou délictuelle de l'action en réparation joue encore un rôle considérable en matière de responsabilité, mais que les données de ce problème se sont radicalement modifiées du fait qu'en matière délictuelle le recours à l'article 1384, alinéa 1er est de plus en plus largement admis et, en sens inverse, que la référence à l'ordre contractuel peut tourner au désavantage de la victime, si le contrat, dans le domaine duquel elle se trouve, ne comporte qu'une obligation de sécurité atténuée, simple obligation de moyens.

Dès lors, il n'est pas étonnant que l'effort de certains plaideurs ait pour but désormais d'échapper à cette responsabilité contractuelle pour chercher refuge dans le domaine de la responsabilité délictuelle, plus secourable que jadis, grâce au providentiel article 1384, alinéa 1er.

---

(26) V. par exemple, Civ. 1re, 2 mars 1983 : *Rev. trim. dr. civ.* 1983, p. 350, obs. DURRY : la passagère d'un autocar, après en être descendu, se blesse en ouvrant la porte arrière du véhicule pour reprendre une bouteille de gaz qu'elle avait emportée avec elle; il est néanmoins jugé que la passagère continue de bénéficier d'une obligation de résultat; pour asseoir sa décision, la Cour de cassation retient que les juges du fond avaient considéré le transport de bagages comme accessoire du transport de personne : ce contrat n'ayant pas encore pris fin, l'obligation du transporteur demeurait de résultat jusqu'à l'achèvement de l'opération de déchargement.

(26-1) Civ. 1re, 7 mars 1989 : *D.* 1989, I.R. 96.

1710. — Toutes ces analyses, ces découvertes et ces revirements, montrent le caractère artificiel des catégories juridiques ou des étiquettes utilisées en cette matière : responsabilité contractuelle ou délictuelle, celle-ci tantôt objective, tantôt pour faute prouvée, celle-là tantôt de résultat, tantôt de moyens, dissimulent les vraies données d'un problème beaucoup plus simple : celui de la nécessaire garantie de la vie et de l'intégrité corporelle d'autrui, limitée par l'obligation de chacun de veiller à sa propre sécurité. Il ne saurait être question d'exposer, ici, tous les types de litiges où le caractère de la responsabilité dépend de l'analyse du contenu du contrat, mais il nous faut donner un autre exemple parce que l'intérêt en jeu y est essentiellement différent de celui que nous venons de rappeler. On le trouve dans le domaine de la responsabilité médicale.

B. — Contrat médical

1711. — Jusqu'en 1936, le malade qui avait à se plaindre de son médecin, non évidemment pour non-guérison, mais pour mauvais soins, intentait contre lui, tout naturellement, une action délictuelle fondée sur l'article 1382 : il lui fallait donc prouver la faute du médecin.

Puis, un revirement très remarqué eut lieu à la suite d'un des arrêts les plus connus de la Cour de cassation, rendu par la Chambre civile le 20 mai 1936 (27). Cette décision énonce, avec netteté, que le médecin est *contractuellement* tenu de soigner son malade, chose qui aujourd'hui nous paraît un truisme, mais qui, à l'époque, avait constitué une sorte de révélation juridique.

1712. — Quelle fut la raison de ce revirement ? Même contractuelle, l'obligation du médecin envers son malade n'est qu'une *obligation de moyens.* C'en est l'archétype, l'exemple que l'on cite toujours, et en premier lieu, pour illustrer ce genre d'obligations. Cela étant, le malade ne peut obtenir des dommages et intérêts du médecin qu'en établissant sa faute. A cet égard, rien de comparable avec ce qui s'est passé en matière de transport : passer du terrain délictuel sur le terrain contractuel ne modifiait pas la charge de la preuve, n'éliminait pas la nécessité de prouver la faute du débiteur de soins (le médecin)... Alors, pourquoi ce changement ?

1713. — Un simple souci de clarté du raisonnement juridique et celui de l'emploi d'un vocabulaire précis l'auraient déjà justifié. Il était contradictoire de considérer que l'action du médecin en paiement de ses honoraires était contractuelle — ce qui n'a jamais fait de doute — alors que l'obligation de soins, qui est l'essence même des obligations du médecin, n'était pas rattachée au contrat médical et flottait dans une sorte de vide juridique. Mais, ce n'est pas cette contradiction qui a conduit à abandonner la position traditionnelle; le revirement de 1936 s'opéra pour une raison pratique, à vrai dire très importante.

(27) *D.* 1936, 88, rapp. JOSSERAND, concl. MATTER.

1714. — Dans l'espèce qui a donné lieu à l'arrêt précité, la faute du médecin était si parfaitement évidente que c'est lui-même qui s'en prévalut pour faire observer qu'elle tombait sous le coup de la loi pénale : il y avait blessure involontaire punie par l'article 319 du Code pénal. Assurément, le médecin ne réclamait pas, en faisant cette observation, la punition de sa négligence, mais se bornait à opposer la prescription triennale à l'action en réparation intentée contre lui. En effet, le malade avait intenté son action en responsabilité contre le médecin plus de quatre ans après l'infraction; le défendeur entendait donc faire échouer cette demande en se prévalant de la règle selon laquelle l'action civile se prescrit en même temps que l'action publique réprimant l'infraction pénale.

Cette argumentation fut rejetée. Les juges du fond, approuvés par la Cour de cassation, estimèrent que la solidarité des prescriptions civile et pénale ne concerne que *l'action civile qui a sa source dans l'infraction,* c'est-à-dire *l'action en responsabilité pour faute délictuelle.* Or, dans l'espèce, la responsabilité du médecin avait sa source dans la mauvaise exécution du *contrat médical,* lequel est *antérieur* à l'infraction ! C'est donc pour échapper à la prescription triennale résultant de l'infraction pénale que l'on fît la découverte du contrat médical.

1715. — Avec la mécanisation de la médecine, et surtout de la chirurgie, certaines victimes d'appareils qui explosent ou qui se brisent, de tables d'opération qui basculent et provoquent leur chute, ont vu se retourner contre elles cette élaboration de la notion de contrat médical et regretté que, désormais, il ne leur soit plus loisible d'invoquer la responsabilité délictuelle, où l'article 1384, alinéa 1er guérirait plus sûrement — sur le plan juridique — les maux dont elles se plaignent. Nous avons vu ce qu'il fallait en penser; on n'y reviendra donc pas.

1716. — L'analyse du contrat médical doit être généralisée. Toutes les prestations de services contractuellement stipulées sont de nature contractuelle, qu'il s'agisse de celles de l'avocat (28), de l'architecte (29), du comptable (30), du notaire (31), du conseil juridique (31-1), du vétérinaire (31-2), de l'agent immobilier (31-3), etc. Cependant, on trouve encore fréquemment des arrêts qui, en cette matière, visent l'article 1382 du Code civil, tout

(28) Y. Avril, *La responsabilité de l'avocat,* 1981. — G. Flécheux et F. Fabiani, *La responsabilité civile de l'avocat : J.C.P.* 74, I, 2673.

(29) Boubli, *La responsabilité des architectes, entrepreneurs et autres constructeurs,* 2e éd. 1979. — Groslière, *Glossaire pour la responsabilité en matière de construction : Mélanges Hébraud,* 1981, 393.

(30) Paris, 23 fév. 1978 : *Rev. sociétés* 1979, 92, note E. du Pontavice. — Com., 2 juin 1987 : *D.* 1987, 500, note A. Viandier.

(31) Aubert, *Responsabilité professionnelle des notaires,* 2e éd., 1981. — Civ. 1re, 22 avril 1981 : *Bull. civ.* I, 126.

(31-1) Versailles, 3 avril 1987 : *D.* 1987, I.R. 119.

(31-2) Civ. 1re, 27 janv. 1982 : *J.C.P.* 83, II, 19923, note Chabas.

(31-3) Paris, 27 mai 1987 : *D.* 1987, I.R. 153.

spécialement au sujet de la responsabilité notariale. C'est que, dans tous ces cas, le recours à l'article 1382 conduisait, dans les espèces jugées, exactement au même résultat que le recours à la responsabilité contractuelle issue de l'inexécution d'une obligation qui ne peut être que de moyens. Faut-il donc attendre qu'un notaire prétende que l'action en responsabilité civile intentée contre lui est prescrite, parce que le fait qui lui est reproché est pénalement réprimé, pour s'aviser qu'il était contractuellement tenu envers son client ? A notre avis, le souci d'un vocabulaire juridique correct devrait suffire.

C. — Obligation de sécurité

1717. — La jurisprudence inaugurée en 1911 à propos du contrat de transport s'est développée sur deux plans : d'une part, l'existence d'une obligation de sécurité *a été étendue à de très nombreux autres contrats* (manèges forains, remonte-pente, établissements d'hôtellerie, de spectacles, piscines, manèges d'équitation, colonies de vacances, parcs zoologiques, garages, maisons de la culture, etc.); d'autre part, cette obligation contractuelle s'est *diversifiée :* tantôt elle est définie comme une obligation de résultat, tantôt comme une simple obligation de moyens. Dans ce dernier cas, la victime doit prouver la faute du débiteur de sécurité (sauf dans quelques situations où cette faute est présumée), si bien que le déplacement du litige du terrain délictuel sur le terrain contractuel ne présente plus le même avantage pour la victime. Ce nouveau système peut même se retourner contre les intérêts de cette dernière, par suite de l'extension considérable du domaine des responsabilités délictuelles objectives qui s'est produite parallèlement.

1718. — C'est, sans doute, ce qui explique une certaine orientation de la jurisprudence vers la responsabilité délictuelle, lorsque celle-ci paraît plus favorable à l'indemnisation de la victime. Témoin, un arrêt de la 1re Chambre civile du 28 avril 1981 (32). La cliente d'une infirmière avait fait une chute en glissant sur le tapis recouvrant le couloir du cabinet de soins; elle avait introduit une action en responsabilité en se fondant sur l'obligation de sécurité pesant sur l'infirmière, ce qui l'obligeait à rapporter la preuve d'un manquement à la prudence-diligence. La cour d'appel a justement décidé que l'usage du tapis, cause du dommage, ne se rattachait pas, par un lien nécessaire, à l'exécution du contrat et en a déduit, à bon droit, que l'accident n'était pas dû à l'inexécution d'une obligation contractuelle, mais engageait la responsabilité de l'infirmière en tant que gardienne du tapis.

D. — Obligation de renseignement

1719. — On a précédemment (*supra*, n° 269 et s.) observé le prodigieux essor de l'obligation de renseignement tant dans la phase préparatoire à l'accord des volontés que dans le libellé même de la convention (mentions

(32) Civ. 1re, 28 avril 1981 : *Gaz. Pal.* 1981, 2, pan. 367, note CHABAS.

informatives). Le même devoir d'informer se retrouve au stade de l'exécution de l'obligation, par exemple, au moment de la livraison dans la vente. Une double question se pose : d'une part, dans quelles sortes de contrats la jurisprudence reconnaît-elle l'existence d'une telle obligation ? D'autre part, à supposer celle-ci imposée, son inobservation est-elle nécessairement génératrice de la seule responsabilité contractuelle, étant observé que le manque d'information peut être source de dommage vis-à-vis du partenaire et de tiers étrangers au contrat ?

1720. — La réponse à la première question varie selon les espèces et, la jurisprudence statuant de façon toute empirique, il ne saurait être question d'établir un inventaire quelconque qui relèverait de la casuistique.

1721. — S'agissant du second problème, on fera état d'un arrêt rendu par la Cour de cassation le 11 octobre 1983 (33). Une colle à néoprène utilisée pour la fixation d'un carrelage avait pris feu par suite de la proximité d'un fourneau situé dans la pièce, ce qui avait provoqué, outre des dégâts matériels, la mort d'un enfant et des blessures aux proches parents de l'utilisateur. Les juges du fond avaient condamné le fabricant à réparation, au titre de la *responsabilité contractuelle* à l'égard de l'acquéreur et au titre de la *responsabilité délictuelle* à l'égard des autres victimes, en retenant qu'il avait commis « un manquement à l'obligation de renseigner l'utilisateur sur les dangers présentés par le produit et sur les précautions à prendre lors de son emploi ».

La Cour suprême ne prend pas parti et ne tranche pas la question du fondement de la responsabilité en l'espèce. En cela, cet arrêt, qui admet implicitement le fonctionnement conjoint des deux responsabilités, se sépare de la jurisprudence antérieure, notamment d'un arrêt de la 1re Chambre civile de 1973 (34) où l'on peut lire que « la cour d'appel avait nécessairement fondé sa décision sur la responsabilité contractuelle » et d'autres arrêts ayant justifié leur décision par référence à l'article 1135 du Code civil (suites que l'équité et l'usage attachent à l'obligation selon sa nature) (35). Si cette solution devait se perpétuer, en ne rattachant plus à la seule responsabilité contractuelle la violation de l'obligation de renseignement, il faudrait en déduire que le devoir d'informer n'est pas uniquement à l'usage du contractant et que les tiers peuvent se prévaloir de son inobservation à l'instar des parties (36).

---

(33) Civ. 1re, 11 oct. 1983 : *Bull. civ.* I, 228; *Rev. trim. dr. civ.* 1984, 731, obs. J. HUET.

(34) Civ. 1re, 31 janv. 1973 : *D.* 1973, I.R. 55 cité en annexe de la chronique, *La responsabilité du fabricant en cas de violation de l'obligation de renseigner le consommateur sur les dangers de la chose vendue* par N'Guyen THANK-BOURGEOIS et REVEL.

(35) Civ. 1re, 14 déc. 1982 : *Bull. civ.* I, 362; *Rev. trim. dr. civ.* 1983, 544, obs. DURRY.

(36) On trouve ailleurs, en dehors du renseignement, l'application simultanée des deux responsabilités. V. pour une illustration : Paris, 2 fév. 1982 : *Gaz. Pal.* 1982, 2, somm. 316 (la victime d'un accident d'ascenseur peut agir, en même temps, contre la société d'entretien coupable de négligence dans l'exécution du contrat et contre le propriétaire en tant que gardien de l'appareil, la faute prouvée et la faute présumée ayant concouru à la réalisation de l'entier dommage).

§ 2. — L'extranéité de la victime

Le contrat et les tiers

1722. — Dans cette seconde catégorie, les données du problème sont différentes : on est bien en présence d'un contrat prévoyant l'obligation dont l'inexécution est la source du dommage; *ce qui est extérieur*, ce n'est donc pas le devoir contractuel inobservé, mais *la personne* à qui la défaillance cause le dommage. Si cette personne était une partie, la solution irait d'elle-même; la responsabilité serait contractuelle. Mais, par hypothèse, il s'agit d'un tiers et l'effet relatif des contrats paraît s'opposer à ce qu'il se réclame de la convention. Seulement, nous l'avons vu, la relativité n'étant pas conçue comme un absolu, il est permis de supposer que l'extranéité ne ferme pas, en toutes circonstances, la voie contractuelle.

1723. — Si un tiers, connaissant l'existence d'un contrat, agit en violation des droits d'un contractant (l'exemple type étant le débauchage), sa responsabilité est engagée, cela n'est pas douteux. Il avait été soutenu que, s'étant rendu *complice* du contractant qui a violé son engagement, lequel engage de ce fait sa responsabilité contractuelle, le tiers, bien que non-contractant lui-même, doit subir le même sort : sa responsabilité aurait la même coloration, ce serait une responsabilité contractuelle par « complicité » (37). Cette thèse est unanimement rejetée en doctrine et en jurisprudence. Le tiers a violé une obligation *légale :* celle qui commande de ne rien faire qui puisse troubler les droits d'autrui, que ces droits aient leur source dans la loi ou dans le contrat; il en résulte que sa responsabilité est délictuelle ou, du moins, extracontractuelle.

1724. — Le rapport entre contractants et tiers peut se présenter autrement. L'inexécution du contrat peut *nuire à des tiers.* Quelle est la nature de la responsabilité du contractant en ce cas ? Dans l'état actuel de la jurisprudence, cette responsabilité est délictuelle. Le contrat — ou plus exactement son inexécution — n'est qu'un *fait* à l'égard du tiers. Si ce fait est générateur de responsabilité, parce qu'il entre dans l'un des cas de responsabilité délictuelle, le tiers pourra poursuivre le contractant, délictuellement responsable à son égard (37-1).

Cette proposition a de nombreuses applications et n'est pas sans soulever des objections. Les tiers, on le sait, appartiennent à des catégories diverses, et il n'est pas certain qu'ils doivent être tous soumis au même régime.

1725. — Il peut s'agit d'un tiers absolu, de quelqu'un qui n'avait aucun rapport juridique avec l'un ou l'autre des contractants : *penitus extraneus.*

---

(37) P. Hugueney, *op. cit.* — *Adde*, Demogue, *Obligations,* t. VII, n° 1176.

(37-1) Civ. 1re, 20 mars 1989 : *D.* 1989, I.R. 116 (implosion d'un poste de télévision causant préjudice à un syndicat de copropriétaires; aucun lien n'unissant le vendeur et le syndicat, c'est la responsabilité délictuelle qui doit jouer).

Le vendeur d'une automobile atteinte d'un vice de construction répond délictuellement envers le piéton blessé dans l'accident provoqué par ce vice. La victime dispose en ce cas d'une double action délictuelle *in solidum* contre le gardien et contre le vendeur du véhicule défectueux.

La situation est différente dans deux autres éventualités très pratiques : l'une où le tiers est un des proches du contractant (dommage par ricochet), l'autre où la victime est à la fois contractant et tiers.

A. — Victime par ricochet

1726. — On sait que ces tiers, parents de la victime directe, sont censés être les bénéficiaires d'une *stipulation pour autrui tacite* faite par le contractant en leur faveur. En acceptant la stipulation pour autrui, ces victimes par ricochet disposeront d'une action en responsabilité contractuelle. Si cette action présente des avantages pour eux, ils prendront la voie contractuelle. Mais ils n'y trouvent pas toujours leur intérêt, et notamment dans le cas où l'irresponsabilité a été stipulée et celui où l'obligation n'est que de moyens.

1° En cas de clause d'irresponsabilité

1727. — Le contractant qui n'a pas exécuté ou qui a mal exécuté était à l'abri de toute poursuite contractuelle par suite d'une *clause de non-responsabilité valable* (c'était le cas des transporteurs aériens avant la loi de 1957 et des transporteurs maritimes avant la loi de 1966). La voie contractuelle n'était alors qu'une impasse : elle n'aboutissait pas à la réparation. On connaît la parade : les victimes par ricochet renonçaient à la stipulation pour autrui et agissaient en leur nom personnel, par une action délictuelle. La jurisprudence a considéré que cette manière d'agir est licite dans les fameux arrêts *Lamoricière* en matière maritime et *Vizioz* en matière aérienne.

Il y a tout de même là quelque chose d'assez singulier : les victimes par ricochet bénéficiaient d'un régime juridique plus favorable que la victime directe. Si cette solution, qui peut paraître absurde, a, cependant, été admise par les tribunaux, c'est que les clauses de non-responsabilité en matière de transport maritime ou aérien étaient en elles-mêmes critiquables sur le plan social, et qu'il était difficilement acceptable qu'on laissât la victime de ces modes de transport sans garantie en cas d'accident. L'admission de l'action délictuelle était un moyen élégant de neutraliser ces clauses, sans les annuler en principe. Mais il fallait pour cela que le passager, contractant direct, mourût...

1728. — Cette situation aberrante a cessé, on le sait, en vertu des lois précitées de 1957 et 1966, dont l'objet est triple :

— fixer une *limite légale* à l'indemnité réparatrice en cas d'accident;

— *interdire toute clause contractuelle qui stipulerait une indemnité moindre;*

— appliquer cette limitation légale *à toute personne* se prévalant de l'accident de transport maritime ou aérien *quel que soit le titre auquel elle agit.*

1729. — On a fait observer que ce système devrait être généralisé (38). Le débiteur dont la responsabilité est limitée, soit quant au montant de l'indemnité, soit quant au délai de la prescription de l'action susceptible d'être intentée contre lui, devrait bénéficier d'un même régime, quelle que soit la personne qui lui réclame une indemnité, dès lors que ce qu'on lui reproche c'est l'inexécution d'une obligation contractuelle (39).

1730. — Il n'est pas possible d'approuver sur le plan de la logique ou du bon sens ces systèmes qui, en réalité, arrivent à tourner la loi et à supprimer un système sur lequel le débiteur contractuel devrait pouvoir compter. Ce n'est pas la logique qui guide ici les tribunaux, mais leur volonté d'éviter l'application de textes légaux ou de clauses contractuelles qu'ils désapprouvent en fait. Notre système de responsabilité est suffisamment subtil et complexe pour le leur permettre. Assurément, cela est incohérent, mais mieux vaut l'incohérence que l'injustice.

2° En cas d'obligation de moyens

1731. — Ce n'est pas seulement l'existence de limitations légales ou contractuelles de l'indemnité, ou celle de prescriptions abrégées en matière contractuelle, qui poussent les tiers à agir par l'action délictuelle contre un contractant, c'est encore le fait que l'obligation de ce dernier n'est que de moyens. En ce cas, la victime devrait prouver la faute du contractant si elle agissait contractuellement. C'est pour l'éviter que les victimes par ricochet se placent, délibérément, sur le terrain délictuel et basent leur action sur l'article 1384, alinéa 1er. On se borne à rappeler l'arrêt de la Cour de cassation du 1er avril 1968 concernant la responsabilité d'un anesthésiste envers les proches du patient tué par l'explosion de l'appareil d'anesthésie. Nous avons commenté cette décision qui, exacte quant à sa solution (indemnisation des victimes), est critiquable quant à sa motivation. Il est paradoxal de poser en principe que le médecin répond, délictuellement et, le cas échant, en vertu de l'article 1384, alinéa 1er envers les proches de son patient tué lors de l'opération, alors que le patient lui-même, s'il avait survécu, aurait dû prouver la faute médicale (40).

En réalité, le médecin est garant du bon fonctionnement des appareils employés — donc responsable sans faute — tout aussi bien envers son client qu'envers ses proches agissant en leur nom personnel.

(38) CHAUVEAU, note *J.C.P.* 69, sous Com., 4 déc. 1968. — DURRY, obs. *Rev. trim. dr. civ.* 1969, p. 774.

(39) V. *infra*, n° 1745-1 et s.

(40) Mais on sait que la Cour de cassation a abandonné ce point de vue dans son arrêt du 25 mai 1971 (*Gaz. Pal.*, 3-4 nov. 1971, p. 2) : l'action des victimes par ricochet, fondée sur l'art. 1384, al. 1er, en matière médicale, est rejetée.

1732. — On a vu, par ces exemples, que les tiers, du moins ceux qui agissent par ricochet, peuvent, selon leur intérêt, choisir la voie contractuelle (en acceptant la stipulation pour autrui tacite dont ils seraient les bénéficiaires), soit la voie délictuelle (en renonçant à la stipulation pour autrui).

1733. — Il en va autrement pour l'ayant cause particulier qui se plaint d'un dommage causé par la violation d'une obligation incluse dans un contrat qui précède celui de qui il tient ses droits. Cet ayant cause possède la qualité de tiers vis-à-vis du contrat primitif et celle de partie vis-à-vis du contrat final : on l'appellera le tiers contractant.

B. — Tiers contractant

1734. — La position du tiers contractant évoque ce que la dernière doctrine dénomme une « *chaîne de contrats* » (41). On désigne par là une pluralité de conventions qui se succèdent dans le temps et par l'effet desquels un bien change de propriétaire ou d'utilisateur jusqu'à parvenir à son consommateur actuel. L'exemple type est celui des ventes successives du fabricant au grossiste, du grossiste au détaillant, du détaillant au client; autre exemple très courant : un industriel vend des matériaux de construction à un entrepreneur du bâtiment qui s'en sert pour édifier un immeuble pour le compte d'un particulier. Dans le premier cas, on parle de *chaîne homogène,* parce que les rapports juridiques qui se succèdent sont de même nature (en l'espèce, il s'agit de contrats de vente); dans le second, la chaîne est qualifiée *chaîne non homogène,* pour cette raison que les contrats qui se font suite relèvent de catégories différentes (on est en présence, tour à tour, d'un contrat de vente et d'un contrat d'entreprise).

1735. — Il est certain que, subissant un dommage, l'une des personnes situées à l'intérieur de la chaîne peut agir contre son partenaire direct en mettant en jeu une responsabilité typiquement contractuelle; mais est-il permis au contractant qui se trouve *en fin de chaîne* de s'en prendre au contractant d'origine ? Voici un propriétaire d'automobile qui a confié à un garagiste-carrossier le soin d'effectuer des travaux sur son véhicule; il cède la voiture à un tiers qui la revend à son tour. L'acquéreur final découvre un vice consistant dans la déformation d'un longeron due à un accident, la réparation n'ayant pas été effectuée selon les règles de l'art. Il va de soi que le second acquéreur peut se pourvoir contre son vendeur à raison du vice caché; a-t-il, aussi, la faculté de remonter la chaîne et de poursuivre le garagiste, en demeurant au plan contractuel ? Autrement dit, est-ce que le principe de la relativité des conventions fait obstacle à ce que les garanties inhérentes à la fourniture d'une chose ou à la réalisation d'un ouvrage se transmettent aux propriétaires successifs ? La jurisprudence a, sur ce point,

(41) TEYSSIÉ, *Les groupes de contrats,* L.G.D.J., 1975. — G. VINÉ, *La responsabilité des fabricants et distributeurs,* Économica, 1975. — NÉRET, *Le sous-contrat,* L.G.D.J., 1979.

beaucoup évolué avant d'aboutir à une généralisation du recours contractuel à tous les ensembles contractuels. Pour une meilleure compréhension, on rappellera par quelles phases est passée cette progressive *contractualisation.*

1° Jurisprudence antérieure à 1984

1736. — a) Avant 1973, une jurisprudence séculaire reconnaissait au sous-acquéreur le droit d'exercer l'action en garantie des vices cachés et l'action en dommages et intérêts contre quiconque occupait un des maillons de la chaîne (42).

1737. — b) En 1973, la Chambre commerciale opère un renversement de jurisprudence. Les époux Nicolas avaient chargé le sieur Miran de vendre des machines de leur fabrication, destinées à nettoyer les tuiles employées par les ostréiculteurs pour recueillir le naissain. Après quoi Miran vendit à Berthot l'une de ses machines après l'avoir achetée aux époux Nicolas. Berthot, considérant que le matériel acquis était impropre à son usage, assigna tout à la fois son cocontractant Miran et les précédents vendeurs, les époux Nicolas. La cour d'appel avait déclaré recevable et l'action rédhibitoire de l'article 1644 et l'action en responsabilité contractuelle dirigée contre les vendeurs originaires. L'arrêt est cassé au motif que le sous-acquéreur ne disposait d'aucune action directe contre les époux Nicolas et, qu'en décidant le contraire, la cour d'appel avait violé l'article 1165 du Code civil. Il est ainsi rappelé que le principe de la relativité empêche qu'une responsabilité contractuelle puisse naître au profit d'un tiers (43).

1738. — c) A partir de 1978 (44), la jurisprudence — en schématisant quelque peu — paraît se régler sur la distinction des chaînes *homogènes* et des chaînes *non homogènes.* S'agissant des premières, la Cour suprême retient la responsabilité contractuelle; ainsi lorsqu'une voiture, qui a fait l'objet de trois contrats de vente successifs, est entachée d'un vice ayant entraîné un accident dont le dernier acheteur est rendu responsable, celui-ci dispose de l'action en garantie contre les différents vendeurs antérieurs :

« Attendu... que l'action directe dont dispose le sous-acquéreur contre le fabricant ou un vendeur intermédiaire, pour la garantie du vice caché affectant la chose vendue dès sa fabrication, *est nécessairement de nature contractuelle...* » (45).

---

(42) Civ., 25 janv. 1820 : *S.* 1820, 1, 213. — Civ. 1re, 5 janv. 1972 : *J.C.P.* 73, II, 17340, note MALINVAUD.

(43) Com., 27 fév. 1973 : *D.* 1974, 138, note MALINVAUD; *J.C.P.* 73, II, 17445, note R. SAVATIER; *Gaz. Pal.* 1973, 2, 737, note PLANCQUEEL; *Rev. trim. dr. civ.* 1973, 582, obs. CORNU.

(44) Com., 26 juin 1978 : *D.* 1978, I.R. 453.

(45) Civ. 1re, 9 oct. 1979 : *Bull. civ.* I, 241; *Gaz. Pal.* 1980, 1, 249, note PLANCQUEEL; *Rev. trim. dr. civ.* 1980, 354, obs. DURRY. — Dans le même sens, Com., 17 mai 1982 : *D.* 1983, I.R. 479, obs. LARROUMET. — 4 nov. 1982 : *Bull. civ.* IV, 335. — Civ., 9 mars 1983 : *Bull. civ.* I, 92; *J.C.P.* 84, II, 20295, note COURBE.

1739. — S'agissant des secondes, la victime ne peut agir que du chef de la responsabilité délictuelle (ou quasi délictuelle). Le principe découle implicitement d'un arrêt de la 1re Chambre civile intervenu le 27 janvier 1981 (46). En l'espèce, une entreprise de construction avait édifié un immeuble pour une société civile immobilière en utilisant des briques fournies par un fabricant de ce matériau; des malfaçons s'étant révélées, la compagnie d'assurances, qui garantissait la responsabilité professionnelle de l'entreprise de construction, avait dédommagé la société civile immobilière, laquelle l'avait subrogée dans ses droits; la compagnie d'assurances se retournait contre le fabricant des briques défectueuses en prenant appui sur la responsabilité délictuelle; la cour d'appel avait considéré que l'assureur ne pouvait exercer que la seule action contractuelle de l'assuré en garantie des vices et que la demande était irrecevable, comme introduite cinq ans après la découverte des défectuosités contrairement à l'exigence du bref délai de l'article 1648 du Code civil. Cette décision est cassée; selon la Cour suprême, rien n'interdisait à la compagnie d'assurances, bénéficiaire d'une subrogation conventionnelle que lui avait consentie la société civile immobilière, d'exercer, dans la limite de l'indemnité versée, l'action en responsabilité quasi délictuelle que cette société aurait pu intenter contre l'entreprise de construction.

1740. — L'appel à la responsabilité délictuelle a été interprété comme provenant du caractère non homogène de la suite des contrats en cause (entreprise et vente). Ce qui confirmait cette position, c'est un autre arrêt de la même Chambre du 5 octobre 1983 (47), où les mêmes contrats, vente et louage d'ouvrage, se succédaient, mais dans l'ordre inverse. La Cour de cassation pose le principe que l'absence de lien de droit ne fait pas obstacle à ce qu'on puisse se prévaloir contre le contractant originaire de ses « *fautes envisagées en elles-mêmes et indépendamment de tout point de vue contractuel* ».

2° Les arrêts de mai-juin 1984

1741. — Jusqu'à présent, les solutions, quoique discutables, étaient relativement claires : à chaîne homogène, responsabilité contractuelle; à chaîne non homogène, responsabilité délictuelle. Deux arrêts rendus à trois semaines d'intervalle, le 29 mai et le 19 juin 1984 (48), viennent tout remettre en cause et ouvrent une inacceptable divergence. Dans les deux espèces, la situation de fait est pourtant la même : un entrepreneur achète des tuiles à un fabricant pour la couverture d'une maison dont il lui a été passé commande; les matériaux se révélant défectueux, le maître de l'ouvrage agit directement en responsabilité contre le fabricant des tuiles, cause du dommage.

(46) *Bull. civ.* I, 30; *Rev. trim. dr. civ.* 1981, 634, obs. DURRY.

(47) *Bull. civ.* I, 219; *Rev. trim. dr. civ.* 1984, 504, obs. J. HUET.

(48) *Bull. civ.* I, 175 et *Bull. civ.* III, 120; *D.* 1985, 213, note BÉNABENT; *Rev. trim. dr. civ.* 1985, p. 588 et s., obs. HUET.

1742. — Selon la 1re Chambre civile,

« le maître de l'ouvrage dispose contre le fabricant de matériaux posés par un entrepreneur d'une action directe pour la garantie du vice caché affectant la chose vendue dès sa fabrication, *laquelle action est nécessairement de nature contractuelle* ».

En décidant ainsi, la 1re Chambre civile contredit sa précédente doctrine, celle de l'arrêt du 27 janvier 1981, qui plaçait hors du terrain contractuel le procès en responsabilité, en présence d'une suite de contrats différents.

1743. — Au contraire, la 3e Chambre civile, qui retient la constatation de la cour d'appel établissant que le défaut de fabrication des tuiles était l'unique cause du désordre affectant la toiture, décide que

« par ces seuls motifs caractérisant, en dehors de tout contrat, la faute commise et sa relation de causalité avec le dommage, la Cour d'appel a pu retenir la responsabilité du fabricant même en l'absence de lien de droit direct avec le maître de l'ouvrage... ».

D'où il suit que la responsabilité est délictuelle entre deux personnes situées dans une chaîne non homogène.

1744. — Le temps était venu, comme le souhaitait la doctrine dominante (49), que

« l'on écarte... le sacro-saint principe de l'effet relatif du contrat pour soumettre à un régime unitaire et cohérent tous ceux qui ont souffert d'un dommage ayant un lien avec le contrat initial, qu'il y ait eu ensuite ou non des sous-contrats ».

Deux considérations militaient en ce sens. La première tenant à l'analyse juridique : à bien réfléchir, la garantie est incorporée à la chose dont elle constitue l'un des attributs, qui doit la suivre en quelques mains qu'elle vienne à passer; la justification de la cession successive de l'action contractuelle est bien à rechercher dans l'existence d'une garantie *propter rem,* non dans une cession tacite de créance ou une stipulation pour autrui.

1745. — La seconde relevant du sens commun : comment concevoir qu'un fabricant, initialement tenu à garantie à raison de la chose fabriquée, voit sa responsabilité changer de nature suivant que la chose a été ou non conservée par le premier acquéreur ? Comment concevoir qu'il faille, en plus, distinguer selon que le sous-acquéreur est devenu propriétaire par telle voie plutôt que par telle autre (vente ou contrat d'entreprise) ? Au surplus, la garantie n'a d'intérêt que pour celui qui découvre le vice de la chose, donc pour celui qui en est propriétaire à ce moment-là; la créance de garantie est donc indissociable de la propriété de la chose, elle dérive d'un véritable *intuitus rei.*

3o Les arrêts du 7 février 1986

1745-1. — Ces fortes considérations expliquent, certainement, la position prise par l'Assemblée plénière dans deux arrêts rendus le même jour dans

(49) BÉNABENT, obs. sous les arrêts préc. et les auteurs cités.

des affaires similaires (49-1). Il y est affirmé que le maître de l'ouvrage, comme le sous-acquéreur, jouit de tous les droits et actions attachés à la chose qui appartenait à son auteur et, qu'en conséquence, il dispose d'une action *contractuelle directe* fondée sur la non-conformité de la chose livrée et peut lui demander réparation dans le délai de droit commun. Le recours, dans le texte de l'arrêt, à la formule : « droits et actions attachés à la chose » montre bien que, pour la plus haute instance de la Cour suprême, la garantie est une prérogative *propter rem* et que sa transmissibilité aux ayants cause successifs a lieu *intuitu rei*. En se prononcant ainsi, l'Assemblée plénière marquait sa préférence pour la position de la 1re Chambre civile, rejetant celle de la 3e Chambre civile demeurée favorable à la nature délictuelle de l'action.

1745-2. — L'intervention de l'Assemblée plénière ne devait pas recevoir le même accueil dans les différentes Chambres de la Cour. La troisième Chambre civile persistait dans sa résistance, se prononçant pour la responsabilité délictuelle dans l'action en garantie pour malfaçons engagée par des acquéreurs de l'immeuble à l'encontre de l'architecte qui avait traité avec la société de construction venderesse (49-2). En revanche, la Chambre commerciale avait écarté la responsabilité délictuelle dans l'espèce suivante : une société française avait commandé la construction d'un navire à une société polonaise, qui avait sous-traité une partie des travaux; une avarie était survenue due à un vice caché dans le matériel fourni par le sous-traitant; la société française avait agi en responsabilité directement contre le sous-traitant sur le fondement de l'article 1382 du Code civil; elle avait été déboutée par les juges du fond et la Chambre commerciale les avait approuvés, se bornant à déclarer irrecevable l'action délictuelle, sans pour autant renvoyer les parties à emprunter la voie contractuelle (49-3).

La situation demeurait, ainsi, incertaine entre l'opposition de la troisième Chambre civile et l'imprécision de la Chambre commerciale. Mais plusieurs arrêts rendus en 1988 devaient clarifier le débat.

4° Les arrêts de 1988

Trois grandes décisions méritent de retenir l'attention, relatives, respectivement, à la vente, à l'entreprise, au contrat d'assistance.

a) Cour de Chambéry (49-4)

1745-3. — La cour de Chambéry, statuant sur renvoi après cassation, reconnaît le caractère contractuel de l'action engagée par l'acquéreur de

(49-1) 7 fév. 1986 : *D.* 1986, 293, note A. BÉNABENT; *J.C.P.* II, 20616, note MALINVAUD; *Gaz. Pal.* 1986, 2, 543, note J.-M. BERLY; *Rev. trim. dr. civ.* 1986, 364, obs. HUET et 685, obs. RÉMY.

(49-2) Civ. 3e, 7 mai 1986 : *D.* 1987, 257, note BÉNABENT.

(49-3) 17 fév. 1987 : *D.* 1987, 543, note P. JOURDAIN; *J.C.P.* 87, II, 20892, note Ph. DUBOIS; *Gaz.Pal.* 23-24 mars 1988, note ROBINE et VIANDIER.

(49-4) 18 janv. 1988 : *D.* 1988, 380, note P.-H. DUBOIS; *Rev. trim. dr. civ.* 1988, 547, obs. RÉMY.

l'immeuble contre le sous-entrepreneur de construction : « L'acquéreur d'un immeuble reçoit avec sa propriété, comme *accessoires* de la chose vendue, les droits et actions qui lui sont attachés et qui résultent, notamment, des contrats de louage d'ouvrages conclus en vue de sa construction... Ainsi, les propriétaires successifs disposent des garanties et actions dérivant des marchés passés par les entrepreneurs intervenus dans l'œuvre de construction... et peuvent, en conséquence, exiger directement des sous-traitants de ces derniers la réparation des vices dont sont atteints les ouvrages...; ce recours, *par nature contractuel*, obéit aux conditions et au régime applicables à l'action accordée aux entrepreneurs contre les sous-traitants auxquels ils ont confié la réalisation de la part de l'immeuble atteinte de désordres ».

On le voit, on arrive ainsi, dans la chaîne de contrats qui s'établit de la sous-entreprise de construction à la vente de l'immeuble, à permettre au créancier en bout de chaîne de poursuivre le débiteur en tête de chaîne et ce parce que le propriétaire final acquiert *propter rem* l'action dont le maître de l'ouvrage disposait contre le sous-entrepreneur. En conséquence, le demandeur n'a pas à prouver la faute du sous-traitant tenu d'une obligation de résultat vis-à-vis du maître de l'ouvrage; il n'est pas enfermé dans les délais de la garantie des constructeurs, inapplicable aux rapports entrepreneur principal — sous-traitant; il subit, par contre, l'effet des clauses élisives ou limitatives de responsabilité inscrites au contrat de sous-traitance.

b) Première Chambre civile, 8 mars 1988 (49-5)

1745-4. — Un particulier confie à la société Clic-Clac Photo des diapositives pour agrandissement; cette société sous-traite ce travail auprès d'un laboratoire, lequel perd les diapositives. La cour de Paris avait condamné le laboratoire sur le fondement de l'article 1382 du Code civil, bien que le laboratoire ait soutenu l'application de la responsabilité contractuelle pour bénéficier d'une clause limitative figurant dans les deux contrats unissant, d'une part le laboratoire à Clic-Clac Photo, d'autre part Clic-Clac Photo au client. La Cour suprême casse cette décision pour fausse application de l'article 1382 et pour refus d'application de l'article 1147, posant dans une formulation remarquable par sa concision et sa clarté que « dans le cas où le débiteur d'une obligation contractuelle a chargé une autre personne de l'exécution de cette obligation, le créancier ne dispose contre cette personne que d'une *action nécessairement contractuelle*, qu'il peut exercer directement dans la double limite de ses droits et de l'étendue de l'engagement du débiteur substitué ».

Cet arrêt opère, d'abord, un renversement de jurisprudence; jusqu'à présent, la responsabilité du sous-traitant ne pouvait être engagée par le maître

(49-5) *Bull. civ.* I, n° 69, p. 46; *D.* 1988, I.R. 87; *J.C.P.* 88, II, 21070, note JOURDAIN; *Rev. trim. dr. civ.* 1988, 551, obs. RÉMY, 741, obs. MESTRE, 760, obs. JOURDAIN. — V. LARROUMET, *L'action de nature nécessairement contractuelle et la responsabilité civile dans les ensembles contractuels : J.C.P.* 88, I, 3357.

de l'ouvrage qu'au plan délictuel, faute de lien les unissant (49-6). Il réalise, ensuite, une extension du champ de l'action contractuelle directe aux chaînes de contrats d'entreprise; il aboutit, enfin, à substituer au fondement jusque là reconnu de l'action contractuelle directe, l'*intuitus rei*, l'appartenance à une chaîne de contrats; le client, en effet, s'il n'a aucun lien contractuel avec le laboratoire, est partie au contrat avec Clic-Clac Photo, lequel est lié audit laboratoire par le contrat qui n'a pas reçu exécution; ainsi le client n'est-il pas étranger à l'ensemble contractuel : partie au premier contrat, tiers par rapport au second, il est tiers *contractant dans l'ensemble.*

Ce n'est pas à dire que cette position singulière soit nécessairement profitable à celui qui l'invoque. La Cour de cassation enferme l'action contractuelle dans une double limite : le montant de la créance de réparation et l'étendue de la dette de réparation :

— le demandeur titulaire de l'action directe ne peut rien exiger de plus que ce que prévoyait le contrat auquel il est partie (contrat du client avec Clic-Clac Photo); d'où il suit que le sous-traitant pourra se prévaloir des clauses d'irresponsabilité inscrites dans ce contrat;

— le défendeur qui subit l'action directe ne peut être tenu au-delà de ce que prévoyait le contrat auquel il est partie (contat du laboratoire avec Clic-Clac Photo); en conséquence, il peut opposer à la victime les clauses d'irresponsabilité inscrites dans ce contrat.

Cette opposabilité à double sens conduit à une violation cumulée de la relativité des conventions : le sous-traitant (le laboratoire) peut se prévaloir, non seulement des termes de son propre contrat à l'encontre d'un tiers (le client), mais encore invoquer à son profit le contrat passé entre le client et l'entrepreneur principal (Clic-Clac Photo) : *res inter alios acta aliis prodesse vel nocere potest.*

Demeure le problème du domaine de l'action directe quant aux sous-contrats concernés. En s'en tenant aux termes de l'arrêt, il ne peut s'agir que de ceux où le débiteur charge un tiers d'exécuter à sa place la prestation qui lui a été commandée, ce qui est le cas de la sous-entreprise de construction, du sous-affrêtement, du sous-contrat d'entretien... Il s'ensuit que l'action directe contractuelle doit être refusée pour les sous-contrats qui ne font pas appel à la substitution dans l'exécution, c'est-à-dire qui ne tendent pas à réaliser le contrat principal, par exemple la sous-location (49-7).

c) Première Chambre civile, 21 juin 1988 (49-8)

1745-5. — Un avion norvégien est endommagé au cours d'une manœuvre sur l'aéroport de Paris, à la suite de la rupture de la barre de repoussage du

(49-6) Com., 17 fév. 1981 : *Bull. civ.* IV, n° 87.

(49-7) En ce sens, RÉMY : *Rev. trim. dr. civ.* 1988, p. 552. — Comp. JOURDAIN, note préc. au *J.C.P.* 88, II, 21070, n° 4.

(49-8) *D.* 1989, p. 5, note LARROUMET; *J.C.P.* 88, IV, 311, II, 21125, note P. JOURDAIN; *Bull. civ.* I, n° 202, p. 141; *J.C.P.* 88, éd. E, II, 15294, note Ph. DELEBECQUE; *Rev. trim. dr. civ.* 1988, 760, obs. JOURDAIN.

tracteur qui poussait l'appareil vers sa piste d'envol. L'accident provient d'un vice dans une vanne pneumatique fabriquée par la société Soderep et installée par la société Saxby. La compagnie norvégienne assigne l'aéroport de Paris, utilisateur du tracteur, ainsi que les deux sociétés. La cour de Paris met hors de cause l'aéroport au vu d'une clause de non-recours et déclare responsables les deux sociétés, chacune pour moitié, sur le fondement de l'article 1382. L'arrêt est cassé pour refus d'appliquer les règles de la responsabilité contractuelle : « attendu, déclare la Cour, que, *dans un groupe de contrats, la responsabilité contractuelle régit nécessairement la demande en réparation* de tous ceux qui n'ont souffert du dommage que parce qu'ils avaient un lien avec le contrat initial; qu'en effet, dans ce cas, le débiteur ayant dû prévoir les conséquences de sa défaillance selon les règles contractuelles applicables en la matière, la victime ne peut disposer contre lui que d'une action de nature contractuelle, *même en l'absence de contrat entre eux* ».

Cet arrêt revêt une importance capitale. Pour la première fois, la Cour de cassation fait expressément référence au groupe de contrats pour justifier l'application de la responsabilité contractuelle. Elle procède par une affirmation de principe; ce qui est déterminant, c'est que le dommage soit subi par une victime ayant un lien avec le contrat initial; de cette façon, la victime ne peut être considérée comme un *penitus extraneus*, mais doit être traitée comme un tiers contractant. Quant au débiteur, il ne s'est engagé que dans les limites de son contrat et, sauf à bouleverser toutes ses prévisions, il est légitime qu'il ne réponde de ses défaillances que selon les règles contractuelles.

Cette référence aux groupes de contrats gouverne, indistinctement, tous les ensembles contractuels, sans qu'il y ait lieu de distinguer désormais suivant que les chaînes sont homogènes ou non, translatives ou non.

Cette solution audacieuse reste l'apanage de la première Chambre civile. Le lendemain, la troisième Chambre civile, une nouvelle fois, s'attache à une compréhension stricte de l'effet des contrats (49-9); on y lit l'attendu suivant : « L'obligation de résultat d'exécuter des travaux exempts de vices, à laquelle le sous-traitant est tenu vis-à-vis de l'entrepreneur principal, a pour seul fondement les rapports contractuels et personnels existant entre eux et ne peut être invoquée par le maître de l'ouvrage, qui est étranger à la convention de sous-traitance ». Précisons, toutefois, que cette décision ne remet pas en cause la solution de l'Assemblée plénière de 1986, puisqu'elle se limite à écarter la seule hypothèse de la sous-traitance. Il est infiniment probable que l'Assemblée plénière devra à nouveau intervenir pour assurer l'uniformité de la jurisprudence.

(49-9) 22 juin 1988 : *J.C.P.* 88, II, 21125, note JOURDAIN.

SECTION III

CUMUL DES DEUX RESPONSABILITÉS

Sens du mot cumul

1746. — L'expression de cumul est traditionnelle, mais, de l'avis unanime, elle est inexacte. Il est à peine besoin de préciser que la victime ne saurait intenter, pour un même dommage, une double action, délictuelle et contractuelle, afin d'obtenir deux indemnités (49-10).

La question est autre : par hypothèse, il s'agit de l'inexécution ou de la mauvaise exécution d'une obligation contractuelle (50); on suppose donc qu'il n'y a aucun doute sur ce point. Le contractant qui souffre d'un préjudice de ce fait, peut-il agir contre le débiteur, non seulement par l'action du contrat — ce qui va de soi — mais encore, si tel est son intérêt, par une action délictuelle en invoquant les articles 1382 et suivants du Code civil ?

1747. — Peut-il même, s'il y trouve avantage, puiser, tantôt dans l'un des domaines, tantôt dans l'autre, la règle juridique qui lui est la plus favorable (par exemple invoquer les règles délictuelles quant au montant de l'indemnité et les règles contractuelles relatives aux obligations de résultat) ? C'est ce panachage qui mériterait le nom de cumul des deux sortes de responsabilité. L'idée de semblable amalgame a été rejetée par presque tous les auteurs et, unanimement, par les tribunaux.

La question est seulement de savoir si le plaideur peut *choisir*, entre les deux voies, en empruntant celle qui lui semble la meilleure pour lui. C'est donc une question *d'option* et non de cumul qui est en discussion (51).

(49-10) Civ., 8 juin 1979 : *D.* 1980, 563, note ESPAGNON. — Versailles, 30 avril 1981 : *Gaz. Pal.* 1983, 1, somm. 137.

(50) V. par exemple, Civ. 2e, 8 juin 1979 : *Gaz. Pal.* 1979, 2, somm. 425; *D.* 1980, I.R. 33, obs. LARROUMET.

(51) A. BRUN, *Rapports et domaines des responsabilités contractuelle et délictuelle,* thèse Lyon, 1931. — CORNU, *Le problème du cumul de la responsabilité contractuelle et de la responsabilité délictuelle : Travaux de l'Institut de droit comparé de Paris* 1962, p. 240. — J. HUET, *Responsabilité contractuelle et responsabilité délictuelle, essai de délimitation,* thèse Paris, 1979. — ESPAGNON, *La règle du non-cumul des responsabilités délictuelle et contractuelle,* thèse Paris, 1980.

Intérêts de la question

1748. — Les intérêts de cette option sont nombreux.

En matière contractuelle, le montant de l'indemnité est limité, soit par la règle posée par l'article 1150 du Code civil (seule est due la réparation du dommage prévu ou prévisible lors du contrat), soit par quelque clause limitative de responsabilité. C'est pour éviter ces limitations que le contractant a eu l'idée de se placer sur le terrain délictuel.

Un deuxième intérêt de faire ce choix se manifeste si l'obligation contractuelle suppose la preuve d'une faute d'une certaine gravité (52), notamment s'il s'agit d'un contrat à titre gratuit ou, plus généralement, lorsque l'obligation inexécutée est une simple obligation de moyens. Comment, en ce cas, ne pas penser que le jeu de l'article 1384, alinéa 1er dispenserait de faire la preuve d'une faute quelconque ? Ajoutons que l'élection de tel ou tel régime peut être dictée par d'autres considérations : l'action contractuelle se trouve prescrite (53), la victime n'a pas mis en demeure son adversaire (54), le responsable n'est assuré que pour ses fautes délictuelles (55). Bref, le recours à la responsabilité délictuelle permettrait d'*obtenir davantage* et, le plus souvent, *sans avoir la charge de prouver la faute du débiteur.*

Depuis longtemps, la Cour de cassation a posé le principe de la non-immixtion de la responsabilité délictuelle dans la responsabilité contractuelle (§ 1). Mais cette position n'est pas reçue sans nuance (§ 2).

§ 1. — Le principe du non-cumul

1749. — Après une période de flottement dont il est, pensons-nous, sans intérêt de rendre compte (56), auteurs et tribunaux rejettent la théorie du cumul, c'est-à-dire celle de l'option. Les articles 1382 et suivants du Code civil ne peuvent pas être invoqués à l'appui d'une demande tendant à la réparation d'un préjudice résultant, pour l'une des parties au contrat, d'une faute commise par l'autre partie dans l'exécution d'une obligation contractuelle (57), quand bien même le demandeur aurait intérêt à se prévaloir des

(52) Tel est le cas en matière de contrat de travail dont l'inexécution n'entraîne la responsabilité du salarié qu'en cas de faute lourde : Soc., 3 nov. 1967 : *J.C.P.* 68, éd. C.I., 83, 249, note BIZIÈRE.

(53) Civ., 9 oct. 1962 : *D.* 1963, 1, note LIET-VEAUX.

(54) Civ., 22 mai 1968 : *Gaz. Pal.* 1968, 2, 290.

(55) Civ. 1re, 24 fév. 1981 : *D.* 1981, 560.

(56) La théorie du cumul a été admise par certains arrêts pour écarter la limite de la réparation posée par les articles 1150 et 1153 ou par une clause de non-responsabilité.

(57) Com., 26 fév. 1985 : *J.C.P.* 85, IV, 172. — V. pour un exemple de cassation pour cumul : Civ. 2e, 15 oct. 1981 : *Gaz. Pal.* 1982, 1, pan. 105, note CHABAS.

règles de la responsabilité délictuelle (57-1). Inversement, en l'absence de bien contractuel, il ne saurait être fait application de l'article 1147 du Code civil (57-2). En toutes circonstances, les juges du fond, saisis à tort sur l'un de ces deux fondements, tiennent de l'article 12 du Nouveau Code de procédure civile le pouvoir — et le devoir (57-3) — de rectifier l'erreur de qualification et de se prononcer sur la nature de la responsabilité applicable à l'espèce. On présentera quelques applications de la règle avant d'en exposer la justification.

A. — Illustrations

1750. — Ayant fait une chute dans un restaurant en butant sur une barre de seuil, le client attaque le restaurateur, principalement, sur le terrain contractuel, en invoquant l'inexécution de son obligation de sécurité et, *subsidiairement*, sa responsabilité délictuelle en vertu de l'article 1384, alinéa 1er. La 1re Chambre civile de la Cour de cassation rejette sa demande principale, car l'obligation de sécurité, en l'espèce, était de simples moyens, et aucune faute du restaurateur n'a été établie; elle rejette aussi l'action subsidiaire au motif qu'entre contractants il n'y a pas lieu de faire application de textes relatifs à la responsabilité délictuelle (58).

1751. — Un arrêt de la 2e Chambre civile (59) est intéressant à relater par suite de sa rigueur juridique. Un artisan forgeron chargé de faire certaines réparations se fait prêter une corde par son client (il lui fallait réparer la pompe d'un puits). La corde casse et l'artisan tombe et se blesse. Il agit en vertu des articles 1382 et suivants contre son client, propriétaire de la corde. Son action est rejetée, car la remise de la corde était faite à la suite d'un contrat (prêt à usage), et le juge n'avait pas le pouvoir de modifier d'office la cause de la demande en substituant la responsabilité contractuelle à la responsabilité délictuelle, seule invoquée (60).

1752. — Citons encore un arrêt de la 1re Chambre civile du 27 janvier 1982 (61). Un adolescent se blesse en tombant de bicyclette au cours d'une

(57-1) Civ. 1re, 11 janv. 1989 : *J.C.P.* 89, IV, 94; *D.* 1989, I.R. 34.

(57-2) Civ. 1re, 30 oct. 1984 : *Gaz. Pal.* 1985, 1, pan. 93; *D.* 1985, p. 132; *Bull. civ.*, n° 287. — Com., 26 fév. 1985 : *Bull. civ.* IV, n° 78.

(57-3) Civ. 1re, 19 mars 1985 : *Bull. civ.* I, n° 96; *Gaz. Pal.* 1985, 2, pan. 270.

(58) Civ. 1re, 9 mars 1970 : *J.C.P.* 70, IV, 121. — Dans le même sens : Civ. 1re, 28 mars 1943 : *Bull. civ.* I, 117. — Civ. 3e, 26 fév. 1974 : *Bull. civ.* III, 86.

(59) Civ. 2e, 9 avril 1970 : *J.C.P.* 70, IV, 136.

(60) Cette décision fait montre d'une rigueur excessive. Il ne paraît pas douteux qu'en l'espèce la responsabilité du prêteur de la corde était engagée. C'était, assurément, une erreur de procédure que d'invoquer, en l'espèce, les art. 1382 et s. Mais c'est là une erreur que l'on commet fréquemment, alors surtout qu'elle est sans influence sur la solution du litige. Il est fréquent de poursuivre des professionnels — autre que les médecins — sur la base des art. 1382 et s., malgré le caractère contractuel de leur responsabilité, sans voir la demande rejetée.

(61) *Gaz. Pal.* 1982, 2, 537, note CHABAS; *Bull. civ.* I, 44.

randonnée durant un séjour dans une colonie de vacances. La cour d'appel retient, d'une part, que les bicyclettes avaient été prêtées aux enfants par la direction, d'autre part, que c'était la direction qui avait organisé l'excursion, ce dont il résultait qu'étaient réunies les conditions donnant à la responsabilité de l'organisateur une nature contractuelle; la Cour de cassation approuve les juges du fond d'en avoir déduit que la victime ne pouvait pas se prévaloir des règles de la responsabilité délictuelle.

1753. — Ces quelques exemples montrent que le principe du non-cumul ne se limite pas aux rapports de la responsabilité contractuelle et de la responsabilité délictuelle pour faute de l'article 1382 du Code civil, mais s'applique aussi aux responsabilités objectives des articles 1384 et suivants du Code civil (62).

1754. — Dans la majorité des cas, la thèse du non-cumul condamne l'appel à la responsabilité délictuelle qu'invoque le créancier victime, qui est en butte aux limitations légales ou conventionnelles de la responsabilité contractuelle. Mais, il arrive que la condamnation vise un appel de sens contraire, c'est-à-dire du plan délictuel au plan contractuel : le débiteur en faute entend se placer sur le terrain du contrat pour opposer, à des tiers qui sont ses victimes par contrecoup, les restrictions de sa responsabilité contractuelle. Dans cette dernière hypothèse, également, la jurisprudence reste ferme sur le refus du cumul (63).

B. — Justifications

1755. — La simple formulation des termes du problème de l'option montre clairement qu'il est impossible de l'admettre.

A quoi servirait-il de proclamer que le contrat fait la loi des parties, que les engagements qui ont pour base la volonté des contractants trouvent leur mesure, leur dimension et leurs conditions, dans le contrat dont ils sont issus, s'il était permis au créancier de tourner cette loi en exigeant *plus* que ce qui était convenu ou *autre chose* (un résultat et non de simples moyens) ? Le principe de l'autonomie de la volonté suffit à rejeter l'idée d'option : à défaut, ce principe serait contourné :

> « les parties pourraient se soustraire au joug des lois dès qu'il blesse, alors qu'il s'agit d'une loi volontairement consentie » (64).

1756. — Cet argument peut être complété par d'autres. En particulier, la reconnaissance d'une option conduirait à méconnaître les dispositions par

(62) Pour d'autres espèces, v. Req., 15 juin 1937 : *S.* 1938, 1, 5 (contrat médical). — Req., 1er avril 1941 : *S.* 1941, 1, 112 (commodat). — Civ. 1re, 30 oct. 1968 : *J.C.P.* 69, II, 15846 (jeux forains). — Com., 4 oct. 1976 : *Bull. civ.* IV, 245 (mandat). — Civ. 1re, 16 mai 1979 : *Bull. civ.* I, 143 (louage d'ouvrage). — Com., 23 fév. 1981 : *Bull. civ.* IV, 99 (transport aérien).

(63) Com., 26 juin 1978 : *D.* 1978, I.R. 453. — Civ. 2e, 8 juin 1979 : *D.* 1980, 563, note ESPAGNON.

(64) LE TOURNEAU, *op. cit.*, n° 266.

lesquelles le législateur aménage favorablement la condition du débiteur, comme en cas de dépôt où, selon l'article 1927, le dépositaire n'est tenu d'apporter dans la garde de la chose déposée que les soins qu'il apporte à la surveillance de ses propres biens. Par ailleurs, l'admission d'une option irait à l'encontre de l'article 1150 du Code civil qui réglemente les conséquences de l'inexécution du contrat.

§ 2. — Le recours exceptionnel à la responsabilité délictuelle

1757. — Le recours à la responsabilité délictuelle est ouvert, par dérogation, dans deux hypothèses : celle où le dommage a sa source dans une faute qualifiée, et celle où il est en même temps constitutif d'une infraction pénale.

A. — Faute qualifiée

1758. — D'après certains auteurs et quelques arrêts, on devrait, cependant, admettre l'option en présence d'une inexécution due au dol du débiteur ou à une faute particulièrement grave. En ce cas, le débiteur ne mériterait pas le régime de faveur que lui offre le contrat, notamment quant au montant de l'indemnité et, dans certains cas, quant au délai de prescription de l'action. Dans des hypothèses de ce genre, le contractant *s'évade* du contrat et ne mérite pas plus d'égard qu'un simple tiers !

On trouve des arrêts dans ce sens. Un entrepreneur, chargé de faire des réparations dans un immeuble vieux de plus de deux cents ans, remplace l'armature sur laquelle l'immeuble reposait par des fers d'un calibre et d'une résistance insuffisants. L'immeuble se dégrade, mais plus de dix ans après la réception des travaux. L'entreprise invoque la prescription décennale de la responsabilité contractuelle prévue par l'article 1792 du Code civil en faveur des architectes et des entrepreneurs. La 3e Chambre civile de la Cour de cassation repousse ce moyen au motif que l'entreprise a commis une erreur de conception « inadmissible », laquelle constitue une faute *quasi délictuelle* faisant obstacle à l'application de la règle de la prescription décennale (65).

1759. — Sur le plan des principes régissant le problème du cumul, cette décision est critiquable. Elle témoigne, cependant, de la tendance des juges à sanctionner plus sévèrement les agissements blâmables, les fautes réellement caractérisées, inexcusables ou inadmissibles. Mais, rien ne s'opposerait à ce que cette aggravation des sanctions se réalisât dans le cadre de la

---

(65) Civ. 3e, 5 mai 1970 : *J.C.P.* 70, IV, 168. — V. aussi pour le rattachement du dol à la responsabilité délictuelle : Civ. 1re, 4 oct. 1988 : *D.* 1988, I.R. 256.

responsabilité contractuelle. N'est-ce pas ce qu'édicte déjà l'article 1150 du Code civil *in fine,* l'article 1153 alinéa 4 du même Code, et ce que décide la jurisprudence lorsqu'elle écarte les limitations conventionnelles de responsabilité en présence du dol et de la faute lourde ? (65-1).

La *garantie* et la *sanction des fautes caractérisées* restent les deux fonctions de la responsabilité civile, contractuelle aussi bien que délictuelle. Bien des complications, des subtilités et des contradictions seraient évitées si un système nouveau de responsabilité était organisé pour répondre à cette double fonction.

B. — Infraction pénale

1760. — La jurisprudence décide que, dans l'hypothèse où l'inexécution du contrat est en même temps un délit pénal, l'action en réparation portée devant les tribunaux répressifs est de nature délictuelle (65-2). De nombreux arrêts de la Cour de cassation en décident ainsi (66), du moins ceux qui émanent de la Chambre criminelle. En voici un exemple. Une société de travail temporaire avait mis un personnel à la disposition d'une entreprise; le salarié avait été reconnu coupable d'abus de confiance pour avoir détourné le camion de l'entreprise; la cour d'appel avait condamné la société de travail temporaire comme civilement responsable du fait du prévenu, lui reprochant de n'avoir pas observé son obligation de mettre à la disposition du client un employé dont elle devait préalablement contrôler les aptitudes et qualifications professionnelles; la Chambre criminelle prononce la cassation, au motif que les juges du fond ont à tort fondé la condamnation du civilement responsable sur la responsabilité contractuelle (67).

1761. — Une telle position n'est pas à l'abri de la critique. Ne faut-il pas distinguer entre la *recevabilité* de l'action et le *bien-fondé* de la demande ? Si la recevabilité, s'agissant de l'action civile exercée accessoirement à l'action publique, doit être appréciée en fonction des règles de la procédure pénale, il n'y a pas de raison d'éliminer, pour le jugement sur le fond, le régime issu du contrat. La demande en réparation étant fondée sur la violation d'un obligation contractuelle, la nature de la responsabilité demeure contractuelle, nonobstant sa mise en œuvre devant la juridiction répressive. En décidant le contraire, on juge de la faute contractuelle par référence aux normes délictuelles.

Les délits et les contrats se sont pas les seules sources d'obligations. Le titre suivant sera consacré aux obligations naissant de diverses autres sources.

(65-1) En faveur de cette opinion, v. G. Viney, n° 222.

(65-2) M. Muller, *L'inexécution pénalement répréhensible du contrat,* thèse Paris II, 1976.

(66) Crim., 1er juin 1923 : *D.P.* 1924, 1, 131. — 12 déc. 1946 : *J.C.P.* 47, II, 3621, note Rodière. — 26 nov. 1964 : *Gaz. Pal.* 1965, 1, 312.

(67) Crim., 15 janv. 1985 : *J.C.P.* 85, IV, 121.

TITRE III

LES AUTRES SOURCES D'OBLIGATIONS

1762. — Après avoir étudié les obligations ayant leur source dans un délit ou un quasi-délit (v. vol. I, Responsabilité délictuelle) et celles qui naissent des contrats, il nous reste à exposer deux autres sources d'obligations : *la gestion d'affaires* et *l'enrichissement sans cause.* Le Code civil traite de la gestion d'affaires dans un chapitre intitulé : Des quasi-contrats (1). Dans ce même chapitre, quelques articles sont consacrés à la répétition de l'indu (obligation de restituer ce qui a été reçu sans être dû) (2). Mais la répétition de l'indu n'est qu'un cas particulier d'une théorie bien plus vaste, celle de l'enrichissement sans cause; celle-ci n'en fait pas moins partie de notre droit positif, où elle a été introduite par voie jurisprudentielle.

Nous n'exposerons pas dans ce titre le problème de la répétition de l'indu, qui trouvera sa place à propos du paiement (t. III); en revanche, il nous faudra analyser une source d'obligations à laquelle le Code civil ne fait qu'une brève allusion, mais qui, en jurisprudence, occupe une place importante : *les obligations naturelles.*

Ce titre comportera donc trois chapitres respectivement consacrés à la gestion d'affaires, à l'enrichissement sans cause et aux obligations naturelles.

---

(1) L'expression « quasi-contrats » est empruntée à une classification romaine. Elle n'a pas beaucoup de signification. Elle suggère qu'il s'agit de situations qui ressemblent à des contrats, tout en n'étant pas issues d'un accord de volontés. Cela est vrai pour la gestion d'affaires qui ressemblent un peu au mandat, mais ne convient nullement aux autres cas rangés dans la même catégorie. — V. GOUBLET, *La notion de quasi-contrat,* thèse Paris, 1904. — VIZIOZ, *La notion de quasi-contrat*, thèse Bordeaux, 1912. — *Rép. dr. civ. Dalloz, V° Quasi-contrat* par C. GIVERDON. — Sur une certaine renaissance du quasi-contrat, CARBONNIER, p. 518. — MALAURIE et AYNÈS, n° 558. — P. DURAND, *La contrainte légale dans la formation du rapport contractuel: Rev. trim. dr. civ.* 1944, 93. — J. HONORAT, *Rôle effectif et rôle concevable des quasi-contrats en droit actuel: Rev. trim. dr. civ.* 1969, 653.

(2) « Répéter » est pris avec son éthymologie latine et signifie rendre, restituer.

CHAPITRE PREMIER

LA GESTION D'AFFAIRES

Notion

1763. — Cette source d'obligations est prévue aux articles 1372 à 1375 du Code civil (1). Nous emprunterons à la jurisprudence (2) une définition de la gestion d'affaires qui paraît assez exacte dans les grandes lignes : le bénéfice de la gestion d'affaires peut être accordé à quiconque a agi spontanément au nom et pour le compte d'autrui, dès lors qu'il est établi que l'opportunité de l'intervention était telle que l'initiative est justifiée et que l'affaire a été utilement gérée, et à condition, toutefois, que le maître de l'affaire fut absent ou hors d'état de pourvoir lui-même à la gestion.

1764. — En pratique, on rencontre une foule de cas qui sont considérés par les tribunaux comme pouvant se rattacher à la gestion d'affaires. Cette notion, en effet, est assez souple — pour ne pas dire assez floue — pour permettre aux juges d'y faire appel lorsque des raisons d'équité militent en ce sens. Elle est l'une de ces institutions auxquelles le juriste fait volontiers appel pour combler les lacunes de l'ordre juridique.

1765. — La gestion d'affaires entraîne des obligations à la charge du gérant et au profit de celui dont l'affaire a été gérée : le maître de l'affaire, communément appelé géré. Inversement, le gérant acquiert des droits contre le maître de l'affaire. La gestion d'affaires crée, donc, en dehors de tout contrat, toute une série d'obligations entre le gérant et le maître de

---

(1) V. M. PICARD, *La gestion d'affaires dans la jurisprudence contemporaine : Rev. trim. dr. civ.* 1921, 419 et s. et 1922, 5 et s. — SINAY, *La fortune nouvelle de la gestion d'affaires : Gaz. Pal.* 1946, 2, doctr. 43 et s. — Fr. GORÉ, *Le fondement de la gestion d'affaires, source autonome et générale d'obligations : D.* 1953, chron. 39 et s. — GUILLOT, *Essai critique sur la gestion d'affaires*, thèse Rennes, 1928. — MARUITTE, *La notion juridique de gestion d'affaires*, thèse Caen, 1930. — GORÉ, *L'enrichissement aux dépens d'autrui*, thèse Paris, 1945, n° 245 et s. — *Rép. dr. civ. Dalloz, V° Gestion d'affaires.* — R. BOUT, *La gestion d'affaires en droit français contemporain,* thèse Aix-Marseille, L.G.D.J., 1972.

(2) Lyon, 13 mars 1969 : *D.* 1970, somm. 179.

l'affaire. Comme, très souvent, le gérant contracte avec un tiers dans l'intérêt du maître de l'affaire, des rapports juridiques vont également naître entre ce dernier et le tiers.

Fondement

1766. — La justification de ces diverses obligations ayant pour cadre la gestion d'affaires résulte des deux observations suivantes. D'une part, la gestion d'affaires est un *acte d'immixtion* dans les affaires d'autrui. Cette immixtion doit être *contrôlée*, afin d'interdire les intrusions abusives dans la sphère d'activité d'autrui ou simplement de contenir les indiscrétions ou le besoin de certains de se mettre en avant et en valeur. C'est ce qui explique les obligations qui vont peser sur le gérant. D'autre part, la gestion d'affaires est un *service* que l'on rend à autrui; elle est inspirée par une pensée louable : altruisme, civisme, esprit d'entr'aide. De telles initiatives doivent être *encouragées* car elles témoignent d'un sentiment de solidarité sociale. Les droits du gérant d'affaires, les obligations du maître de l'affaire s'expliquent de cette façon.

Cette double idée permet de comprendre les conditions et les effets de la gestion d'affaires.

SECTION I

CONDITIONS DE LA GESTION D'AFFAIRES

1767. — Ces conditions doivent être étudiées par rapport à la nature des actes accomplis par le gérant, tout d'abord, puis par rapport aux diverses personnes intéressées par la mise en jeu du mécanisme de la gestion d'affaires.

§ 1. — Les conditions relatives aux actes

Compte tenu des risques que présente la gestion d'affaires, il n'est pas possible de traiter pareillement toutes les initiatives que prend le gérant. Aussi bien, les actes spontanément accomplis pour le compte d'un tiers doivent-ils respecter certaines exigences, tant au plan *juridique* qu'au plan *économique*.

A. — Nature juridique

1768. — Il avait été naguère soutenu qu'il ne pourrait s'agir que des actes d'administration courante, le terme « gestion » évoquant l'idée d'acte d'administration par opposition aux actes de disposition. Mais la jurisprudence n'a pas suivi cette thèse. La gestion d'affaires peut résulter même d'*actes de disposition,* par exemple de la vente de valeurs mobilières, dès lors que les autres conditions de la gestion d'affaires sont réunies (la gestion, on le verra, doit être utile) (3).

1769. — D'après la jurisprudence, les actes de gestion d'affaires peuvent être non seulement des *actes juridiques,* mais aussi des *actes matériels.* A cet égard, la gestion d'affaires s'éloigne du mandat qui ne peut porter que sur des actes juridiques.

Les actes juridiques faits par un gérant d'affaires peuvent être très divers : payer une dette, faire effectuer des réparations, contracter une assurance, appeler un médecin en consultation auprès d'un blessé, transformer en compte de dépôt un compte courant en se portant caution jusqu'à un certain montant de découvert (4), fréter un avion pour rapatrier un chanteur perdu dans le désert d'Afrique (5), régler pour un maître d'ouvrage les frais de nourriture des ouvriers de l'entrepreneur (6), procéder à un échange de biens immobiliers (7)...

1770. — Quant aux actes matériels, on cite le cas de celui qui essaie d'arrêter un cheval emballé (8), qui combat un incendie chez autrui, qui entretient un animal perdu (8-1), et, fréquemment, le cas de celui qui se porte au secours de victimes d'accidents de la circulation (9). On range dans la même catégorie le médecin qui prodigue des soins à un malade ou à un blessé sans connaissance (avec lequel donc il n'a pas pu contacter).

1770-1. — En ce qui concerne *l'action en justice*, il avait été d'abord jugé qu'un gérant de société à responsabilité limitée, dont les pouvoirs étaient

(3) V. not. Civ. 1re, 13 fév. 1952 : *Bull. civ.* I, p. 51, n° 64. — Civ. 1re, 22 juin 1970 : *J.C.P.* 70, II, 16511.

(4) Com., 13 mai 1980 : *Gaz. Pal.* 1980, 2, pan. 554; *D.* 1981, I.R. 192, note M. VASSEUR.

(5) Civ. 1re, 22 déc. 1981 : *Bull. civ.* 1981, 1, 333; *D.* 1982, I.R. 95.

(6) Civ. 3e, 8 juin 1977 : *Bull. civ.* III, 195.

(7) Civ. 1re, 15 mai 1974 : *J.C.P.* 74, IV, 241.

(8) Trib. com. Seine, 3 janv. 1900 : *S.* 1902, 2, 217, note PERREAU.

(8-1) T.I. Paris, 2 mai 1985 : *Gaz. Pal.* 1985, 2, somm. 234.

(9) Civ. 1re, 16 nov. 1955 : *J.C.P.* 56, II, 9087, note ESMEIN. — Trib. civ. Lille, 24 juin 1955 : *D.* 1956, somm. 109. — Comp. Civ. 1re, 1er déc. 1969 : *J.C.P.* 70, II, 16445, note J.-L. AUBERT, espèce où les juges ont qualifié de convention d'assistance ce qui, en réalité, était un acte de sauvetage spontané, la victime étant inconsciente.

expirés depuis plusieurs années, avait pu agir en tant que gérant d'affaires et représenter ladite société en raison, il est vrai, de circonstances exceptionnelles (9-1). Mais, la jurisprudence décide, depuis, que les règles de la gestion d'affaires ne peuvent avoir pour conséquences de contraindre un tiers à accepter un débat judiciaire engagé par un demandeur agissant en cette qualité (9-2).

1770-2. — En toutes circonstances, l'initiative du gérant ne saurait être constitutive d'un acte de gestion d'affaires si elle a pour finalité d'éluder une disposition impérative de la loi ou si elle réalise la violation d'une obligation contractuelle. Ainsi, l'agent immobilier, qui ne peut recevoir directement ou indirectement d'autre rémunération que celle prévue au mandat (art. 73, D. 20 juill. 1972), n'est pas recevable à réclamer une commission non prévue en invoquant la gestion d'affaires (9-3). De même, une société qui a réalisé hors délai un contrat d'assurance pour en souscrire un nouveau auprès d'une compagnie (laquelle a payé les prestations convenues), n'est pas fondée à réclamer le remboursement des primes qu'elle a dû verser au premier assureur au motif qu'elle a bien administré son affaire en engageant des dépenses qui lui avaient permis de ne pas régler des prestations, de tels actes accomplis au mépris de ses obligations ne pouvant constituer une gestion d'affaires (9-4).

B. — Nature économique

On voit qu'au plan juridique la notion d'acte de gestion est très large. Il en va autrement si on se place au point de vue économique.

1° Exigence de l'utilité

1771. — L'article 1375 du Code civil vise le maître *dont l'affaire a été bien administrée* et met, alors, à sa charge l'obligation de rembourser au gérant toutes les dépenses *utiles* qu'il a faites. Le bénéfice de la gestion d'affaires est donc dépendant de l'utilité de l'acte qui a été accompli. Satisfait à cette condition l'ancien syndic d'une copropriété qui règle les factures de l'E.D.F. et de la Compagnie des Eaux incombant au syndicat (9-5), la femme qui remet en état les pièces d'habitation d'un château appartenant au mari pendant que celui-ci purge une peine d'emprisonnement (9-6), ou

(9-1) Civ. 1re, 21 déc. 1981 : *J.C.P.* 83, II, 19961, obs. VERSCHAVE; *Rev. trim. dr. civ.* 1982, 651, obs. PERROT.

(9-2) Civ. 1re, 9 mars 1982 : *Bull. civ.* I, n° 104. — T.G.I. Rouen, 16 avril 1987 : *J.C.P.* 88, II, 20970, note P. COURBE.

(9-3) Civ. 1re, 19 juill. 1988 : *Bull. civ.* I, n° 241, p. 168.

(9-4) Civ. 1re, 14 juin 1988 : *Bull. civ.* I, n° 191, p. 132: *J.C.P.* 88, IV, 297.

(9-5) Paris, 15 nov. 1978 : *Gaz. Pal.* 28 août 1980.

(9-6) Civ. 1re, 5 mars 1985 : *Bull. civ.* I, n° 86.

encore le rédacteur de l'acte de cession d'un fonds de commerce qui paie de ses deniers les droits d'enregistrement et les frais de publication, protégeant ainsi le vendeur des dettes contractées par l'acquéreur postérieurement à la vente (9-7). En revanche, n'est pas un acte utile la commande de travaux faits par un syndic de copropriété sans autorisation de l'assemblée générale, lorsque les travaux réalisés n'étaient ni urgents ni nécessaires à la sauvegarde de l'immeuble (9-8).

« Utile » a cependant un sens particulier en matière de gestion d'affaires. Cela ne signifie pas que le maître de l'affaire a nécessairement tiré profit de l'acte de gestion. Sans doute en est-il ainsi, le plus souvent, mais pas nécessairement. L'acte est *utile* lorsqu'il paraissait *opportun, raisonnable,* lorsqu'il est très probable que le maître de l'affaire l'aurait accompli lui-même s'il avait été à même d'agir (10). Le juge aura, sur ce point, un large pouvoir d'appréciation. Un concours malheureux de circonstances peut faire, qu'en fin de compte, l'acte de gestion n'ait pas profité au maître de l'affaire : par exemple, l'immeuble réparé par les soins du gérant est ensuite détruit par un incendie ou, malgré la tentative de sauvetage, celui-ci échoue, etc. Cela n'empêche qu'il y aura eu tout de même gestion d'affaires entraînant les diverses conséquences que le législateur y attache. L'utilité s'apprécie au moment où l'acte de gestion a été accompli (10-1) et, une fois établie l'utilité de la gestion, celle-ci opère de façon indivisible, interdisant au maître de prétendre ne rembourser que les opérations avantageuses, à l'exclusion de celles qui ne le sont point (10-2).

Lorsque l'acte dépasse ce qu'on appelle un acte utile, il sort du cadre de la gestion d'affaires, en principe tout au moins. En effet, si le maître de l'affaire *ratifie* l'opération, il n'y a plus lieu de se demander si, par sa nature, elle était ou non utile (10-3). La ratification équivaut à un mandat.

2° Limites de l'utilité

1772. — Selon une jurisprudence récente, la théorie de la gestion d'affaires ne s'applique pas aux actes de sauvetage ou aux services rendus, dès lors que celui au profit duquel l'acte a été fait a sollicité ou accepté le concours d'autrui (c'est l'hypothèse fréquente de celui qui « donne un coup de main » pour dépanner une voiture enlisée, par exemple, et qui est blessé à cette occasion). Naguère, on y voyait une gestion d'affaires, mais, depuis

(9-7) Com., 15 oct. 1974 : *D.* 1975, somm. 12.

(9-8) Civ. 3e, 3 juin 1987 : *Bull. civ.* III, n° 115, p. 68.

(10) Civ., 28 oct. 1942 : *D.C.* 1943, 29, note P. L.-P. — Civ. 1re, 16 nov. 1955, préc. — Civ. 1re, 2 juin 1970 : *J.C.P.* 70, IV, 195; *Bull. civ.* I, n° 188.

(10-1) Civ. 1re, 16 nov. 1955 : *J.C.P.* 56, II, 9087, note ESMEIN.

(10-2) Req., 28 fév. 1910 : *D.P.* 1911, 1, 137, note DUPUICH.

(10-3) Com., 4 déc. 1972 : *Bull. civ.* IV, n° 318.

un arrêt de la Cour de cassation du 27 mai 1959 (11), cette situation est analysée comme constituant une *convention d'assistance* (12). Celle-ci contient, implicitement, l'obligation d'indemniser l'auteur de l'acte accompli dans le cadre de cette convention, alors même qu'aucune faute ne serait imputable à la personne assistée. La convention d'assistance — contrat innomé — contient, nous semble-t-il, une véritable *obligation de sécurité,* du type des *obligations de résultat,* en faveur de la victime (13). Celle-ci doit être indemnisée, même si elle a pris des risques en vue du sauvetage (14).

Encore faut-il, pour que l'on puisse parler de convention d'assistance, que l'assisté ait pu *consentir* à la conclusion de cette convention, même tacitement. Si, traumatisé à la suite de l'accident, il est sans connaissance, il est factice de prétendre qu'il s'agit de semblable convention (15). En ce cas, seule la théorie de la gestion d'affaires est applicable.

1773. — On doit, à notre avis, admettre une autre limite : le gérant d'affaires ne saurait procéder à des acquisitions. On ne pourrait, sous prétexte qu'il s'agissait d'une bonne affaire, acheter pour le compte d'autrui un immeuble ou un fonds de commerce. Il n'en serait autrement que s'il s'agissait de la vente d'un bien et du rachat d'un autre à sa place (opération dite de remploi).

En tout cas, il appartient au gérant, en cas de contestation, d'établir l'utilité de l'acte par lui accompli (16).

§ 2. — Les conditions relatives aux personnes

A. — Quant au géré

1° Absence de volonté

1774. — La volonté du maître n'intervient pas, en principe, dans la gestion d'affaires, celle-ci se réalisant le plus souvent à son insu. Mais, le maître de l'affaire assumera les obligations que fait naître la gestion d'affaires même s'il se trouvait informé de l'initiative du gérant, notre droit

(11) *J.C.P.* 59, II, 11187, note ESMEIN; *D.* 1959, 524, note SAVATIER.

(12) V. C. ROY-LOUSTAUNAU, *Du dommage éprouvé en prêtant assistance bénévole à autrui : méthodologie de la réparation,* préface BONASSIES, thèse 1980. — BOUT, *La convention dite d'assistance : Mélanges Kayser,* t. I, p. 157. — V. *supra*, n° 1697 et s.

(13) Paris, 3 déc. 1963 : *J.C.P.* 64, II, 13504, note ESMEIN; *Rec. gén. lois et jurispr.*, 1964, p. 147, note B. STARCK.

(14) Crim., 25 juin 1969 : *D.* 1969, 688.

(15) Civ. 1re, 1er déc. 1969 *(D.* 1970, 422, note PUECH; *J.C.P.* 70, II, 16445, note AUBERT) a pourtant jugé le contraire : l'offre bénévole d'assistance a été tacitement acceptée par le silence de l'assisté inconscient !

(16) Com., 8 juin 1968 : *J.C.P.* 69, II, 15724, note PRIEUR.

n'assimilant plus, comme le faisait le droit romain, la simple connaissance au consentement. L'article 1372 du Code civil est, en effet, explicite à cet égard et met sur le même plan les deux situations : « ...soit que le propriétaire connaisse la gestion, soit qu'il l'ignore... ». L'important est que le géré n'ait pas donné son accord à l'acte, accord qui peut résulter de l'existence de relations intimes entre maître et gérant ou trouver sa base dans une convention verbale (16-1).

1775. — Cependant, on ne peut faire totalement abstraction de la volonté du maître. Celui-ci peut, tout d'abord, s'opposer aux actes du gérant. Cette opposition supprime la base même de la gestion d'affaires; on ne saurait s'immiscer dans les affaires d'autrui malgré sa défense (17). Il en irait autrement si l'opposition du géré était dénuée de caractère légitime en raison du fait que le gérant se serait borné à exécuter, à sa place, une obligation légale à laquelle le géré ne pouvait se soustraire (18).

En outre, le géré peut, après coup, approuver le projet ou la réalisation de l'acte. Cette manifestation de volonté transforme juridiquement la situation quasi contractuelle en un véritable contrat de mandat.

2° Absence de capacité

1776. — La volonté du géré n'intervenant pas dans la gestion d'affaires, la capacité du géré est indifférente. Le régime des incapacités, en effet, est conçu pour la protection des incapables quant à leurs *propres actes*, non quant aux obligations qui pèsent sur eux indépendamment de leur consentement.

B. — Quant au gérant

1777. — La gestion d'affaires réalisant une immixtion dans les affaires d'autrui, est, par essence, facultative (19). Ce principe connaît, cependant, des exceptions, notamment en cas de mise sous sauvegarde de justice :

(16-1) T.G.I. Nice, 14 mai 1985 : *Gaz. Pal.* 1985, 2, somm. 241.

(17) Dijon, 21 juin 1932 : *S.* 1932, 2, 209. — Civ. 1re, 7 fév. 1967 : *J.C.P.* 67, IV, 48. — En ce sens aussi, Civ., 19 oct. 1964 : *J.C.P.* 65, II, 14015, note PATARIN; cette décision refuse à un dentiste l'action de gestion d'affaires intentée contre le mari d'une de ces clientes à qui il avait dispensé des soins dentaires, bien que ce mari l'ait personnellement informé qu'il s'opposait à cette dépense ! Le dentiste aurait eu plus de chance s'il avait agi contre le mari par l'action d'enrichissement injuste. — Même solution dans Civ. 3e, 12 avril 1972 : *J.C.P.* 72, IV, 132. — Un mari, agissant pour le compte d'une indivision post-communautaire, a pu se croire autorisé à procéder seul, dès lors que son ex-épouse avait manifesté, par son comportement, qu'elle se désintéressait de la gestion des biens indivis : Civ. 1re, 23 juill. 1974 : *J.C.P.* 74, éd. G, IV, 334.

(18) Civ. 1re, 11 fév. 1986 : *Bull. civ.* I, n° 23; *Gaz. Pal.* 1986, 2, somm. 507, note A. PIÉDELIÈVRE (paiement par le fils des mensualités de remboursement d'un prêt nonobstant l'opposition du père; application des règles de la gestion d'affaires parce que l'opposition du père n'est pas justifiée par l'intérêt de la famille). — Colmar, 18 juin 1981 : *Rev. Alsace-Lorraine* 1981, 219.

(19) Pour autant, la personne pressentie pour s'occuper des intérêts d'autrui n'en acquiert pas moins la qualité de gérant d'affaires : Civ. 1re, 3 janv. 1985 : *Gaz. Pal.* 1985, pan. 90, obs. PIEDELIÈVRE.

l'article 491-4 du Code civil fait obligation aux proches de l'incapable d'accomplir les actes conservatoires que nécessite la gestion du patrimoine de la personne protégée, quand ils ont eu connaissance tant de leur urgence que de la déclaration aux fins de sauvegarde. En toute rigueur, de telles espèces ne sauraient être rangées dans la gestion d'affaires qui est spontanéité, donc exclusive de toute obligation préexistante.

Cette ingérence, si elle doit être animée par une volonté, l'intention de prendre en charge les intérêts d'autrui, ne requiert pas, en la personne du gérant, une capacité correspondante.

1° Intention altruiste

1778. — L'initiative du gérant dans l'intérêt d'autrui est la condition fondamentale de l'opération. C'est elle qui justifie cette institution, ainsi que le rappelle la Cour de cassation (20). Plusieurs conséquences en résultent :

— cette condition n'est pas remplie, s'il était loisible à celui qui s'est immiscé dans les affaires d'autrui de solliciter des instructions du maître de l'affaire. En l'espèce, l'action est refusée à un cabinet d'affaires situé dans la même ville que le maître de l'affaire, pour le compte duquel il avait conclu une opération; un simple coup de téléphone aurait suffi pour savoir si le maître de l'affaire souhaitait conclure l'acte (21);

— il n'y a pas gestion d'affaires, non plus, si, *involontairement,* croyant agir pour soi-même, on rend service à autrui (22);

— les personnes qui, *légalement* ou *contractuellement,* sont tenues d'accomplir certains actes, ne peuvent s'en prévaloir comme étant des actes de gestion d'affaires (23).

1779. — Il a été jugé — mais cette décision est critiquable et critiquée — que la personne qui est blessée en essayant d'arrêter un voleur (vol commis dans un grand magasin), alors qu'elle y avait été incitée par les cris du volé (« arrêtez-le »), ne peut se prévaloir de la gestion d'affaires pour se faire rembourser ses frais médicaux, au motif qu'elle avait accompli un acte *dans l'intérêt général* (24)... !

---

(20) Civ. 3e, 13 déc. 1978 : *Gaz. Pal.* 1979, 1, somm. 121. — Paris, 6 mars 1989 : *D.* 1989, I.R. 113.

(21) Lyon, 13 mars 1979, préc. — V. cependant, Civ. 1re, 22 juin 1970 : *J.C.P.* 70, II, 16511, qui donne de la gestion d'affaires une définition plus large : il suffit que l'acte soit utile.

(22) Civ., 5 juin 1919 : *D.* 1923, 1, 223. — 14 déc. 1931 : *D.H.* 1932, 98. — Civ. 3e, 15 janv. 1974 : *J.C.P.* 74, IV, 73.

(23) Tel le gardien de la paix qui réalise un devoir de sa fonction. — Toulouse, 5 oct. 1959 : *D.* 1960, 387, note GORÉ. — Trib. paix Paris, 26 sept. 1913 : *D.* 1913, 2, 345, note LALOU. — Ou le contractant *spécialement chargé de faire l'acte* (note TUNC sous Trib. paix Candé, 27 nov. 1945 : *D.* 1947, 386). — Soc., 11 oct. 1984 : *Bull. civ.* V, n° 369; *Rev. trim. dr. civ.* 1985, p. 574, obs. MESTRE. — *D.* 1985, I.R. 442, note A. LYON-CAEN.

(24) Civ. 1re, 7 janv. 1971 : *J.C.P.* 71, II, 16670, rejetant le pourvoi contre Paris, 14 déc. 1968 : *J.C.P.* 69, II, 15744 et la note. — *Contra* : Paris, 25 oct. 1971 : *Gaz. Pal.* 1972, 1, 124.

Cet arrêt méconnaît la nature profonde de la gestion d'affaires, acte de solidarité sociale que l'on doit encourager, ou, du moins, que l'on ne doit pas décourager, comme l'a fait cette décision qui laisse sans réparation aucune les dommages subis par une personne ayant fait montre de courage dans une circonstance présentant de réels dangers (25).

La Cour de cassation paraît avoir abandonné cette solution. Dans une espèce similaire (25-1), où le client d'un grand magasin avait été blessé alors qu'il poursuivait un malfaiteur qui venait de s'emparer de la recette, elle a retenu la qualification de gestion d'affaires pour accueillir la demande d'indemnisation formée par la victime contre l'exploitant du grand magasin. Elle admet que l'acte de dévouement n'est pas uniquement inspiré par le désir de se comporter en collaborateur bénévole des services de police, mais qu'il est, aussi, dicté par l'intention altruiste de rendre service au super-marché et que cet intérêt particulier n'est pas l'accessoire de l'intérêt général.

1780. — La jurisprudence n'exige d'ailleurs pas que l'acte soit purement altruiste. Elle admet la gestion d'affaires lorsque l'acte est fait tant dans l'intérêt propre du gérant que dans celui d'un tiers (26). Il en est ainsi, par exemple, d'un propriétaire n'ayant qu'une part indivise dans un bien. S'il vend ce bien, en sa totalité, la vente peut être considérée comme ayant réalisé une gestion d'affaires à l'égard des autres propriétaires indivis (27). Cette jurisprudence a, d'ailleurs, été légalisée en matière d'indivision. L'article 815-4 du Code civil ajouté par la loi du 31 décembre 1976 déclare, en effet, qu'« à défaut de pouvoir légal, de mandat ou d'habilitation par justice, les actes faits par un indivisaire en représentation d'un autre ont effet à l'égard de celui-ci, *suivant les règles de la gestion d'affaires* ».

2° Capacité indifférente

1781. — Un incapable peut valablement gérer les affaires d'autrui. A cela une double raison : les obligations à la charge du gérant proviennent de la loi, non de sa volonté; l'incapacité a pour but de protéger l'incapable contre un partenaire tenté d'abuser de sa jeunesse ou de la faiblesse de ses facultés mentales; or, tel n'est pas le cas de figure en l'espèce.

Toutefois, il convient de tenir compte de la circonstance où l'acte est passé *proprio nomine,* sans révélation de la qualité de gérant. Dans cette

(25) V. la critique de cette décision par Mme LAMBERT-FAIVRE *in Rec. lois et jurispr.* 1969, p. 171. — V. aussi la note précitée de M. J.-L. AUBERT.

(25-1) Civ. 1re, 26 janv. 1988 : *Bull. civ.* I, n° 25, p. 16; *Rev. trim. dr. civ.* 1988, 539, obs. MESTRE.

(26) Com., 16 nov. 1976 : *Bull. civ.* IV, n° 291. — *D.* 1977, I.R. 50.

(27) Civ., 1er juill. 1901 : *S.* 1905, 1, 510. — *Adde* Com., 15 nov. 1976 : *Gaz. Pal.* 1977, 1, somm. 42. — Dans le même sens, Com., 15 oct. 1974 : *D.* 1975, somm. 12 : rédacteur d'un acte de cession d'un fonds de commerce qui gère utilement l'affaire du vendeur tout en sauvegardant ses droits à honoraires.

hypothèse, l'opération est nulle, puisque conclue par un incapable agissant en son nom personnel. En conséquence, le gérant incapable n'est pas tenu envers les tiers, qui pourront seulement poursuivre le géré au titre de l'enrichissement sans cause.

SECTION II

EFFETS DE LA GESTION D'AFFAIRES

On doit étudier ces effets en envisageant les rapports qui peuvent exister entre les diverses personnes jouant un rôle dans la gestion d'affaires.

§ 1. — Les rapports du gérant et du géré

1782. — Bien qu'il s'agisse d'une opération unilatérale dans sa formation, la gestion d'affaires prend un caractère synallagmatique si on la considère dans ses effets. En effet, elle fait naître des obligations de part et d'autre, à la charge du gérant comme à la charge du maître. C'est cette dualité de liens obligatoires qui explique la qualification, utilisée par certains, de quasi-contrat.

A. — Obligations du gérant

1° Obligation de diligence

1783. — Le gérant doit administrer l'affaire avec la diligence d'un bon père de famille, c'est-à-dire d'un homme prudent et avisé (28). Il engage sa responsabilité pour ses fautes de gestion, seraient-elles d'imprudence ou de négligence (28-1). Toutefois, sa responsabilité est atténuée par l'intervention de deux règles.

— La première est inscrite à l'article 1374, alinéa 2 qui dispose : « Néanmoins, les circonstances qui l'ont conduit à se charger de l'affaire peuvent autoriser le juge à modérer les dommages-intérêts qui résulteraient des fautes ou de la négligence du gérant ». Il en irait ainsi si l'espèce requérait une particulière urgence et que l'auteur de l'acte ait été le seul à accepter de l'accomplir.

(28) Civ., 4 mars 1963 : *D.* 1963, somm. 85. — Le gérant ne répond pas des cas fortuits : Civ., 3 mai 1955 : *D.* 1955, somm. 64.

(28-1) Acquarone, *La nature juridique de la responsabilité civile du gérant d'affaires dans ses rapports avec le maître de l'affaire : D.* 1986, chron. 21.

— La seconde procède d'une disposition de faveur établie au profit du mandataire. Étant donné, d'après l'article 1372, alinéa 2, que celui qui gère l'affaire d'autrui « se soumet à toutes les obligations qui résulteraient d'un mandat exprès que lui aurait donné le propriétaire », il convient d'appliquer le régime du mandat. La responsabilité du gérant sera régie par l'article 1992, alinéa 2, qui prévoit que « la responsabilité relative aux fautes est appliquée moins rigoureusement à celui dont le mandat est gratuit qu'à celui qui reçoit un salaire ».

En conséquence, la gestion n'étant pas habituellement rémunérée, la conduite du gérant sera appréciée *in concreto,* d'après les soins qu'il apporte au règlement de ses propres affaires : s'il est négligent ou insouciant par nature, il n'encourra guère de responsabilité.

2° Obligation de persévérance

1784. — Sur un point, les obligations du gérant sont nettement plus lourdes que celles d'un mandataire. Alors que ce dernier peut renoncer, à son gré, au mandat (art. 2007), le gérant doit mener à bonne fin les opérations ou, du moins, continuer la gestion commencée (29) jusqu'à ce que le maître de l'affaire ou, en cas de mort, ses héritiers, puissent y pourvoir eux-mêmes (art. 1372, al. 1er et 1373). Le législateur ne tolère l'immixtion dans les affaires d'autrui que sous la condition que ces affaires soient bien administrées; elles ne sauraient donc être abandonnées dans des conditions préjudiciables. De plus, l'initiative du gérant a pu détourner un tiers d'intervenir, alors que ce tiers aurait sans doute mené l'affaire à son terme. Enfin, il est socialement souhaitable de décourager autant les personnes indiscrètes — qui se dérobent aussitôt leur curiosité satisfaite — que les personnes frivoles qui manquent d'esprit de suite.

1785. — C'est à de telles considérations que se rattache un arrêt de la Cour de cassation. Une ménagère oublie son sac à main dans le caddy qu'elle avait utilisé pour faire ses emplettes. D'autres clients le découvrent et vont le remettre à la préposée aux renseignements du supermarché. Cette employée lance, en vain, un appel par haut-parleur, après quoi elle se laisse déposséder du sac par ces clients « inventeurs » qui déclarent qu'ils se chargent de le restituer à sa propriétaire. La ménagère n'ayant jamais récupéré son bien assigne la société exploitant le supermarché et son employée imprudente. Les juges du fond, approuvés par la Cour de cassation, retiennent la responsabilité du magasin, estimant que la préposée de celui-ci, en acceptant de recevoir le sac à main remis par des tiers aux fins de restitution à sa propriétaire, avait poursuivi la gestion de l'affaire de ladite propriétaire, commencée par ces tiers, et qu'ayant ainsi contracté l'engagement tacite de continuer cette gestion jusqu'à ce que l'intéressée fût

(29) Sur les bénéficiaires de l'obligation de persévérance, v. Civ. 1re, 25 nov. 1981 : *Gaz. Pal.* 1982, 1, pan. 147.

en état d'y pourvoir elle-même, elle aurait dû placer le sac en lieu sûr. En conséquence, elle a commis un faute dont elle doit réparation, mais, compte tenu des circonstances et du pouvoir modérateur reconnu au juge en pareil cas par l'article 1374, alinéa 2, les dommages et intérêts doivent être réduits et ne pas couvrir tout le préjudice subi du fait que le sac contenait des objets de valeur (30).

1786. — Au devoir d'achever ce que l'on a entrepris, on rattache l'obligation, expressément prévue par le Code (art. 1372, al. 1, *in fine*), de se charger de « toutes les dépendances de cette même affaire ». Le gérant ne saurait donc limiter son intervention à telle opération déterminée si, par nature, la gestion postule d'autres soins. Par exemple, celui qui commande la réparation d'une toiture endommagée ne doit pas se contenter de faire poser des tuiles neuves, il doit également se préoccuper des travaux de zinguerie nécessaires à l'étanchéité du toit.

3° Obligation de reddition de compte

1787. — Le gérant, s'étant mêlé de l'affaire d'autrui, doit rendre des comptes et faire raison au géré de tout ce qu'il a reçu à la suite de son immixtion. On suit, en ce domaine, les principes gouvernant le mandat (C. civ., art. 1993).

B. — Obligations du géré

1° Restitution des débours

1788. — Le maître de l'affaire doit indemniser le gérant des frais et avances d'argent occasionnés par la gestion (art. 1375). Les sommes déboursées doivent lui être restituées, avec les intérêts légaux, lesquels courent de plein droit, c'est-à-dire sans mise en demeure préalable (31). Cette faveur est justifiée par le caractère désintéressé de l'action du gérant.

Si le gérant a subi quelque dommage personnel du fait de la gestion, il peut en demander la réparation (cas de l'individu blessé en voulant maîtriser un cheval emballé ou en se portant au secours des victimes d'un accident de la route (32), cas de la perte d'une hélice par une vedette à moteur

---

(30) Civ. 3e, 3 janv. 1985 : *Gaz. Pal.* 1985, pan. 90, obs. PIEDELIÈVRE; *Rev. trim. dr. civ.* 1985, p. 575, obs. MESTRE; *Bull. civ.* I, n° 5. V. pour un autre cas de responsabilité pour gestion partielle : Toulouse, 10 janv. 1930 : *D.H.* 1930, 237 (l'hôtelier, qui accepte un colis pour le compte d'un voyageur dont l'arrivée est annoncée, est responsable de ne pas s'être mis en rapport avec le transporteur en vue de retrouver le destinataire, finalement non descendu à l'hôtel).

(31) Civ., 12 juin 1979 : *Gaz. Pal.* 1979, somm. 2, p. 414. — *D*, 1979, I.R. 539 (dépenses de construction et d'entretien exposées par un frère sur des biens indivis entre lui et sa sœur; l'intérêt de ces avances est dû à partir du jour où les dépenses ont été constatées, et non à dater des conclusions en justice).

(32) Trib. civ. Lille, 28 juin 1955 : *Gaz. Pal.* 1955, 2, 413. — T.G.I. Paris, 25 oct. 1971 : *Gaz. Pal.* 1972, 1, 124, note D.S.

surveillant bénévolement des régates maritimes (33)...). Le vœu de la loi est que le gérant sorte indemne de l'opération, et cela implique qu'il soit indemnisé de toutes ses pertes.

1789. — En ce qui concerne le remboursement des frais et avances, il faut tenir compte de la précision importante prévue à l'article 1375 : le remboursement ne concerne que les dépenses utiles ou nécessaires. Cette formule doit être bien comprise.

Les dépenses utiles, comme on l'a déjà dit, ne sont pas celles qui, en fin de compte, ont profité au maître, mais celles qui semblaient opportunes et qu'il était raisonnable de faire, même si, en fin de compte, ces dépenses ne se sont pas traduites par un enrichissement du maître (la maison réparée est détruite, le malade soigné meurt). C'est sur ce point que l'action de gestion d'affaires est plus avantageuse que celle d'enrichissement sans cause. Ne sont pas remboursées les dépenses dites voluptaires, c'est-à-dire de pur agrément, à moins que le maître n'ait ratifié la gestion.

1790. — En garantie des restitutions auxquelles il peut prétendre, le gérant bénéficie du droit de rétention (34). Il lui est permis, comme au mandataire, de conserver les biens qu'il détient et qui appartiennent au géré jusqu'au complet paiement des sommes qui lui sont dues. La raison s'en trouve dans la connexité qui existe entre sa créance et les choses qu'il doit restituer.

2° Non-rémunération des services

1791. — Le gérant ne peut pas, en revanche, se faire rémunérer ses services, ce qui leur ôterait leur caractère désintéressé. Mais, lorsqu'il s'agit d'un professionnel qui a accompli un acte de sa profession, à titre de gérant d'affaires, — par exemple, un médecin prodiguant des soins à un blessé —, les tribunaux lui permettent de réclamer la rémunération de ses actes (35).

Cependant, un courant jurisprudentiel interprète, de façon très souple, le principe de la gratuité de la gestion d'affaires. A cet égard, il suffit de rapporter certains des considérants retenus par un jugement du tribunal de paix de Candé (36) dans une espèce où la gestion d'affaires avait consisté à conserver un fusil confié à titre de prêt à usage, pendant toute la durée de l'occupation allemande, et ce contre l'injonction impérative de l'autorité militaire ennemie ordonnant la livraison immédiate de toutes les armes à feu :

« Attendu qu'en principe le gérant d'affaire n'a droit à aucun salaire ou rémunération en sus du remboursement de ses dépenses; que, cependant, la gratuité n'étant pas de l'essence de la

---

(33) Civ. 1re, 14 nov. 1978 : *Gaz. Pal.* 1979, 1, somm. 98; *J.C.P.* 80, II, 19379, note R. Bout.

(34) Sur la question, v. Christian Scapel, *Le droit de rétention en droit positif : Rev. trim. dr. civ.* 1981, p. 539 et s.

(35) Civ. 1re, 22 juin 1970, préc. — Req., 10 janv. 1910 : *S.* 1912, 1, 158. — *D.* 1911, 1, 370.

(36) Trib. paix Candé, 27 nov. 1945 : *D.* 1947, 386, note A. Tunc.

gestion d'affaire, mais seulement de sa nature, le gérant d'affaire peut, dans certains cas, être autorisé à réclamer un salaire, en particulier lorsque les circonstances sont telles que l'on doit présumer de la part du gérant l'intention de le réclamer et de la part du maître l'intention de le donner;

attendu, d'autre part, que les circonstances de la cause permettent d'interpréter en faveur d'un droit à une rémunération du gérant la disposition de l'article 1375 qui oblige le géré à l'indemniser de tous les engagements personnels qu'il a pris; que l'expression d'engagements personnels peut s'entendre aussi bien dans le sens d'obligations contractées que dans celui de risques acceptés et de sacrifices consentis par le gérant personnellement, dans l'intérêt du géré; qu'il y a donc lieu de décider, en droit, que L. est fondé à exercer l'action *negotiorum gestorum* pour demander à H. la juste indemnité qui lui est due en rémunération des peines, des soucis et des risques graves auxquels il s'est volontairement exposé pendant quatre ans au profit de son oncle;

attendu, toutefois, que pour méritoire et avantageuse qu'ait été la gestion de L. elle ne saurait comporter une rémunération équivalente à la valeur de l'arme conservée; que, s'il en était ainsi, un des éléments constitutifs de la gestion d'affaire ferait défaut, puisque le géré, ayant à payer une indemnité égale à la valeur du profit réalisé, ne retirerait aucune utilité de la gestion ».

§ 2. — Les rapports du géré et du tiers

1792. — Le maître de l'affaire n'est pas nécessairement tenu de remplir les engagements pris par le gérant avec les tiers. Pour que l'obligation naisse en la personne du maître, il faut, soit l'utilité, soit la ratification de la gestion.

1° Utilité de la gestion

1793. — L'article 1375 déclare : « Le maître dont l'affaire a été bien administrée, doit remplir les engagements que le gérant a contractés en son nom... ».

Le maître est donc directement engagé envers le tiers, en l'absence de toute manifestation de volonté de sa part, à la seule condition que l'acte rentre dans le cadre d'une gestion utile, dans le sens spécial que ce terme revêt en cette matière. Tout se passe alors comme s'il avait été représenté par le gérant. Ainsi, quand un mari a cédé à titre d'échange une parcelle de terrain appartenant indivisément en propre à sa femme et à sa belle-mère et que cet échange s'est révélé utile et profitable, la femme n'est pas justifiée à faire prononcer la nullité de cette convention; elle doit, au contraire, remplir l'engagement contracté à son nom par son mari depuis décédé (36-1).

2° Ratification de la gestion

1794. — En ce cas, le géré prend volontairement à son compte les conséquences des actes passés par le gérant dont il reconnaît l'opportunité. Par la volonté expresse ou tacite (37) du maître, la gestion s'inscrit désormais dans

(36-1) Civ. 1re, 15 mai 1974 : *Bull. civ.* I, n° 147; *D.* 1974, somm. 109.

(37) Civ., 7 juill. 1960 : *D.* 1961, somm. 25.

le cadre du mandat et ce sont toutes les opérations conclues par le gérant, même les acquisitions ou les dépenses de pur agrément, qui sont alors assumées par le maître. *Ratihabitio mandato aequiparatur:* la ratification tient lieu de mandat (38).

Dans l'éventualité où le maître n'a pas ratifié, comme dans celle où la gestion présentait peu d'utilité, le tiers ne saurait rechercher le géré que si celui-ci avait commis une faute, notamment en laissant s'entretenir l'idée d'un mandat ou en empêchant toute action contre le maître faute d'en avoir révélé l'identité (38-1).

§ 3. — Les rapports du gérant et du tiers

1795. — Ces rapports dépendent de l'attitude qu'avait prise le gérant. Si, en contractant, il a déclaré qu'il n'agissait pas pour son compte, il n'assume à l'égard du tiers aucun engagement personnel (39). En fait, cette situation sera rare. Le tiers ne traitera pas avec une personne sans pouvoirs, car il ne peut pas savoir si les conditions d'une gestion d'affaires utile sont remplies, ce qui lui permettrait de poursuivre le maître.

Habituellement, donc, *le tiers exigera l'engagement personnel du gérant.* En ce cas, celui-ci sera tenu, quitte ensuite à se faire rembourser par le maître de tout ce qu'il a dû payer dans son intérêt.

Le tiers pourra, semble-t-il, poursuivre, dans ce dernier cas, non seulement le gérant personnellement engagé, mais aussi le maître pour le compte duquel l'affaire a été faite.

---

(38) H. ROLAND et L. BOYER, *Adages*, p. 886.

(38-1) Civ. 1re, 10 fév. 1982 : *D.* 1982, I.R. 226; *Bull. civ.* I, n° 67.

(39) V. Civ., 14 janv. 1959 : *D.* 1959, 106.

CHAPITRE II

L'ENRICHISSEMENT SANS CAUSE

1796. — D'après le lexique de termes juridiques (1), l'enrichissement sans cause se définit comme

« l'enrichissement d'une personne en relation directe avec l'appauvrissement d'une autre, alors que le déséquilibre des patrimoines n'est pas justifié par une raison juridique ».

L'expression d'enrichissement sans cause est traditionnelle, mais elliptique; il faudrait toujours ajouter *cum alterius detrimento*, car il va de soi que l'enrichissement qui s'opère sans porter préjudice à autrui ne saurait être source d'obligation. D'ailleurs, telle était bien la formulation du droit romain qui nous a laissé la maxime : *Jure naturae aequum est neminem cum alterius detrimento et injuria fieri locupletiorem* (1-1) : d'après le droit naturel, il est équitable que nul ne s'enrichisse injustement au détriment d'autrui.

Avant d'en détailler quelque peu le mécanisme, on donnera une vue générale de cette question (2).

---

(1) Dalloz, 7e éd., 1988.

(1-1) ROLAND et BOYER, *Adages*, p. 465 et s.

(2) MAURY, *Essai sur la notion d'équivalence en droit civil français*, thèse Toulouse, 1920, t. II. — BÉGUET, *L'enrichissement sans cause*, thèse Alger, 1945. — F. GORÉ, *L'enrichissement aux dépens d'autrui, source autonome et générale d'obligations en droit privé français*, thèse Paris, 1949. — D. LEITE DE CAMPOS, *Les présupposés externes de l'action de in rem verso*, thèse Paris II, 1978. — O. BARRET, *L'appauvrissement injuste aux dépens d'autrui*, thèse Paris I, 1985. — J. CHEVALLIER, *Observations sur la répétition des engagements non causés ; Études Ripert*, t. II, p. 237 et s. — VON CAEMMERER, *Problèmes fondamentaux de l'enrichissement sans cause : Rev. int. dr. comp.* 1966, p. 573 et s. — DEROUIN, *Le paiement de la dette d'autrui : répétition de l'indu et enrichissement sans cause : D.* 1980, chron. 199. — *Rép. dr. civ. Dalloz, V° Enrichissement sans cause* par F. GORÉ et C. SAUJOT.

SECTION I

VUE GÉNÉRALE SUR L'ENRICHISSEMENT SANS CAUSE

§ 1. — Les cas en législation

1797. — La loi n'institue nulle part l'enrichissement injuste comme source d'obligations. En revanche, on rencontre dans les textes, à défaut de principe, des applications fragmentaires de l'idée qu'il est interdit de s'enrichir sans cause aux dépens d'autrui. Les principaux cas particuliers visés par le législateur sont les suivants.

1° L'accession

1798. — Lorsqu'un individu plante ou construit avec ses matériaux sur le terrain d'autrui, les plantations ou les constructions deviennent, en principe, la propriété du propriétaire du fonds auquel elles se sont incorporées. Cette acquisition par voie d'accession rompt, injustement, l'équilibre entre le patrimoine du propriétaire foncier qui s'enrichit et le patrimoine du tiers planteur ou constructeur. Le Code civil, dans l'article 555, rétablit la situation en imposant au propriétaire de verser au tiers de bonne foi une indemnité égale, soit à la valeur des matériaux et au coût de la main d'œuvre estimés à la date du remboursement, soit une somme égale à celle dont le fonds a augmenté de valeur.

2° Les impenses

1799. — Quand des frais ont été engagés pour la conservation ou l'amélioration d'un bien par une personne qui perd tout droit sur ce bien, la loi accorde un dédommagement au profit de celui qui les a exposés. C'est ainsi qu'en matière de rapport successoral, l'article 861 dispose que,si l'état des objets donnés a été amélioré par le fait du donataire, « il doit lui en être tenu compte, eu égard à ce dont leur valeur se trouve augmentée au temps du partage ou de l'aliénation » et qu'il doit en aller de même pour les impenses nécessaires faites pour la conservation du bien, encore qu'elles ne l'aient point amélioré. Des dispositions analogues sont prévues par l'article 1673 s'agissant de la vente à réméré, par l'article 2080 au profit du mandataire, par l'article 2175 en ce qui concerne le tiers détenteur d'un immeuble hypothéqué qui est créancier, pour les améliorations qu'il a effectuées, dans la mesure de la plus-value procurée, etc.

3° Les récompenses

1800. — Dans le cas où l'un des époux a tiré un profit personnel des biens de la communauté, par exemple, s'il a acquitté avec de l'argent commun une dette qui lui était propre, il en est comptable vis-à-vis de la masse commune à laquelle il doit une récompense (C. civ., art. 1416 et s.). Il en va pareillement dans l'hypothèse inverse où c'est la communauté qui s'est enrichie par prélèvement sur des biens propres.

4° L'annulation pour incapacité

1801. — C'est aussi l'idée d'enrichissement sans cause qui explique le tempérament apporté aux conséquences logiques (rétablissement entier du *statu quo ante*) du paiement fait par un incapable. Selon l'article 1312 du Code civil

« lorsque les mineurs ou les majeurs en tutelle sont admis, en ces qualités, à se faire restituer contre leurs engagements, le remboursement de ce qui aurait été... payé pendant la minorité ou l'interdiction, ne peut en être exigé; à moins qu'il ne soit prouvé que *ce qui a été payé a tourné à leur profit* ».

5° La répétition de l'indu

1802. — Toutes les fois qu'il y a indu, c'est-à-dire accomplissement d'une obligation qui n'existe pas ou à laquelle on n'est pas tenu, celui qui reçoit le paiement s'enrichit injustement au détriment de celui qui l'a fait, d'où il résulte qu'il répond des encaissements perçus à tort dans le cadre de l'action dite en répétition de l'indu (v. t. III).

6° Les indemnités dues au preneur sortant

1803. — L'article L. 411-69 du Code rural pose le principe du droit, pour le preneur, à une indemnité pour les améliorations qu'il a apportées au fonds loué durant ses années de jouissance (3). Ces indemnités, qui ne sont liquidées qu'en fin de bail, sont dues, soit au titre des améliorations culturales qui n'enrichissent le sol que pour quelques années (irrigation, drainage, fumure, épierrement), soit au titre des améliorations foncières (mise en culture de terres en friche, transformation de labours en herbage), soit au titre des constructions et ouvrages incorporés au sol (agrandissement, aménagements...), soit au titre des plantations, qu'elles soient nouvelles ou faites en remplacement d'anciennes. Le montant du dédommagement varie selon le type d'impenses (art. L. 411-71).

---

(3) Les textes régissant la matière sont d'ordre public; sont réputées non écrites toutes clauses ayant pour effet de supprimer ou de restreindre les droits du preneur : Cass., 16 fév. 1982 : *J.C.P.* 82, éd. N, II, 180. — Sur les indemnités de sortie, DUPEYRON, THÉRON et BARBIÉRI, *Droit agraire*, vol. 1, n° 375 et s. — J. HUDAULT, *Droit rural*, n° 166 et s. — L. LORVELLEC, *Droit rural*, n° 246 et s.

Pour les améliorations foncières et culturales, il est égal au coût des travaux évalués à l'expiration du bail, sous déduction d'un amortissement sur une durée de 18 ans (soit 5,56 % par an). Pour les bâtiments et ouvrages, la base de calcul est la même (prix des travaux réévalués), mais la réduction est de 6 % par année écoulée depuis l'exécution des travaux, ce qui correspond à un amortissement en 16 ans et 8 mois. Quant aux plantations, on se réfère au montant de la dépense, sans que son remboursement puisse excéder le montant de la plus-value qui en est résultée. Auparavant, le droit à indemnité du fermier ou du métayer supposait, en principe, que le bailleur ait autorisé de telles dépenses. Désormais, surtout depuis la loi du 1er août 1984, le preneur a une liberté totale pour un grand nombre de travaux, certains seulement étant soumis au régime de la simple communication ou de l'autorisation préalable (C. rural, art. L. 411-73).

1804. — Notons, cependant, qu'à côté de ces dispositions favorables, il en existe certaines, très exceptionnelles, qui écartent formellement toute application de l'enrichissement injuste. Tel est le cas de l'article 585 du Code civil selon lequel « les fruits naturels et industriels pendants par branches ou par racines », au moment où finit l'usufruit, appartiennent au propriétaire sans récompense de part ni d'autre des labours et des semences.

§ 2. — Le principe en jurisprudence

1805. — Face à ces textes épars, fallait-il considérer les phénomènes d'enrichissement retenus par les lois particulières comme des illustrations non limitatives d'un principe général d'après lequel tout déplacement de valeur opéré sans cause serait source de créance au profit de l'appauvri ? Devait-on, au contraire, s'en tenir aux précisions légales et refuser de faire de tout enrichissement injuste la cause d'une obligation de restitution ? (4).

1° L'arrêt du 15 juin 1892

1806. — Après avoir manifesté une hostilité certaine, puis adouci sa position en accueillant des demandes d'indemnité sur la base d'une gestion d'affaires anormale (5), la Cour de cassation affirma l'existence dans notre droit d'un principe général, fondé sur l'équité, qui défend de s'enrichir sans cause au détriment d'autrui, par un arrêt célèbre, l'arrêt *Boudier,* du 15 juin 1892 (6). L'espèce montre bien comment le problème peut se poser : il s'agissait d'un marchand d'engrais qui, ayant fourni des engrais à un fermier, ne put en obtenir le paiement, le fermier étant insolvable. Comme le

(4) V. ROUAST, *L'enrichissement sans cause et la jurisprudence civile : Rev. trim. dr. civ.* 1922, p. 35 et s.

(5) Req., 18 juin 1872 : *D.* 1872, 1, 471.

(6) *D.* 1892, 1, 596; *S.* 1893, 1, 281, note LABBÉ.

propriétaire avait, entre-temps, repris la ferme, il retrouva un sol amélioré grâce auxdits engrais. Cet enrichissement était dépourvu de cause, de justification juridique. Le marchand s'adressa donc au propriétaire ainsi enrichi, pour lui demander le paiement des engrais. Il obtint gain de cause.

Mais ce premier arrêt avait employé une formule très générale; il déclarait que :

« Cette action dérivant du principe d'équité qui défend de s'enrichir au détriment d'autrui et n'ayant été réglementée par aucun texte de notre droit, *son exercice n'est soumis à aucune condition déterminée,* qu'il suffit pour la rendre recevable, que le demandeur allègue et offre d'établir l'existence d'un avantage qu'il aurait, par un sacrifice ou un fait personnel, procuré à celui contre lequel il agit ».

2° L'arrêt du 12 mai 1914

1807. — La généralité de cette formule, et notamment la proposition selon laquelle cette action n'est soumise à aucune condition particulière, était dangereuse. Appliquée à la lettre, elle aurait pu jeter le trouble dans l'ensemble des règles de droit. Il est facile de s'en convaincre par quelques exemples.

Considérons un contrat lésionnaire, dans un cas où la lésion n'est pas admise comme cause de nullité (on sait que les cas de nullité sont exceptionnels). La partie lésée pourrait-elle invoquer son appauvrissement et l'enrichissement corrélatif de son cocontractant pour se faire indemniser ? Evidemment non ! car ce serait tourner ainsi la règle posée par l'article 1118 selon laquelle la lésion n'est pas, en général, une cause de nullité.

Autre exemple : une partie ne dispose pas d'écrit pour prouver sa créance contractuelle et ne se trouve pas dans l'une des hypothèses où la preuve par témoins est admissible en matière d'actes juridiques. Elle perd, de ce fait, son droit de créance. Il est évident qu'elle ne saurait invoquer la notion d'enrichissement sans cause, prétendre qu'il s'agit là d'un *fait juridique* et non d'un acte, et demander à prouver ce fait juridique par témoins ou par présomptions. Ce serait rendre sans objet toute la réglementation des preuves en matière contractuelle.

Des remarques analogues pourraient être faites si un créancier laissait prescrire sa créance; il n'est pas concevable qu'il invoque son appauvrissement et l'enrichissement du débiteur ainsi libéré. Ce serait rendre vaine l'institution de la prescription extinctive.

Une théorie de l'enrichissement injuste, ainsi entendue, détruirait l'ordre juridique tout entier.

1808. — C'est ce qu'a compris rapidement la Cour de cassation. Ainsi, dès 1914, elle modifie sa formule dans le sens suivant :

« L'action *de in rem verso* (c'est sous ce nom latin qu'est désignée désormais l'action fondée sur l'enrichissement sans cause), fondée sur le principe d'équité qui défend de s'enrichir aux dépens d'autrui, doit être admise dans tous les cas où le patrimoine d'une personne se trouvant, *sans cause légitime*, enrichi au détriment de celui d'une autre personne, cette dernière ne jouirait, pour obtenir ce qui lui est dû, d'*aucune action* naissant d'un contrat, d'un quasi-contrat, d'un délit ou d'un quasi-délit » (7).

La plupart des arrêts postérieurs reprennent la même formule.

Ainsi donc, le principe selon lequel l'action *de in rem verso* est fondée sur l'équité est réaffirmé, mais le succès de cette action dépend d'un certain nombre de conditions indiquées désormais par la Cour de cassation. Ce sont ces conditions qu'il nous faut analyser tout d'abord; nous verrons ensuite les effets de l'action *de in rem verso.*

SECTION II

CONDITIONS DE L'ENRICHISSEMENT SANS CAUSE

1809. — L'analyse de la formule de la Cour de cassation fait clairement ressortir deux séries de conditions : les unes *d'ordre économique,* liées à la constatation qu'une valeur est passée d'un patrimoine dans un autre; les autres *d'ordre juridique,* tenant surtout au fait que rien ne vient légitimer une telle transmission.

§ 1. — Les conditions d'ordre économique

1810. — Pour que l'action *de in rem verso* soit reconnue bien fondée, il est nécessaire de relever un *enrichissement* d'un côté, un *appauvrissement* de l'autre; il faut en outre qu'il y ait *corrélation* entre les deux phénomènes.

A. — Enrichissement

1811. — Le plus souvent, il s'agit d'un enrichissement matériel, mais les tribunaux admettent aussi l'enrichissement purement moral.

L'enrichissement matériel peut résulter d'un *accroissement du patrimoine:* c'était le cas du propriétaire dont la terre a été améliorée par les engrais, c'est le cas de la concubine qui se constitue un patrimoine immobilier grâce à l'argent du concubin lequel, seul, rembourse les emprunts et règle les matériaux de construction (7-1); ou du maître de l'ouvrage qui bénéficie des travaux exécutés par le sous-traitant (7-2) et tous cas analo-

(7) Civ., 12 mai 1914 : *S.* 1918, I, 11.

(7-1) Paris, 14 janv. 1987 : *D.* 1987, I.R. 36.

(7-2) Civ. 1re, 11 juin 1985 : *D.* 1986, p. 456, note Ph. DUBOIS.

gues. On considère, en outre, que le fait d'*éviter une dépense obligatoire* constitue également un enrichissement. Ainsi, le fait de fournir des aliments à une personne dans le besoin, a pu être considéré comme un enrichissement de celui qui, normalement, aurait dû pourvoir à son entretien (mari tenu de l'obligation alimentaire envers sa femme; enfant tenu envers ses parents). Ainsi, le fait pour le nouvel employeur de régler la totalité des indemnités de congés payés procure au précédent employeur un enrichissement sans cause en proportion du temps pendant lequel, au cours de la période de référence, l'intéressé avait été son salarié (8). Bien d'autres *damnum* évités pourraient être cités : économie dont bénéficie la femme divorcée logée dans l'immeuble propre du mari (9), économie réalisée par une compagnie de distribution d'eau utilisant la conduite d'un particulier (10)...

Quant à l'enrichissement moral, on en donne comme exemple, le fait d'avoir profité des leçons particulières qui ont ainsi augmenté le « bagage » des connaissances intellectuelles de l'élève (11).

B. — Appauvrissement

1812. — L'appauvrissement s'analyse, lui aussi, soit en un *damnum* éprouvé, perte pécuniaire ou perte d'un bien évaluable en argent (11-1), soit en un *lucrum* manqué. Cette dernière hypothèse prend souvent la forme d'un travail consenti sans rémunération. Ainsi, la jurisprudence a donné à une femme séparée de biens, qui a aidé pendant de longues années son mari dans son commerce sans recevoir le moindre salaire, une action fondée sur l'idée d'enrichissement sans cause. Un arrêt a même accordé à une concubine, qui a aidé pendant dix-sept ans son concubin dans son travail sans rémunération aucune, l'indemnité de... 50 000 F (anciens) que celle-ci avait réclamée (12).

De nombreux arrêts évoquent une situation identique, celle de la femme collaborant gratuitement à la profession de son mari. Pour repousser la demande, le mari excipe de l'obligation incombant à la femme de participer aux charges du mariage. Mais une jurisprudence très ferme (13) décide que

---

(8) Soc., 2 fév. 1984 : *D.* 1984, 321 (3e espèce).

(9) Civ. 1re, 15 déc. 1976 : *Bull. civ.* I, n° 409.

(10) Civ. 1re, 19 mai 1969 : *Bull. civ.* I, n° 187.

(11) V. pour l'enrichissement du patrimoine moral d'une commune tenue d'assurer le ravitaillement de sa population en période critique, lors de l'exode de la dernière guerre : Civ., 18 janv. 1960 : *D.* 1960, 573, note ESMEIN; *Rec. gén. lois et jurispr.* 1960, p. 417, note B. STARCK.

(11-1) Riom, 5 mai 1988 : *J.C.P.* 89, IV, 53 : appauvrissement d'une concubine (qui ne se trouvait pas en société de fait faute d'*affectio societatis*) pour avoir financé les deux tiers de l'automobile dont le concubin se trouve exclusif propriétaire après la rupture du concubinage.

(12) Civ., 30 nov. 1954 : *Bull. civ.* I, n° 340, p. 289.

(13) Civ. 1re, 9 janv. 1979 : *Gaz. Pal.* 1979, 2, 500, obs. J.V.; *D.* 1979, I.R. 256, note D. MARTIN. — Civ. 1re, 30 mai 1979 : *Gaz. Pal.* 1979, 2, somm. 408; *D.* 1979, I.R. 495, note D. MARTIN. — Civ. 1re, 26 oct. 1982 : *J.C.P.* 83, II, 19992, note TERRÉ. — Aix, 6 sept. 1984 : *Gaz. Pal.* 1984, 2, 756, note LACHAUD. — Civ. 1re, 11 mars 1986 : *D.* 1986, I.R. 194.

la femme a droit à une indemnité pour couvrir son appauvrissement, lorsque son activité dépasse la simple contribution aux dépenses communes (13-1).

En revanche, le conjoint divorcé qui n'a pas sollicité une prestation compensatoire est irrecevable à la demander plus tard par le biais de l'enrichissement sans cause (13-2). Refus qui tient au fait qu'une autre condition du mécanisme n'est pas remplie, à savoir l'exigence de subsidiarité.

Parmi les autres cas pratiques, citons celui de la gouvernante qui, huit années durant, a fait le ménage et préparé les repas bénévolement, abandonnant pour cela sa profession de couturière : elle peut, à juste titre, prétendre à une indemnité contre l'héritier en se fondant sur son appauvrissement sans cause (14). Mentionnons une dernière espèce qui est singulière. Un créancier de somme d'argent ne pouvait prétendre à des dommages et intérêts supérieurs aux intérêts moratoires, faute de remplir les exigences de l'article 1153 du Code civil (absence de mauvaise foi du débiteur, défaut de préjudice indépendant du retard). Souhaitant un dédommagement pour la période antérieure à la mise en demeure (non productrice d'intérêts), il eut l'idée de se prévaloir de la théorie de l'enrichissement sans cause et obtint gain de cause devant la cour d'Agen dont l'arrêt fut confirmé par la Cour de cassation (15).

C. — Corrélation

1813. —L'appauvrissement ne donne droit à l'indemnité fondée sur l'action *de in rem verso* que s'il est corrélatif à l'enrichissement. Il faut qu'il y ait un *lien de causalité* entre l'un et l'autre. On remarquera, cependant, que cette corrélation est réalisée, tantôt directement, tantôt indirectement, c'est-à-dire par l'intermédiaire d'un tiers.

Les hypothèses de *corrélation directe* sont les plus nombreuses. Il y a passage d'une valeur du patrimoine de l'appauvri dans le patrimoine de l'enrichi. La plupart des exemples fournis ci-dessus font voir cette relation directe entre l'appauvrissement et l'enrichissement : par exemple, le travail non rémunéré a appauvri celui qui l'a fourni et enrichi celui qui n'a déboursé aucun salaire (16).

Mais il arrive que le lien entre l'appauvrissement et l'enrichissement emprunte une voie *indirecte* où s'interpose le patrimoine d'un tiers. C'est le

(13-1) SINAY-CYTERMANN, *Enrichissement sans cause et communauté de vis. Incidence de la loi du 10 juillet 1982 : D.* 1983, chron. 159.

(13-2) T.G.I. Châteauroux, 13 déc. 1984, rapporté en note *in* P.-A. SIGALAS et J. DE POULPIQUET : *Demande en paiement de prestation compensatoire et action de in rem verso : J.C.P.* 85, I, 3197; *J.C.P.* 86, éd. N, I, 459.

(14) Civ. 1re, 6 mars 1979 : *Gaz. Pal.* 1979, 2, somm. 327.

(15) Civ. 1re, 10 déc. 1980 : *J.C.P.* 81, II, 19678, note MOURGEON.

(16) T.G.I. Paris, 6 avril 1968 : *D.* 1968, somm. 101.

cas du marchand d'engrais. Celui-ci avait fourni les engrais au fermier, et non au propriétaire qui, en définitive, en a profité. Le *transfert de valeur est passé par l'intermédiaire du patrimoine du locataire.*

1814. — Pour la Cour de cassation, le lien de causalité existe lorsqu'un individu, par un fait qui lui est personnel et dont il est résulté pour lui un appauvrissement, a fait entrer une valeur dans le patrimoine d'un autre sans que celui-ci puisse se prévaloir d'une juste cause d'enrichissement (17). En conséquence, il n'y a pas corrélation adéquate entre l'indemnité versée par l'Administration au locataire d'une parcelle expropriée et l'appauvrissement résultant, pour son bailleur, de l'obligation de dédommager ce locataire au cas où il n'honorerait pas sa promesse de lui louer un nouveau terrain, si celui-ci faisait l'objet d'une emprise (18).

§ 2. — Les conditions d'ordre juridique

1815. — Aucune exigence de capacité n'est requise, ni en la personne de l'appauvri, ni en celle de l'enrichi. La créance de l'un, la dette de l'autre ont pour source la loi (plus exactement la jurisprudence en tant que source de droit) et non la volonté des parties. Peu importe, par conséquent, que celles-ci, ou l'une d'elles, soient incapables de passer des actes juridiques.

En revanche, il est demandé, d'une part, que le mouvement de valeur entre les deux patrimoines ait eu lieu *sans cause*, d'autre part, que l'appauvri ne dispose d'*aucun autre moyen* pour se faire indemniser.

A. — Absence de cause

1816. — D'après la formule précitée de la Cour de cassation, il semble que l'absence de cause se rapporte à l'enrichissement. Il suffirait donc que l'enrichissement n'ait pas de cause pour que l'action *de in rem verso* soit donnée. Mais, des décisions postérieures permettent de compléter cette formule : la notion de cause se rapporte également à l'appauvrissement (18-1). Autrement dit, pour que l'action *de in rem verso* soit admise, il faut que l'appauvrissement, tout autant que l'enrichissement, soit dépourvu de cause. Naturellement, c'est à la partie qui agit en indemnité de rapporter la preuve de l'absence de cause. Voici une personne qui fait construire une maison sur un terrain lui appartenant; sa mère et son beau-père paient certains travaux et règlent les honoraires du notaire; ultérieurement ils en

(17) Civ. 3e, 26 janv. 1972 : *Bull. civ.* III, n° 65.

(18) Civ. 3e, 15 mai 1974 : *J.C.P.* 74, éd. G, IV, 240.

(18-1) Paris, 4 mars 1988 : *D.* 1988, I.R. 108 : l'acquisition de clientèle par un médecin ne peut constituer un appauvrissement des héritiers du prédécesseur; le transfert de clientèle n'est pas sans cause, puisqu'il trouve son origine dans le contrat d'exclusivité conclu entre ce médecin et la clinique.

demandent le remboursement et l'obtiennent des juges du fond, au motif que les sommes réglées constituent des paiements pour autrui, restituables sur le fondement de l'enrichissement sans cause; la Cour suprême casse cette décision (19) : il appartenait aux époux, demandeurs à l'action, d'établir le défaut de cause, autrement dit de démontrer qu'en l'espèce ils n'avaient pas eu d'intention libérale.

Mais que doit-on entendre par cause en cette matière ? Le point a fait l'objet de nombreuses controverses. Il est possible, pensons-nous, de définir la cause de la façon suivante : c'est le *titre juridique,* la raison juridique, qui explique et justifie soit l'enrichissement, soit l'appauvrissement. Tout transfert de valeurs d'un patrimoine dans un autre doit se trouver juridiquement justifié. En fait, la cause, en notre matière, peut être ou bien un acte juridique, ou bien un fait juridique, ou bien encore, toute disposition légale ou tout usage donnant une base à l'enrichissement ou à l'appauvrissement.

Illustrons ces formules par quelques exemples, les uns relatifs à l'enrichissement, les autres relatifs à l'appauvrissement.

1° La cause et l'enrichissement

1817. — Le profit retiré d'un contrat lésionnaire, que la *loi* (C. civ., art. 1118) ne permet pas d'annuler, a une cause : c'est ce contrat lui-même, que la loi déclare valable (19-1). Il en est de même du profit retiré par le débiteur du fait de l'inaction prolongée du créancier, qui conduit à la prescription de la dette : c'est la loi elle-même qui est la cause de l'enrichissement et de l'appauvrissement corrélatif. Pareillement, les prestations versées par une caisse d'assurance maladie à la victime d'un accident sont servies en exécution d'obligations légales constituant une cause légitime, de sorte que l'organisme social ne peut en demander le remboursement au motif qu'elles n'auraient pas été déduites de l'idemnité mise à la charge du tiers (19-2). Dans tous ces cas, l'action d'enrichissement est refusée (20).

L'enrichissement peut trouver une juste cause dans un usage ancien, dans une tolérance habituelle (21).

Un entrepreneur fait des travaux dans un immeuble, à la demande du locataire. Celui-ci ne payant pas les travaux, l'entrepreneur peut-il s'adres-

---

(19) Civ. 1re, 19 janv. 1988 : *Bull. civ.* I, n° 16, p. 11; *J.C.P.* 88, IV, 114; *D.* 1988, I.R. 36. — Précédemment, Civ. 1re, 18 juin 1980 : *Bull.civ.* I, n° 191, p. 155; *Gaz. Pal.* 1980, 2, pan. 548.

(19-1) Civ., 17 mai 1944 : *Gaz. Pal.* 1944, 2, 71.

(19-2) Soc., 13 janv. 1988 : *Bull. civ.* V, n° 33, p. 21. — Rappr. Soc., 28 nov. 1984 : *Bull. civ.* V, n° 464, p. 341.

(20) Il a fallu le statut du fermage pour permettre au fermier sortant d'exiger du bailleur une indemnité de plus-value par suite des améliorations apportées au fonds par son travail; la jurisprudence antérieure refusait toute indemnité sur la base de l'enrichissement, dont la cause était une clause du bail lui-même.

(21) V. le jugement très bien motivé, *véritable exposé de la théorie de l'enrichissement sans cause,* du Trib. civ. Florac, 17 juin 1952 : *D.* 1953, 261.

ser au propriétaire qui a profité de la plus-value donnée par ces travaux ? Cela dépend des clauses du bail. Il est fréquent que le bail ait prévu le cas et déclare que tous travaux effectués par le locataire seront acquis par le bailleur en fin de bail, sans indemnité. En ce cas, son enrichissement a une cause : *c'est le bail lui-même.* L'entrepreneur ne pourra pas le poursuivre (22) (on remarquera ici un exemple très net d'opposabilité du contrat à un tiers). Si, au contraire, rien n'avait été prévu dans le bail, l'enrichissement serait dépourvu de cause (c'était l'hypothèse du propriétaire qui avait profité des engrais achetés par son fermier, aucune clause du bail ne les lui attribuait sans indemnité).

Un arrêt de la Cour de cassation (23) offre une autre illustration de la notion de cause conçue comme titre conventionnel : un mari, pharmacien, marié sous le régime de la séparation avec société d'acquêts, n'est pas recevable, sur le fondement de l'enrichissement sans cause, à réclamer une indemnité pour avoir géré seul et sans rétribution l'officine de sa femme, dès lors que les revenus procurés par cette activité sont tombés dans la société d'acquêts.

2° La cause et l'appauvrissement

1818. — En général, ce qui constitue la cause de l'enrichissement est en même temps la cause de l'appauvrissement. Mais il n'en est pas nécessairement ainsi.

Par exemple, une personne fait des travaux de drainage des eaux et d'assèchement sur son propre fonds. Ces travaux profitent, sans cause, aux propriétés voisines. L'action *de in rem verso* est cependant refusée, car les dépenses effectuées, donc l'appauvrissement, avaient une cause : l'intérêt que le propriétaire du fonds marécageux avait à l'assainir (24).

De même, le fermier expulsé qui procède aux semailles (dans l'espoir d'un sursis) n'a pas eu droit à se faire indemniser, malgré l'enrichissement procuré sans cause au propriétaire, car, devant s'attendre à voir la décision d'expulsion exécutée, il avait agi à ses risques et périls (25).

---

(22) Civ. 3e, 28 mai 1986 : *Bull. civ.* III, n° 83; *Rev. trim. dr. civ.* 1987, 545, obs. MESTRE; *Gaz. Pal.* 1986, 2, pan. 186. — Civ., 28 mars 1939 : *S.* 1939, 1, 1, 286. De même une augmentation de loyer sans contrepartie ne saurait déboucher sur l'enrichissement sans cause, quand elle est prévue au contrat de location : Civ. 3e, 17 nov. 1981 : *Gaz. Pal.* 1982, 1, pan. 142.

(23) Civ. 1re, 10 mai 1984 : *D.* 1984, I.R. 418; *Bull. civ.* I, n° 153.

(24) Civ. 3e, 8 fév. 1972 : *J.C.P.* 72, IV, 70.

(25) Soc., 18 mars 1954 : *Bull. civ.* V, n° 191. — V. aussi Com., 8 juin 1968 : *Bull. civ.* IV, n° 180, p. 161 : garagiste ayant effectué de sa propre initiative des travaux non prévus. — Civ. 3e, 7 juin 1974 : *J.C.P.* 74, IV, 269. — Civ. 1re, 7 juill. 1987 : *Rev. trim. dr. civ.* 1988, 132, obs. MESTRE : le concubin ne s'est pas appauvri sans cause lorsqu'il a effectué des travaux de rénovation dans l'immeuble de la concubine, car, d'une part, il a agi dans son propre intérêt pour améliorer son cadre de vie, d'autre part, il doit « assurer la part de risque inhérente à la précarité de l'état de concubinage ».

Dans une espèce, on a refusé l'action fondée sur l'enrichissement à une grand-mère qui a gardé et entretenu ses petits-enfants, au lieu de les remettre au père qui en avait obtenu la garde par jugement. La cause de l'appauvrissement était dans la faute de cette grand-mère... abusive.

1819. — D'une façon générale, on peut poser comme règle que si l'appauvrissement est la conséquence d'une *faute* de l'appauvri lui-même, l'action *de in rem verso* lui est refusée (26). Un arrêt de la Chambre commerciale (26-1), du 16 juillet 1985 fait application du principe dans l'espèce suivante. Une banque, par suite d'une erreur de ses services, n'avait pas refusé le paiement d'un chèque malgré l'opposition du tireur. Nonobstant cette faute à l'origine de son appauvrissement, la cour d'appel a déclaré la banque fondée à exercer contre le tireur l'action *de in rem verso*. La Cour suprême a cassé la décision pour violation de l'article 1371 du Code civil et du principe qui interdit à la personne *appauvrie par sa faute* d'agir en répétition (27). Cette solution se retrouve dans des arrêts ultérieurs (28) et s'applique, évidemment, lorsque c'est une faute *pénale* qui est à l'origine de l'appauvrissement (28-1).

B. — Absence d'autre action

1820. — D'après la jurisprudence, *l'action de in rem verso* est refusée si l'appauvri disposait d'une autre action naissant d'un contrat, d'un quasi-contrat, d'un délit ou d'un quasi-délit (28-2). On exprime cette règle en disant que l'action *de in rem verso* a un *caractère subsidiaire* (28-3).

La raison de cette règle est évidente. Si on pouvait agir *de in rem verso* alors qu'il existe une autre action visant le même cas, on créerait le désordre dans la technique juridique. Ce serait un moyen commode de tourner de

---

(26) PÉRINET-MARQUET, *Le sort de l'action de in rem verso en cas de faute de l'appauvri : J.C.P.* 82, I, 3075. — ROMANI, *La faute de l'appauvri dans l'enrichissement sans cause et dans la répétition de l'indu : D.* 1983, chron. 127. — Ph. CONTE, *Faute de l'appauvri et cause de l'appauvrissement : réflexions hétérodoxes sur un aspect controversé de la théorie de l'enrichissement sans cause : Rev. trim. dr. civ.* 1987, 223 et s.

(26-1) La chambre commerciale avait d'abord jugé le contraire (23 janv. 1978 : *J.C.P.* 80, II, 19365, note THUILLIER; *Gaz. Pal.* 1978, 1, somm. 200; *D.* 1979, I.R. 273, note CABRILLAC) avant de se rallier à la position de la Chambre civile : Civ. 1re, 22 oct. 1974 : *J.C.P.* 76, II, 18331.

(27) *D.* 1986, p. 393, note J.-L. et I.R. 313, obs. VASSEUR; *Rev. trim. dr. civ.* 1986, 110, obs. MESTRE.

(28) Com., 24 fév. 1987 : *Bull. civ.* IV, n° 50, p. 36. — Com., 15 mars 1988 : *Bull. civ.* IV, n° 105, p. 73.

(28-1) Civ. 1re, 18 janv. 1989 : *D.* 1989, I.R. 31.

(28-2) Com., 15 mars 1988 : *Bull. civ.* IV, n° 105, p. 73; *J.C.P.* 88, IV, 192. — Rappr. Com., 16 déc. 1975 : *Bull. civ.* IV, n° 308, p. 256. — Civ. 1re, 10 mai 1984 : *Bull. civ.* I, n° 153.

(28-3) DRAKIDIS, *La subsidiarité, caractère spécifique et international de l'action d'enrichissement sans cause; Rev. trim. dr. civ.* 1961, 577 et s.

nombreuses autres règles de droit (29). Par exemple, au lieu de demander la rescision pour lésion, on demanderait la restitution de l'enrichissement sans cause; de cette façon on éviterait les règles spéciales relatives à la lésion (taux de la lésion; délai très court; procédure spéciale). Ou, au lieu d'agir par l'action contractuelle en se soumettant aux règles de preuve ou de compétence des tribunaux qui lui sont particulières, on les éviterait en agissant en vertu de l'enrichissement sans cause, qui est une source d'obligation distincte des contrats (on dit aussi une source extra-contractuelle).

1821. — Mais que décider si l'appauvri disposait bien d'une autre action, mais que celle-ci est inefficace, de sorte que seule une action *de in rem verso* lui serait secourable ? Cela dépend.

1° Obstacle de droit

1822. — Si l'inefficacité de cette autre action est imputable à sa propre faute — par exemple, il a laissé prescrire son droit — il ne pourra pas agir *de in rem verso*. D'ailleurs, dans ce cas, l'appauvrissement n'est pas sans cause; celle-ci réside dans la loi elle-même qui a organisé la prescription. La solution serait la même si le demandeur était déchu de son droit d'agir par une autre voie. Il en a été ainsi jugé à propos de la créance de salaire différé : une fille avait travaillé pendant 21 ans dans l'exploitation agricole de ses père et mère, lesquels, sans lui verser de salaire, l'avaient entretenue et lui avait remis de l'argent; puis, cette personne avait volontairement quitté ses parents pour se marier et cessé toute activité agricole; de telles circonstances la privant de son action au titre du salaire différé (art. 68, al. 2, du décret-loi du 29 juill. 1939), il ne lui était pas permis de tourner cet obstacle de droit en fondant sa demande en rémunération sur l'enrichissement sans cause (30).

Autre illustation. Au cours de la vie commune, une concubine avait acquis un pavillon pour le prix de 600 000 F cependant que le concubin en avait acheté un autre, plus petit, pour le prix de 200 000 F. Lors de la cessation du concubinage, le concubin, soutenant qu'il existait une société de fait, avait demandé, à titre principal, le partage des deux pavillons, subsidiairement la condamnation de la concubine à une somme de 420 000 F en vertu du principe de l'enrichissement sans cause. Les juges du fond avaient estimé que l'existence d'une société de fait n'était pas établie et l'avaient débouté de son action de *in rem verso*. La Cour de cassation (30-1) rejette le pourvoi : l'arrêt attaqué ayant relevé que l'enrichissement du patrimoine de la concubine résultait, d'après le concubin, d'une société constituée par les parties, en a justement déduit que le concubin ne pouvait

(29) V. par exemple, Com., 2 mai 1978 : *Gaz. Pal.* 1978, I, somm. p. 271; *Bull. civ.* IV, 103. — Civ. 1re, 18 fév. 1981 : *Gaz. Pal.* 1981, 2, pan. 246.

(30) T.G.I. Dieppe, 31 mars 1977 : *Gaz. Pal.* 1977, 2, somm. p. 387; *D.* 1978, I.R. 161 (note G. Chesné et E.-N. Marrtine); *J.C.P.* 77, 18702, note J.A.

(30-1) Civ. 1re, 8 déc. 1987 : *Bull. civ.* I, n° 335, p. 241; *J.C.P.* 88, IV, 66; *D.* 1988, I.R. 4.

agir au titre de l'enrichissement, car cela « aurait abouti à tourner les règles du contrat qu'il avait invoqué à titre principal ».

2° Obstacle de fait

1823. — Mais, si l'action est inefficace par suite d'un obstacle de fait, il n'y a pas là un empêchement à agir *de in rem verso*. C'était le cas du marchand d'engrais : il avait bien une action pour se faire payer par le fermier à qui il avait vendu les produits dont il s'agit. Mais le fermier était insolvable. Son action en paiement se heurtant à cet obstacle de fait a été considérée comme inexistante, ce qui lui a permis de poursuivre le propriétaire. Toutefois, lorsque la condamnation obtenue contre un débiteur de l'appauvri reste vaine du fait de l'insolvabilité de ce dernier, il n'y a pas d'empêchement au renouvellement de l'action contre le second débiteur également enrichi sans cause dans les mêmes conditions. Un mari subvient aux besoins de l'enfant jusqu'à ce que sa paternité soit écartée dans le cadre d'une action de l'article 318 du Code civil. Il poursuit son ancienne épouse, qui se révèle insolvable, après quoi il se retourne contre le second mari aux fins d'obtenir le remboursement des sommes versées pour l'enfant. La 1re Chambre civile de la Cour de cassation (31) considère que cette nouvelle demande ne contrevient pas à la règle de subsidiarité, et ce à juste titre. En effet, les deux défendeurs ont réalisé leur enrichissement dans les mêmes conditions, lequel ouvre, au profit de l'unique appauvri, une double action : l'échec de l'une ne saurait entraîner la disparition de l'autre.

SECTION III

EFFETS DE L'ENRICHISSEMENT SANS CAUSE

1824. — Lorsque les conditions de l'enrichissement sans cause sont réunies, une obligation naît au profit de l'appauvri et à la charge de l'enrichi. Reste à préciser quel est le *montant* auquel peut être condamné l'enrichi et *à quel moment* le juge doit se placer pour l'évaluer.

§ 1. — Le montant de l'indemnité

1825. — S'agissant d'un principe fondé sur l'équité, la jurisprudence a été conduite à poser la règle suivante : l'indemnité est égale à la moindre des

(31) Civ. 1re, 1er fév. 1984 : *D.* 1984, I.R. 315, obs. D. HUET-WEILLER, *ibid.* 388, note J. MASSIP; *Rev. trim. dr. civ.* 1984, p. 712, obs. MESTRE.

deux sommes représentant l'enrichissement et l'appauvrissement (31-1). Si, par exemple, les engrais fournis valaient 1 000, mais que la plus-value ainsi donnée au fonds n'est que de 300, c'est ce dernier chiffre qui sera celui de l'indemnité. Inversement, si grâce à une dépense de 200, on procure un enrichissement de 700, l'indemnité ne saurait dépasser 200. Ce mode d'évaluation du remboursement se justifie par une double considération. D'une part, l'intérêt étant la mesure de l'action, l'appauvri ne peut réclamer plus que la perte subie. D'autre part, le remboursement au-delà de la somme déboursée conduirait à faire de l'appauvri un enrichi sans cause. Ce système, néanmoins, a été critiqué et l'on a fait valoir, en cas de plus-value notamment, qu'il serait juste que l'appauvri puisse prétendre à la totalité de l'accroissement de valeur, puisque c'est lui qui l'a fait naître (31-2).

1826. — La somme représentative du dédommagement est naturellement productive d'intérêts, mais seulement du jour où elle est judiciairement constatée (31-3). Bien sûr, rien n'empêche le juge de fixer le point de départ des intérêts à une date antérieure à sa décision, à la condition de préciser que ces intérêts ont un caractère compensatoire (32).

Cette façon de calculer l'indemnité due au titre de l'enrichissement sans cause montre la différence importante qui existe entre l'action *de in rem verso*, et celle qui naît de la gestion d'affaires. Dans ce dernier cas, le gérant — on l'a vu — peut demander toutes les dépenses utiles et nécessaires sans tenir compte si, en définitive, elles ont procuré quelque enrichissement au maître de l'affaire.

§ 2. — La date d'évaluation de l'indemnité

1827. — La réponse donnée par la Cour de cassation est que le juge doit se placer, en principe, *au jour de la demande en justice,* ou, selon les circonstances, au jour du fait générateur de l'enrichissement et de l'appauvrissement (33). Si donc, au jour de la demande, l'enrichissement n'existe plus, par exemple, la chose, objet d'amélioration, a été détruite fortuitement, l'appauvri ne peut plus rien réclamer, l'enrichissement s'étant en ce cas évanoui. Nouvelle différence à noter avec l'action de gestion d'affaires qui ne tient pas compte de la situation au jour de la demande en justice, mais

(31-1) Civ. 1re, 19 janv. 1953 : *D.* 1953, 234. — Civ. 3e, 18 mai 1982 : *D.* 1983, I.R. 14. L'enrichi n'étant tenu que dans la limite de son enrichissement, il en résulte parfois un échelonnement de la dette de remboursement : Com., 24 mars 1987 : *J.C.P.* 87, IV, 191.

(31-2) Goré, *Les lois modernes sur les baux et la réparation de l'enrichissement aux dépens d'autrui : D.* 1949, chron. 69.

(31-3) Com., 6 janv. 1987 : *Bull. civ.* IV, n° 6, p. 4; *J.C.P.* 87, IV, 84. — Com., 23 fév. 1988 : *Bull. civ.* IV, n° 83, p. 58. — Rappr. Civ. 1re, 16 nov. 1983 : *Bull. civ.* I, n° 275, p. 247.

(32) Com., 10 mai 1977 : *Gaz. Pal.* 1977, 2, somm. 259. — Civ. 1re, 5 fév. 1980 : *Gaz. Pal.* 1980, 2, pan. 344.

(33) Civ., 18 janv. 1960, préc.

des frais réels, dès lors qu'ils ont été utiles ou nécessaires au moment où ils ont été avancés.

1828. — Quant à la date du fait générateur, il se situe, lorsque les prestations donnant lieu à dédommagement ont un caractère successif et s'étalent dans le temps, à l'époque où l'enrichissement a cessé, et parfois plus tard au gré des circonstances. On l'observe, par exemple, dans l'hypothèse où une femme divorcée réclame une indemnité pour le travail fourni par elle pendant le mariage au profit de son ex-mari, sans avoir perçu de rémunération : il convient de se placer, pour apprécier le manque à gagner de la femme tout autant que l'économie du mari, à la date de la demande en divorce, en raison de l'impossibilité morale pour la femme d'agir antérieurement contre le mari (34).

1829. — En période de dépréciation de la monnaie, l'action *de in rem verso* risque d'être dérisoire, car, si les frais ont été faits plusieurs années avant le jugement, cette somme exprimée en francs a pu perdre la plus grande partie de sa valeur. Pour tenir compte de la dépréciation monétaire, la solution logique serait de réévaluer tant les frais de l'appauvri que le profit de l'enrichi, d'après leur valeur réelle au jour du jugement. Le législateur s'est engagé dans cette voie en matière d'impenses, d'accession (35) et de récompenses (36), qui sont des cas particuliers d'enrichissement sans cause. Une généralisation de ces solutions serait souhaitable pour toutes les hypothèses d'enrichissement sans cause (37).

1830. — La Cour de cassation semblait s'être orientée vers cette solution. Elle avait expressément écarté le principe nominaliste de la monnaie en matière de répétition de l'indu, qui n'est qu'un cas particulier d'enrichissement sans cause (38). Mais elle a depuis changé de position, et ce de façon catégorique, s'agissant de l'évaluation des améliorations apportées à un bâtiment par le possesseur évincé à la suite d'une action en revendication. En l'espèce, la cour de Rouen avait revalorisé le montant des travaux exécutés, fixant à 50 000 F actuels la somme de 750 000 anciens francs à laquelle s'élevait la facture d'origine. La Cour suprême, dans un arrêt du 18 mai 1982, a cassé cette décision, aux motifs que l'appauvrissement du possesseur ne pouvait avoir pour mesure que le montant *nominal* de la dépense exposée (39). Ainsi, la vérité des prix est-elle bannie, et la mystique nominaliste conduit-elle à légaliser une injustice dans un domaine, l'enrichissement sans cause, où précisément la jurisprudence avait imaginé un mécanisme dont la finalité propre était de faire régner l'équité dans les rapports juridiques.

---

(34) Civ. 1re, 26 oct. 1982 : *D.*1983, I.R. 22; *J.C.P.* 83, II, 19992, note F. TERRÉ.

(35) V. art. 548, 554 et 555, C. civ. modifiés par L. n° 60-464 du 17 mai 1960.

(36) V. art. 1469, al. 3, C. civ. modifié par L. n° 65-570 du 13 juill. 1965.

(37) V. notre note préc. au *Rec. gén. lois et jurispr.* 1960, p. 417. — V. P. FRANÇOIS, *La notion de dette de valeur en droit civil*, thèse Paris, 1975.

(38) Civ. 3e, 11 oct. 1968 : *J.C.P.* 68, IV, 176.

(39) Civ. 3e, 18 mai 1982 : *D.* 1983, I.R. 14, note A. ROBERT; *Gaz. Pal.* 1982, 2, pan. 307.

CHAPITRE III

LES OBLIGATIONS NATURELLES

1831. — Parmi les sources des obligations, une place doit être faite aux obligations naturelles (1). Elles occupent un degré intermédiaire entre les obligations purement morales dépourvues de tout effet juridique, et les obligations civiles pleinement efficaces.

L'obligation naturelle se distingue de l'obligation civile en ce qu'elle est *dépourvue d'action.* Celui envers qui cette obligation existe n'a pas d'action en justice pour en réclamer l'exécution, ne dispose à l'égard du débiteur d'une obligation naturelle d'aucun moyen de contrainte.

Mais l'obligation naturelle, si elle est dépourvue d'action en exécution, *n'est pas dépourvue d'effets juridiques.* En effet, lorsqu'elle est spontanément acquittée, le paiement ainsi fait est définitif, il ne peut être répété, on ne peut pas en demander la restitution, en prétendant qu'on a payé ce qui n'était pas dû. Toutefois, ce caractère définitif du paiement n'existe que s'il a été fait consciemment, volontairement. C'est ce qui est clairement dit dans l'article 1235, alinéa 2, du Code civil, seul texte qui mentionne les obligations naturelles :

« La répétition n'est pas admise à l'égard des obligations naturelles qui ont été volontairement acquittées ».

Après avoir exposé les situations dans lesquelles se manifeste l'obligation naturelle, on indiquera les principaux effets auxquels elle donne naissance.

(1) THOMAS, *Essai sur les obligations naturelles en droit privé français*, Montpellier 1932. — J.-J. DUPEYROUX, *Contribution à la théorie générale de l'acte à titre gratuit,* thèse Toulouse, 1955, n° 317 et s. — M. GOBERT, *Essai sur le rôle de l'obligation naturelle*, thèse Paris, 1957, préface J. FLOUR. — G. RIPERT, *La règle morale dans les obligations civiles*, 4e éd., 1949, n° 186 et s. — J.-J. DUPEYROUX, *Les obligations naturelles, la jurisprudence, le droit : Mélanges Maury*, t. II, p. 321. — J. FLOUR, *La notion d'obligation naturelle et son rôle en droit civil : Travaux Association Capitant*, t. VII, 1952, p. 813. — L. DE NAUROIS, *Obligation juridique et obligation morale : Mélanges Faletti*, 1971, p. 423. — *Rép. dr. civ. Dalloz, V° Obligation naturelle* par R. BOUT.

SECTION I

CAS D'OBLIGATIONS NATURELLES

1832. — C'est la jurisprudence qui, de façon toute prétorienne, indique les cas dans lesquels il existe des obligations naturelles (1-1). Ces cas peuvent être groupés en deux catégories : ce sont, ou bien des *obligations civiles imparfaites*, c'est-à-dire auxquelles manque quelque condition pour être pleinement efficaces; ou bien des *devoirs de conscience* particulièrement impérieux.

§ 1. — Les obligations civiles imparfaites

1833. — On parle, d'abord, d'obligation naturelle dans le cas où il n'y a pu avoir d'obligation civile, par suite d'un obstacle juridique ayant empêché sa naissance ou sa survie. Dans certains cas, le rapport de droit n'a pas accédé à la vie civile parce que telle condition n'était pas remplie : l'obligation est *avortée.* Dans d'autres cas, le lien de droit, valablement formé, se distend et perd son efficacité : l'obligation est *dégénérée.*

A. — Obligations civiles avortées

1834. — La déficience observée dans la plupart des conditions de formation du contrat imprime, *in ovo,* un caractère seulement naturel à l'obligation.

— *Capacité* : la personne qui a contracté une obligation qui est entachée de nullité pour incapacité reste tenue, malgré tout, d'une obligation naturelle (2). Ainsi en va-t-il, par exemple, du mineur ayant traité à la veille de sa majorité ou du majeur en tutelle ayant donné son consentement dans un intervalle lucide.

—*Objet et cause* : l'annulation de l'acte pour objet ou cause illicite ou immoral ne crée pas, en règle générale, d'obligation naturelle (3), pour cette raison qu'elle serait elle-même entachée d'immoralité ou d'illicéité. Cepen-

---

(1-1) Sur une espèce singulière qui montre le pouvoir créateur du juge : Paris, 7 mars 1989 : *J.C.P.* 89, *Actualités*, n°s 13 et 14.

(2) Civ., 9 mars 1896 : *S.* 1897, 1, 225, note A. ESMEIN.

(3) Req., 18 mars 1895 : *D.* 95, 1, 346. — Grenoble, 26 juin 1907 : *D.* 1908, 2, 363 (nullité d'une contre-lettre relative au prix de cession d'un office ministériel). — Civ. 2e, 8 mars 1963 : *J.C.P.* 63, II, 13195.

dant, on a jugé en sens contraire au sujet d'une clause d'indexation dont la nullité avait été prononcée : l'engagement de l'héritier de l'emprunteur de payer le créancier « en tenant compte, dans une large mesure, de la dévaluation du franc », est civilement obligatoire comme « justifié par des conditions de probité entre parents » (4). Mais, depuis, la Cour de cassation, à propos d'une promesse d'aliments consentie pour obtenir le divorce, a posé en terme de principe qu'il n'y a pas d'obligation naturelle à exécuter une promesse dont la cause est illicite (4-1).

— *Forme* : il en est ainsi, encore, d'un legs fait sans les formes imposées par la loi : par exemple, un legs verbal (5) ou figurant dans un testament nul en la forme. Les héritiers sont, malgré cette nullité, tenus d'une obligation naturelle envers les légataires. S'agissant des donations, le Code civil règle la situation à l'article 1340 d'après lequel : « la confirmation ou ratification ou exécution volontaire d'une donation par les héritiers ou ayants cause du donateur, après son décès, emporte leur renonciation à opposer soit les vices de forme soit toute autre exception ». Le principe étant que le manquement à la solennité entraîne la nullité absolue, on a cherché à justifier la possibilité de confirmation par l'existence d'une obligation naturelle à la charge des héritiers.

—*Consentement* : par contre, si la nullité de l'acte résulte d'un vice du consentement, elle ne donne pas naissance, semble-t-il, à une obligation naturelle à la charge du débiteur qui obtient l'annulation. Mais, si le vice ayant cessé, ce dernier paie en connaissance de cause, le paiement vaut confirmation, il ne pourra donc pas être répété.

B. — Obligations civiles dégénérées

1835. — Cette qualification vise les hypothèses où l'obligation est civilement éteinte, sans que le créancier ait reçu satisfaction.

Lorsqu'une action en justice n'est pas possible parce que la dette est éteinte par prescription ou par suite d'un jugement passé en force de chose jugée, il subsiste, cependant, à la charge du débiteur, une obligation naturelle (6). Il est même admis que le paiement d'une dette prescrite est tenu pour valable, même si le *solvens* s'est acquitté dans l'ignorance de l'achèvement de la precription (6-1). Solution singulière si on se réfère à l'arti-

---

(4) Paris, 30 avril 1958 : *D.* 1959, 553, note Ph. MALAURIE; *J.C.P.* 59, II, 11015, note M. PETOT.

(4-1) Civ., 8 mars 1963 : *Gaz. Pal.* 1963, 2, 147; *J.C.P.* 63, II, 13195.

(5) Civ. 1re, 27 déc. 1963 : *Bull. civ.* I, 573. — T.G.I. Millau, 26 fév. 1970 : *Gaz. Pal.* 1970, 1, 253.

(6) Req., 17 janv. 1938 : *D.* 1940, 1, 57.

(6-1) Com., 8 juin 1948 : *D.* 1948, 376.

cle 1235, alinéa 2 du Code civil d'après lequel « la répétition n'est pas admise à l'égard des obligations naturelles qui ont été *volontairement* acquittées ».

Citons le cas du commerçant en faillite (aujourd'hui en état de liquidation judiciaire) à qui ses créanciers ont accordé un *concordat.* Le concordat est une remise de dette : les créanciers, votant à une certaine majorité, renoncent, par exemple, aux deux tiers de leurs créances afin de pouvoir être payés du tiers. Les tribunaux estiment que la remise de dette concordataire laisse subsister à la charge du débiteur une obligation naturelle (7). Il n'y a pas de raison pour refuser de transposer cette solution à l'entreprise en état de redressement judiciaire lorsque les créanciers consentent des remises au débiteur (art. 24, L. n° 85-98, 25 janv. 1985).

Toutefois, la Chambre commerciale a approuvé les juges du fond d'avoir considéré que l'engagement sur l'honneur de rembourser le débit de son compte, loin de constituer une obligation naturelle, engendrait une obligation parfaite relevant des voies d'exécution (8).

§ 2. — Les devoirs de conscience

1836. — Lorsqu'on est en présence d'une obligation civile imparfaite, les racines de l'obligation naturelle sont identiques à celle d'une obligation civile parfaite, en ce sens qu'elles dérivent toutes deux de la loi conçue *lato sensu.* Ce qui les distingue, c'est leur aptitude à naître et à se maintenir dans la vie juridique. Il en va différemment avec les devoirs de conscience qui ne puisent jamais aux sources du droit, mais uniquement « au for de l'honneur et de la conscience ».

L'élévation du devoir de conscience au rang d'obligation naturelle n'est pas nouvelle. Elle est l'œuvre du Bas-Empire sous l'influence du christianisme. Ce fondement charitable se retrouve dans l'Ancien droit qui, par Pothier, se transmet discrètement au Code civil dans l'article 1235. En simplifiant beaucoup, on retiendra, comme étant les plus pratiqués, trois sortes de devoirs moraux que la jurisprudence prend en considération (8-1) : devoir de reconnaissance, devoir de réparation, devoir d'assistance.

(7) Civ., 29 janv. 1900 : *D.* 1900, 1, 200.

(8) 23 déc. 1968 : *D.* 1969, somm. 71; *Bull. civ.* IV, n° 374; *Rev. trim. dr. civ.* 1969, p. 771, obs. LOUSSOUARN.

(8-1) PLANIOL, *L'assimilation progressive de l'obligation naturelle et du devoir moral : Rev. crit. législ. et jurispr.* 1913, 152. — R. BARREAU, *Les obligations de conscience en droit civil,* thèse Caen, 1916. — VABRIESCO, *Les obligations naturelles et les devoirs moraux comme notions indépendantes*, thèse Paris, 1921.

A. — Devoir de reconnaissance

1836-1. — La reconnaissance est un sentiment qui n'engendre aucune obligation. Mais, si on décide de traduire en acte sa gratitude, on se trouve en présence d'une donation rémunératoire, sur la nature de laquelle les auteurs ont beaucoup discuté (8-2). Il semble qu'il faille, avec Josserand et Ripert, y voir une obligation naturelle dès l'instant que le disposant s'est cru tenu en conscience de faire un geste à l'égard de son bienfaiteur (8-3). La jurisprudence fait une distinction : ou bien la donation veut récompenser un service inappréciable en argent et il y a libéralité au sens technique du terme, ou bien la donation veut récompenser un service ayant une valeur pécuniaire et il y a obligation naturelle de rémunérer.

Les tribunaux ont, parfois, l'occasion de constater l'existence d'une obligation naturelle de reconnaissance promue au rang d'obligation civile compte tenu des circonstances. Un arrêt de la Chambre civile du 16 juillet 1987 est, à cet égard, très révélateur (8-4). Les époux Cosani avaient acheté un terrain sur lequel ils avaient fait construire un pavillon comprenant deux logements : un pour eux, l'autre gracieusement mis à la disposition des époux Nicolas, beaux-parents du sieur Cosani. L'acquisition comme les constructions n'avaient été possibles que grâce à des prêts consentis sans intérêt et pour une durée indéterminée par les époux Nicolas. Au cours de l'instance en divorce des consorts Cosani, le gendre avait demandé l'expulsion de ses beaux-parents et le versement d'une indemnité pour l'occupation du logement. Les époux Nicolas assignaient alors en remboursement des prêts et obtenaient satisfaction, la cour de Paris reconnaissant que la fourniture du logement constituait la manifestation d'un devoir de reconnaissance et l'exécution de l'obligation contractée envers les époux Nicolas. La Cour de cassation approuve sans réserves l'appréciation de la cour de Paris, attendu que les juges du fond avaient souverainement estimé que les époux Cosani, en logeant leurs parents et beaux-parents, avaient entendu *nover leur devoir de reconnaissance envers eux en un engagement précis d'hébergement gratuit*, que cet engagement naturel devait survivre tant au divorce qu'au remboursement des prêts et que rien ne s'opposait à la transmission de cette obligation à l'indivision post-communautaire.

(8-2) M. Gobert, *op. cit.*, p. 54 et s. — Dupeyroux, *op. cit.*, p. 637. — Flour, *op. cit.*, p. 829.

(8-3) Ripert, *op. cit.*, n° 202. — Josserand, *Les mobiles dans les actes juridiques*, n° 67.

(8-4) *D.* 1987, I.R. 180; *Bull. civ.* I, n° 224, p. 164; *Rev. trim. dr. civ.* 1988, 133, obs. Mestre.

B. — Devoir d'assistance

1836-2. — On en citera quelques-uns parmi les plus caractéristiques. Ainsi, on estime qu'il existe une obligation alimentaire entre frères et sœurs qui a les caractères d'une obligation naturelle (9) et il en est de même entre alliés (10). Des obligations naturelles ont été surtout reconnues envers les enfants naturels non reconnus, obligation de les nourrir et de les élever et cela, même à l'égard des enfants adultérins et incestueux, avant que la loi du 15 juillet 1955 ne vienne créer en leur faveur une créance alimentaire civile (C. civ., art. 342, al. 2 à 4) (11) et que la loi du 3 janvier 1972 remplace cette créance par l'action à fins de subsides (C. civ., art. 342 à 342-8).

Un devoir de ce type a également été reconnu entre époux divorcés. Dans une espèce (11-1) où la femme avait été déboutée de sa demande de prestation compensatoire et où l'ex-mari s'était postérieurement engagé par acte sous seing privé à servir une pension alimentaire, la Cour de cassation a rejeté le pourvoi contre l'arrêt déclarant obligatoire l'engagement susdit : « attendu que l'arrêt retient... que l'obligation naturelle de M. X trouvait sa source dans l'acte lui-même et suffisait à donner une cause valable à l'engagement, civilement obligatoire, qu'il avait pris pour remplir un devoir de conscience; que, par ces énonciations, la cour d'appel a légalement justifié sa décision ». La Cour suprême ajoute que l'arrêt retient à bon droit que, si la nouvelle législation du divorce a, pour certains cas de divorce, supprimé le devoir de secours, elle n'a pas pour effet de priver de valeur l'obligation contractée dans un acte sous seing privé.

C. — Devoir de réparation

1837. — De nombreux arrêts ont admis l'existence d'une obligation de réparer le préjudice causé, alors même que les conditions de la responsabilité civile n'étaient pas réunies : l'auteur du dommage n'était pas civilement responsable à cause de son âge, ou par suite de son état de démence, ou parce que sa faute n'est pas établie (12); le mari avait le sentiment de ne pas avoir correctement géré la communauté (13)...

(9) Req., 5 mars 1902 : *D.* 1902, 1, 220. — Paris, 25 avril 1932 : *D.H.* 1933, somm. 25.

(10) Req., 10 janv. 1905 : *D.* 1905, 1, 47. — Un jugement a reconnu l'existence d'une obligation naturelle entre grands-parents et l'enfant naturel de leur enfant légitime, entre lesquels il n'y a pas de parenté légale, mais seulement une parenté « par le sang » (Trib. civ. Alençon, 28 janv. 1931 : *D.* 1931, 2, 127).

(11) Civ., 11 mars 1936 : *D.* 1937, 1, 16. — Colmar, 20 déc. 1960 : *D.* 1961, 207.

(11-1) Civ. 2e, 9 mai 1988 : *Bull. civ.* II, n° 111, p. 59,

(12) Req., 7 mars 1911 : *D.P.* 1913, 1, 404. — Rennes, 7 mars 1904 : *D.* 1905, 2, 305, note PLANIOL. — Trib. civ. Alençon, 29 juill. 1932 : *D.H.* 1932, 564 : séducteur, non civilement responsable, tenu d'une obligation naturelle d'indemniser.

(13) Civ., 5 avril 1892 : *D.* 1893, 1, 234; *S.* 1895, 1, 129, note BALLEYDIER.

Le devoir de réparation pèse, aussi, sur le concubin qui abandonne sa concubine. Il est de jurisprudence constante que le compagnon est tenu d'une obligation naturelle de dédommager sa compagne du préjudice que lui cause la rupture (13-1). En conséquence, lorsqu'un amant s'engage à fournir des subsides à sa maîtresse, il remplit un devoir de conscience, et son exécution volontaire nove en obligation civile l'obligation naturelle dont il s'était reconnu débiteur. Selon certaines décisions, cette dette grève les héritiers de l'amant, sauf intention de lui conférer un caractère exclusivement personnel (13-2).

De cette jurisprudence, on rapprochera l'espèce où un homme est débouté de sa demande en remboursement des pensions alimentaires qu'il avait versées pour l'entretien d'un enfant, après annulation de la reconnaissance et mise à néant de la légitimation subséquente : « en reconnaissant l'enfant de la femme qu'il devait épouser par la suite et qu'il savait ne pas être le sien, le faux père avait contracté l'engagement de subvenir comme un père aux besoins de celle qu'il avait librement décidé de considérer comme sa fille, engagement dont l'octroi de dommages-intérêts a notamment pour objet de sanctionner l'inobservation » (13-3).

1838. — Quant à l'obligation de doter, la question est plus complexe qu'on ne la présente d'ordinaire. La constitution de dot, obligatoire en droit romain et ultérieurement dans les pays de droit écrit, fut reconnue simplement facultative dans les pays de coutume : *Ne dote qui ne veut* (14); mais on y voyait une obligation naturelle. Les rédacteurs du Code civil, répudiant sans aucun doute la règle romaine, posèrent en règle (art. 204) que l'enfant n'a pas d'action contre ses père et mère pour un établissement par mariage ou autrement. La majorité de la doctrine classique y vit une consécration de la solution coutumière; mais, depuis, une réaction s'est fait jour. On a abservé, depuis, que cette doctrine ne pouvait convenir que dans les rapports de l'ascendant constituant et de l'enfant doté, car le devoir de conscience d'établir le descendant ne peut exister que dans les rapports de famille; une telle explication ne saurait valoir losrque la dot est constituée par un tiers qui n'est tenu d'aucune obligation morale envers l'enfant. Aujourd'hui, la position dominante ne considère plus la constitution de dot comme une obligation naturelle, parce qu'elle est traitée, pour l'essentiel, comme une donation. La jurisprudence du XXe siècle, qui se réduit à

(13-1) Civ., 27 mai 1862 : *D.P.* 1862, 1, 208. — 16 oct. 1956 : *J.C.P.* 57, II, 9701; *S.* 1957, 43, note DE MONTERA.

(13-2) Paris, 19 janv. 1977 : *D.* 1977, I.R. 322.

(13-3) Civ. 1re, 21 juill. 1987 : *D.* 1987, I.R. 187; *Rev. trim. dr. civ.* 1988, 134, obs. MESTRE; *D.* 1988, 225, note J. MASSIP.

(14) ROLAND et BOYER, *Adages*, p. 567 et s.

quelques arrêts d'appel, est très incertaine, écartant (15) ou admettant (16) l'existence en l'espèce d'une obligation naturelle.

Certains auteurs admettent qu'une dette de jeu est également une obligation naturelle (17). Mais ce point de vue nous paraît contestable, car on ne retrouve pas à l'égard des dettes de jeu les effets ordinaires des obligations naturelles. Quels sont précisément ces effets ?

SECTION II

EFFETS DE L'OBLIGATION NATURELLE

§ 1. — Le refus de l'action en justice

A. — Irrecevabilité des actions en paiement et en répétition

1839. — L'effet le plus caractéristique de l'obligation naturelle est qu'elle échappe à toute action en justice (18). Le créancier n'est pas admis à agir *en paiement* car il invoque une obligation non exigible, comme étant subordonnée à une condition purement potestative de la part du débiteur. Le débiteur, de son côté, ne peut pas agir *en répétition* de son paiement, étant donné que ce qu'il a payé était dû, quoique non civilement.

1840. — Cette infériorité procédurale explique la doctrine classique qui présente la créance naturelle comme un droit démuni d'action, par opposition à la créance civile qui est un droit pourvu d'action. Mais, une telle analyse n'est pas suffisante. D'une part, il existe des droits qui sont privés de toute réalisation judiciaire et qui ne figurent pas pour autant parmi les obligations naturelles, comme les primes d'assurances sur la vie (C. ass., art. L. 132-20). D'autre part, le défaut de sanction étatique ne représente par la seule amputation que subit l'obligation naturelle, puisque bon nombre d'institutions lui sont inapplicables, telles que la compensation, la constitution d'hypothèque ou le cautionnement. On ne saurait, donc, soutenir que l'obligation naturelle est une obligation juridique ordinaire à laquelle manque, seulement, la protection que l'État offre par l'intermédiaire de ses tribunaux.

---

(15) Montpellier, 16 déc. 1901 : *D.* 1907, 241, note CAPITANT. — Paris, 22 déc. 1924 : *Gaz. Pal.* 1925, 1, 272.

(16) Poitiers, 26 avril 1923 : *D.* 1923, 2, 121, note SAVATIER. — Aix-en-Provence, 29 nov. 1938 : *D.H.* 1939, 157.

(17) COLIN et CAPITANT, t. II, n° 464, qui suivent l'opinion de POTHIER.

(18) Civ. 1re, 14 fév. 1978 : *Bull. civ.* I, n° 59.

B. — Cas spécial de la dette de jeu

1841. — L'article 1965 du Code civil dispose :

« La loi n'accorde aucune action pour une dette de jeu ou pour le paiement d'un pari ».

Il en résulte que le gagnant ne peut réclamer au perdant le montant de son gain. Si ce dernier était poursuivi en paiement, il pourrait opposer l'exception de jeu. En d'autres termes, il n'y a pas vraiment de contrat liant les joueurs ou, à tout le moins, ce contrat n'est pas exécutoire. Le même régime est applicable au prêteur des deniers avancés pour permettre ou continuer le jeu , qui n'a aucun moyen pour rentrer dans ses fonds. Si la loi lui fait un sort aussi défavorable, c'est pour le détourner d'aider à une activité immorale qui favorise l'endettement ou la ruine du joueur (19).

1842. — Cette règle n'a pas un empire illimité. En premier lieu, elle a été déclarée inapplicable au P.M.U. par un arrêt de la première Chambre civile du 4 mai 1976 (20) : deux parieurs achètent en commun un ticket de tiercé, puis l'un réclame à l'autre sa part de gain; le premier refuse à tort de s'acquitter, selon la Cour de cassation, vu que le P.M.U. étant autorisé et réglementé par les pouvoirs publics, l'opération échappe au fonctionnement de l'exception de jeu.

1843. — La seconde exception vise les jeux pratiqués dans les casinos des stations balnéaires, thermales et climatiques. La Cour de cassation, statuant en Chambre mixte (21), renversant sa jurisprudence, a posé que, la tenue de jeux de hasard dans de tels établissements étant autorisée par la loi et réglementée par les pouvoirs publics, la demande en remboursement du montant d'un chèque sans provision formée par un casino ne pouvait être rejetée au motif que la dette du tireur était une dette de jeu pour laquelle la loi n'accorde aucune action. Toutefois, le chèque de casino n'est exécutoire que s'il constitue un instrument de paiement reçu au comptant, non pas s'il vise à couvrir un prêt ou une avance pour alimenter le jeu (22). Par conséquent, l'exception de jeu retrouve son empire lorsque le chèque irrégulier en la forme ne constitue qu'un titre de créance (22-1), lorsque l'exploitant du casino a eu connaissance que le chèque remis n'était pas provisionné (22-2), lorsqu'il résulte des circonstances, notamment de l'établissement du chèque sur des formules du casino, que l'opération n'a eu pour but que de couvrir

---

(19) Civ. 1re, 24 nov. 1969 : *J.C.P.* 71, II, 16728, note BÉNABENT (1re espèce).

(20) *J.C.P.* 77, II, 18540, note DE LESTANG.

(21) Ch. mixte, 14 mars 1980 : *Gaz. Pal.* 1980, 1, 290, concl. ROBIN; *D.* 1980, I.R. 336, note PUECH et 434, note CABRILLAC.

(22) Civ. 1re, 31 janv. 1984 : *Bull. civ.* I, n° 41; *D.* 1985, 40, note P. DIENER; *Gaz. Pal.* 1984, 1, 291, note DOUCET. — V. H. MAYER, *Jeux et exception de jeu : J.C.P.* 84, I, 3141.

(22-1) Civ. 1re, 22 nov. 1988 : *D.* 1989, I.R. 6; *J.C.P.* 89, IV, 29.

(22-2) Civ. 1re, 18 janv. 1984 : *Gaz. Pal.* 1984, 1, 291, note DOUCET.

un prêt pour le jeu (22-3). Par contre, l'exception de jeu est irrecevable lorsque le chèque procède d'un accord de commodité; tel est le cas du joueur qui, à plusieurs reprises, demande à la caisse les jetons nécessaires au jeu, sans établir un chèque à chaque fois, parce qu'il est entendu qu'il en signera un seul en fin de soirée; s'il refuse de s'exécuter, il pourra être poursuivi en paiement (22-4).

1844. — L'article 1967 du Code civil exclut, également, l'action en répétition en ces termes :

« Dans aucun cas, le perdant ne peut répéter ce qu'il a volontairement payé, à moins qu'il n'y ait eu, de la part du gagnant, dol, supercherie ou escroquerie ».

L'absence d'action en paiement, d'une part, l'absence d'action en répétition, d'autre part, a fait dire à certains auteurs que la dette de jeu est une obligation naturelle. Cette idée ne nous paraît pas exacte. La théorie des obligations naturelles repose sur un fondement moral. On estime que certains devoirs, bien que non sanctionnés civilement, n'en existent pas moins en conscience, et cela de façon suffisamment impérieuse pour avoir certains effets. Or, le jeu et le pari sont considérés comme immoraux. Il serait singulier de prétendre que l'on est tenu, en conscience, d'exécuter une obligation immorale !

D'ailleurs, l'un des effets les plus caractéristiques de l'obligation naturelle ne se retrouve pas lorsqu'il s'agit de dettes de jeu : le fait de promettre de payer ce genre de dette ne la transforme pas en obligation civile valable. Le billet souscrit en paiement d'une dette de jeu est nul de nullité absolue. Cela s'explique facilement du fait qu'une cause immorale ne peut donner naissance à une obligation valable.

Alors, comment expliquer la règle de l'article 1967 écartant l'action en répétition ? La raison en est bien simple. Ce texte est une application de la règle générale qui défend d'agir en justice en invoquant un acte immoral : Nul ne peut se prévaloir en justice de sa propre turpitude ! Or, le perdant devrait invoquer le jeu ou le pari pour se faire rembourser : l'adage précité le lui défend.

§ 2. — L'application des règles du paiement

A. — Reconnaissance de l'obligation naturelle

1845. — Le simple fait de promettre le paiement de ce qui, jusqu'alors, n'était qu'une obligation naturelle, modifie la situation : désormais, celui qui a promis d'exécuter sera réellement tenu, c'est-à-dire tenu *civilement.* Sa promesse l'astreint à une obligation civile ordinaire (23).

(22-3) Civ. 1re, 20 juill. 1988 : *Bull. civ.* I, n° 257, p. 177; *J.C.P.* 88, IV, 348.

(22-4) Civ. 1re, 3 mai 1988 : *J.C.P.* 88, IV, 237; *D.* 1988, I.R. 141.

(23) Civ., 14 janv. 1952 : *D.* 1952, 177, note LENOAN. — Civ. 1re, 16 juill. 1987 : *D.* 1987, I.R. 180.

Comment cela s'explique-t-il ? On déclare, couramment, qu'en ce cas, il s'opère une *novation* : l'obligation naturelle est novée en obligation civile. L'explication est contestable, car la novation — on le verra — présuppose l'existence d'une dette véritable que l'on éteint pour en créer une autre. Or, l'obligation naturelle n'est pas une dette civile véritable.

La raison du caractère obligatoire de la promesse de payer une dette naturelle est autre. Une promesse de payer est civilement valable dès lors qu'elle remplit les conditions ordinaires de validité de toute obligation : consentement, capacité, objet et cause. Or, *l'existence d'une obligation naturelle constitue précisément une cause valable de l'engagement.* Celui-ci réunit donc l'ensemble des conditions de validité d'une obligation véritable.

1846. — Etant donné que l'acquittement d'une obligation naturelle implique, dans tous les cas, une appréciation d'ordre subjectif du devoir moral, la promesse ou le paiement doit émaner de celui sur qui pèse l'obligation naturelle, personnellement, et non, s'il est incapable, de son représentant légal (24). Mais la dette naturelle novée en dette civile grève les héritiers, sauf volonté déclarée de conférer à cette dette un caractère exclusivement personnel, donc intransmissible (25).

1847. — L'obligation civile née de l'obligation naturelle emprunte à l'opération de novation sa configuration juridique; en d'autres termes, c'est la promesse de s'acquitter qui fixe les limites et les conditions de la créance civile (26). Par ailleurs, l'engagement de payer est soumis au droit commun de la preuve : il doit résulter d'un titre probatoire complet ou, tout au moins, d'un commencement de preuve par écrit corroboré par témoignages ou présomptions (27).

B. — Acquittement de l'obligation naturelle

1848. — Celui qui a spontanément payé ou spontanément reconnu devoir une obligation naturelle n'est pas considéré comme ayant fait une libéralité. Il n'a payé — ou promis de payer — que ce qu'il devait. Il en résulte que, ni les règles de forme (acte authentique), ni les règles de fond, ni les effets propres aux libéralités ne s'appliquent à ces paiements ou à ces promesses de payer.

1849. — Seule *la constitution de dot* déroge, en partie, aux règles ci-dessus indiquées. Certes, si les parents remettent une dot à leur enfant, ils ne peuvent la répéter (28); de plus ils sont tenus des intérêts dès la célébration

(24) T.G.I. Millau, 26 fév. 1970 : *Gaz. Pal.* 1970, 1, 253.

(25) Paris, 19 janv. 1977 : *D.* 1977, I.R. 332.

(26) Civ. 1re, 29 mai 1956 : *Gaz. Pal.* 1956, 2, 83.

(27) Paris, 18 oct. 1960 : *J.C.P.* 60, II, 11798 *bis*, note R.B.

(28) Poitiers, 26 avril 1923 : *D.* 1923, 2, 121, note SAVATIER.

du mariage, en l'absence de toute mise en demeure, et doivent la garantie contre l'éviction et les vices : de telles règles montrent clairement qu'entre parents et enfants la constitution de dot est à titre onéreux. Ce qui le prouverait surabondamment, c'est qu'il est permis de doter par acte sous seing privé ou même verbalement (29), alors que l'acte notarié est requis pour la validité des donations. Mais, il en va tout différemment dans les rapports entre l'enfant doté et ses frères et sœurs, où les règles des libéralités sont applicables, en ce sens que la constitution de dot est réductible lorsqu'elle excède la quotité disponible et rapportable à la succession pour respecter l'égalité entre les co-partageants.

(29) Req., 5 mars 1902 : *D.* 1902, 1, 220 (sol. impl.). — Poitiers, 26 avril 1923 : *D.* 1923, 2, 121, note R. SAVATIER.

BIBLIOGRAPHIE USUELLE

— Bénabent, *Droit civil, Les obligations*, Montchrestien, 1987 (*).

— Carbonnier, *Droit civil*, t. IV (Les obligations), P.U.F., 13e éd., 1988 (*).

— Farjat, *Droit privé de l'économie*, t. II (Théorie des obligations), P.U.F., 1975.

— Flour et Aubert, *Les obligations*, vol. 1 (L'acte juridique), Armand Colin, 2e éd., 1988; vol. 2 (Le fait juridique), Armand Colin, 1981, *Addendum*, juin 1986 (*).

— Ghestin, *Traité de droit civil, Les obligations, Le contrat : Formation*, L.G.D.J., 2e éd., 1988 (*).

— Goubeaux, *Manuel de droit civil de P. Voirin*, L.G.D.J., 21e éd., 1984.

— Guiho, *Cours de droit civil*, t. IV (Les obligations), L'Hermès, 2e éd., 1983; *Travaux dirigés de droit civil*, t. II (Les obligations), L'Hermès, 1986.

— Lambert-Faivre, *Droit des assurances*, Dalloz, 6e éd., 1988.

— Larroumet, *Droit civil*, t. III (Les obligations), 1re partie, Économica, 1986 (*).

— Le Tourneau, *La responsabilité civile*, Dalloz, 3e éd., 1982.

— Malaurie et Aynès, *Droit civil, Les obligations*, Cujas, 1986 (*).

— Malaurie et Aynès, *Droit civil, Les contrats spéciaux*, Cujas, 2e éd., 1988.

— Malinvaud, *Les mécanismes juridiques des relations économiques, droit des obligations*, Litec, 4e éd., 1985.

— Marty et Raynaud, *Traité de droit civil*, t. II, (Les obligations), Sirey, 1962 et *Les obligations*, t. I (Les sources), Sirey, 1988 (*).

— Mazeaud, (H., L. et J.), *Leçons de droit civil*, t. II (Obligations) : théorie générale, 7e éd. par Chabas, Montchrestien, 1985 (*).

(*) Ouvrages cités par le seul nom de l'auteur.

— OURLIAC et MALAFOSSE, *Histoire du droit privé*, t. I (Les obligations), P.U.F., 1969.

— RIPERT et BOULANGER, *Traité de droit civil*, t. II (Les obligations), L.G.D.J., 1957.

— ROLAND et BOYER, *Adages du droit français*, 2 vol., L'Hermès, 2e éd., 1986 (par abréviation, l'ouvrage est cité : *Adages*).

— ROLAND et BOYER, *Expressions latines du droit français*, L'Hermès, 2e éd., 1985.

— ROLAND et BOYER, *Introduction au droit*, 2e éd. de l'*Introduction au droit civil* de B. STARCK, Litec, 1988.

— SAVATIER, *La théorie des obligations*, 3e éd., 1974.

— STARCK, ROLAND, BOYER, *Droit civil, Obligations, 1, Responsabilité délictuelle*, Litec, 3e éd., 1988.

— VINEY, *Traité de droit civil, La responsabilité : conditions*, L.G.D.J., 1982.

— VINEY, *Traité de droit civil, La responsabilité : effets*, L.G.D.J., 1988.

— WEILL et TERRÉ, *Les obligations*, Dalloz, 4e éd., 1986.

(*) Ouvrages cités par le seul nom de l'auteur.

INDEX ALPHABÉTIQUE

(Les chiffres renvoient aux numéros d'alinéas)

F

G

N

O

P

S

U

V

TABLE DES MATIÈRES

TITRE II

LES CONTRATS

TITRE III

LES AUTRES SOURCES D'OBLIGATIONS

24, rue Négreneys - 31200 TOULOUSE
Dépôt légal n° 3206 - Mai 1989